P9-ASN-098

**NORD PAS-DE-CALAIS
ET PICARDIE**
Pages 186-201

**CHAMPAGNE
ET ARDENNES**
Pages 202-215

**LORRAINE
ET ALSACE**
Pages 216-233

• **Reims**

LE NORD ET L'EST

Strasbourg •

Troyes •

Dijon •

**BOURGOGNE
ET FRANCHE-COMTÉ**
Pages 344-371

**MASSIF
CENTRAL**
Pages 372-393

LE CENTRE DE LA
FRANCE ET LES ALPES

Lyon •

Grenoble •

**VALLÉE DU RHÔNE
ET ALPES**
Pages 394-415

LE MIDI

**LANGUEDOC-
ROUSSILLON**
Pages 502-527

**PROVENCE ET
CÔTE D'AZUR**
Pages 528-565

Ajaccio •

CORSE
Pages 566-577

ALBUMS VOIR

FRANCE

FRANCE

HACHETTE

HACHETTE TOURISME
43, quai de Grenelle, 75905 Paris Cedex 15

DIRECTION
Cécile Boyer-Runge

DIRECTION ÉDITORIALE
Catherine Marquet

ÉDITION
Catherine Laussucq

TRADUIT ET ADAPTÉ DE L'ANGLAIS PAR
Dominique Brotot, Olivier Le Goff et
Lise-Éliane Pommier

AVEC LA COLLABORATION DE
Sylvie Chambadal, Béatrice Giblin, Diane Meur,
Patrice Milleron, Denis Montagnon,
Myriam Schonigman, Aurélie Prégliasco

MISE EN PAGES
Maogani

Titre original :
Eyewitness Travel Guides : France
© Dorling Kindersley Limited, Londres, 1994, 2003
Eyewitness Travel Guides Brittany,
p. 20-21, 24-25, 60-61, 166-167, 192-193, 208-209
© Dorling Kindersley Limited, Londres, 2003
Eyewitness Travel Guides Provence,
p. 80-81, 118-119, 120-121, 134-135
© Dorling Kindersley Limited, Londres, 1995, 2003
Eyewitness Travel Guides Loire Valley, p. 18-19, 24-25, 80-81
© Dorling Kindersley Limited, Londres, 1994, 2001, 2003
© Hachette Livre (Hachette Tourisme) 2004
pour la traduction et l'édition française
Cartographie © Dorling Kindersley 2003

DÉPÔT LÉGAL : 38203 octobre 2003
ISBN : 2-01-240000-0
ISSN : 1246 - 8134
Collection 32 - Édition 01
N° DE CODIFICATION : 24-0000-0

Aussi soigneusement qu'il ait été établi, cet ouvrage
n'est pas à l'abri des changements de dernière heure.
Faites-nous part de vos remarques, informez-nous
de vos découvertes personnelles : nous accordons
la plus grande attention au courrier de nos lecteurs.

SOMMAIRE

Buste de Charlemagne

PRÉSENTATION DE LA FRANCE

PARIS ET L'ÎLE-DE-FRANCE

Saint-Jean-de-Luz

Palais des Papes, Avignon

Cathédrale d'Amiens

Vendanges en Alsace

AVANT-PROPOS

Pour faciliter votre découverte de la France au fil des pages, voici quelques informations sur l'organisation de cet album. L'introduction, *Présentation de la France*, situe le pays dans son contexte géographique et historique. Dans *Paris et l'Île-de-France* et les quinze chapitres consacrés aux régions, plans, textes et illustrations présentent en détail les principaux sites et monuments.

PARIS ET L'ÎLE-DE-FRANCE

Nous avons divisé le centre de Paris en 5 quartiers. À chacun correspond un chapitre qui débute par une description générale et une liste des monuments présentés. Des numéros les situent clairement sur un plan. Ils correspondent à l'ordre dans lequel les monuments sont décrits dans le corps du chapitre. L'Île-de-France fait à elle seule l'objet d'une section.

Le quartier d'un coup d'œil donne une liste par catégories des centres d'intérêt : églises, musées, rues, places et édifices.

2 **Plan du quartier pas à pas**
Il offre une vue aérienne détaillée du quartier.

Le meilleur itinéraire de promenade apparaît en rouge.

Un repère vert signale toutes les pages concernant Paris et l'Île-de-France.

Une carte de localisation indique la situation du quartier dans la ville.

1 **Plan général du quartier**
Un numéro désigne sur ce plan les monuments et sites de chaque quartier. Ceux du centre apparaissent également sur les plans de Paris des pages 150-163.

Des étoiles signalent les sites à ne pas manquer.

3 **Renseignements détaillés**
Chaque site a sa rubrique avec toutes les informations pratiques : adresse, téléphone, heures d'ouverture, accès en fauteuil roulant, etc.

MASSIF CENTRAL

ALLIER · AVEYRON · CANTAL · CORRÈZE · CREUSE · HAUTE-LOIRE
HAUTE-VIENNE · LOZÈRE · PUY DE DÔME

Le Massif central, au cœur même de la France, qu'il semble regrouper autour de sa grandeur, reste étonnamment mal connu, si ce n'est pour ses stations thermales et quelques-unes de ses villes. Ses sites naturels, ses châteaux, ses églises méritent cependant de briser le secret qui entoure encore la région.

Cet immense plateau de granit et de roches cristallines regroupe l'Auvergne, le Limousin, l'Aveyron et la Lozère. Force de la nature en sommeil aux multiples volcans éteints, il abrite aussi divers témoignages de l'histoire des hommes, comme la jolie ville du Puy-en-Velay ou l'inestimable trésor de Conques.

Avec ses eaux de cratère et ses sources chaudes, l'Auvergne est le paradis des randonneurs en été et des skieurs en hiver. Elle recèle aussi de magnifiques monuments, églises ou châteaux. De part et d'autre des plaines de l'Allier, les monts du Puy-de-Dôme, le Livradois et du Velay, à l'est, l'ont pendant aux volcans éteints de l'ouest, la chaîne des Puys, les monts Dore et le massif du Cantal. Le Limousin, étagé

à la lisière nord-ouest du Massif, est un pays de landes et de pâturages, moins sauvage mais tout aussi désert.

Dans l'Aveyron, des rivières puissantes comme le Lot, le Tarn et l'Aveyron creusent de profonds ravins au bord desquels s'accrochent de pittoresques villages. C'est en Lozère enfin que se trouvent les Grands Causses, vastes plateaux calcaires au sud des Cévennes, pays d'élevage à l'herbe rare et au climat rude.

Dans ces régions, l'exode rural a été précoce. Elles ont fourni à la capitale des légions de maçons, de bestiaux, de cafetiers, sans parler des présidents de la République... Le thermalisme s'y est développé, relayé par le tourisme vert, familial ou sportif.

1 Introduction

Elle décrit les paysages de chacune des régions du guide en soulignant l'empreinte de l'histoire et présente ses principaux attraits touristiques.

LA FRANCE RÉGION PAR RÉGION

Cet album divise la France en seize régions (Paris et Île de France étant réunis), et donc en seize chapitres. Les sites les plus intéressants ont été recensés sur une *carte illustrée*.

Un repère de couleur correspond à chaque région identifiée sur la carte située en début d'ouvrage.

2 La carte illustrée

Elle offre une vue de toute la région et de son réseau routier. Les sites principaux sont répertoriés et numérotés. Des informations pour visiter la région en voiture ou en train sont également fournies.

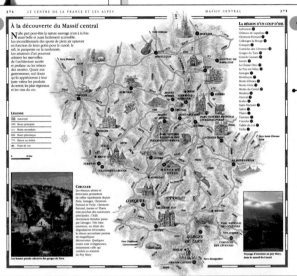

3 Renseignements détaillés

Les localités et sites importants sont décrits individuellement dans l'ordre de la numérotation de la carte illustrée. Les notices présentent en détail ce qu'il y a d'intéressant à visiter.

Des encadrés soulignent des faits.

Le mode d'emploi vous aide à organiser votre visite.
La légende des symboles figure page 609.

4 Les principaux sites

Deux pleines pages, ou plus, leur sont réservées. La représentation des édifices en dévoile l'intérieur. Des vues aériennes du cœur des villes les plus belles en détaillent les monuments.

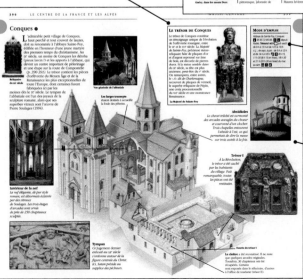

PRÉSENTATION DE LA FRANCE

La France, carrefour européen

Des routes royales au TGV, la desserte du pays a été une préoccupation constante d'un État centralisateur : l'école des Ponts et Chaussées fut la première école d'ingénieurs, et avant la Révolution le réseau routier français était le meilleur d'Europe. Ce n'est toutefois qu'après 1945 que les autoroutes ont été mises en chantier, pour désenclaver les régions et faciliter les communications transeuropéennes. Tout comme les routes nationales, les chemins de fer convergent vers Paris, mais le tracé du TGV permet de contourner la capitale.

L'Europe

Pour peu qu'on s'éloigne du Bassin parisien, on retrouve en France quelque chose de tous les pays limitrophes, dans les paysages, les usages et parfois les parlers : la France est l'intermédiaire entre l'Europe méditerranéenne et latine d'une part, germanique et anglo-saxonne d'autre part.

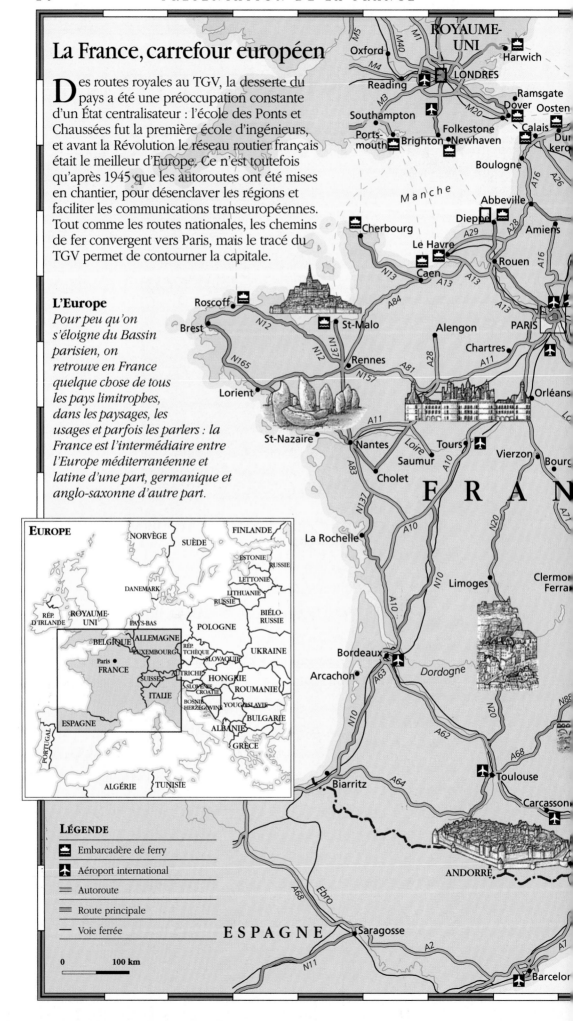

LÉGENDE

- 🚢 Embarcadère de ferry
- ✈ Aéroport international
- ═ Autoroute
- ═ Route principale
- ─ Voie ferrée

0   100 km

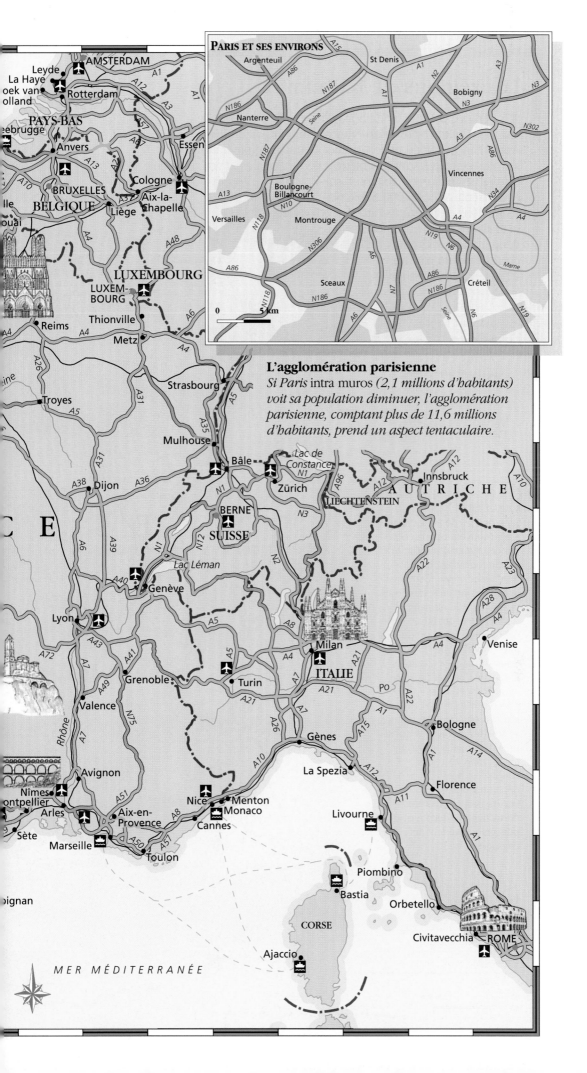

PARIS ET SES ENVIRONS

L'agglomération parisienne

Si Paris intra muros *(2,1 millions d'habitants) voit sa population diminuer, l'agglomération parisienne, comptant plus de 11,6 millions d'habitants, prend un aspect tentaculaire.*

Les régions de l'album

L a France compte 60 millions d'habitants, sur environ 547 026 km² : près d'un Français sur cinq vit en Île-de-France. Après Paris, capitale hypertrophiée, les six agglomérations les plus peuplées sont des métropoles régionales : Lyon, Marseille (plus d'un million d'habitants), suivies de Lille, Bordeaux, Toulouse et Nice (plus de 500 000 habitants). La France reçoit 75 millions de visiteurs par an. Cet ouvrage divise le territoire en 16 ensembles géographiques, qui ne correspondent pas aux 22 régions administratives.

CIRCULER

Bien que les dessertes locales soient souvent remplacées par des lignes d'autocar, le réseau ferroviaire français reste assez dense. Certaines lignes secondaires, traversant des régions de montagne pittoresques, ont été maintenues en raison de leur intérêt touristique *(p. 506)*. Pour les longues distances, inutile de s'attarder sur les mérites du TGV qui concurrence l'avion sur les moyens parcours. En voiture, ce sont les autoroutes qui se prêtent le mieux aux longs trajets, mais les routes, nationales ou départementales, parfois encore bordées d'arbres, permettent de découvrir une plus grande variété de paysages.

LÉGENDE

— Autoroutes

— Routes principales

— Routes secondaires

0 — 100 km

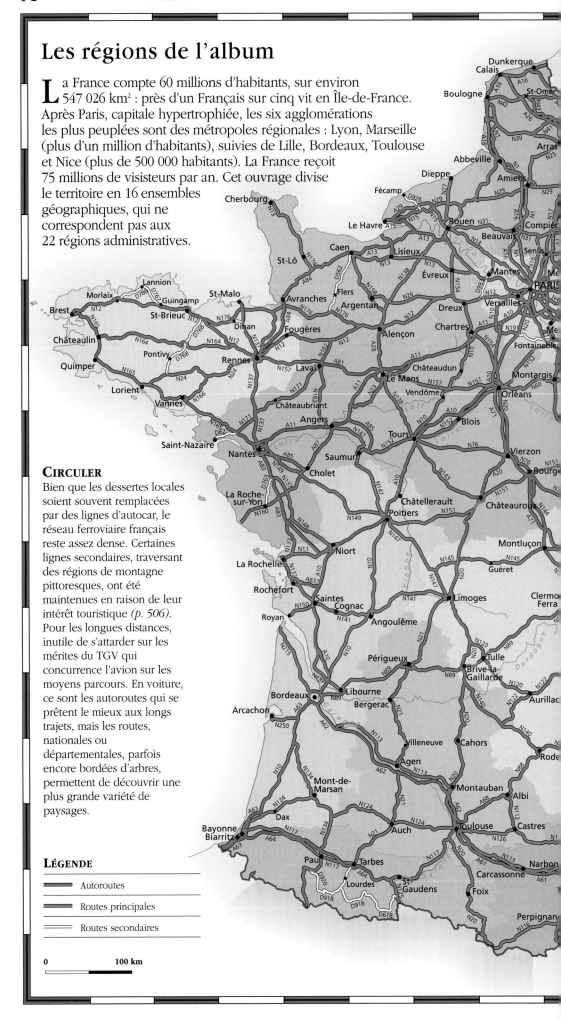

Le balisage
Chacun des 16 ensembles géographiques de cet album est signalé par un onglet de couleur. Ils sont regroupés en 5 parties – le Nord et l'Est, l'Ouest, le Centre de la France et les Alpes, le Sud-Ouest et le Midi –, Paris et l'Île-de-France faisant l'objet d'une section particulière.

LES CODES DE COULEUR

Paris et l'Île-de-France

Le Nord et l'Est

Nord-Pas de Calais et Picardie

Champagne et Ardennes

Lorraine et Alsace

L'Ouest

Normandie

Bretagne

Vallée de la Loire

Le Centre de la France et les Alpes

Bourgogne et Franche-Comté

Massif Central

Vallée du Rhône et Alpes

Le Sud-Ouest

Poitou et Aquitaine

Périgord, Quercy et Gascogne

Pyrénées

Le Midi

Languedoc et Roussillon

Provence et Côte d'Azur

Corse

CORSE

La Corse
Située à 193 km de la Côte d'Azur, la Corse, avec une superficie de 8 680 km², est par la taille la quatrième île de la Méditerranée. Liaisons maritimes et aériennes la relient au continent.

UNE IMAGE DE LA FRANCE

« *La France est une personne* », *disait Michelet, façon poétique d'affirmer son unité et son identité, résultat d'une longue histoire plus que d'un destin géographique. Ce n'est pas la géographie qui a inventé l'Hexagone mais la volonté politique des rois de France, car l'unité de cet État n'allait pas de soi en raison de sa diversité, à la fois pays du nord et pays du sud, ouvert sur l'Atlantique et la Méditerranée.*

L'extrême variété des paysages est la trace la plus séduisante de cette diversité, héritage complexe du milieu naturel et du travail des hommes. Que l'on songe à l'austère grandeur des hautes montagnes pyrénéennes ou alpines, au charme tranquille des bocages de l'Ouest, à la géométrie des immenses parcelles de la Beauce et de la Picardie, aux côtes rocheuses découpées de la Bretagne, aux cordons de dunes de la côte landaise, aux villages de Bourgogne ou d'Alsace tassés au pied des vignes, à la lumière ensoleillée de la Provence ou à celle plus douce des pays du Nord.
Cependant, cette marqueterie de paysages perd quelque peu de sa finesse

Marianne symbolise la République

sous les contraintes qu'impose la rentabilité des exploitations agricoles. Les haies se font plus rares, des fermes sont abandonnées, le maïs pousse aussi bien en Champagne que dans le Sud-Ouest. Désormais, le paysan doit pouvoir associer l'indispensable savoir-faire traditionnel à la compétence économique du gestionnaire. C'est pourquoi, même si les agriculteurs ne représentent plus que 6 % de la population active, la France reste toujours un grand pays agricole. Certaines régions sont en voie de dépeuplement, comme le Massif central, le centre de la Bretagne ou les plateaux lorrains. 1 111 communes ont moins de 50 habitants, avec une densité

Le château de Saumur est l'un des plus romantiques châteaux de la Loire

◁ Aux beaux jours, la clientèle des cafés envahit les terrasses moyenne de 5 habitants par km². Pour autant, la France n'est pas en friche. Depuis quelques années, l'espace rural français est de nouveau un espace convoité, notamment par des agriculteurs étrangers et des non-agriculteurs, à cause du bas prix des terres et de l'abondance des maisons à retaper. Cependant, comme dans tous les pays développés, la majorité de la population vit en ville. La France se caractérise à la fois par une répartition inégale des villes sur

Le scooter, de nouveau à la mode

Un célèbre flacon

son territoire et par le poids colossal de l'agglomération parisienne par rapport aux autres métropoles, puisque près d'un Français sur cinq vit en Île-de-France. La suprématie parisienne dans tous les domaines – démographique, économique, culturel – est souvent critiquée, surtout par les provinciaux. Elle s'explique par l'ancienneté de la localisation du pouvoir politique à Paris et par le centralisme propre à l'État français. La diversité originelle des peuples intégrés peu à peu à la France – occitan, breton, alsacien, flamand, basque, catalan, italien – nécessitait peut-être ce centralisme pour préserver la cohésion du royaume de France, puis celle de la Nation.
Mais les villes de province ne vivent plus dans l'ombre de la capitale. Depuis la décentralisation, les élus locaux cherchent à mettre

en valeur leur cité par la réhabilitation du patrimoine, des équipements tertiaires de qualité, une animation culturelle. Jamais les villes françaises n'ont été aussi agréables à visiter pour les touristes.

VIE SOCIALE ET POLITIQUE

Bien que les Français se déclarent très largement « catholiques », la religion et l'Église n'exercent plus aucune influence sur la majorité d'entre eux. C'est pourquoi depuis les années 1970 l'évolution des mœurs est très sensible : fréquence de la vie commune prénuptiale et du divorce, acceptation de l'avortement. Les grandes responsables de ce changement sont les femmes. Rappelons qu'elles ne sont devenues des citoyennes à part entière qu'en 1944, où elles ont obtenu le droit de vote. Grâce à l'autonomie matérielle acquise par le travail, à l'élévation considérable de leur niveau d'instruction, à la maîtrise de la fécondation, les femmes ont bousculé la société française. Mais ce bouleversement a parfois un prix très lourd, car, une fois rentrées chez elles, elles assurent souvent

Mai 68 fut à l'origine d'une libéralisation de la société

Exploitation agricole dans l'Est

seules l'essentiel des tâches domestiques. En outre, en France comme dans le reste de l'Europe, les postes à haute responsabilité, que ce soit dans le monde politique ou dans le monde économique, ont longtemps été le domaine réservé des hommes. Seules quelques femmes arrivaient à s'introduire dans ce club très fermé. Pour y parvenir, il leur fallait non seulement faire preuve d'une compétence sans égale et d'une autorité ferme et discrète, mais aussi être élégantes et mieux encore jolies et séduisantes. Le vote, en 2002, d'une loi sur la parité ainsi que l'évolution des mentalités sont en train de modifier ce déséquilibre.

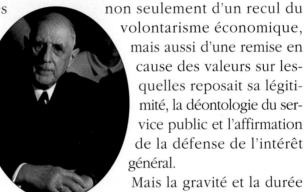

Charles de Gaulle

Les années 1980 et 1990 sont marquées par la crise économique. Longtemps, dans ce pays, la réussite économique et donc l'argent ont été perçus comme suspects. Or, depuis les années 1980, on assiste à un renversement de cette tendance, et, paradoxalement, c'est sous des gouvernements de gauche que l'idéologie néo-libérale connaît le succès. Dans le même temps, on constate un certain recul des valeurs collectives, au bénéfice de la défense de l'individu. Déjà dans les années 1970 est apparue une critique de plus en plus vive de l'État accusé d'incapacité, d'inefficacité et dénoncé pour son excessive bureaucratisation. Cette mise en cause de l'État s'est accompagnée non seulement d'un recul du volontarisme économique, mais aussi d'une remise en cause des valeurs sur lesquelles reposait sa légitimité, la déontologie du service public et l'affirmation de la défense de l'intérêt général.

Mais la gravité et la durée de la crise économique tempèrent ces critiques et nombreux sont les défenseurs d'un État-providence qui prenne en charge les laissés-pour-compte. Ainsi, une majorité de Français approuve-t-elle l'instauration en 1988 du RMI (Revenu minimum d'insertion).

La vieille division idéologique gauche/droite qui marquait le paysage politique français a récemment laissé la place à un consensus plus « centriste ». Mais les contraintes de la vie économique ne doivent pas masquer la permanence des différences d'approche entre la droite et la gauche sur certaines

Le couturier parisien Thierry Mugler

questions, en particulier sur le devenir de la nation. Ainsi, au cours des années 1980, un mouvement d'extrême-droite a-t-il pris place sur l'échiquier politique, en prônant la défense de la Nation qui serait menacée par la construction de l'Europe et une trop forte présence étrangère. Ce discours trouve un écho certain parmi les électeurs, comme l'ont démontré assez dramatiquement les élections présidentielles de mai 2002 ; à l'issu du premier tour, le président Jacques Chirac s'est ainsi retrouvé face au représentant de l'extrême droite populiste Jean-Marie Le Pen qui a devancé le Parti socialiste. Un vote que les commentateurs ont qualifié de « protestataire », et qui traduirait la lassitude d'un nombre certains d'électeurs devant l'« immobilisme » d'une classe politique, dont l'image a été ternie à plusieurs reprises ces dernières années par des « affaires » politico-financières. Après un formidable sursaut de l'esprit civique et la mobilisation des électeurs de tous bords pour la défense de la démocratie, le second tour a vu Jacques Chirac réélu avec une écrasante majorité (82 %). La droite a été confortée dans sa domination sur le pouvoir lors des élections législatives qui suivirent en juin.

Bretonnes en costume traditionnel, porté lors des pardons

FRANCE TERRE DES ARTS ET DES LETTRES
Les Français sont très fiers de la renommée de la culture française, même si la plupart d'entre eux lisent peu, ne fréquentent guère les musées ou les salles de concert. Mais dans ce domaine aussi la situation évolue, et ce, grâce au rôle de l'État. Dès les années 1960, André Malraux, ministre de la Culture, lance une politique ambitieuse vers la province en créant des maisons de la culture. Georges Pompidou soutient l'art moderne et contemporain avec la création de « Beaubourg ». Sous les septennats de

La Grande Arche parachève le quartier d'affaires de La Défense aux portes de Paris

La partie de pétanque, un des passe-temps des retraités

François Mitterrand, le développement de la culture auprès du plus grand nombre est une préoccupation majeure. Le ministère fut d'ailleurs à l'origine de nombreuses initiatives, et ce dans tous les domaines artistiques. Parmi l'ensem-

Production fruitière du Sud de la France

ble des manifestations, l'une des plus populaires est la fête de la musique, le premier jour de l'été, qui a lieu désormais dans plus de dix pays européens. Lors des discussions sur les accords du GATT, les Français ont farouchement défendu la nécessaire protection de la culture française et en particulier du cinéma afin de résister à la domination écrasante du cinéma américain. Ce souci de préserver la spécificité de la culture française se retrouve dans la défense de la langue, qui prend parfois, il est vrai, des allures de combat d'arrière-garde.

Sur le plan architectural, on assiste à la fois à la préservation et à la mise en valeur d'un patrimoine immobilier historique colossal, et à la réalisation audacieuse de projets très contemporains, parfois même avant-gardistes. Ceux-ci sont souvent soutenus et financés par l'État, comme les grands chantiers décidés par le président François Mitterrand (1916-1996) – dans un premier temps objets de controverses, à cause du conformisme des Français, mais ensuite appréciés et reconnus, et même source de fierté, comme le sont le Grand Louvre et sa pyramide, ou l'Arche de la Défense.

Une grange abandonnée dans le Midi

La gastronomie française

Les provinces ont conservé des identités marquées qui s'expriment dans leurs gastronomies. Si, traditionnellement, on ne se nourrit pas de la même façon en Lorraine et dans le Périgord, le changement de mode de vie, le brassage culturel et le développement de l'industrie agro-alimentaire ont contribué à une certaine uniformisation. Le menu à plusieurs plats est encore courant au restaurant, même si le rythme de vie des grandes villes a développé la restauration rapide à plat unique.

La soupe à l'oignon, servie gratinée avec des croûtons, reste un grand classique des bistrots et des matins de nuit blanche.

Les œufs cocotte *sont cuits au four dans des ramequins beurrés. Une fois le blanc pris, on y ajoute une bonne cuillère de crème et de la ciboulette.*

Les noix de Saint-Jacques *sont souvent servies dans leur coquille nappées d'une béchamel ou d'une sauce au vin blanc.*

HORS D'OEUVRE
Soupe de poissons
Soupe à l'oignon
Salade frisée aux lardons
Crottin chaud en salade
Omelette aux fines herbes
Oeufs en cocotte

POISSONS
Sole Meunière
Quenelles de brochet
Coquilles St Jacques

VIANDES
Hachis parmentier
Noisettes d'agneau
Bifteck au poivre
Blanquette de veau
Magret de canard
Côte de porc
Ris de veau
Coq au vin

Les noisettes d'agneau, *tendres petites côtelettes grillées, se servent en général avec quelques champignons revenus dans un beurre d'ail.*

Le coq au vin offre un exemple *savoureux de ce que le génie de la cuisine de terroir peut faire de la chair d'un animal élevé pour un autre destin.*

LE PETIT DÉJEUNER

Le petit déjeuner se limite trop souvent, au grand dam des diététiciens, à un « petit noir » rapidement avalé devant le zinc d'un café, parfois accompagné de viennoiseries. Toutefois, la consommation de céréales et de lait semble être une tendance qui témoigne d'un intérêt nouveau porté à des habitudes toujours vivantes dans les pays voisins et qui, chez nous, sont mieux conservées par les travailleurs manuels et les agriculteurs : c'est par un quasi-repas, avec pain, charcuterie, fromage, œufs ou autres que l'on prend vraiment des forces pour toute la journée.

Croissants

Brioches

Pains au chocolat

Menu à 100F

Crudités
Salade de tomates
Escargots à la bourguignonne
Cuisses de grenouilles

Matelote d'anguilles et de carpe
Entrecôte Bercy
Pintade rôtie garnie
Andouillettes

Fromage ou Desserts

Fromage

DESSERTS
Tarte aux myrtilles
Pêche Melba
Crème caramel
Ile flottante
Crêpes flambées
Gâteau St Honoré

L'entrecôte Bercy *tire son nom du quai de Bercy, à Paris, où arrivait le vin qui entre dans la composition de sa sauce.*

Le plateau de fromages comprend des fromages de vache, mais souvent aussi de chèvre et de brebis comme le Roquefort.

La tarte aux myrtilles *ne se déguste fraîche que pendant la courte période d'été où ces baies sauvages arrivent à maturité en montagne.*

La pêche Melba, *mariant pêche pochée et glace à la vanille, fut créée par Escoffier en l'honneur de la cantatrice Nellie Melba.*

Le vin en France

S i la conquête romaine a permis l'essor de la viticulture en Gaule, le vin y était apprécié bien avant Jules César. Aujourd'hui, les grands crus de Bordeaux, de Bourgogne, du Rhône ou de Champagne restent inégalés, et la France est le premier producteur mondial de vins d'appellation d'origine. La recherche de la qualité touche également, depuis une vingtaine d'années, les vins de consommation courante, comme le montre le développement des « vins de pays », soumis à des conditions de production spécifiques.

Hotte de vendangeur

Viticulture traditionnelle

LES RÉGIONS VITICOLES

Les vins produits dans chacune des dix principales régions viticoles possèdent leur propre personnalité, liée aux terroirs, aux cépages ou aux traditions. L'appellation contrôlée, régie par la loi, garantit leur origine et leur méthode de production.

LÉGENDE

☐	Bordeaux
☐	Bourgogne
☐	Champagne
☐	Alsace
☐	Loire
☐	Provence
☐	Jura et Savoie
☐	Sud-Ouest
☐	Languedoc-Roussillon
☐	AOC Rhône

Carte : Reims, Paris, Marne, Strasbourg, Nantes, Tours, Loire, Dijon, Clermont-Ferrand, Lyon, Dordogne, Bordeaux, Garonne, Rhône, Pau, Toulouse, Marseille, Perpignan

0   150 km

COMMENT LIRE UNE ÉTIQUETTE

L'étiquette, dont la présentation est strictement réglementée, indique la catégorie à laquelle appartient le vin : vin de table, vin de pays, appellation d'origine vin délimité de qualité supérieure (AOVDQS), appellation d'origine contrôlée (AOC). Elle mentionne aussi obligatoirement le volume, le degré, le nom et l'adresse de la personne ou de la société assurant la mise en bouteille. Le producteur ne manque pas de faire figurer le cru et le classement, s'ils existent. L'indication du millésime est facultative.

Nom du domaine ou du producteur

La mention « mis en bouteille au château » (« au domaine » ou « à la propriété ») garantit seule l'authenticité

Représentation du château

Volume de la bouteille

Millésime (année de la récolte)

L'appellation contrôlée certifie l'origine

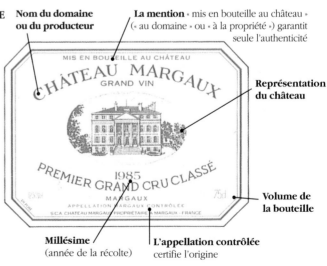

MIS EN BOUTEILLE AU CHÂTEAU

CHÂTEAU MARGAUX
GRAND VIN

1985
PREMIER GRAND CRU CLASSÉ

MARGAUX
APPELLATION MARGAUX CONTRÔLÉE
S.C.A. CHATEAU MARGAUX PROPRIÉTAIRE À MARGAUX - FRANCE

75cl

LA VINIFICATION

Le vin est le fruit d'un processus naturel et complexe,
la fermentation, au cours duquel levures et bactéries
transforment en alcool les sucres du jus de raisin frais.

VIN BLANC **VIN ROUGE**

Ancien pressoir

Les grappes *de raisin noir
ou blanc, fraîchement
cueillies, sont foulées pour
mettre le jus riche en sucre en
contact avec les levures qui
recouvrent la peau des grains.*

Le vin rouge *tire sa couleur
des tanins contenus dans la
peau du raisin noir. Les
tanins provenant
des rafles étant plus
agressifs, la plupart des
viticulteurs préfèrent
égrapper le
raisin avant
le foulage.*

**Cuves de
macération**

**Fouloir et
égrappoir**

*Les vins qui se
boivent jeunes**, blancs ou
rouges (comme le beaujolais
nouveau), sont mis à macérer
quelques heures avec la rafle,
ce qui leur donne plus d'arôme
et de saveur.*

Pressoir

Les vins blancs *sont en
général obtenus par
fermentation directe de jus pur.
Les rouges subissent tous une
première macération, au terme
de laquelle on ôte pellicules et
pépins avant la fermentation.
Pressuré, ce moût donne un
« vin de presse » qui intervient
parfois dans le mélange final.*

La fermentation *est un
processus naturel souvent
imprévisible. Pour obtenir
des résultats réguliers, de
nombreux viticulteurs utilisent
des levures de culture et des
cuves en acier inoxydable qui
leur permettent de contrôler en
permanence la température.*

Les vins de primeur *sont
parfois mis directement en
bouteille ; les autres vieillissent
soit en cuve, soit en fût de chêne.
L'élevage en fût leur donne une
saveur boisée particulière.*

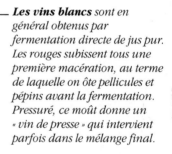

**Cuves de
fermentation**

Fûts de chêne

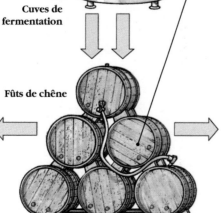

**Selon les régions,
le verre change de teinte**

**Des bouteilles bordelaise
(à gauche) et bourguignonne**

La France des peintres

D epuis le XIXᵉ siècle où le paysage a acquis ses lettres de noblesse picturale, la diversité et la beauté des villes et des campagnes françaises inspirent les artistes, qui peignent volontiers en extérieur. Par leurs œuvres, ceux-ci ont grandement contribué au succès touristique de régions comme la Bretagne ou la Côte d'Azur. En s'y promenant, on redécouvre parfois des paysages que des tableaux ont rendus familiers ou même mondialement célèbres.

Paysagiste à la charnière entre classicisme et impressionnisme, Jean-Baptiste Camille Corot peignit en 1871 Le Beffroi de Douai.

*Le N.
Pas de
et la Pi*

Courbet, *chef de file de l'école réaliste, rendit avec force l'aspect de* La Falaise d'Étretat après l'orage *(1869).*

Normandie

Paris
l'Île-de-F

Bretagne

Vallée de la Loire

Émile Bernard, *initiateur avec Gauguin de l'école de Pont-Aven, éprouvait une véritable fascination pour les paysages sévères de la Bretagne et le caractère de ses habitants, saisis ici dans* La Ronde bretonne *(1892).*

Poitou et Aquitaine

Navigateur et grand voyageur, *Paul Signac a souvent représenté des vues de ports ; comme ici dans l'*Entrée du port de La Rochelle *(1921), il tentait de rendre par des points de couleur juxtaposés le scintillement de la lumière sur l'eau.*

Périgord, Quercy et Gascogne

Pyrénées

Langued
Roussill

0   100 km

Théodore Rousseau, *personnalité dominante de l'école des peintres paysagistes de Barbizon* (p. 175), *entreprit en 1830 un tour de France. C'est en Auvergne qu'il saisit avec une grande sensibilité l'instant privilégié de ce* Coucher de soleil.

L'Église d'Auvers-sur-Oise *vibre dans un ciel cobalt ; l'artiste représenta l'édifice quelques mois à peine avant de se donner la mort en juillet 1890.*

Avec cette **Tour Eiffel,** *Robert Delaunay explorait les qualités intrinsèques de la couleur. Cette recherche le conduira du cubisme à l'art abstrait dont il fut un des précurseurs.*

Gustave Courbet *s'attacha à représenter des scènes de la vie de tous les jours.* Les Demoiselles de village *ont pour cadre la Franche-Comté natale de l'artiste (1852).*

Champagne

Alsace et Lorraine

Maurice Utrillo, *subtil coloriste, peignit de nombreux paysages de campagne, telle cette* Église Saint-Bernard *(1924). C'est aussi le peintre de Montmartre et des banlieues.*

Bourgogne et Franche-Comté

Massif central

Vallée du Rhône et Alpes

Provence et Côte d'Azur

Henri Matisse *rendit par des aplats de couleur la violence de la lumière frappant* Les Toits de Collioure, *petit port de pêche catalan où il séjourna avec Derain en 1905. Les audaces chromatiques des deux artistes leur valurent le surnom de « fauves ».*

Raoul Dufy *fut l'un des nombreux artistes inspirés par la Côte d'Azur (p. 498-499). Dans* La Jetée promenade à Nice *(1928), il en planta le décor d'un trait léger dissocié de la couleur étalée en larges bandes.*

La France des écrivains

La maison de Colette en Bourgogne

D ans ses moindres recoins et à travers les siècles, la France est hantée par des « paysages littéraires ». Qui n'a jamais pensé à Marcel Pagnol devant un paysage provençal, à Du Bellay sur les rives de Loire, à Colette en Bourgogne... ? Même si le prestige littéraire de la France est incarné par les quarante fauteuils de l'Académie française, c'est dans les contrées les plus diverses que les écrivains ont souvent trouvé leur inspiration, stimulés par les paysages et les modes de vie de leurs terres d'élection.

Monument à Baudelaire

LA NAISSANCE DU ROMAN

De Rabelais à Proust, la Beauce a inspiré de nombreux romanciers

F rançois Rabelais est considéré comme le premier génie du roman français. Près de Chinon, les caves en tuffeau où s'est abreuvé le géant Gargantua sont toujours là...

À la même époque, les deux poètes humanistes Joachim du Bellay et Pierre de Ronsard marquaient de leur influence les bords de la Loire.

La Renaissance vit naître également le philosophe bordelais Michel de Montaigne, qui met en relief en 1580, dans ses *Essais*, la relativité des valeurs humaines.

LE CLASSICISME

A u XVIIe siècle, le rayonnement de la cour de Louis XIV attire à Paris les trois plus grands auteurs dramatiques français : Corneille, Racine et Molière. Sans parler du poète La Fontaine, qui ira de salon en salon dans l'entourage de la cour.

Boileau, avec son *Art poétique*, énonce les règles du classicisme français, respecté par les auteurs de l'époque.

Proust : une œuvre romanesque menée à son aboutissement

De son côté, Descartes avait posé les bases de la science moderne en fondant toute recherche sur le doute. Le rationalisme était né.

LE SIÈCLE DES LUMIÈRES

L e plus grand mouvement intellectuel que connaît l'Europe est incarné en France par Voltaire. Il meurt respecté de toute l'Europe, après avoir prôné une morale fondée sur l'activité humaine, dans *Candide*. L'époque est apparemment au marivaudage, mais la critique sociale perce dans les pièces de Beaumarchais (*Le Mariage de Figaro*).

Les idées fusent et l'*Encyclopédie* éditée par d'Alembert et Diderot veut répandre toute la science de l'époque. Jean-Jacques Rousseau, quant à lui, annonce déjà le siècle suivant, par son culte de la nature et sa méfiance envers la notion de « progrès ».

***Les Misérables* de Victor Hugo, fresque historique et sociale**

LE ROMANTISME

Au XIXe, les écrivains retrouvent le chemin des terroirs et des passions. Chateaubriand revient à sa Bretagne natale dans ses *Mémoires d'Outre-tombe.* Les poètes (Lamartine, Vigny) et dramaturges (Musset) exaltent autant la nature que les sentiments qu'elle inspire. Stendhal revendique les droits de la passion individuelle *(Le Rouge et le Noir).* À l'écart du mouvement, Baudelaire et Rimbaud renouvellent plus tard le langage poétique.

L'homme qui incarne le mieux ce mouvement fut Hugo, poète, romancier *(Les Misérables),* dramaturge, et théoricien *(Préface de Cromwell).*

Au-delà du romantisme, Balzac, dans sa *Comédie humaine,* fait le portrait de la société bourgeoise. De son côté, Flaubert trace, avec *Madame Bovary,* un portrait sans concession de la bourgeoisie normande.

Zola *(Germinal)* sera le porte-parole, avec Maupassant, d'une littérature plus réaliste.

LE XXe SIÈCLE

Dans la foulée des grands romans du XIXe, Roger Martin du Gard et Jules Romains brossent d'immenses fresques... Marcel Proust se lance lui aussi dans une entreprise de longue haleine, avec *À la recherche du temps perdu,* qui ouvre la voie d'une littérature plus à l'écoute de l'intériorité.

Jean Giono célèbre le retour à la nature en haute Provence, dans *Que ma joie demeure,* pendant que Colette s'impose au travers de romans imprégnés de sa Bourgogne natale et que François Mauriac reste fidèle à ses racines bordelaises.

Le théâtre d'Hugo ne renie pas l'héritage de Molière

C'est néanmoins Paris qui, après la Grande Guerre, redevient le carrefour des influences, donnant naissance au surréalisme, dont les pionniers seront

Albert Camus reçut le prix Nobel de littérature en 1957

Jean-Paul Sartre et Simone de Beauvoir à la Coupole en 1969

André Breton, Philippe Soupault et Aragon. Un cercle autour duquel évolueront Éluard, Prévert, dont l'œuvre qui ne sépare jamais création (poésie) et réflexion est plus personnelle. En 1932, Céline décrit l'absurdité et le désespoir dans *Le Voyage au bout de la nuit.*

Après 1945, les auteurs s'interrogent. Le théâtre devient absurde, avec les pièces de deux étrangers qui ont choisi la France : l'Irlandais Samuel Beckett et le Roumain Eugène Ionesco.

Des questionnements similaires donnent naissance au mouvement existentialiste, sous l'égide de Jean-Paul Sartre, Simone de Beauvoir et Albert Camus.

Actuellement, des auteurs comme J.-M. G. Le Clézio, Patrick Modiano ou Michel Tournier poursuivent cette volonté affirmée de renouveler le roman français.

DES AMÉRICAINS À PARIS

Au début du siècle, la Côte d'Azur attirait les romanciers britanniques, comme Somerset Maugham ou Graham Greene. Quelques années plus tard, une Américaine, Sylvia Beach, ouvrait à Paris, au cœur du quartier latin, une petite librairie dénommée Shakespeare and Company, qui existe toujours. Le lieu devenait rapidement le point de rencontre des écrivains américains présents dans l'Hexagone : Ernest Hemingway ou Scott Fitzgerald, Gertrude Stein ou le poète Ezra Pound.

Hemingway et Sylvia Beach avec des amis, 1923

Les architectures romane et gothique en France

Au XIᵉ siècle, la France connut une période de répit après les temps très troublés du début du Moyen Âge. La prospérité se traduisit par la construction de nombreuses églises aux murs épais, aux voûtes et arcs semi-circulaires s'inspirant directement de l'architecture antique ; ces édifices seront plus tard qualifiés de « romans ». Les maîtres d'œuvre français amélioreront peu à peu ces éléments de base, pour atteindre au XIIIᵉ siècle, grâce aux voûtes d'arête sur nervure et aux arcs-boutants, la légèreté aérienne du gothique.

CARTE DE SITUATION

① *Abbayes et églises romanes*

⑬ *Cathédrales gothiques*

L'ARCHITECTURE ROMANE

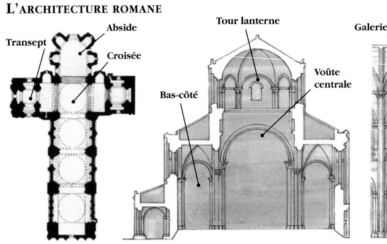

Transept · Abside · Croisée · Tour lanterne · Bas-côté · Voûte centrale · Galerie · Claire-voie · Arcades

*Le plan de **Saint-Pierre à Angoulême**, en forme de croix latine terminée par une abside semi-circulaire, est caractéristique de l'art roman.*

*Une vue en coupe de **Notre-Dame du Puy** révèle une haute nef voûtée en berceau soutenue par des arcs arrondis. Elle était éclairée par les fenêtres des bas-côtés et de la lanterne centrale.*

*La structure des murs latéraux de la **nef de Saint-Étienne** (Nevers) est une triple superposition d'arcades, galerie et claire-voie.*

L'ARCHITECTURE GOTHIQUE

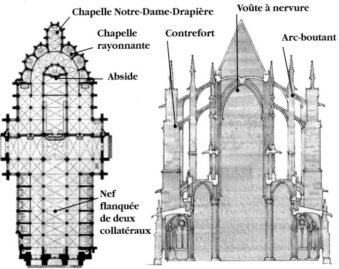

Chapelle Notre-Dame-Drapière · Chapelle rayonnante · Abside · Contrefort · Voûte à nervure · Arc-boutant · Nef flanquée de deux collatéraux · Triforium · Fenestrage · Arc

*Le plan de la **cathédrale d'Amiens** montre qu'une succession de chapelles borde la nef et l'abside.*

*Une vue en coupe de **Beauvais** révèle comment le soutien extérieur des arcs-boutants permet à la nef d'atteindre une hauteur prodigieuse.*

***Les nervures** supportant la charge des voûtes permirent les grandes fenêtres de Reims.*

OÙ VOIR L'ARCHITECTURE ROMANE

OÙ VOIR L'ARCHITECTURE GOTHIQUE

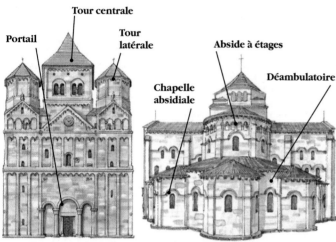

Portail **Tour centrale** **Tour latérale** **Abside à étages** **Déambulatoire** **Chapelle absidiale**

*La façade occidentale de l'**abbaye de Marmoutier** présente un aspect fortifié avec ses tours et ses fenêtres étroites.*

Le chevet de Nevers *se compose d'une abside semi-circulaire entourée d'un déambulatoire et de chapelles rayonnantes qui permettent de multiplier les autels.*

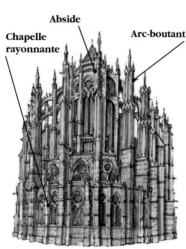

Tour à étage **Portail sculpté** **Rosace** **Chapelle rayonnante** **Abside** **Arc-boutant**

*La façade occidentale de **Laon** présente les portails sculptés et la rosace caractéristiques du gothique.*

*Le chevet de **Beauvais**, avec ses contreforts surmontés de pinacles, est un chef-d'œuvre du gothique.*

LES TERMES UTILISÉS DANS CET OUVRAGE

Basilique : à l'origine, église au plan rectangulaire séparé en plusieurs nefs.

Claire-voie : rang de fenêtres hautes éclairant la nef centrale.

Rosace : vitrail circulaire.

Contrefort : support de maçonnerie servant à renforcer un mur.

Arc-boutant : arc extérieur reprenant les poussées exercées par les voûtes.

Chevet : extrémité du chœur, vu de l'extérieur.

Tympan : espace, souvent sculpté, compris entre le linteau et la voussure d'un portail.

Voûte : plafond cintré en pierres.

Transept : vaisseau transversal à la nef.

Croisée : centre de la croix formée par le transept et la nef.

Lanterne : tour ajourée, souvent à coupole, éclairant une église.

Collatéral : vaisseau latéral, moins élevé que la nef.

Triforium : galerie située au-dessus des collatéraux.

Abside : extrémité arrondie d'une église, située derrière le sanctuaire.

Déambulatoire : galerie reliant les bas-côtés et entourant le chœur.

Arcade : ensemble formé par un arc et ses piliers.

Voûte sur nervures : voûte dont la charge repose sur des arcs nervurés.

Gargouille : dégorgeoir sculpté.

Remplage : dentelle de pierre décorant les vitraux d'une fenêtre.

Gothique flamboyant : style caractérisé par des remplages aux lignes ressemblant à des flammes.

Chapiteau : élément en pierre, généralement sculpté, couronnant une colonne.

L'architecture rurale

Si les fermes françaises s'intègrent si bien aux paysages, c'est qu'elles en sont directement issues, leur construction s'élaborant avec les matériaux disponibles sur place. Leur forme, elle aussi, dépend des conditions locales, et de grandes différences architecturales existent d'une région à l'autre.

Néanmoins, tous ces édifices agricoles traditionnels obéissent à trois schémas de base : la « maison-bloc » qui regroupe sous un même toit dépendances et habitation, la maison en hauteur qui les superpose et la ferme à cour dont les bâtiments entourent un espace central.

Fenêtre à persiennes en Alsace

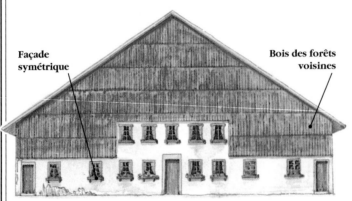

Façade symétrique

Bois des forêts voisines

Le chalet typique du Jura, des Alpes et des Vosges est une « maison-bloc » où hommes et bêtes passaient l'hiver côte à côte. Les charrettes accédaient par une rampe en terre au grenier où l'on battait le blé et où des interstices dans les planches soutenant la toiture permettaient aux récoltes de sécher.

L'architecture en pans de bois est caractéristique de la Normandie, de l'Alsace, de la Champagne, de la Picardie, des Landes et du Pays Basque, mais la disposition des pans de bois et le remplissage varient d'une région à l'autre. Ici, exemple normand.

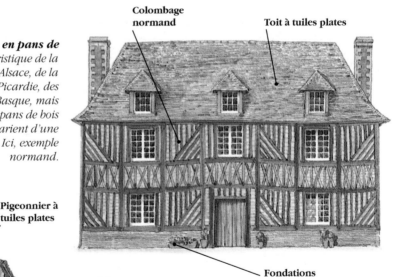

Colombage normand

Toit à tuiles plates

Fondations en pierres

Pigeonnier à tuiles plates

Escalier extérieur

Étable ou réserve

La maison en hauteur, généralement construite en pierre et précédée d'un escalier extérieur et d'un porche, se voit surtout dans le Sud-Est. Le rez-de-chaussée abritait le bétail ou les fûts des exploitations viticoles. Un pigeonnier, comme dans le cas de cette maison de la vallée du Lot, flanquait souvent l'habitation.

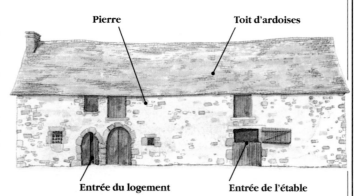

La maison en longueur
dont la famille et le bétail occupaient chacun une extrémité est la forme la plus ancienne de « maison-bloc ». Dans cette ferme bretonne, l'habitation et l'étable ont des portes différentes. Le mur de séparation ne devint toutefois courant qu'au XIXe siècle.

Pierre

Toit d'ardoises

Entrée du logement

Entrée de l'étable

Pigeonnier à tuiles canal

Enduit aux couleurs du Sud

Façade crépie

Les mas, *ou fermes provençales, peuvent prendre des formes variées. En Camargue et dans la Crau, la bergerie, le pigeonnier ou d'autres dépendances s'accolent à l'habitation pour former un ensemble de bâtiments de hauteurs différentes.*

Mur de briques et de galets

Colombage et briques

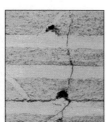

Pisé

LES MURS

Selon leur disponibilité, calcaire, granit, grès et galets servaient à la construction des fermes ; s'ils manquaient, on mélangeait de la paille à de la terre argileuse pour boucher les vides entre les pans de bois d'un colombage ou pour réaliser des murs en pisé que l'on moule entre deux banches. Les briques, que leur cuisson rendait coûteuses, servaient peu en dehors de celles séchées au soleil, ou adobes. Un enduit, souvent à base de chaux, protégeait les murs extérieurs.

Briques séchées au soleil ou adobes

Galets dans un mortier de chaux

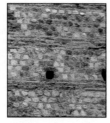

Briques, silex et craie

Tuiles plates en terre cuite

Tuiles de Flandres et de Picardie

Les tuiles canal, ou creuses, du Midi

LES TOITURES

Les deux principaux styles de toits opposent ceux du Nord, en tuiles plates ou en ardoises et à la pente marquée pour évacuer pluie et neige, à ceux du Midi, moins pentus pour éviter le glissement des tuiles.

LA FRANCE AU JOUR LE JOUR

L'été est par excellence, notamment dans le Midi, la saison des réjouissances et des festivals. Partout en France, simples fêtes de village ou célèbres manifestations comme le festival de théâtre d'Avignon offrent au visiteur en vacances l'occasion de ne pas bronzer en s'ennuyant. Le climat se montre cependant assez doux même en hiver pour que chaque saison apporte ses plaisirs au dehors, qu'il s'agisse des fêtes des vendanges, des illuminations de Noël ou de rencontres sportives. Et, tout au long de l'année, à Paris comme en province, d'innombrables salles de spectacle proposent films, ballets, pièces de théâtre et concerts.

PRINTEMPS

Après les processions religieuses et les concerts de musique sacrée qui marquent les fêtes de Pâques, les terrasses de cafés envahissent partout les trottoirs, parfois entre deux averses. En mai, les vedettes du prestigieux festival du film de Cannes défilent sur la Croisette.

MARS

Salon mondial du tourisme, Paris, porte de Versailles.
Tinta'mars (*2 semaines en mars*), Pays de Langres. Festival de musique et d'humour dans de nombreux bourgs et villages.
Festival de Jazz Banlieues bleues (*mars*), Saint-Denis.
Festival de jazz de Grenoble (*mi-mars*). Concerts de jazz.

Formule 1 à Monaco pour le Grand Prix

Ballon de rugby

Salon du livre (*mi-mars*), Paris. Parc des expositions porte de Versailles.
Vente des vins des Hospices (*der. dim.*), aux enchères, Nuits-Saint-Georges.

AVRIL

Tournoi de rugby des Six Nations, Stade de France, Paris.
Marathon international de Paris (*début avril*), de la place de la Concorde au château de Vincennes.
Festival de Pâques, musique de chambre, Deauville. (*p. 255*)
Printemps de Bourges (*mi-avril, p. 331*). Festival de

musique et de chansons.
Europa Jazz Festival (*2 der. sem.*), Le Mans et Sarthe. Rencontres internationales de musiciens de jazz.
Foire internationale de Paris (*fin avril-1re sem. de mai*), Parc des Expositions.
Fêtes johanniques (*début mai*), Orléans (*p. 330*).
Festival d'Amiens (*trois jours, début avr.*). Jazz et world music.

Asperges de printemps

MAI

Récolte des asperges, notamment en bord de Loire.

Procession de la Bravade honorant saint Torpes à Saint-Tropez

Grand Prix automobile, Monaco *(week-end de l'Ascension, p. 564)*.
Foire agricole d'Oloron-Sainte-Marie *(1ᵉʳ mai, p. 481)*.
La Bravade *(16-18 mai)*, Saint-Tropez *(p. 546)*.
Festival international du film de Cannes *(2ᵉ quinzaine)*.
Semaine internationale de la voile *(3ᵉ sem.)*, La Rochelle.
Pèlerinage des gitans *(fin mai)*, Saintes-Maries-de-la-Mer *(p. 540)*.

Transhumance traditionnelle vers les alpages

Fêtes de la transhumance *(fin mai)*. Les troupeaux partent pour les alpages.
Feria de Pentecôte, Nîmes *(fin mai)*. Courses de taureaux et musique *(p. 526)*.
Grandes Eaux musicales *(dim. de mai à oct.)*, Versailles. Musique classique dans le parc du château.

ÉTÉ

Au moment où la sortie des classes donne en juillet le signal des vacances, la France s'emplit de visiteurs étrangers et tout le monde se retrouve sur les plages, aux bals des fêtes de village ou aux spectacles de prestigieux festivals internationaux.

JUIN

Internationaux de France de tennis *(der. sem. de mai-1ʳᵉ sem. de juin)*, stade Roland Garros, Paris.
Festival international de musique de Strasbourg *(tout le mois)*.

Rose de juin

Cinéscénie du Puy-du-Fou *(mai-sept.)*, son et lumière, parc des Epesses, Vendée.
24 heures automobiles du Mans *(début juin, p. 303)*.
La Villette Jazz festival *(fin juin-déb. juil.)*, Paris.
Fête de la Musique *(21 juin)*.
Fête de la tarasque *(der. sem.)*, Tarascon *(p. 537)*.

JUILLET

Festival d'Art lyrique d'Aix *(juin-juil.)*, Aix-en-Provence *(p. 541)*. Art lyrique, musique, danse.
Festival de théâtre d'Avignon *(tout le mois, p. 533)*.
Petite Troménie *(mi-juil.)*, Locronan. Procession de pénitents *(p. 275)*.

Corrida à Mont-de-Marsan

Fête nationale *(14 juil.)*.
Festival du Comminges *(déb. juil.-fin août, p. 488)*. Musique classique.
Les Médiévales, Foix *(mi-juil.-mi-août, p. 489)*.
Nice Jazz Festival *(1 semaine fin juil.)*.
Feria de Mont-de-Marsan *(3ᵉ sem.)*. Courses de taureaux et musique *(p. 449)*.
Chorégies d'Orange *(3 der. sem.)*. Concerts et spectacles lyriques, théâtre antique.
Jazz à Juan *(2ᵉ quinzaine)*, Antibes/Juan-les-Pins *(p. 553)*.
Jazz à Vienne *(1ʳᵉ quinzaine, p. 404)*.
Jazz à Sète *(tout le mois, p. 520)*.
Tour de France cycliste *(3 premières sem.)*.

Dernière étape du Tour de France

Floraison de parasols à Cannes, en été

AOÛT

Festival Pablo Casals *(fin juil.-mi-août)*, Prades *(p. 506)*.
Festival international d'orgue *(juil.-août)*, cathédrale de Chartres.
Foire aux sorciers *(premier dim.)*, Bré (à côté de Bourges), défilés ;

Comédien au festival d'Avignon

jeux et musiques folkloriques.
Fête de la véraison *(début août)*. Châteauneuf-du-Pape. Célébration médiévale de la cueillette des fruits *(p. 533)*.
Corso de la lavande *(1er ou 2e week-end)*, Digne

(p. 547).
Festival interceltique *(2e sem.)*, Lorient. Musique et artisanat traditionnels celtes.
Ferias *(mi-août)*, Dax *(p. 449)*.
Spectacle de force basque *(fin août)*, Hendaye.
Festival international de Sardanes *(2e quinzaine d'août)*, Céret *(p. 508)*.
Festival du film américain, Deauville *(p. 255)*.

AUTOMNE

Peu après la rentrée des classes, les vendanges offrent le prétexte dans toutes les régions viticoles à d'intenses réjouissances où la production locale coule à flots. Ces libations reprennent en novembre pour la mise en vente du vin nouveau.

SEPTEMBRE

Festival d'Île-de-France *(week-ends jusqu'à mi-oct.)*. Concerts classiques dans différents lieux.
Festival des cathédrales de Picardie *(fin sept.)*. Concerts classiques dans les cathédrales.
Les Musicades *(début sept.)*, Lyon. Musique classique.
Le Puy-en-Velay « Roi de l'Oiseau » *(2e sem.)*. Fête Renaissance *(p. 387)*.
Journées du Patrimoine *(3e week-end)*, plus de 4 000 bâtiments historiques, souvent privés, ou non ouverts au public, peuvent être visités.

Cérémonie d'intronisation à l'Hospice de Beaune

OCTOBRE

Festival d'automne, Paris *(concerts tout le mois dans diverses salles)*.
Prix de l'Arc de Triomphe *(1er dim.)*, hippodrome de Longchamp.
Festival du film britannique *(1er sem.)*, Dinard *(p. 285)*.
Saison de la châtaigne, dans le Périgord, mais aussi en Corse.

Violoncelle

NOVEMBRE

Foire internationale de la gastronomie *(fin oct.-mi-nov.)*, Dijon.
Festival du film *(mi-nov.)*, Dunkerque.
Les Trois Glorieuses *(3e week-end)*, Vougeot, Beaune, Meursault. Ventes de vins. *(p. 366)*.
Saison de la truffe *(jusqu'en mars)*, Périgord, Quercy et Provence.

HIVER

Guirlande de Noël

Si ce sont les mêmes sapins qui apparaissent partout en décembre, les crèches vivantes organisées le soir de Noël dans beaucoup d'églises gardent leur spécificité régionale. De même, en février, les carnavals des villes des Flandres ne ressemblent pas à celui de Nice.

DÉCEMBRE

Critérium international de la première neige *(déb.-déc.)*, Val-d'Isère. La plus importante compétition de ski alpin de la saison.

JANVIER

Foire à la ferraille *(fin janv.-déb. fév.)*, Paris. Parc floral du Bois de Vincennes. Antiquités, brocante.
Saison musicale de l'abbaye de Fontevraud

Sports d'hiver dans les Alpes françaises

Le Taj Mahal à la fête du citron de Menton

(de nov. à mai, p. 311).
MIDEM classique *(fin-janv.)*, Cannes.
Carnaval de Limoux *(jusqu'en mars)*. Une tradition qui remonte au Moyen Âge.
Festival de la Bande Dessinée *(dernier w.-e.)*, Angoulême.

FÉVRIER

Salon de l'agriculture *(fin-fév.)*, Paris.
Fête du citron *(mi-fév.-mars)*, Menton *(p. 563)*.
Carnaval et bataille de fleurs de Nice *(fin fév.-début mars, p. 558)*.

Sourire à la bataille de fleurs du carnaval de Nice

Commémoration du bicentenaire de la Révolution (1989)

JOURS FÉRIÉS

Nouvel An (1er janv.)
Dimanche et lundi de Pâques
Fête du Travail (1er mai)
Jour de la Victoire (8 mai)
Ascension (6e jeu. après Pâques)
Pentecôte (2e lun. après l'Ascension)
Fête nationale (14 juil.)
Assomption (15 août)
Toussaint (1er nov.)
Armistice (11 nov.)
Noël (25 déc.)

Les climats de la France

Bordés par l'Atlantique et la Manche, l'Ouest et le Nord-Ouest ont un climat océanique, humide et tempéré, tandis que le Massif central et l'Est, soumis à un climat continental, connaissent des étés souvent orageux et des hivers froids et clairs. Le pourtour méditerranéen subit de fortes chaleurs en été, mais jouit sinon de températures clémentes malgré de fréquentes journées de vent.

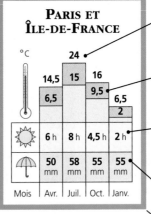

PARIS ET ÎLE-DE-FRANCE

Moyenne mensuelle des températures maximales

Moyenne mensuelle des températures minimales

Durée moyenne d'ensoleillement quotidien

Moyenne mensuelle des précipitations

°C	Avr.	Juil.	Oct.	Janv.
max	14,5	24	16	6,5
min	6,5	15	9,5	2
☀	6 h	8 h	4,5 h	2 h
☂	50 mm	58 mm	55 mm	55 mm
Mois	Avr.	Juil.	Oct.	Janv.

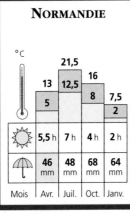

NORMANDIE

°C	Avr.	Juil.	Oct.	Janv.
max	13	21,5	16	7,5
min	5	12,5	8	2
☀	5,5 h	7 h	4 h	2 h
☂	46 mm	48 mm	68 mm	64 mm
Mois	Avr.	Juil.	Oct.	Janv.

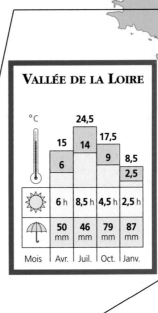

VALLÉE DE LA LOIRE

°C	Avr.	Juil.	Oct.	Janv.
max	15	24,5	17,5	8,5
min	6	14	9	2,5
☀	6 h	8,5 h	4,5 h	2,5 h
☂	50 mm	46 mm	79 mm	87 mm
Mois	Avr.	Juil.	Oct.	Janv.

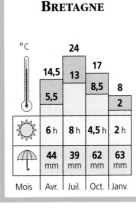

BRETAGNE

°C	Avr.	Juil.	Oct.	Janv.
max	14,5	24	17	8
min	5,5	13	8,5	2
☀	6 h	8 h	4,5 h	2 h
☂	44 mm	39 mm	62 mm	63 mm
Mois	Avr.	Juil.	Oct.	Janv.

Le Havre

Rennes

Nantes

Tours

Bordeaux

Montauban

Biarritz

P

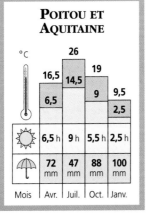

POITOU ET AQUITAINE

°C	Avr.	Juil.	Oct.	Janv.
max	16,5	26	19	9,5
min	6,5	14,5	9	2,5
☀	6,5 h	9 h	5,5 h	2,5 h
☂	72 mm	47 mm	88 mm	100 mm
Mois	Avr.	Juil.	Oct.	Janv.

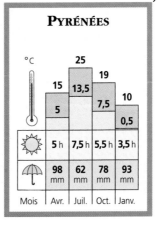

PYRÉNÉES

°C	Avr.	Juil.	Oct.	Janv.
max	15	25	19	10
min	5	13,5	7,5	0,5
☀	5 h	7,5 h	5,5 h	3,5 h
☂	98 mm	62 mm	78 mm	93 mm
Mois	Avr.	Juil.	Oct.	Janv.

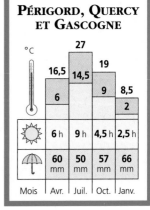

PÉRIGORD, QUERCY ET GASCOGNE

°C	Avr.	Juil.	Oct.	Janv.
max	16,5	27	19	8,5
min	6	14,5	9	2
☀	6 h	9 h	4,5 h	2,5 h
☂	60 mm	50 mm	57 mm	66 mm
Mois	Avr.	Juil.	Oct.	Janv.

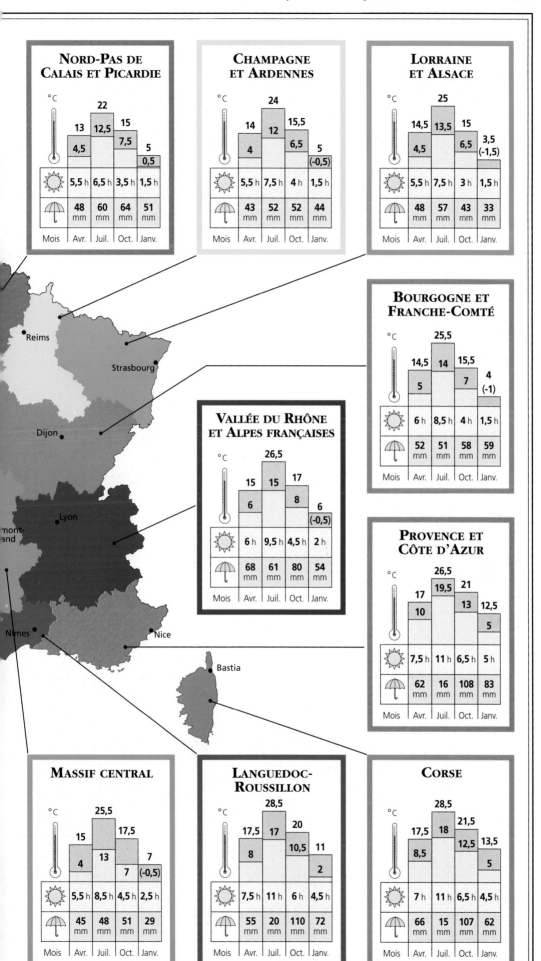

NORD-PAS DE CALAIS ET PICARDIE

°C

Mois	Avr.	Juil.	Oct.	Janv.
	13	22	15	5
	4,5	12,5	7,5	0,5
☀	5,5 h	6,5 h	3,5 h	1,5 h
☂	48 mm	60 mm	64 mm	51 mm

CHAMPAGNE ET ARDENNES

°C

Mois	Avr.	Juil.	Oct.	Janv.
	14	24	15,5	5
	4	12	6,5	(-0,5)
☀	5,5 h	7,5 h	4 h	1,5 h
☂	43 mm	52 mm	52 mm	44 mm

LORRAINE ET ALSACE

°C

Mois	Avr.	Juil.	Oct.	Janv.
	14,5	25	15	3,5
	4,5	13,5	6,5	(-1,5)
☀	5,5 h	7,5 h	3 h	1,5 h
☂	48 mm	57 mm	43 mm	33 mm

BOURGOGNE ET FRANCHE-COMTÉ

°C

Mois	Avr.	Juil.	Oct.	Janv.
	14,5	25,5	15,5	4
	5	14	7	(-1)
☀	6 h	8,5 h	4 h	1,5 h
☂	52 mm	51 mm	58 mm	59 mm

VALLÉE DU RHÔNE ET ALPES FRANÇAISES

°C

Mois	Avr.	Juil.	Oct.	Janv.
	15	26,5	17	6
	6	15	8	(-0,5)
☀	6 h	9,5 h	4,5 h	2 h
☂	68 mm	61 mm	80 mm	54 mm

PROVENCE ET CÔTE D'AZUR

°C

Mois	Avr.	Juil.	Oct.	Janv.
	17	26,5	21	12,5
	10	19,5	13	5
☀	7,5 h	11 h	6,5 h	5 h
☂	62 mm	16 mm	108 mm	83 mm

MASSIF CENTRAL

°C

Mois	Avr.	Juil.	Oct.	Janv.
	15	25,5	17,5	7
	4	13	7	(-0,5)
☀	5,5 h	8,5 h	4,5 h	2,5 h
☂	45 mm	48 mm	51 mm	29 mm

LANGUEDOC-ROUSSILLON

°C

Mois	Avr.	Juil.	Oct.	Janv.
	17,5	28,5	20	11
	8	17	10,5	2
☀	7,5 h	11 h	6 h	4,5 h
☂	55 mm	20 mm	110 mm	72 mm

CORSE

°C

Mois	Avr.	Juil.	Oct.	Janv.
	17,5	28,5	21,5	13,5
	8,5	18	12,5	5
☀	7 h	11 h	6,5 h	4,5 h
☂	66 mm	15 mm	107 mm	62 mm

Reims
Strasbourg
Dijon
Lyon
mont-
and
Nîmes
Nice
Bastia

HISTOIRE DE LA FRANCE

Carrefour entre l'Europe continentale et le monde méditerranéen, la France est un creuset où se sont fondues diverses influences culturelles, même avant l'arrivée des Gaulois celtes et jusqu'aux immigrations méditerranéennes du XXe siècle.

La domination romaine imposée par César aboutit au Ier siècle à une période d'unité et de prospérité *(pax romana)* qui dure jusqu'au déclin de l'Empire romain et aux invasions barbares des IVe et Ve siècles. Parmi les peuples germaniques qui en viennent alors à dominer la Gaule, les Francs, christianisés depuis la conversion de leur roi Clovis en 496, étendent leur souveraineté. En 751, Pépin le Bref fonde la dynastie carolingienne qui conquiert un puissant empire sous Charlemagne ; mais, en s'éteignant au Xe siècle, elle laisse le pays socialement et politiquement morcelé.

L'emblème royal : la fleur de lys

LA FORMATION DE LA FRANCE

L'élection en 987 d'Hugues Capet à la royauté marque un tournant dans l'histoire de France. Alors que la prospérité revient, provoquant un important essor démographique, les rois capétiens cherchent à imposer leur domination à de puissants vassaux, notamment les ducs de Bourgogne. C'est le début d'un processus poursuivi jusqu'au XXe siècle : la création d'un État aux pouvoirs centralisés dans la capitale, Paris. Louis XIV prive définitivement la noblesse de toute réelle indépendance à l'aube d'un siècle où la culture et les lumières françaises rayonneront sur l'Europe. Mais c'est l'Assemblée nationale, née de la Révolution de 1789, qui met toutes les provinces françaises sur le même pied en abolissant la féodalité et les privilèges locaux qui en découlaient, et en créant de nouvelles divisions administratives : les départements, eux-mêmes divisés en cantons. Napoléon s'appuie sur ce découpage pour accroître la centralisation et imposer son *Code civil*. L'école obligatoire, à la fin du XIXe siècle, supprime la dernière grande source de différences : les dialectes. Avec le service militaire et l'expansion des chemins de fer, elle contribue à la formation d'un pays homogène et uni.

Au terme de presque un siècle de conflits sanglants avec l'Allemagne, la France s'est aujourd'hui engagée dans la création d'une Europe qui rêve de ne plus jamais connaître de guerres.

Dessus de table en marqueterie de marbre figurant la France en 1684

◁ *La République*, peinte par Charles Landelle en 1848

La France préhistorique

Les premières traces de vie humaine sur le territoire qui deviendra la France remontent à environ deux millions d'années. Vers 40 000 av. J.-C., l'*homo sapiens* remplace l'*homo erectus* et vers 6 000 av. J.-C., à la fin de l'ère glaciaire, il abandonne sa vie errante de chasse et de cueillette pour pratiquer l'agriculture et l'élevage. La maîtrise du bronze au IIe millénaire permet la création d'outils de plus en plus élaborés. Remarquables métallurgistes, les premiers Celtes s'installent vers 1 200 av. J.-C., créant une civilisation brillante aux pouvoirs répartis entre guerriers et prêtres (les druides).

Vase de l'âge du bronze, Bretagne

LA FRANCE EN 8 000 AV. J.-C.
- Littoral de l'époque
- Territoire actuel

Ces têtes de chevaux sculptées, trouvées dans les Pyrénées, datent d'environ 9 000 av. J.-C.

Les alignements de Carnac
(4 500 - 4 000 av. J.-C.)
La fonction rituelle des mégalithes dressés autour de Carnac (p. 282) reste obscure ; on suppose qu'ils servaient de calendrier astronomique.

Mammouth sculpté dans un os.
Le géant disparut à la fin de l'ère glaciaire.

Homme de Cro-Magnon
Ce crâne découvert en 1868 à Cro-Magnon en Dordogne date d'environ 25 000 av. J.-C. L'homme de Cro-Magnon était robuste, avec une tête et une boîte crânienne développées et ne différait que très peu de nous.

L'ART PRÉHISTORIQUE

L'importance des vestiges découverts sur tout le territoire français n'est reconnue que depuis un peu plus d'un siècle. Outre les peintures rupestres, les hommes de la préhistoire nous ont laissé divers objets sculptés, notamment des figurines féminines sans doute liées à un rite de la fertilité.

CHRONOLOGIE

Aurochs à Lascaux

2 000 000 av. J.-C.
Premières sociétés d'hominidés

30 000 L'homme de Cro-Magnon

2 000 000 av. J.-C.	30 000	25 000	20 000

400 000 Découverte du feu par l'*homo erectus*

28 000 Premières « Vénus » sculptées, possibles représentations de déesses de la fertilité

Outil de pierre taillée

Portail, Roquepertuse

Les Celtes vouaient un culte aux têtes coupées – vraisemblablement celles de leurs ennemis – comme le montre cette entrée de sanctuaire du IIIe siècle av. J.-C.

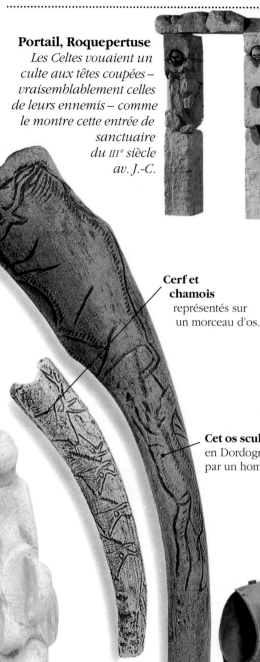

Cerf et chamois

représentés sur un morceau d'os.

OÙ VOIR LA FRANCE PRÉHISTORIQUE

Les peintures rupestres de Lascaux, dans le Périgord *(p. 458)*, comptent parmi les plus belles du monde. On peut également en admirer autour des Eyzies *(p. 458-459)*, dans la vallée des Merveilles au-dessus de Nice *(p. 563)* et dans la grotte du Pech-Merle dans la vallée du Lot *(p. 462)*. Les menhirs de Filitosa en Corse *(p. 576-577)* ont près de 4 000 ans.

***La grotte de Lascaux** s'orne d'aurochs et de mammouths peints entre 16 000 et 14 000 av. J.-C.*

Cet os sculpté, trouvé à Laugerie-Basse en Dordogne, montre un bison traqué par un homme armé d'une lance.

Hache de cuivre *(v. 2 000 av. J.-C.)*
Les outils de cuivre précédèrent l'apparition du bronze, alliage plus malléable et plus résistant, que supplanta à son tour le fer.

Armure en bronze

Même les Romains redoutaient les guerriers celtes de la Gaule. Ce plastron de cuirasse de 750 - 745 av. J.-C., léger mais efficace, témoigne de leur savoir-faire.

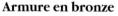

Cette Vénus très stylisée trouvée dans le Sud-Ouest fut sculptée dans une défense de mammouth vers 20 000 av. J.-C.

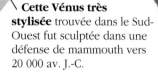

15 000 Sociétés vivant de la chasse aux troupeaux de mammouths et de rennes. Peintures de Lascaux et gravures de Val Camonica/Mont Bego

7 000-4 500 Révolution néolithique : agriculture, mégalithes et os sculptés

600 Colonie grecque à Marseille. Les produits de luxe de la Méditerranée s'échangent contre des métaux et des esclaves. Premiers développements urbains

15 000	**10 000**	**5 000**

10 000 Fin de l'ère glaciaire et extension des zones habitables

10 000-6 000 Disparition des mammouths. Chasse du gibier des forêts, notamment aurochs et sangliers

Casque celte

1 200-700 Arrivée des Celtes aux âges du bronze et du fer

500 Les nobles celtes enterrent leurs morts avec des richesses telles que le trésor de Vix *(p. 354)*

La Gaule romaine

Vers 120 av. J.-C., les Romains établirent dans le sud de la Gaule une colonie ayant Narbonne pour capitale. Puis, sous la conduite de Jules César, ils conquirent entre 58 et 61 av. J.-C. le reste du territoire gaulois. Ils y développent les communications, un réseau de cités dotées d'arènes et de thermes, ainsi que de vastes domaines agricoles. Mais le IIIᵉ siècle voit les premières incursions barbares.

Mosaïque romaine, Vienne

LA FRANCE EN 58 AV. J.-C.

☐ *Gaule romaine*

Un autel servait au culte d'Auguste, élevé au rang de dieu vivant.

Art de vivre romain
Les Romains répandent en Gaule le confort matériel et le raffinement - ainsi que la viticulture. Ce tableau de Thomas Couture témoigne de l'idée que l'on se faisait au XIXᵉ siècle de la décadence romaine.

Vercingétorix
Cette statue en bronze du chef arverne qui s'opposa à Jules César se dresse à Alise-Sainte-Reine (p. 354), lieu de la défaite finale des Gaulois en 51 av. J.-C.

LE TROPHÉE DES ALPES
Érigé en 6 av. J.-C. par le Sénat et le peuple romain, cet impressionnant monument qui se trouve à La Turbie, près de Monaco, célébrait la victoire d'Auguste sur les tribus alpines. Très abîmé, il a été partiellement restauré en 1935.

CHRONOLOGIE

31 av. J.-C. Auguste établit les frontières des 3 Gaules (*Gallia Celtica, Gallia Aquitania* et *Gallia Belgica*)

125-121 av. J.-C. Colonisation romaine du sud de la Gaule

Auguste

| 200 av. J.-C. | 100 | 0 | 100 ap. J.- |

58-51 av. J.-C. Guerre des Gaules menée par Jules César

16 av. J.-C. Maison carrée de Nîmes (*p. 526-527*)

43 Lugdunum (Lyon) devient la capitale des 3 Gaules

Jules César

52-51 av. J.-C. Révolte de Vercingétorix

Danseuse

L'art celte conserva son originalité après la conquête romaine. Cette statuette en bronze date du Ier ou du IIe siècle.

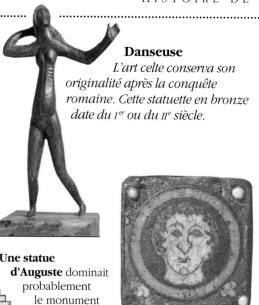

Une statue d'Auguste dominait probablement le monument original.

Broche émaillée

Ce bijou gallo-romain date de la 2e moitié du Ier siècle av. J.-C.

Où voir la France gallo-romaine

Il existe des ruines gallo-romaines partout en France, notamment en Provence où, outre La Turbie *(p. 563)*, vous pourrez découvrir l'amphithéâtre d'Arles *(p. 539)*, le théâtre et l'arc de triomphe d'Orange *(p. 532)* et les arènes de Nîmes *(p. 526-527)*. Autun en Bourgogne *(p. 359)*, Vienne *(p. 404)* et Périgueux *(p. 455)* présentent également des vestiges antiques.

Les arènes de Nîmes, bâties à la fin du Ier siècle, servent encore aujourd'hui.

Les Tables claudiennes

En 48, l'empereur Claude persuada le Sénat d'accorder la citoyenneté romaine aux Gaulois. Ceux-ci consignèrent l'événement sur des tables de pierre découvertes à Lyon.

Les 44 tribus vaincues par Auguste sont citées dans une dédicace du monument à l'empereur.

L'empereur Auguste

Premier empereur romain (27 av. - 14 apr. J.-C.), il imposa la pax romana *qui mit fin aux luttes intestines des Gaulois et leur permit de se développer pacifiquement.*

---

177 1re exécution de chrétiens. À Lyon, sainte Blandine est jetée aux lions qui l'épargnent

Sainte Blandine

361 Julien, préfet des Gaules, devient empereur. Lutèce prend le nom de Paris

200   **300**   **400**

275 1res incursions barbares

313 Le christianisme est reconnu religion officielle par Constantin, 1er empereur chrétien

406 Invasion des Barbares venus de l'est. Installation des Francs et d'autres tribus germaniques

476 Odoacre dépose Romulus Augustule. Fin de l'Empire romain d'Occident

L'âge monastique

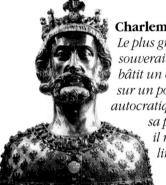

Calice en or du IXᵉ siècle

La chute de l'Empire romain fut suivie de plusieurs siècles de troubles et d'invasions pendant lesquels les dynasties franques des Mérovingiens (486-751) et des Carolingiens (751-987) ne réussirent à imposer que de brèves périodes de calme, laissant l'église chrétienne s'affirmer comme la principale source de stabilité. Monastères et abbayes deviennent alors des centres d'érudition et des pôles artistiques, tout en régissant de vastes domaines agricoles. Les ecclésiastiques qui les dirigent, souvent issus de la noblesse, acquièrent un immense pouvoir aussi bien économique que spirituel.

LA FRANCE EN 751

☐ *Empire carolingien*

Quartiers des frères lais au-dessus des étables

Charlemagne *(742-814)*
Le plus grand des souverains carolingiens bâtit un empire fondé sur un pouvoir strictement autocratique. Malgré sa puissance, il ne savait ni lire ni écrire.

Boulangerie

Dans la vaste infirmerie, flanquée de la chapelle Notre-Dame, on pouvait soigner près de 100 patients.

Saint Benoît
La règle monastique qu'il établit partageait le temps des moines entre travail et prière.

L'ABBAYE DE CLUNY
Fondée en 910, cette abbaye bénédictine *(p. 365)* dont on voit ici une reconstitution (d'après l'archéologue K.-J. Conant) fut à l'origine d'un vaste mouvement de réforme qui toucha des centaines de monastères dans toute l'Europe.

CHRONOLOGIE

481 Le Franc Clovis devient le 1ᵉʳ roi mérovingien

508 Paris capitale du royaume franc

v. 590 Saint Colomban introduit le monachisme irlandais en France

732 Bataille de Poitiers : Charles Martel repousse l'invasion arabe

500 | **600** | **700**

496 Conversion au christianisme de Clovis, roi des Francs

629-637 Dagobert Iᵉʳ, dernier grand roi mérovingien, donne une unité temporaire au royaume franc

Dagobert Iᵉʳ

751 Pépin devient le 1ᵉʳ roi carolingien

Le baptême de Clovis

Baptisé à Reims en 496, le roi franc Clovis fut le premier chef barbare à se convertir au christianisme.

OÙ VOIR LA FRANCE MONASTIQUE

Hormis quelques superbes chapiteaux, il reste peu de chose de Cluny (p. 365), mais on peut encore admirer les austères abbayes cisterciennes de Bourgogne comme Fontenay (p. 352-353), ou suivre le parcours des pèlerins médiévaux qui se rendaient à Saint-Jacques-de-Compostelle (p. 424-425), en faisant comme eux étape à Vézelay (p. 356-357), au Puy (p. 386-387), à Conques (p. 390-391), à Moissac (p. 468-469) et à la basilique Saint-Sernin de Toulouse (p. 472-473).

Chapiteau de Cluny

L'église abbatiale, commencée en 1088, resta la plus grande d'Europe jusqu'à la construction de Saint-Pierre de Rome au XVIᵉ siècle.

Chapelle du cimetière

Les arts monastiques

Dans les scriptoria, des artistes de talent se consacraient à la copie et à l'enluminure des manuscrits des bibliothèques.

Les travaux au monastère

La règle cistercienne accordait une grande place aux travaux manuels, notamment à l'agriculture et à la production de vin et de liqueurs.

1096 1ᵉʳ croisade

1066 Conquête de l'Angleterre par les Normands (Guillaume le Conquérant)

Soldats carolingiens

987 Hugues Capet, 1ᵉʳ roi capétien

800	900	1000

843 Traité de Verdun qui divise l'empire en trois parties dont la *Francia occidentalis*

910 Fondation de l'abbaye bénédictine de Cluny

1077 Tapisserie de Bayeux

800 Charlemagne est couronné empereur romain

La nef de Guillaume le Conquérant (détail de la tapisserie de Bayeux)

La France gothique

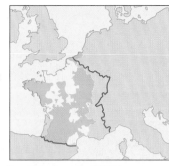

L e XIIe siècle, période d'essor économique, démographique et culturel, vit l'émergence du style gothique et de ses cathédrales aériennes (p. 28-29), tandis que les chansons de geste des troubadours célébraient l'amour courtois et le code de chevalerie. Les rois de France affirment leur pouvoir, mais leur cour reste concurrencée par celle des puissants ducs de Bourgogne (p. 363).

Combat de chevaliers

LA FRANCE EN 1270

☐ *Domaine royal*

☐ *Autres fiefs*

Le ciboire d'Alpais
Orfèvre réputé de Limoges, maître G. Alpais fabriqua au XIIe siècle cette superbe coupe pour les hosties consacrées (Louvre).

Treuil servant à hisser les pierres

Amour courtois
L'amour voué par les chevaliers à leur idéale et inaccessible dame devint une des grandes sources d'inspiration de la poésie lyrique.

Le roi, accompagné de l'architecte, surveille les travaux.

Vitrail du drapier
Le commerce des textiles profita de la prospérité urbaine. Ce vitrail d'une église de Semur-en-Auxois (p. 355) montre des laveurs de laine au travail.

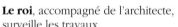

CHRONOLOGIE

v. 1100 1re version de la *Chanson de Roland*

1117 Mariage secret d'Abélard et de son élève Héloïse. L'union finit tragiquement : Abélard est châtré sur ordre de l'oncle de la jeune femme qui se retire dans un couvent

1154 Création de l'empire anglo-angevin par Henri II, comte d'Anjou duc de Normandie et roi d'Angleterre

1100	1125	1150	1175

1115 Saint Bernard fonde l'abbaye cistercienne de Clairvaux

1120 Reconstruction de l'abbaye de Saint-Denis ; naissance du style gothique

1180-1223 Règne de Philippe Auguste

Le roi Philippe Auguste, qui prit la fleur de lys pour emblème

Les croisades

La troisième (1189) de ces campagnes destinées à reprendre la Terre Sainte aux musulmans réunit Philippe Auguste, Richard Cœur de Lion et l'empereur Frédéric Barberousse.

De délicates sculptures ornent les façades des cathédrales gothiques.

Les tailleurs de pierre opéraient sur place.

ALIÉNOR D'AQUITAINE

La volontaire duchesse d'Aquitaine, terre alors indépendante, épouse en 1137 le roi de France Louis VII, mais il fit annuler le mariage en 1152 à son retour de croisade. Elle convole alors avec Henri Plantagenêt, duc de Normandie et comte d'Anjou, auquel elle apporte en dot son duché. Deux ans plus tard, l'accession d'Henri au trône d'Angleterre fonde ainsi l'empire anglo-angevin, ouvrant la voie à des décennies de conflits territoriaux.

Aliénor d'Aquitaine *et Henri II sont inhumés à Fontevraud (p. 310).*

Les reliques

Au Moyen Âge, la plupart des églises se flattaient de posséder au moins une relique de saint, dont les vertus miraculeuses devaient attirer pèlerins et offrandes.

Saint Bernard (1090-1153) *Figure clé de la réforme cistercienne, il prêcha une vie monastique toute de pauvreté.*

LA CONSTRUCTION D'UNE CATHÉDRALE

Dans les villes les plus riches, telles Chartres (p. 326-329) et Amiens (p. 198-199), des maîtres maçons érigèrent des cathédrales aux lignes alors nouvelles, témoignages de la foi et de la prospérité des commanditaires.

Louis IX sur son lit de mort

1226 Couronnement de Louis IX

1270 Mort de Louis IX à Tunis lors de la 8e croisade

1309 La papauté s'établit en Avignon

1200	1225	1250	1275	1300

1214 Bataille de Bouvines : Philippe Auguste commence à chasser les Anglais hors de France

1259 La Normandie, le Maine, l'Anjou et le Poitou sont repris à l'Angleterre

1285 Couronnement de Philippe le Bel

1297 Canonisé, Louis IX devient saint Louis

La guerre de Cent Ans

**Exécution publique,
chroniques de Froissart
(XIVᵉ siècle)**

Les conflits qui, de 1337 à 1453,
opposèrent Français et Anglais pour le
contrôle du territoire français eurent des
effets dévastateurs, aggravés par de
fréquentes famines et des épidémies de
peste noire. En 1420, le traité de Troyes
fait du roi d'Angleterre l'héritier du trône
de France, mais Jeanne d'Arc, en 1429,
réussit à faire sacrer Charles VII et donne
l'impulsion patriotique qui, en une
génération, permet de chasser les
envahisseurs du pays (exception
faite de Calais).

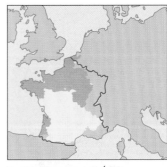

LA FRANCE EN 1429

☐ *France*

▨ *Domaine anglo-bourguignon*

Des anges annoncent
le Jugement dernier.

Hommes de guerre
*Les deux armées en campagne se
ravitaillaient aux dépens de la
paysannerie locale - situation qu'aggravait
le droit de pillage en cas de victoire.*

Les élus, ressurgissant
de leurs tombeaux,
sont recueillis au ciel.

La peste noire
*L'épidémie de 1348-1352 causa de
4 à 5 millions de décès, amputant
d'un quart la population du pays.
Faute de remèdes efficaces, la
seule ressource résidait dans la
prière et les processions.*

CHRONOLOGIE

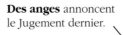

1346 Défaite des Français
lors de la bataille de Crécy

1328 Couronnement de
Philippe VI, 1ᵉʳ des Valois

1356 Défaite
française à
Poitiers

*Couleuvrine du
XIVᵉ siècle*

1325		1350		1375

1337 Début de la
guerre de Cent Ans

Pestiférés

1348-1352
Épidémie
de peste

1358 Révolte des bourgeois
de Paris conduits par Étienne
Marcel. Jacqueries dans le
nord de la France

La médecine au Moyen Âge

La conjonction des astres passait pour influencer les destinées humaines, y compris la santé. Aussi faisait-on grand cas des diagnostics fondés sur le zodiaque – le remède généralement prescrit restant d'ailleurs la saignée.

L'arc anglais

Si les troupes royales combattaient l'Angleterre, les grands duchés français s'alliaient selon leur intérêt à l'un ou l'autre camp. Dans la confusion de ces batailles, les archers anglais mirent plus d'une fois en déroute la cavalerie française.

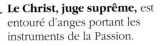

Le Christ, juge suprême, est entouré d'anges portant les instruments de la Passion.

L'archange Michel, aux ailes ocellées, porte la balance où sont pesés péchés et vertus.

Jean Baptiste, accompagné des 12 apôtres et de la Vierge Marie.

Les damnés, grimaçants, tombent en enfer.

LE JUGEMENT DERNIER

Guerres, famines et peste semblaient annoncer l'imminence du Jugement dernier, vision de terreur et d'espérance qu'illustrent des œuvres comme le grand polyptyque de l'hôtel-Dieu de Beaune *(p. 366-367)* peint par Rogier Van der Weyden au XVe siècle.

Exécution d' « hérétiques »

Le désespoir général trouvait parfois un exutoire dans la persécution de juifs et de prétendus hérétiques que l'on condamnait au bûcher.

1415 Nouvelle défaite française à Azincourt

1429 Jeanne d'Arc fait sacrer Charles VII

1453 Fin de la guerre de Cent Ans. Les Anglais ne gardent que Calais

1400 **1425** **1450**

1411 *Les Très Riches Heures du duc de Berry* par Paul et Jean de Limbourg *(p. 200)*

1431 Jeanne d'Arc est brûlée vive par les Anglais

1420 Henri V d'Angleterre devient héritier du trône de France

Jeanne d'Arc

La France de la Renaissance

C'est en envahissant l'Italie en 1494 que les Français découvrent les idéaux de la Renaissance. Ceux-ci se propagent tout particulièrement sous le règne de François Iᵉʳ, prince féru d'art et de littérature autant que de politique et d'exercice physique, qui protège l'humaniste Rabelais et invite à sa cour Léonard de Vinci et Benvenuto Cellini. Son fils, Henri II, épouse une Florentine, Catherine de Médicis (1519-1589), qui devient régente après sa mort en 1560, puis continue à gouverner à travers ses enfants : François II, Charles IX et Henri III. Son rôle est déterminant pendant les guerres de Religion qui déchirent le pays. En 1572, elle ordonne le massacre des protestants lors de la Saint-Barthélemy.

Joueur de luth

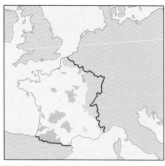

LA FRANCE EN 1527

☐ *Domaine royal*

☐ *Autres fiefs*

Les tours d'angles ont perdu leur massivité gothique pour devenir purement décoratives.

Galerie François Iᵉʳ, Fontainebleau
Les artistes de l'école de Fontainebleau marièrent influences italiennes et inspiration française.

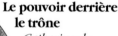

Le pouvoir derrière le trône
Catherine de Médicis domina la politique française de 1560 à 1589.

AZAY-LE-RIDEAU

L'un des plus beaux du Val de Loire, le château commencé en 1518 *(p. 314)* est manifestement consacré à l'agrément plutôt qu'à la défense. L'influence italienne y est visible.

CHRONOLOGIE

1470 1ʳᵉ presse d'imprimerie en France

Prototype de char dessiné par Léonard de Vinci

1519 Léonard de Vinci meurt à la cour d'Amboise dans les bras de François Iᵉʳ

1536 Calvin inaugure une nouvelle forme de protestantisme avec l'*Institution de la religion chrétienne*

1470	1480	1490	1500	1510	1520	1530

1477 Défaite définitive des ducs de Bourgogne, qui cherchaient à fonder un royaume intermédiaire entre la France et l'Allemagne

1494-1559 La France et l'Autriche se disputent l'Italie

1515 Sacre de François Iᵉʳ

Pièce d'or ornée de la fleur de lys et de la salamandre de François

Pomme de senteur en or
*Ces boules décoratives emplies
de substances aromatiques
comme l'ambre ou la
cannelle étaient censées
repousser la
contagion en
temps de peste.*

**Tapisseries
flamandes
de la salle
de bal**

L'escalier est à volées
droites, à la mode
italienne, et non
en spirale.

OÙ VOIR LA FRANCE DE LA RENAISSANCE

Plusieurs églises de Paris datent de la Renaissance, ainsi que de nombreux châteaux de la Loire et de Bourgogne bâtis au XVIᵉ siècle. Chenonceau *(p. 316-317)* et Tanlay *(p. 349)* comptent parmi les plus beaux. Nombre de villes comme Salers *(p. 383)* et Toulouse *(p. 472)* renferment encore de superbes maisons Renaissance.

***Cette cheminée** chauffait la chambre de François Iᵉʳ à Chenonceau.*

François Iᵉʳ et l'influence italienne
François Iᵉʳ, qui reçoit ici en 1518 La Sainte Famille de Raphaël, adorait l'art italien, en particulier la peinture de Titien, Michel-Ange et Léonard de Vinci.

Le salon rouge

La Nouvelle France
L'expansion coloniale française commença avec l'expédition de Jacques Cartier au Canada en 1534 (p. 288).

1559 Le traité de Cateau-Cambrésis met fin aux guerres d'Italie

1572 Massacre de la Saint-Barthélemy

1589 Assassinat d'Henri III. Le huguenot Henri IV est le premier Bourbon à accéder au trône

1598 L'édit de Nantes garantit la liberté de culte aux protestants

1608 Fondation du Québec

| 1540 | 1550 | 1560 | 1570 | 1580 | 1590 | 1600 |

1539 L'ordonnance de Villers-Cotterêts fait du français la langue officielle

1562 Début des guerres de Religion entre catholiques et protestants

Massacre de la Saint-Barthélemy

1593 La conversion d'Henri IV met fin aux guerres de Religion

Le Grand Siècle

La fin des guerres de Religion, marquée par la conversion d'Henri IV au catholicisme, permet de rétablir la prospérité du royaume. Avec Richelieu et Mazarin s'instaure la monarchie absolue qui connaît son apogée sous Louis XIV. C'est le Grand Siècle, également caractérisé par le rayonnement culturel de la France, avec les tragédies de Racine, les comédies de Molière et la musique de Lully. En architecture, le château de Versailles marque le triomphe du classicisme *(p. 168-171)*. Mais le coût de cette politique de prestige, auquel s'ajoute celui des guerres, appauvrit le pays qui connaît à la fin du règne une grave dépression.

Emblème du Roi-Soleil

LA FRANCE EN 1661

☐ *Domaine royal*

▨ *Enclave papale d'Avignon*

Molière *(1622-1673)*
Acteur, auteur et metteur en scène, Molière créa nombre de ses comédies pour la cour de Louis XIV. Après sa mort, sa troupe devint le noyau de base de la Comédie-Française fondée sur ordre du roi en 1680.

Madame (épouse de Monsieur) en Flore

Monsieur, le frère du roi

Madame de Maintenon
En 1648, après la mort de sa première femme, Marie-Thérèse, Louis XIV épousa en secret sa maîtresse, Mme de Maintenon, âgée de 49 ans.

LE ROI-SOLEIL ET SA FAMILLE
Monarque absolu de droit divin, Louis XIV commanda en 1665 ce tableau allégorique au peintre Jean Nocret. Entouré de sa famille, le roi y apparaît sous les traits d'Apollon, dieu de la Lumière.

CHRONOLOGIE

1610-1617 Régence de Marie de Médicis, mère de Louis XIII

Le cardinal de Richelieu

1624 Le cardinal de Richelieu entre au Conseil du roi

1634 Fondation de l'Académie française

1642-1643 Mort de Louis XIII et de Richelieu. Avènement de Louis XIV sous la tutelle du ministre Mazarin

1610	1620	1630	1640	1650

1617 Louis XIII roi à 17 ans

1631 *La Gazette,* premier journal de France

1635 Richelieu engage la France dans la guerre de Trente Ans

1637 *Le Discours de la méthode* de Descartes

1648-1652 Période de guerres civiles : la Fronde

Le livre d'heures de Louis XIV
Après une jeunesse libertine, Louis XIV devint de plus en plus pieux. Son livre d'heures se trouve au musée Condé (p. 201).

Mariage royal
Louis XIII et Anne d'Autriche se marièrent en 1615. À la mort de son époux, Anne assura la régence jusqu'à la majorité de son fils, Louis XIV.

Louis XIV en Apollon

Anne d'Autriche en Cybèle

Figurine baroque
Le style baroque eut moins d'incidence sur l'architecture française que sur la création d'objets d'art, tel ce Christ au piédestal richement ouvré.

OÙ VOIR L'ARCHITECTURE DU GRAND SIÈCLE

Le palais Lascaris de Nice *(p. 558)*, la Corderie royale de Rochefort *(p. 441)* et de nombreux édifices parisiens comme le palais du Luxembourg *(p. 126-127)*, l'hôtel et le dôme des Invalides *(p. 114-115)* sont de bons exemples de la grandeur de l'architecture classique, sans toutefois égaler la splendeur du château de Versailles *(p. 168-171)*. On notera également les forteresses commandées par le roi à Vauban, comme celle de Neuf-Brisach *(p. 224)*.

***Ors baroques** et faste royal à Versailles.*

Le Grand Dauphin (fils du roi)

La reine Marie-Thérèse en Junon

La Grande Mademoiselle, cousine du roi, en Diane

Le dramaturge Jean Racine (1639-1699)

1680 Création de la Comédie-Française

1709 Dernière grande famine de l'histoire de France

1661 Mort de Mazarin. Louis XIV reprend lui-même ses fonctions

1685 Révocation de l'édit de Nantes et de la liberté de culte des protestants

1660	1670	1680	1690	1700

1662 Colbert entame la réforme des finances et de l'économie

1689 Début des grandes campagnes de Louis XIV

1682 La cour s'installe à Versailles

1686 Ouverture du premier café de Paris, le Procope

Canon du XVIIe siècle

Les Lumières et la Révolution

**Assiette révolutionnaire :
l'exécution de Louis XVI**

L es philosophes du XVIIIᵉ siècle, comme Diderot, Voltaire et Rousseau, remettent en cause les fondements de l'ordre ancien en affirmant le droit naturel et la liberté de l'individu. Leurs écrits ont un énorme retentissement en Europe et jusque dans les colonies d'Amérique. En France, les troubles sociaux nés de la crise économique aboutissent en 1789 à l'abolition des privilèges, puis au renversement de la monarchie. La nouvelle République, avec sa devise « Liberté, égalité, fraternité », jettera les bases des démocraties actuelles.

LA FRANCE EN 1789

☐ *Royaume de France*

■ *Enclave papale d'Avignon*

Club des Jacobins

Voltaire *(1694-1778)*
L'esprit critique des essais et romans de ce maître de la satire lui valut de connaître l'exil et même la Bastille.

Assemblée nationale

La guillotine
Mise en service en 1792, elle avait pour fonction de rendre plus « humaines » des exécutions qui, auparavant, s'accompagnaient souvent de tortures.

La place de la Révolution *(p. 96)*
où Louis XVI fut exécuté en 1793.

Les Tuileries

Le café Procope était fréquenté par Voltaire et Rousseau.

Le Palais-Royal
Plusieurs imprimeries s'installèrent dans les galeries bordant le jardin de la résidence du duc d'Orléans (p. 97) qui devint un foyer d'agitation révolutionnaire en 1789.

CHRONOLOGIE

1715 Mort de Louis XIV et avènement de Louis XV

1745-1764
Mᵐᵉ de Pompadour, favorite de Louis XV, profite de son influence pour protéger artistes et philosophes

1715	1725	1735	1745	1755

Costume de médecin, censé protéger de la peste

1720 Dernière épidémie de peste en France. Elle décime Marseille

1751 Publication du premier tome de l'*Encyclopédie* de Diderot et d'Alembert

1756-1763 Guerre de Sept Ans : la France perd plusieurs colonies, dont le Canada

Symboles révolutionnaires
Dans les années 1790, les emblèmes de la République ornaient jusqu'aux papiers peints.

Marie-Antoinette
L'épouse de Louis XVI contribua au discrédit de la monarchie par sa conduite frivole. Incarcérée à la Conciergerie, elle fut guillotinée en 1793.

Le Marais, quartier aristocratique, tomba en décrépitude après la Révolution.

La Bastille

OÙ VOIR LA FRANCE DU XVIIIᵉ SIÈCLE

Construit en 1718, le palais de l'Élysée *(p. 106)* à Paris offre un bel exemple de l'architecture du XVIIIᵉ siècle, dont subsistent également les curieuses Salines royales d'Arc-et-Senans *(p. 370)*, le Grand Théâtre de Bordeaux *(p. 446)*, les élégants hôtels de Condom *(p. 466)* et les maisons marchandes de Ciboure *(p. 479)*. Pour l'art et le mobilier, ne pas manquer le château de Laàs à Sauveterre-de-Béarn.

***Le Grand Théâtre** de Bordeaux possède toute l'élégance de l'architecture du XVIIIᵉ siècle.*

LE PARIS DE LA RÉVOLUTION
Clubs politiques et journaux fleurirent à partir de 1789. *La Marseillaise*, composée par Rouget de Lisle en 1792, devient hymne national en 1795.

Calendrier révolutionnaire
Les mois du calendrier républicain tiraient leurs noms des événements saisonniers. Ici, Messidor, mois des moissons.

1768 Annexion de la Corse

1789 Prise de la Bastille, établissement d'une monarchie constitutionnelle, Déclaration des droits de l'homme et du citoyen

1783 Première ascension en ballon des frères Montgolfier

Maquette de la Bastille

1765	1775	1785	1795

1774 Avènement de Louis XVI

Carte d'électeur pour la Convention de 1792

1794 Exécution de Robespierre et fin de la Terreur

1762 *Du Contrat social* et l'*Émile*, de Rousseau

1778-1783 La France soutient les 13 colonies américaines lors de leur guerre d'indépendance

1792 Destitution de Louis XVI et début de la Iʳᵉ République

La France napoléonienne

LA FRANCE EN 1812

☐ *Territoire français et annexions*

▨ *États dépendants*

En se faisant sacrer empereur, Napoléon Bonaparte, ancien officier de l'armée révolutionnaire, enterre la République dont il répand pourtant les idéaux en Europe par ses guerres de conquête. Après sa défaite en 1814, la dynastie des Bourbons revient au pouvoir, mais une nouvelle révolution l'en écarte en 1830 au profit de Louis-Philippe d'Orléans. À la monarchie de Juillet succède dès 1848 la IIe République qui va élire pour président le neveu de Napoléon. Celui-ci, après son coup d'État de 1851, restaure l'Empire et prend le titre de Napoléon III. Son règne, marqué par une industrialisation intense et la modernisation de Paris, s'achève en 1870 lors de la victoire prussienne.

Légion d'honneur

Couronne de laurier des empereurs romains

Napoléon, I er consul, est couronné par Chronos, dieu du Temps.

Le musée du Louvre
Créé en 1791, le musée du Louvre ouvrit ses portes en 1793 et prit son véritable essor sous Napoléon qui s'intéressa personnellement à son organisation et à ses acquisitions.

Le drapeau révolutionnaire resta celui de l'Empire.

Insigne impérial
Napoléon Ier institua une nouvelle noblesse qu'il autorisa à posséder des armoiries. Il adopta en 1800 l'emblème de l'aigle, évocation de la Rome impériale.

Médaille de la Légion d'honneur

CHRONOLOGIE

1804 Sacre de Napoléon et établissement du Code civil

Le lit de Joséphine à la Malmaison

1800 Fondation de la Banque de France

1809 Divorce de Napoléon et Joséphine. Elle garde le château de la Malmaison *(p. 167)*

1814 Les Alliés (Angleterre, Russie, Autriche et Prusse) battent Napoléon et l'exilent sur l'île d'Elbe

1800	1810	1820

1802 La paix d'Amiens apporte une paix temporaire à l'Europe.

1806 Commande de l'Arc de triomphe

1803 La guerre reprend. Édification de l'empire napoléonien

1802 Création de la Légion d'honneur

1815 Les Cent-Jours : revenu d'Elbe, Napoléon est vaincu à Waterloo et déporté à Sainte-Hélène

La révolution de Juillet
Trois journées d'émeutes en juillet 1830 mirent fin au règne des Bourbons.

Les Bonaparte
Ce portrait de groupe imaginaire réunit Napoléon Ier (assis), son fils Napoléon II (à droite), qui ne régna pas, son neveu Napoléon III, et le jeune fils de ce dernier.

Le Code civil, ici figuré par une table de la loi.

Napoléon en campagne
Le génie militaire de Napoléon lui permit de conquérir la majeure partie de l'Europe.

LE STYLE Ier EMPIRE

Architecture, mobilier et vêtements s'inspiraient de l'esthétique grecque et romaine, les femmes portant des tuniques légères dont les plus audacieuses laissaient nue une épaule ou même plus. David et Gérard étaient les portraitistes en vogue, tandis que Géricault, avant Delacroix, donnait son élan au romantisme.

Madame Récamier, *peinte par David en 1800, tenait un salon que son esprit et sa beauté rendirent célèbre.*

LA GLOIRE NAPOLÉONIENNE

Tout en invoquant l'héritage révolutionnaire, Napoléon nourrissait un faible pour la pompe impériale. Les réformes qu'il entreprit (Code civil, enseignement public, Banque de France...) allaient toutes dans un sens centralisateur.

1832 Début de l'épidémie de choléra

1838 Daguerre perfectionne la photographie

1851 Coup d'État de Louis Napoléon Bonaparte

1848 Révolution de 1848 : fin de la monarchie de Juillet et début de la IIe République

1852 Louis Napoléon devient l'empereur Napoléon III

1830   **1840**   **1850**   **1860**

1830 La révolution de Juillet chasse Charles X du trône et y place Louis-Philippe

1840 Construction d'une ligne de chemin de fer

1853 Modernisation de Paris par Haussmann

1857 Baudelaire (*Les Fleurs du mal*) et Flaubert (*Mme Bovary*) poursuivis pour immoralité

1859-1860 Annexion de Nice et de la Savoie

Train de la ligne Paris-Saint-Germain

La Belle Époque

Après la Première Guerre mondiale, les Français gardaient un tel souvenir de la période qui l'avait précédée que celle-ci devint à jamais la « Belle Époque ». Elle fut pourtant loin d'être paisible : des conflits ouvriers la secouèrent et l'Affaire Dreyfus divisa le pays en gauche antimilitariste et droite antisémite. Cependant, les progrès de l'électricité et de la vaccination, puis l'automobile, le téléphone et le cinéma transformaient la vie quotidienne, tandis que des mouvements tels que l'impressionnisme ou l'Art nouveau révolutionnaient la création.

Vase
Art nouveau
par Lalique

LA FRANCE EN 1871

☐ *Territoire français*

▨ *Alsace-Lorraine*

Statue d'Apollon par Aimé Millet

L'Exposition universelle

3,2 millions de personnes visitèrent l'Exposition organisée à Paris en 1889. L'audacieuse tour de fer conçue pour l'occasion par Gustave Eiffel suscita d'intenses polémiques.

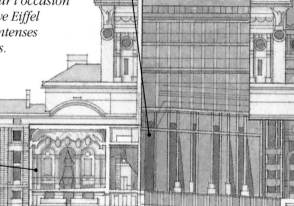

Scène

Coupole recouverte de cuivre

Coulisses

Voiture Peugeot *(1899)*
Vite adoptées, la bicyclette et l'automobile apportèrent une liberté nouvelle. Peugeot et Renault existaient avant la Première Guerre mondiale.

La salle, rouge et or, contient plus de 2 000 places.

CHRONOLOGIE

1869 Ouverture du Canal de Suez percé par Ferdinand de Lesseps

Sur les barricades en 1871

v. 1880 Expansion coloniale en Afrique et en Asie

1889 La tour Eiffel à l'Exposition universelle

1871 Commune de Paris et début de la IIIᵉ République

| 1865 | 1870 | 1875 | 1880 | 1885 | 18 |

1870-1871 Guerre franco-prussienne ; déchéance de Napoléon III. La France perd l'Alsace et la Lorraine

1881-1886 Réforme de l'éducation par Jules Ferry

1874 Naissance de l'impressionnisme

1885 Pasteur invente le vaccin contre la rage, le premier testé sur un être humain

1890 Peugeot fabrique l'une des premières automobiles

Affiche Art nouveau
Cette œuvre du grand dessinateur tchèque Alfons Mucha vante les mérites d'une bière, boisson devenue « patriotique » après la perte de l'Alsace-Lorraine en 1871.

Où voir la Belle Époque

L'hôtel Negresco de Nice (p. 558), le casino de Monte-Carlo (p. 564) et l'hôtel du Palais à Biarritz (p. 478) illustrent bien l'esprit de la Belle Époque. Le musée d'Orsay, à Paris (p. 120-121), expose des objets et du mobilier Art nouveau.

Escalier d'honneur de l'Opéra
Comme le montre cette peinture de Louis Béroud (1887), ses colonnes de marbre et son plafond décoré de fresques servaient de somptueux décor aux parades de la haute société.

***Les bouches de métro** dues à Guimard ont toute l'élégance sensuelle de l'Art nouveau.*

Rotonde de l'Empereur

Le grand foyer, entouré de balcons et somptueusement décoré

Escalier d'honneur

L'Opéra Garnier
Commandé à Charles Garnier par Napoléon III en 1862, il ne fut inauguré que sous la IIIᵉ République, en 1875. L'opulent éclectisme de l'extérieur se double d'une somptueuse décoration intérieure qui en fit à la Belle Époque l'un des hauts lieux de la vie mondaine.

La divine Sarah
Actrice au vaste répertoire, Sarah Bernhardt (1844-1923) fut l'étoile de la scène parisienne.

1894 Le cinémato-graphe des frères Lumière

Caricature de Zola

1894-1906 Affaire Dreyfus. Émile Zola défend l'officier juif (*J'accuse*), condamné à tort pour trahison

1909 Blériot traverse la Manche

1918 Armistice

1917 Pétain réprime des mutineries dans l'armée

1916 Bataille de Verdun

1895	1900	1905	1910	1915

1905 Séparation officielle de l'Église et de l'État

1913 Publication du premier tome d'*À la recherche du temps perdu* de Marcel Proust

1898 Marie et Pierre Curie découvrent le radium

1914 Première Guerre mondiale

« Poilu » français, 1916

1919 Traité de Versailles

La France de l'avant-garde

L a France, et plus particulièrement sa capitale, connut une période d'intense rayonnement culturel et artistique entre les deux guerres. Peintres, écrivains et musiciens du monde entier se pressent à Paris et y lancent des mouvements d'avant-garde comme le cubisme ou le surréalisme. Cette effervescence créatrice touche également la Côte d'Azur où Matisse, Picasso, Hemingway et Fitzgerald côtoient les aristocrates et les riches industriels qui prennent le Train Bleu, ou leur automobile, pour venir profiter de la mer et du soleil. En 1936, l'instauration des congés payés permet aux classes populaires d'apprécier aussi cette nouvelle forme de loisirs.

LA FRANCE EN 1919

☐ *Territoire français*

Dieux africains de la Création

1925, année Art déco
L'exposition internationale de 1925 lança le style Art déco dont les lignes géométriques se prêtaient à la production industrielle.

Danseurs en costumes de carton

L'âge du jazz
Paris accueillit des musiciens américains comme Sydney Bechet ou Dizzie Gillespie (à gauche), cocréateurs du be-bop dans les années 40.

La DS Citroën *(1956)*
Son élégance en fit l'emblème de la société de consommation dans les années 50 et 60.

Les costumes
et le décor créés par Léger devaient donner au spectacle une note mécanique.

CHRONOLOGIE

Avion d'Air France, 1937

1918 *Manifeste dada* de Tristan Tzara

1928 Première de *Un Chien andalou* de Luis Buñuel et Salvador Dali

1933 Premiers vols d'Air France

1937 Première de *La Grande Illusion* de Jean Renoir

1920

1930

1924 Jeux olympiques de Paris. André Breton publie le *Manifeste du surréalisme*

Détail d'une affiche des Jeux olympiques de 1924

1929-1939 La Dépression

1936-1938 Réformes sociales du Front populaire, instauration des congés payés

1938 Les accords de Munich ajournent la guerre

Coco Chanel *(1883-1971)*
Photographiée ici par Man Ray, elle créa dans les années 1920 une mode élégante et confortable.

Par avion
La France inaugura le courrier aérien dès 1927.

Le premier couple

LA CRÉATION DU MONDE *(1923)*
Le peintre cubiste Fernand Léger dessina les costumes de *La Création du Monde* dansée par les Ballets suédois sur une musique de Darius Milhaud. Les Ballets russes de Diaghilev s'adjoignirent aussi des artistes d'avant-garde comme Picabia, Cocteau ou Satie.

Le thème
s'inspirait de textes de Blaise Cendrars.

LA SECONDE GUERRE MONDIALE

Après l'écrasement des troupes françaises par l'envahisseur nazi, la IIIᵉ République signe le 22 juin 1940 un armistice entérinant l'occupation allemande du nord de la France et vote les pleins pouvoirs au maréchal Pétain qui établit, dans la « zone libre » du sud, le gouvernement collaborateur de Vichy. Depuis Londres, le général de Gaulle organise la Résistance, laquelle contribuera de l'intérieur à la libération de 1945.

Les soldats allemands aimaient poser devant la tour Eiffel pendant l'occupation.

Joséphine Baker *(1906-1975)*
On se pressait au music-hall, dans les années 20, pour admirer Mistinguett ou Joséphine Baker.

1940		1950	
1940 Déroute française et instauration par Pétain du gouvernement de Vichy	**1949** Création de l'OTAN et du Conseil de l'Europe	**1958** De Gaulle est président de la Vᵉ République	
1942 Les Allemands occupent toute la France		**1956** Édith Piaf triomphe au Carnegie Hall, à New York	
1944 Débarquement allié en Normandie. Libération de Paris. IVᵉ République	**1946** *Les Temps modernes*, revue fondée par Sartre. Premier festival de Cannes	**1954** La France se retire d'Indochine après la bataille de Dien Bien Phu. Début de l'insurrection algérienne	
1939 La Seconde Guerre mondiale est déclarée	**1945** Fin de la guerre. Droit de vote des femmes		

La France moderne

L a France connaît depuis les années 60 de profondes mutations. Le nombre d'agriculteurs diminue et les industries traditionnelles s'effondrent, les secteurs des services et des technologies de pointe se développent... ainsi que le chômage. La France entre dans l'ère de la consommation et de la culture de masse, voit ses paysages urbains transformés par la construction d'édifices résolument modernes et s'illustre par des réalisations telles que le Concorde ou le TGV. Tandis que la modernisation des transports réduit les distances intérieures, l'intégration européenne se poursuit.

Presse-citron de Philippe Starck

LA FRANCE D'AUJOURD'HUI

☐ *France*

▨ *Pays de l'Union européenne*

Le Centre Georges Pompidou *(1977)*
Très controversé lors de sa construction, cet édifice a donné une nouvelle jeunesse au quartier historique de Beaubourg. Il abrite l'un des musées les plus fréquentés du monde (p. 90-91).

La Nouvelle Vague
Le succès de films comme Jules et Jim *(1961) imposa le cinéma d'auteurs, illustré par Truffaut ou Godard.*

La Grande Arche fut inaugurée en 1989 pour le bicentenaire de la Révolution.

Centre commercial

LA DÉFENSE
La construction à la périphérie de Paris du quartier d'affaires de La Défense *(p. 130)* commença en 1958. Aujourd'hui 30 000 personnes y travaillent pour des sociétés du monde entier.

CHRONOLOGIE

1960 1re bombe atomique française. Décolonisation de l'Afrique noire

1963 1re centrale nucléaire française

1966 La France quitte l'OTAN

1968 Manifestations de mai

1969 Georges Pompidou remplace le général de Gaulle

1973 1er Élargissement du Marché commun (9 pays)

1974 Valéry Giscard d'Estaing élu président

1960 | **1970**

1962 Indépendance de l'Algérie

1965 1er satellite français

1967 Début de la Politique agricole commune

1970 Mort de Charles de Gaulle

1976 1er vol commercial du Concorde

1977 Changement de statut de Paris : Chirac élu maire. Inauguration du Centre Georges Pompidou

Drapeau européen
La France a tenu une place importante dans la construction européenne, amorcée dès les années 1950.

Le TGV
Le Train à Grande Vitesse, l'un des plus rapides du monde, témoigne de l'intérêt porté par les gouvernements français à l'amélioration des communications.

La tour Fiat
(178 m) est l'une des plus hautes d'Europe.

La mode selon Lacroix
Bien que la haute couture perde des clientes, Paris reste le centre mondial de la mode. Cet ensemble dessiné par Christian Lacroix illustre le talent de ses créateurs.

MAI 68

Né à la faculté de Nanterre, le mouvement étudiant, soutenu par des intellectuels comme Jean-Paul Sartre, s'étend bientôt au monde du travail. Une grève suivie par près de 9 millions de salariés paralyse le pays jusqu'aux accords de Grenelle qui apaisent les grévistes. Malgré son échec politique, Mai 68 aura d'importantes conséquences sociales et culturelles.

L'agitation étudiante au Quartier latin avait pour mot d'ordre la mise en cause des valeurs et institutions traditionnelles.

Le palais du CNIT fut le premier bâtiment construit à La Défense.

Les rois et empereurs de France

Au début du VIᵉ siècle, le Franc Clovis Iᵉʳ profite de la dislocation de l'Empire romain pour se tailler un royaume en Gaule et fonder la dynastie des Mérovingiens, auxquels succèdent, en 751, les Carolingiens. À partir de 987, les Capétiens établissent le royaume de France, qui se transmet à la branche des Valois, évincés à la fin des guerres de Religion par celle des Bourbons. Cette dernière dynastie perd le pouvoir lors de la Révolution de 1789, mais elle le retrouve brièvement de 1814 à 1830. Le XIXᵉ siècle voit aussi l'avènement de la dynastie impériale des Bonaparte. Depuis la déchéance de Napoléon III en 1871, la France est restée une République.

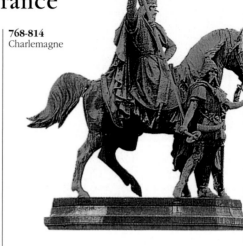

768-814
Charlemagne

954-986 Lothaire

898-929 Charles III, le Simple

1137-1180 Louis

743-751 Childéric III

716-721 Chilpéric II

695-711 Childebert II

884-888 Charles le Gros

987-996 Hugues Capet

566-584 Chilpéric Iᵉʳ

674-691 Thierry III

558-562 Clotaire Iᵉʳ

879-882 Louis III

1031-1060 Henri Iᵉʳ

447-458 Mérovée

655-668 Clotaire III

458-482 Childéric Iᵉʳ

628-637 Dagobert Iᵉʳ

840-877 Charles II, le Chauve

1060-110 Philippe

400	500	600	700	800	900	1000
DYNASTIE MÉROVINGIENNE				**DYNASTIE CAROLINGIENNE**		**DYNASTIE CAPÉT**
400	500	600	700	800	900	1000

751-768 Pépin le Bref

996-1031 Robert II, le Pieux

721-737 Thierry IV

986-987 Louis V

711-716 Dagobert III

936-954 Louis IV, d'Outremer

691-695 Clovis III

888-898 Eude, comte de Paris

668-674 Childéric II

882-884 Carloman

637-655 Clovis II

584-628 Clotaire II

877-879 Louis II, le Bègue

562-566 Caribert

511-558 Childebert Iᵉʳ

814-840 Louis Iᵉʳ, le Pieux

482-511 Clovis Iᵉʳ

1108-1137 Louis VI, le Gros

1515-1547 François Ier

1226-1270 Louis IX
(Saint Louis)

1498-1515 Louis XII,
le Père du peuple

1483-1498 Charles VIII

1422-1461 Charles VII,
le Victorieux

1270-1285 Philippe III,
le Hardi

1285-1314
Philippe IV, le Bel

1316-1322
Philippe V

1328-1350
Philippe VI

1547-1559 Henri II

1559-1560 François II

1610-1643 Louis XIII

1643-1715 Louis XIV,
le Roi-Soleil

1774-1792 Louis XVI

1804-1814
Napoléon Ier

1200	1300	1400	1500	1600	1700	1800

DYNASTIE DES VALOIS   **DYNASTIE DES BOURBONS**

1200	1300	1400	1500	1600	1700	1800

1314-1316
Louis X

1380-1422
Charles VI,
le Bien-Aimé

1560-1574
Charles IX

1814-1824
Louis XVIII

1574-1589
Henri III

1824-1830
Charles X

1322-1328
Charles IV,
le Bel

1364-1380
Charles V,
le Sage

1589-1610
Henri IV

1830-1848
Louis-Philippe

1852-1870
Napoléon III

1350-1364
Jean II, le Bon

1223-1226 Louis VIII

1180-1223 Philippe Auguste

1461-1483 Louis XI

1715-1774
Louis XV

PARIS ET L'ÎLE-DE-FRANCE

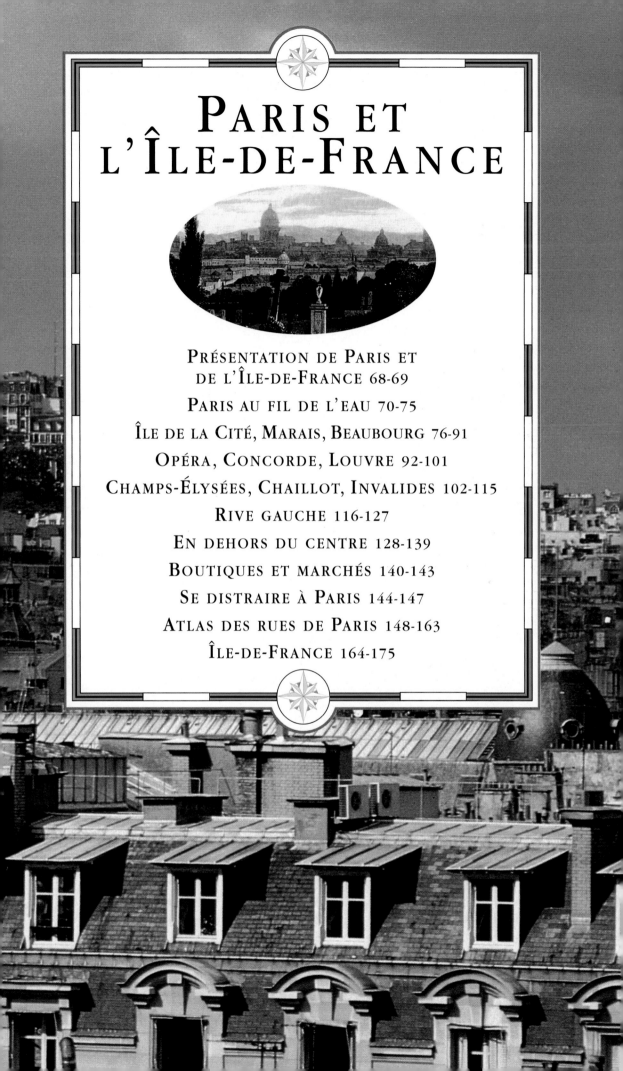

Présentation de Paris et de l'Île-de-France

D e Notre-Dame au Grand Louvre, en passant par la tour Eiffel ou le musée d'Orsay, toutes les époques ont contribué à la richesse de la capitale française en monuments et musées.

Passé la couronne des banlieues, les terres dont elle se nourrit sont aussi le domaine où elle se délasse : forêts où elle vient prendre l'air, villages immortalisés par les peintres, châteaux construits par les rois et la cour, parc de loisirs pour petits et grands.

Arc de Triomphe

Opéra Garni

**CHAMPS-ÉLYSÉES,
CHAILLOT,
INVALIDES**
Pages 102-115

Tour Eiffel

Musée d'Orsay

La tour Eiffel *(p. 113), inaugurée pour l'Exposition universelle de 1889, souleva alors passions et critiques ; elle est devenue le symbole même de la capitale.*

Le musée d'Orsay *propose, dans le cadre d'une ancienne gare (p. 120-121), une splendide collection de peintures et sculptures du XIXe siècle et du début du XXe, dont* Les Quatre parties du monde *(1867-1872) de Jean-Baptiste Carpeaux.*

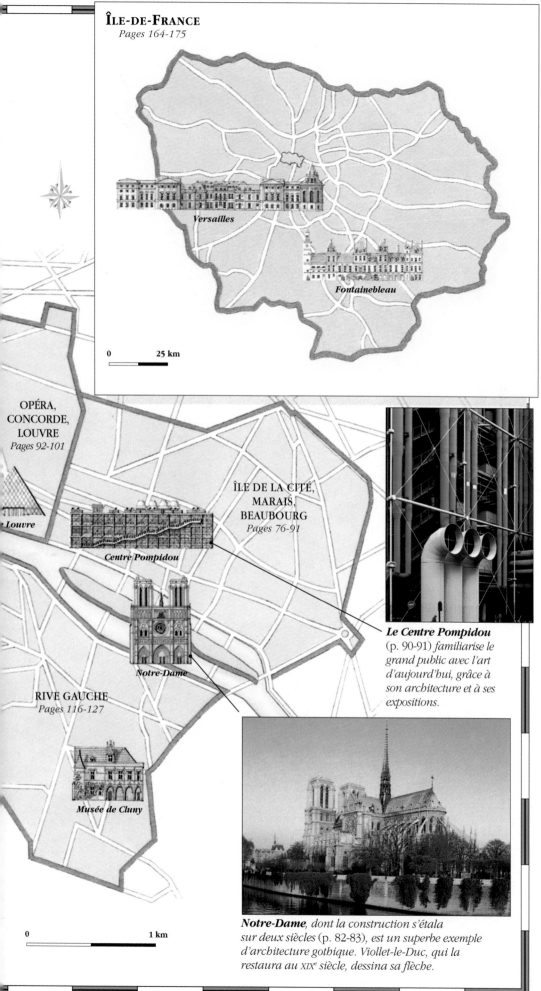

ÎLE-DE-FRANCE
Pages 164-175

Versailles

Fontainebleau

0   25 km

OPÉRA,
CONCORDE,
LOUVRE
Pages 92-101

Louvre

ÎLE DE LA CITÉ,
MARAIS,
BEAUBOURG
Pages 76-91

Centre Pompidou

Notre-Dame

RIVE GAUCHE
Pages 116-127

Musée de Cluny

Le Centre Pompidou
(p. 90-91) *familiarise le
grand public avec l'art
d'aujourd'hui, grâce à
son architecture et à ses
expositions.*

Notre-Dame, *dont la construction s'étala
sur deux siècles (p. 82-83), est un superbe exemple
d'architecture gothique. Viollet-le-Duc, qui la
restaura au XIXe siècle, dessina sa flèche.*

0   1 km

PARIS AU FIL DE L'EAU

Sculpture du pont Alexandre III

De toutes les artères de Paris, la plus majestueuse est cette large voie où coule le fleuve : sur des kilomètres, la ville célèbre ses épousailles avec la Seine qui s'y roule amoureusement comme au fond d'un lit. Concédant çà et là un peu de place à quelques hôtels particuliers et grands immeubles bourgeois, les plus insignes monuments de la capitale, tournés vers elle, lui font une haie d'honneur tandis que l'enjambent plus de trente ponts. Rares sont les cités à ce point liées à leur fleuve. Mais, sans doute parce que la ville est née dans une de ses îles, la Seine est une omniprésente référence : elle est l'axe commandant toute la numérotation des rues, et chaque Parisien se réfère à ses rives pour définir son propre univers, rive gauche ou rive droite ; bien des immeubles arborent la trace de la crue de 1910 comme une médaille plus que comme un stigmate, et c'est souvent avec l'excitation d'un supporter que l'on vient guetter la montée printanière de ses eaux. Par la Seine vinrent Barbares et Normands, mais par elle aussi le blé et le vin, et la pierre des maisons. À présent que décline ce rôle économique, vedettes, bateaux-mouches et promeneurs s'y multiplient entre des berges classées trésors du patrimoine mondial par l'Unesco.

Le Quartier latin, sur la rive gauche, doit son nom au latin que parlaient les étudiants qui le fréquentaient déjà au Moyen Âge.

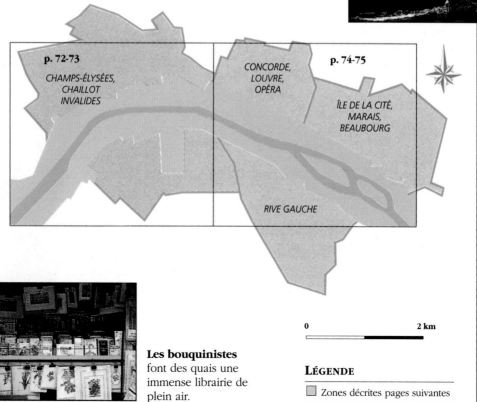

p. 72-73
CHAMPS-ÉLYSÉES, CHAILLOT INVALIDES

CONCORDE, LOUVRE, OPÉRA

p. 74-75
ÎLE DE LA CITÉ, MARAIS, BEAUBOURG

RIVE GAUCHE

Les bouquinistes font des quais une immense librairie de plein air.

0   2 km

LÉGENDE

Zones décrites pages suivantes

◁ **L'exubérante statuaire du pont Alexandre III**

Du pont de Grenelle au pont de la Concorde

Les grands édifices qui bordent cette partie du fleuve datent de l'époque napoléonienne et de la révolution industrielle. À l'élégance de la tour Eiffel, du Petit Palais et du Grand Palais répond l'esthétique géométrique de constructions plus récentes comme le palais de Chaillot ou la maison de Radio-France.

Le palais de Chaillot
Bâti pour l'exposition de 1937, il abrite plusieurs musées, un théâtre et la Cinémathèque (p. 110).

Le palais de Tokyo, orné de statues de Bourdelle, abrite un musée d'Art moderne.

Le pont de Bir-Hakeim a une statue de *La France Renaissante*, par Wederkinch (1930).

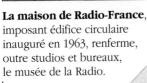

La maison de Radio-France, imposant édifice circulaire inauguré en 1963, renferme, outre studios et bureaux, le musée de la Radio.

Trocadéro Ⓜ

Passy Ⓜ

Bateaux Parisiens Tour Eiffel

Vedettes de Paris Île-de-France

Passerelle

Pont d'Iéna

La tour Eiffel
Elle est le symbole de Paris (p. 113).

Champ-de-Mars Tour Eiffel 🆁🅴🆁

Pont de Bir-Hakeim

Prés. Kennedy Radio-France 🆁🅴🆁

Bir-Hakeim Ⓜ

La statue de la Liberté, offerte à la ville en 1885, regarde vers l'ouest et New York.

Pont de Grenelle

LÉGENDE

Ⓜ Station de métro

🆁🅴🆁 Station de RER

⬜ Embarcadère du Batobus

▣ Embarcadère des bateaux

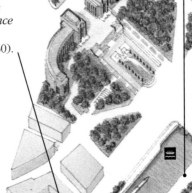

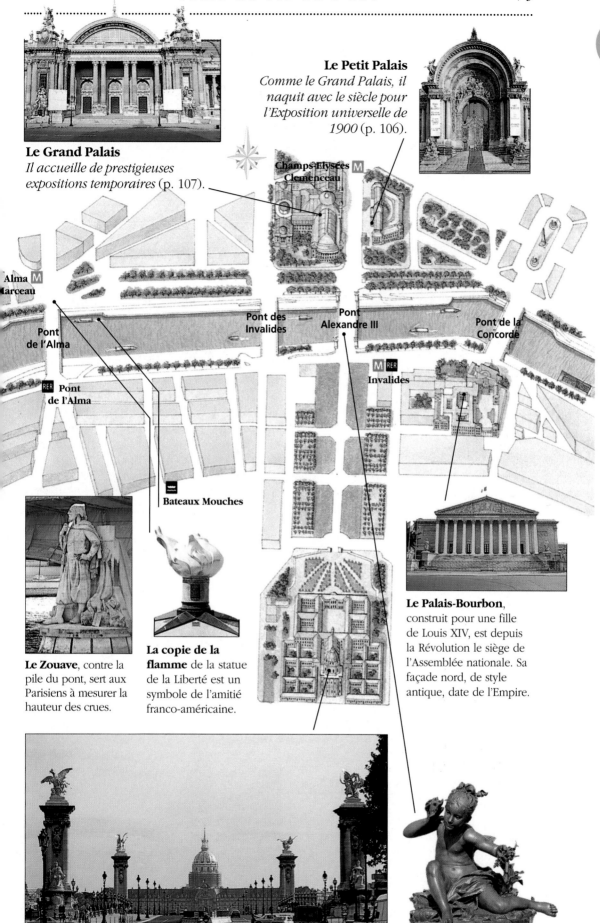

Le Grand Palais
Il accueille de prestigieuses expositions temporaires (p. 107).

Le Petit Palais
Comme le Grand Palais, il naquit avec le siècle pour l'Exposition universelle de 1900 (p. 106).

Champs-Élysées Clemenceau Ⓜ

Alma Ⓜ Marceau

Pont de l'Alma

Pont des Invalides

Pont Alexandre III

Pont de la Concorde

Ⓜ RER **Invalides**

RER **Pont de l'Alma**

Bateaux Mouches

Le Zouave, contre la pile du pont, sert aux Parisiens à mesurer la hauteur des crues.

La copie de la flamme de la statue de la Liberté est un symbole de l'amitié franco-américaine.

Le Palais-Bourbon, construit pour une fille de Louis XIV, est depuis la Révolution le siège de l'Assemblée nationale. Sa façade nord, de style antique, date de l'Empire.

Le dôme des Invalides
Le majestueux dôme doré (p. 115), *dans l'axe du pont Alexandre III, coiffe la crypte où repose Napoléon Ier.*

Pont Alexandre III, *spécimen de l'art décoratif de la IIIe République* (p. 107).

Du pont de la Concorde au pont Sully

Le cœur de Paris bat ici, autour de l'île de la Cité. Camp retranché de la tribu celte des Parisii au IIe siècle avant J.-C., âme de la ville médiévale, elle demeure le pivot de la capitale moderne.

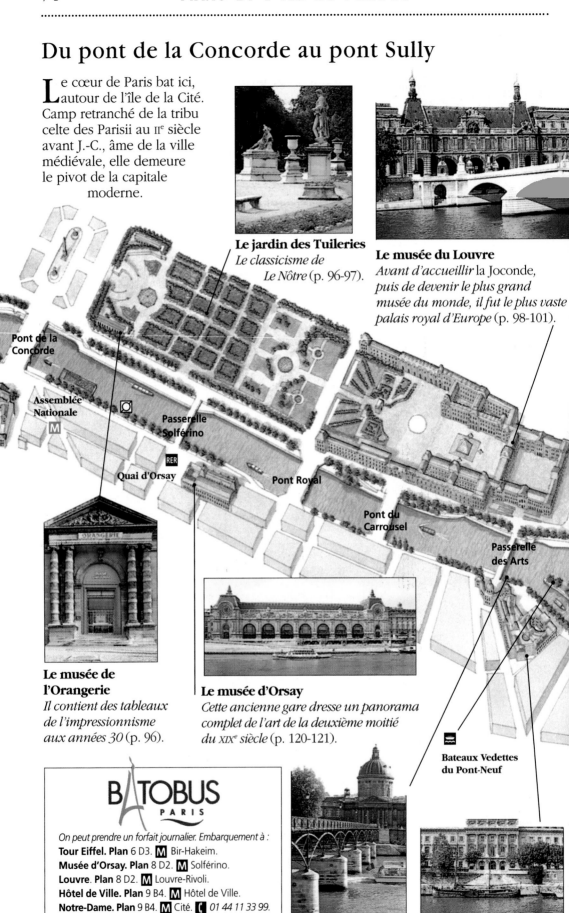

Le jardin des Tuileries
Le classicisme de Le Nôtre (p. 96-97).

Le musée du Louvre
Avant d'accueillir la Joconde, puis de devenir le plus grand musée du monde, il fut le plus vaste palais royal d'Europe (p. 98-101).

Pont de la Concorde

Assemblée Nationale Ⓜ

Passerelle Solférino

Quai d'Orsay RER

Pont Royal

Pont du Carrousel

Passerelle des Arts

Le musée de l'Orangerie
Il contient des tableaux de l'impressionnisme aux années 30 (p. 96).

Le musée d'Orsay
Cette ancienne gare dresse un panorama complet de l'art de la deuxième moitié du XIXe siècle (p. 120-121).

Bateaux Vedettes du Pont-Neuf

B TOBUS PARIS

On peut prendre un forfait journalier. Embarquement à :
Tour Eiffel. Plan 6 D3. Ⓜ Bir-Hakeim.
Musée d'Orsay. Plan 8 D2. Ⓜ Solférino.
Louvre. Plan 8 D2. Ⓜ Louvre-Rivoli.
Hôtel de Ville. Plan 9 B4. Ⓜ Hôtel de Ville.
Notre-Dame. Plan 9 B4. Ⓜ Cité. 📞 *01 44 11 33 99.*
Départs avr., mai, oct. et début nov. : 10 h - 19 h ; juin - sept. : 10 h - 21 h ; fréquence des bateaux : 15 à 25 min.

La passerelle des Arts, premier pont de Paris construit en fer (1802), refait en 1984.

L'hôtel de la Monnaie, abrite les services administratifs et les ateliers de fonderie d'art et de médailles.

CROISIÈRES SUR LA SEINE

Vedettes du Pont Neuf

Lieu d'embarquement :
Square du Vert-Galant
(Pont Neuf). **Plan** 8 F3.
(01 46 33 98 38.
M Pont-Neuf.
RER Châtelet.
🚌 24, 27, 58, 67, 70, 72, 74, 75. **Départs** d'avr. à oct. : de 10 h 30 à 12 h, de 13 h 30 à 18 h 30 t.l.j. (toutes les 30 min).
Croisière des Illuminations t.l.j. de 21 h à 22 h 30 (toutes les 30 min). Demi-tarif pour les moins de 15 ans. **Durée** 1 h. **Horaires d'hiver** : téléphoner. Trois bateaux de 300 pl. ; leur style plus ancien donne du cachet à la promenade.

Bateaux-Mouches

Lieu d'embarquement :
Pont de l'Alma.
Plan 6 F1.
(01 42 25 96 10.
M Alma-Marceau.
RER Pont de l'Alma.
🚌 28, 42, 63, 72, 80, 92.
Départs de 11 h à 22 h tous les jours (toutes les 45 min).
Durée 1 h 15.
Dîner-croisière : 20 h 30 du mar. au sam.
La flottille de cette célèbre compagnie compte 11 unités, d'une capacité allant de 400 à 600 places. Elles sont toutes dotées de puissants projecteurs.

Île de France

Lieu d'embarquement :
Pont d'Iéna. Plan 6 D2.
(01 47 05 71 29.
M Bir-Hakeim.
RER Champ-de-Mars.
🚌 22, 30, 32, 44, 69, 82, 87.
Départs de 11 h à 13 h (toutes les heures) et de 13 h à 22 h (toutes les 30 min), t.l.j.
Durée 1 h.
Dîner-croisière 20 h 30 le sam. Tenue de ville obligatoire.
Les 6 vedettes de cette compagnie, entièrement vitrées, ont chacune une capacité de 100 passagers environ.

Bateaux Parisiens

Lieux d'embarquement :
Pont de la Bourdonnais.
Plan 6 D2.
Pont au Double. Plan 9 A4.
(d'avr. à nov.)
(01 44 11 33 44.
M Trocadéro, Bir-Hakeim.
RER Champ-de-Mars.
🚌 42, 82, 72.
Départs d'avril à oct. : de 10 h à 22 h 30 t.l.j. ; 23 h ven et sam. (toutes les 30 min) ; de nov. à mars : de 10 h à 22 h t.l.j. (chaque heure).
Déjeuner-croisière 12 h 15 t.l.j. **Dîner-croisière** 19 h 45 t.l.j. **Durée** 2 h 30.
Tenue de ville obligatoire.
Ses 7 bateaux – de 150 à 400 passagers – sont les plus luxueux.

L'île de la Cité
Berceau puis cœur politique de la capitale (p. 78-79), elle en est aussi la nef symbolique.

Le palais de Justice et la Conciergerie
Lointains héritiers du palais des premiers souverains, ils en conservent quelques tours et de superbes salles médiévales (p. 79-80).

L'île Saint-Louis est un lieu de résidence envié depuis son urbanisation au XVIIᵉ siècle.

Pont-Neuf
M

t-Neuf

M **Châtelet**

Hôtel de Ville
M

Pont au Change

Pont Notre-Dame

Cité
M

Pont d'Arcole

Pont Louis-Philippe

RER **M**
Saint-Michel   **Petit-Pont**

Pont au Double

Pont Saint-Louis

M **Pont Marie**

Pont Marie

Pont de l'Archevêché

M

Sully-Morland

Pont de la Tournelle

Pont de Sully

Notre-Dame,
du bord du fleuve, veille sur le pays (p. 82-83).

🚢
Bateaux Parisiens

ÎLE DE LA CITÉ, MARAIS, BEAUBOURG

C'est au XIXᵉ siècle que l'île de la Cité a perdu son lacis de ruelles médiévales, mais l'éclat de sa cathédrale, rayonnant sur le pays tout entier, rappelle avec force que ces lieux demeurent le berceau, et furent pendant des siècles le centre de la capitale. Sur la rive droite, c'est dans les années 1960 que furent entrepris les travaux qui, à l'inverse, ont sauvé le Marais de la ruine. Décapé, blanchi, restauré, parfois un peu trop, ce musée de l'architecture du XVIIᵉ siècle est redevenu un secteur convoité par les Parisiens aisés, comme au temps d'Henri IV lorsque nobles et bourgeois accouraient autour de la place Royale – la place des Vosges – se faire bâtir

Armes de la Ville de Paris

des demeures à la mesure de leur fortune ou de leur ambition. Les boutiques à la mode, les musiciens de rue et les cafés de la place des Vosges y attirent, le dimanche, des foules de badauds. Non loin, passants, touristes et flâneurs se mêlent aux clients du Forum des Halles et aux visiteurs du Centre Pompidou. Aux blanches arcades du cratère de fer et de verre illuminant les quatre niveaux de boutiques en sous-sol du premier fait écho l'assemblage multicolore de poutres et tubulures de l'énorme centre culturel, chacun s'inscrivant sans complexe dans un paysage architectural plutôt éclectique.

LE QUARTIER D'UN COUP D'ŒIL

Îles et places
Île Saint-Louis ⑦
Forum des Halles ⑬
Place des Vosges ⑲
Place de la Bastille ㉑

Églises
Sainte-Chapelle ④
Notre-Dame p. 82-83 ⑥
Saint-Gervais-Saint-Protais ⑨
Saint-Eustache ⑫

Bâtiments historiques
Conciergerie ②
Palais de Justice ③
Hôtel de Ville ⑩
Tour Saint-Jacques ⑪

Musées
Crypte archéologique ⑤
Hôtel de Sens ⑧
Centre Georges-Pompidou p. 90-91 ⑭
Musée d'Art et d'Histoire du Judaïsme ⑮
Hôtel de Soubise ⑯
Musée Picasso ⑰
Musée Carnavalet ⑱
Maison de Victor Hugo ⑳

Pont
Pont-Neuf ①

COMMENT Y ALLER

Métro : Châtelet, Hôtel de Ville et Cité sont les trois stations les plus centrales. Bus : plusieurs lignes traversent l'île de la Cité et l'île Saint-Louis. La ligne 47 dessert Beaubourg, la 29 le Marais.

LÉGENDE

■ Plan pas à pas *p. 78-79*
■ Plan pas à pas *p. 86-87*
Ⓜ Station de métro
⊡ Embarcadère du Batobus
Ⓟ Parc de stationnement
RER Station de RER

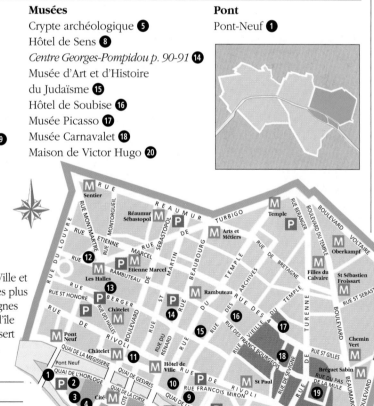

L'île de la Cité pas à pas

Paris prend son origine ici, sur cette île en forme de bateau qu'habitait la tribu celte des Parisii qui lui donna son nom. Lieu de traversée du fleuve et site facile à défendre, l'île abritera à partir de 52 avant J.-C. le palais des gouverneurs romains, puis des rois mérovingiens et plus tard capétiens. Après eux, le Parlement de Paris puis le centre de tous les services judiciaires continueront à y représenter le pouvoir temporel, tandis qu'à l'autre extrémité de l'île Notre-Dame exerce son rayonnement spirituel sur l'ensemble du pays. Toute l'animation se concentre maintenant autour d'elle, et les touristes du monde entier s'y donnent rendez-vous, fouinant dans les boutiques de bimbeloterie ou écoutant des musiciens ambulants avant d'escalader ses tours.

★ La Conciergerie
Reste du palais des Capétiens devenu une prison ; il s'y rattache des souvenirs révolutionnaires. **2**

Le marché aux fleurs de la place Louis-Lépine est le plus connu et l'un des derniers de Paris. Il cède la place le dimanche au marché aux oiseaux.

Métro Cité

Vers le Pont-Neuf

★ La Sainte-Chapelle
Joyau de l'architecture gothique, elle est également réputée pour la splendeur de ses vitraux. **4**

Le Palais de Justice
Vaste complexe judiciaire, l'ancien palais royal a une histoire qui s'étend sur plus de 16 siècles. **3**

Le point zéro est le point de départ théorique des routes nationales reliant Paris aux villes de France.

Vers le Quartier latin

CRYPTE DU PARVIS

La crypte du parvis Notre-Dame
Le passé de la place gît là, avec des vestiges étagés jusqu'à 2 000 ans. **5**

À NE PAS MANQUER

★ Notre-Dame

★ La Sainte-Chapelle

★ La Conciergerie

LÉGENDE

– – – – Itinéraire conseillé

L'**Hôtel-Dieu**, vaste hôpital construit de 1866 à 1878, occupe l'emplacement de l'hospice des Enfants trouvés.

PLAN DE SITUATION
Voir Atlas des rues, plans 8, 9

★ **Notre-Dame**
Superbe exemple d'architecture gothique, c'est la « paroisse de l'histoire de France ». ❻

Le musée de Notre-Dame retrace les grands moments de l'histoire de la cathédrale.

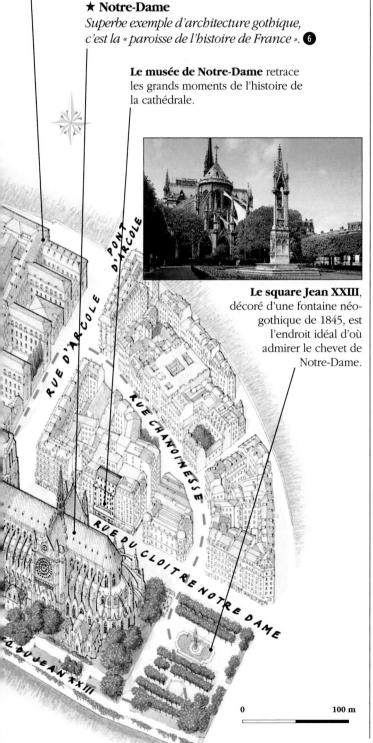

Le square Jean XXIII, décoré d'une fontaine néo-gothique de 1845, est l'endroit idéal d'où admirer le chevet de Notre-Dame.

0   100 m

Le Pont-Neuf

Le Pont-Neuf ❶

75001. **Plan** 8 F3. Ⓜ *Pont-Neuf, Cité.*

Malgré son nom, c'est le plus vieux de Paris. Henri III en posa la première pierre en 1578 et Henri IV l'inaugura en 1607. Long de 278 m et large de 28, c'est aussi le premier pont de pierre sans maisons de la capitale et le premier doté de trottoirs. Entre le pont et le Palais de Justice s'étend la charmante place Dauphine, qu'Henri IV fit aménager en 1607 en l'honneur du dauphin, le futur Louis XIII.

La Conciergerie ❷

1, quai de l'Horloge, 75001. **Plan** 9 A3. 🆔 *01 53 73 78 50.* Ⓜ *Cité.* ◯ *avr.-sept. : 9 h 30-18 h 30 t.l.j. ; oct.-mars : 10 h-17 h t.l.j.* ◯ *les jours fériés.* 🈲 ◙ ✦ *téléphoner pour les horaires* 🅿

Occupant la partie nord de l'ancien palais des Capétiens, elle devint en 1391 la première prison de Paris lorsque cette demeure royale accueillit le siège du Parlement et du pouvoir judiciaire. Pendant la Révolution, 2 780 condamnés, dont Marie-Antoinette, Danton et Saint-Just, y attendirent leur exécution, et l'on visite cellules, galeries et salles liées à ces heures tragiques. La salle des Gens d'Armes est un magnifique édifice du XIVe siècle, où 69 piliers portent des voûtes d'ogives. Autres restes du palais primitif, la tour carrée de l'Horloge, portant la première horloge publique de Paris (1371, souvent refaite), et trois tours rondes dont celle d'Argent, entrepôt du trésor royal.

Palais de Justice : statues allégoriques dans la cour du Mai

Le Palais de Justice ❸

4, bd du Palais (entrée par la cour du Mai), 75001. **Plan** 9 A3. 📞 01 44 32 50 00. Ⓜ Cité. ⭘ de 8 h 30 à 17 h du lun. au ven. ⬤ les jours fériés. ♿

L e prétoire de Lutèce se dressait déjà sur ce site, plus facile à défendre, d'où les rois mérovingiens puis capétiens exercèrent leur pouvoir au Moyen Âge. Abandonné en tant que demeure royale au XIVᵉ siècle, le palais, resté le siège de divers organes centraux, fut sans cesse agrandi et remanié par la suite. La salle des Pas-Perdus, refaite dans l'esprit du XVIIᵉ s., est l'héritière de la Grande-Salle, la plus illustre du palais, jadis ornée de statues royales. La Chambre Dorée, à côté, rétablie dans le style du XVIᵉ s., vit siéger en 1793, le tribunal révolutionnaire : là furent condamnés nombre de personnages célèbres.

La crypte du parvis Notre-Dame ❺

Pl. du Parvis-Notre-Dame, 75004. **Plan** 9 A4. 📞 📞 01 55 42 50 10. Ⓜ Cité. ⭘ de 10 h à 18 h du mar. au dim. ⬤ les 25 déc., 1ᵉʳ janv., 1ᵉʳ mai et 11 nov. 📷

L ieu de fouilles désormais protégé d'une dalle, cette crypte longue de près de 120 mètres montre, intactes et superposées selon les époques, les substructures de la place : rues et maisons gallo-romaines, tronçon de la première enceinte (IIIᵉ s.), fondations de la cathédrale mérovingienne Saint-Étienne, constructions du XVIIIᵉ siècle. Des maquettes retracent le développement de la capitale depuis ses origines au IIIᵉ siècle avant J.-C., où la tribu celte des Parisii s'installa sur l'île.

Notre-Dame ❻

p. 82-83

La Sainte-Chapelle ❹

4, bd du Palais, 75001. **Plan** 9 A3. 📞 01 53 73 78 51. Ⓜ Cité. ⭘ avr.-sept. : de 9 h 30 à 18 h 30 ; oct.-mars de 10 h à 17 h t.l.j. ⬤ les 1ᵉʳ janv., 1ᵉʳ mai, 1ᵉʳ et 11 nov., 25 déc. 📷 📷 📷

C e sanctuaire royal, d'une élégance et d'une grâce aériennes, est considéré comme l'un des chefs-d'œuvre de l'architecture occidentale, et les pèlerins au Moyen Âge en faisaient déjà une porte du paradis. On ne peut manquer, en effet, d'être séduit par le chatoiement de ses magnifiques verrières, en même temps que fasciné par la légèreté de la frêle armature de pierre qui les sertit et semble ne tenir que par miracle. Louis IX, le futur Saint Louis, fit édifier à partir de 1246 ce monumental reliquaire pour abriter la couronne d'épines du Christ, ainsi qu'un fragment de la Croix, achetés à Baudoin II, empereur de Constantinople (et aujourd'hui conservés à Notre-Dame).

L'édifice comporte deux sanctuaires superposés : la chapelle basse, pour les serviteurs et courtisans de rang inférieur, et la lumineuse chapelle haute (20 m sous voûte), accessible par un étroit escalier en spirale, réservée à la famille royale et à son entourage. Victime d'un incendie en 1630, endommagée par la Révolution qui en fit un entrepôt de farine, la Sainte-Chapelle fut rénovée par Viollet-le-Duc au XIXᵉ siècle.

Aujourd'hui, des concerts de musique classique tirent régulièrement parti de son excellente acoustique. Entre les piliers auxquels s'adossent les apôtres, les quinze fenêtres comptent au total 1 134 scènes dont 720 remontent au XIIIᵉ siècle. Et tandis qu'à la rosace les scènes de l'Apocalypse s'embrasent au couchant, celles de la Passion au centre de l'abside s'illuminent au soleil levant, entre Jean le Baptiste et Jean l'Évangéliste. À part la 1ʳᵉ fenêtre de droite, où est relatée l'histoire des reliques (achetées trois fois plus cher que le coût de construction du sanctuaire lui-même), toutes les autres illustrent les Écritures.

Un lumineux joyau de l'architecture gothique

L'île Saint-Louis ❼

Saint-Louis-en-l'Île, 75004. **Plan** 9B C4.
☎ 01 46 34 11 60. Ⓜ Pont Marie,
Sully-Morland. ◯ de 9 h à 12 h et de
15 h à 19 h du mar. au dim. matin.
⬤ les jours fériés.

De l'autre côté du pont Saint-Louis, depuis l'île de la Cité, la petite île Saint-Louis est un havre de rues tranquilles et de quais paisibles. On y trouve restaurants et boutiques de luxe, ainsi que le célèbre glacier Berthillon. La majorité des immeubles et édifices de l'île furent construits danns un style classique XVIIe.

Louis Le Vau, qui habitait l'île Saint-Louis, dessina les plans de l'église **Saint-Louis-en-l'Île** dont la construction commença en 1664. L'édifice fut achevé et consacré en 1726. L'horloge (1741) et sa flèche en fer ajouré lui donnent une allure très particulière. L'intérieur, d'un baroque lumineux, est orné de marbres et de dorures. Il

Saint-Louis-en-l'Île

renferme des tableaux du XVIIIe siècle et une statue de Saint Louis portant l'épée des croisés ; le saint roi mourut de la peste à Carthage lors de la 8e croisade.

L'hôtel de Sens ❽

1, rue du Figuier, 75004. **Plan** 9 C4.
☎ 01 42 78 14 60. Ⓜ Pont Marie. ◯ de
13 h 30 à 20 h 30 du mar. au sam.
⬤ les jours fériés. ♿

Occupé par la bibliothèque Forney consacrée aux arts, il fait partie des rares édifices civils datant du Moyen Âge encore debout à Paris.

Saint-Gervais-Saint-Protais ❾

Pl. Saint-Gervais, 75004. **Plan** 9 B3. ☎ 01
48 87 32 02. Ⓜ Hôtel de Ville. ◯ de 6 h à
21 h t.l.j. **Concerts d'orgues**.

Commencée à la fin du XVe s., cette église possède une façade classique (1621) où, pour la première fois à Paris, se superposaient les ordres dorique, ionique et corinthien. À l'intérieur, du gothique finissant, l'orgue fut celui de l'illustre dynastie des Couperin. La rue François-Miron, à côté, conserve de belles maisons du XVIIIe siècle (nos 2 à 14) et du Moyen Âge (no 17) ; celle du no 44, de 1585, possède un superbe cellier gothique. Tout près, mémorial du Martyr juif inconnu.

LES VITRAUX DE LA CHAPELLE HAUTE

1 La Genèse
2 L'Exode
3 Les Nombres
4 Deutéronome : Josué
5 Les Juges
6 *g.* Isaïe *d.* l'Arbre de Jessé
7 *g.* saint Jean l'Évangéliste *d.* Enfance du Christ
8 La Passion
9 *g.* saint Jean-Baptiste *d.* Livre de Daniel
10 Ezéchiel
11 *g.* Jérémie *d.* Tobie
12 Judith et Job
13 Esther
14 Livre des Rois
15 Translation des reliques
16 Rosace : l'Apocalypse

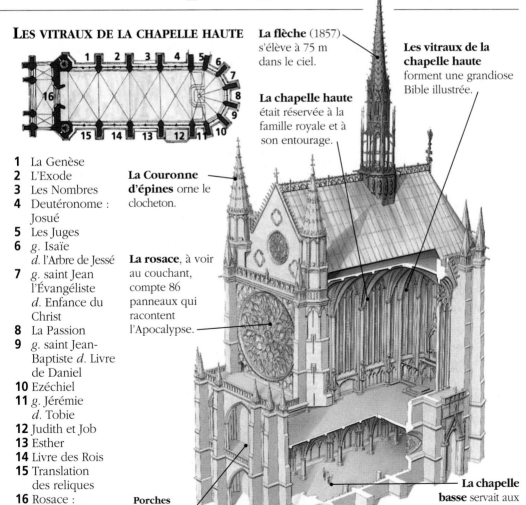

La flèche (1857) s'élève à 75 m dans le ciel.

Les vitraux de la chapelle haute forment une grandiose Bible illustrée.

La chapelle haute était réservée à la famille royale et à son entourage.

La Couronne d'épines orne le clocheton.

La rosace, à voir au couchant, compte 86 panneaux qui racontent l'Apocalypse.

Porches de l'entrée

La chapelle basse servait aux gens du commun.

Notre-Dame ➏

Aucun autre édifice n'est associé à l'histoire de Paris autant que cette majestueuse cathédrale. Le pape Alexandre III en posa la première pierre en 1163, et, durant 170 ans, architectes, manœuvres et compagnons tailleurs de pierres se succédèrent sur les échafaudages. En 1330 environ, ce chef-d'œuvre d'architecture gothique était pour l'essentiel achevé, harmonieux en dépit de ses dimensions grâce à l'équilibre de ses proportions. Transformé en temple de la Raison pendant la Révolution, puis rendu au culte par Napoléon en 1804, il dut être entièrement restauré au XIXᵉ siècle par Viollet-le-Duc.

★ La façade ouest
Elle se divise en trois étages distincts, aux proportions harmonieuses.

La tour sud, haute de 69 m (387 marches), abrite le célèbre bourdon de 13 t et des sculptures.

★ La galerie des chimères
Viollet-le-Duc dessina les animaux monstrueux perchés sur la galerie qui réunit les tours.

★ La rosace ouest
Large de 9,60 m et refaite au XIXᵉ siècle, elle est consacrée à la Vierge.

À NE PAS MANQUER
★ La façade et les portails ouest
★ Les arcs-boutants
★ Les rosaces
★ La galerie des chimères

La galerie des Rois de Juda présente les 28 ancêtres du Christ.

Le portail de la Vierge
Ses sculptures du XIIIᵉ siècle forment une remarquable composition.

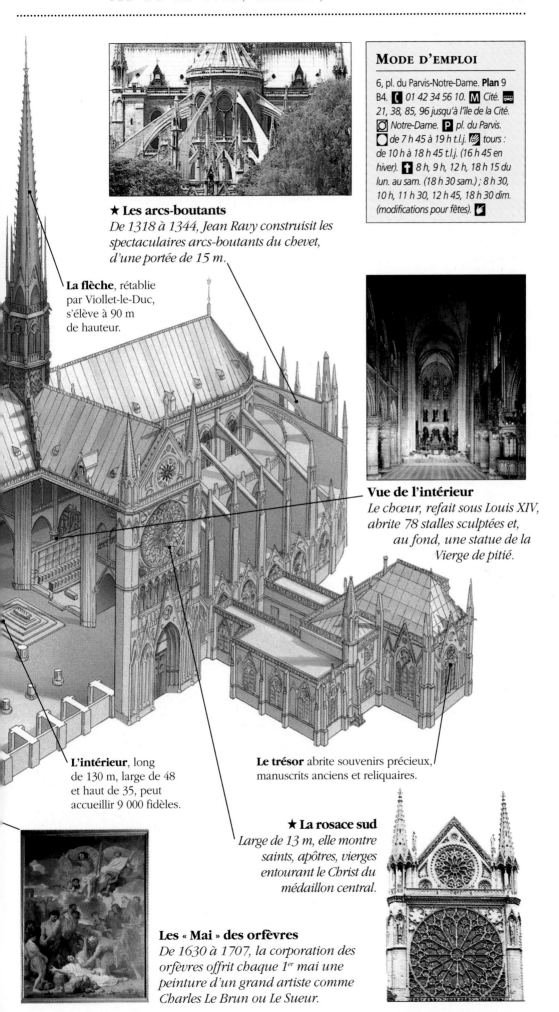

MODE D'EMPLOI

6, pl. du Parvis-Notre-Dame. **Plan** 9
B4. (01 42 34 56 10. M Cité.
21, 38, 85, 96 jusqu'à l'île de la Cité.
 Notre-Dame. P pl. du Parvis.
 de 7 h 45 à 19 h t.l.j. tours :
de 10 h à 18 h 45 t.l.j. (16 h 45 en
hiver). 8 h, 9 h, 12 h, 18 h 15 du
lun. au sam. (18 h 30 sam.) ; 8 h 30,
10 h, 11 h 30, 12 h 45, 18 h 30 dim.
(modifications pour fêtes).

★ Les arcs-boutants
De 1318 à 1344, Jean Ravy construisit les
spectaculaires arcs-boutants du chevet,
d'une portée de 15 m.

La flèche, rétablie
par Viollet-le-Duc,
s'élève à 90 m
de hauteur.

Vue de l'intérieur
Le chœur, refait sous Louis XIV,
abrite 78 stalles sculptées et,
au fond, une statue de la
Vierge de pitié.

L'intérieur, long
de 130 m, large de 48
et haut de 35, peut
accueillir 9 000 fidèles.

Le trésor abrite souvenirs précieux,
manuscrits anciens et reliquaires.

★ La rosace sud
Large de 13 m, elle montre
saints, apôtres, vierges
entourant le Christ du
médaillon central.

Les « Mai » des orfèvres
De 1630 à 1707, la corporation des
orfèvres offrit chaque 1ᵉʳ mai une
peinture d'un grand artiste comme
Charles Le Brun ou Le Sueur.

Le Marais pas à pas

C'est au XIIe siècle qu'en ces lieux, voués aux cultures maraîchères, s'établit un prieuré de l'ordre du Temple, bientôt suivi par divers ordres religieux. Charles V s'installe lui-même, au XIVe siècle, en l'hôtel Saint-Pol, mais c'est en 1605 que commence l'âge d'or avec le projet de place Royale lancé par Henri IV. Ses somptueux hôtels abritent désormais des musées, alors que le long des rues alternent restaurants et boutiques de mode ou de design.

Vers le Centre Pompidou

★ **Le musée Picasso**
L'ancien hôtel Salé, du XVIIe siècle, abrite la plus riche collection au monde d'œuvres de Picasso ⑰

Aujourd'hui très animée, la **rue des Francs-Bourgeois** tient son nom d'une maison qui, au XIVe siècle, y accueillait les pauvres (francs d'impôts).

Le musée Cognacq-Jay présente une collection raffinée de peintures et mobilier du XVIIIe siècle.

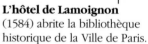

L'hôtel de Lamoignon (1584) abrite la bibliothèque historique de la Ville de Paris.

Cœur du quartier juif, la **rue des Rosiers**, très vivante, est bordée de boutiques et restaurants où l'on trouve les meilleures spécialités juives ou d'Europe centrale.

LÉGENDE

– – – – Itinéraire conseillé

0   100 m

★ **Le musée Carnavalet**
Superbe exemple d'architecture civile de la Renaissance et du XVIIe siècle, il est consacré à l'histoire de Paris ⑱

◁ **La fontaine de Stravinsky, à côté du Centre Pompidou**

★ La place des Vosges
*Paisible et harmonieuse, elle
occupe le site où Henri II trouva
la mort dans un tournoi* **19**

OPÉRA, CONCORDE,
LOUVRE

ÎLE DE LA
CITÉ, MARAIS
ET
BEAUBOURG

RIVE GAUCHE

Seine

PLAN DE SITUATION
Voir Atlas des rues, plans 9, 10

L'Hôtel de Ville ❿

4, pl. de l'Hôtel-de-Ville, 75004.
Plan 9 B3. ☎ *01 42 76 50 49.*
Ⓜ *Hôtel-de-Ville.* 🚌 *pour les groupes
uniquement, téléphoner.* ⬤ *les jours
fériés et pour les manifestations
officielles.* ♿

C'est une reconstruction
assez libre (1882) d'un
édifice achevé au XVIIᵉ siècle,
remanié sous Louis-Philippe
et incendié en 1871. Très
pompeux avec ses sculptures
et ses tourelles, il domine une
vaste place piétonne,
l'ancienne place de Grève, haut
lieu des grandes manifestations
de l'histoire de la capitale.

Maison de Victor Hugo
*Le nᵒ 6 de place des Vosges, où vécut
l'auteur des* Misérables, *abrite
aujourd'hui son musée* **20**

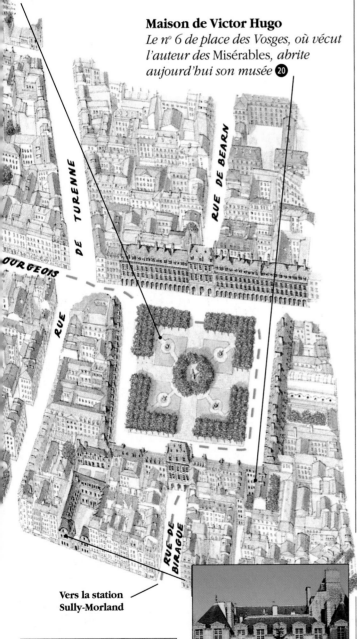

RUE DE BEARN

DE TURENNE

OURGEOIS

RUE

RUE DE
BIRAGUE

**Vers la station
Sully-Morland**

La tour Saint-Jacques (XVIᵉ s.)

La tour
Saint-Jacques ⓫

Square de la Tour Saint-Jacques,
75004. **Plan** 9 A3. Ⓜ *Châtelet.*
Fermée *au public.*

Cette belle tour gothique est
l'unique vestige d'une
église, héritière de celle où se
retrouvaient les pèlerins de
Compostelle, élevée en 1523 et
démolie en 1797. Blaise Pascal
(1623-1662), philosophe,
mathématicien, physicien et
écrivain, s'y livra à des
expériences barométriques, et
une statue à sa mémoire se
dresse au rez-de-chaussée. Dans
le square, stèle à la mémoire de
Gérard de Nerval, qui se pendit
au voisinage en 1855.

À NE PAS MANQUER

★ Le Musée Picasso

★ Le musée Carnavalet

★ La place des Vosges

L'hôtel de Sully est le siège
de la Caisse Nationale des
Monuments Historiques.

Saint-Eustache ⑫

Pl. du Jour, 75001. **Plan** 9 A1.
📞 01 40 26 47 99. Ⓜ Les Halles.
RER Châtelet-Les Halles.
🕐 de 9 h à 19 h 30 t.l.j.
(19 h en hiver). ♿ **Concerts.**

Construite de 1532 à 1637, cette église, où l'ossature, encore gothique, se marie à un décor Renaissance, est l'une des plus belles de Paris. Son plan s'inspire de celui de Notre-Dame. Les vitraux du chœur furent peut-être réalisés d'après des cartons de Philippe de Champaigne. Richelieu y reçut le baptême, la future Mme de Pompadour aussi, Louis XIV y fit sa première communion, Lully s'y maria et l'on y enterra La Fontaine, Colbert, Rameau et Mirabeau ; Molière également, mais c'est pour le tapissier Jean-Baptiste Poquelin que fut dite la messe des morts à laquelle le comédien n'avait pas droit. Berlioz y présenta pour la première fois son *Te Deum* en 1855 et Liszt sa *Messe solennelle* en 1866. L'orgue (8 000 tuyaux, 101 jeux), doté de commandes électroniques, est l'un des plus célèbres de Paris.

Le Forum des Halles ⑬

75001. **Plan** 13 A2. Ⓜ Les Halles.
RER Châtelet-Les-Halles.

L'actuel Forum des Halles, plus connu sous le nom « les Halles » a été édifié en 1979 sur le site du fameux marché de gros de fruits et légumes de Paris, déclenchant une importante polémique. Le Forum s'étend sur 7 ha. Les niveaux 2 et 3 au sous-sol sont occupés par de nombreux commerces, boutiques chic ou grands magasins. Des jardins bien entretenus s'étendent au-dessus. À l'extérieur, un élégant bâtiment de verre et de métal abrite le Pavillon des arts et la Maison de la Poésie. Le premier est un centre d'art contemporain alors que la seconde, comme son nom l'indique, est dédiée à la poésie.

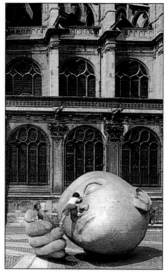

L'Écoute, statue par Henri de Miller devant Saint-Eustache

Le Centre Georges-Pompidou ⑭

p. 90-91.

Musée d'Art et d'Histoire du Judaïsme ⑮

Hôtel de Saint-Aignan, 71, rue du Temple, 75003. **Plan** 13 B2. 📞 01 53 01 86 53. Ⓜ Rambuteau, Hôtel-de-Ville. 🕐 de 11 h à 18 h du lun. au ven. et de 10 h à 18 h le dim. ⬤ 1er jan., 1er mai, Yom Kippour, Roch Hachanah. 🎫♿∅🚻

Le musée installé dans l'élégant hôtel de Saint-Aignan dans le Marais rassemble des collections auparavant dispersées dans plusieurs musées de la ville. Celles-ci présentent l'histoire du judaïsme français du Moyen Âge à nos jours. On y apprend notamment la présence à Paris d'une importante communauté juive dès l'époque romaine. De nombreux objets de culte (torahs magnifiquement reliées, chandeliers en argent finement travaillé), destinés à être utilisés aussi bien à la maison qu'à la synagogue, sont exposés. Des photos, des tableaux et des documents historiques, notamment sur l'affaire Dreyfus complètent la visite.

L'hôtel de Soubise ⑯

600, rue des Francs-Bourgeois, 75003. **Plan** 9 C2. 📞 01 40 27 62 18. Ⓜ Rambuteau. 🕐 de 10 h à 12 h 30 et de 14 h à 17 h 30 du mer. au lun., de 14 h à 17 h 45 sam. et dim. ⬤ les jours fériés. 🎫

Cette imposante demeure, réaménagée de 1705 à 1709 pour la princesse de Rohan, est l'un des deux principaux bâtiments (l'autre étant l'hôtel de Rohan) abritant les archives nationales. De 1735 à 1740, certains des artistes les plus talentueux de l'époque travaillèrent à la réfection des appartements sous la direction de Germain Boffrand.
　　On peut toujours admirer le salon ovale, merveille du style rocaille, décoré par Natoire, car il fait partie du musée de l'Histoire de France logé dans l'édifice.

Le musée Picasso ⑰

Hôtel Salé, rue de Thorigny, 75003. **Plan** 10 D2. 📞 01 42 71 25 21. Ⓜ Saint-Sébastien-Froissart. 🕐 de 9 h 30 à 17 h 30 t.l.j. sauf le mar. ⬤ 1er janv., 25 déc. 🎫 groupes sur r.-v. seulement 🎫♿∅🚻💻

Ouvert en 1985, il occupe l'hôtel Salé, somptueuse demeure construite en 1656 pour Aubert de Fontenay, fermier des gabelles (c'est-à-dire percepteur des impôts sur le sel). C'est une collection

Femme lisant (1932) de Pablo Picasso

unique au monde, constituée au départ par 203 peintures, 158 sculptures, 16 papiers collés, 29 tableaux reliefs, 83 céramiques et quelque 3 000 dessins et estampes reçus en paiement des droits de succession à la mort de Pablo Picasso (1881-1973) et choisis parmi les meilleurs grâce à la générosité des héritiers ; d'autres donations et des acquisitions ont enrichi ce fonds qui permet de suivre tout le parcours du peintre, notamment ses périodes bleue, rose et cubiste.

À ne pas manquer, son *Autoportrait bleu* peint à l'âge de 21 ans, les études pour *Les Demoiselles d'Avignon*, la *Nature morte à la chaise cannée*, *La Flûte de Pan* et la *Crucifixion*.

Le musée comprend en outre des œuvres de sa collection privée, dues notamment aux peintres Rousseau, Renoir, Cézanne, Braque, Balthus, Miró et Matisse.

Superbe plafond peint au XVIIᵉ siècle par Charles Le Brun

Le musée Carnavalet ⑱

23, rue de Sévigné, 75003.
Plan 10 D3. 📞 *01 44 59 58 58.*
Ⓜ *Saint-Paul.* ⭘ *de 10 h à 18 h du mar. au dim.* ● *les jours fériés.*
🖐📷🚫 *tél. pour les horaires.* 🚻

Au travers de documents, objets d'art, peintures, sculptures et gravures, ce vaste musée évoque l'histoire de Paris depuis l'époque romaine. Des reconstitutions de pièces entières, avec leur décoration d'époque, leur mobilier et leurs objets d'art, retracent en outre l'évolution

des intérieurs parisiens du règne d'Henri IV jusqu'au début de notre siècle.

Ces collections occupent deux hôtels attenants dont le plus important, l'hôtel Carnavalet, fut construit en 1545 par Nicolas Dupuis. Madame de Sévigné y vécut de 1677 à 1696 et y écrivit nombre des *Lettres* qui nous ont laissé un témoignage coloré des mœurs de son époque. L'exposition consacrée au XVIIᵉ siècle, au 1ᵉʳ étage, comprend beaucoup d'objets lui ayant appartenu.

Édifié au XVIIᵉ siècle, l'hôtel Le Peletier de Saint-Fargeau, ouvert en 1989, présente entre autres une reconstitution de l'intérieur de Marcel Proust.

La place des Vosges ⑲

75003, 75004. **Plan** 10 D3.
Ⓜ *Bastille, Saint-Paul.*

Dessinée en 1605 sur ordre d'Henri IV, inaugurée dès 1612, c'est l'une des plus belles places du monde ; 36 pavillons sur arcades, 9 de chaque côté, construits en brique et en pierre, lui donnent une symétrie à laquelle les toitures pyramidales d'ardoises évitent toute monotonie.

Madame de Sévigné est née en 1626 au n° 1 bis, à côté du pavillon du Roi ; Bossuet habita au 17; Alphonse Daudet au 21; Théophile Gautier au 7.

La maison de Victor Hugo ⑳

6, pl. des Vosges, 75004. **Plan** 10 D4.
📞 *01 42 72 10 16.* Ⓜ *Bastille.*
⭘ *de 10 h à 18 h du mar. au dim.*
● *les jours fériés.* 🖐
📖 *bibliothèque.*

Le célèbre poète, dramaturge et romancier habita de 1832 à 1848 au 2ᵉ étage de l'ancien hôtel de Rohan-Guéménée, le plus spacieux des immeubles de la

place. Ce fut là qu'il écrivit une grande partie des *Misérables* et qu'il acheva nombre de ses œuvres célèbres. Le musée présente une reconstitution des pièces où il vécut, avec son bureau, les meubles qu'il fabriqua et ses dessins. Livres, photos et souvenirs évoquent les moments importants de sa vie, de son enfance aux 18 années d'exil.

Buste en marbre de Victor Hugo par Auguste Rodin

La place de la Bastille ㉑

75004. **Plan** 10 E4. Ⓜ *Bastille.*

En dehors d'une ligne de pavés, du n° 5 au n° 49 du boulevard Henri-IV, qui dessine le tracé de ses courtines, il ne reste rien de la prison mise à sac le 14 juillet 1789.

Au centre de la place, la colonne de Juillet rappelle le sacrifice des victimes de la révolution de 1830. Au sud, l'**Opéra-Bastille** (1989) peut accueillir 2 700 spectateurs.

Le Génie de la Liberté au sommet de la colonne de Juillet

Le Centre Georges Pompidou ⑭

Projet audacieux, le Centre Pompidou, inauguré en 1977, est à la fois musée, bibliothèque, salle de concert, atelier d'artiste, maison de la culture grand format. Le président Pompidou souhaitait, grâce à cette réalisation, réconcilier le grand public et la création artistique contemporaine. Les architectes Piano, Franchini et Rogers ont servi ces intentions en rejetant à l'extérieur ascenseurs, conduites diverses, et même ossature, dégageant à l'intérieur des surfaces modulables et offrant des possibilités d'animation telles que des millions de visiteurs sont devenus des familiers de l'étonnante structure transparente.

LÉGENDE

☐ Expositions

☐ Circulation et services

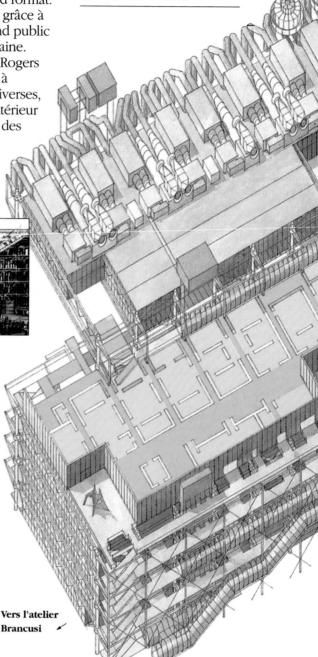

Assemblage de verre et d'acier achevé en 1977, le Centre Pompidou, souvent appelé simplement « Beaubourg », attire plus de 7 millions de visiteurs par an.

Mobile sur deux plans
(1955) Les mouvements que leur imprime l'air donnent toute leur poésie aux mobiles d'Alexander Calder.

Vers l'atelier Brancusi ↙

SUIVEZ LE GUIDE !

Les collections permanentes sont situées au 4ᵉ et au 5ᵉ étage : le premier abrite des œuvres de 1905 à 1960, le second des travaux d'art contemporain. Les expositions temporaires ont lieu au 1ᵉʳ et au 6ᵉ étage, la bibliothèque occupe le 1ᵉʳ, le 2ᵉ et le 3ᵉ étage. Le « Forum » se tient aux étages inférieurs. Cet espace public abrite une salle de spectacle, un cinéma et un atelier pour les enfants.

Tristesse du roi *(1952)*
Vers la fin de sa vie, Matisse réalisa de nombreux collages de grands papiers découpés.

MODE D'EMPLOI

Centre national d'art et de culture
Georges-Pompidou, 75004.
Plan 9 B2. ☎ 01 44 78 12 33.
Ⓜ Rambuteau, Châtelet, Hôtel-
de-Ville. RER Châtelet-Les Halles.
🚌 21, 29, 38, 47, 58, 69, 70, 72,
74, 75, 76, 81, 85, 96. Ⓟ Centre
Georges-Pompidou. **Bibliothèque**
◯ midi-22h lun.-ven. (sauf mar.),
11h-22h sam. et dim. **Musée** ◯
11h-17 h 30 (sauf mar. et dim.)
Atelier Brancusi : 14h-18 h
(sauf mar.). 🚫 ♿ 🎦 🍴 🛍 📷 🎧
Ⓦ www.centre.pompidou.fr

**Portrait de la journaliste
Sylvia von Harden** *(1926)*
*Le style impitoyable d'Otto
Dix tourne presque à la
caricature.*

Le Duo *(1937)*
*Comme Picasso, Georges
Braque développa la
technique du cubisme
où plusieurs vues d'un
sujet unique sont
présentées sur la
même toile.*

Avec l'Arc noir
(1912)
*Wassily Kandinsky fut
l'un des précurseurs de
l'art abstrait,
mouvement artistique
majeur du XXᵉ siècle.*

**Escalier et
Jardin de sculptures**

Fontaine de Stravinsky
*Inaugurée en 1983,
cette fontaine se dresse
sur la place Igor-Stravinsky,
à côté du Centre Pompidou.
Elle fut imaginée
par les sculpteurs Jean
Tinguely et Niki de
Saint-Phalle, artistes
exposés au centre.*

L'ATELIER BRANCUSI

L'artiste roumain Constantin
Brancusi (1876-1957) s'installa
à Paris à l'âge de 28 ans, et à
sa mort, l'État français hérita
du contenu de son atelier.
La collection comprend
200 sculptures,
1 600 photographies montrées
dans des expositions tournantes
et les outils de Brancusi.
La reconstitution de l'atelier,
qui donne sur la Piazza du
centre, a été dirigée par Renzo
Piano. Les volumes intérieurs
d'origine ont été respectés, et
un circuit périphérique est prévu
pour les visites. Un petit jardin
agrémente l'édifice où cet atelier
a pris place.

**L'atelier Brancusi créé
par Renzo Piano**

OPÉRA, CONCORDE, LOUVRE

La ville dans ce triangle magique joue les stars internationales, s'affiche avec ostentation, proclame son luxe. Retravaillé par le Second Empire, le cadre urbain lui offre le décor nécessaire, avec ses immeubles haussmanniens exprimant l'opulence des banques, le standing des hôtels ou la richesse des grands magasins.

L'avenue de l'Opéra, axe du quartier, relie Paris à la planète et la planète à Paris : les compagnies aériennes du monde ont ici boutique, les pays étrangers leur office de tourisme ; et les agences de voyages proposent aussi bien les Tropiques que le tour de la capitale en bus avec commentaire en japonais. Foulards de soie dehors, chapelets de cartes postales virevoltant, les *duty free shops* de la rue Saint-Honoré, de la rue de Rivoli ou d'ailleurs se disputent

Statue lampadaire de l'Opéra

l'attention des étrangers, côtoyant sans complexe les devantures chic et chères. Car ici s'étend aussi le domaine du commerce de luxe : de la joaillerie de la place Vendôme aux grands magasins du boulevard Haussmann en passant par le prêt-à-porter de la rue Tronchet aussi bien que par l'alimentation de la place de la Madeleine. Rénové, agrandi, enrichi, le Louvre, qui peut désormais s'affirmer à juste titre le plus grand musée du monde, n'hésite pas à intégrer lui-même ces activités marchandes dans le superbe complexe souterrain aménagé sous sa transparente pyramide.

Sous des apparences moins commerçantes, c'est encore d'argent qu'il est question à l'autre bout du quartier, là où, à l'abri de façades moins exubérantes, travaillent les employés des grandes banques, les gens de Bourse et les financiers discrets de la Banque de France.

LE QUARTIER D'UN COUP D'ŒIL

Musées

Galerie nationale du Jeu de Paume **6**

Musée des Arts décoratifs **11**

Musée Grévin **3**

Musée du Louvre p. 98-101 **14**

Musée de l'Orangerie **8**

Places et jardins

Jardin des Tuileries **9**

Place de la Concorde **7**

Place Vendôme **5**

Monuments

Arc de triomphe du Carrousel **12**

Bâtiments historiques

Opéra Garnier **2**

Palais-Royal **13**

Églises

La Madeleine **1**

Saint-Roch **10**

Boutiques

Les passages **4**

COMMENT Y ALLER

De nombreuses stations de métro, notamment Concorde, Madeleine, Palais-Royal-Musée du Louvre et Opéra, desservent le quartier. Les bus 24 et 72 empruntent les quais des Tuileries et du Louvre, tandis que les lignes 21, 27 et 29 passent par l'avenue de l'Opéra. Le 22 et le 53 ont leur terminus à l'Opéra.

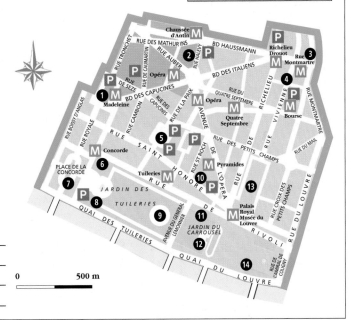

LÉGENDE

▨	Plan pas à pas p. 94-95
Ⓜ	Station de métro
ⓟ	Parc de stationnement

◁ **Crépuscule parisien : l'obélisque de la Concorde et la tour Eiffel**

Le quartier de l'Opéra pas à pas

Il suffit, dit-on, de rester à la terrasse du Café de la Paix pour voir passer le monde entier. Clients des boutiques chic et des grands magasins, banquiers et hommes d'affaires s'y mêlent aux touristes venus de partout. Les mêmes, peut-être, qui se retrouvent, le soir, à la recherche de places dans les cafés ou les restaurants très courus des grands boulevards, où s'engouffre le public des cinémas, des théâtres et de l'Opéra.

L'Harmonie, à l'attique de l'Opéra

★ L'Opéra Garnier
Cet édifice datant de 1875 où se mêlent tous les styles est devenu le symbole de l'opulence du Second Empire ❷

À NE PAS MANQUER

★ **La Madeleine**

★ **L'Opéra Garnier**

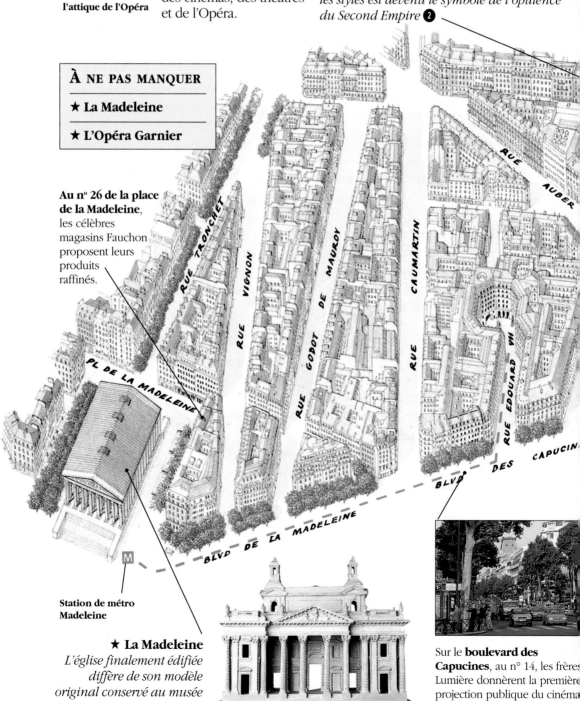

Au n° 26 de la place de la Madeleine, les célèbres magasins Fauchon proposent leurs produits raffinés.

Station de métro Madeleine

★ La Madeleine
L'église finalement édifiée diffère de son modèle original conservé au musée Carnavalet (p. 89) ❶

Sur le **boulevard des Capucines**, au n° 14, les frères Lumière donnèrent la première projection publique du cinématographe le 28 décembre 1895.

CARTE DE SITUATION
Voir Atlas des rues,
plans 4, 7, 8

Le musée de l'Opéra retrace l'histoire de l'Opéra Garnier. Des souvenirs, tels que les chaussons de danse de Nijinsky, évoquent les artistes qui s'y produisirent.

La place de l'Opéra, œuvre du baron Haussmann, est un des carrefours de Paris à la circulation la plus dense.

LÉGENDE

- - - - Itinéraire conseillé

0   100 m

Le Ravissement de sainte Marie-Madeleine, par Ch. Marochetti.

La Madeleine ❶

Pl de la Madeleine, 75008.
Plan 3 C5. ☎ 01 44 51 69 00.
Ⓜ *Madeleine*. ◗ de 9 h à 19 h
t.l.j. (7 h 30 le dim.). ◙ **Concerts**.

Commencée en 1764, utilisée à la Révolution comme Bourse, bibliothèque, Assemblée nationale, puis vouée par Napoléon à devenir temple de la Gloire, ce qui lui vaut son péristyle de colonnes corinthiennes, l'église Sainte-Marie-Madeleine, rendue à sa destination première sous la Restauration, ne fut consacrée qu'en 1845. Ses massives portes de bronze sculptées ouvrent sur un intérieur somptueux et d'une grande homogénéité décorative. L'orgue, par Cavaillé-Coll (1846), est un instrument réputé.

L'Opéra Garnier ❷

Pl. de l'Opéra, 75009. **Plan** 4 D4.
☎ 01 40 01 22 63. Ⓜ *Opéra*.
◗ de 10 h à 17 h t.l.j. ● les jours
fériés ⧖ ▣

Symbole même du style Napoléon III, cet édifice éclectique, baroque, surchargé, dessiné par Charles Garnier et commencé en 1862, fut achevé en 1875. L'extraordinaire escalier d'honneur rococo conduit du vestibule à la salle (2 131 places), au grand foyer et aux galeries et salons, tous abondamment décorés de glaces, mosaïques, peintures et sculptures, où se déroulait à chaque spectacle le cérémonial mondain.

Chagall s'inspira en 1964 de neuf opéras et ballets pour peindre le plafond qui orne la salle, haut lieu parisien de la danse.

Le musée Grévin ❸

10, bd Montmartre, 75009. **Plan** 4 F4.
☎ 01 47 70 85 05. Ⓜ *Grands
Boulevards*. ◗ de 10 h à 17 h 30 du
lun. au ven. (18 h sam., dim.). ⧖ ▣

Fondé en 1882, ce musée de personnages de cire rassemble des reconstitutions historiques, des mannequins de personnalités contemporaines marquantes et présente deux spectacles : le Palais des Mirages et le Cabinet Fantastique.

Enseigne du musée Grévin

En outre, le musée abrite un théâtre d'une capacité de 320 places.

Les passages ❹

75002. **Plan** 4 F5. Ⓜ *Bourse*.

Ces passages commerçants se multiplièrent sur la rive droite au début du XIXe siècle. Haussmann en épargna une trentaine, qui abritent toujours des boutiques, parfois insolites. Le passage Jouffroy, le long du musée Grévin, et le passage Verdeau, qui le prolonge, ainsi que celui des Panoramas, en face du musée, sont les plus pittoresques ; derrière la Bibliothèque Nationale, la galerie Vivienne s'offre une nouvelle jeunesse avec la boutique de Jean-Paul Gaultier.

La série des *Nymphéas* de Monet est exposée au musée de l'Orangerie

La place Vendôme ❺

75001. **Plan** 8 D1. Ⓜ *Tuileries.*

Cette superbe place octogonale a gardé l'aspect que lui donna Jules Hardouin-Mansart pour mettre en valeur une statue équestre de Louis XIV (fondue pendant la Révolution), que Napoléon remplaça par une colonne à la gloire de la Grande Armée. Ses boutiques abritent grands joailliers, fourreurs, maisons de haute couture et banques. Frédéric Chopin mourut au n° 12 en 1849 ; au n°15, le célèbre hôtel Ritz, créé en 1898, conserve la décoration intérieure du XVIIIe siècle.

La galerie nationale du Jeu de Paume ❻

Jardin des Tuileries, pl. de la Concorde, 75001. **Plan** 7 C1. ☏ 01 47 03 12 52. ☏ 01 42 60 69 69. Ⓜ *Concorde.* ○ *de 12 h à 21 h 30 mar., de 12 h à 19 h mer.-ven., de 10 h à 19 h sam. et dim.* 🔖
♿ 🎫 ▣ 🚻

Construit sous Napoléon III, le Jeu de Paume fut transformé en musée au début du siècle, puis accueillit en 1947 une importante collection impressionniste transférée en 1986 au musée d'Orsay (*p. 120-121*). Il abrite désormais des expositions temporaires d'art contemporain.

La place de la Concorde ❼

75008. **Plan** 7 C1. Ⓜ *Concorde.*

Occupant huit hectares au centre de Paris, offrant plusieurs perspectives et dessinée comme un jardin à la française par Jacques Ange Gabriel qui la borda au nord de palais néo-classiques (les actuels ministère de la Marine, à dr., et hôtel de Crillon, à g.), c'est l'une des plus majestueuses places d'Europe. Elle fut inaugurée en 1763 sous le nom de place Louis XV et la statue du roi se dressa en son centre jusqu'en 1792, année où elle devint la place de la Révolution et le lieu des exécutions capitales. Louis XVI, Marie-Antoinette, Danton, Robespierre et beaucoup d'autres y périrent.
Rebaptisée place de la Concorde en 1795, puis Louis XV en 1814, Louis XVI en 1823 et place de la Charte en 1830, elle dut attendre que Louis-Philippe lui rende son nom actuel pour cesser d'éveiller les passions.
Hittorff, alors chargé de son remodelage, respecta les proportions créées par son prédécesseur lorsqu'il dressa à partir de 1835 les huit statues des grandes villes de France, les lampadaires et les majestueuses fontaines, imitant celles de la place Saint-Pierre à Rome, qui entourent l'obélisque de Louxor ; celui-ci, donné par Méhémet-Ali, provient du temple de Ramsès II (XIIIe s. av. J.-C.) et les gravures de son piédestal relatent les péripéties de son installation.

L'obélisque de Louxor, vieux de 3 200 ans

Le musée de l'Orangerie ❽

Jardin des Tuileries, pl. de la Concorde, 75001. **Plan** 7 C1. ☏ 01 42 97 48 16. Ⓜ *Concorde.* ● *pour travaux jusqu'en automne 2004.* 🔖 ▣ ♿ 🎫

Ce musée expose dans ses salles du rez-de-chaussée l'œuvre qui couronna la carrière de Claude Monet : la série des *Nymphéas* peinte dans son jardin de Giverny.
La remarquable collection Walter-Guillaume la complète parfaitement. Cette réunion de chefs-d'œuvre de l'école de Paris produits entre la fin de l'ère impressionniste et l'entre-deux-guerres ne compte pas moins de 14 Cézanne, dont *Dans le Parc du Château Noir*, et 24 Renoir, notamment *Les Jeunes Filles au piano*.
Le musée présente également des toiles de Picasso, de Soutine, du Douanier Rousseau (*La Carriole du père Junier*), de Matisse, d'Utrillo, de Sisley et de Modigliani.

Le jardin des Tuileries ❾

75001. **Plan** 8 D1. Ⓜ *Tuileries, Concorde.* ○ *de 7 h 30 à 19 h 30 d'oct. à mars ; de 7 h à 21 h d'avr. à sept.*

Créé en 1564, en même temps que le palais aujourd'hui détruit, il fait partie du vaste espace planté d'arbres qui s'étend du Louvre au Grand Palais et au rond-point des Champs-Élysées. André Le Nôtre, jardinier de Louis XIV, en fit en 1664 un chef-d'œuvre classique. Sa terrasse du Bord de l'Eau, est une agréable promenade dominant la Seine.

Saint-Roch ⑩

296, rue Saint-Honoré, 75001. **Plan** 8 E1. 📞 *01 42 44 13 20.* Ⓜ *Tuileries.* ◯ *de 8 h 30 à 19 h t.l.j.* ▣ *Concerts.*

L ouis XIV posa en 1653 la première pierre de cette immense église dessinée par Jacques Lemercier, l'un des architectes du Louvre. De nombreuses œuvres d'art provenant de couvents et d'églises disparus décorent ce cadre majestueux que fréquentèrent d'illustres personnages et où reposent Pierre Corneille, André Le Nôtre et Denis Diderot.

Saint Denis prêchant en Gaule **(1767) par J.-M. Vien, à Saint-Roch**

Le musée des Arts décoratifs ⑪

Palais du Louvre, 107, rue de Rivoli, 75001. **Plan** 8 E2. 📞 *01 44 55 57 50.* Ⓜ *Palais-Royal-Musée du Louvre, Tuileries.* ◯ *11 h-18 h du mar.au ven. ; 10 h-18 h sam. et dim.* **Bibliothèque** ◯ *10 h-18 h du mar.au sam.* ▨

C e musée sert d'écrin à une large collection de meubles, peintures et objets d'art du Moyen Âge à nos jours. L'ensemble, dédié aux

Les Colonnes de Buren dans la cour du Palais-Royal

XVIIᵉ, XVIIIᵉ et XIXᵉ siècles, offre une revue détaillée des styles qui se sont succédé à ces différentes époques. Art nouveau et Art déco sont très bien représentés. Le musée étant travaux, seule la section Moyen Âge et Renaissance se visite. À voir, à la même adresse, le musée de la Mode et du Textile et le musée de la Publicité.

L'arc de Triomphe du Carrousel ⑫

Pl. du Carrousel, 75001. **Plan** 8 E2. Ⓜ *Palais-Royal-Musée du Louvre.*

I nspiré des arcs romains et flanqué de huit colonnes de marbre rouge et blanc, ce monument élevé par Napoléon de 1806 à 1808 porte sur ses quatre faces des bas-reliefs représentant les succès de l'Empereur en 1805. Il est surmonté de statues de soldats de la Grande Armée et d'une copie des célèbres chevaux de Saint-Marc enlevés à Venise et rendus après Waterloo.

Le Palais-Royal ⑬

Pl. du Palais-Royal, 75001. **Plan** 8 EF1. Ⓜ *Palais-Royal-Musée du Louvre.* **Édifices** ◑ *au public.*

É difié par Richelieu qui y mourut en 1642, ce palais échut à la famille royale. Le futur Philippe Égalité construisit au XVIIIᵉ siècle le Théâtre-Français et le théâtre du Palais-Royal. Criblé de dettes, il cerna le jardin de galeries et d'immeubles locatifs qui, situés sur un domaine princier interdit à la police, attirèrent bientôt tripots et filles de joie. Important foyer d'agitation pendant la Révolution, grand centre de plaisirs du Consulat et de l'Empire, l'ensemble des bâtiments retourna à la famille d'Orléans en 1815 et Louis-Philippe chassa salles de jeu et ribaudes de la demeure de ses aïeux. Aujourd'hui, le Palais-Royal abrite entre autres le ministère de la Culture. Boutiques, galeries d'art et restaurants bordent le jardin intérieur, tranquille à l'écart du mouvement.

Le char de la Victoire et de la Paix couronne l'arc du Carrousel

Le Musée du Louvre ⓮

L'histoire du Louvre remonte à la forteresse que fit construire Philippe Auguste en 1190 pour protéger Paris. Charles V, vers 1365, puis François Ier, à partir de 1527, commencèrent à le transformer en un château de plaisance, que leurs successeurs agrandirent pendant quatre siècles. La cour partie à Versailles, le palais fut livré aux artistes et occupé par diverses académies, avant d'être aménagé en musée par la République et l'Empire. Mais ce n'est que de nos jours que la totalité du palais a pu enfin être affectée au musée.

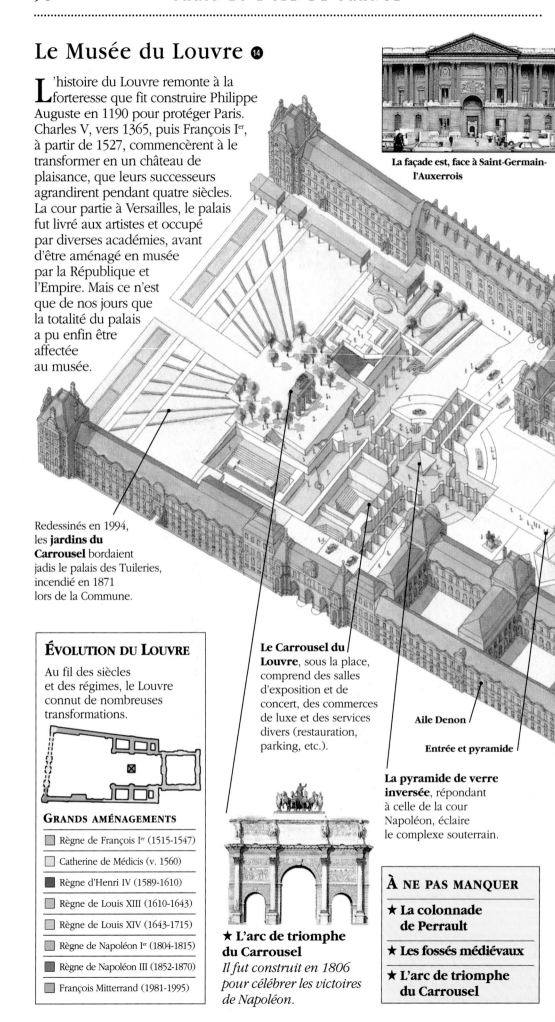

La façade est, face à Saint-Germain-l'Auxerrois

Redessinés en 1994, les **jardins du Carrousel** bordaient jadis le palais des Tuileries, incendié en 1871 lors de la Commune.

ÉVOLUTION DU LOUVRE

Au fil des siècles et des régimes, le Louvre connut de nombreuses transformations.

GRANDS AMÉNAGEMENTS

☐	Règne de François Ier (1515-1547)
☐	Catherine de Médicis (v. 1560)
☐	Règne d'Henri IV (1589-1610)
☐	Règne de Louis XIII (1610-1643)
☐	Règne de Louis XIV (1643-1715)
☐	Règne de Napoléon Ier (1804-1815)
☐	Règne de Napoléon III (1852-1870)
☐	François Mitterrand (1981-1995)

Le Carrousel du Louvre, sous la place, comprend des salles d'exposition et de concert, des commerces de luxe et des services divers (restauration, parking, etc.).

Aile Denon

Entrée et pyramide

La pyramide de verre inversée, répondant à celle de la cour Napoléon, éclaire le complexe souterrain.

★ **L'arc de triomphe du Carrousel**

Il fut construit en 1806 pour célébrer les victoires de Napoléon.

À NE PAS MANQUER

★ **La colonnade de Perrault**

★ **Les fossés médiévaux**

★ **L'arc de triomphe du Carrousel**

LA PYRAMIDE DE VERRE

En 1981, la décision d'agrandir et de moderniser le musée du Louvre impliquait de déplacer à Bercy le ministère des Finances installé dans l'aile Richelieu et d'aménager une nouvelle entrée. Pour éclairer le Hall Napoléon, espace d'accueil et d'information du musée situé au sous-sol, l'architecte sino-américain Ieoh Ming Pei éleva une pyramide transparente. Elle permet aux visiteurs de voir les bâtiments historiques qui les entourent.

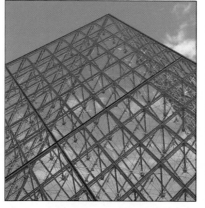

MODE D'EMPLOI

Plan 8 E2. ☎ 01 40 20 53 17.
🖷 01 40 20 51 51.
W www.louvre.fr M Palais-Royal-Musée du Louvre, Louvre-Rivoli. 🚌 21, 27, 39, 48, 68, 69, 72, 95. RER Châtelet-Les Halles. ◯ Louvre.
P Carrousel du Louvre ;
pl. du Louvre, rue Saint-Honoré. ◯ de 9 h à 18 h du mer. au lun. (21 h 45 lun. et mer.). Les salles consacrées à l'histoire du Louvre sont ouvertes uniquement le lun. et le ven. aux mêmes horaires. ◯ certains jours fériés. 🎟 (demi-tarif le dim. et t.l.j. à partir de 15 h. ; accès gratuit pour tous le 1er dim. de chaque mois).
♿ partiel. ☎ 01 40 20 52 63.
Conférences, films, concerts :
01 40 20 67 89 🍴 🛍 🖵 🎧

La cour Marly, couverte par une verrière, abrite les *Chevaux de Marly (p. 101)*.

Aile Richelieu

Cour Puget

Entrée et pyramide

Cour Khorsabad

Aile Sully

Cour Carrée

Cour Napoléon

★ **La colonnade de Perrault**
Claude Perrault, collaborateur de Louis Le Vau au milieu du XVIIe siècle, conçut la majestueuse colonnade de la façade est.

La salle des Caryatides, la plus ancienne pièce du palais, doit son nom aux quatre statues monumentales sculptées par Jean Goujon en 1550 pour soutenir sa tribune.

Le Louvre de Charles V
Aux environs de 1365, Charles V transforma la vieille forteresse de Philippe Auguste en résidence royale.

★ **Les fossés médiévaux**
On peut voir dans le Louvre médiéval la base de la courtine et la pile du pont-levis de l'ancienne forteresse.

À la découverte des collections du Louvre

L'importance de ses collections impose de se fixer quelques priorités avant de commencer la visite du Louvre. La collection de peintures européennes (1400-1848), par exemple, est plus complète que celle de sculptures. Les antiquités – orientales, égyptiennes, grecques, étrusques et romaines – constituent un ensemble sans égal dans le monde. Le département des objets d'art présente un vaste assortiment de pièces rares et précieuses.

Le Radeau de la Méduse (1819) par Théodore Géricault

PEINTURE EUROPÉENNE : 1200 À 1848

Le musée propose un large aperçu de la peinture de l'Europe du Nord avec des œuvres telles que *La Vierge du chancelier Rolin* (v. 1435) par le primitif flamand Jan Van Eyck, *La Nef des Fous* (1500) de Jérôme Bosch, *Les Quatre évangélistes* de Jacob Jordaens ou le portrait de *Charles Ier, roi d'Angleterre* (1635) par le Hollandais Antoine Van Dyck. Le sourire effronté de *La Bohémienne* (1628) illustre la virtuosité spontanée de Frans Hals, originaire lui aussi des Pays-Bas, à l'instar de Rembrandt van Rijn dont le génie s'exprime dans des tableaux tels que *Les Pèlerins d'Emmaüs* (1648) et *Bethsabée* (1654).

Les trois principaux peintres allemands des XVe et XVIe siècles sont également représentés, notamment par un *Autoportrait* (1493) d'Albrecht Dürer, une *Jeune fille* (1529) par Lucas Cranach et l'*Érasme* de Hans Holbein.

La collection italienne débute par les deux siècles précédant la Renaissance, les XIIIe et XIVe, avec des toiles de Cimabue, Giotto, Fra Angelico (*Couronnement de la Vierge*) ou Pisanello (*Portrait d'une princesse de la maison d'Este*), tandis que la partie est de la Grande Galerie est consacrée aux grands peintres du XVIe siècle : Titien, Veronèse, le Tintoret, Raphaël, le Corrège et, bien entendu, Léonard de Vinci, avec *La Joconde* (v. 1504), mais aussi *La Vierge, l'Enfant Jésus et sainte Anne*.

La Joconde de Léonard de Vinci fut achetée par François Ier

La très riche présentation des peintures s'arrête en 1848, le musée d'Orsay (*p. 120-121*) et le musée d'Art moderne (*p. 91*) présentant les œuvres postérieures. Ne pas manquer la *Pietà d'Avignon* attribuée à Enguerrand Quarton, un sommet de l'art chrétien, le célèbre *Bain turc* d'Ingres, ni le *Gilles* et *la Finette* d'Antoine Watteau, peintre de la fragilité.

SCULPTURE EUROPÉENNE : 1100 À 1848

De nombreux chefs-d'œuvre témoignent de la qualité de la statuaire des écoles du Nord, notamment la délicate *Vierge de l'Annonciation* (fin du XVe s.) de Tilman Riemenschneider, l'étonnante *Sainte Madeleine* (début du XVIe s.) représentée nue par Gregor Erhart, le grand retable de la Passion importé d'Anvers pour décorer l'église de Coligny et le beau groupe de l'*Enlèvement de Psyché par Mercure* exécuté par le Hollandais Adrien de Vries en 1593.

Des sculptures romanes ouvrent la section française, dont un superbe bois polychrome, la tête du Christ (XIIe s.), et une tête de saint Pierre qui ornait jadis la cathédrale d'Autun. Avec ses huit pleurants portant le gisant, le *Tombeau de Philippe Pot* est une œuvre gothique aussi remarquable qu'originale. La *Diane* provenant de la fontaine du château d'Anet a les traits de Diane de Poitiers, favorite d'Henri II. Les œuvres de Pierre Puget

Tombeau de Philippe Pot (fin XVe s.) par Antoine Le Moiturier

Les célèbres *Chevaux de Marly* (1745) par Guillaume Coustou

(1620-1694), le grand sculpteur de Marseille, ont été installées dans une cour de l'aile Richelieu qui porte désormais son nom. On y admire notamment son *Milon de Crotone*, athlète grec dévoré par des fauves. Non loin, les *Chevaux de Marly* se dressent sous la verrière de la cour Marly au milieu d'autres chefs-d'œuvre tels que les groupes allégoriques sculptés par Coysevox et par Coustou.

La collection de sculpture italienne comprend des pièces admirables comme les *Esclaves* de Michel-Ange et la *Nymphe de Fontainebleau* (v. 1543) par Benvenuto Cellini.

ANTIQUITÉS ORIENTALES, ÉGYPTIENNES, GRECQUES, ÉTRUSQUES ET ROMAINES

Les collections d'antiquités du Louvre s'étendent du VIe millénaire à la chute de l'Empire romain. Elles comprennent l'un des plus vieux textes de loi connus, le code du roi babylonien Hammurabi (v. 1750 av. J.-C.) gravé sur un bloc de basalte noir, une spectaculaire reconstitution d'une partie du palais du roi assyrien Sargon (713-706 av. J.-C.), les célèbres vases de Suse (4 000 av. J.-C.) et des panneaux de briques émaillées provenant du palais de Darius (Ve s. av. J.-C.) en Perse.

L'art des Égyptiens fut principalement funéraire, et de superbes tombeaux, comme le mastaba d'Akhhétep (2500 av. J.-C.) décoré de scènes de chasse, d'élevage, de moissons, de pêche et de préparation du poisson, nous offrent un aperçu de leur existence quotidienne, d'autant qu'ils contenaient des statues à l'image de la vie, tel le *Scribe accroupi*.

Le département des antiquités grecques, étrusques et romaines contient des œuvres exceptionnelles de la Grèce archaïque (VIIe et VIe s. av. J.-C.), notamment l'*Héra* de Samos, de style ionien, et la *Dame d'Auxerre*, l'une des plus anciennes sculptures grecques connues, mais les statues les plus célèbres du musée, la *Victoire de Samothrace* et la *Vénus de Milo*, appartiennent à l'époque hellénistique (du IIIe au Ier s. av. J.-C.) dont l'art se caractérise par un grand sens du mouvement.

La vedette indiscutable de la collection étrusque est le *sarcophage des Époux* (v. 510 av. J.-C.) qui montre un couple participant au banquet éternel, tandis que le bronze d'*Hadrien*, du IIe siècle av. J.-C., ou l'émouvant portrait d'*Annius Vérus*, fils de Marc-Aurèle mort à sept ans, témoignent du réalisme des sculpteurs romains.

La *Vénus de Milo* (Grèce, IIe s. av. J.-C.)

OBJETS D'ART

Créé à partir des anciennes collections royales et des trésors de Saint-Denis et de l'ordre du Saint-Esprit, ce département présente un très large éventail, des bijoux aux tapisseries.

Les vitrines de la galerie d'Apollon contiennent les joyaux de la couronne, restes du trésor commencé par François Ier, enrichi par ses successeurs et en partie pillé pendant la Révolution, puis mis en vente en 1887. Les plus belles pièces subsistent néanmoins : le Régent, diamant très pur de 137 carats ; le rubis Côte de Bretagne qui, bien que taillé en forme de dragon, pèse encore 105 carats ; les diamants Hortensia et Le Sancy ; et la couronne de l'impératrice Eugénie.

Un vase en porphyre monté au XIIe siècle en aigle d'argent doré résume magnifiquement l'art roman, un grand retable italien en os (v. 1400) l'art gothique, des émaux la Renaissance. La rotonde David-Weill et la galerie Niarchos portent les noms des deux donateurs qui ont fait de la collection d'orfèvrerie du Louvre l'une des plus belles du monde. On y admire notamment le coffret d'or d'Anne d'Autriche (XVIIe s.) et des éléments du service de l'impératrice Catherine II de Russie. Les services à thé et à café de Napoléon, et l'armoire à bijoux de l'impératrice Joséphine, se trouvent, eux, dans la salle Claude Ott.

Rassemblé par époques, le mobilier français du XVIe au XIXe siècle occupe de nombreuses salles, dont une consacrée à André Charles Boulle, l'ébéniste de Louis XIV. Les tentures des *Chasses de Maximilien* (v. 1530) proviennent aussi des collections du Roi-Soleil.

Le *Scribe accroupi* (v. 2500 av. J.-C.), portrait d'un réalisme saisissant

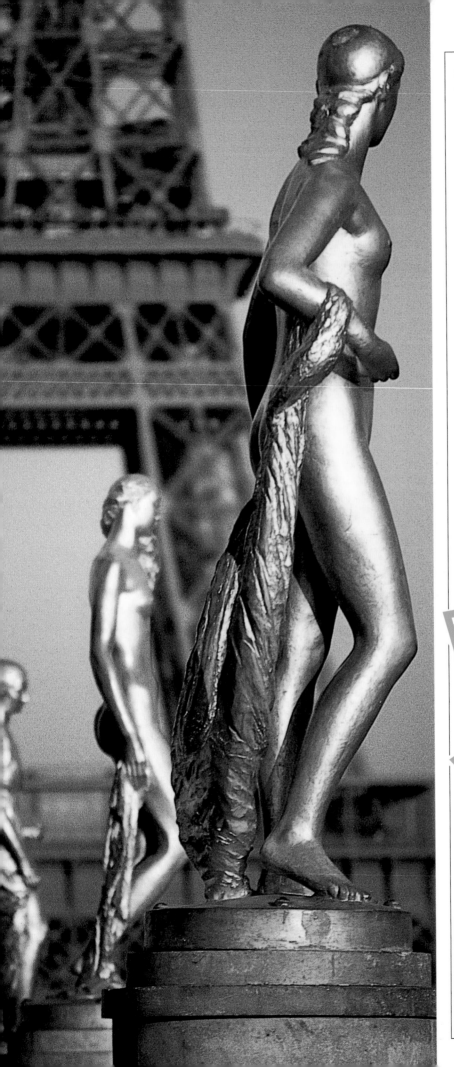

Les statues de bronze
doré, œuvres
de plusieurs sculpteurs,
particulièrement
représentatives
de la sculpture
des années 1930,
décorent le parvis
central du palais
de Chaillot

CHAMPS-ÉLYSÉES, CHAILLOT, INVALIDES

ymbole solennel de la grandeur du siècle de Louis XIV,
le dôme étincelant des Inva-
es s'inscrit dans la perspective
jestueuse d'une esplanade tour-
e vers la Seine. L'Arc de
omphe de l'Étoile, voulu quant à
par Napoléon, focalise le
ard de douze avenues ; mais il
inséparable des Champs-
sées, voie de prestige char-
e depuis le début de notre

**Lampadaire
du pont Alexandre III**

siècle de montrer au monde l'élégance de la capitale. La très chic
rue du Faubourg Saint-Honoré
abrite le palais de l'Elysée. Les
expositions universelles ont planté
dans la partie occidentale de Paris
des architectures qui, du Grand
Palais à Chaillot et à la tour Eiffel,
demeurent, pour des millions de
visiteurs, les images symboliques
de la Ville lumière et les étapes obligées de sa découverte.

QUARTIER D'UN COUP D'ŒIL

ments et rues historiques
nue des Champs-Élysées ❷
mp-de-Mars ❶❼
le Militaire ❶❽
el national des Invalides ❷⓿
égouts ❶❹
9 avenue Rapp ❶❻
Palais de l'Élysée ❸

Musées
Grand Palais ❺
Fondation Dapper ❶❶
Musée de l'Armée ❷❶
Palais Galliera et musée
   de la Mode et du Costume ❽
Musée d'Art moderne de la

ville de Paris ❼
Musée national des Arts
   asiatiques-Guimet ❾
Musée National d'Ennery ❶⓿
Musée Rodin ❷❹
Palais de Chaillot ❶❸
Petit Palais ❹
Musée Maillol ❶❸

Églises
Dôme des Invalides ❷❸
Sainte-Clotilde ❷❺
Saint-Louis-des-Invalides ❷❷

Monuments et fontaines
Arc de triomphe ❶
Tour Eiffel p. 113 ❶❺

Architecture moderne
Unesco ❶❾

Jardins
Jardins du Trocadéro ❶❷

Pont
Pont Alexandre III ❻

COMMENT Y ALLER ?
En complément des stations
de métro qui desservent
ce quartier, les bus 42 et 73
empruntent les Champs-
Élysées, tandis que le 87
suit l'avenue de Suffren et
le 69 la rue Saint-Dominique.

LÉGENDE
Plan pas à pas *p. 104-105*
M Station de métro
RER Station de RER
⊘ Embarcadère du Batobus
P Parc de stationnement

Les Champs-Élysées pas à pas

Les jardins qui bordent la première partie de l'avenue n'ont guère changé depuis que Hittorff les remodela en 1838 en même temps que la Concorde. Les pavillons qu'il édifia y subsistent, notamment le pavillon Gabriel installé dans l'ancien Alcazar d'été, célèbre café-concert pendant la IIIe République. Les Grand et Petit Palais vinrent les compléter en 1900 pour l'Exposition universelle ; ils se font face de part et d'autre de l'avenue Winston Churchill que prolonge l'arche élégante du pont Alexandre III et abritent des expositions. L'art est également à l'honneur dans les galeries, souvent spécialisées dans les œuvres contemporaines, qui bordent l'avenue Matignon.

Le Théâtre du Rond-Point est installé dans l'ancien palais des Glaces.

Station de métro Franklin.-D- Roosevelt

★ **L'avenue des Champs-Élysées**
On peut y déambuler, sans fin, jamais blasé, jamais fatigué. ❷

★ **Le Grand Palais**
Il a été dessiné par Charles Girault et construit de 1897 à 1900. Actuellement, certaines parties sont fermées au public. ❺

Le restaurant Lasserre est décoré dans le style des luxueux paquebots des années 1930.

Au **Palais de la Découverte**, les fondements de la science deviennent compréhensibles par tous grâce à des expériences simples.

À NE PAS MANQUER

★ **L'avenue des Champs-Élysées**

★ **Le Grand Palais**

★ **Le Petit Palais**

LÉGENDE

— — — Itinéraire conseillé

0 _____ 100 m

Les **jardins des Champs-Élysées** abritent bien des établissements célèbres : studio Gabriel, restaurant Ledoyen, espace Pierre-Cardin...

CARTE DE SITUATION
Voir l'Atlas des rues, plans 2, 3, 6, 7

Station de métro Champs-Élysées-Clemenceau

Vers la place de la Concorde

★ **Le Petit Palais**
Offrant par son décor intérieur un panorama de l'art officiel vers 1900, il abrite les collections variées du musée des Beaux-Arts de la Ville de Paris. ❹

Vers les Invalides

Le pont Alexandre III
L'exubérance de sa décoration témoigne de l'optimisme qui régnait au tournant du siècle pendant la Belle Époque ❻

La façade est de l'Arc de Triomphe

L'Arc de Triomphe ❶

Pl. Charles-de-Gaulle, 75008. **Plan** 2 D4. Ⓜ *Charles-de-Gaulle-Étoile.* 📞 *01 55 37 73 77.* ◯ *d'avril à sept. : 10 h-23 h t.l.j. ; d'oct. à mars : 10 h-22 h 30 t.l.j.* ⬤ *les jours fériés.* 📷 ♿ 🛗

Napoléon posa la première pierre de ce prestigieux monument en 1806, mais la construction, interrompue par la chute de l'Empire, ne s'acheva qu'en 1836. Orné de hauts-reliefs colossaux, dont la célèbre **Marseillaise** de Rude, l'édifice respectait les plans de son architecte, Jean Chalgrin (✝ 1811) ; il mesure 50 m de hauteur totale (dont 29 sous la voûte) et 45 de large. Sa plate-forme offre une vue splendide sur Paris.

Le 28 janvier 1921, on inhuma sous l'arche centrale le corps du Soldat inconnu symbolisant tous les combattants morts pendant la Première Guerre mondiale. Sur son tombeau est ranimée chaque soir la flamme du Souvenir.

Le Triomphe de 1810, haut-relief par Cortot

LE BARON HAUSSMANN

En 1853, Napoléon III nomme préfet de la Seine un avocat de formation, Georges Haussmann (1809-1891), qui restera en charge de l'urbanisme de Paris pendant 17 ans.

Avec les meilleurs architectes et ingénieurs de l'époque, il modernise la capitale, améliorant l'approvisionnement en eau et le réseau d'égouts, et dessine une nouvelle ville en ouvrant de larges boulevards dans l'entrelacs de ruelles pittoresques mais souvent insalubres de la cité médiévale. Il urbanise également le haut des Champs-Élysées, où existaient encore des pâtures, créant autour de l'Arc de Triomphe une étoile formée par 12 avenues.

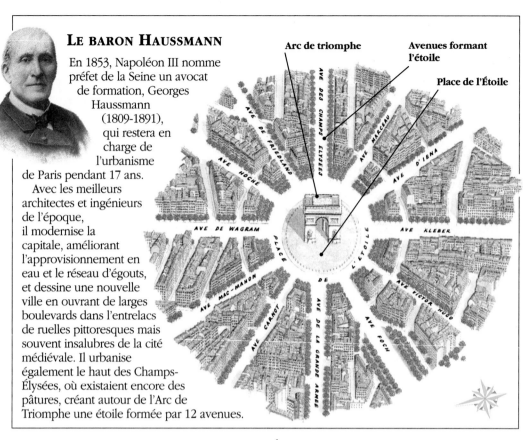

Arc de triomphe

Avenues formant l'étoile

Place de l'Étoile

L'avenue des Champs-Élysées ❷

75008. **Plan** 3 A5. Ⓜ *Franklin.-D-Roosevelt, George V.*

Cette majestueuse artère – dont le nom évoque le paradis des héros de la mythologie grecque et était à l'origine une promenade aménagée dans les années 1660 par Le Nôtre dans le prolongement du jardin des Tuileries – mène sur près de 3 km de la place de la Concorde à l'Arc de Triomphe. Devenue champ de course, elle fut transformée en élégante avenue au XIXᵉ siècle. Aujourd'hui très commerçante et très fréquentée – la circulation y est intense – l'avenue des Champs-Élysées conserve néanmoins son style, sa notoriété – ne dit-on pas qu'elle serait « la plus belle avenue du monde » ? – et sa place privilégiée dans le cœur des Français : elle est le théâtre des défilés du 14 juillet, de l'arrivée du Tour de France, et les Parisiens s'y retrouvent spontanément pour célébrer les grands événements.

Palais de l'Élysée ❸

55, rue du Faubourg-Saint-Honoré 75008. **Plan** 3 B5. Ⓜ *Saint-Philippe-du-Roule.* ⬤ *au public.*

Garde républicain

Entouré de superbes jardins, le palais de l'Élysée fut construit en 1718. Plusieurs des ses occupants y ont laissé leur empreinte. Madame de Pompadour, la maîtresse de Louis XV, y effectua de somptueux aménagements. Caroline Murat, la sœur de Napoléon Bonaparte, et son époux emménagèrent en 1805 dans la palais, qui conserve deux très belles pièces de l'époque : le salon Murat, où se tient de nos jours le conseil des Ministres, et le salon Argent, où Napoléon Iᵉʳ abdiqua en 1815. Le palais de l'Élysée est la résidence du chef de l'État depuis 1873.

Le Petit Palais ❹

Av. Winston-Churchill 75008. **Plan** 7 B1. Ⓒ *01 44 51 19 31.* Ⓜ *Champs-Élysées-Clemenceau.* ◯ *de 10 h à 17 h 45 du mar. au dim. (20 h le jeudi).* ⬤ *les jours fériés.* ⬛♿ *Fermeture pour travaux.*

Dessiné par le même architecte, Charles Girault, et pour la même Exposition universelle, ce bâtiment présente le même mélange insolite entre académisme et

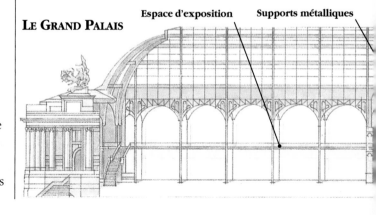

LE GRAND PALAIS

Espace d'exposition

Supports métalliques

Le pont Alexandre III, construit entre 1896 et 1900 pour l'Exposition universelle

style Art nouveau que le Grand Palais. Construit autour d'un charmant jardin intérieur bordé d'un péristyle, il abrite le musée des Beaux-Arts de la ville de Paris dont les collections comprennent aussi bien des antiquités égyptiennes, des majoliques de la Renaissance italienne et des émaux limousins du XVIe siècle que des portraits impressionnistes.

Entrée du Petit Palais

De grandes expositions s'y déroulent, consacrées surtout à l'art européen du XIXe siècle.

Le Grand Palais ❺

Porte A, av. du Gal Eisenhower 75008. **Plan** 7 A1. ☎ 01 44 13 17 30. Ⓜ *Champs-Élysées-Clemenceau.* ◯ *de 10 h à 22 h le mer. ; de 13 h à 20 h du jeu. au lun. Téléphoner pour les expositions temporaires.* ▨ ⊘ ☑ ⌙ ▣ 📷 **Palais de la Découverte** av. Franklin-D.-Roosevelt, 75008. ☎ 01 56 43 20 21. Ⓜ *Franklin-D.-Roosevelt.* ◯ *de 9 h 30 à 18 h du mar. au sam., de 10 h à 19 h le dim.* ▣ 📷 ▨

Édifié pour l'Exposition universelle de 1900, le Grand Palais présente un curieux contraste, typique de l'époque de sa construction, entre le sévère habillage en pierre de ses façades et l'exubérance de sa décoration et des structures métalliques de son immense verrière que l'on peut admirer de l'intérieur lors des expositions et des salons qui s'y tiennent.

Dans l'aile ouest, le **Palais de la Découvert**e, qui possède sa propre entrée, est un musée scientifique destiné aux enfants.

Le pont Alexandre III ❻

75008. **Plan** 7 A1. Ⓜ *Champs-Élysées-Clemenceau, Invalides* Ⓡ🄴🅁 *Invalides.*

Père de Nicolas II, le dernier tsar de Russie, Alexandre III posa en 1886 la première pierre de ce pont achevé à temps pour l'Exposition universelle de 1900 malgré de sévères contraintes techniques : l'ouvrage d'art ne pouvait prendre appui que sur les berges afin de ne pas gêner le trafic fluvial et il ne devait pas créer d'obstacle à la vue des Invalides depuis les Champs-Élysées.

Ses constructeurs réalisèrent l'un des plus beaux ponts de Paris, à structure métallique d'une seule volée, orné de nymphes, génies des eaux, monstres marins et quatre Renommées dorées : celles des Sciences, de l'Art, du Commerce et de l'Industrie. Les piliers qu'elles couronnent s'opposent, par leur poids, à l'importante poussée due à la faible courbure (6 m de flèche) de l'arche.

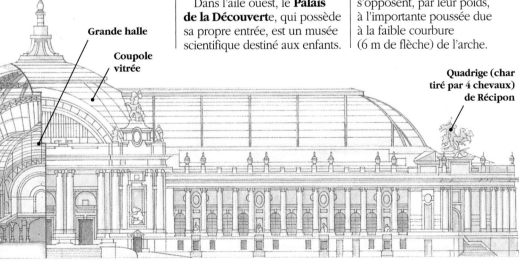

Grande halle

Coupole vitrée

Quadrige (char tiré par 4 chevaux) de Récipon

L'Arc de Triomphe et l'avenue des Champs-Élysées, de nuit ▷

Le palais Galliera et le musée de la Mode et du Costume ❼

10, av. Pierre-Ier-de-Serbie 75016. **Plan** 6 D1. 📞 01 56 52 86 00. Ⓜ Iéna, Alma, Marceau. ◔ de 10 h à 18 h du mar. au dim., téléphoner pour confirmer les horaires. ⬤ 1er jan. ♿

Inspiré de la Renaissance, le palais, construit au XIXe siècle pour la duchesse de Galliera, abrite aujourd'hui une collection de costumes du XVIIIe siècle à nos jours. Vêtements et accessoires de mode y sont exposés par roulement. Des expositions par thèmes ou consacrées à un grand couturier permettent d'exposer le fonds sans compromettre la conservation des 10 000 pièces.

Le musée d'Art moderne de la Ville de Paris ❽

Palais de Tokyo, 11, av. du Président-Wilson 75016. **Plan** 6 E1. 📞 01 53 67 40 00. Ⓜ Iéna. ◔ de 10 h à 19 h du mar. au dim. ⬤ 1er jan. ♿ 📷 ♿ 🚻 🎦

Avec sa section contemporaine (l'ARC), le musée s'affirme comme le terrain d'expression privilégié de la création contemporaine. Reconnue internationalement, cette vocation expérimentale s'appuie sur la présentation permanente de ses collections d'art moderne couvrant la totalité du XXe siècle : fauvisme, cubisme, dadaïsme, surréalisme, école de Paris, abstraction, nouveau réalisme, support surface, arte povera, art conceptuel... les grands courants sont représentés à travers des œuvres de Derain, Picasso, Braque, Modigliani, Soulages, Villeglé, Viallat... Parallèlement, le département historique organise de grandes expositions sur des mouvements ou des artistes ayant marqué l'art moderne et contemporain.

Le grand bassin du Trocadéro au pied du palais de Chaillot

La fondation Dapper ⓫

35bis, rue Paul-Valéry, 75016. **Plan** 5 B1. 📞 01 45 00 01 50. Ⓜ Victor-Hugo. ◔ de 11 h à 19 h du mer. au dim. ♿

La fondation Dapper est un centre de recherche ethnographique mondialement reconnu, et le cadre d'exposition sur les arts et les cultures d'Afrique. Un immeuble haussmanien, dont la cour a été transformée en « jardin tropical », abrite les trésors de la fondation, toujours bien mis en valeur par une scénographie attentive à l'esthétique et à la démarche didactique. L'accent est mis sur les arts traditionnels de la période pré-coloniale – la fondation possède également des pièces plus récentes.

Les jardins du Trocadéro ⓬

75016. **Plan** 6 D2. Ⓜ Trocadéro.

Au pied de la terrasse du palais de Chaillot, ce magnifique espace vert d'une superficie de 10 hectares, restauré après l'Exposition universelle de 1937, s'organise autour du grand bassin et des pelouses décorées de bronzes dorés et de sculptures en pierre qui l'encadrent. De part et d'autre, les jardins, richement arborés et agrémentés île bassins, de rocailles et de ruisseaux, descendent en pente douce jusqu'au pont d'Iéna. En soirée, des jeux de lumière ajoutent leur magie à celle des jets d'eau.

Le palais de Chaillot ⓭

17, pl. du Trocadéro 75016. **Plan** 5 C2. Ⓜ Trocadéro. **Musées** ◔ de 9 h 45 à 17 h 15 du mer. au lun. **Cinémathèque française** 🎬 01 56 26 01 01.

Sur la colline de Chaillot, ce vaste palais à l'architecture néoclassique et colossale est composé de deux ailes courbes longues de 195 m encadrant un large parvis, où, entre bassins et fontaines, se dressent des statues de bronzes. Conçu pour l'Exposition universelle de 1937 par les architectes Azéma, Boileau et Carlu, il est orné des bas-reliefs et de sculptures dus à de très nombreux artistes des années 30, et d'inscriptions dorée reproduisant un texte de Paul Valéry.

Le musée national des Arts asiatiques - Guimet ❾

6, place d'Iéna 75016. **Plan** 6 D1.
📞 *01 56 52 53 00.* Ⓜ *Iéna.* 🅞 *de 10 h à 17 h 45 du mer. au lun.* 🈂️ 🅞
♿ **Panthéon bouddhique** *ouvert au 19, av. d'Iéna (mêmes horaires que le musée).* 📞 *01 40 73 88 00.*

F ondé en 1879 par Émile Guimet, ce musée abrite l'une des plus riches collection au monde d'art oriental et extrême-oriental (importante salle d'art khmer). Réouvert en l'an 2000 après rénovation, le musée a décidé de privilégier la calligraphie, la peinture, l'orfèvrerie et le textile.

Tête de bouddha au musée Guimet

Le musée d'Ennery ❿

59, av. Foch 75016. **Plan** 1 B5.
📞 *01 45 53 57 96.*
Ⓜ *Porte Dauphine.*
🅞 *fermé pour rénovation.*

A dolphe d'Ennery, l'auteur des *Deux Orphelines*, et sa femme amassèrent dans cet hôtel du Second Empire une incroyable collection d'objets d'art d'Extrême-Orient datant pour la plupart du XVIIe, XVIIIe et XIXe siècles, notamment du mobilier, des boîtes en céramique et des centaines de *netsukés*, petites décorations de ceinture japonaises sculptées dans l'os, le bois ou l'ivoire.

LE PALAIS DE CHAILLOT

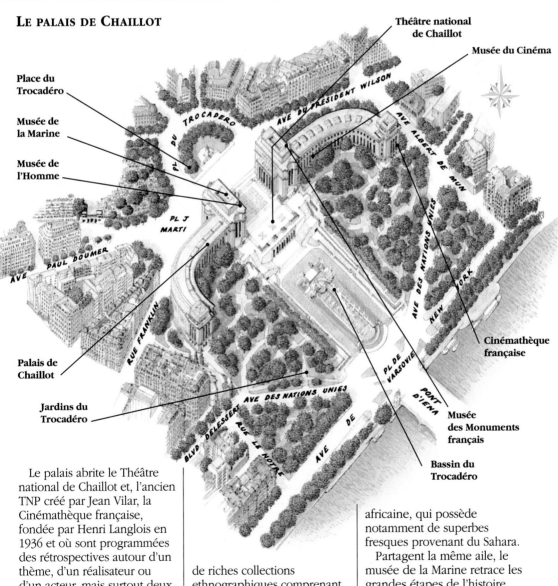

Place du Trocadéro

Musée de la Marine

Musée de l'Homme

Palais de Chaillot

Jardins du Trocadéro

Théâtre national de Chaillot

Musée du Cinéma

Cinémathèque française

Musée des Monuments français

Bassin du Trocadéro

Le palais abrite le Théâtre national de Chaillot et, l'ancien TNP créé par Jean Vilar, la Cinémathèque française, fondée par Henri Langlois en 1936 et où sont programmées des rétrospectives autour d'un thème, d'un réalisateur ou d'un acteur, mais surtout deux grands musées.

Le musée de l'Homme, dans l'aile ouest, illustre l'histoire de cultures humaines au travers de riches collections ethnographiques comprenant œuvres d'art, pièces archéologiques et objets quotidiens. Ne pas manquer la momie inca et la section africaine, qui possède notamment de superbes fresques provenant du Sahara.

Partagent la même aile, le musée de la Marine retrace les grandes étapes de l'histoire navale de la France depuis le XVIIIe siècle et possède de superbes maquettes de bateaux.

Les égouts ⑭

Face au 93, quai d'Orsay 75007.
Plan 6 F2. ☎ *01 53 68 27 82.* Ⓜ
Alma-Marceau. ⬤ *de 11 h à 16 h
(17 h en été) du sam. au mer.* ⬤ *les trois
dernières semaines de jan.* ▨ ⬤ ▣

L a tradition situe la
construction du premier
égout de Paris au XIVᵉ siècle
mais c'est l'ingénieur Eugène
Belgrand qui établit pour
Napoléon III le système qui
fonctionne encore de nos
jours. À sa mort, en 1878, le
réseau mesurait 600 km, il en
compte 2 100 aujourd'hui.

C'est à partir de 1867 que
l'on organisa des visites de ces
souterrains, en wagonnets
tout d'abord puis en barques.

Depuis 1972, elles s'effectuent
à pied mais comprennent
l'accès à un musée. Dans les
galeries, des plaques émaillées
indiquent les noms des rues
dont les égouts suivent le tracé.

La tour Eiffel ⑮

Voir ci-contre.

Le nº 29, avenue Rapp ⑯

75005. **Plan** 6 E2. ℝℰℝ *Pont-de-l'Alma.*

J ules Lavirotte, architecte
inclassable et souvent
dénigré, édifia en 1901 au
numéro 29 de l'avenue Rapp
la maison du céramiste Bigot.
Très ouvragée, notamment en
ornements végétaux, la façade

**La porte d'entrée Art nouveau
au 29, avenue Rapp**

Art nouveau en briques et
grès polychromes, bien que
décorée de figures féminines
d'un érotisme subversif pour
l'époque, lui valut d'être
primé au concours de façade
de la Ville de Paris de 1901.

Lavirotte construisit
également l'immeuble
du nº 3 square Rapp, aisément
reconnaissable à sa guérite
d'angle, et l'hôtel Céramic au
nº 34 de l'avenue de Wagram,
primé en 1905.

Le Champ-de-Mars ⑰

75007. **Plan** 6 E3. ℝℰℝ *Champ-de-Mars,
Tour-Eiffel,* Ⓜ *École-Militaire.*

L 'ancien champ de
manœuvre de l'École
militaire doit d'avoir été nivelé
à la fête de la Fédération qui
s'y déroula le 14 juillet
1790. 250 000
volontaires vinrent
prêter leurs bras
au gigantesque
chantier afin de
l'achever à temps
pour le premier
anniversaire de la
prise de la Bastille
auquel Louis XVI
assista en captif. Cet
espace dégagé en plein
Paris servit aussi de
cadre à des courses de
chevaux, des envols de
ballons et à l'organisation des
expositions universelles, en
particulier celle de 1889 pour
laquelle on érigea la tour Eiffel.

**Envol du ballon
en 1783**

L'École militaire ⑱

1, pl. Joffre 75007. **Plan** 6 F4.
Ⓜ *École-Militaire.* **Visites** *sur
autorisation spéciale (écrire au
commandant d'armes).*

J acques-Ange Gabriel,
architecte de la place de la
Concorde *(p. 96)*, entreprit la
construction de ce magnifique
corps de bâtiments classique
en 1751 mais ne l'acheva qu'en
1773. Dès 1756, cependant,
l'édifice accueillit l'école
fondée par Louis XV à
l'instigation de madame de
Pompadour pour enseigner
l'art de la guerre à
500 gentilshommes pauvres. Le
roi est d'ailleurs représenté sur

**Gravure de 1751 : étude du plan
de l'École Militaire**

la façade du pavillon central,
côté Champ-de-Mars, sous les
traits de la Victoire, l'une des
quatre allégories, avec la
France, la Force et la
Paix, décorant
l'entablement du
dôme.

À l'âge de
15 ans, Napoléon
Bonaparte suivit
pendant un an les
cours de l'école et
c'est dans la superbe
chapelle Louis XVI,
décorée de tableaux
évoquant la vie de saint
Louis, qu'il reçut sa
confirmation en 1785.

L'Unesco ⑲

7, pl. de Fontenoy 75007. **Plan** 6 F5.
☎ *01 45 68 10 00.* Ⓜ *Ségur,
Cambronne.* ⬤ *sur r.-v. seulement.
Téléphoner au 01 45 68 16 42* ⬤ *les
jours fériés et pendant les sessions de
conférences.* ♿ ⬤ ▥ ▣

I nauguré en 1958, le siège de
l'Organisation des nations
unies pour l'éducation, la
science et la culture présente
une synthèse intéressante des
grandes tendances
architecturales et artistiques du
milieu de notre siècle. On peut
aussi bien y apprécier
l'harmonie du jardin japonais
créé par Isamu Noguchi
qu'admirer de nombreuses
œuvres d'art moderne,
notamment un grand panneau
mural de Picasso, des
céramiques de Miró et des
sculptures d'Henry Moore.

La tour Eiffel ⑮

Élevée à partir de 1887 par Gustave Eiffel pour l'Exposition universelle de 1889, elle fut la plus haute construction du monde jusqu'à l'érection de l'Empire State Building en 1931. Cette fantastique charpente métallique, désormais mise en valeur, la nuit, par un superbe éclairage intérieur, ne fit pas l'unanimité à ses débuts : Verlaine faisait un détour plutôt que de la voir.

La tour, dans l'axe du bassin du Trocadéro

Le troisième étage peut accueillir 800 personnes à 276 m du sol.

EXCÈS D'AUDACE

En 1912, un tailleur parisien du nom de Reichelt décida de s'envoler depuis le parapet de la tour, équipé d'ailes de sa fabrication. Selon l'autopsie, il succomba à une attaque cardiaque avant de s'écraser au sol.

Reichelt, l'homme-oiseau

★ La galerie panoramique
Par temps clair, la vue s'étend jusqu'à 72 km.

Les ascenseurs doubles n'ont qu'une capacité limitée et, au plus fort de la saison touristique, il faut parfois attendre deux heures avant de pouvoir atteindre le sommet.

À NE PAS MANQUER

★ **Le buste d'Eiffel**

★ **La galerie panoramique**

Le deuxième étage, à 115 m, est séparé du premier par 359 marches... ou quelques minutes d'ascenseur.

Le restaurant Le Jules Verne associe panorama exceptionnel et cuisine... à la hauteur.

Cinemax
Ce petit musée propose un court-métrage présentant l'histoire du monument.

★ **Le buste d'Eiffel**
Le buste de Gustave Eiffel (1832-1923) sculpté par Antoine Bourdelle fut placé sous la tour en 1929.

Le premier étage se trouve à 57 m, ou 345 marches, du niveau du sol. On peut aussi prendre l'ascenseur.

LES INVALIDES

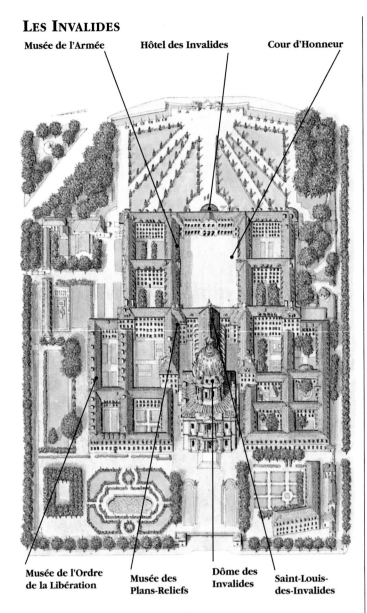

Musée de l'Armée   Hôtel des Invalides   Cour d'Honneur

Musée de l'Ordre
de la Libération   Musée des   Dôme des   Saint-Louis-
                          Plans-Reliefs   Invalides   des-Invalides

L'hôtel national des Invalides ⑳

75007. **Plan** 7 A3. **(** *01 44 42 37 72.*
M *Latour-Maubourg, Varenne.*
◯ *de 10 h à 18 h (17 h en hiver) t.l.j.*

L ouis XIV fonda par un édit
du 24 mai 1670 le premier
établissement français destiné
à secourir les soldats devenus
invalides qui se retrouvaient
jusqu'alors réduits à la
mendicité ou à chercher asile
dans un monastère. La
construction du majestueux
bâtiment, auquel Libéral
Bruant donna une façade
classique ornée d'un
somptueux portail, dura de
1671 à 1676 et l'établissement
accueillit presque
immédiatement plus de
5 000 pensionnaires. Le dôme
des Invalides, qui coiffe

l'ancienne chapelle privée
du Roi-Soleil, le domine
depuis 1701.
    Plus que des blessés
(moins d'une centaine), l'hôtel
abrite aujourd'hui de
nombreux services
administratifs et la résidence du
gouverneur militaire de Paris.
**Le musée de l'Ordre de la
Libération**, fondé par le
général de Gaulle et qui retrace
l'histoire de la Résistance et des
corps expéditionnaires français
pendant la Seconde Guerre
mondiale, et le **musée des**

Plans-Reliefs, riche d'une
collection unique de maquettes
et plans de villes fortifiées, y
sont également installés.
    Ceux du musée de l'Armée
donnent sur la vaste cour
d'honneur qu'entourent sur
ses quatre côtés deux étages
de galeries. Elle sert toujours
de cadre à des parades
militaires.

Le musée de l'Armée ㉑

Hôtel des Invalides, 75007.
Plan 7 A3. **(** *01 44 42 37 72.*
M *Latour-Maubourg, Varenne,
Invalides.* **◯** *de 10 h à 18 h (17 h 45
en hiver) t.l.j.* **●** *les jours fériés.* 🖊
📷 ♿ 🎞 🖥 🏠

I nstallé dans deux des
bâtiments, dits de l'Orient et
de l'Occident, qui bordent la
cour d'Honneur de l'hôtel des
Invalides, ce musée, l'un des
plus riches du monde en ce
domaine, illustre l'histoire
militaire depuis le Moyen Âge
à la fin de la Seconde Guerre
mondiale. On peut
notamment y admirer de
splendides armures, une
remarquable collection
d'épées comprenant celle de
François Ier, et, dans la salle
Orientale, d'extraordinaires
armures chinoises et
japonaises. De nombreux
souvenirs évoquent
Napoléon, parmi lesquels un
tableau d'Ingres et le masque
mortuaire de l'empereur.

Saint-Louis-des-Invalides ㉒

Hôtel des Invalides, 75007. **Plan** 7 A3.
(*01 44 42 37 65.* **◯** *avril-sept.
de 10 h à 18 h t.l.j. ; oct.-mars de 10 h
à 17 h t.l.j.*

J ules Hardouin-Mansart éleva
de 1679 à 1708 sur des plans
de Libéral Bruant cette « église

Hôtel des Invalides : la cour d'Honneur

L'autel, très militaire, de Saint-Louis-des-Invalides

des soldats » dont la longue nef n'est décorée que de drapeaux pris à l'ennemi. Le 5 décembre 1837, Berlioz fit donner pour la première fois son *Requiem* sur son grand orgue avec plus de 200 musiciens et 210 choristes. Outre les dépouilles de très nombreux gouverneurs et maréchaux, les caveaux du sanctuaire renferment les cendres de Rouget de l'Isle.

Le dôme des Invalides ㉓

Hôtel des Invalides, 129, rue de Grenelle, 75007. **Plan** 7 A3. 01 44 42 37 72. Latour-Maubourg, Varenne. 28, 63, 93 jusqu'à Invalides. Invalides. de 10 h à 18 h (17 h 45 en hiver). les jours fériés.

Jules Hardouin-Mansart s'inspira d'un projet de François Mansart, son grand-oncle, pour construire de 1679 à 1706 le plus beau dôme de Paris, l'un des chefs-d'œuvre de l'architecture française du XVIIe siècle. Contrairement à Saint-Louis-des-Invalides, l'église des soldats que l'architecte édifiait en même temps, ce sanctuaire devait être réservé à l'usage exclusif du Roi-Soleil. Louis XIV envisagea sans doute d'en faire la nécropole des Bourbons à la place de la basilique Saint-Denis mais il ne mena pas ce projet à terme et le tombeau qu'accueillit le

monument fut celui de Napoléon. Rapatrié de l'île de Sainte-Hélène vingt ans après sa mort par Louis-Philippe, son corps repose dans six cercueils emboîtés à l'intérieur d'un sarcophage de porphyre rouge dressé sur un piédestal de granit vert. Son fils, et ses frères Jérôme et Joseph sont également inhumés dans la crypte. Véritable mémorial militaire, le dôme des Invalides abrite en outre un monument contenant le cœur de Vauban, l'architecte des forteresses de Louis XIV promu maréchal en 1703, ainsi que les sépultures de grands soldats tels Turenne, les maréchaux Bertrand, Duroc, Foch et Lyautey.

Le dôme des Invalides reçut sa première dorure en 1715

Le musée Rodin ㉔

77, rue de Varenne, 75007. **Plan** 7 B3. 01 44 18 61 10. Varenne. de 9 h 30 à 17 h 45 (16 h 45 en hiver) du mar. au dim. certains jours fériés.

Auguste Rodin (1840-1917) vécut et travailla de 1908 jusqu'à sa mort dans le cadre élégant de l'hôtel Biron qui abrite depuis son musée. Parmi les chefs-d'œuvre exposés, *Les Bourgeois de Calais* et *Le Penseur* se trouvent dans la cour d'honneur, et *La Main de Dieu* et *Le Baiser* au rez-de-chaussée. Au

premier étage, ne pas manquer les études pour *La Porte de l'Enfer* et la collection de peintures de Rodin comprenant notamment des Van Gogh et un Monet.

Sainte-Clotilde ㉕

12, rue de Martignac 75007. **Plan** 7 B3. 01 44 18 62 64. Solférino, Varenne, Invalides. de 9 h à 19 h t.l.j. jours fériés non religieux.

Construite de 1846 à 1856, cette église, qui s'inspire du gothique du XIVe siècle, témoigne de l'intérêt que porta le siècle dernier au Moyen Âge. Ce pastiche assez réussi possède un bon orgue dont César Franck fut le titulaire de 1858 à 1890. En arrière de l'église, les rues de Grenelle et de Varenne sont bordées d'hôtels particuliers, tous du XVIIIe siècle ; on peut entrer dans la mairie du VIIe arr. (116, rue de Grenelle) ou voir, de la rue, la cour de l'hôtel Matignon (57, rue de Varenne).

Le musée Maillol ㉖

59, rue de Grenelle, 75007. **Plan** 7 C4. 01 42 22 59 58. Rue du Bac, Sèvres-Babylone. de 11 h à 18 h du mer. au lun. jours fériés.

C'est à DinaVerny, modèle et muse d'Aristide Maillol, que l'on doit l'ouverture de ce musée. Toute l'œuvre de l'artiste est là : dessins, gravures, peintures, sculptures et objets décoratifs. La collection privée de Dina Verny y est également exposée, notamment des pièces d'arts naïfs et des œuvres de Matisse, de Dufy, de Picasso et de Rodin. Des représentations allégoriques de la ville de Paris et des quatre saisons ornent la fontaine de Bouchardon qui se dresse devant le musée.

Le Penseur de Rodin, dans le jardin du musée

RIVE GAUCHE

C'est là, juste en face de la ville gauloise de l'île de la Cité, au pied et sur les flancs d'une colline qu'on devait appeler plus tard montagne Sainte-Geneviève, que s'installa la ville romaine. Ses thermes et ses arènes sont parvenus jusqu'à nous mais sa principale empreinte sur le paysage est une rue, la rue Saint-Jacques, qui en était la grande artère nord-sud et le resta des siècles durant. C'est là qu'au XIIe siècle s'installera l'Université. Les activités de librairie et d'édition qu'elle suscitera, autant que son propre prestige, marqueront durablement l'ensemble du secteur. Le proche quartier de Saint-Germain, fréquenté et animé par les élèves de l'école des Beaux-Arts installée là au XIXe siècle, sera lui-même, dans les années 50, un lieu apprécié des écrivains et des artistes pour son atmosphère à la fois villageoise et cosmopolite. Passent les modes, demeurent les mythes : la rive gauche s'est parée, dans l'imaginaire collectif, de la noblesse de tout ce qui relève des choses de l'esprit, c'est le domaine des intellectuels, des créatifs. La plus banale des gargotes, le plus ordinaire des commerces prend, ici, des airs d'institution culturelle.

Horloge du musée d'Orsay

LE QUARTIER D'UN COUP D'ŒIL

Églises
Panthéon ⓭
Saint-Étienne-du-Mont ⓬
Saint-Germain-des-Prés ❺
Saint-Julien-le-Pauvre ❿
Saint-Séverin ❾

Saint-Sulpice ⓯
Val-de-Grâce ⓱

Musées
Musée de Cluny ❽
Musée Eugène-Delacroix ❻
Musée d'Orsay p. 120-121 ❶

Fontaine
Fontaine de l'Observatoire ⓰

Bâtiments et rues historiques
Boulevard Saint-Germain ❷
École nationale supérieure des Beaux-Arts ❹
Palais du Luxembourg ⓮
Quai Voltaire ❸
Palais de l'Institut de France ❼
La Sorbonne ⓫

COMMENT Y ALLER ?
Outre de nombreuses stations de métro, trois stations de RER, Musée d'Orsay, Luxembourg et Saint-Michel, desservent le quartier. Les lignes de bus 24, 63 et 87 empruntent le boulevard Saint-Germain, et la ligne 38 passe par le boulevard Saint-Michel.

LÉGENDE

Plan pas à pas *p. 118-119*

Plan pas à pas *p. 124-125*

Plan pas à pas *p. 126-127*

Ⓜ Station de métro

RER Station de RER

Ⓟ Parc de stationnement

Embarcadère du Batobus

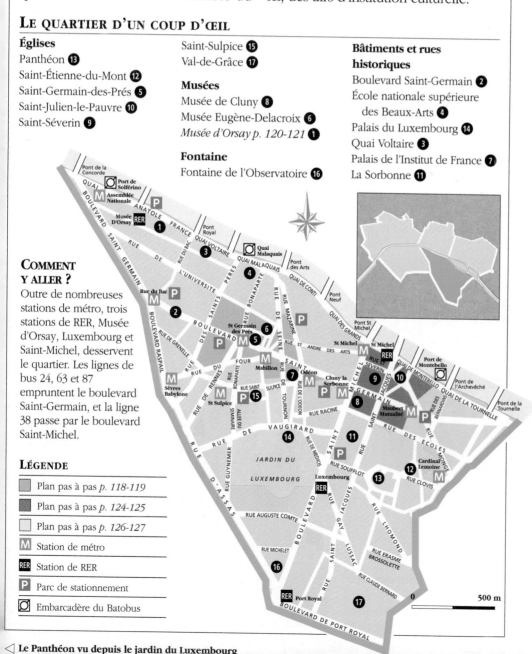

◁ **Le Panthéon vu depuis le jardin du Luxembourg**

Saint-Germain-des-Prés pas à pas

Ce quartier est l'héritier de l'abbaye que fonda Germain, évêque de Paris, au VIe siècle. Véritable cité hors l'enceinte de Philippe Auguste, celle-ci jouissait au Moyen Âge d'une autonomie complète et une foire annuelle entretenait son dynamisme économique mais aussi culturel et artistique. Mais, plus qu'une église ou un quartier, Saint-Germain-des-Prés évoque aujourd'hui les années 50, avec ses intellectuels et ses artistes, la trompette de Boris Vian et les chansons de Juliette Gréco, les existentialistes et les caves de jazz. Célèbres dans le monde entier, le Flore, les Deux-Magots ou Lipp étalent leurs terrasses à l'un des carrefours les plus fréquentés de Paris.

Orgue de Barbarie à Saint-Germain

Les Deux Magots était dans les années 20 un pôle important de la vie littéraire.

Le Café de Flore, que fréquentèrent Sartre, Camus et Prévert, a conservé sa belle salle Art déco.

La brasserie Lipp, appréciée des hommes politiques, a un décor classé « monument historique ».

RUE DU DRAGON
RUE DU SABOT
RUE DE RENNES
RUE BONAPARTE
RUE BONAPARTE
BLVD S
RUE DU FOUR

Station de métro de Saint-Germain-des-Prés

★ **Saint-Germain-des-Prés**
La plus vieille église de Paris abrite les tombeaux de Descartes et d'un roi de Pologne ❺

★ **Le boulevard Saint-Germain**
Terrasses de cafés, boutiques de mode, cinémas, restaurants et librairies bordent cette artère au cœur de la rive gauche. ❷

CARTE DE SITUATION
Voir l'Atlas des rues, plans 7, 8

★ **Le musée Delacroix**
L'appartement du peintre et son atelier abritent des souvenirs personnels et des présentations temporaires de ses œuvres. **6**

Le palais abbatial fut la résidence des abbés de Saint-Germain de 1586 jusqu'à la Révolution.

La rue de Buci, importante artère de la rive gauche pendant des siècles, accueille tous les jours un marché animé.

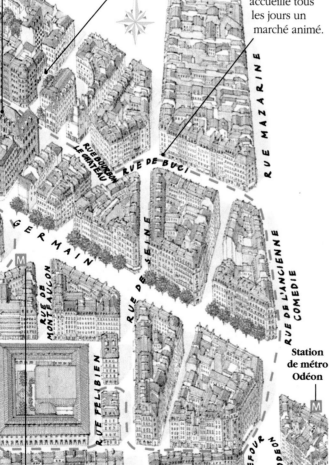

Station de métro Odéon

Station de métro Mabillon

0   100 m

Le musée d'Orsay ❶

p. 120-121.

Le boulevard Saint-Germain ❷

75006, 75007. **Plan** 8 D4.
M *Solférino, Rue du Bac, Saint-Germain-des-Prés, Mabillon, Odéon, Maubert-Mutualité.*

Percée par le baron Haussmann au XIXe siècle, cette artère traverse trois arrondissements. Partant de l'Institut du Monde Arabe, il coupe le boulevard Saint-Michel avant de rejoindre l'Odéon, ses cinémas et ses boutiques. Le boulevard s'anime alors de jour comme de nuit jusqu'au-delà de l'église Saint-Germain-des-Prés. Si certaines de ces vieilles boutiques ont laissé la place aux grands noms de la mode, le quartier a conservé son charme. Le ministère de la Défense et l'Assemblée nationale marquent la fin du boulevard.

Le quai Voltaire ❸

75006, 75007. **Plan** 8 D3.
M *Rue du Bac.*
Certains des plus grands antiquaires de Paris tiennent boutique sur ce quai où Voltaire mourut en 1778 à l'hôtel de Villette (XVIIe s.) et où l'hôtel de voyageurs du n° 19 reçut Charles Baudelaire, Richard Wagner, Jean Sibélius et Oscar Wilde.

Plaque apposée au n° 27 du quai Voltaire où mourut le philosophe

Le musée d'Orsay ❶

La gare d'Orsay dessinée par Victor Laloux pour la Compagnie Paris-Orléans fut inaugurée en 1900 et doit probablement sa survie à la polémique qu'entraîna dans les années 70 la destruction des pavillons des Halles. Son aménagement en musée consacré à toutes les formes d'art et d'expression pendant la période 1848-1914 prendra huit ans mais parviendra à préserver presque intégralement sa splendide architecture tout en aménageant un espace intérieur compatible avec l'exposition des collections. Sa superbe verrière abrite aujourd'hui un ensemble unique au monde de peintures françaises, notamment impressionnistes, de sculptures et de mobilier.

Danseuse **(1881)**
par Edgar Degas

La Porte de l'enfer
(1880-1917) Rodin incorpora des sculptures créées auparavant, telles le Penseur *et le* Baiser, *dans cette œuvre célèbre.*

Le Moulin de la Galette *(1876)*
Dans ce tableau, Renoir a magnifiquement restitué la lumière du soleil filtrée par un feuillage.

La Danse *(1867-1868)*
Cette œuvre de Carpeaux destinée à l'Opéra provoqua un scandale lors de son inauguration en 1869.

LÉGENDE DU PLAN

☐ Architecture et arts décoratifs	☐ Naturalisme et symbolisme
☐ Sculpture	☐ Art nouveau
☐ Peinture avant 1870	☐ Expositions temporaires
☐ Impressionnisme	☐ Circulation et services
☐ Néo-Impressionnisme	

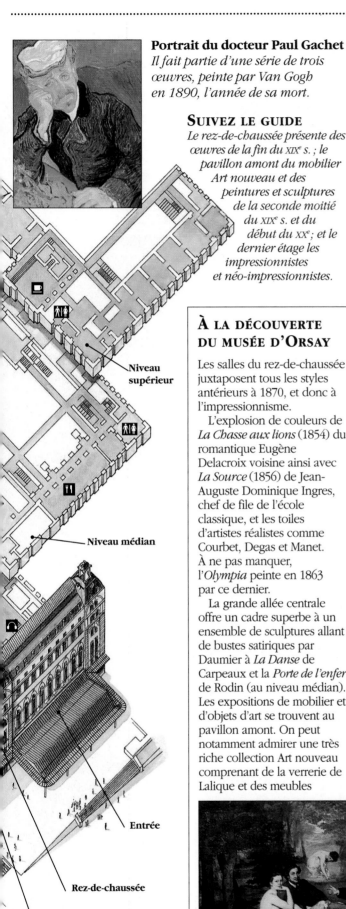

Niveau supérieur

Niveau médian

Entrée

Rez-de-chaussée

Boutique

Portrait du docteur Paul Gachet
Il fait partie d'une série de trois œuvres, peinte par Van Gogh en 1890, l'année de sa mort.

SUIVEZ LE GUIDE

Le rez-de-chaussée présente des œuvres de la fin du XIXe s. ; le pavillon amont du mobilier Art nouveau et des peintures et sculptures de la seconde moitié du XIXe s. et du début du XXe ; et le dernier étage les impressionnistes et néo-impressionnistes.

À LA DÉCOUVERTE DU MUSÉE D'ORSAY

Les salles du rez-de-chaussée juxtaposent tous les styles antérieurs à 1870, et donc à l'impressionnisme.

L'explosion de couleurs de *La Chasse aux lions* (1854) du romantique Eugène Delacroix voisine ainsi avec *La Source* (1856) de Jean-Auguste Dominique Ingres, chef de file de l'école classique, et les toiles d'artistes réalistes comme Courbet, Degas et Manet. À ne pas manquer, l'*Olympia* peinte en 1863 par ce dernier.

La grande allée centrale offre un cadre superbe à un ensemble de sculptures allant de bustes satiriques par Daumier à *La Danse* de Carpeaux et la *Porte de l'enfer* de Rodin (au niveau médian). Les expositions de mobilier et d'objets d'art se trouvent au pavillon amont. On peut notamment admirer une très riche collection Art nouveau comprenant de la verrerie de Lalique et des meubles

Les Nymphéas bleus (1919) par Claude Monet

dessinés par Hector Guimard, dont les entrées de métro sont célèbres.

Au dernier étage, des œuvres comme *Le Moulin de la Galette* par Renoir et la série des *cathédrales de Rouen (p. 267)* de Monet révèlent l'apport des impressionnistes à l'art, ouvrant la voie à des toiles comme *L'Église d'Auvers-sur-Oise* par Van Gogh et les compositions pointillistes de Seurat tel *Le Cirque*. Plutôt que partager leur quête de la lumière, Toulouse-Lautrec préféra se concentrer sur les gens, les femmes de la nuit parisienne en particulier, tandis que le Douanier Rousseau inventait son propre univers poétique et naïf. Le musée possède en outre des chefs-d'œuvre de Gauguin et de Cézanne, et le célèbre *Luxe, calme et volupté* de Matisse.

Le Déjeuner sur l'herbe (1863) par Édouard Manet

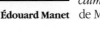

École des Beaux-Arts, façade du palais des Études

L'école nationale supérieure des Beaux-Arts ❹

14, rue Bonaparte, 75006. **Plan** 8 E3. ☎ *01 47 03 50 00.* Ⓜ *Saint-Germain-des-Prés.* ◐ *pour les groupes seult. sur r.-v. au 01 44 61 21 67.*

Elle occupe en bordure de Seine un ensemble de bâtiments qui regroupe les vestiges, en particulier une église et une chapelle, du couvent des Petits-Augustins (XVII⁰ s.), l'hôtel de Chimay (XVII⁰ et XVIII⁰ s.) et des constructions du XIX⁰ siècle, notamment le bâtiment des Loges (1820-1832) de Duret et le palais des Études (1858-1862) de Félix Duban. Cet architecte édifia également la salle d'exposition des travaux d'élèves, au n° 13 du quai Malaquais.

Saint-Germain-des-Prés ❺

3, pl. Saint-Germain-des-Prés, 75006. **Plan** 8 E4. ☎ *01 55 42 81 33.* Ⓜ *Saint-Germain-des-Prés.* ◐ *de 8 h à 19 h t.l.j.* **Concerts.**

La plus ancienne église de Paris se dresse à l'endroit où Childebert, fils de Clovis, éleva une basilique en 543. Devenue une abbaye bénédictine au VIII⁰ siècle, celle-ci ne cessa de s'étendre et de prospérer jusqu'à la Révolution.
 L'édifice actuel réunit des éléments d'époques très différentes. Les colonnes en marbre du triforium datent du VI⁰ siècle, le chœur, le déambulatoire et le clocher du XII⁰, la voûte en ogives de la nef du XVII⁰, le presbytère du XVIII⁰ et une grande partie de la décoration du XIX⁰ siècle.

Le musée Eugène-Delacroix ❻

6, rue de Fürstenberg, 75006. **Plan** 8 E4. ☎ *01 44 41 86 50.* Ⓜ *Saint-Germain-des-Prés.* ◐ *de 9 h 30 à 17 h.* ● *mar. et j. fériés.* Ⓦ *www.musee-delacroix.fr*

Eugène Delacroix (1798-1863) emménagea en 1857 dans cette jolie maison située non loin de l'église Saint-Sulpice dont il décora la chapelle des Saints-Anges.
 Son atelier et son appartement sont devenus en 1952 un musée national dont les collections comprennent, outre le tableau de *La Montée au Calvaire*, des autoportraits, des dessins, des aquarelles, des études et une série de pierres lithographiques.

Lutte de Jacob avec l'ange par **Delacroix à Saint-Sulpice (*p. 127*)**

Le palais de l'Institut de France ❼

23, quai de Conti, 75006. **Plan** 8 E3. Ⓜ *Pont-Neuf, Saint-Germain-des-Prés.* ● *au public.*

Financé par Mazarin, dessiné par Louis Le Vau, ce palais achevé en 1691, est un harmonieux exemple d'architecture classique. Sa célèbre coupole, face au pont des Arts, abrite les cinq académies, dont l'Académie française.

Le musée du Moyen Âge (dit musée de Cluny) ❽

6, place Paul-Painlevé. **Plan** 9 A5. ☎ *01 53 73 78 00.* Ⓜ *Cluny, Saint-Michel, Odéon.* Ⓡ *Saint-Michel.* ◐ *de 9 h 15 à 17 h 45 du mer. au lun.* ● *les jours fériés.*

Installé dans l'hôtel construit à la fin du XV⁰ siècle pour les

Têtes des rois de Juda de Notre-Dame (v. 1220)

Saint-Séverin ❾

1, rue-des-Prêtres-Saint-Séverin, 75005. **Plan** 9 A4. ☎ *01 42 34 93 50.* Ⓜ *Saint-Michel.* ◐ *de 11 h à 19 h 30 du lun. au ven., de 11 h à 19 h 40 le sam., de 9 h à 20 h 30 le dim.*

La construction de ce superbe exemple de gothique flamboyant commença au début du XIII⁰ siècle et se poursuivit jusqu'au XVI⁰. L'intérieur est particulièrement remarquable pour son magnifique déambulatoire à voûtes en palmiers. À côté, galeries voûtées des anciens charniers.

Gargouilles et pinacles de l'église Saint-Séverin

L'école, sculpture sur bois du début du xvie siècle

LES TAPISSERIES DE LA *DAME À LA LICORNE*

Ces six extraordinaires tapisseries, dont les sujets symbolisent les cinq sens et le renoncement au monde, offrent un bel exemple du style « mille-fleurs » des xve et xvie s., remarquable pour la grâce de ses représentations humaines et animales.

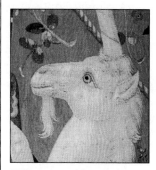

L'élégance poétique de la licorne de la 6e tapisserie

abbés de Cluny, c'est l'une des trois seules demeures médiévales de Paris à avoir subsisté. Dans les salles des thermes gallo-romains (iie-iiie s.) attenants, ce musée présente une exceptionnelle collection d'art du Moyen Âge.

À ne pas manquer : les tapisseries, la *Rose d'or de Bâle*, délicate œuvre d'orfèvrerie datant de 1330, et les 21 têtes des rois de Juda qui ornaient Notre-Dame mais furent mutilées pendant la Révolution. L'exposition comprend également un ensemble de sculptures sur bois exécutées en Europe du nord, des vitraux, des livres d'heures, des émaux et de nombreux objets de la vie quotidienne.

Saint-Julien-le-Pauvre ⑩

1, rue Saint-Julien-le-Pauvre, 75005. **Plan** 9 A4. 🅲 *01 43 54 52 16.* Ⓜ *Maubert-Mutualité* RER *Saint-Michel.* ⭘ *de 9 h 30 à 13 h 30 et de 15 h à 18 h t.l.j.* **Concerts.**

É levée vers 1165, c'est l'une des plus vieilles églises de Paris. L'université y tint ses assises solennelles mais les dégâts que lui infligea une révolte d'étudiants en 1524 la conduisirent à choisir un autre lieu. Son iconostase rappelle qu'elle est affectée au rite melchite.

La Sorbonne ⑪

47, rue des Écoles, 75005. **Plan** 9 A5. 🅲 *01 40 46 22 11.* Ⓜ *Cluny-La Sorbonne, Maubert-Mutualité.* ⭘ *seult. sur r.-v. ; écrire aux services des visites.* ⬤ *les jours fériés.*

R obert de Sorbon, chapelain de Saint Louis, fonda en 1258 un collège destiné à des étudiants en théologie sans fortune. Approuvé dès 1259 par le pape, l'établissement devint rapidement le siège de la faculté de théologie de l'université de Paris.

En 1626, Richelieu, proviseur de la Sorbonne, ordonna une somptueuse reconstruction du vieil édifice gothique. Il n'en subsiste aujourd'hui que l'église, splendide bâtiment classique, qui se visite lors d'expositions temporaires. Elle renferme le tombeau en marbre blanc du cardinal, sculpté par Girardon d'après des dessins de Le Brun. Les autres bâtiments, imposants et austères, datent du xixe siècle.

SAINT-ÉTIENNE-DU-MONT

Clocher du xvie siècle

Façade du xviie siècle

Jubé

Saint-Étienne-du-Mont ⑫

Place Sainte-Geneviève, 75005. **Plan** 13 A1. 🅲 *01 43 54 11 79.* Ⓜ *Cardinal-Lemoine.* ⭘ *de 14 h à 19 h 30 le lun. ; de 8 h à 19 h 30 du mar. au ven. ; de 9 h à 19 h 30 sam. et dim.* ⬤ *de 12 h à 16 h en juil. et août.* 🅾

C ette église présente un remarquable mariage de styles différents. L'intérieur voûté est gothique mais la décoration du jubé est influencée par la Renaissance italienne. De superbes vitraux du xviie siècle ornent la galerie des Charniers, autour de l'abside.

Le Quartier latin pas à pas

Le latin, qui fut la langue officielle de l'université jusqu'en 1793, n'y est plus qu'un sujet d'étude comme les autres et les étudiants eux-mêmes semblent s'y fondre dans une foule multiforme ; de temps à autre, un monôme ou un bizutage s'essayent à ressusciter les mythiques grands tapages d'antan mais la semi-indifférence générale lasse vite les chahuteurs. Reste pourtant, de jour comme de nuit, une ambiance assez exceptionnelle née, peut-être, des étranges et multiples cohabitations dont ce quartier est le carrefour : étudiants et snobs, jeunes fauchés et bourgeois nantis, petits fripiers et grands couturiers, intellectuels et parvenus...

Jazz de rue

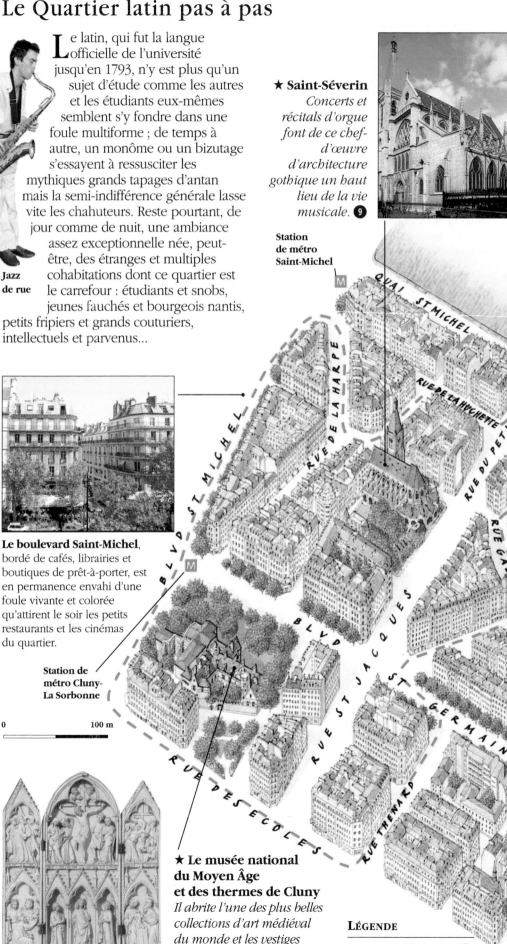

★ **Saint-Séverin**
Concerts et récitals d'orgue font de ce chef-d'œuvre d'architecture gothique un haut lieu de la vie musicale. **9**

Station de métro Saint-Michel

Le boulevard Saint-Michel, bordé de cafés, librairies et boutiques de prêt-à-porter, est en permanence envahi d'une foule vivante et colorée qu'attirent le soir les petits restaurants et les cinémas du quartier.

Station de métro Cluny-La Sorbonne

0   100 m

QUAI ST MICHEL
RUE DE LA HARPE
RUE DE LA HUCHETTE
RUE DU PETIT P
BLVD ST MICHEL
RUE GALAN
RUE ST JACQUES
BLVD ST JACQUES
ST GERMAIN
RUE THENARD
RUE DES ECOLES

★ **Le musée national du Moyen Âge et des thermes de Cluny**
Il abrite l'une des plus belles collections d'art médiéval du monde et les vestiges du Paris romain. **8**

LÉGENDE

– – – – – Itinéraire conseillé

CARTE DE SITUATION
Voir l'Atlas des rues, plans 8, 9, 12, 13

★ **Saint-Julien-le-Pauvre**
Elle faisait partie, à l'origine, d'un hospice pour les pèlerins de Saint-Jacques-de-Compostelle. ⑩

Le Panthéon ⑬

Place du Panthéon, 75005. **Plan** 13 A1.
C 01 44 32 18 00. **RER** *Luxembourg.*
M *Jussieu, Cardinal-Lemoine.* **Crypte**
○ *avr.-sept. : de 10 h à 17 h 45 t.l.j. ; oct.-mars : de 10 h à 17 h 30 t.l.j.* ●
jours fériés.

En 1744, relevant d'une grave maladie, Louis XV décida de construire une église en accomplissement du vœu qu'il avait fait lorsqu'il se trouvait au plus mal. L'architecte Jacques-Germain Soufflot fut chargé d'élever ce sanctuaire dédié à sainte Geneviève. Commencé en 1764, mais achevé seulement en 1790, dix ans après la mort de son architecte, l'édifice néo-classique fut presque aussitôt transformé en un temple laïque destiné à recevoir les tombeaux des « grands hommes de l'époque de la liberté française ». Il redevint cependant l'église Sainte-Geneviève de 1806 à 1831, puis de 1852 jusqu'aux obsèques de Victor Hugo en 1885.

Sur le fronton du péristyle inspiré de celui du Panthéon de Rome, un bas-relief par David d'Angers représente la Patrie distribuant des couronnes de laurier aux Français illustres. En 1995, le monument a accueilli les cendres de Pierre et Marie Curie, et en 1996 celles d'André Malraux.

L'intérieur du Panthéon
Il a la forme d'une croix grecque dont le dôme surplombe l'intersection des branches.

Le dôme
Napoléon commanda en 1811 l'Apothéose de sainte Geneviève qui le décore.

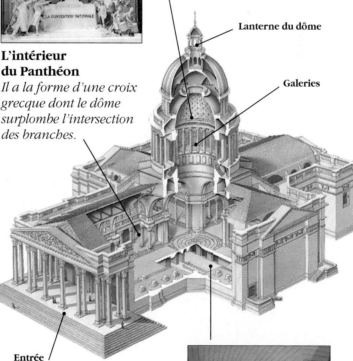

Lanterne du dôme

Galeries

Entrée

Station de métro Maubert-Mutualité

À NE PAS MANQUER

★ **Le musée de Cluny**

★ **Saint-Séverin**

★ **St-Julien-le-Pauvre**

La crypte
Elle s'étend sous tout le bâtiment et abrite les tombeaux de grands hommes comme Voltaire, Victor Schœlcher, Louis Braille, Émile Zola ou Jean Monnet.

Le quartier du Luxembourg pas à pas

À quelques pas de l'agitation du boulevard Saint-Michel, le jardin du Luxembourg, cher à Marie de Médicis, est aujourd'hui le domaine favori des étudiants, amoureux ou non, des intellectuels d'un quartier qui en compte beaucoup, des amateurs de jogging ou de tennis, des enfants qui se succèdent, génération après génération, devant son théâtre de marionnettes ou autour du grand bassin où leurs bateaux à voile vont se faire piéger par le jet d'eau central, et de tous ceux, aussi, qui préfèrent manger un sandwich au soleil plutôt que fréquenter une cantine.

À NE PAS MANQUER

★ Saint-Sulpice

★ Le palais du Luxembourg

Vers Saint-Germain-des-Prés

La place Saint-Sulpice est ornée depuis 1844 par la fontaine des Quatre-évêques.

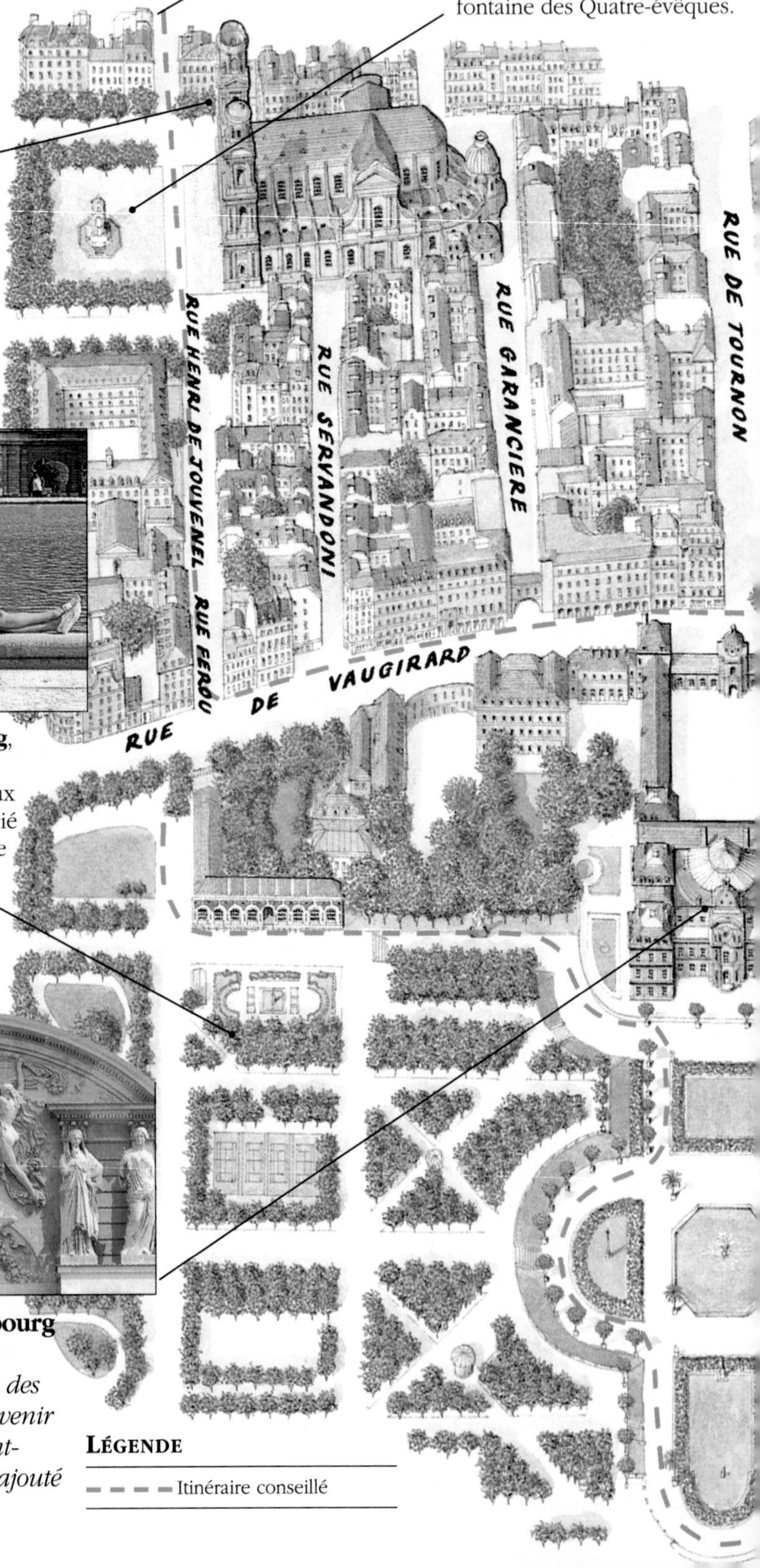

★ Saint-Sulpice
Six architectes et 134 ans furent nécessaires pour mener à bien la construction de cette église classique. **15**

Le jardin du Luxembourg, très fréquenté par les habitants du quartier et ceux qui y travaillent, est apprécié pour les moments de calme qu'on peut s'y offrir.

0   100 m

RUE HENRI DE JOUVENEL — RUE FERÚU

RUE SERVANDONI

RUE GARANCIERE

RUE DE TOURNON

RUE DE VAUGIRARD

★ Le palais du Luxembourg
Construit pour Marie de Médicis, il a connu bien des affectations avant de devenir le siège du Sénat. L'avant-corps, côté jardin, a été ajouté en 1841. **14**

LÉGENDE

– – – Itinéraire conseillé

CARTE DE SITUATION
Voir l'Atlas des rues, plans 8, 12, 13

La fontaine de Médicis fut édifiée au XVIIe siècle dans le style des grottes italiennes sur un dessin, pense-t-on, de Salomon de Brosse.

42 statues du XIXe siècle, aux sujets les plus divers, font du jardin un musée de plein air ; ici, sainte Geneviève, qui sauva Paris des Huns en 451.

Le palais du Luxembourg ⓮

15, rue de Vaugirard, 75006. **Plan** 8 E5. ☎ *01 42 34 20 60.* Ⓜ *Odéon.* RER *Luxembourg.* **Visites** *uniquement pour les groupes lun., ven. et sam. ; réservation 3 mois à l'avance.*

La florentine Marie de Médicis, souffrant du mal du pays, fit construire par Salomon de Brosse, à partir de 1615, ce palais de style italien près de la résidence des Gondi, ses compatriotes. C'est pour l'orner qu'elle commanda à Rubens les 24 célèbres tableaux qui sont aujourd'hui au Louvre. Plus tard, Louis XIV y fit élever ses enfants, la Convention le transforma en prison et le Directoire y installa le siège du gouvernement.

Il abrite depuis 1958 les réunions du Sénat. Au 19, rue de Vaugirard, le musée du Luxembourg accueille des expositions temporaires.

Saint-Sulpice ⓯

Pl. Saint-Sulpice, 75006. **Plan** 8 E4-5. ☎ *01 46 33 21 78.* Ⓜ *Saint-Sulpice.* ◯ *de 8 h à 19 h t.l.j.* 🔊 **Concerts**.

Commencée en 1646, la construction de cette église, l'une des plus grandes de Paris, demanda plus d'un siècle. Sa façade, ornée d'une colonnade à deux étages, n'avait pas un aspect aussi austère à l'origine mais la foudre détruisit son fronton en 1870.

La première chapelle à droite est ornée de peintures de Delacroix, notamment la *Lutte de Jacob avec l'ange (p. 122)*, *Héliodore chassé du temple* et *Saint Michel terrassant le démon*, qui attirent tant de visiteurs.

La tour sud de Saint-Sulpice n'a jamais été achevée

Les Quatre parties du monde

La fontaine de l'Observatoire ⓰

Pl. Ernest-Denis, av. de l'Observatoire, 75005. **Plan** 12 E2. RER *Port-Royal.*

Cette fontaine édifiée par Davioud en 1875 orne les jardins de l'Observatoire créés au sud de celui du Luxembourg sur un terrain confisqué aux chartreux de Vauvert en 1790. Le célèbre bronze de Jean-Baptiste Carpeaux, *les Quatre parties du monde*, la décore. Pour des raisons d'équilibre, l'artiste ne représenta pas le cinquième continent, l'Océanie.

Le Val-de-Grâce ⓱

1, pl. Alphonse-Laveran, 75005. **Plan** 12 F2. ☎ *01 40 51 51 92.* RER *Port-Royal.* ◯ *mar., mer., sam., dim. de 12 h à 18 h.* ● *août* 🖼

C'est en exécution d'un vœu après la naissance de Louis XIV qu'Anne d'Autriche fonda cette église en 1645. Son jeune fils (sept ans) posa lui-même la première pierre.

Avec son dôme richement décoré et son baldaquin inspiré de celui de la basilique Saint-Pierre, ce sanctuaire est probablement celui de Paris le plus proche du baroque romain. Pierre Mignard peignit en 1663 la *Gloire des Bienheureux*, fresque ornant la coupole qui comprend plus de deux cents personnes.

EN DEHORS DU CENTRE

La Villette, Montmartre, Belleville, les quartiers périphériques de la capitale, plus densément peuplés aujourd'hui que le centre historique, furent jusqu'en 1860, date à laquelle Napoléon III les annexa à Paris, des villages où les Parisiens venaient danser, et boire les petits vins de la Seine, non taxés au-delà des barrières. La butte Montmartre, avec ses maisons rurales et sa vigne, est un vestige de ces temps de guinguettes. Ces quartiers, populaires, sauf à l'ouest, accueillirent à partir du XIXᵉ siècle les industries naissantes, et, en foule, les nouveaux arrivants. Parmi eux, une pléiade cosmopolite d'artistes a donné à Montmartre puis à Montparnasse un lustre incomparable.

LA PÉRIPHÉRIE D'UN COUP D'ŒIL

Musées
Musée du Cristal de Baccarat **9**
Musée Gustave Moreau **8**
Musée Marmottan **5**
Palais de la Porte Dorée **20**
Musée national d'Histoire
   naturelle **24**

Églises et mosquée
Mosquée de Paris et Institut
   musulman **27**
Sacré-Cœur **11**
Cathédrale Saint-Alexandre-
   Nevski **6**

Parcs et jardins
Bois de Boulogne **2**
Jardin des Plantes **25**
Parc André-Citroën **28**
Parc des Buttes-Chaumont **17**
Parc Monceau **7**
Parc Montsouris **23**

**Bâtiments et
rues historiques**
Catacombes **31**
Château de Vincennes **21**
Moulin Rouge **12**
Rue La Fontaine **4**

Quartiers historiques
Canal Saint-Martin **16**
Montmartre p. 132-133 **10**
Montparnasse **29**

Architecture moderne
Bercy **19**
Bibliothèque Nationale
   de France **22**

LÉGENDE

☐ Principaux quartiers historiques

═ Autoroutes et routes principales

La Défense **1**
Fondation Le Corbusier **3**
Institut du monde arabe **26**

Cimetières
Cimetière de Montmartre **13**
Cimetière du Montparnasse **30**
Cimetière du Père-Lachaise **18**

Marché
Marché aux Puces
   de Saint-Ouen **14**

Parc à thème
*Cité des sciences et de
   l'industrie p. 136-137* **15**

0   4 km

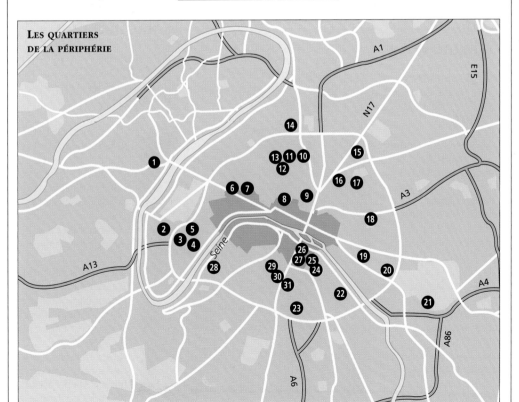

LES QUARTIERS
DE LA PÉRIPHÉRIE

◁ **L'étroite rue Saint-Rustique serpente jusqu'au Sacré-Cœur**

L'ouest de Paris

La Défense ❶

La Grande Arche. 📞 *01 49 07 27 57.* 🚉 *La Défense.* ⏰ *de 10 h à 19 h t.l.j.* ♿

Œuvre du danois Otto von Spreckelsen, située à l'extrémité de la perspective de l'Arc de Triomphe, la Grande Arche vint parachever en 1989 l'aménagement du quartier d'affaires de La Défense *(p. 62-63)*, bâti à partir de 1957 sur une dalle piétonne.

Ce cube évidé qui pourrait contenir Notre-Dame, abrite un espace d'exposition, des bureaux et offre une belle vue sur Paris.

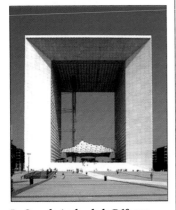

La Grande Arche de la Défense

Le bois de Boulogne ❷

75016. Ⓜ *Porte Maillot, Porte Dauphine, Porte d'Auteuil, Sablons.* ⏰ *24 h/24 t.l.j.* 🎨 *jardins spécialisés et musées.* ♿

Vestige de l'ancienne et immense forêt du Rouvre, ce parc situé entre la Seine et l'ouest de Paris renferme plusieurs lacs où canoter et offre sur 865 ha de nombreuses promenades à faire à pied, à bicyclette ou à cheval. Il vaut mieux cependant l'éviter la nuit.

Le bois était déjà mal famé au XVIᵉ siècle lorsque Henri II le fit cerner d'une muraille. Elle ne sera abattue qu'en 1852 après que Napoléon III eut cédé le terrain à la ville, charge à elle de l'aménager en parc public. Outre l'hippodrome de Longchamp, celui-ci renferme aujourd'hui le château (XVIIIᵉ s.) et le parc de Bagatelle, réputé pour ses expositions florales, le Pré Catelan et ses jardins La Fontaine et Shakespeare, et le jardin d'Acclimatation où les enfants trouvent manèges et animaux. Tout près se trouve le musée des Arts et Traditions populaires.

La fondation Le Corbusier ❸

8-10, square du Docteur-Blanche, 75016. 📞 *01 42 88 41 53.* Ⓜ *Jasmin.* ⏰ *de 10 h à 12 h 30, 13 h 30 à 18 h mar., jeu. ; de 13 h 30 à 18 h lun, 17 h ven.* ⚫ *les jours fériés, en août.* 🎨 🌐 *www.fondationlecorbusier.asso.fr*

Charles-Édouard Jeanneret, plus connu sous le nom de Le Corbusier, l'un des architectes les plus novateurs et les plus influents du XXᵉ siècle, éleva au début des années 20 à Auteuil ses deux premières réalisations parisiennes, les villas Jeanneret et La Roche, selon des conceptions alors révolutionnaires : formes géométriques en béton nu, façades vitrées sur toute leur longueur, emboîtement des espaces intérieurs offrant un éclairage et un volume maximaux. Elles abritent aujourd'hui un centre de documentation consacré à son œuvre.

Fenêtre Art nouveau, rue La Fontaine

La rue La Fontaine ❹

75016. **Plan** 5 A4. Ⓜ *Michel-Ange Auteuil, Jasmin.* 🚉 *Radio-France.*

À la fin du XIXᵉ siècle, alors qu'Auteuil était encore un faubourg populaire, Hector Guimard construisit au nᵒ 14 le Castel Béranger, immeuble Art nouveau à loyer modéré qu'il réussit pourtant à orner de vitraux, fers forgés et mosaïques. Plusieurs autres édifices de la rue, notamment l'hôtel Mezzara (nᵒ 60), témoignent de son talent.

Le musée Marmottan ❺

2, rue Louis Boilly, 75016. 📞 *01 42 24 07 02.* Ⓜ *Muette.* ⏰ *de 10 h à 17 h 30 du mar. au dim.* ⚫ *1ᵉʳ mai, 25 déc., 1ᵉʳ janv.* 🎨

À sa mort en 1932, l'historien d'art Paul Marmottan laissa à l'Institut de France son hôtel particulier du XIXᵉ siècle, avec ses collections de peintures et de mobilier Empire, ainsi que les œuvres de primitifs flamands et italiens rassemblées par son père, Jules Marmottan, complétées par de belles tapisseries et plusieurs enluminures du Moyen Âge.

La donation Donop de Monchy, puis le legs fait par Michel Monet, fils cadet de l'artiste impressionniste,

Île du bois de Boulogne

apportèrent ultérieurement une nouvelle dimension aux collections et le musée est aujourd'hui surtout réputé pour des tableaux de Claude Monet comme *Impression, soleil levant* (à l'origine du terme impressionnisme), *Le Pont de l'Europe à la gare Saint-Lazare* ou *Le Parlement*. On peut également admirer l'une des *Cathédrales de Rouen* (*p. 267*) et une série de *Nymphéas* où s'exprime tout son génie à saisir dans un reflet sur l'eau la fugacité de l'instant.

L'exposition présente en outre la collection personnelle du peintre qui comprend des toiles de Camille Pissarro, Alfred Sisley, Eugène Boudin et Auguste Renoir. De ce dernier, ne pas manquer les portraits de *Claude Monet lisant* et de *Madame Claude Monet*.

La Naumachie et sa colonnade, parc Monceau

Le nord de Paris

La cathédrale Saint-Alexandre-Nevski

La cathédrale Saint-Alexandre-Nevski ❻

12, rue Daru, 75008. **Plan** 2 F3.
📞 *01 42 27 37 34.* Ⓜ *Courcelles, Ternes.* ◯ *de 15 h à 17 h le mar. et ven.* 🎫 ✝ *18 h le sam., 10 h 30 le dim.*

La communauté russe de Paris finança, avec le tsar Alexandre II, la construction, achevée en 1861, de cette imposante cathédrale orthodoxe dessinée par des membres de l'académie des Beaux-Arts de Saint-Pétersbourg. Si ses cinq coupoles en cuivre doré se rattachent sans conteste aux traditions slaves, son plan en forme de croix grecque et ses

sompteuses fresques et mosaïques sont de style néo-byzantin.

Dans la rue Daru, au cœur de la « petite Russie », se trouvent également des salons de thé et une librairie russes.

Le parc Monceau ❼

Bd de Courcelles, 75017. **Plan** 3 A3.
📞 *01 42 27 08 64.* Ⓜ *Monceau.* ◯ *de 7 h à 20 h t.l.j. (22 h d'avril à oct.).*

Ce havre de verdure date de 1778 et du « jardin d'illusion » commandé par le duc de Chartres (futur duc d'Orléans) à l'auteur dramatique et paysagiste amateur Louis Carmontelle. Plusieurs fois remanié avant d'être acquis en 1852 par l'État, qui le céda en partie à des promoteurs immobiliers, le parc, réduit à 9 ha, a beaucoup perdu de la fantaisie exotique de ses origines (on l'appela la « folie de Chartres ») dont il ne subsiste guère que la Naumachie, bassin entouré d'une colonnade à l'imitation des cirques où les Romains organisaient des batailles navales.

Le musée Gustave Moreau ❽

14, rue de la Rochefoucauld, 75009.
Plan 4 E3. 📞 *01 48 74 38 50.*
Ⓜ *Trinité.* ◯ *de 10 h à 12 h 45, 14 h à 17 h 15 du mer. au lun.* 🎫 🔘 🎁

Peintre symboliste qui développa dans ses œuvres un univers où se mêlaient fantasmes personnels et figures

mythologiques, Gustave Moreau (1826-1898) eut une influence déterminante sur les fondateurs du surréalisme et de l'art abstrait. Il a légué à l'État son hôtel particulier, transformé en musée en 1902, 7 000 dessins et 1 000 huiles et aquarelles, notamment l'extraordinaire tableau de *Jupiter et Sémélé*.

Le musée du Cristal de Baccarat ❾

11, pl. des États-Unis, 75008.
📞 *01 47 70 64 30.* Ⓜ *Gare de l'Est.* ◯ *de 10 h à 18 h du lun. au sam.* 🔘 🎫 *sur r.-v.*

La rue de Paradis compte de nombreux magasins de porcelaine et de cristaux, dont la société Baccarat qui abrite dans ses locaux le musée du Cristal, également connu sous le nom de musée Baccarat. Il présente plus de 1 200 articles parmi les plus beaux manufacturés dans les ateliers de cette firme fondée en 1765 en Lorraine, notamment des services créés pour les cours d'Europe.

L'exposition montre en outre les techniques de taille du cristal.

Le vase d'Abyssinie, cristal de Baccarat et bronze

Montmartre ❿

L'ancien *Mons martyrium* où aurait péri saint Denis vers 250, longtemps couvert de vignes et de moulins, a acquis une renommée mondiale grâce aux écrivains et aux peintres qui hantèrent la butte des années 1870 à 1914 : Toulouse-Lautrec qui célébra les cabarets ; Picasso qui renouvela son style au *Bateau Lavoir* ; Braque, Apollinaire, Utrillo et tant d'autres... Envahi aujourd'hui par les touristes, le quartier conserve des airs paisibles et attachants qui rappellent le Paris d'avant-guerre.

Portraitiste, place du Tertre

La vigne de Montmartre
C'est une des dernières de Paris. La vendange donne lieu à une fête le premier samedi d'octobre.

Métro Lamarck Caulaincourt

Au Lapin Agile
Ce cabaret fut avant 1914 le rendez-vous d'écrivains et d'artistes.

La Mère Catherine
Des Cosaques accéléraient le service dans ce restaurant en criant « bistro ! » (« vite » en russe) – le mot est resté.

Espace Montmartre Salvador-Dali
Il présente 330 sculptures et illustrations de l'artiste surréaliste.

Place du Tertre
Portraitistes et touristes se pressent sur cette place où des artistes commencèrent à exposer au XIXᵉ siècle.

Légende

– – – – Itinéraire conseillé

0   100 m

Le musée de Montmartre
Il montre des documents retraçant la vie de la butte et des œuvres de nombreux artistes ayant vécu dans le quartier, comme Modigliani qui peignit ce Portrait de femme en 1918.

CARTE DE SITUATION
Voir l'Atlas des rues, plans 3, 4

MONTMARTRE

TUILERIES ET OPÉRA

BEAUBOURG

Sacré-Cœur
Cette basilique romano-byzantine commencée en 1876 et achevée en 1914 renferme mosaïques et statues telle cette Vierge à l'Enfant *(1896) par P. Brunet* ⓫

Saint-Pierre de Montmartre
Cette église faisait partie d'une abbaye bénédictine fondée en 1133.

Vers le métro Anvers

Le square Willette
s'étage sous le parvis du Sacré-Cœur en une série de terrasses gazonnées plantées d'arbres, de haies et de plates-bandes jusqu'à la place Saint-Pierre.

Le funiculaire part de l'extrémité de la rue Foyatier et monte jusqu'au pied de la basilique du Sacré-Cœur (prix du trajet : un ticket de métro).

Musée d'art naïf Max-Fourny
Sa collection compte près de 600 œuvres d'art naïf dont Le Mur *(1944) par F. Tremblot.*

Le Sacré-Cœur ⓫

35, rue de Chevalier, 75018. **Plan** 4
F1. **☎** *01 53 41 89 00*. **Ⓜ** *Abbesses
(puis prendre le funiculaire jusqu'aux
marches du Sacré-Cœur), Anvers,
Barbès-Rochechouart, Château-
Rouge, Lamarck-Caulaincourt.* 🚌 *30,
54, 80, 85.* **Basilique** ⬭ *de 6 h à 23 h
t.l.j.* **Dôme et crypte** ⬭ *de 8 h 30 à
19 h t.l.j.* 🎫 **pour le dôme**.
♿ *limité.* ✝ *10 h 30, 12 h15, 18 h
30, 10 h lun.-sam., 9 h 30, 11 h, 18 h,
22 h dim.*

Au début de la guerre
franco-prussienne de
1870, deux hommes d'affaires
catholiques, Alexandre
Legentil et Rohault de Fleury,
firent vœu de financer une
église consacrée au Sacré-
Cœur du Christ si la France
était victorieuse. Malgré la
défaite, et parce que Paris
avait échappé aux
destructions, l'édification de la
basilique commença en 1876
sur les plans de Paul Abadie.
   Achevé en 1914, le
sanctuaire offre, depuis la
galerie extérieure de son
dôme, une vue extraordinaire
de Paris et de ses environs.

La galerie des vitraux
permet d'avoir une vue
d'ensemble de l'intérieur.

**La grande
mosaïque du Christ**
(1912-1922)
par Luc-Olivier
Merson domine
le chœur.

Le dôme ovoïde
est le deuxième
sommet de Paris
après la tour Eiffel.

**Le portail en
bronze** est
orné de scènes
bibliques.

Dans la chapelle des morts
de la crypte, une urne en pierre
renferme le cœur de Legentil.

Le Moulin-Rouge ⓬

82, bd de Clichy, 75018. **Plan** 4 E1.
☎ *01 53 09 82 82.* **Ⓜ** *Blanche.*
⬭ *19 h -1 h t.l.j.*
🎫 *Voir p. 145.*

Si ce célèbre établissement
ne garde que ses grandes
ailes de l'édifice original
construit en 1885 et transformé
en cabaret en 1900, il entretient
la tradition du French-Cancan,
mais dans un style plus
hollywoodien que celui de
La Goulue, immortalisé par les
dessins et affiches d'Henri de
Toulouse-Lautrec.

Le cimetière
de Montmartre ⓭

20, avenue Rachel, 75018. **Plan** 4 D1.
☎ *01 53 42 36 30.* **Ⓜ** *Place de
Clichy.* ⬭ *de 8 h à 18 h du lun. au
sam., de 9 h à 17 h 30 dim.* ♿

Hector Berlioz et Jacques
Offenbach, Stendhal
et Émile Zola, Edgar Degas,
Heinrich Heine, Nijinski,

François Truffaut… impossible
d'énumérer toutes les célébrités
enterrées dans ce cimetière
presque aussi réputé, aussi
étendu et qui date de la fin
du xviiie siècle, que celui du
Père-Lachaise.
Tout les arts et bien des pays
y sont représentés.
   Peintre de Montmartre,
Maurice Utrillo ne pouvait
qu'y reposer.
Il est toutefois inhumé dans
un autre cimetière du quartier,
celui de Saint-Vincent.

**Étal africain au marché aux puces
de Saint-Ouen**

Le marché
aux puces
de Saint-Ouen ⓮

Rue des Rosiers, Saint-Ouen, 75018.
Ⓜ *Porte-de-Clignancourt.* ⬭ *de 9 h
à 18 h du sam. au lun. Voir*
Boutiques et marchés *p. 142.*

Le plus ancien et le plus
important des marchés
aux puces parisiens couvre
6 ha près de la porte de
Clignancourt, là où
chiffonniers et clochards
proposaient au xixe siècle leur
pauvre marchandise hors des
limites de la ville.
   Aujourd'hui séparées en
marchés spécialisés comptant
plus de 2 000 éventaires, les
puces de Saint-Ouen sont
surtout réputées pour les
meubles et objets décoratifs
du Second Empire.

La Cité des sciences
et de l'industrie ⓯

p. 136-137

Le canal Saint-Martin ⑯

Ⓜ *Jaurès, J Bonsergent, Goncourt.*

Long de 5 km, ce canal inauguré en 1825 constitue, du bassin de la Villette à celui de l'Arsenal, un raccourci pour le trafic fluvial entre les boucles de la Seine. À l'origine entièrement à ciel ouvert, il est aujourd'hui en partie recouvert. Les quartiers qu'il traverse, très industriels au XIXᵉ siècle, ont connu depuis d'importantes rénovations et, bien que l'hôtel du Nord rendu célèbre par Marcel Carné se dresse toujours quai de Jemmapes, il ne subsiste que peu d'ateliers de cette époque.

Avec les jardins qui le bordent, ses neuf écluses et ses ponts, le canal Saint-Martin est toutefois un cadre de promenade très romantique.

Le parc des Buttes-Chaumont ⑰

Rue Manin 75019 (accès principal rue Armand-Carrel). 🄲 *01 53 35 89 35.* Ⓜ *Botzaris, Buttes-Chaumont.* ⭘ *de 6 h 45 à 21 h t.l.j. (23 de mai à sept.).*

Ce parc, l'un des plus surprenants et des plus agréables de la capitale, occupe une superficie de 23 ha. Il fut aménagé sur l'une des hauteurs de Belleville, creusées de carrières et occupées depuis des siècles par des décharges. Dominant au Moyen Âge, le gibet de Montfaucon, l'endroit était de sinistre réputation.

C'est sur l'ordre de Napoléon III qu'Adolphe Alphand, à qui tant d'avenues parisiennes doivent leurs bancs et lampadaires, aménagea en 1866 ce lieu désolé avec l'ingénieur Darcel et le paysagiste Barillet-Deschamps.

Tirant le meilleur parti des accidents de terrain, ils créèrent une cascade de 32 m tombant dans une grotte aux stalactites artificielles, et un lac au centre duquel se dresse un grand rocher coiffé d'un temple romain. Un pont de brique et une passerelle permettent d'y accéder, mais on peut louer des barques.

Le bassin de l'Arsenal

L'est de Paris
Le cimetière du Père-Lachaise ⑱

16, rue du Repos, 75020. 🄲 *01 55 25 82 10.* Ⓜ *Père Lachaise, Alexandre Dumas.* ⭘ *de 8 h à 18 h du lun au ven. (hiver : 17 h) 8 h 30 sam., 9 h dim. et fêtes.* ♿

Cette colline dominant la ville, jadis résidence du Père de La Chaize, confesseur de Louis XIV fut rachetée en 1803 par le préfet de Paris et aménagée par l'architecte Brongniart en cimetière-jardin. Le terrain devint un lieu de sépulture si prisé de la bourgeoisie qu'il fallut l'agrandir à six reprises au XIXᵉ siècle. Ce cimetière paysager de 44 ha est ainsi le plus grand parc *intra-muros* de la capitale.

Son calme, sa belle végétation, ses statues, ainsi que les souvenirs liés aux personnalités qui y reposent comme Chopin, Balzac, Jim Morrison, ou Simone Signoret et Yves Montand, en font le cimetière le plus visité de la capitale.

Bercy ⑲

75012. Ⓜ *Bercy, Cour St-Émilion.* ⛴ *Port de Bercy (01 43 43 40 30).*

Cet ancien quartier de négoce de vin situé à l'est du centre-ville a été transformé en un secteur ultra-moderne le long de la Seine. Une nouvelle ligne de métro, la ligne 14, dont les rames, entièrement automatisées, roulent sans conducteur, relie Bercy au cœur de la ville.

Le Palais Omnisports de Paris-Bercy (POPB) accueille de nombreuses représentations sportives et de grands concerts. Sa structure pyramidale aux pentes couvertes de gazon est devenue le symbole moderne de l'est de Paris.

Bercy abrite plusieurs autres buildings, comme le ministère des Finances, conçu par Chemetov et l'American Center de Franck Gehry où le Ministère de la Culture et de la Communication a décidé de réunir le musée du Cinéma et la Cinémathèque française.

Au pied de ces tours, le parc de Bercy de 70 ha offre un agréable espace vert. Les anciens magasins de vin et caves du cours Saint-Émilion ont été transformés en restaurants, bars et magasins. Les Pavillons de Bercy ont été aménagés dans d'anciens entrepôts, l'un d'eux abrite le musée des Arts Forains. Vous y découvrirez l'histoire de la fête foraine de 1850 à nos jours dans l'Europe entière.

Les amateurs de navigation fluviale peuvent embarquer à la marina de Bercy.

L'étonnant American Center de Bercy conçu par Franck Gehry

La Cité des sciences et de l'industrie ⓯

Cet immense musée à la popularité aussi grande que sa superficie occupe la salle des ventes, jamais achevée, des anciens abattoirs de la Villette, bâtiment de plus de 40 m de haut couvrant 3 ha. Pour le transformer, l'architecte Adrien Fainsilber s'est appuyé sur trois éléments naturels : l'eau qui environne l'édifice, la végétation qui le pénètre par les serres et la lumière qui se déverse à travers ses coupoles. Aux 1er et 2e étages, Explora permet aux visiteurs d'aborder des thèmes aussi variés que les mathématiques, l'informatique, la biologie ou l'environnement. Les autres niveaux abritent une médiathèque, un cinéma, la Cité des enfants, un centre de conférences et des boutiques.

Folie moderne du parc de la Villette

Le planétarium
Un écran de 21 m de diamètre sur lequel sont projetés des milliers d'étoiles, des projecteurs à effets spéciaux et une sonorisation ultramoderne transportent le visiteur dans le cosmos.

Dans l'espace
Les 10 000 lentilles du planétarium donnent une image du ciel tel que le voient les astronautes hors de l'atmosphère terrestre.

★ Ariane
À côté de la fusée Ariane, les engins spatiaux expliquent comment les astronautes sont envoyés dans l'espace.

Entrée ouest

Salle de 370 places

Écran hémisphérique

Hall principal

LA GÉODE

Projetés sur un écran hémisphérique de 1 000 m², les films IMAX présentés dans cette sphère de 36 m de diamètre placent le spectateur au cœur de l'image.

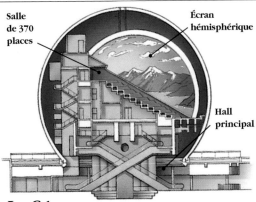

Les douves imaginées par Fainsilber laissent pénétrer la lumière naturelle dans les niveaux inférieurs du bâtiment.

Le hall principal évoque une cathédrale futuriste avec ses passerelles, ses balcons et ses escaliers roulants.

À NE PAS MANQUER

★ **La Cité des enfants**

★ **Ariane**

★ **La Géode**

Coupoles
Larges de 17 m, elles éclairent le hall principal avec des miroirs orientables selon la position du soleil.

MODE D'EMPLOI

30, av. Corentin-Cariou, 75019.
☎ *01 40 05 80 00.* Ⓜ *Porte de la Villette.* 🚌 *150, 152, 139 et PC*
Ⓟ 🅿 *de 10 h à 18 h du mar. au sam. (19 h dim.).* 🏧 ♿ 🛗 🎧
🖥 🍴 *Bibliothèque. Centre de conférence. Concerts. Films, vidéo.* Ⓦ *www.cite-sciences.fr*

Les serres
quadrangulaires, de 32 m de haut et de large, relient visuellement le parc au bâtiment.

Mirage IV
Un vrai Mirage IV est posé au sol, entouré d'une exposition sur l'histoire et l'avenir de l'Aéronautique.

Vers La Géode

Passerelles
Des passerelles relient, au-dessus des douves, les différents niveaux du musée à la Géode et au parc.

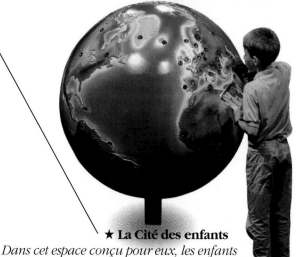

★ **La Cité des enfants**
Dans cet espace conçu pour eux, les enfants découvrent les principes scientifiques en jouant avec des machines interactives.

Bibliothèque nationale de France-François-Mitterrand

Le palais de la Porte Dorée ⓴

293, av. Daumesnil, 75012.
☎ 01 43 46 51 61. Ⓜ *Porte Dorée.*
◯ *de 10 h à 17 h 30 du mer. au lun.*
● *1ᵉʳ mai.* ▨ ♿ ▯

Ce musée est situé dans un bâtiment Art déco édifié pour l'Exposition coloniale de 1931, et conçu par les architectes Albert Laprade et Léon Jaussely. Les remarquables collections d'art primitif et tribal qu'il abritait : masques Bambara du Mali, défenses en ivoire sculptées du Bénin, bijoux et costumes marocains, peintures aborigènes… ont été déplacées au musée du Quai Branly. (Ouverture en 2006.)

Le château de Vincennes ㉑

Av. de Paris, 94300, Vincennes.
☎ 01 48 08 31 20. Ⓜ *Château de Vincennes.* ⓇⒺⓇ *Vincennes.* ◯ *de 10 h à 17 h t.l.j. (18 h de mai à sept.).* ▨ ▨

Résidence royale jusqu'à ce que la cour se déplace à Versailles au XVIIᵉ siècle, le château de Vincennes servit ultérieurement de prison puis d'arsenal. Le donjon (XIVᵉ s.) abrite un musée et la belle chapelle gothique fut achevée en 1550.
De l'autre côté de ses douves, s'étend le bois où chassaient les rois et dont on vient aujourd'hui visiter le zoo et le parc floral.

Bibliothèque Nationale de France-François-Mitterrand ㉒

Quai François-Mauriac, 75013.
Plan 14 F3 ☎ 01 53 79 59 59. Ⓜ *Bibliothèque François Mitterrand.* ◯ *10 h-20 h mar.-sam. (12 h-19 h dim.)* ● *j. fériés ; 2 sem. en sept.* ▨ ♿ ▯ ▯ ▥ *www.bnf.fr*

Quatre tours, conçues par D. Perrault acceuillent une partie des ouvrages de la bibliothèque de la rue de Richelieu, trop étroite. Les salles de lecture « haut-de-jardin » offrent 1 600 places et 200 000 volumes en consultation.

Le sud de Paris

Le parc Montsouris ㉓

Bd Jourdan, 75014. ☎ 01 45 88 28 60. ⓇⒺⓇ *Cité Universitaire.* ◯ *de 7 h 30 à 19 h t.l.j. (17 h en hiver).*

Aménagé par Alphand entre 1875 et 1878, ce parc vallonné, à l'anglaise, le second par la taille de Paris intra-muros, renferme un belvédère, un agréable restaurant, de vastes pelouses, et de grands arbres centenaires.

Crâne de dimétrodon (reptile)

Le musée national d'Histoire naturelle ㉔

2, rue Buffon, 75005. **Plan** 13 C2.
☎ 40 79 30 00. Ⓜ *Jussieu, Austerlitz.* ◯ *de 10 h à 17 h du mer. au lun.* ▨ ▨

Le point d'orgue du Muséum est la fantastique Grande Galerie de l'Évolution. Le Muséum est par ailleurs organisé en quatre départements : la paléontologie, le musée possédant près d'un million de fossiles ; l'anatomie comparée où l'on peut suivre l'évolution du squelette des vertébrés ; la botanique et la paléobotanique, retraçant l'histoire des végétaux ; la minéralogie, section qui comporte une salle de cristaux géants et présente les pierres précieuses de Louis XIV. La librairie occupe la maison de Buffon.

Le jardin des Plantes ㉕

57, rue Cuvier, 75005. **Plan** 13 C1.
Ⓜ *Jussieu, Austerlitz.* ◯ *t.l.j. du lever au coucher du soleil.*

Fondé en 1626 par deux médecins de Louis XIII, ce jardin botanique ouvert au public en 1640 se développa sous la direction de Buffon de 1739 à 1788. S'y promener permet en particulier de découvrir un parc écologique aménagé dès 1938, les 2 600 espèces de plantes médicinales ou comestibles de l'école de botanique et le jardin alpin où les jardiniers, en jouant sur les orientations et la nature des sols, cultivent 2 000 plantes originaires aussi bien de l'Himalaya que de la Corse.
Le jardin des Plantes comprend en outre un labyrinthe planté d'essences rares et trois magnifiques serres consacrées respectivement aux végétaux australiens, mexicains et tropicaux.

Le marché de la rue Mouffetard, près du jardin des Plantes

L'Institut du monde arabe **26**

1, rue des Fossés-Saint-Bernard, 75005. **Plan** 9 C5. ☎ *01 40 51 38 38.* Ⓜ *Jussieu, Cardinal-Lemoine.* **Musée et expositions temporaires** ◯ *de 10 h à 18 h du mar. au dim.* ● *j.f.* **Bibliothèque** ◯ *de 13 h à 20 h du mar. au sam.* ▨ ♿ ⦸ ◻ ⤴ ⑪

Cet édifice élégant, œuvre des équipes de Jean Nouvel et d'Architecture Studio, marie matériaux modernes et traditions arabes. La façade sud évoquant un moucharabieh, une tour de marbre blanc abrite une étonnante bibliothèque : ses milliers de livres tapissent le côté d'une rampe en spirale.

Sur trois des niveaux de l'immeuble principal, un musée présente les cultures des pays arabes et notamment la création contemporaine.

La mosquée de Paris et l'Institut musulman **27**

Pl. du Puits-de-l'Ermite, 75005. ☎ *01 45 35 97 33.* Ⓜ *Place Monge.* ◯ *de 9 h à 12 h, de 14 h à 18 h sam.-jeu.* ● *les fêtes musulmanes.* ▨ ⧄ ◻ ◻ ⑪

Élevé de 1922 à 1926, cet ensemble de bâtiments de style hispano-mauresque dresse son minaret à 33 m de hauteur. Outre la mosquée, il abrite une bibliothèque et un centre d'enseignement, un hammam (jours d'ouvertures différents pour les hommes et les femmes), un agréable salon de thé et un restaurant.

Le parc André-Citröen **28**

Quai André-Citroën/rue Balard, 75015. ☎ *01 56 56 11 56* Ⓜ *Javel, Balard.* ◯ *horaires variables, téléphoner.*

Les paysagistes Alain Provost et Gilles Clément, et les architectes Patrick Berger, Jean-Paul Viguier et Jean-François Jodry ont dessiné ce parc moderne et surprenant aux facettes multiples, où l'eau et le minéral se mêlent à la plus grande variété de verdure.

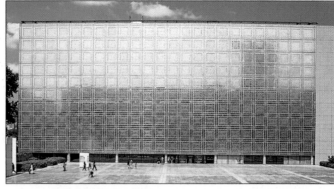

Des cellules photoélectriques tamisent la lumière de l'Institut du monde arabe

La tour Montparnasse

Montparnasse **29**

75014 et 75015. **Plan** 11 et 12. Ⓜ *Vavin, Raspail, Edgar Quinet.*

C'est à la gare Montparnasse qu'arrivaient les Bretons venus tenter leur chance à la capitale. Ce quartier est resté traditionnellement le leur comme le rappellent les crêperies, les librairies ou les associations.

Pendant toute la première partie du xxe siècle, Montparnasse devint en outre un centre international de la bohème. Peintres et sculpteurs comme Picasso, Modigliani ou Zadkine y trouvaient des ateliers pour travailler et des écrivains et poètes de tous pays les rejoignirent : Apollinaire, Max Jacob, Henry Miller.

Paris a perdu avec la Seconde Guerre mondiale ce rôle de capitale internationale de l'art mais les rues de Montparnasse, malgré la tour qui les domine, gardent leur cachet.

Le cimetière du Montparnasse **30**

3, bd. Edgar-Quinet. **Plan** 12 D3. ☎ *01 44 10 86 50.* Ⓜ *Edgar-Quinet.* ◯ *de 8 h à 18 h t.l.j. (17 h 30 hiver).*

Charles Baudelaire, Jean-Paul Sartre et Simone de Beauvoir, Serge Gainsbourg… de nombreux artistes et écrivains y reposent. Créé en 1824 sur le terrain d'une ancienne nécropole religieuse, c'est le plus petit des trois cimetières parisiens (Montmartre, Père-Lachaise).

Les catacombes **31**

1, pl. Denfert-Rochereau, 75014. **Plan** 12 E3. ☎ *01 43 22 47 63.* Ⓜ *Denfert-Rochereau.* ◯ *de 10 h à 16 h du mar. au dim.* ● *les jours fériés.* ▨ ⧄ *pour les groupes.*

Pour assainir les Halles, on décida en 1786 de vider le cimetière des Innocents dans les carrières désaffectées creusées dans le sous-sol de la plaine Montparnasse. Elles renferment aujourd'hui les ossements de plusieurs millions de personnes.

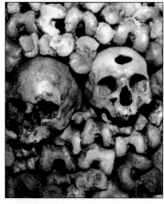

Ossements empilés dans les catacombes

BOUTIQUES ET MARCHÉS

Paris est synonyme d'un certain art de vivre. Peu de capitales au monde offrent un choix aussi vaste de grands magasins ou de petites boutiques spécialisées, d'épiceries fines ou exotiques, de galeries d'art ou d'antiquaires.

Si tous les grands noms de la haute couture, de la décoration ou de l'alimentation haut de gamme se donnent rendez-vous dans quelques rues huppées, beaucoup de gens font leur achats dans des boutiques nettement moins onéreuses au petit bonheur la chance, pendant les soldes de janvier et de juillet, voire dans les marchés aux puces pour les plus jeunes. C'est ainsi, que l'on peut s'offrir le chic parisien au meilleur prix. Faites comme eux, sans oublier de vous immerger dans l'ambiance d'un des nombreux marchés toujours animés et colorés, où la grande ville se donne des airs de village.

Voici, pour vous aider à faire vos courses dans cette véritable caverne d'Ali Baba, quelques-unes des meilleures adresses.

Lèche-vitrine avenue Montaigne

HORAIRES D'OUVERTURE

La plupart des boutiques ouvrent de 9 h 30 à 19 h du lundi au samedi. Les magasins de quartier ferment en général le lundi et un mois en été, souvent en août.

LA HAUTE COUTURE

Seule ville au monde où les élégantes peuvent commander robes, tailleurs et ensembles sur mesure et en pièce unique, Paris conserve son statut de modèle pour les couturiers du monde entier. La Fédération française de la haute couture ne dénombre toutefois qu'une vingtaine de ces maisons prestigieuses. Luxe à la portée de quelques richissimes clientes seulement, la haute couture sert de vitrine aux grandes marques dont les bénéfices sont assurés par les parfums et cosmétiques. La plupart des maisons de coutures commercialisent des lignes de prêt-à-porter, pas vraiment bon marché, mais qui permettent de porter à moindre coût la griffe « couture ».

LA MODE FÉMININE

Les grands couturiers sont essentiellement regroupés rive droite, entre la rue du Faubourg-Saint-Honoré et l'avenue Montaigne. Ces dernières saisons ont été marquées par l'arrivée de créateurs britanniques : John Galiano chez **Dior**, Alexander Mac Queen chez **Givenchy**, Stella Mac Cartney chez **Chloé**. Les créateurs italiens ont largement investi les quartiers dédiés aux luxe : **Dolce & Gabbana**, **Gucci**, **Max Mara**, ou encore l'Americain **Calvin Klein**. De nouveaux stylistes ont réveillé des maisons établies : Mikael Kors chez **Céline**, Martin Margiela chez **Hermès** ou Marc Jacobs chez **Vuitton**, marque qui a ouvert une boutique sur les Champs-Élysées. Rive gauche, Saint-Germain-des-Prés a aussi ses adresses prestigieuses : **Yves Saint-Laurent**, **Giorgio Armani**. Le quartier de la place des Victoires réunit de nombreux créateurs japonais : **Yohji Yamamoto**,

Le logo de Chanel, mondialement connu

LE QUARTIER DE LA HAUTE COUTURE

Rive droite, la rue du Faubourg-Saint-Honoré et l'avenue Montaigne rassemblent la plupart des maisons de haute couture.

Yves Saint Laurent
Guy Laroche
Nina Ricci
Hermès

AVE GEORGE V · AVE FRANÇOISE · AVE DES CHAMPS ELYSEES · ROND POINT · RUE DU FAUBOURG · ST HONORE · PLACE DE LA CONCORDE

COURS ALBERT I · COURS LA REINE

Givenchy   Christian Dior   Chanel

Comme des Garçons et **Kenzo** ; et des valeurs sûres comme **Agnès B**. Si vous aimez la mode « pointue », plusieurs adresses multimarques répondront à votre fringale : **Colette**, boutique où les vêtements côtoient les objets décoratifs, un espace d'exposition, une librairie et un bar à eau, **Zampa**, **Zadig & Voltaire**… Enfin, les créateurs qui montent ont pour noms **Christophe Lemaire**, **Isabelle Marant** et **José Levy**.

Le grand magasin La Samaritaine au bord de la Seine

Les créations colorées de Kenzo, place des Victoires

LA MODE MASCULINE

L'habillement masculin relève essentiellement du prêt-à-porter. Parmi les classiques figurent **Yves Saint-Laurent**, **Kenzo** et **Giorgio Armani**, tandis que **Yohji Yamamoto** propose des tenues pour faire sensation.

LE PRÊT-À-PORTER

Les grandes enseignes internationales de la mode à prix sage ont pris Paris d'assaut : **H&M**, **Zara**, **Gap** ou **Mango** ont désormais plusieurs adresses. Pour être sûr de trouver ce qu'il vous faut, allez du côté des Halles, de la Bastille ou du Marais. Rive gauche, le quartier de l'Odéon possède aussi de nombreux magasins et quelques soldeurs où l'on peut faire des affaires. Rue d'Alésia, dans le XIVe arrondissement,

se regroupent les stocks de plusieurs noms célèbres du prêt-à-porter. Enfin, **Tati**, une institution parisienne, pratique des prix étonnamment bas.

LES GRANDS MAGASINS

Si le temps vous manque, vous trouverez tout, ou presque, réuni sous le même toit des grands magasins, y compris un restaurant. Les foules sont particulièrement denses les samedis après-midi et à l'époque des soldes. Préférez les matinées ; vous aurez ainsi le loisir de flâner dans les rayons et d'admirer leurs architectures de la fin du XIXe siècle ou du début du XXe. Les **Galeries Lafayette** jouent la carte du chic, notamment en ce qui concerne le prêt-à-porter, et organisent des défilés de mode (le mardi à 10 h et le vendredi à 14 h 30 d'avril à octobre). Le **Printemps** a trois bâtiments spécialisés dans les vêtements pour

Cartier, un des sommets de l'élégance

homme, la maison et la mode féminine et enfantine. Des défilés de mode s'y tiennent aussi (le mardi à 10 h et le vendredi en été). Son immense rayon parfumerie mérite une visite. **La Samaritaine** propose un restaurant (fermé en hiver) avec vue panoramique sur la Seine, tandis que le **BHV**, également rue de Rivoli, s'oriente surtout vers la décoration de la maison et le bricolage. Le **Bon Marché**, seul grand magasin de la rive gauche, est aussi le plus ancien. Son rayon alimentation vaut le détour.

LES ANTIQUITÉS

Les amateurs d'objets anciens trouveront à Paris ce qu'ils cherchent à condition d'y mettre le prix. Les 250 boutiques du **Louvre des antiquaires**, rue Saint-Honoré, ou celles du **Carré Rive Gauche** sont franchement inabordables. En revanche, le village Saint-Paul (ouvert le dimanche) dans le Marais et les **marchés aux puces** proposent objets d'art et mobilier un peu meilleur marché.

LES GALERIES D'ART

Elles se concentrent dans certains quartiers. L'avenue Matignon, près des Champs-Élysées, regroupe les noms les plus connus. Les galeristes d'avant-garde ont pignon sur rue du côté de la Bastille ou du Marais. Rive gauche, autour de Saint-Germain-des-Prés, existent aussi de nombreuses galeries d'art.

LES ENFANTS

Au **Nain Bleu** est un magasin de jouets réservé aux riches parents. **La Samaritaine** s'avère infiniment plus abordable et possède le plus grand rayon de la capitale en ce domaine.

Côté mode enfantine, le choix va de la haute couture façon **Kenzo, Baby Dior** ou **Agnès B** aux habits nettement moins onéreux vendus au Forum des Halles, rue du Jour près de Beaubourg ou dans les grands magasins. Parmi les griffes de qualité, **Tartine et Chocolat** a bâti sa renommée sur la coupe de ses salopettes, tandis que la réputation d'élégance des vêtements **Bon Point** ou **Jacadi** n'est plus à faire.

Les petits trouveront chaussures à leurs pieds chez le prestigieux **Froment-Leroyer**.

LA MAISON

La rue Royale rassemble les magasins les plus chic en ce qui concerne la décoration d'intérieur, la porcelaine ancienne ou l'argenterie

Tintin et ses amis devenus jouets au Nain Bleu

moderne. Les pâtes de verre Art nouveau et Art déco de **Lalique** attirent ici des collectionneurs du monde entier.

La rue de Paradis offre un large choix de porcelaine et de cristallerie. Chez **Lumicristal**, vous trouverez du Baccarat, du Daum et du Limoges, en bref tout le nécessaire pour un souper fin. Vous choisirez ensuite les indispensables chandelles chez **Point à la Ligne**, qui a le plus grand choix possible.

Aux puces de Vanves

Presque tous les grands noms du tissu d'ameublement se cachent aux alentours des rues Bonaparte et de la jolie place Fürstenberg, près du musée Delacroix *(p. 122)*.

LIVRES ET DISQUES

La plupart des disques sont désormais vendus dans les FNAC, alors que le livre ne s'achète pas encore tout à fait comme un produit de grande consommation. À côté des bouquinistes des bords de Seine, plusieurs librairies prestigieuses : La Pléiade qui est établie rive gauche, **Joseph Gibert** et **La Hune**.

Fauchon soigne l'emballage

À BOIRE ET À MANGER

Dans la capitale, l'art de bien manger est peut-être encore plus important que le plaisir de paraître.

Quelques épiceries célèbres sont fréquentées par le Gotha parisien. **Fauchon** est l'une d'elles, tout comme **Hédiard** à deux pas de là. Côté boutiques spécialisées, **Poilâne** séduit les amateurs de pain à l'ancienne, tandis que les amoureux de fromages ne jurent que par **Barthélemy** et les sectateurs du chocolat par **Christian Constant**. Pour arroser le tout, les **Caves Taillevent** proposent des vins exceptionnels.

Les commerçants de la rue Montorgueil ou de la rue Rambuteau, près de Beaubourg, proposent charcuteries, fromages, vin, et spécialités de tous les terroirs à des prix intéressants. Le marché Saint-

Germain attirera également les amateurs de produits régionaux et exotiques.

LES MARCHÉS

Paris compte une douzaine de marchés couverts et plus d'une cinquantaine de marchés découverts. Les premiers ouvrent du mardi au samedi de 8 h 30 à 13 h et de 16 h à 19 h 30 et le dimanche matin. Les seconds s'installent deux ou trois matinées par semaine (de 7 h à 14 h 30 sauf le lundi).

Chacun de ces marchés, étant fréquenté par les habitants du quartier, possède sa propre personnalité. Parmi les plus originaux, celui de la pittoresque **rue Lepic** et celui de **Raspail**, voué au produits de la culture biologique. Le cosmopolite **marché d'Aligre** et tous ceux des rues commerçantes (**rue Daguerre, rue Mouffetard** ou **rue de Buci** pour la rive gauche ; **rue Poncelet** et la populaire **rue du Faubourg-Saint-Denis** pour la rive droite) sont très animés.

LES MARCHÉS AUX PUCES

Ils se tiennent chaque week-end et attirent toujours les foules, notamment le plus grand de tous, le **marché aux puces de Saint-Ouen**, ouvert le lundi. Aux marchés de la **porte de Vanves** ou de la **porte de Montreuil**, on peut espérer faire des affaires.

Le pain Poilâne reconnaissable à sa marque : un carré

CARNET D'ADRESSES

MODE FÉMININE

Agnès B
6-10, rue du Jour, 75001.
Plan 9 A1.
℃ *01 45 08 56 56.*

Calvin Klein
53, av. Montaigne, 75008.
Plan 6 F1.
℃ *01 56 88 12 12.*

Céline
36, av. Montaigne, 75008.
Plan 6 F1.
℃ *01 56 89 07 92.*

Chloé
54, rue du Faubourg-Saint-Honoré, 75008. **Plan** 3 B5.
℃ *01 44 94 33 00.*

Christian Dior
30, av. Montaigne, 75008.
Plan 6 F1.
℃ *01 40 73 54 44.*

Christophe Lemaire
36, rue de Sévigné, 75003.
Plan 10 D3.
℃ *01 42 74 54 90.*

Comme des Garçons
54, rue du Faubourg-Saint-Honoré, 75008. **Plan** 3 B5. ℃ *01 53 30 27 27.*

Claudie Pierlot
1, rue Montmartre,
75001. **Plan** 9 A1.
℃ *01 42 21 38 38.*

Colette
213, rue du Faubourg-Saint-Honoré, 75008.
Plan 2 E3. ℃ *01 55 35 33 90.*

Dolce & Gabbana
22, av. Montaigne, 75008.
Plan 3 A5.
℃ *01 42 25 68 78.*

Emporio Armani
149, bd Saint-Germain,
75006. **Plan** 8 E4.
℃ *01 53 63 33 50.*

Givenchy
3, av. George-V, 75008.
Plan 3 A5.
℃ *01 44 31 50 00.*

Gucci
2, rue du Faubourg-Saint-Honoré, 75008. **Plan** 3 C5.
℃ *01 44 94 14 70.*

Hermès
24, rue du Faubourg-Saint-Honoré, 75008. **Plan** 3 C5.
℃ *01 40 17 47 17.*

Isabelle Marrant
16, rue de Charonne,
75011. **Plan** 10 F4.
℃ *01 49 29 71 55.*

José Levy
70, rue Vieille-du-Temple,
75003. **Plan** 9 C3.
℃ *01 48 04 39 16.*

Kenzo
3, pl. des Victoires, 75001.
Plan 8 F1. ℃ *01 40 39 72 03.*

Max Mara
31, av. Montaigne, 75008.
Plan 6 F1.
℃ *01 47 20 61 13.*

Vuitton
101, av. des Champs-Élysées, 75008. **Plan** 2 E4.
℃ *01 53 57 24 00.*

Zadig & Voltaire
15, rue du Jour, 75001.
Plan 9 A1.
℃ *01 42 21 88 70.*

Zampa
10, rue Herold, 75001.
Plan 8 F1. ℃ *01 40 41 09 72.*

Yves Saint-Laurent
32, rue du Faubourg-Saint-Honoré, 75008. **Plan**
3 C5. ℃ *01 42 65 74 59.*

MODE MASCULINE

Yohji Yamamoto
69, rue des Saints-Pères,
75006. **Plan** 8 D4.
℃ *01 45 48 22 56.*

**Yves Saint-Laurent,
Kenzo, Giorgio
Armani**
(voir mode féminine)

GRANDS MAGASINS

Le Bon Marché
24, rue de Sèvres, 75007.
Plan 7 C5.
℃ *01 44 39 80 00.*

Au Printemps
64, bd Haussman, 75009.
Plan 4 D4.
℃ *01 42 82 50 00.*

BHV
52-64, rue de Rivoli, 75004.
Plan 9 B3.
℃ *01 42 74 90 00.*

Galeries Lafayette
40, bd Haussmann, 75009.
Plan 4 E4.
℃ *01 42 82 34 56.*

La Samaritaine
79, rue de Rivoli, 75001.
Plan 8 F2.
℃ *01 40 41 20 20.*

Tati
4, bd Rochechouart, 75018.
℃ *01 55 29 50 00.*

ANTIQUITÉS

**Le Louvre des
Antiquaires**
2, pl. du Palais-Royal,
75001. **Plan** 8 EF2.
℃ *01 42 97 27 27*

Lumicristal
22 bis, rue de Paradis,
75010.
℃ *01 47 70 27 97.*

Point à la Ligne
67, av. Victor-Hugo, 75016.
Plan 1 C5.
℃ *01 45 00 87 01.*

ENFANTS

Au Nain Bleu
408, rue Saint-Honoré,
75008. **Plan** 3 C5.
℃ *01 42 60 39 01.*

Baby Dior
28, av. Montaigne, 75008.
Plan 6 F1.
℃ *01 49 52 04 50.*

Bonpoint
15, rue Royale 75008.
Plan 3 C5.
℃ *01 47 42 52 63.*

Froment-Leroyer
7, rue Vavin 75006. **Plan**
12 E1. ℃ *01 43 54 33 15.*

Jacadi
17, rue Tronchet, 75008.
Plan 4 D4.
℃ *01 42 65 84 98.*

Tartine et Chocolat
105, rue du Faubourg-Saint-Honoré, 75008. **Plan** 3 B5.
℃ *01 45 62 44 04.*

LIVRES ET DISQUES

**FNAC
Montparnasse**
136, rue de Rennes,
75006. **Plan** 12 D1.
℃ *01 49 54 30 00.*

Gibert Joseph
26, bd Saint-Michel,
75006. **Plan** 8 F5.
℃ *01 44 41 88 88.*

La Hune
170, bd Saint-Germain
75006. **Plan** 8 E4.
℃ *01 45 48 35 85.*

À BOIRE ET À MANGER

Barthélemy
51, rue de Grenelle,
75007. **Plan** 8 D4.
℃ *01 45 48 56 75.*

Caves Taillevent
199, rue du Faubourg-Saint-Honoré, 75008. **Plan** 2 F3.
℃ *01 45 61 14 09.*

Christian Constant
37, rue d'Assas,
75006. **Plan** 12 E1.
℃ *01 53 63 15 15.*

Poilâne
8, rue du Cherche-Midi,
75006. **Plan** 8 D4.
℃ *01 45 48 42 59.*

Fauchon
26, pl. de la Madeleine,
75008. **Plan** 3 C5.
℃ *01 47 42 60 11.*

Hédiard
21, pl. de la Madeleine,
75008. **Plan** 3 C5.
℃ *01 43 12 88 88.*

MARCHÉS

Boulevard Raspail
75006. **Plan** 8 D5.

Marché d'Aligre
Rue et place d'Aligre,
75012. **Plan** 10 F5.

**Marché aux puces
de Montreuil**
Porte de Montreuil,
93100 Montreuil.

**Marché de la Porte
de Vanves**
Av. Georges-Lafenestre
et av. Marc-Sangnier, 75014.

Marché Saint-Germain
Rue Mabillon et rue
Lobineau, 75005. **Plan** 8 E4.

Rue de Buci
75006. **Plan** 8 E4.

Rue Daguerre
75014. **Plan** 12 D4.

Rue du Faubourg-Saint-Denis
75010.

Rue Lepic
75018. **Plan** 4 F1.

SE DISTRAIRE À PARIS

Opéra, théâtre, cinéma, ballet, cabaret, boîte de nuit, concert de rock, de jazz, de variétés ou de musique classique …, Paris propose un éventail de distractions en tout point digne d'une capitale.

À cela s'ajoutent les nombreuses manifestations sportives, du tournoi de tennis à la simple partie de pétanque, en passant par les courses hippiques, les matchs de football et les compétitions cyclistes.

Mais il n'est pas toujours besoin de s'acquitter d'un droit d'entrée pour se distraire. La rue est là, avec ses terrasses de bistrots qui sont des endroits rêvés pour paresser dès les premiers beaux jours du printemps et offrent un point de vue idéal sur l'agitation des foules, notamment dans les quartiers les plus animés comme les Halles, les Champs-Élysées, l'Odéon ou encore la Bastille.

La façade de verre de l'Opéra-Bastille

LES RÉSERVATIONS

Pour les événements les plus courus, il est préférable d'acheter son billet à l'avance dans une **FNAC**, au **Virgin Mégastore**, ou par minitel 3615 Billetel. Généralement, il est possible de réserver par téléphone dans les bureaux de location des théâtres (de 11 h à 19 h).

Le **Kiosque Théâtre**, situé place de la Madeleine (ouvert de 12 h 30 à 20 h du mardi au samedi et le dimanche de 12 h 30 à 16 h) et sur le parvis de la gare Montparnasse (ouvert de 12 h 30 à 20 h du mardi au samedi, le dimanche de 12 h 30 à 16 h), vend, moyennant une commission modeste, des billets à moitié prix pour les spectacles du soir même.

LE THÉÂTRE

Fondée en 1680 par décret royal, la **Comédie-Française** est le plus ancien théâtre national du monde et l'une des rares institutions de l'Ancien Régime à avoir survécu à la Révolution. L'illustre compagnie, avec ses règles strictes d'interprétation, compte dans son répertoire quelques pièces contemporaines à côté des grands classiques français.

Le **Théâtre de l'Odéon** était autrefois la seconde salle de la Comédie-Française avant de devenir le Théâtre de l'Europe et de se spécialiser dans les œuvres étrangères, certaines interprétées dans leur langue d'origine et sur-titrées.

Le **Théâtre National de Chaillot**, installé au sous-sol du palais du même nom (p. 111), propose quant à lui des classiques européens, tandis que le **Théâtre national de la Colline** présente dans ses deux salles des pièces contemporaines.

Parmi les nombreux théâtres privés, la **Comédie des Champs-Élysées** et le **Théâtre du Palais-Royal**, associé au souvenir de Labiche, font partie des plus importants. **Au Bec Fin** et le **Café d'Edgar** illustrent le genre en perte de vitesse du café-théâtre.

LA MUSIQUE CLASSIQUE

Paris est désormais une étape obligée de tous les grands noms de la musique classique, qui disposent ici de nombreux lieux exceptionnels pour exprimer leur talent.

Inauguré en 1989, l'**Opéra-Bastille** présente dans sa salle de 2 700 places les grands classiques de l'art lyrique. Le splendide **Opéra Garnier,** entièrement rénové, a repris sa programmation prestigieuse de ballets et œuvres lyriques. Certains amateurs préfèrent cependant les spectacles

---

QUOI DE NEUF À L'AFFICHE ?

Pour s'y retrouver dans cette pléthore de spectacles, le mieux est d'acheter dans un kiosque les hebdomadaires *Zurban*, *Pariscope* ou *L'Officiel des spectacles*, qui annoncent chaque mercredi tous les films, pièces, concerts et expositions de la semaine. La plupart des quotidiens nationaux et l'hebdomadaire *Télérama* font de même, en les assortissant de leurs critiques.

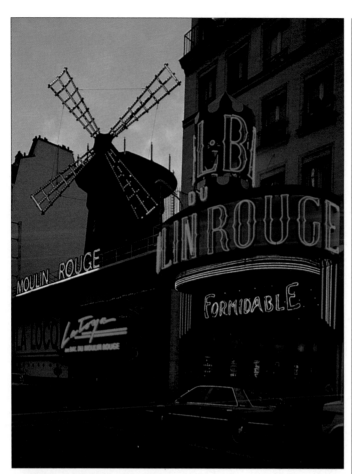

Le Bal du Moulin-Rouge à Montmartre

souvent plus audacieux du **Théâtre des Champs-Élysées**, du **Théâtre Musical de Paris** au Châtelet ou encore de l'**Opéra Comique**.

Les grands chefs se produisent **Salle Pleyel** et au Théâtre des Champs-Élysées, tandis que la **Salle Gaveau** et le **Théâtre de la Ville** privilégient la musique de chambre et les récitals. Le haut lieu de la musique contemporaine est désormais la **Cité de la Musique**, qui a ouvert ses portes en 1995 dans le parc de la Villette.

LA DANSE

L e somptueux Opéra Garnier *(p. 94-95)* est le siège du **Ballet de l'Opéra de Paris**, l'un des meilleurs corps de ballet classique au monde. Sur une scène pouvant accueillir 450 artistes sont présentées des œuvres du répertoire classique et de prestigieuses créations contemporaines. Les meilleures compagnies nationales et internationales se produisent au Théâtre des Champs-Élysées, à la **Maison des arts de Créteil**

dans la banlieue sud, et surtout au Théâtre de la Ville, qui constitue aujourd'hui la première salle parisienne de ballet contemporain.

LES BOÎTES DE NUIT ET CABARETS

À tout seigneur, tout honneur, les **Bains** restent le must des nuits parisiennes.

À la Bastille, après la folie des années 80, le **Balajo** est retombé dans une léthargie passagère. À quelques mètres, la **Cabash** a perdu de sa

superbe mais reste animée grâce à une ambiance funky et disco. Les gardiens du temple rock se retrouvent à la **Locomotive**, tandis que le **Queen** est le lieu incontournable de la techno. Pour les rythmes latinos, **La Java** et **Les Étoiles** font figure de référence.

Choisir un cabaret offre moins de difficulté, car les plus connus sont les meilleurs. Les **Folies-Bergère**, le **Lido** et le **Moulin-Rouge**, où naquit le cancan, présentent des spectacles de qualité, tout comme le **Paradis Latin**, installé dans un théâtre en partie dessiné par Eiffel.

ROCK, JAZZ ET WORLD MUSIC

L es grandes messes célébrées par les stars internationales ont leurs cathédrales : le **Zénith**, le **Palais omnisports de Paris-Bercy** et, depuis peu, le **Stade de France** de Saint-Denis. Mais beaucoup d'artistes préfèrent l'intimité du mythique **Olympia**. La **Cigale** et l'**Élysée-Montmartre** accueillent la fine fleur des Groupes rock, alors que le **Bataclan** et le **Rex Club** ont une programmation plus éclectique. Le jazz attire toujours une foule d'amateurs. Les plus grands talents se produisent au **New Morning**, au **Duc des Lombards**, au **Petit Journal Saint-Michel** (dixieland). L'excellente **Chapelle des Lombards** donne le meilleur de la salsa, de la musique latine, africaine… Autre lieu de la sono mondiale : **le Divan du Monde**.

La Locomotive, une immense discothèque sur trois niveaux

LE CINÉMA

Berceau du cinématographe des frères Lumière, Paris reste à ce jour la capitale mondiale du septième art. À la centaine de cinémas s'ajoutent la vidéothèque du Forum des Halles, les deux salles de la **Cinémathèque française,** l'une au Palais de Chaillot *(p. 110)* et l'autre près de la place de la République, et la cinémathèque du Centre Georges Pompidou *(p. 90-91)*. En tout, plus de 300 films différents sont proposés chaque semaine au public. Les secteurs des Champs-Élysées, de la Bastille, du Quartier latin et des Halles attirent plutôt les amateurs de films en version originale, tandis que les salles des Grands Boulevards ou des quartiers périphériques privilégient en règle générale les films en version française.

Si l'avenue des Champs-Élysées présente la plus forte densité de cinémas, les Grands Boulevards possèdent deux des plus belles salles de Paris : le **Grand Rex**, avec ses 2 750 places et sa féerie des eaux, et le **Max Linder Panorama**, entièrement réaménagé dans les années 80. Le plus grand écran de France se trouve à la **Géode** *(p. 136)*. L'immense MK2 Bibliothèque dispose de 14 écrans, un bar, des boutiques et des lieux d'exposition.

Sur la rive gauche, Montparnasse et le quartier Odéon-Saint-Germain-des-Prés présentent le plus grand nombre de cinémas depuis la fermeture, ces dix dernières années, de bon nombre de salles d'art et d'essai du

Le Grand Rex est un temple de cinéma

Quartier latin. Quelques-unes subsistent néanmoins ici, rue Champollion et rue des Écoles. Leur programmation est souvent passionnante.

LE SPORT

Le tournoi de Roland Garros (fin mai-mi-juin), l'arrivée du Tour de France (juillet), les matchs de football ou de rugby qui se disputent au Parc des Princes et le prix de l'Arc de Triomphe à l'**hippodrome de Longchamp** (1er dimanche d'octobre) constituent les principales manifestations sportives parisiennes. Le **Palais omnisports de Paris-Bercy** accueille des événements sportifs tels que l'Open de tennis de Paris ou les Six jours cyclistes, tandis que le **Stade de France**, construit à Saint-Denis, a été l'un des hauts lieux de la Coupe du monde de football de 1998.

LES CAFÉS CÉLÈBRES DE PARIS

Depuis l'ouverture du Procope en 1686, les cafés se sont multipliés à Paris et la ville en compte désormais quelque 12 000. Certains ont acquis la célébrité. C'est le cas de la Coupole et du Dôme, attachés au souvenir de Lénine et de Trotsky, ou encore de la toujours très intellectuelle et littéraire Closerie des Lilas, également à Montparnasse. Dans le quartier de Saint-Germain-des-Prés, les ombres d'Apollinaire, de Malraux et des existentialistes Camus, Sartre et Simone de Beauvoir semblent encore flotter aux Deux Magots et au Flore.

Un passe-temps classique

CARNET D'ADRESSES

RÉSERVATIONS

FNAC
26, av. des Ternes, 75017.
Plan 2 D3.
01 44 09 18 00.

Virgin Mégastore
52-60, av. des Champs-
Élysées, 75008. **Plan** 2 F5.
01 49 53 50 00.

Le Kiosque Théâtre
Parvis de la gare
Montparnasse, 75014.
Plan 11 C2.

THÉÂTRE

Au Bec Fin
6, rue Thérèse, 75001.
Plan 8 E1.
01 42 96 29 35.

Café d'Edgar
58, bd Edgar-Quinet,
75014. **Plan** 12 D2.
01 42 79 97 97.

**Comédie des
Champs-Élysées**
15, av. Montaigne, 75008.
Plan 6 F1.
01 53 23 99 19.

Comédie Française
2, rue de Richelieu, 75001.
Plan 8 E1.
01 44 58 15 15.

**Odéon-Théâtre
de l'Europe**
1, pl. Paul-Claudel,
75006. **Plan** 8 F5.
01 44 41 36 36.

Palais-Royal
38, rue Montpensier,
75001. **Plan** 8 E1.
01 42 97 59 81.

**Théâtre National
de Chaillot**
Pl. du Trocadéro,
75016. **Plan** 5 C2.
01 53 65 30 00.

**Théâtre National
de la Colline**
15, rue Malte-Brun, 75020.
01 44 62 52 52.

MUSIQUE CLASSIQUE

Cité de la Musique
221, av. Jean-Jaurès, 75019.
01 44 84 44 84.
W www.cite-musique.fr

Opéra Comique
(Salle Favart) 5, rue Favart,
75002. **Plan** 4 F5.
01 42 44 45 40.

Opéra-Bastille
120, rue de Lyon, 75012.
Plan 10 E4.
01 40 01 17 89.

Opéra-Garnier
Pl. de l'Opéra, 75009
Plan 4 E5.
08 92 89 90 90.

Salle Gaveau
45, rue La Boétie, 75008.
Plan 3 B4.
01 45 62 69 71.

Salle Pleyel
252, rue du Faubourg-
Saint-Honoré, 75008.
Plan 2 E3.
01 45 61 53 00.

**Théâtre des
Champs-Élysées**
15, av Montaigne, 75008.
Plan 6 F1.
01 49 52 50 50.

**Théâtre
de la Ville**
2, pl. du Châtelet, 75004.
Plan 9 A3.
01 42 74 22 77.

**Théâtre Musical
de Paris-Châtelet**
2, rue Édouard-Colonne,
75001. **Plan** 9 A3.
01 40 28 28 40.

DANSE

Opéra-Garnier
Pl. de l'Opéra, 75009.
Plan 4 E5.
01 40 01 17 89.

Théâtre de la Ville
(Voir Musique classique.)

BOÎTES DE NUIT ET CABARETS

Les Bains
7, rue du Bourg-l'Abbé,
75003. **Plan** 9 B1.
01 48 87 01 80.

Balajo
9, rue de Lappe, 75011.
Plan 10 E4.
01 47 00 07 87.

La Casbah
18-20, rue de la Forge-
Royale, 75011.
01 43 71 04 39.

Folies Bergère
32, rue Richer, 75009.
01 44 79 98 98.

Folies Clubbing
11, pl. Pigalle, 75009.
Plan 4 E2.
01 48 78 55 25.

La Java
105, rue du Faubourg-
du-Temple, 75010.
01 42 02 20 52.

Lido
116 bis, av. des Champs-
Élysées, 75008. **Plan** 2 E4.
01 40 76 56 10.

La Locomotive
90, bd de Clichy, 75018.
Plan 4 D1.
01 53 41 88 88.

Moulin-Rouge
82, bd de Clichy, 75018.
Plan 4 E1.
01 53 09 82 82.

Paradis Latin
28, rue du Cardinal-
Lemoine, 75005. **Plan** 9 B5.
01 43 25 28 28.

The Queen
102, av. des Champs-
Élysées, 75008. **Plan** 2 F4.
08 92 70 73 30.

ROCK, JAZZ ET WORLD MUSIC

**Au Duc des
Lombards**
42, rue des Lombards,
75001. **Plan** 9 A2.
01 42 33 22 88.

Le Bataclan
50, bd Voltaire, 75011.
Plan 10 E1.
01 43 14 35 35.

**Chapelle des
Lombards**
19, rue de Lappe, 75011.
Plan 10 F4.
01 43 57 24 24.

La Cigale
120, bd Rochechouart,
75018. **Plan** 4 F2.
01 49 25 89 99.

Le Divan du Monde
75, rue des Martyrs, 75018.
Plan 4 F2.
01 44 92 77 66.

Élysée-Montmartre
72, bd Rochechouart,
75018. **Plan** 4 F2.
01 55 07 06 00.

New Morning
7-9, rue des Petites-
Écuries, 75010.
01 45 23 51 41.

Olympia
28, bd des Capucines,
75009. **Plan** 4 D5.
01 47 42 25 49.

**Le Petit Journal
Saint-Michel**
71, bd Saint-Michel,
75005. **Plan** 12 F1.
01 43 26 28 59.

Rex Club
5, bd Poissonnière. 75002.
01 42 36 83 98.

Zénith
211, av. Jean-Jaurès, 75019.
01 42 08 60 00.

CINÉMA

La Géode
26, av. Corentin-Cariou,
75019. 08 92 68 45 40.

Le Grand Rex
1, bd Poissonnière, 75002.
01 42 36 83 93.

**Max Linder
Panorama**
24, bd Poissonnière, 75009.
08 92 68 50 52.

MK2 Bibliothèque
128-162 av. de France,
75013.
08 92 68 14 07.

SPORT

**Hippodrome
de Longchamp**
Bois de Boulogne, 75016.
01 44 30 75 00.

**Palais omnisports
de Paris-Bercy**
8, bd de Bercy, 75012.
Plan 14 F2.
01 40 02 60 60.

Parc des Princes
24, rue du Commandant-
Guilbaud, 75016.
08 25 07 50 78.

Stade Roland Garros
2, av. Gordon-Bennett,
75016. 01 47 43 48 00.

Stade de France
93200, Saint-Denis.
01 55 93 00 00.

ATLAS DES RUES DE PARIS

Dans la partie de cet ouvrage consacrée à Paris, des références cartographiques renvoient aux plans de cet atlas. Elles aident également à situer dans la capitale les différents quartiers, édifices, sites et lieux de distraction présentés dans l'album. Le plan d'ensemble ci-dessous précise la zone couverte par chaque plan de l'atlas et les numéros des arrondissements qui la composent. Elle comprend les quartiers qui regroupent le plus grand nombre de monuments et ceux qui offrent un large choix de logements, de restaurants, de boutiques et de loisirs.

La liste des symboles utilisés dans l'atlas des rues de Paris figure ci-contre.

Les 20 arrondissements de la capitale sont délimités en orange sur cette carte.

0   1 km

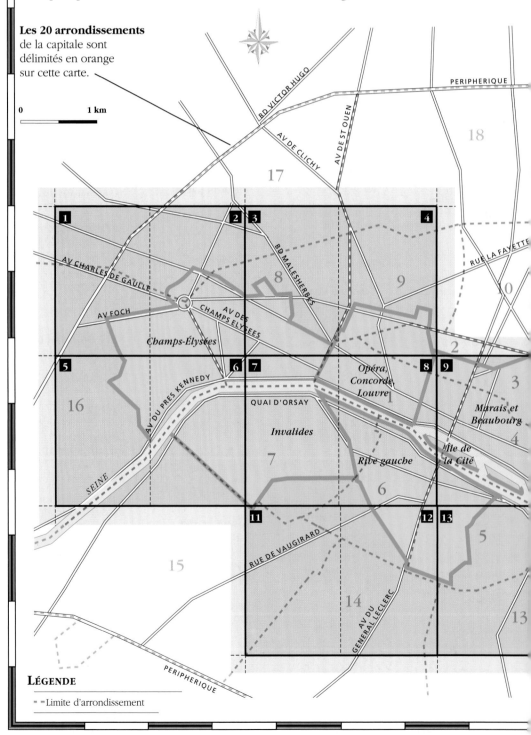

LÉGENDE

- - Limite d'arrondissement

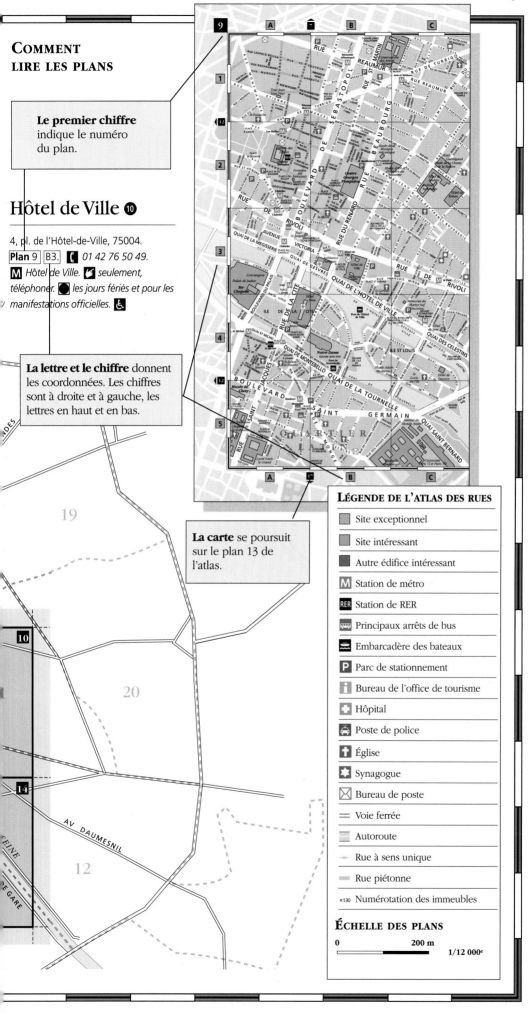

**COMMENT
LIRE LES PLANS**

> **Le premier chiffre**
> indique le numéro
> du plan.

Hôtel de Ville ⑩

4, pl. de l'Hôtel-de-Ville, 75004.
Plan 9 B3. ☎ 01 42 76 50 49.
Ⓜ *Hôtel de Ville.* 🅕 *seulement,
téléphoner.* ⬤ *les jours fériés et pour les
manifestations officielles.* ♿

> **La lettre et le chiffre** donnent
> les coordonnées. Les chiffres
> sont à droite et à gauche, les
> lettres en haut et en bas.

> **La carte** se poursuit
> sur le plan 13 de
> l'atlas.

LÉGENDE DE L'ATLAS DES RUES

▢	Site exceptionnel
▢	Site intéressant
▢	Autre édifice intéressant
Ⓜ	Station de métro
RER	Station de RER
🚌	Principaux arrêts de bus
⛴	Embarcadère des bateaux
P	Parc de stationnement
ℹ	Bureau de l'office de tourisme
✚	Hôpital
🚓	Poste de police
✚	Église
✡	Synagogue
⊠	Bureau de poste
═	Voie ferrée
▨	Autoroute
→	Rue à sens unique
▬	Rue piétonne
«130	Numérotation des immeubles

ÉCHELLE DES PLANS

0   200 m

1/12 000ᵉ

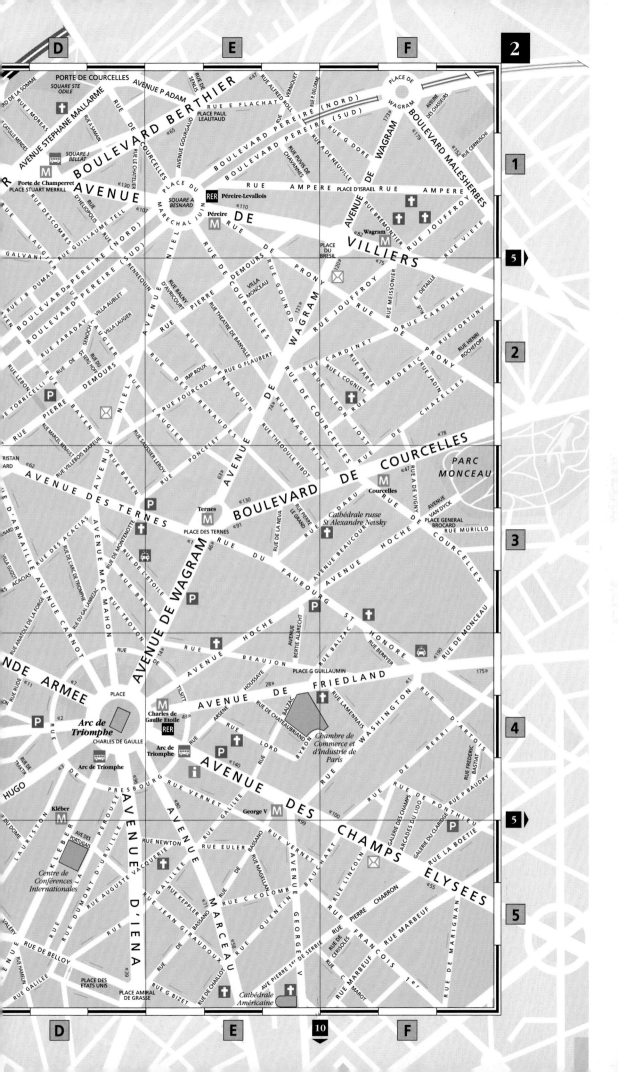

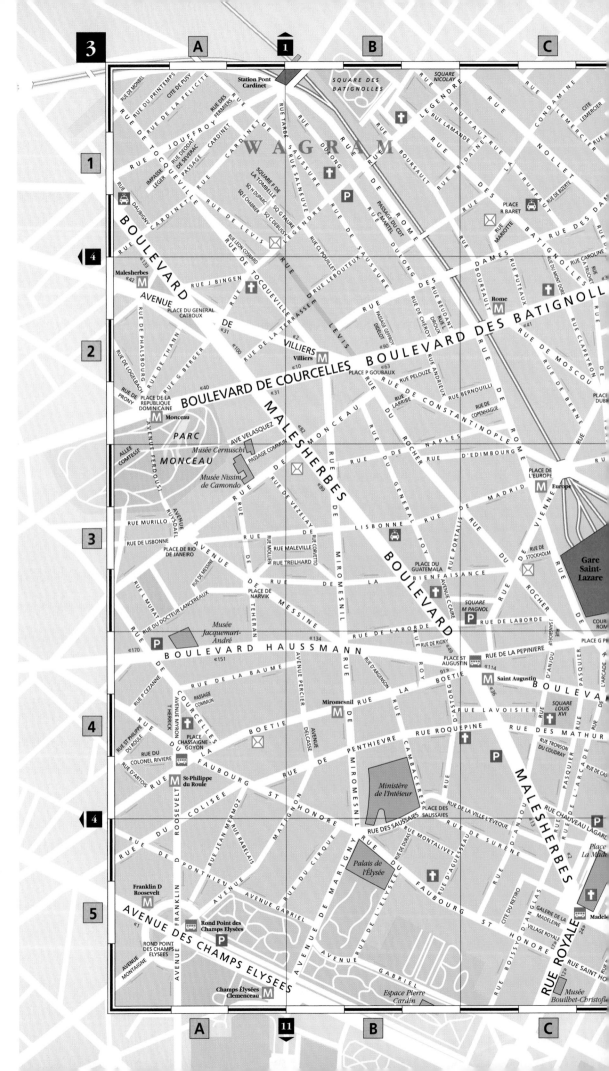

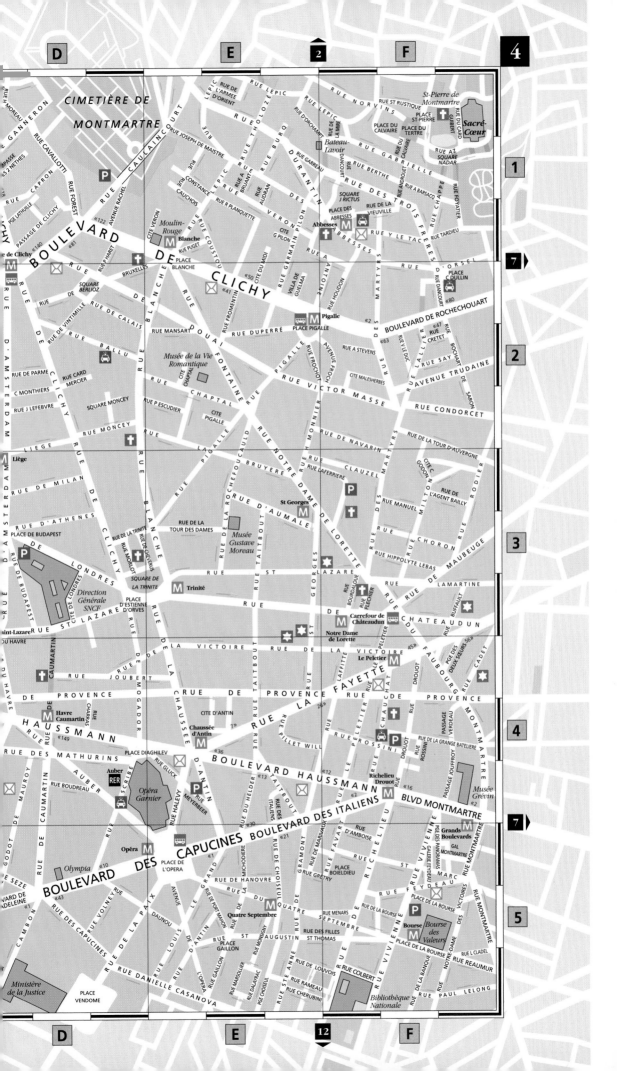

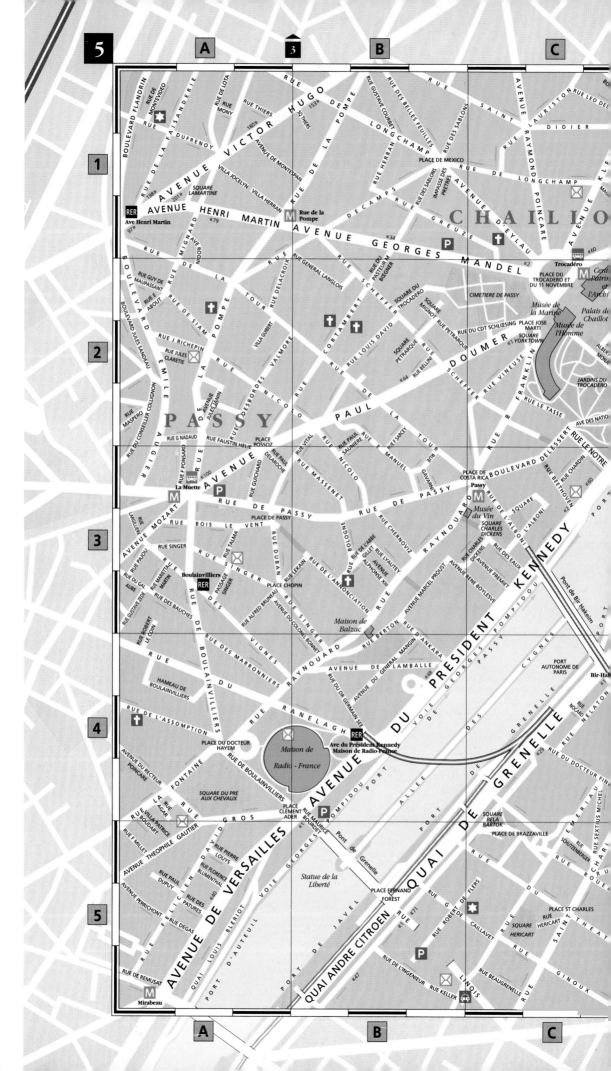

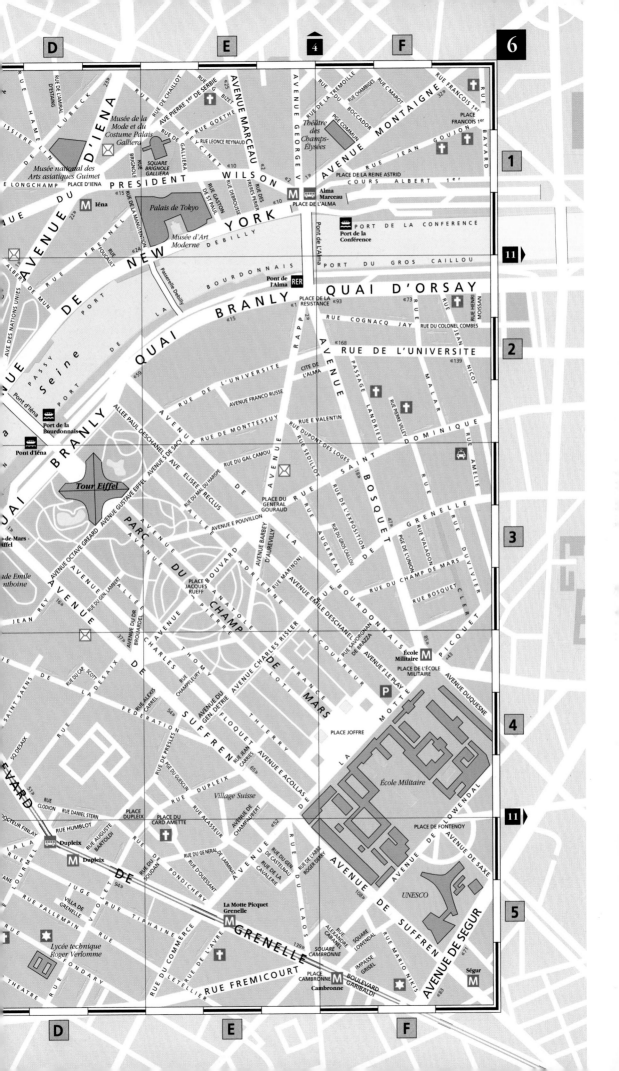

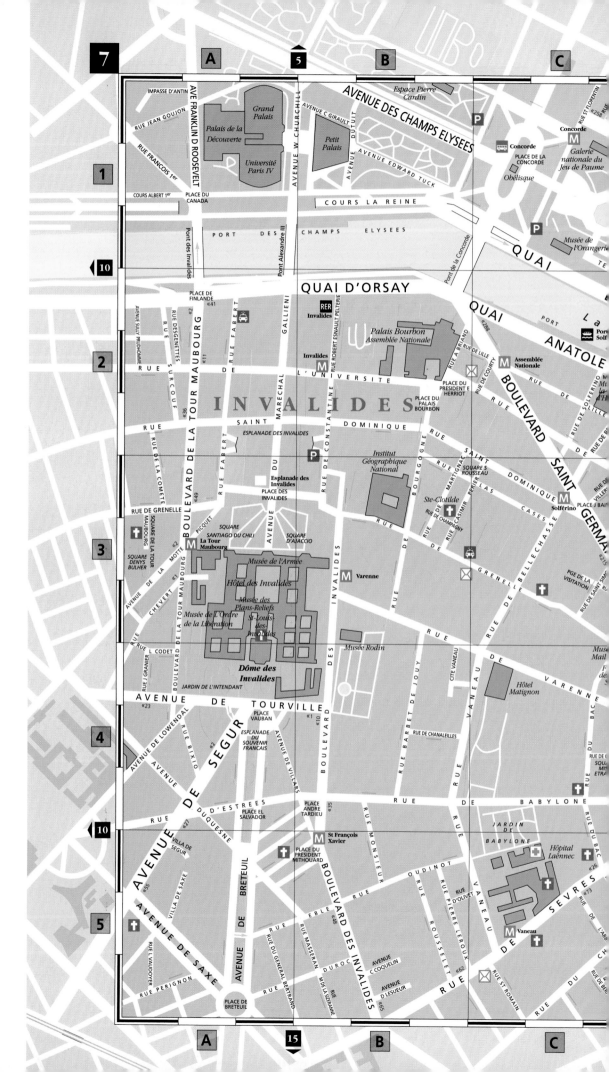

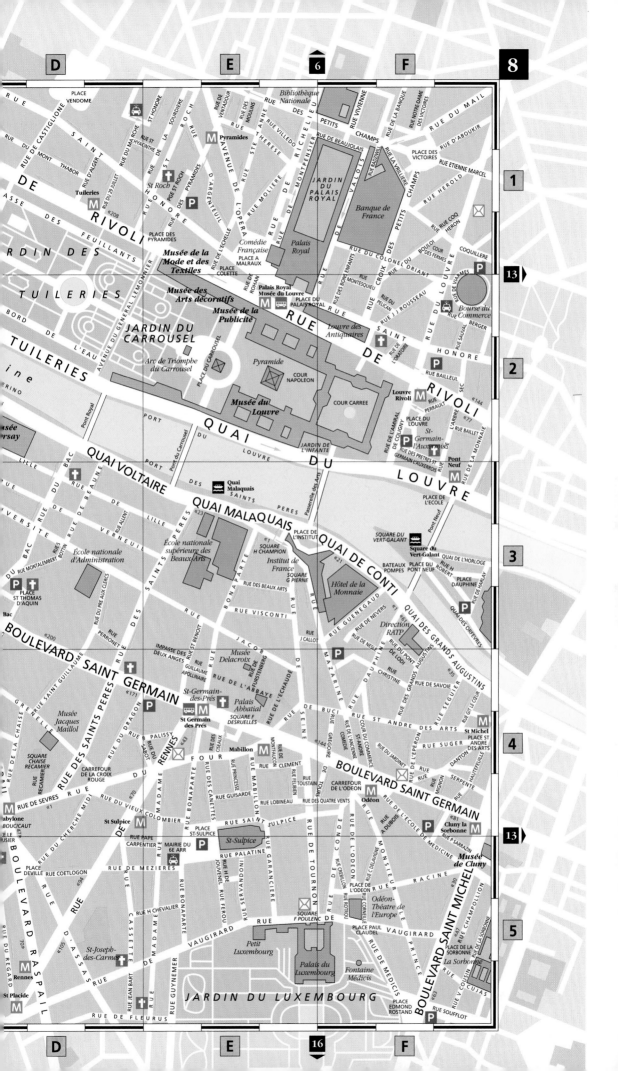

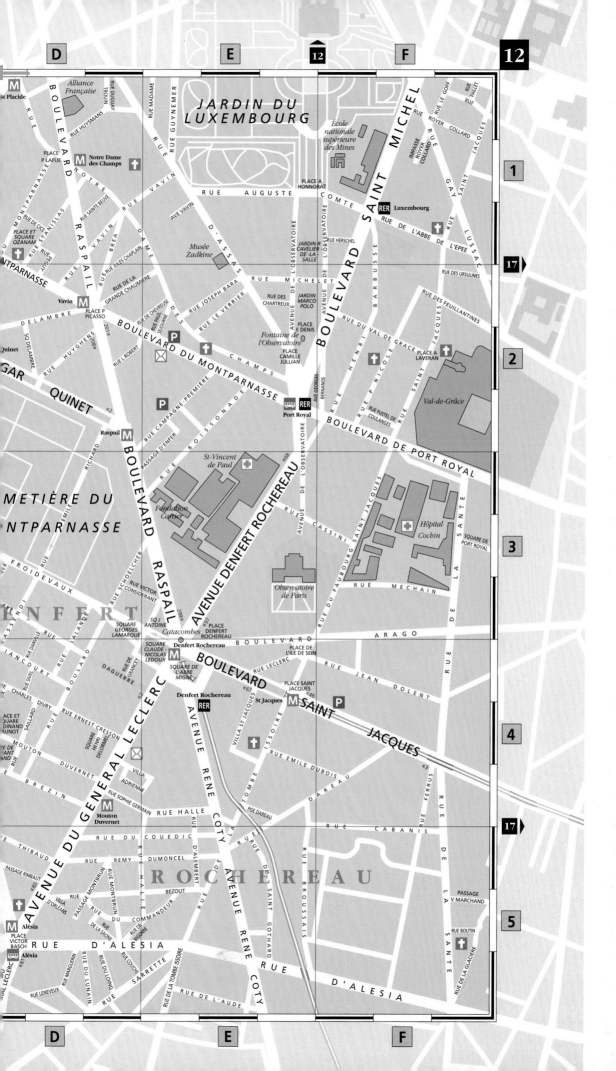

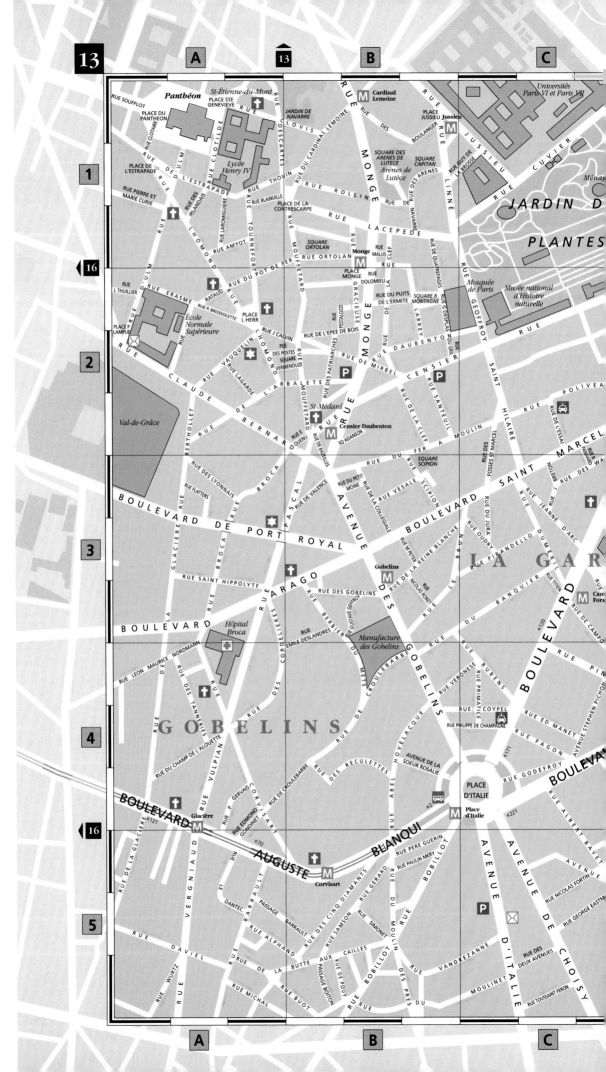

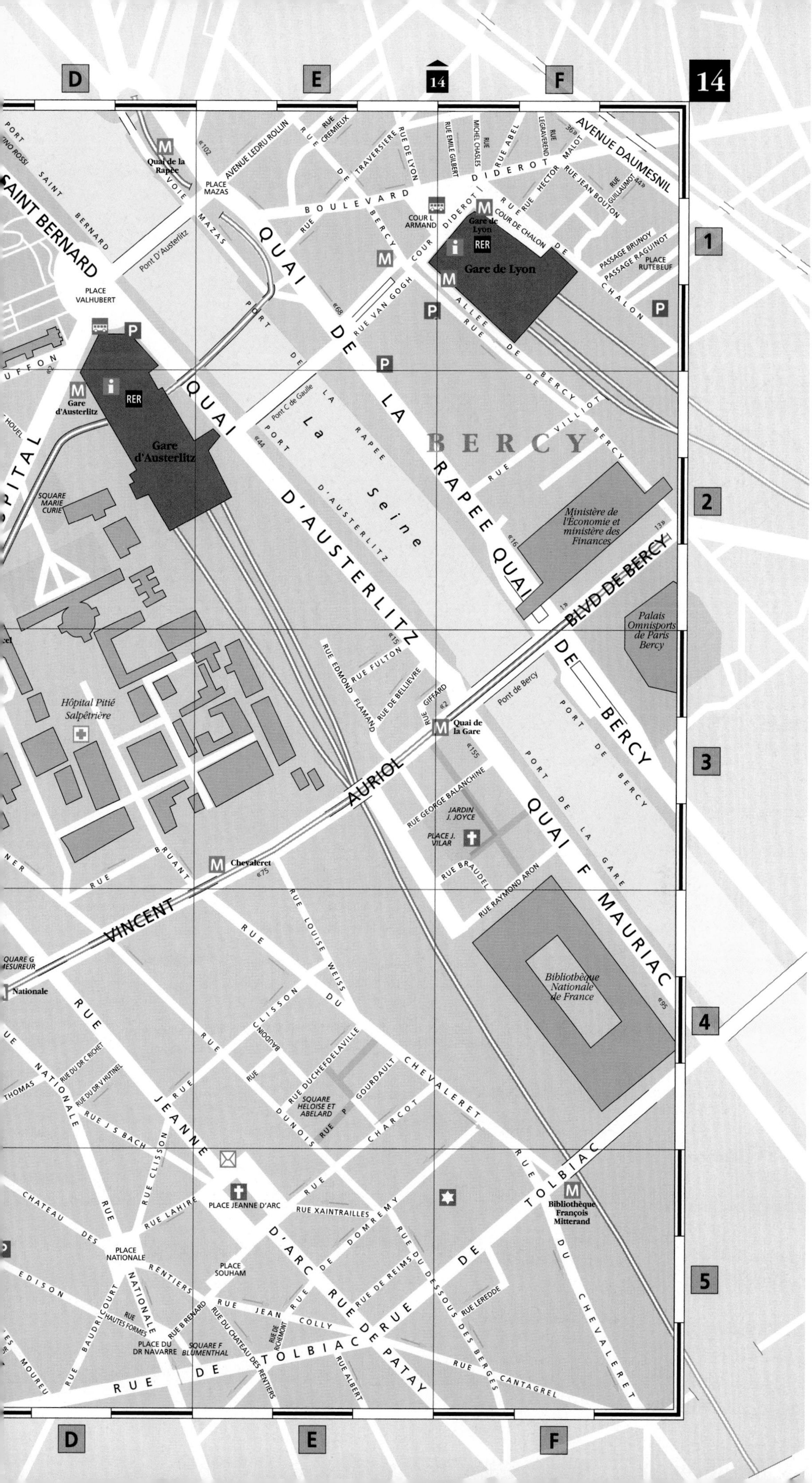

1

2

3

4

5

SAINT BERNARD

M Quai de la Rapée

PLACE MAZAS

PLACE VALHUBERT

Pont D'Austerlitz

AVENUE LEDRU ROLLIN

RUE DE TRAVERSIÈRE

RUE CRÉMIEUX

RUE DE LYON

RUE ÉMILE GILBERT

RUE MICHEL CHASLES

RUE ABEL

RUE HECTOR MALOT

RUE JEAN BOUTON

AVENUE DAUMESNIL

BOULEVARD

DIDEROT

DIDEROT

COUR L ARMAND

COUR DE CHALON

M Gare de Lyon **i** RER

Gare de Lyon

M

PASSAGE BRUNOY
PASSAGE RAGUINOT
PLACE RUTEBEUF

P

P

BERCY

M Gare d'Austerlitz **i** RER

Gare d'Austerlitz

P

QUAI DE LA RAPEE QUAI

QUAI

Pont C. de Gaulle

La Seine

La Rapée

PORT DE BERCY

B E R C Y

RUE DE BERCY

RUE VILLIOT

Ministère de l'Économie et ministère des Finances

SQUARE MARIE CURIE

Hôpital Pitié Salpêtrière

RUE EDMOND FLAMAND

RUE DE BELLIÈVRE

RUE FULTON

GIFFARD

D'AUSTERLITZ

QUAI

BLVD DE BERCY

Palais Omnisports de Paris Bercy

PORT DE LA GARE

PORT DE BERCY

M Quai de la Gare

Pont de Bercy

DE

BERCY

AURIOL

RUE GEORGE BALANCHINE

JARDIN J. JOYCE

PLACE J. VILAR

RUE BRAUDEL

RUE RAYMOND ARON

QUAI F MAURIAC

VINCENT

M Chevaleret

QUARE G MESUREUR

Nationale

RUE BRUANT

RUE

RUE LOUISE WEISS

DU

CLISSON

BAUDOIN

RUE

RUE DUCHEFDELAVILLE

SQUARE HÉLOÏSE ET ABÉLARD

RUE

GOURDAULT

CHEVALERET

CHARCOT

Bibliothèque Nationale de France

JEANNE

RUE DU DR CHOQUET

RUE DU DR V RUTINEL

THOMAS

NATIONALE

RUE J S BACH

DUNOIS

PLACE JEANNE D'ARC

RUE XAINTRAILLES

D'ARC

DE

DOMRÉMY

DE REIMS

DE

TOLBIAC

M

Bibliothèque François Mitterrand

CHATEAU

DES

RENTIERS

RUE

RUE LAHIRE

RUE CLISSON

PLACE NATIONALE

PLACE SOUHAM

RUE JEAN COLLY

RUE

RUE DE RICHEMONT

RUE DU CHÂTEAU DES RENTIERS

RUE ALBERT

DUDESSOUS DES BERGES

RUE LERÉDDE

DE

DU

CHEVALERET

EDISON

PLACE DU DR NAVARRE

SQUARE F BLUMENTHAL

RUE B RENARD

DE

TOLBIAC

DE

PATAY

RUE CANTAGREL

D E F

ÎLE-DE-FRANCE

oncentration urbaine de dix millions d'habitants, l'agglomération parisienne tend à faire oublier par son gigantisme la personnalité de la région qui l'entoure. En Brie, dans le Vexin ou en Gâtinais, les terroirs qui nourrissent la capitale depuis des siècles s'efforcent de conserver leur identité et d'échapper au développement tentaculaire de cette métropole vorace. C'est pourtant là qu'est né l'art gothique. Sur ces plateaux calcaires et ces plaines arrosées par la Seine et la Marne, les clochers des églises rythment des paysages dont la sérénité séduisit des peintres comme Corot, Théodore Rousseau, Pissarro et Cézanne.

Sans la fertilité de ces terres, les rois de France n'auraient sans doute jamais réussi à asseoir une puissance qui leur permit en retour d'orner l'Île-de-France d'une véritable couronne de châteaux : Fontainebleau, transformé en palais Renaissance par François Ier ; Écouen, somptueuse demeure d'Anne de Montmorency ; Versailles, chef-d'œuvre classique bâti pour le Roi-Soleil par Le Nôtre, Le Vau, Le Brun et Jules Hardouin-Mansart ; Rambouillet, apprécié de Marie-Antoinette et affecté à la présidence de la République depuis 1897 ; la Malmaison, devenue la retraite de Joséphine ; et Vaux-le-Vicomte, dont le faste rendit Louis XIV jaloux de Fouquet, son propriétaire.

LA RÉGION D'UN COUP D'ŒIL

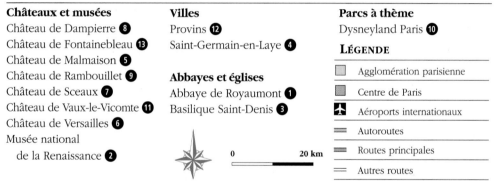

Châteaux et musées
Château de Dampierre **8**
Château de Fontainebleau **13**
Château de Malmaison **5**
Château de Rambouillet **9**
Château de Sceaux **7**
Château de Vaux-le-Vicomte **11**
Château de Versailles **6**
Musée national
   de la Renaissance **2**

Villes
Provins **12**
Saint-Germain-en-Laye **4**

Abbayes et églises
Abbaye de Royaumont **1**
Basilique Saint-Denis **3**

Parcs à thème
Dysneyland Paris **10**

LÉGENDE

▢	Agglomération parisienne
▣	Centre de Paris
✈	Aéroports internationaux
═	Autoroutes
━	Routes principales
═	Autres routes

0   20 km

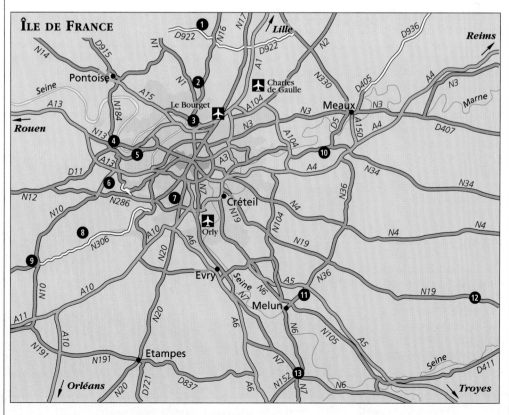

◁ **Les somptueux jardins à la française de Vaux-le-Vicomte**

Voûtes gothiques du réfectoire de l'abbaye de Royaumont

L'abbaye de Royaumont ❶

Fondation Royaumont, Asnières-sur-Oise, Val-d'Oise. ☎ 01 30 35 59 00. ◻ t.l.j. 🎞 ♿ *Concerts.*

Fondé en 1228 par Saint Louis et sa mère Blanche de Castille dans une région boisée dont l'isolement à 30 km au nord de Paris favorisait le recueillement, ce monastère cistercien reflète dans la simplicité de ses lignes l'austérité de la mystique des disciples de saint Bernard pour qui la « pierre chante » sans avoir besoin d'être sculptée. La faveur royale combla néanmoins l'abbaye de richesses et elle conserva certains liens avec la monarchie jusqu'à la Révolution. Elle abritera au XIXᵉ siècle une manufacture textile, puis un noviciat, avant sa transformation en centre culturel au XXᵉ siècle.

De l'église abbatiale ne subsistent que des vestiges, mais son vaste cloître entoure un charmant jardin à la française. Les bâtiments monastiques qui le bordent comprennent un beau réfectoire gothique, les anciennes cuisines, la sacristie et une salle d'exposition.

Le parc est parcouru de canaux dont l'un traverse dans sa longueur le remarquable bâtiment des latrines assis sur 31 arcs en plein cintre.

Édifié peu avant la Révolution, le palais des abbés s'inspire des villas italiennes.

Le musée national de la Renaissance ❷

Château d'Écouen, Val-d'Oise. ☎ 01 34 38 38 50. ◻ du mer. au lun. ● 1ᵉʳ janv., 1ᵉʳ mai, 25 déc. 🎞 ♿ 📷 🍴

Bâti de 1538 à 1555 pour Anne de Montmorency, conseiller de François Iᵉʳ et commandant en chef de l'armée royale, le château d'Écouen, à mi-chemin de Saint-Denis et de Royaumont, témoigne de la richesse du connétable de France, l'homme le plus puissant du royaume après le roi. Elle se manifeste dans la chapelle, dotée d'une galerie et dont les voûtes peintes présentent les armoiries des Montmorency, et jusque dans les décors des cheminées peintes, typiques de l'école de Fontainebleau avec leurs scènes bibliques inscrites dans des paysages énigmatiques.

Les appartements princiers de l'imposante résidence cernée de douves sèches sont aujourd'hui occupés par le musée national de la Renaissance. Les visiteurs peuvent admirer, dans trente-six salles restaurées, de superbes tapisseries et pavements, des manuscrits enluminés, des céramiques de Lyon, Nevers, Venise et Faenza, et même d'Iznik, des émaux limousins, des sculptures, notamment de Della Robbia, des pièces d'orfèvrerie, des meubles et une collection de montres et d'instruments de mesure anciens.

La pièce la plus frappante reste malgré tout la tenture de *David et Bethsabée* (75 m), d'une étonnante qualité, tissée vers 1515, en fils de laine, de soie et d'argent.

La basilique Saint-Denis ❸

1, place de la Légion-d'Honneur, Saint-Denis, Seine-Saint-Denis. ◻ t.l.j. ● 1ᵉʳ janv., 1ᵉʳ mai, 25 déc. 🎞 ♿

Selon la légende, saint Denis, décapité vers 250 sur la butte Montmartre (*p. 132*), aurait ramassé sa tête et marché jusqu'à ce site au nord de Paris où il voulait être enterré. L'endroit était alors beaucoup plus vert que la banlieue industrielle qui l'occupe aujourd'hui et une abbaye s'y installa. Lieu de sépulture de Dagobert et d'Hugues Capet, elle atteignit le faîte de son prestige au XIIᵉ siècle sous la direction de l'abbé Suger qui fit élever sa façade et son chœur gothiques sur une crypte carolingienne et romane.

Statue de Louis XVI à Saint-Denis

Toutes les reines, d'Anne de Bretagne à Marie de Médicis, furent couronnées à Saint-Denis et presque tous les rois y furent inhumés. En 1793, la

L'aile ouest du musée national de la Renaissance

Tombeau Renaissance de Louis XII et Anne de Bretagne à Saint-Denis

colère révolutionnaire s'abattit sur Saint-Denis et les tombes royales furent profanées. On remarquera les tombeaux de Dagobert, Philippe le Hardi, François Iᵉʳ, Henri II et Catherine de Médicis ; et, surtout, le monument à Louis XII et Anne de Bretagne. D'un grand réalisme, il offre une double représentation du couple royal : gisant nu sur la dalle du sarcophage et se recueillant en costume d'apparat.

Saint-Germain-en-Laye ❹

Yvelines. 🕮 *41 000.* 🚃 🚌
🛈 *Maison Claude Debussy, 38, rue au Pain.* 📞 *01 34 51 05 12.* 🏪 *du mar. au dim.*

Dans un quartier riche en hôtels particuliers des XVIIᵉ et XVIIIᵉ siècles, le château où naquit le Roi-Soleil domine la place du Général-de-Gaulle de cette ville aisée et résidentielle.

La forteresse d'origine, dont subsistent les fossés, fut érigée par Louis VI vers 1122 ; saint Louis fit ajouter la sainte chapelle en 1230. Le donjon quant à lui date du XIVᵉ siècle. François Iᵉʳ et Henri II donnèrent au château son aspect actuel. Henri IV fit construire le pavillon, au sud, et la terrasse qui domine la Seine. Le Nôtre l'aménagera pour Louis XIV avant que la Cour ne s'établisse à Versailles en 1682.

Le château abrite le **musée des Antiquités nationales** créé par Napoléon III. Les collections couvrent une période allant de la préhistoire aux Mérovingiens. Ne manquez surtout pas l'exceptionnelle *Vénus de Brassempouy*, la plus ancienne représentation connue du visage humain.

🏛 Musée des Antiquités nationales

Château de Saint-Germain-en-Laye.
📞 *01 39 10 13 00.* ◯ *du mer. au lun.* 🈲 🈺 🈴 🈵

Le château de Malmaison ❺

Rueil-Malmaison. 📞 *01 41 29 05 55.*
◯ *à partir de 10 h du mer. au lun. ; les horaires de fermeture varient selon la saison ; téléphoner pour les détails.*
⬤ *1ᵉʳ jan., 25 déc.* 🈲 ♿

Le nom de Malmaison reste attaché à ceux de Joséphine et de Bonaparte. La future impératrice acheta en 1799 cette ancienne résidence de campagne située à 15 km à l'ouest de Paris. Pendant les premières années du Consulat (1800-1803), ce fut le séjour préféré de Bonaparte... Napoléon y séjournera quelques jours après Waterloo.

Avec sa dépendance, le château de Bois-Préau qui se dresse à proximité dans le parc, Malmaison constitue aujourd'hui un musée riche en souvenirs historiques, tels *Bonaparte au col du Grand-Saint-Bernard* par David ou le célèbre portrait de Joséphine par Gérard. La cohérence de la décoration offre en outre une occasion rare d'apprécier le style Consulat, notamment dans la bibliothèque au plafond à voûtes, orné de fresques, et le lumineux salon de musique où sont exposées quelques peintures de la collection de l'impératrice. Les appartements de Joséphine sont dominés par la somptueuse chambre d'apparat, où elle mourut en 1814 après avoir été répudiée par l'Empereur en 1809.

Dans la forêt domaniale (210 ha) se trouve le bel étang de Saint-Cucufa.

Le lit de l'impératrice Joséphine, château de Malmaison

Le château de Versailles ❻

★ Les jardins à la française
Le tracé géométrique des parterres accentue les perspectives.

Statue de flûtiste dans les jardins

Symbole royal à l'image de Louis XIV, cet immense palais où pouvaient vivre 20 000 courtisans s'est développé à partir d'un modeste pavillon de chasse. En 1668, Louis Le Vau entreprend le premier ajout autour d'une grande cour centrale. Une vaste terrasse courait le long du premier étage. Jules Hardouin-Mansart, qui reprit les travaux en 1678, la couvrit pour créer la galerie des Glaces. Il édifia également les immenses ailes du Nord et du Midi, et dessina la chapelle achevée en 1710. Les parterres géométriques et les plans d'eau du jardin, chefs-d'œuvre de Le Nôtre, tirent un parti extraordinaire des accidents du terrain.

Dans l'Orangerie, soutènement du parterre du Midi, hivernaient les plantes exotiques.

Combat des animaux
Départ de la visite des jardins.

Le bassin de Latone
Sculptée par Balthazar Marsy, Latone domine quatre vasques en marbre.

Parterre d'eau

★ Le château
En y installant la cour, Louis XIV en fit le centre du pouvoir politique en France.

Le bass du Drag
Ce monstre transpercé représe la Fronde vaincue.

Le jardin du Roi
aménagé pour
Louis XVIII voisine
avec le Miroir d'eau.

La Colonnade
*Mansart la fit élever
en 1685, en jouant
sur différentes
nuances de marbre.*

MODE D'EMPLOI

Versailles, Yvelines. ☎ 01 30 83 77
88. W www.chateauversailles.fr
🚌 171 au départ de Paris. RER
Versailles Chantiers, Versailles Rive
Droite. **Château** ⭕ de 9 h à 18 h 30
du mar. au dim. (17 h 30 en hiver).
📷 **Grand Trianon et Petit Trianon**
⭕ de 12 h à 18 h 30 t.l.j. (17 h 30 en
hiver) (der. ent. : 30 mn av. la ferm.).
📷♿🚻🅿️⭕🛍️ **Musée des
Carrosses**, face au château. ☎ 01 30
83 77 88. ⭕ de 12 h 30 à 17 h 30
(18 h 30 en été) sam. et dim. 📷📷
Les Fêtes de Nuit (août - sept.) ; Les
Grandes Eaux musicales (avr. - oct.).

Sur le Grand Canal
évoluaient des
gondoles vénitiennes.

Le bassin de Neptune
*Le dieu de la Mer et sa cour
orchestrent les spectaculaires
jets d'eau de cette fontaine.*

Le Petit Trianon
*Édifié en 1762 pour
Louis XV, ce palais
miniature devint
l'un des séjours
préférés de Marie-
Antoinette.*

★ **Le Grand
Trianon**
*Dans ce petit
palais orné de
marbre rose,
Louis XIV venait
échapper au
protocole de la
cour en
compagnie
de Madame
de Maintenon.*

À NE PAS MANQUER

★ Le château

★ Les jardins

★ Le Grand Trianon

À la découverte du château de Versailles

Au premier étage du palais, les appartements privés de la reine et du roi ouvrent sur la cour de Marbre. Les Grands Appartements, où se déroulaient les cérémonies officielles de la cour, dominent les jardins à la perspective grandiose. Richement décorées de marbres polychromes, de sculptures, de peintures murales, de tentures et d'un mobilier de prix conçu par Charles Le Brun, ces salles d'apparat sont parfois dédiées à une divinité olympienne, tels le salon d'Hercule et le salon d'Apollon. La plus spectaculaire réalisation est la galerie des Glaces, dans laquelle 17 grands miroirs font face à de hautes fenêtres à arcade.

LÉGENDE

- ☐ Aile du Midi
- ☐ Salon du Sacre
- ☐ Appartements de Madame de Maintenon
- ☐ Appartements privés de la reine
- ☐ Grands Appartements
- ☐ Appartements privés du roi
- ☐ Aile du Nord
- ☐ Circulations et services

★ La chambre de la Reine
On pouvait y assister à la naissance du futur roi.

La cour de Marbre est pavée de marbre noir et blanc.

Entrée

La salle du Sacre est ornée du célèbre tableau de David, *Le Sacre de Napoléon Ier*.

Entrée

★ Le salon de Vénus
Une statue de Louis XIV se dresse dans un riche décor de marbre.

Escaliers vers le rez-de-chaussée

★ La Chapelle royale
Le premier étage était réservé à la famille royale et le rez-de-chaussée à la cour. Dédiée à Saint Louis, elle est ornée de médaillons peints de dorures et d'un décor sculpté dit « rocaille ».

À NE PAS MANQUER

- ★ La Chapelle royale
- ★ Le salon de Vénus
- ★ La galerie des Glaces
- ★ La chambre de la Reine

★ La galerie des Glaces
Cette salle s'étend sur 70 m le long de la façade ouest. En 1919, le traité de Versailles mettant fin à la Première Guerre mondiale y fut signé.

Œil-de-bœuf

La chambre du Roi où mourut Louis XIV en 1715, à 77 ans.

Dans le cabinet du Conseil furent prises des décisions capitales pour la politique française et européenne.

Le salon de la Guerre
Un bas-relief d'Antoine Coysevox représente Louis XIV chevauchant vers la victoire.

La bibliothèque de Louis XVI a été ornée par Gabriel.

Salon d'Hercule

Le salon d'Apollon
Dessiné par Le Brun, c'était la salle du trône du Roi-Soleil. Il renferme une copie du célèbre portrait peint par Hyacinthe Rigaud (1701).

CHRONOLOGIE

Louis XV

1667 Percement du Grand Canal

1668 Le Vau bâtit le nouveau château

1722 Louis XV, 12 ans, règne sur Versailles

1793 Exécutions de Louis XVI et de Marie-Antoinette

1833 Louis-Philippe transforme le château en musée

1650	1700	1750	1800	1850

1671 Le Brun commence la décoration intérieure

1715 Mort de Louis XIV. La cour délaisse Versailles

1789 Le peuple ramène le roi et la reine de Versailles à Paris

1661 Agrandissement du château de Louis XIII

1682 Louis XIV et Marie-Thérèse s'installent à Versailles

1774 Louis XVI et Marie-Antoinette vivent à Versailles

1919 Signature du traité de Versailles, le 28 juin

Le château de Sceaux ➐

Sceaux, Hauts-de-Seine. 📞 01 46 61 06 71. ◐ du mer. au lun. ● certains j. fériés. ♿ 🅿 ▣ pour les groupes sur r.-v.

Le véritable créateur de Sceaux, aujourd'hui petite ville résidentielle, fut Colbert qui y fit bâtir en 1670 un château, où la duchesse du Maine tint une cour brillante au XVIIIᵉ siècle. Démoli, le château fut reconstruit dans le style Louis XIII en 1856.

Il abrite aujourd'hui le musée d'Île-de-France et des documents, peintures, meubles, sculptures et céramiques, dont Sceaux fut un grand centre, qui évoquent l'histoire et les paysages de la région.

Le parc, restauré au XIXᵉ siècle, est l'œuvre de Le Nôtre. Il renferme plusieurs pavillons élégants. Perrault dessina celui de l'Aurore et Mansart l'Orangerie. Celle-ci accueille aujourd'hui des expositions et, en été, des concerts de musique classique. Dans l'axe du Petit Canal, on aperçoit celui de Hanovre, du XVIIIᵉ siècle. Un bassin octogonal recueille les eaux de fontaines en cascades pour alimenter le Grand Canal.

Le château de Dampierre ➑

Dampierre-en-Yvelines, Yvelines. 📞 01 30 52 53 24. ◐ d'avril à mi-oct. : t.l.j. ♿ 🅿

Quelques années seulement avant de devenir le premier architecte du royaume et le maître d'œuvre du palais de Louis XIV, c'est pour le duc de Chevreuse que Jules Hardouin-Mansart édifia en 1675 au sud-ouest de Paris ce château associant brique rose et pierre de taille.

L'intérieur, par son luxe, évoque Versailles, en particulier les appartements royaux et la salle à manger de Louis XIV. La salle des Fêtes, décorée au XIXᵉ siècle de fresques d'Ingres, domine les jardins et le parc floral qu'aménagea Le Nôtre en tirant parti des eaux de l'Yvette.

Le château de Rambouillet

Le château de Rambouillet ➒

Rambouillet, Yvelines. 📞 01 34 83 00 29. ◐ du mer. au lun. ● 1ᵉʳ janv., 1ᵉʳ mai, 1ᵉʳ et 11 nov., 25 déc., et lors des séjours présidentiels. ♿ 🅿 ▣

Venu chasser dans l'épaisse et giboyeuse forêt royale de Rambouillet, François Iᵉʳ mourut dans l'une des cinq tours de pierre qui donnent à ce château de briques rouges, résultat de bien des remaniements au fil des siècles, un aspect plus curieux que réellement harmonieux.

Devenu en 1897 la résidence d'été du président de la République, le bâtiment rassemble mobilier Empire et tapisseries d'Aubusson à l'intérieur des salles lambrissées de chêne. Le parc, précédé d'un jardin à la française et de son parterre d'eau, abrite la ferme expérimentale et la laiterie créées par Marie-Antoinette.

Aux environs
À 28 km au nord sur la D 11, le parc du **château de Thoiry** comporte un zoo de près de 800 animaux, dont certains en semi-liberté, et une aire de découverte pour les enfants.

Disneyland Paris ➓

Marne-la-Vallée, Seine-et-Marne. 📞 01 64 74 30 00. 🆆 www.disneylandparis. com ◐ t.l.j. 🚌 depuis les aéroports Charles-de-Gaulle et d'Orly. ♿ 🅿

Disneyland Paris est un vaste complexe qui propose, sur 600 ha, un parc de loisirs, sept hôtels à thème, de nombreux restaurants et équipements touristiques. Le parc est inspiré des modèles d'outre-Atlantique et divisé en cinq sections : Main Street USA, Frontierland, Adventureland, Fantasyland et Discoveryland. Même si leurs créateurs ont tenté de donner aux attractions un vernis européen, leurs thèmes restent directement inspirés des grands mythes hollywoodiens.

Minnie

Le château de Vaux-le-Vicomte ⓫

Maincy, Seine-et-Marne. 📞 01 64 14 41 90. ◐ de mi-mars au 11 nov. : t.l.j. ♿

C'est en pleine campagne, au nord-est de Melun, que Nicolas Fouquet, surintendant des Finances de Louis XIV,

---

LA PORCELAINE DE SÈVRES

En 1738, à l'instigation de Madame de Pompadour, Louis XV fonda une manufacture de porcelaine qui fut transférée à Sèvres en 1756. Elle devait fournir les résidences royales.
La découverte du kaolin en 1768 permit la fabrication de porcelaine dure. Fleurs, amours, puis paysages ornent les fonds. La production évolue avec la vogue des fonds de couleur et l'utilisation de l'or.

***Le Pugilat* (1832) fait partie d'un ensemble de deux vases**

ANDRÉ LE NÔTRE

Fils d'un « jardinier ordinaire du Roy », André Le Nôtre (1613-1700) donne, à Vaux-le-Vicomte, sa pleine mesure au « jardin à la française » inspiré du jardin classique de la Renaissance italienne. Écrin de la résidence, le parc s'organise, quand le terrain le permet comme à Versailles *(p. 168-169)*, autour d'un axe qui prolonge l'axe médian du château. Les lignes de fuite des allées entraînent le regard au loin, souvent vers un plan d'eau, afin d'augmenter l'impression d'étendue, tandis que les motifs des parterres, qu'animent statues et fontaines, rappellent ceux de la décoration intérieure.

Provins ⓬

Seine-et-Marne. 🚶 *12 000.* 🚉 🚌 ℹ️
Maison du visiteur, chemin de Villecran (01 64 60 26 26). 🛍️ *sam.*

Le voyageur voit émerger des champs de blé la ville haute de Provins comme à l'époque où des marchands de toute l'Europe venaient pour les foires de Champagne se rassembler à l'intérieur des remparts bâtis aux XIIᵉ et XIIIᵉ siècles. Merveilleusement conservés, ils présentent à l'ouest, entre la porte de Jouy et la porte Saint-Jean, une succession de tourelles rondes et carrées que domine la tour de César au toit pyramidal. Son chemin de ronde commande une belle vue sur la place du Châtel bordée de maisons médiévales et, au-delà, sur la Grange aux dîmes (XIIᵉ s.). Ne pas manquer la place du Cloître-Saint-Quiriace, l'église et la maison romane.

Dans la ville basse, ancienne elle aussi et pleine de caractère, l'église Saint-Ayoul présente de superbes portails du XIIᵉ siècle.

Surnommée la « cité des roses », c'est en juin qu'il faut venir à Provins pour admirer ses roseraies et pépinières, et pour assister à ses grandes fêtes médiévales.

invita l'architecte Louis Le Vau et le décorateur Charles Le Brun à édifier un château d'une somptuosité encore jamais atteinte. Le résultat dépassa toutes ses espérances. Il entraîna également sa chute. Cette résidence plus fastueuse que les palais royaux portait ombrage au Roi-Soleil et celui-ci accorda la tête de Fouquet à Colbert qui le haïssait. Le mousquetaire qui procéda à l'arrestation s'appelait D'Artagnan.

Conformément aux goûts du personnage qui était alors le plus riche de France, la décoration intérieure use à profusion de fresques, de dorures, de stucs et de cariatides. Le salon des Muses présente ainsi un superbe plafond orné par Le Brun de nymphes et de sphinx, tandis que la Grande Chambre carrée est aménagée en style Louis XIII. Contrairement à Versailles ou Fontainebleau, de nombreuses pièces gardent des proportions et une atmosphère intimes.

Aux splendeurs de l'intérieur répondent celles des jardins, œuvre de Le Nôtre. La formation de peintre du paysagiste s'y exprime admirablement dans une succession de terrasses, de fontaines et de bassins descendant jusqu'au Grand Canal.

Le château de Vaux-le-Vicomte et ses jardins dessinés par Le Nôtre

Le château de Fontainebleau ⑬

Détail du plafond de la salle de bal

Les rois de France viennent chasser à Fontainebleau depuis le XIIᵉ siècle, mais c'est François Iᵉʳ qui jette les bases du château actuel en remodelant selon les canons de la Renaissance florentine l'ancienne forteresse médiévale (dont subsiste le donjon) qu'il réunit aux bâtiments d'une abbaye consacrée par Saint Louis en 1259. Henri IV, Louis XIII, Louis XV et Napoléon commandent à leur tour agrandissements ou modifications et cette juxtaposition de styles est un des charmes d'un palais impossible à visiter en un jour mais dont les grands appartements offrent un bon aperçu de la richesse.

Rez-de-chaussée

Le jardin de Diane
Aujourd'hui plus romantique que classique, il doit son nom à la statue de sa fontaine.

★ L'escalier du Fer à Cheval
L'audacieux escalier construit en 1634 dans la cour du Cheval blanc par Jean Androuet Du Cerceau laissait sous ses rampants le passage aux carrosses.

La cour du Cheval blanc, ancienne cour de service, en devint l'accès principal sous Napoléon Iᵉʳ.

Entrée du musée

Dans le jardin anglais, remanié au XIXᵉ siècle, des essences exotiques entourent l'étang.

LÉGENDE

- Petits appartements
- Galerie des Cerfs
- Musée chinois
- Musée Napoléon Iᵉʳ
- Grands appartements
- Salle Renaissance
- Appartements de Madame de Maintenon
- Grands appartements des souverains
- Escalier de la Reine, appartements des Chasses
- Chapelle de la Trinité
- Appartement intérieur de l'Empereur

À NE PAS MANQUER

★ **L'escalier du Fer à Cheval**

★ **La salle de bal**

★ **La galerie François Iᵉʳ**

La porte Dorée

La voûte de ce qui était à l'origine la porte d'honneur du palais est ornée de peintures, réalisées par Le Primatice, très restaurées au XIXe siècle.

Cour ovale

Premier étage

MODE D'EMPLOI

Seine-et-Marne. 📞 01 60 71 50 60. ○ de 9 h 30 à 17 h du mer. au lun. (18 h en juil.-août). ○ de 12 h 30 à 14 h de nov. à avr. 🅿 ♿ ✍

★ La salle de bal

Cette vaste salle Renaissance décorée par Nicolò dell'Abate sur les projets du Primatice ne fut achevée que sous Henri II. Ses armoiries ornent le plafond à caissons en châtaignier.

Les grands appartements comprennent l'ancienne chambre du Roi transformée en salle du trône.

Cour de la Fontaine

Appartement intérieur de l'Empereur

La chapelle de la Trinité,

construite sous Henri II en 1550, décorée de fresques sous Henri IV, fut achevée par Louis XIII. Louis XV y épousa Marie Leszczynska en 1725.

★ La galerie François Ier

Son décor, réalisé par les artistes italiens de l'école de Fontainebleau, comprend des fresques allégoriques exécutées par le Rosso et une équipe de peintres et sculpteurs.

L'ÉCOLE DE BARBIZON

À partir des années 1830, un certain nombre d'artistes se retrouvent à Barbizon autour de Théodore Rousseau et Jean-François Millet. Cette école de peintres paysagistes fait de la nature le sujet du tableau et non son décor. L'atelier de Rousseau, qui en fut en quelque sorte le chef de file, est aujourd'hui transformé en musée.

Printemps à Barbizon par Jean-François Millet (1814-1875)

LE NORD ET L'EST

Présentation du Nord et de l'Est

Succession de plaines et de plateaux bas bordés par les Vosges et la forêt ardennaise, cette région marquée par les guerres conserve cependant un riche héritage architectural : cathédrales gothiques parmi les plus belles, notamment en Picardie et en Champagne, beffrois et grand-places dans le Nord, maisons à colombage en Alsace. Très touchée par le déclin de ses activités minières et industrielles, la région se tourne aujourd'hui vers l'Europe pour trouver un nouvel élan économique.

Cathédrale d'Amiens

NORD-PAS DE CALAIS
ET PICARDIE
(*p. 186-201*)

Cathédrale
de Beauvais

Château de Compiègne

Cathédrale
de Reims

La cathédrale d'Amiens,
réputée pour ses sculptures sur bois, possède la plus haute nef de France (p. 198-199).

Cathédrale
de Troyes

Les bombes de la Seconde Guerre mondiale ont épargné la **cathédrale de Beauvais,** *dont on voit ici l'horloge astronomique (p. 196).*

Maisons à pans de bois *et hôtels Renaissance bordent les rues et ruelles du vieux Troyes (p. 214), reconstruit après le grand incendie de 1524. De superbes vitraux décorent la cathédrale.*

cimetière de Douaumont, ôté de Verdun, avec ses 000 tombes, est l'un des nbreux mémoriaux qui retiennent le souvenir de la mière Guerre mondiale 184-185).

Le Haut-Kœnigsbourg, château reconstruit pour le Kaiser Guillaume II quand l'Alsace était annexée à l'Allemagne, est devenu un site touristique très visité (p. 228).

À Strasbourg, siège du Conseil de l'Europe, la cathédrale domine une vieille ville pleine de charme (p. 230-231).

Ossuaire de Douaumont

Porte Chaussée, Verdun

Place Stanislas, Nancy

Cathédrale de Strasbourg

PAGNE ET ARDENNES
(p. 202-215)

LORRAINE ET ALSACE
(p. 216-233)

Haut-Kœnigsbourg

0   50 km

Les spécialités du Nord et de l'Est

L'histoire de ces régions, terres de brassages culturels, a enrichi leur gastronomie. Le visiteur, en dégustant une assiette de moules-frites à Boulogne ou à Calais, ou une gaufre au sucre, peut se demander où sont vraiment nés ces plats, appréciés de même manière et depuis si longtemps de part et d'autre de la frontière franco-belge. La cuisine alsacienne, avec ses bretzels, ses saucisses et ses boudins, ses recettes à base de porc, accompagné de chou, de pommes de terre ou de fruits, ses riches pâtisseries – tarte aux quetsches, aux cerises, aux myrtilles, et le célèbre kouglof, brioche en forme de dôme creux, garnie de raisins secs et d'amandes –, célèbre à sa façon son roboratif cousinage germanique. Les fromages, assurément, sont bien de chez nous.

Salade de pommes de terre *tièdes et saucisson s'allient pour constituer une robuste spécialité alsacienne.*

La brioche, *à la pâte rendue onctueuse par les œufs et le beurre, est un mets de fête en Alsace : celles du Neujohrwecka se dégustent au Nouvel An.*

Le hareng saur, *fumé selon des recettes traditionnelles, servi avec des pommes de terre, nous vient de Boulogne.*

Kassler   Saucisse

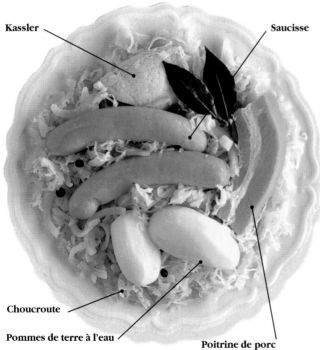

Choucroute

Pommes de terre à l'eau

Poitrine de porc

La choucroute, *chou blanc haché, fermenté dans une saumure, mijote plusieurs heures, parfumée de grains de genièvre et arrosée de vin blanc. Outre les pommes de terre, toujours présentes, sa garniture peut être d'une grande variété : côtelettes ou poitrine de porc, jambonneau, jarret, saucisses, lard, boudin... Frais, un riesling ou une bière blonde l'accompagnent avec bonheur.*

Le pâté en croûte, *populaire dans toutes ces régions, se sert moelleux, la pâte attendrie par le jus de la farce.*

Le potage Saint-Germain *accommode les pois frais que l'on produit dans les zones maraîchères autour d'Amiens.*

uite ardennaise, revenue oêle avec jambon fumé et e fraîche, est une des es de poisson de la région.

La quiche, *célèbre spécialité lorraine composée de lard, de crème et d'œufs, a conquis la France entière.*

Le porc aux deux pommes *réunit celles qui poussent en terre et celles qui se cueillent sur les arbres.*

mbon des Ardennes pare toujours cienne. Délicatement il mérite sa réputation.

La carbonnade, *bœuf braisé mijoté à la bière, est une recette flamande. Le nom rappelle le temps de la cuisine au charbon.*

La tarte alsacienne, *aux fruits pris dans une crème, est faite avec de la pâte brisée ou levée.*

*nadeleines à Commercy, **les babas** à Lunéville : les iers de Stanislas Leszczynski rivalisaient d'inventivité pour ire un prince gourmand.*

Les macarons, *spécialité de Nancy, sont de petites meringues à la pâte d'amandes.*

Brie de Meaux

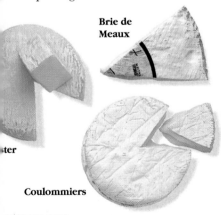

ter

Coulommiers

LA BIÈRE

Si l'Alsace a des vignobles réputés, la bière est une boisson traditionnelle dans le Nord et l'Est. Le marché est dominé par quelques grandes brasseries qui produisent des bières standardisées.

FROMAGES
e les célèbres brie de Meaux, munster ace et coulommiers, le Nord et l'Est de ance produisent d'excellents fromages is connus tels que le maroilles, le mée, le vieux Lille, la boulette esnes, le dauphin ou le rollot.

Savenne   **Krönenbourg**   **Bière de Garde**

Les régions viticoles : la Champagne

Fût sculpté, Épernay

S ymbole de la fête et du luxe depuis, à en croire la légende, que le moine dom Pierre Pérignon l'inventa au XVIIᵉ siècle, le champagne, contrairement aux autres appellations, est rarement millésimé (hors des très bonnes années). En effet, un assemblage de cépages et de cuvées donne en général les meilleures bouteilles. Les grandes marques, très prestigieuses, font les prix. À bon nombre de petits producteurs sont dus cependant d'excellents champagnes ; les efforts entrepris pour les découvrir seront récompensés.

CARTE DE SITUATION

☐ *La Champagne*

Château champenois et son vignoble

LE VIGNOBLE

Le vignoble s'étend sur 34 000 ha situés surtout dans la Marne. Les crus, par leurs caractéristiques complémentaires, apportent chacun leurs atouts dans les assemblages. Outre des effervescents, l'Aube produit des vins « tranquilles », blancs et rosés, les Riceys.

(Carte : Soissons, D1, A4, Château-Thierry, N3, La Ferté-sous-Jouarre, RD33, Petit Morin, Grand Morin, Nogent-sur-Seine)

CE QU'IL FAUT SAVOIR SUR LE CHAMPAGNE

Sols et climat
Climat tempéré et sols calcaires font la finesse du champagne. Des coteaux calcaires orientés parfois à l'est et au nord lui donnent l'acidité nécessaire avant l'ajout de la liqueur de dosage qui décidera de sa douceur.

Cépages
Trois variétés, deux rouges, le **pinot noir** et le **pinot meunier**, et une blanche, le **chardonnay,** servent à l'élaboration de tous les champagnes sauf à celle du blanc de blancs où n'entre que du chardonnay et à celle du blanc de noirs.

Quelques producteurs réputés
Grandes marques : Bollinger, Krug, Louis Roederer, Pol Roger, Deutz, Billecart-Salmon, Veuve Clicquot, Charles Heidsieck, Taittinger, Ruinart, Laurent Perrier, Moët et Chandon. *Négociants, coopératives et exploitants :* Boizel, Bricout, Drappier, Ployez-Jacquemart, Union Champagne, Cattier, Gimmonet, André Jacquart, Chartogne-Taillet, Alfred Gratien, Émile Hamm, Vilmart, M. Arnould, H. Blin, B. Paillard, P. Gerbais.

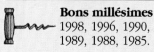 **Bons millésimes** 1998, 1996, 1990, 1989, 1988, 1985.

BOLLINGER *Spécial Cuvée* BRUT *Champagne* *Ay France*

Le champagne brut est moins dosé que le sec, lui-même moins dosé que le demi-sec, alors que le brut sauvage, ou brut zéro, est non dosé.

LÉGENDE

☐ Appellation champagne
☐ Vallée de la Marne
☐ Montagne de Reims
☐ Côte de Sézanne
☐ Côte des Blancs
☐ Aube

0   15 km

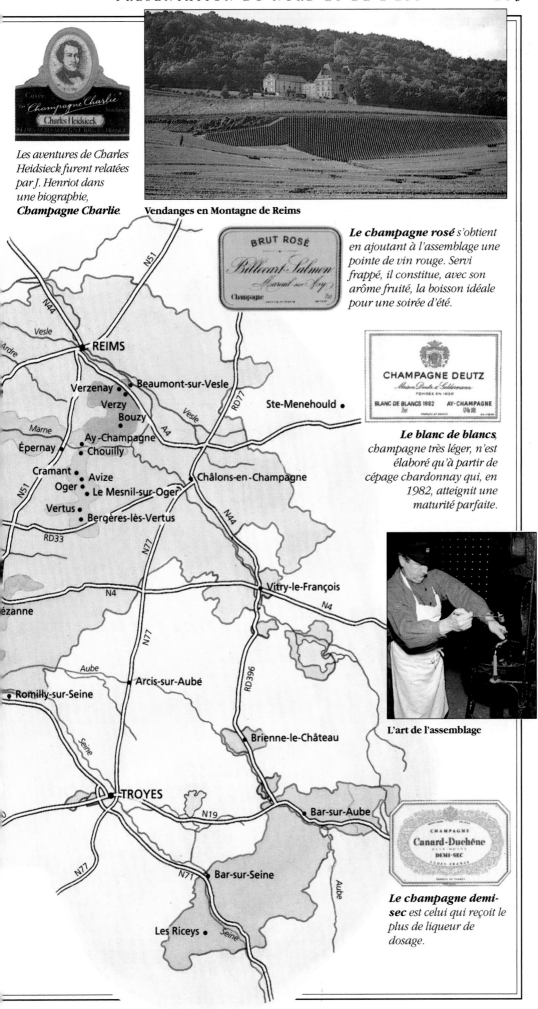

Les aventures de Charles Heidsieck furent relatées par J. Henriot dans une biographie, **Champagne Charlie**.

Vendanges en Montagne de Reims

Le champagne rosé *s'obtient en ajoutant à l'assemblage une pointe de vin rouge. Servi frappé, il constitue, avec son arôme fruité, la boisson idéale pour une soirée d'été.*

Le blanc de blancs, *champagne très léger, n'est élaboré qu'à partir de cépage chardonnay qui, en 1982, atteignit une maturité parfaite.*

L'art de l'assemblage

Le champagne demisec *est celui qui reçoit le plus de liqueur de dosage.*

N51
N44
Vesle
Ardre

REIMS

Verzenay • • Beaumont-sur-Vesle
Verzy
Bouzy
Marne
Ay-Champagne
Épernay • • Chouilly
Cramant •
Oger • • Avize
• Le Mesnil-sur-Oger
Vertus •
• Bergères-lès-Vertus
RD33
N51

Vesle
RD77
A4

Ste-Menehould •

Châlons-en-Champagne

N77

N4

ézanne

N77

Aube

• Arcis-sur-Aubé

• Romilly-sur-Seine

RD396

• Brienne-le-Château

Vitry-le-François
N4

N44

N77

Seine

TROYES
N19
• Bar-sur-Aube

N77
N71 • Bar-sur-Seine

Les Riceys • Seine

Aube

La bataille de la Somme

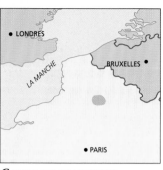

Les nombreux cimetières qui parsèment le pays de Somme témoignent de l'effroyable massacre qui se déroula sur le front occidental pendant la Première Guerre mondiale. La bataille de la Somme, série d'attaques contre des positions allemandes par des troupes françaises et anglaises, détourna l'attention de Verdun où déferlait vague d'assaut sur vague d'assaut depuis le 21 février 1916. Mais les alliés ne progresseront en tout et pour tout que d'environ 5 km. Entre le 1er juillet et le 21 novembre 1916, les forces alliées auront perdu plus de 600 000 hommes et les Allemands au moins 465 000.

Un « Tommy », soldat anglais

CARTE DE SITUATION

Champ de bataille de la Somme

Dans le parc mémorial de Beaumont-Hamel, la statue du caribou de bronze honore la mémoire du régiment terre-neuvien anéanti le premier jour de la bataille.

Le monument de Thiepval, dessiné par Sir Edwin Lutyens, domine un secteur où eurent lieu certains des plus âpres affrontements de la bataille. Ses 16 piliers portent les noms des 73 367 soldats anglais tués au combat et non identifiés.

Albert, presque entièrement détruite par l'artillerie allemande en 1916, est aujourd'hui le point de départ d'un circuit du souvenir. Une réplique de la célèbre « Vierge penchée », tombée le 16 avril 1918, surmonte sa basilique reconstruite.

Le trou de la Gloire, ou Lochnagar Crater, près de La Boisselle, ouvert le 1er juillet 1916 par une mine anglaise, est le plus grand du front occidental.

Le monument au Tank, sur la route d'Albert à Bapaume, commémore la première attaque menée par des blindés le 15 septembre 1916. Elle ne connut qu'un succès mitigé, mais ce furent pourtant les tanks qui finirent par décider du sort de la guerre.

La propagande balaya tout droit à l'information, ou même à l'opinion, dans les pays belligérants. Cette carte postale française, où un soldat meurt en embrassant le drapeau, est typique de l'esprit de sacrifice exalté par les chefs politiques et militaires.

Le mémorial sud-africain du bois Delville révèle l'importance des forces engagées par le Commonwealth dans la Somme.

MODE D'EMPLOI

D929, D938 depuis Albert. **i** *9, rue Gambetta, Albert.* **(** *03 22 75 16 42.* **Basilique d'Albert, parc mémorial de Beaumont-Hamel et monuments de Thiepval, La Boisselle, Pozières** ◗ *t.l.j.* **Tour de Belfast** ◗ *févr.-mars : du mar. au dim. ; d'avr. à nov. : t.l.j.* **Mémorial sud-africain,** bois Delville Longueval. **(** *03 22 85 02 17.* ◗ *de fév. à nov. : du mar. au dim.* ● *les jours fériés.* **(** **Historial de la Grande Guerre,** Péronne *(p. 195)* **(** *03 22 83 14 18.* ◗ *d'oct. à avril : du mar. au dim. ; de mai à sept. : t.l.j.* ● *de mi-déc. à mi-janv.* ▨ **(** **(** *sur r.-v.*

En juillet 1916, les soldats montèrent à l'assaut en traversant des champs parsemés de **coquelicots**. Ils rappellent aujourd'hui le souvenir de cette bataille.

LÉGENDE

▨ Forces alliées

□ Forces allemandes

□ Ligne de front avant le 1ᵉʳ juillet 1916

▨ Avance du front de juillet à septembre 1916

▨ Avance du front de septembre à novembre 1916

0   5 km

Le front s'étendait de la mer du Nord à la frontière suisse. Les tranchées préservées dans le parc mémorial de Beaumont-Hamel donnent un aperçu de l'horreur que vécurent les soldats qui s'y terraient.

NORD-PAS DE CALAIS ET PICARDIE

PAS DE CALAIS · NORD · SOMME · OISE · AISNE

Malgré son modernisme, la région la plus septentrionale de France porte l'empreinte des heures glorieuses ou dramatiques de son passé mouvementé : cathédrales aériennes, résidences royales et champs de bataille de la Première Guerre mondiale.

Entre l'estuaire de la Somme et la frontière belge, les dunes, les falaises et les longues plages de la Côte d'Opale séparent des ports aux vocations diverses : Le Touquet, élégante station balnéaire ; Boulogne, un des plus grands centres européens de la pêche ; Calais où se pressent les voyageurs pour l'Angleterre ; et Dunkerque, résolument industriel.

C'est à l'intérieur des terres du « plat pays » de Flandre, parcouru de canaux et parsemé de moulins à vent, que se trouve la capitale, Lille. Ses faubourgs modernes entourent un cœur historique très animé où le palais des Beaux-Arts abrite un musée d'une grande richesse. L'architecture flamande étend son influence jusqu'à Arras, en Artois, aux deux superbes places des XVIIᵉ et XVIIIᵉ siècles. Tristes souvenirs des massacres de la Première Guerre mondiale,

champs de bataille semés de coquelicots, monuments et cimetières jalonnent ensuite les paysages jusqu'en Picardie.

Verte et humide, cette région rurale fut un des grands foyers de développement du gothique, et à la splendeur de Notre-Dame d'Amiens répond celle des cathédrales de Beauvais, de Noyon, de Senlis ou encore de Laon, superbe petite ville perchée. Plus près de Paris, le château de Compiègne, édifié dans le style classique pour Louis XV en bordure d'une des plus belles forêts de France, a conservé les appartements grandioses aménagés pour Napoléon III. C'est Le Nôtre qui dessina le parc du château de Chantilly, ville phare du hippisme français, qui renferme, au musée Condé, une étonnante collection d'œuvres d'art rassemblée par le duc d'Aumale.

Cimetière militaire dans l'Artois marqué par la Première Guerre mondiale

◁ **Catamarans sur la plage du Touquet-Paris-Plage**

À la découverte du Nord-Pas de Calais et de la Picardie

Aux portes de l'Angleterre et de la Belgique, le Nord-Pas de Calais et la Picardie sont d'actives régions d'échanges. Tournée vers l'Europe, la ville de Lille, riche de son patrimoine culturel, a su orienter son développement vers les secteurs de pointe. Mais le calme de la nature n'est jamais bien loin. Parcourir la côte entre Boulogne et la baie de Somme est un excellent prélude à la détente, que seule l'agitation des oiseaux de mer pourrait troubler. À l'intérieur, l'itinéraire des cathédrales gothiques passe par Beauvais, Amiens ou Laon, tandis qu'un « circuit du souvenir » replongera le visiteur dans l'histoire des guerres du XXᵉ siècle. Plus au sud, les châteaux de Compiègne et Chantilly méritent bien une escapade hors du tracé de l'autoroute qui mène à Paris.

LÉGENDE

▰▰	Autoroute
▰▰	Route principale
▰▰	Route secondaire
▰▰	Parcours pittoresque
～	Cours d'eau
☼	Point de vue

0   25 km

Terrasse de café sur la Grand'Place d'Arras

LA RÉGION D'UN COUP D'ŒIL

La vallée de la Somme et ses méandres

CIRCULER

Les principales liaisons ferroviaires et routières desservent Paris et les ports du Channel, Boulogne et Calais, et le tunnel sous la Manche, à 3 km au sud de Calais. La nouvelle autoroute A16 a encore amélioré la desserte. L'autoroute A1 et le TGV permettent de rallier facilement Lille (la ville est desservie par de nombreux TGV et possède un aéroport) et la Belgique. Amiens dispose de nombreuses routes vers les villes importantes de la région et Paris. L'autoroute A26 de Calais à Troyes passe par Arras et Laon. Surnommée l'autoroute des Anglais, elle permet de descendre dans le sud de la France en évitant Paris.

Les coquelicots sont le symbole des champs de bataille de la Première Guerre mondiale

Plage du Touquet à marée basse

Le Touquet ❶

Pas-de-Calais. 🏃 6 000. ✈🚌🛈
Palais de l'Europe (03 21 06 72 00). ⛵
jeu. et sam. (lun. aussi de juin. à mi-sept.).

Créée au XIXᵉ siècle, la station balnéaire du Touquet-Paris-Plage est un lieu de villégiature à la mode depuis l'entre-deux-guerres. La haute bourgeoisie a construit de luxueuses villas dans la forêt de pins et de bouleaux plantée en 1855. À l'ouest, hôtels, restaurants, boutiques et casinos bordent une longue plage de sable. Le Touquet propose tout au long de l'année de nombreuses animations et les sportifs peuvent y pratiquer plus de 40 activités : golf, équitation, char à voile, etc.

À quelques kilomètres à l'intérieur des terres, la petite ville de **Montreuil-sur-Mer** a conservé ses fortifications, en particulier les tours édifiées par Philippe Auguste et la citadelle remaniée par Vauban au XVIIᵉ siècle.

Boulogne-sur-Mer ❷

Pas-de-Calais. 🏃 45 000. 🚃🚌🛥
🛈 *24, quai Gambetta (03 21 10 88 10).* ⛵ *mer. et sam. (pl. Dalton), dim. (pl. Vignon).*

Premier port de pêche français, en partie reconstruit après la dernière guerre, Boulogne enserre ses édifices religieux et administratifs dans les remparts de sa ville haute qui intègrent, au nord-est, l'ancien **château** des comtes de Boulogne transformé en musée.

Coiffée d'une immense coupole, la **basilique Notre-Dame** (XIXᵉ siècle) renferme la copie d'une Vierge en bois miraculeuse qui serait arrivée à Boulogne sur une barque au VIIᵉ siècle, Notre-Dame de Boulogne. La statue est portée à travers la ville lors d'une procession qui a lieu, chaque année, le dernier dimanche d'août. Sur la **place de la Résistance**, l'ensemble formé par le palais de justice (XIXᵉ s.), l'hôtel de ville (XVIIIᵉ s.) et la bibliothèque (XVIIᵉ s.) contraste avec le beffroi médiéval (XIIᵉ-XIIIᵉ s.).

Dans la basse ville, boutiques, hôtels et restaurants bordent le quai Gambetta, le long de la Liane, tandis qu'en front de mer, le Centre national de la mer, **Nausicaa**, propose une découverte de l'univers marin. Du sommet de la **colonne de la Grande Armée**, qui, érigée en 1841, rappelle le projet d'invasion de l'Angleterre par Napoléon, la vue est splendide. Le panorama jusqu'aux côtes anglaises que l'on découvre du cap Gris-Nez et du cap Blanc-Nez, sur la Côte d'Opale, est inégalable.

⛪ **Château**
Rue de Bernet. 📞 *03 21 10 02 20.*
⊙ *du mer. au lun.* ⬤ *le 1ᵉʳ janv., le 1ᵉʳ mai et le 25 déc.* 🈺

🐟 **Nausicaa**
Bd Sainte-Beuve. 📞 *03 21 30 99 99.*
⊙ *t.l.j.* ⬤ *2 sem. en janv., le 1ᵉʳ janv. et le 25 déc.* 🈺♿

Calais ❸

Pas-de-Calais. 🏃 77 000. 🚃🚌🛥
🛈 *12, bd Clemenceau (03 21 96 62 40).* ⛵ *mer. et sam.*

Presque totalement reconstruit après la Seconde Guerre mondiale, Calais doit à la proximité des côtes britanniques d'être le premier port de voyageurs français.

Outre une présentation de l'activité dentellière de la ville, le **musée des Beaux-Arts et de la Dentelle** possède une belle collection de sculptures des XIXᵉ et XXᵉ siècles. Parmi elles figurent des études réalisées par Auguste Rodin

Le cap Blanc-Nez sur la Côte d'Opale

Les Bourgeois de Calais (1895) de Rodin

pour le monument aux *Bourgeois de Calais* (1895). Cet hommage aux hommes qui, en 1347, offrirent leur vie à Édouard III pour sauver la cité, se dresse devant l'hôtel de ville, construit au début du siècle dans le style flamand. En face, dans le parc Saint-Pierre, le **musée de la Guerre** occupe un ancien blockhaus.

🏛 **Musée des Beaux-Arts et de la Dentelle**
25, rue Richelieu. 📞 *03 21 46 48 40.* ⭕ *du mer. au lun.* ⚫ *les jours fériés.* 🈂

🏛 **Musée de la Guerre**
Parc Saint-Pierre. 📞 *03 21 34 21 57.* ⭕ *de mai. à sept. t.l.j., de mi-fév. à avr. et d'oct. à mi-nov. du mer. au lun.* 🈂♿

Dunkerque ❹

Nord. 🏃 *200 000.* 🚉 🚌 ⛴
ℹ *Le Beffroi, rue Amiral-Ronarck (03 28 66 79 21).* 🛒 *mer. et sam.*

La place du Minck, où se tient le marché aux poissons, constitue un bon point de départ pour visiter le port de Dunkerque, le 3ᵉ de France. Sur le quai de la Citadelle, le **Musée portuaire** illustre le destin maritime de la cité.

En ville, l'**église Saint-Éloi** abrite le tombeau du célèbre corsaire dunkerquois Jean Bart. Le beffroi (xvᵉ s.), ancien clocher de l'église, contient un carillon de 48 cloches. Non loin se trouve le **musée des Beaux-Arts** dont les collections comprennent des peintures flamandes des xvɪᵉ et xvɪɪᵉ siècles, et françaises et

italiennes du xvɪɪᵉ au xɪxᵉ siècle, et le bassin du commerce avec les bateaux-feux (1911 et 1947) et le trois-mâts école *Duchesse Anne* (1901).

Au nord-est, la station balnéaire de Malo-les-Bains présente encore des villas de bord de mer des années 20 et 30 à l'architecture pittoresque.

Le port de Dunkerque

🏛 **Musée portuaire**
9, quai de la Citadelle. 📞 *03 28 63 33 39.* ⭕ *du mer. au lun.* ⚫ *1ᵉʳ janv., 1ᵉʳ mai, 25 déc.* 🈂♿

🏛 **Musée des Beaux-Arts**
Place du Général-de-Gaulle. 📞 *03 28 59 21 65.* ⭕ *du mer. au lun.* ⚫ *1ᵉʳ janv., 1ᵉʳ mai, 25 déc.* 🈂♿ 🅿

Saint-Omer ❺

Pas-de-Calais. 🏃 *15 400.* 🚉 🚌
ℹ *4, rue du Lion-d'Or (03 21 98 70 00).* 🛒 *mer. et sam.*

Paisible petite ville bourgeoise, Saint-Omer a échappé aux destructions de la guerre. Des hôtels particuliers des xvɪɪᵉ et xvɪɪɪᵉ siècles bordent ses rues, tel l'**hôtel Sandelin** (1777) transformé en musée. L'admirable **cathédrale Notre-Dame** (xɪɪɪᵉ-xvɪɪᵉ s.) est riche de nombreuses œuvres d'art et d'un superbe grand orgue.

La bibliothèque municipale expose manuscrits et incunables de l'abbaye Saint-Bertin (xvᵉ s.) dont quelques ruines subsistent à l'est de la ville.

À 5 km de Saint-Omer, **La Coupole** est un musée dédié à la Seconde Guerre mondiale, dans un ancien bunker.

🏛 **Musée Sandelin**
14, rue Carnot. ⚫ *pour rénovation jusqu'en juin 2004.*

🏛 **Bibliothèque municipale**
40, rue Gambetta. 📞 *03 21 38 35 08.* ⭕ *du mar. au sam. : de 9 h à 12 h et de 13 h à 18 h* ⚫ *jours fériés.*

🏛 **La Coupole**
📞 *03 21 93 07 07.*

LES TRAVERSÉES DE LA MANCHE

Calais ne se trouvant qu'à 36 km au sud-est de la côte britannique, la traversée de la Manche dans sa partie la plus étroite a tenté bien des audacieux. Avant Blériot qui rallia le Royaume-Uni en avion en 1909, Jean-Pierre Blanchard fut le premier à franchir le bras de mer en ballon en 1785 et le capitaine M. Webb le premier à effectuer le trajet à la nage en 1875. Dès 1751, on échafauda des projets pour passer par-dessous. Achevé en 1994, le tunnel sous la Manche assure des navettes ferroviaires entre Fréthun et Folkestone.

Enfants assistant au décollage de Blériot en 1909

Le cap Blanc-Nez à marée basse ▷

La Flandre maritime ❻

Nord. 🚶 *4300* ✈ *Lille.* 🚋 🚌
Bergues. ℹ *Pl. de la République
(03 28 68 60 44).*

A vec ses ciels immenses,
ses cyclistes et ses moulins
à vent, la plaine agricole
parcourue d'étroits chenaux
qui s'étend en bordure de
littoral, autour de Dunkerque,
est l'archétype du paysage
flamand. C'est à Hondschoote
que l'on peut voir le
Noordmeulen, sans doute le
plus ancien moulin d'Europe.

Depuis Hondschoote, la D3
suit vers l'ouest le canal de la
Basse-Colme jusqu'à Bergues,
ville fortifiée dont le **Musée
municipal** présente *Le Vielleur
au chien* de Georges de La
Tour. Plus au sud, **Cassel**, point
culminant des Flandres, offre sa
Grand'Place bordée de beaux
hôtels des XVIIᵉ-XVIIIᵉ siècles et
un jardin public d'où la vue
porte jusqu'en Belgique.

🏛 Musée municipal

1, rue de Mont-de-Piété, Bergues.
📞 *03 28 68 13 30.* ◯ *de fév. à déc. :
du mer. au lun.* 🖼

Lille ❼

Nord. 🚶 *220 000.* ✈ 🚋 🚌 ℹ
Palais Rihour (03 20 21 94 21). 🚇 *t.l.j.*

C apitale du Nord-Pas de
Calais, Lille est le cœur
d'une agglomération de plus
d'un million d'habitants, dont
certains parlent encore un

**Fleuristes sous les arcades de la
Vieille Bourse à Lille**

Musiciens sur la place du Général-de-Gaulle, au cœur du vieux Lille

patois franco-flamand, témoin
de l'identité et de l'histoire de la
ville. L'activité industrielle
déclinant, Lille s'est tournée vers
la haute technologie, et un un
quartier d'affaires ultramoderne,
Euralille, a été créé autour de sa
gare TGV, Lille-Europe.

Avec ses rues étroites, le
vieux Lille est plein de charme.
Au cœur de la vie lilloise, la
place du Général-de-Gaulle est
bordée notamment par la
Vieille Bourse typiquement
flamande (XVIIᵉ s.) et le siège
du journal *La Voix du Nord*
(1936). Sur la place du Théâtre,
la **Nouvelle Bourse** et l'**Opéra**
ont été édifiés au début du
XXᵉ siècle. La Citadelle de
Vauban, dont les cinq bastions
forment une étoile autour
d'une place pentagonale,
mérite une visite.

🏨 Hospice Comtesse

32, rue de la Monnaie. 📞 *03 28 36 84 00.*
◯ *du mer. au dim.* ● *1ᵉʳ janv., 1ᵉʳ mai,
14 juil., 1ᵉʳ nov., 25 déc.* 🖼♿

Cet ancien hôpital fondé en
1237, dont les bâtiments datent
pour la plupart des XVᵉ et
XVIIᵉ siècles, abrite aujourd'hui
un musée. La grande salle des
malades (1470) possède une
splendide voûte en berceau.
Ne pas manquer, dans l'aile
droite, la cuisine ornée de
carreaux en faïence de Lille.

🏛 Musée des Beaux-Arts

Pl. de la République. 📞 *03 20 06 78 00.*
◯ *du mer. au dim., lun. a.-m.* 🖼♿
Ce musée, le plus riche de
France après le Louvre, possède
une collection remarquable
d'œuvres flamandes,
notamment de Rubens et Van
Dyck, de peintures françaises
du XIXᵉ siècle (*Médée furieuse*
par Delacroix) et des chefs-
d'œuvre comme *Les Jeunes*
et *Les Vieilles* par Goya.

Aux environs

Villeneuve-d'Ascq, ville créée
en 1966, possède un musée
d'Art moderne aux collections

remarquables (Picasso, Braque, Léger…).

⋔ Musée d'Art moderne

1, allée du Musée. 〖 *03 20 19 68 68.*
○ *du mer. au lun., de 10 h à 18 h.*

Arras ❽

Pas-de-Calais. ⚇ *45 000.* ▤ ▦
🛈 *Hôtel de Ville, place des Héros*
(03 21 51 26 95). ▦ *mer. et sam.*

Au centre de la capitale de l'Artois, un ensemble architectural de 155 maisons de style flamand des XVIIe et XVIIIe siècles s'ordonne autour de deux places : la **Grand'Place** et la **place des Héros**. Restaurées après la guerre, elles diffèrent par certains détails malgré une apparente uniformité.

Sur la place des Héros se dresse l'**hôtel de ville** de style gothique flamboyant, entièrement reconstruit après 1918. Dans l'entrée sont exposés Colas, Dédé et Jacqueline, les géants que l'on promène à travers la ville lors des fêtes. On peut accéder par un ascenseur au sommet du beffroi, d'où la vue est superbe, ou suivre une visite guidée dans les « boves ». Ce labyrinthe de caves et de tunnels percé à partir du Xe siècle servit souvent d'abri ou même, pendant la Première Guerre mondiale, de camp militaire.

L'ancienne abbaye St-Vaast, dont l'église néo-classique est devenue la cathédrale d'Arras, abrite le **musée des Beaux-Arts**. Ses collections comprennent un bel ensemble de sculptures médiévales – notamment deux anges en bois du XIIIe siècle –, des peintures du XVIe au XIXe siècle, des tapisseries et l'imposante salle des Mays consacrée à la peinture religieuse du XVIIe siècle.

♖ Hôtel de Ville

Pl. des Héros. 〖 *03 21 51 26 95.*
○ *t.l.j.* ● *1er janv., 25 déc.* ▨
uniquement sur r.-v. ▨

⋔ Musée des Beaux-Arts

22, rue Paul-Doumer. 〖 *03 21 71 26 43.*
○ *du mer. au lun.* ● *les j. fériés.* ▨

La vallée de la Somme ❾

Somme. ⛰ ▤ ▦ *Amiens.*
🛈 *Péronne (03 22 84 42 38).*

Depuis la ville de Saint-Quentin jusqu'à son embouchure, la Somme fait office de guide naturel à travers le nord de la Picardie, région marquée par les combats *(p. 184-185).*
L'**historial de la Grande Guerre**, à Péronne, en propose une analyse passionnante à partir de films d'archives, d'affiches, d'armes, d'objets et des œuvres implacables d'Otto Dix. De Péronne à Amiens *(p. 196)*, étangs et îles boisées créent un paysage très apprécié des

Autel en bord de route, vallée de la Somme

Canotage sur la Somme

campeurs, des randonneurs et des chasseurs. L'été, un petit train relie Froissy et Dompierre.

À l'ouest d'Amiens, le vaste parc archéologique de **Samara** (Somme en latin) propose des reconstitutions d'habitats préhistoriques, des jardins botaniques et des expositions sur les techniques primitives et la vie quotidienne.

À une quarantaine de kilomètres en aval, l'église **Saint-Vulfran d'Abbeville**, de style gothique flamboyant, possède une façade ornée de sculptures du XVIe siècle. L'**abbaye de Saint-Riquier**, pur chef-d'œuvre gothique flamboyant, justifie que l'on s'écarte du cours de la Somme (environ 10 km d'Abbeville par la D925). La rivière est ensuite canalisée jusqu'à **Saint-Valéry-sur-Somme**, petit port dont la ville haute est fortifiée. De là, un chemin mène au cap Hornu qui domine la baie. Un train reliant Cayeux-sur-Mer au Crotoy permet d'en faire le tour en été.

Les amoureux de la nature visiteront en outre le **parc ornithologique du Marquenterre**, au nord de l'estuaire, et la maison de l'Oiseau située sur la D3 à 7 km de Saint-Valéry-sur-Somme en direction de Cayeux-sur-Mer.

⋔ Historial de la Grande Guerre

Château de Péronne. 〖 *03 22 83 14 18.* ○ *de nov. à mars : du mar. au dim. ; d'avr. à sept. : t.l.j.* ● *de sept. à mi-janv.* ▨ ⛿

⋔ Samara

La Chaussée-Tirancourt. 〖 *03 22 51 82 83.* ○ *de mars à mi-nov. : t.l.j.* ▨ ⛿

Détail d'un relief (XVIe siècle) de l'église Saint-Vulfran d'Abbeville

Amiens ❿

Somme. 🏛 130 000. 🚇 🚉
ℹ️ 6 bis, rue Dusevel (03 22 71 60 50).
🚌 mer. et sam.

L a visite d'Amiens ne saurait se limiter à celle de sa **cathédrale Notre-Dame** *(p. 198-199)*. Les promeneurs découvriront en effet dans le quartier St-Leu, piétonnier, bistrots, boutiques et restaurants au bord de canaux fleuris. En remontant le cours de la Somme, un patchwork coloré de jardins maraîchers, **les hortillonnages**, couvre les îlots au milieu du fleuve et se visite en barque.

Au sud de la ville se trouve le cirque créé par Jules Verne (1828-1905). Son ancienne demeure, la **maison à la Tour**, est ouverte aux visiteurs.

Réputé pour sa collection des Puy d'Amiens, peintures sur bois des XVIᵉ et XVIIᵉ siècles, le musée de Picardie présente aussi un riche ensemble de sculptures, tandis qu'à l'hôtel de Berny (1634), le **musée d'Art local et d'Histoire régionale** expose meubles et objets d'art picards.

🏛 **Musée de Picardie**
48, rue de la République. 📞 03 22 97 14 00. 🕐 du mar. au dim. 🔴 1ᵉʳ janv., 1ᵉʳ mai, 1ᵉʳ nov., 25 déc. 📷 ♿

🏛 **Musée d'Art local et d'Histoire régionale**
36, rue V.-Hugo. 📞 03 22 97 14 00. 🕐 de Pâques à sept. : du jeu. au dim. ; d'oct. à Pâques : le dim. après-midi.
📷 ♿

Le cadran, orné du Christ, est entouré des 12 apôtres.

Cadran des solstices

Des automates illustrent des scènes du Jugement dernier.

Cadran donnant l'âge du monde

L'horloge astronomique de la cathédrale de Beauvais

Beauvais ⓫

Oise. 🏛 58 000. 🛬 🚇 🚉
ℹ️ 1, rue Beauregard (03 44 15 30 30).
🚌 mer. et sam.

P resque entièrement reconstruit après les bombardements de la Seconde Guerre mondiale, Beauvais étend des quartiers modernes autour d'un joyau miraculeusement préservé, la **cathédrale Saint-Pierre**.

Entrepris en 1225 et jamais terminé, ce sanctuaire témoigne de l'ambition qui animait les architectes gothiques : l'édifice devait dépasser tous ses prédécesseurs. Mais les voûtes du chœur, qui atteignent 48 m de hauteur, s'affaissèrent deux fois. La croisée du transept céda elle aussi, en 1573, lorsqu'on voulut la surmonter d'une flèche. Notre-Dame-de-la-Basse-Œuvre, l'ancienne cathédrale carolingienne, a pu subsister en raison de cet inachèvement. Le résultat n'en demeure pas moins un chef-d'œuvre aux superbes façades flamboyantes du transept et aux vitraux lumineux. Son horloge astronomique (1868) inspirée de celle de Strasbourg se compose de 90 000 pièces.

Derrière le chevet, la **galerie nationale de la Tapisserie** entretient le souvenir de la manufacture de Beauvais fondée par Colbert au XVIIᵉ siècle. Plus variée, l'étonnante collection du **musée départemental de l'Oise**, dans l'ancien palais épiscopal, comprend aussi

VIOLLET-LE-DUC

Viollet-le-Duc (1814-1879) fut le premier à défendre en 1854 dans son dictionnaire d'architecture le principe d'une fonction technique jouée dans l'équilibre des poussées au sein des édifices gothiques par des éléments considérés comme purement décoratifs. Il mena notamment les reconstructions du château de Pierrefonds, de Notre-Dame de Paris *(p. 82-83)* et de Carcassonne *(p. 516-517)*.

Architectes médiévaux vus par Viollet-le-Duc

bien des créations médiévales qu'Art nouveau ou contemporaines.

🏛 **Musée départemental de l'Oise**
Ancien palais épiscopal, 1, rue du Musée. 📞 *03 44 11 43 83.* ⭘ *du mer. au lun.* ⬤ *1er janv., Pâques, 1er mai, 9 juin, 25 déc.* 📷 ♿

🏛 **Galerie nationale de la Tapisserie**
Rue Saint-Pierre. 📞 *03 44 15 39 10.* ⭘ *horaires variables, téléphoner.* 📷

Noyon ⑫

Oise. 🚉 *15 000.* 🚆 🚌 ℹ️ *place de l'Hôtel-de-Ville (03 44 44 21 88).* 🛒 *mer. et sam.*

C ette petite ville industrielle est un très ancien centre religieux. La **cathédrale Notre-Dame**, un des premiers chefs-d'œuvre de l'art gothique, domine la ville ancienne, au centre du quartier canonial et épiscopal. À proximité s'élèvent la bibliothèque du chapitre, bâtie en 1506, et l'ancien palais épiscopal qui abrite le **musée du Noyonnais**, consacré à l'histoire locale.

Le **musée Jean-Calvin** occupe la maison où naquit le célèbre théologien protestant en 1509.

🏛 **Musée du Noyonnais**
7, rue de l'Évêché. 📞 *03 44 09 43 41.* ⭘ *du mer. au lun.* ⬤ *1er janv., 11 nov., 25 déc.* 📷

🏛 **Musée Calvin**
6, place Aristide-Briand. 📞 *03 44 44 03 59.* ⭘ *du mer. au lun.* ⬤ *1er janv., 11 nov., 25 déc.* 📷

Nef de la cathédrale Notre-Dame, Noyon

Sentier en forêt de Compiègne

Compiègne ⑬

Oise. 🚉 *45 000.* 🚆 🚌 ℹ️ *Place de l'Hôtel-de-Ville (03 44 40 01 00).* 🛒 *mer. et sam.*

L e beffroi du bel hôtel de ville gothique (XVIe s.) domine la cité où les Bourguignons capturèrent Jeanne d'Arc en 1430. Mais c'est à son **château** que Compiègne doit sa célébrité.

Dessiné pour Louis XV par Jacques Ange Gabriel, l'architecte de la place de la Concorde à Paris, achevé sous Louis XVI, restauré pendant le Premier Empire, puis résidence appréciée de Napoléon III et de l'impératrice Eugénie, l'édifice a conservé des appartements historiques. La visite permet de découvrir, notamment, les somptueuses chambres à coucher de Napoléon et de Marie-Louise.

Il abrite en outre le **musée du Second Empire**, riche en mobilier et souvenirs restés au château après 1870, et la superbe collection de véhicules anciens du **musée national de la Voiture**.

Au sud et à l'est de la ville, la **forêt de Compiègne**, ancienne réserve de chasse royale, étend jusqu'à Pierrefonds plus de 15 000 hectares de futaie percée d'allées. L'allée des Beaux-Monts, ouverte par Napoléon pour Marie-Louise, offre une belle perspective du château. De l'autre côté de la N31 se trouve la clairière où le maréchal Foch signa, dans un wagon, l'armistice de 1918.

Hitler exigea que la signature de la reddition du 22 juin 1940 ait lieu dans le même wagon, au même endroit. Dans la clairière restaurée, une copie le remplace aujourd'hui et fait office de musée.

♠ **Château de Compiègne**
Place du Général-de-Gaulle.
📞 *03 44 38 47 00.* ⭘ *du mer. au lun.* ⬤ *1er janv., 1er mai, 1er et 11 nov., 25 déc.* 📷 ♿

🏛 **Wagon de l'Armistice**
Clairière de l'Armistice.
📞 *03 44 85 14 18.* ⭘ *du mer. au lun.* ⬤ *1er janv.* 📷 ♿

Château de Pierrefonds

Le château de Pierrefonds ⑭

Oise. 📞 *03 44 42 72 72.* ⭘ *t.l.j.* ⬤ *1er janv., 1er mai, 1er et 11 nov., 25 déc.* 📷 🎫 ♿ **Concerts.**

L 'imposante forteresse qu'édifia Louis d'Orléans au XIVe siècle au-dessus du village de Pierrefonds n'était plus que ruines quand Napoléon Ier l'acquit en 1813 pour moins de 3 000 francs.

Napoléon III en commanda la restauration à Viollet-le-Duc en 1857, et en 1884 l'édifice avait retrouvé son enceinte pentagonale ponctuée de huit tours et dominée par un donjon. Si cet extérieur offre une bonne image de l'architecture défensive médiévale, l'intérieur témoigne plutôt du romantisme de son architecte.

À une vingtaine de kilomètres au sud, l'**église de Morienval**, fondée selon la tradition par Dagobert, possède un remarquable chevet roman et de superbes chapiteaux.

La cathédrale d'Amiens

C'est la plus grande de France. Sa construction commence en 1220, grâce aux dons de la population enrichie par le négoce de la guède, plante utilisée en teinturerie. Édifiée pour abriter le chef supposé de saint Jean-Baptiste, rapporté par les croisés en 1206, elle est presque achevée en 50 ans, ce qui lui confère une unité de style tout à fait unique : superficie, volume, dimensions se conjuguent en une indéniable perfection. Riche, en outre, d'une exceptionnelle décoration intérieure et extérieure, c'est une cathédrale modèle. Restaurée vers 1850 par Viollet-le-Duc, elle a été miraculeusement épargnée par les deux guerres mondiales.

★ La façade occidentale
La galerie des Rois aligne 22 statues colossales sur toute la largeur de la façade. Rois de Juda ou simples symboles du pouvoir divin, l'interprétation reste incertaine.

Le portail de Saint-Firmin est orné de scènes relatant la vie et le martyre de saint Firmin, premier évêque d'Amiens.

Au soubassement, un zodiaque illustré de scènes de travaux des champs témoigne de la vie quotidienne au XIIIe s.

L'Ange pleureur
Sculptée par Nicolas Blasset en 1628, cette statue du déambulatoire devint une image très répandue pendant la Grande Guerre.

À NE PAS MANQUER

★ **La façade occidentale**

★ **La nef**

★ **Les stalles**

★ **Les clôtures du chœur**

Le portail du Sauveur
Un Jugement dernier orne le tympan, au-dessus du trumeau où s'adosse le Beau Dieu.

Les tours
Deux tours d'inégale hauteur encadrent la façade occidentale. Le couronnement de la tour sud fut achevé en 1366, celui de la tour nord en 1402. La flèche est entièrement en bois recouvert de plomb.

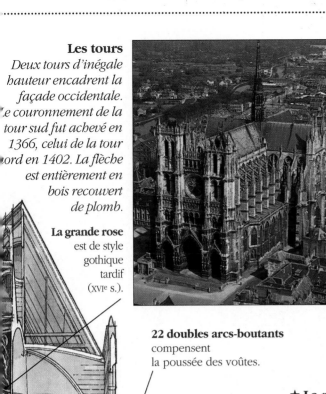

La grande rose
est de style gothique tardif (XVIe s.).

MODE D'EMPLOI

Cathédrale Notre-Dame, pl. Notre-Dame. ☎ 03 22 80 03 41. ○ de 8 h 30 à 18 h 45 (ferme à 17 h et entre 12 h et 14 h en hiver). ● der. dim. sept., 1er jan. ✝ 9 h t.l.j. ; 9 h, 10 h 15, 11 h 30 et 18 h le dim. ▣ ◪

22 doubles arcs-boutants
compensent la poussée des voûtes.

★ La nef
Avec ses voûtes de 42,5 m, soutenues par 126 piliers, et ses hautes verrières, elle séduit par sa hardiesse, son élégance, sa luminosité.

★ Les 110 stalles
En chêne, sculptées de 1508 à 1522, elles comptent plus de 4 000 personnages illustrant des scènes bibliques ou de la vie quotidienne.

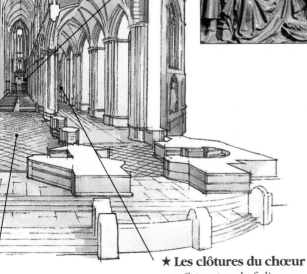

Le labyrinthe d'origine (fin XIIIe s.) dessiné sur le dallage constituait un pèlerinage symbolique que les fidèles parcouraient à genoux.

★ Les clôtures du chœur
Cet autre chef-d'œuvre (1488-1531) de la sculpture flamboyante illustre les vies de saint Firmin et de saint Jean-Baptiste.

Senlis ❶

Oise. 👥 17 000. 🚉 ℹ️ *place du Parvis-Notre-Dame (03 44 53 06 40).* 🛒 *mar. et ven.*

À l'intérieur de sa double enceinte, Senlis a conservé une vieille ville aux ruelles pleines de caractère. La flèche délicatement ajourée (XIIIᵉ siècle) de la **cathédrale Notre-Dame** la domine. La construction du sanctuaire débuta dans la deuxième moitié du XIIᵉ siècle. Son portail ouest, de la même époque, comporte la plus ancienne représentation sculptée du Couronnement de la Vierge ; celle-ci a inspiré un certain nombre d'autres portails. La sobriété de ces parties contraste avec les façades flamboyantes du transept qui datent du XVIᵉ siècle.

Dans le parc du château royal, en ruine, le **musée de la Vénerie**, avec ses collections de peintures, de trophées et d'armes de chasse, occupe un ancien prieuré.

Situé dans l'ancien palais épiscopal, le **musée d'Art** est vouée à l'archéologie gallo-romaine, à la sculpture médiévale et à la peinture.

🏛 **Musée de la Vénerie**
Château royal, place du Parvis-Notre-Dame. 📞 *03 44 32 00 83.* ⏰ *du mer. après-midi au lun. de 10 h à 12 h et de 14 h à 18h.* ⬤ *1ᵉʳ jan., 1ᵉʳ mai, 25 déc.* 🚫
🏛 **Musée d'Art et d'Archéologie**
Palais épiscopal, 2, place Notre-Dame. 📞 *03 44 32 00 81.* ⏰ *du mer. après-midi au lun.* ⬤ *1ᵉʳ jan., 1ᵉʳ mai, 25 déc.* 🚫

Les Très Riches Heures du duc de Berry, **à Chantilly**

Chantilly ❶

Oise. 👥 12 000. 🚉 🚌 ℹ️ *60, avenue du Maréchal-Joffre (03 44 67 37 37).* 🛒 *mer. et sam.*

À 40 km au nord de Paris, Chantilly se distingue avant tout par sa vocation équestre, sa forêt et son château. Celui-ci, dont les origines remontent à l'époque gallo-romaine, commença à prendre sa forme actuelle en 1528 quand Anne de Montmorency, connétable de France, fit reconstruire l'ancienne forteresse et la compléta du petit château, seul bâtiment de cette époque subsistant aujourd'hui. Le Nôtre dessina le parc pour le prince de Condé (1621-1686). Ses jeux d'eau suscitèrent même l'envie de Louis XIV qui n'eut de cesse d'en avoir de plus beaux à Versailles *(p. 168-171)*.

LES COURSES DE CHANTILLY

Le prince Louis Henri de Bourbon ne chercha pas à lésiner quand il commanda les grandes écuries de Chantilly : il était persuadé qu'il se réincarnerait en cheval. Bien que la haute société française n'ait jamais perdu cette passion des pur-sang, ce sont des lords anglais qui fondèrent l'hippodrome au début du siècle dernier et organisèrent la première rencontre en 1834. Aujourd'hui, près de 3 000 chevaux s'entraînent dans les bois et les prés de Chantilly, devenue la capitale du hippisme hexagonal, et, à chaque printemps, deux trophées prestigieux, le prix du Jockey-Club et celui de Diane-Hermès, mettent en compétition sur le champ de courses les chevaux les plus rapides du monde et les élégantes les plus chic du gotha parisien.

Prix Équipage de Hermès, l'une des courses prestigieuses de Chantilly

Le grand château ne survécut pas à la Révolution. Le duc d'Aumale le fit reconstruire au XIXᵉ siècle dans le style Renaissance pour y abriter ses collections d'art. Le **musée Condé** les expose aujourd'hui, dans l'ordre très subjectif qui plaisait à leur propriétaire. Outre le célèbre manuscrit des *Très Riches Heures du duc de Berry* (une copie pour les visiteurs), elles comprennent de superbes enluminures, des tableaux de grands maîtres italiens (Raphaël, Botticelli, F. Lippi) et français (cabinet des Clouet).

Demeures princières, le petit et le grand châteaux n'égalent pourtant pas en splendeur les **écuries** édifiées par Jean Aubert à partir de 1721. Elles pouvaient accueillir 240 chevaux et 500 chiens. Elles abritent le **musée vivant du Cheval** qui retrace l'histoire de la plus noble conquête de l'homme et propose des représentations équestres. Dans le parc, un ballon captif s'élevant à 150 mètres d'altitude permet d'embrasser du regard tout le domaine de Chantilly, sans bruit ni secousse.

Astérix et des amis, parc Astérix

🏛 Musée Condé
Château de Chantilly. ☎ 03 44 62 62 62. ⬭ du mer. au lun. 📷

🐴 Musée vivant du Cheval
Grandes écuries du prince de Condé, Chantilly. ☎ 03 44 57 40 40. ⬭ de mai à août : t.l.j. ; de sept. à avril : du mer. au lun. 📷 ♿

🎈 L'aérophile
Parc du château. ☎ 03 44 57 35 35. ⬭ de mars à nov. : t.l.j. de 10 h à 19 h (selon la météo). 📷

Le parc Astérix ⓱

Plailly. ☎ 08 92 68 30 10. ⬭ d'avril à août : t.l.j. ; en sept.-oct. : mer. et week-end. ⬤ certains lun. et ven. en mai et juin. 📷 ♿

À quelques kilomètres au nord de l'aéroport Charles-de-Gaulle par l'autoroute A1 s'étend le parc Astérix. Attractions gigantesques, décors superbes, il est conçu pour que les visiteurs retrouvent l'ambiance, l'esprit, l'humour et les héros de la bande dessinée de Goscinny et Uderzo et découvrent ludiquement l'histoire de France.

Ils peuvent déjouer les complots de la Rome antique, descendre les rapides de « Menhir Express » ou remonter les siècles en flânant dans la « rue de Paris ».

Les plus téméraires défieront la vitesse et le vertige dans une descente vertigineuse et tourbillonnante au fil de l'eau. De nouvelles attractions sont mises en place chaque année.

Laon ⓲

Aisne. 🏘 36 000. 🚉 🚌 ℹ pl. du Parvis-de-la-Cathédrale (03 23 20 28 62). ⬭ mer.-jeu, sam.

Campée sur une longue et étroite colline dominant la plaine champenoise, la vieille ville du chef-lieu de l'Aisne offre un spectacle magnifique au visiteur qui l'approche. Le Poma 2000, un mini-métro entièrement automatisé (1989), permet d'y accéder depuis la gare située dans la ville basse.

La rue Châtelaine, artère piétonne et commerçante de Laon

Rosace du XIIIᵉ siècle, cathédrale Notre-Dame, Laon

Piétonne, la rue Châtelaine mène jusqu'à la **cathédrale Notre-Dame**, bâtie au XIIᵉ siècle et modifiée au XIIIᵉ, chef-d'œuvre du premier gothique. Deux tours encadrent la façade occidentale. Elles sont ornées de grands bœufs de pierre rendant hommage aux animaux qui hissèrent jusqu'au chantier les matériaux nécessaires à la construction du sanctuaire. Les porches profonds ouvrent sur une nef à onze travées. Le chevet est orné de superbes vitraux du XIIIᵉ siècle (école de Laon-Soissons), dont une grande rosace consacrée à la glorification de l'Église.

Dans les ruelles alentour, les maisons ont gardé clochetons, échauguettes et fenêtres à meneaux. Au bord du plateau, la **citadelle** du XVIᵉ siècle surveille toujours l'est, mais les remparts conduisent également, après la porte d'Ardon, la porte des Chenizelles et la porte de Soissons, jusqu'à l'**église Saint-Martin**. Contemporaine de la cathédrale, cette ancienne abbatiale à l'architecture très dépouillée fut plusieurs fois remaniée.

Au sud de Laon, cimetières et mémoriaux jalonnent le Chemin des Dames. Cette ligne de crête, qui doit son nom aux filles de Louis XV qui l'empruntaient souvent, fut en 1917 le théâtre d'affrontements qui se soldèrent par des pertes humaines terribles.

CHAMPAGNE ET ARDENNES

MARNE · ARDENNES · AUBE · HAUTE-MARNE

Champagne ! Le mot évoque le vin, bien sûr, et des vignobles en coteaux. Mais de la région des lacs, à l'est, aux forêts des monts d'Ardennes, au nord, en passant par les tableaux abstraits que dessinent les champs des plaines crayeuses, c'est dans une grande variété de paysages que viennent s'insérer des chefs-d'œuvre d'architecture tels que la cathédrale de Reims.

Intégrée de bonne heure (1284) dans le royaume de France, la Champagne est restée une terre de rencontres et de passages. Ainsi, au XIIIᵉ siècle, ses foires rythmaient la vie économique de l'Europe et assuraient une prospérité dont témoignent les cathédrales de Reims ou de Troyes. La beauté de celles-ci ne doit pourtant pas conduire à négliger le charme des églises rurales à pans de bois, souvent ornées elles aussi de superbes vitraux.

Les vignobles ne couvrent pas toute la région, loin de là ; ils n'occupent même pour l'essentiel que le « triangle sacré » formé par Reims, Épernay et Châlons-en-Champagne, si bien que la Route du champagne débouche rapidement sur la Champagne pouilleuse, aujourd'hui plus fertile, où les parcelles plantées de céréales, de pavot, de chou ou de colza composent des mosaïques polychromes sous des ciels sans limites. Cette plaine crayeuse fait elle-même place, à l'est, à la région des lacs et de la forêt d'Orient.

Au nord, près de la frontière belge, s'élèvent les Ardennes aux pentes boisées, massif ancien de grès et de schistes ; ses jambons, réputés, viennent rejoindre sur les tables champenoises les truites farcies et les andouillettes grillées. La vallée de la Meuse y creuse un profond sillon. Les blindés de la Wehrmacht l'empruntèrent lors de l'invasion de 1940, puis de nouveau en 1944.

Église champenoise à pans de bois, lac du Der-Chantecoq

◁ Cathédrale Saint-Étienne, Châlons-en-Champagne

À la découverte de la Champagne et des Ardennes

Le « triangle sacré » et sa production pétillante attirent au premier chef la plupart des visiteurs, mais ceux-ci auraient tort de passer à côté des merveilles architecturales de la région – notamment l'extraordinaire cathédrale de Reims –, ou de la beauté sauvage du massif des Ardennes et de la vallée qu'y a creusée la Meuse. Accessible aux plaisanciers, le canal des Ardennes relie son cours à celui de l'Aisne près de Rethel. Pleine de charme, Troyes constituera une excellente base d'où partir explorer en particulier le parc de l'Orient et sa réserve ornithologique.

Pêche à Montier-en-Der près du lac du Der-Chantecoq

CIRCULER

Le trajet en train depuis la capitale prend environ 90 min. En voiture, l'autoroute A 4 dessert Reims et Châlons-en-Champagne, avant de poursuivre vers l'Alsace, tandis que l'A 26 relie Troyes à Dijon, puis à la vallée du Rhône. Depuis Reims, la « Route du champagne », balisée, invite à la flânerie à travers les vignobles.

Le moulin à vent de Verzenay a vue sur le vignoble champenois

Vers B

Vers Saint-
Quentin
Amiens

RET

Aisne

D946

N31

AD26

N44

❶

REIMS

A4

PARC NATUREL
RÉGIONAL DE LA
MONTAGNE DE REIMS

❷

ÉPERNAY

CHÂL
EN-CHAMPA

RD33

RD373

N4

N4

RD51

Vers
Provins

Aube

D441

N77

D951

Seine

❿

TROYES

N77

D444

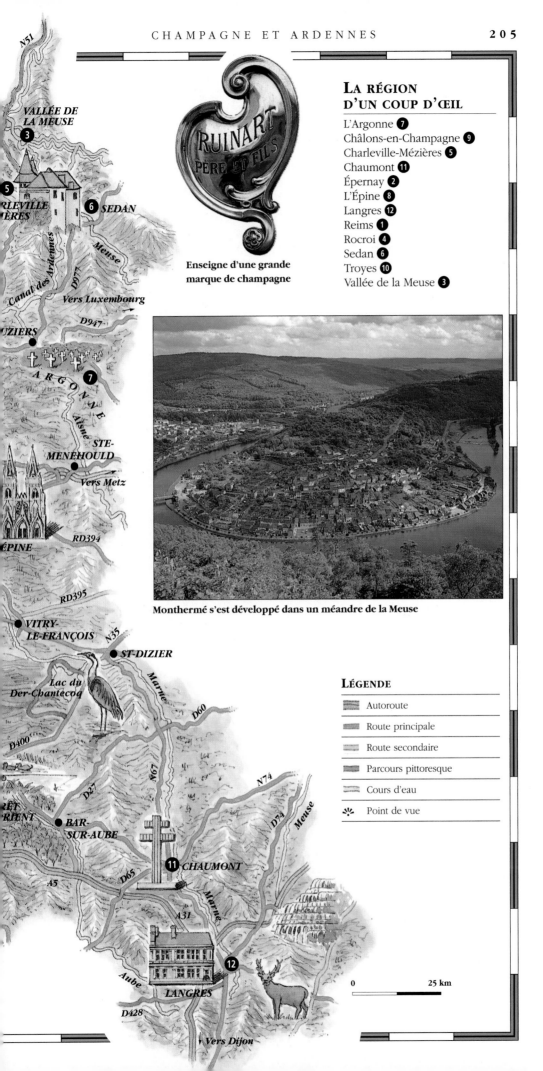

**Enseigne d'une grande
marque de champagne**

LA RÉGION D'UN COUP D'ŒIL

L'Argonne ❼
Châlons-en-Champagne ❾
Charleville-Mézières ❺
Chaumont ⓫
Épernay ❷
L'Épine ❽
Langres ⓬
Reims ❶
Rocroi ❹
Sedan ❻
Troyes ❿
Vallée de la Meuse ❸

Monthermé s'est développé dans un méandre de la Meuse

LÉGENDE

▰▰	Autoroute
▰▰	Route principale
▰▰	Route secondaire
▰▰	Parcours pittoresque
▰▰	Cours d'eau
⚜	Point de vue

0   25 km

Reliquaire doré (1896) du corps de saint Remi, basilique Saint-Remi, Reims

Reims ❶

Marne. 🏘 *185 000.* 🚇 🚉 🚌
ℹ️ *2, rue Guillaume-de-Machault*
(03 26 77 45 25). 🚢 *t.l.j.*

Deux fois, pourrait-on dire, la France est née à Reims. En 498, tout d'abord, quand Clovis y fut baptisé, événement dont la ville a fêté le 1 500ᵉ anniversaire en 1996 ; puis le 17 juillet 1429, lorsque Jeanne d'Arc fit sacrer Charles VII dans la **cathédrale Notre-Dame** *(p. 208-209),* imposant ainsi un Français à la tête d'un royaume alors livré à l'Angleterre. Car depuis le xiᵉ siècle, les rois de France étaient sacrés à Reims.

Les bombardements de la Première Guerre mondiale ont largement endommagé la cité. De la période gallo-romaine subsistent aujourd'hui le **cryptoportique**, partie de l'ancien forum, et la porte de Mars, majestueux arc de triomphe. Non loin, au **musée de la Reddition**, fut signée la capitulation allemande en 1945.

Dans le centre-ville, le musée des Beaux-Arts présente une magnifique collection de peintures du xvᵉ au xxᵉ siècle, dont treize portraits uniques au monde par Cranach l'Ancien et Cranach le Jeune, et vingt-six paysages de Corot. Le **musée-hôtel Le Vergeur** abrite les suites intégrales de la *Grande Passion* et de *L'Apocalypse* d'Albrecht Dürer.

🏛 Ancien collège des Jésuites – Planétarium

1, pl. Museux. 📞 *03 26 85 51 50.*
🕐 *tél. pour horaires.* 🔴 *les jours fériés.* ♿ **Planétarium** *Séances sam.-dim. à 14 h 45, 15 h 30 et 16 h 45.* ♿
Cet établissement, dont la fondation fut autorisée en 1606, a par la suite abrité un hospice jusqu'en 1976. La visite permet de découvrir les magnifiques boiseries (xviiᵉ s.) du réfectoire ainsi que la cuisine. Un escalier à double volée d'inspiration Renaissance mène à la bibliothèque, remarquable par sa voûte en carène renversée.

Installé dans l'ancien collège depuis 1979, le planétarium peut présenter le ciel de n'importe quel point de la terre à n'importe quelle date.

🛈 Basilique Saint-Rémi

Pl. de Lenoncourt. 🕐 *t.l.j.* ♿
Classée au patrimoine mondial par l'Unesco, cette abbatiale bénédictine d'origine carolingienne est dédiée à saint Rémi mort en 533. La pénombre rend l'intérieur mystérieux, mais il s'éclaire au niveau du chœur

La porte de Mars rappelle le passé gallo-romain de Reims

LA MÉTHODE CHAMPENOISE

Pour acquérir son effervescence caractéristique, le champagne a besoin de deux fermentations.
• **La première fermentation**, après un pressurage soigné de raisins égrappés, se déroule à une température de 20-22° dans des cuves en inox ou, pour respecter la tradition, dans des fûts en chêne. Le jus est ensuite entreposé à plus basse température jusqu'à complet éclaircissement, avant assemblage avec des cuvées de plusieurs années (sauf crus millésimés). Avant la mise en bouteille, on ajoute une goutte de liqueur de tirage, sucre et levures dilués dans un peu de vin.
• **La seconde fermentation** a lieu en cave dans les bouteilles conservées tête en bas au moins un an. Les levures transforment le sucre en alcool et en dioxyde de carbone (les bulles), mais forment un dépôt que le remuage, quart de tour donné tous les jours à la bouteille, fait glisser jusqu'au goulot d'où l'extraira le dégorgement. Avant le dernier bouchonnage, l'apport d'une pointe de sucre, la liqueur d'expédition, décidera de la douceur du cru.

Champagne Mumm de Reims

(XIᵉ s.), le premier exemple de style ogival champenois. Le transept présente des chapiteaux romans sculptés.

🏛 **Musée-abbaye Saint-Rémi**
53, rue Simon. 📞 *03 26 85 23 36.* ⭕ *t.l.j.* **Fermé** *certains jours fériés.* 🎫
Également inscrit au Patrimoine mondial de l'Unesco, le musée attenant à la basilique permet d'en découvrir le cloître remanié au XVIIIᵉ siècle et la salle capitulaire gothique. Il abrite des sections d'archéologie gallo-romaine et médiévale, les tapisseries de saint Rémi (XVIᵉ s.) et une riche collection d'armes.

Épernay ❷

Marne. 👥 *28 000.* 🚉 ℹ️ *7, av. de Champagne (03 26 55 33 00).* 🍷 *mar., jeu. et sam.*

A u cœur des vignobles, cette agglomération sans prétention ne possède pas de monument historique majeur hormis les splendides vitraux Renaissance illuminant l'église Notre-Dame néo-gothique. Du moins au-dessus du sol. Parce qu'Épernay, la ville de France qui vit sur une mine d'or liquide, est la capitale du champagne et que sous ses rues s'étendent 100 km de

Statue de dom Pérignon chez Moët

caves creusées dans la craie. Là, le champagne acquiert patiemment l'effervescence qui l'a rendu célèbre. Les caves les plus vastes, celles de **Moët et Chandon**, maison fondée en 1743, comptent 28 km de galeries, dont seule une partie se visite.
Située elle aussi sur la prestigieuse avenue de Champagne, la marque **Mercier** ouvre également les siennes. Elle a même installé

un train guidé au laser pour en faciliter la découverte. Le hall d'accueil expose le foudre géant d'une contenance de 200 000 bouteilles fabriqué pour l'Exposition universelle de 1889.
Moins connu, **De Castellane** offre une visite et une dégustation plus personnalisées, ainsi qu'un **musée de la Tradition champenoise et de l'Imprimerie**.

🍾 **Moët et Chandon**
18, av. de Champagne. 📞 *03 26 51 20 20.* ⭕ *d'avr. à mi-nov. : t.l.j. ; de mi-nov. à mars : du lun. au ven.* ⚫ *les jours fériés.* 🎫 🅿️ *uniquement.*

🍾 **Mercier**
70, av. de Champagne. 📞 *03 26 51 22 22.* ⭕ *de mars à nov. : t.l.j. ; de déc. à fév. : du jeu. au lun.* ⚫ *de mi-déc. à mi-jan.* 🎫 🅿️ *uniquement.* ♿

🍾 **De Castellane**
37, rue de Verdun. 📞 *03 26 51 19 11.* ⭕ *de Pâques à oct. : t.l.j ; de nov. à déc. : sur r.-v.* 🎫

La publicité pour le champagne a de tout temps joué sur la séduction.

Le dégorgement se fait en plongeant le goulot de la bouteille dans une saumure si froide qu'elle glace le dépôt de levures.

Une fois le dépôt enlevé les bouteilles, entreposées couchées, vieillissent pendant plusieurs années.

La cathédrale de Reims

Chef-d'œuvre d'équilibre, de lumière et de légèreté, la cathédrale gothique Notre-Dame de Reims, élevée en un siècle à partir de 1211, se dresse sur un site où les sanctuaires chrétiens se sont succédé depuis 401. Tous les héritiers du trône, jusqu'à Charles X en 1825, sont venus s'y agenouiller pour leur sacre, le plus célèbre étant celui de Charles VII, en 1429, du fait de la personnalité de Jeanne d'Arc.

     Si la cathédrale n'a guère souffert de la Révolution, elle a en revanche été gravement endommagée par les obus de la guerre de 1914-1918. Après plusieurs campagnes de restauration, la cathédrale de Reims a été classée au Patrimoine mondial par l'UNESCO en 1991.

★ La grande rose
Inscrit dans une fenêtre plus grande, comme souvent au XIIIe siècle, ce vitrail, figurant la Vierge entourée des apôtres et d'anges musiciens, s'embrase au couchant.

La nef
Plus haute que celle de Chartres (p. 326-329), la voûte repose sur des chapiteaux sculptés d'élégants motifs végétaux.

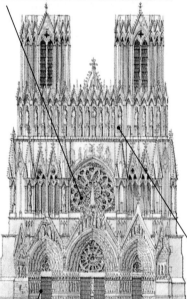

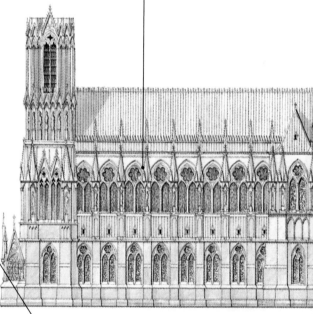

FAÇADE

CÔTÉ SUD

★ L'Ange au sourire
La richesse de sa statuaire vaut à Notre-Dame de Reims le surnom de « cathédrale des anges ». Le plus célèbre, serein et énigmatique, orne le portail gauche.

★ La galerie des Rois
Comme à Amiens (p. 198-199), les effigies de rois de France surmontent les portails. Elles sont 56 à Reims, où 2 300 statues ornent la façade.

LE PALAIS DU TAU

Situé à proximité immédiate de la cathédrale, l'ancien palais de l'archevêque doit son nom à son plan en forme de T (*tau* en grec) inspiré de la crosse épiscopale. Les rois de France y séjournaient à l'occasion de la cérémonie du sacre. Malgré un important remaniement en 1690 par Mansart et Robert de Cotte, il a conservé une chapelle gothique et la grande salle du Tau (xvᵉ s.) où avait lieu le banquet après le sacre. Ornée de tapisseries d'Arras, elle présente un superbe plafond à voûte en berceau. Le palais du Tau abrite aujourd'hui un musée constitué à partir du trésor et de statues provenant de la cathédrale, notamment

un Goliath, un Couronnement de la Vierge et une Synagogue aux yeux bandés. Ne pas manquer la tapisserie du xvᵉ siècle représentant le baptême de Clovis.

La salle du Tau où se tenaient les banquets royaux

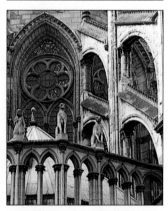

Au chevet, *les galeries sont ornées de statues d'animaux mythologiques.*

Transept

Les arcs-boutants qui soutiennent la nef surmontent les chapelles rayonnantes.

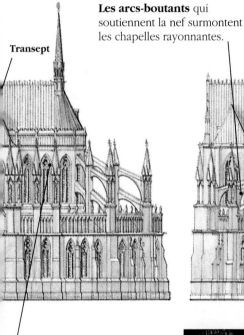

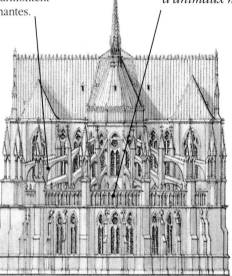

CHEVET

COUPE

Les fenêtres hautes sont découpées en plusieurs panneaux par des membrures.

Les pinacles sont ornés d'anges, gardiens symboliques de la cathédrale.

À NE PAS MANQUER

★ **La galerie des Rois**

★ **L'Ange au sourire**

★ **La grande rose**

Vitraux par Chagall
Marc Chagall (1887-1985) dessina les vitraux de la chapelle absidiale que réalisèrent des maîtres verriers locaux. Ils représentent la crucifixion et le sacrifice d'Isaac.

Sentier touristique des remparts de Rocroi

La vallée de la Meuse ❸

Ardennes. 🚉 *Revin.*
ℹ️ *Revin (03 24 40 19 59).*

La Meuse, en creusant son cours dans les grès et les schistes des Ardennes, y a sculpté des sites spectaculaires, comme à Revin, petite ville industrielle au creux de deux méandres de la rivière. Le **mont Malgré-Tout** la domine. Des sentiers pédestres grimpent jusqu'au vaste panorama qu'il commande.

À quelques kilomètres en amont, les **Dames de Meuse** bordent le fleuve de falaises déchiquetées. Leur sommet, accessible à pied, offre lui aussi une vue impressionnante. Sur l'autre rive, une cascade tombe des roches de Laifour.

À **Monthermé**, dont la vieille ville se niche dans un méandre au pied d'une pente boisée *(p. 205)*, la Semoy vient se jeter dans la Meuse. Sa vallée encaissée se prête à de belles promenades dans une nature préservée.

À une dizaine de kilomètres de Charleville, les **rochers des Quatre-Fils-Aymon** évoquent par leur forme la silhouette de ces héros de chanson de geste fuyant Charlemagne sur leur légendaire coursier Bayard.

Rocroi ❹

Ardennes. 🚶 *2 600.* 🚉 🚉 *Revin.* ℹ️
14, pl. d'Armes (03 24 54 20 06). 🚩 *mar.*

Construites sous Henri II (1555), les fortifications de Rocroi encerclent un urbanisme étoilé unique en France. Un siècle plus tard, Vauban *(p. 224)* intégra la place forte dans son célèbre Pré-Carré. Un sentier touristique permet de faire le tour des remparts. La réserve naturelle des Rièzes de la Croix-Sainte-Anne recèle orchidées et plantes carnivores.

Charleville-Mézières ❺

Ardennes. 🚶 *57 000.* 🚉 🚉
ℹ️ *16-18, rue du Moulin (03 24 55 69 90).* 🚩 *mar., jeu. et sam.*

Ancienne citadelle médiévale (un parcours fléché signale les vestiges des remparts) aux maisons couvertes d'ardoises irrégulières et dont la basilique **Notre-Dame-de-l'Espérance** est de style gothique flamboyant, Mézières a une histoire bien plus ancienne que la cité à laquelle elle est officiellement rattachée depuis 1966.

Charles de Gonzague créa en effet Charleville de toutes pièces en 1606, la dotant, avec la place Ducale, d'un bel ensemble architectural de style Louis XIII qui évoque la place des Vosges de Paris *(p. 89)*. Arthur Rimbaud naquit tout près, au 12, rue Bérégovoy, et grandit au bord de la Meuse, au 7, quai Rimbaud. Le Vieux Moulin, près duquel il composa son célèbre poème, *Le Bateau ivre*, abrite désormais le petit **musée Rimbaud**.

Sur la place Ducale, le **musée de l'Ardenne** ouvert en 1994 évoque l'histoire de la région de l'âge du fer à l'ère industrielle.

Aux beaux jours, des bateaux de promenade offrent la possibilité de remonter la vallée de la Meuse.

🏛 **Musée Rimbaud**
Quai Arthur-Rimbaud. 📞 *03 24 32 44 65.* ⭕ *du mar. au dim.* ⬤ *1ᵉʳ janv., 1ᵉʳ mai, 25 déc.* 📷

Sedan ❻

Ardennes. 🚶 *22 400.* 🚉 🚉 ℹ️
Château fort, pl. du Château (03 24 27 73 73). 🚩 *mer. et sam.*

Sur un rocher dominant la Meuse où s'accrochait déjà une forteresse au début du millénaire, le **château de Sedan** s'est constitué par étapes à partir du XVᵉ siècle. Ses sept étages de bastions et remparts forment la plus grande citadelle d'Europe. Les maquettes et collections du **musée du Château**, dans l'aile sud, rendent compte de l'évolution de l'architecture défensive tout au long de la construction de la forteresse. On peut admirer l'ampleur des voûtes et des charpentes.

Arthur Rimbaud, né à Charleville en 1854

◁ **Environs de Colombey-les-Deux-Églises**

En 1871, ses formidables murailles n'empêchèrent pas 700 canons prussiens d'imposer la reddition de Napoléon III et le départ pour l'Allemagne de 83 000 prisonniers. Elles n'évitèrent pas non plus en 1940 la déroute de l'armée française devant la Wehrmacht.

La ville subit de très importants dommages pendant la guerre, mais elle conserve quelques belles maisons du XVIIᵉ siècle, notamment place de la Halle et rue du Ménil.

🏛 Musée du Château

1, pl. du Château. 📞 *03 24 27 73 73.* 🕐 *de mai à mi-sept. : t.l.j. ; de mi-sept. au 31 déc. : du mar. au dim. ; de janv. à mi-mars : l'a.-m. seulement.* ● *1ᵉʳ janv., 25 déc.* 📷

Aux environs

Au sud de Sedan, la garnison du **fort de Vitry-la-Ferté,** élément isolé de la ligne Maginot, fut anéantie en 1940.

Cour à l'intérieur du château de Sedan

Gargouille de la basilique de Notre-Dame-de-l'Épine

L'Argonne ❼

Ardennes et Meuse. 🚆 *Sainte-Menehould.* 🚌 *Châlons.* ℹ️ *Sainte-Menehould (03 26 60 85 83).*

Massif boisé situé à l'est de Reims, l'Argonne servit longtemps de refuge aux moines contemplatifs. S'il ne subsiste de l'abbaye bénédictine de **Beaulieu-en-Argonne** qu'un superbe pressoir du XIIIᵉ siècle, le village de Lachalade est toujours dominé par un ancien monastère cistercien. À quelques kilomètres au sud, Les Islettes fut au XVIIᵉ siècle un bourg réputé pour son activité faïencière et verrière.

La région a été, en raison de sa position stratégique, l'enjeu de nombreux combats meurtriers, comme le rappellent d'immenses cimetières et le monument de la Butte de Vauquois, village totalement détruit pendant la Grande Guerre.

L'Épine ❽

Marne. 👥 *650.* 🚌 ℹ️ *Mairie (03 26 66 96 99).*

Chef-d'œuvre du gothique flamboyant (XVᵉ s.) élevé, selon la légende, à l'emplacement du buisson d'épines où des bergers auraient découvert la statue de la Vierge qu'abrite son gracieux jubé, la **basilique Notre-Dame-de-l'Épine,** malgré ses dimensions de cathédrale, se dresse toujours en pleine campagne. Des rois de France vinrent s'agenouiller devant la sculpture miraculeuse de cet important centre de pèlerinage.

Tout autour de l'édifice, d'étonnantes gargouilles représentent les mauvaises pensées et péchés mortels que la présence divine repousse vers l'extérieur du sanctuaire. Toutes n'ont malheureusement pas survécu au puritanisme du XIXᵉ siècle ; jugées obscènes, certaines furent détruites.

LES ÉGLISES À PANS DE BOIS CHAMPENOISES

Autour du lac du Der-Chantecoq s'étendent les prairies, les forêts et les étangs de la Champagne humide, que jalonnent les clochers pointus des églises à pans de bois romanes et Renaissance caractéristiques de la région avec leurs porches appelés « caquetoirs ». Nombre d'entre elles recèlent une superbe décoration intérieure mise en valeur par les couleurs vives des vitraux de l'école de Troyes. De jolies routes de campagne relient celles de Bailly-le-Franc, Chatillon-sur-Broué, Lentilles, Vignory, Outines, Chavanges et Montier-en-Der.

Église de Lentilles (XVIᵉ s.)

Châlons-en-Champagne ❾

Marne. 🚶 *48 500.* 🚊 🚌 ℹ️
3, quai des Arts (03 26 65 17 89).
✉️ *mer., ven., sam. et dim.*

Entourée des plates immensités de la Champagne pouilleuse, Châlons-en-Champagne, que rafraîchissent la Marne et ses canaux, mérite un arrêt pour son architecture harmonieuse.
Notre-Dame-en-Vaux est un bel exemple de gothique primitif, au chevet serré entre deux tours romanes. Son cloître fut détruit au XVIIIe siècle, mais un dépôt lapidaire, l'actuel **musée du Cloître,** abrite désormais des chapiteaux sculptés et 50 statues-colonnes de toute beauté. Malgré sa façade néoclassique, ajout effectué en 1634, la **cathédrale Saint-Étienne** marie également gothique et roman, et de somptueux vitraux du XIIIe au XXe siècle éclairent de leurs feux sa nef à trois travées. Non loin, le **Petit-Jard**, où subsistent les vestiges de l'ancien pont fortifié, offre un cadre ombragé propice à la promenade.

🏛 **Musée du Cloître Notre-Dame**
Rue Nicolas-Durand.
📞 *03 26 64 03 87.* 🕐 *du mer. au lun.* ⚫ *1er janv., 1er mai, 1er et 11 nov., 25 déc.* 🚫 ✍️

Troyes ❿

Aube. 🚶 *59 000.* 🚊 🚌 ℹ️ *16, bd Carnot (03 25 82 62 70).* ✉️ *t.l.j.*

Magnifiquement préservées, les maisons à pans de bois médiévales et Renaissance du centre historique de Troyes témoignent du dynamisme de l'ancienne capitale de la Champagne. Après que se furent taris les revenus engendrés par les célèbres foires du Moyen Âge, elle devint au XVIe siècle le foyer d'une très importante école de sculpture et de vitrail, et au XIXe siècle un grand centre de la bonneterie. La ville et ses alentours immédiats recèlent ainsi un tiers des vitraux

Groupe sculpté de la cathédrale Saint-Pierre-et-Saint-Paul de Troyes

français. La **cathédrale Saint-Pierre-et-Saint-Paul** offre un raccourci lumineux de l'histoire de cet art. Des verrières des XIIIe et XIVe siècles éclairent en effet son chœur (ne pas manquer l'*Arbre de Jessé*), tandis que celles de la nef datent des XVe et XVIe siècles, et qu'en 1625 Linard Gontier exécuta le superbe *Pressoir mystique*.

Si c'est surtout sa toiture de tuiles multicolores qui rend remarquable l'**église Saint-Nizier**, cette passion des vitraux s'exprime dans la **basilique Saint-Urbain** (XIIIe s.) où, comme à la Sainte-Chapelle de Paris, leur surface a réduit le rôle des

La rue Larivey, avec ses maisons à pans de bois typiques de Troyes

murs à celui de simple ossature.
Le quartier Saint-Jean est le cœur animé de la cité avec ses passages pittoresques telle la ruelle des Chats reliant la rue Charbonnet et la rue Champeaux. La sculpture triomphe à l'**église Sainte-Madeleine**, dont l'étonnant jubé flamboyant demanda dix ans de travail, et à **Saint-Pantaléon**, particulièrement riche en œuvres du XVIe siècle de l'école troyenne.

🏛 **Musée d'Art moderne**
Palais épiscopal, pl. Saint-Pierre.
📞 *03 25 76 26 80.* 🕐 *du mar. au dim.* ⚫ *les jours fériés.* 🚫 ♿
Les 80 tableaux de Derain justifieraient à eux seuls la visite. La collection, essentiellement consacrée au fauvisme, comprend également des Soutine et des sculptures de Rodin, Degas et Picasso.

🏛 **Maison de l'Outil et de la Pensée ouvrière**
Hôtel Mauroy, 7, rue de la Trinité.
🕐 *t.l.j.* ♿
Ce superbe hôtel, particulièrement représentatif des constructions champenoises, abrite une extraordinaire collection d'outils sous la garde des Compagnons du Devoir.

Aux environs

Au sein du parc naturel de la **forêt d'Orient** qui comprend une réserve ornithologique, le vaste lac artificiel d'Amance est réservé aux sports motonautiques, celui d'Orient à la baignade et à la voile, et celui du Temple à la pêche et à l'observation de la nature.

Chaumont ⓫

Haute-Marne. 🚶 *29 000.* 🚉 🚌
ℹ️ *pl. du Général-de-Gaulle (03 25 03 80 80).* 🗓️ *mer. et sam.*

L'actuel chef-lieu de la Haute-Marne connut son heure de gloire au XIIIᵉ siècle quand les comtes de Champagne y avaient leur résidence. Il ne subsiste toutefois de leur forteresse que son donjon carré (visite en saison), qui domine la vallée de la Suize. La vieille ville accrochée à un éperon rocheux présente de beaux hôtels particuliers et des maisons anciennes avec des tourelles d'escalier en encorbellement.

La **basilique Saint-Jean-Baptiste**, en pierre grise de Champagne, qui associe harmonieusement les arts gothique et Renaissance, présente également une belle tourelle d'escalier, au fût ajouré. Près de l'entrée, la chapelle du Saint-Sépulcre renferme une remarquable *Mise au tombeau* (1471), sculpture polychrome où 10 personnages aux expressions intenses entourent le Christ couché sur son linceul. Dans la partie gauche du transept, la chapelle Saint-Nicolas abrite une autre œuvre intéressante, un *Arbre de Jessé* (XVIᵉ s.) en relief datant du XVIᵉ siècle.

Aux environs

C'est en 1933 que le général Charles de Gaulle (1890-1970) acheta à **Colombey-les-Deux-Églises**, à 23 kilomètres au nord-ouest de Chaumont, une propriété bourgeoise, **La Boisserie**, où il ne cessa de venir se reposer quand la conduite de l'État lui en laissait le loisir. Les quatre

La cathédrale Saint-Mammès, Langres

pièces du rez-de-chaussée ouvertes au public ont conservé l'atmosphère créée par les objets et le mobilier qu'il aimait. On peut également voir le bureau où il écrivit ses Mémoires après sa démission de la présidence de la République en 1969 et la bibliothèque où il mourut le 9 novembre de l'année suivante.

Inauguré en 1972, le monument à sa mémoire qui barre l'horizon d'une immense croix de Lorraine contraste par son gigantisme avec la simplicité de sa tombe dans le petit cimetière du village.

🏛️ La Boisserie

Colombey-les-Deux-Églises.
📞 *03 25 01 52 52.* ⭕ *de fév. à nov. : du mer. au lun.* 🚫 ♿

Langres ⓬

Haute-Marne. 🚶 *10 000.* 🚉 🚌
ℹ️ *square Olivier-Lahalle (03 25 87 67 67).* 🗓️ *ven.*

P erché sur un promontoire et enclos dans ses murs, cet ancien évêché aux frontières de la Bourgogne paraît insensible à l'écoulement du temps. Il n'a guère changé d'aspect depuis que l'initiateur de l'*Encyclopédie*, Denis Diderot, y naquit en 1713.

Les ruelles et les places sont bordées de maisons Renaissance. Du haut des remparts, la vue porte sur la vallée de la Marne, le plateau de Langres, les Vosges et même, aux meilleurs jours, jusqu'au mont Blanc. Merveilleuse promenade, le chemin de ronde dépasse six grosses tours et sept portes, dont la plus intéressante, celle des Moulins, date de 1647.

Près de la porte Henri IV, la **cathédrale Saint-Mammès** n'appartient déjà plus à la Champagne, car derrière sa façade du XVIIIᵉ siècle s'élève une nef (XIIᵉ s.) du plus pur style roman bourguignon. Les chapiteaux sculptés de l'abside proviendraient d'un temple de Jupiter. L'été la ville s'anime de reconstitutions historiques, pièces de théâtre et feux d'artifices.

Monument au général de Gaulle, Colombey-les-Deux-Églises

LORRAINE ET ALSACE

MEURTHE-ET-MOSELLE · MEUSE · MOSELLE · BAS-RHIN
HAUT-RHIN · VOSGES

Elles furent au centre de l'empire de Charlemagne avant que sa division en fasse des régions frontière. Disputées, avec parfois une violence dont subsistent les stigmates, les voici, au cœur de l'Europe nouvelle, telles qu'elles n'ont jamais cessé d'être : rurales et tranquilles, écrin verdoyant de villes chargées d'art et d'histoire.

Culminant au Grand Ballon, à 1 424 m, les Vosges interposent entre l'une et l'autre leurs sommets arrondis, leurs chaumes et leurs profondes forêts de sapins. Et la ligne bleue de la route des Crêtes est un ondulant balcon qui tourne ses regards alternativement vers les champs et prairies du plateau lorrain et vers les vignobles de l'abrupt versant alsacien.

La Lorraine, ce fut longtemps trois évêchés et deux duchés, tous les cinq très jaloux de leur indépendance mais volontiers secourables pour leurs voisins : dès 1429, une humble bergère lorraine se portait au secours du roi de France ; la contrée, pourtant, ne devait être rattachée au royaume que trois siècles et demi plus tard, en 1766.

L'Alsace, pour sa part, fera partie de celui-ci dès 1681, mais saura conserver sa personnalité à travers sa langue et ses traditions ; et c'est cependant chez le baron de Dietrich, maire de Strasbourg, que le capitaine Rouget de Lisle composera en 1792 un chant de guerre qui est devenu notre hymne national.

De Nancy la lorraine, où les lignes souples de l'Art nouveau disputent la place aux guirlandes du siècle des Lumières, cent itinéraires agrestes, jalonnés de fermes-auberges, conduisent à travers les Vosges, vers l'Alsace et les villages fleuris de sa route des vins, vers Strasbourg, sa cathédrale-symbole, ses maisons Renaissance, ses *winstub*.

À Unspach, village des Vosges au nord de Strasbourg

◁ **Sur la Route des Vins d'Alsace**

À la découverte de la Lorraine et de l'Alsace

Injustement méconnue, la Lorraine propose à la fois aux visiteurs les majestueux édifices historiques de cités comme Metz et Nancy, le calme de ses villes d'eaux et des campagnes verdoyantes ponctuées de châteaux et de charmantes petites églises. Jalonnée de monuments militaires évoquant les combats qui s'y déroulèrent, la forêt vosgienne s'étend jusqu'à la plaine d'Alsace où elle tombe en pente raide vers les villages pittoresques de la Route des Vins *(p. 232-233)* qui, de Strasbourg à Mulhouse, offre un parcours bien agréable pour découvrir la région, en particulier pendant les vendanges.

LA RÉGION D'UN COUP D'ŒIL

Betschdorf **18**
Château du Haut-
 Kœnigsbourg **13**
Colmar **10**
Eguisheim **9**
Gérardmer **5**
Guebwiller **7**
Metz **3**
Mulhouse **6**
Nancy **4**
Neuf-Brisach **8**
Obernai **15**
Ribeauvillé **12**
Riquewihr **11**
Saverne **17**
Sélestat **14**
Strasbourg **16**
Toul **2**
Verdun **1**

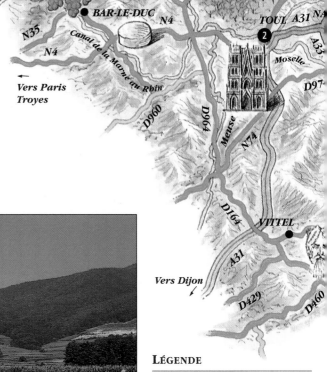

Champ de tournesol à la sortie du village de Turckheim

LÉGENDE

▬	Autoroute
▬	Route principale
▬	Route secondaire
▬	Parcours pittoresque
〰	Cours d'eau
☀	Point de vue

Le village de Riquewihr sur la Route des Vins

CIRCULER

Deux aéroports inter-
nationaux, l'un à Strasbourg et
l'autre à Mulhouse, desservent
la région. Les villes de Nancy,
Colmar et Strasbourg sont
desservis par de bonnes
liaisons ferroviaires et
routières. Les routes
principales sont les N3, N4,
A31 et A35, l'A4 pour Paris,
la N59 et le tunnel sous les
Vosges. Des visites organisées
en autocar au départ de
Colmar ou de Strasbourg
permettent de découvrir les
Vosges ou la Route des Vins.

L'ossuaire de Douaumont domine l'un des nombreux cimetières militaires proches de Verdun

Verdun ❶

Meuse. 👥 *23 000.* 🚉 🚌 ℹ *pl. de la Nation (03 29 86 14 18).* 🛒 *mer. et ven.*

Verdun restera dans les mémoires le théâtre de la bataille la plus meurtrière de la Grande Guerre, au cours de laquelle, de 1916 à 1917, plus de 800 000 hommes trouvèrent la mort. Les Allemands voulaient anéantir le moral des troupes françaises en détruisant les forts de Duaumont et de Vaux – qui avaient été construits pour éviter que ne se répètent l'humiliante défaite française de la guerre de 1870 – et en prenant Verdun, la plus importante place forte dans le nord-est du pays. Les affrontements se prolongèrent jusqu'à la fin de la guerre et ne cessèrent que lorsque les Allemands quittèrent leurs positions, à seulement 5 km de la ville.

Plusieurs musées, mémoriaux et sites émouvants dans la ville et ses alentours évoquent cet épisode tragique. Dans cette région dévastée, neuf villages ont définitivement été rayés de la carte par la terrible bataille. Le **musée-mémorial de Fleury** évoque leur histoire. Non loin, c'est dans l'**ossuaire de Duaumont** que reposent les restes de 130 000 soldats français et allemands non identifiés. L'un des plus émouvant de ces monuments commémoratifs est, dans la ville même, *La Bataille de Verdun*, de Rodin, qui représente la Victoire, impuissante à se dégager des cadavres des soldats qui pèsent sur elle et de triompher.

Verdun a été fortifiée tout au long des siècles. La **porte Chaussée**, majestueux vestige des remparts du XIV⁰ siècle, garde toujours l'accès au pont de la Meuse. Sous une tour ronde du XII⁰ siècle, qui appartenait à l'abbaye que Vauban avait incorporé dans la citadelle, s'étendent à 15 m de profondeur des galeries longues de 7 km qui servirent d'abri, d'hôpital et de caserne. Elles se visitent même temps que le **musée de la Citadelle militaire**, où un spectacle audiovisuel retrace le rôle de Verdun dans la Première Guerre mondiale, et en conclusion, explique comment fut choisi le Soldat inconnu inhumé sous l'Arc de triomphe de Paris *(p. 105)*.

La **cathédrale Notre-Dame** couronne le sommet de la ville haute. Élevée dans le style rhénan à partir du XI⁰ siècle et souvent remaniée, comme en témoigne son cloître flamboyant, elle a conservé sa crypte romane.

🏛 Musée de la Citadelle militaire

La Citadelle. 📞 *03 29 86 14 18.* ○ *t.l.j.* ● *1ᵉʳ janv., 25 déc.* 📷 ♿

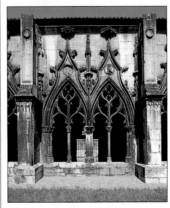

Cloître (XVI⁰ s.) de l'église Saint-Gengoult de Toul

Toul ❷

Meurthe-et-Moselle. 👥 *17 700.* 🚉 🚌 ℹ *parvis de la Cathédrale (03 83 64 11 69).* 🛒 *mer. et ven.*

Enserrée par la Moselle et le canal de la Marne au Rhin, entourée d'épaisses forêts, notamment celles du parc naturel de Lorraine, Toul ne garde plus que le souvenir de la richesse et de la puissance dont elle jouissait à l'époque où elle formait avec Verdun et Metz les Trois-Évêchés qui, fondés au IV⁰ siècle, préservèrent leur indépendance jusqu'au traité de Westphalie, en 1648.

La **cathédrale Saint-Étienne**, entreprise au XIII⁰ siècle, témoigne de ce prestigieux passé. Sa construction prit 300 ans et, malgré les dommages causés par la Seconde Guerre mondiale, la beauté du gothique champenois s'affirme, notamment dans la nef aux hautes galeries, le cloître orné de gargouilles et la façade flamboyante encadrée de deux tours octogonales.

D'un style très proche, l'**église Saint-Gengoult** présente d'intéressants vitraux gothiques racontant la vie des saints Gengoult et Nicolas et un cloître flamboyant du XVI⁰ siècle. De belles maisons Renaissance décorées de sculptures bordent la rue du Général-Gengoult.

Principal reste des fortifications de Vauban (1700), la **porte de Metz** ouvre au nord sur les vignobles qui produisent le « gris de Toul », un vin blanc très sec.

Aux environs
Proche de Metz comme de Toul, le **parc naturel de Lorraine** protège un habitat rural traditionnel au sein d'un paysage de forêts, d'étangs, de prés et de vallées verdoyantes. Les quiches et les potées qu'on y déguste ont établi la réputation de ses auberges.

***Jupiter terrassant un monstre,* colonne de Merten de la Cour d'or**

Metz ❸

Moselle. 124 000.
place d'Armes (03 87 55 53 76).
sam.

Au confluent de la Seille et de la Moselle que franchissent 20 ponts, Metz a des origines gallo-romaines dont témoigne l'**église Saint-Pierre-aux-Nonnains** considérée comme la plus vieille de France ; ses trois nefs occupent l'emplacement d'une basilique romaine du IVe siècle. Sa façade et ses murs extérieurs datent de l'époque romane et les 34 panneaux sculptés qui ornaient jadis la clôture du chœur se trouvent désormais aux **musées de la Cour d'or**. Non loin, la chapelle des Templiers bâtie au XIIIe siècle présente un plan octogonal unique en Lorraine.

Entreprise au XIIIe siècle, la **cathédrale Saint-Étienne** appuie sur d'impressionnants arcs-boutants ornés de gargouilles la structure de sa nef qu'illuminent 6 500 m² de vitraux allant du style gothique à Marc Chagall. Dans la crypte, la *Mise au tombeau* date du XVIe siècle. Tout proche par la rue d'Estrées, un étroit pont de bois enjambe un bras de la Moselle et conduit jusqu'à l'île du Petit Saulcy où se trouve le plus ancien théâtre de France encore en activité.

Dans la direction opposée, la place Saint-Louis, bordée de puissantes maisons à arcades, a gardé son aspect médiéval au cœur de la vieille ville, tandis qu'au bord de la Seille se dresse la **porte des Allemands**, vestige de l'enceinte médiévale (XIIIe-XIVe siècles) à l'allure de château fort.

Musées de la Cour d'or
2, rue du Haut-Poirier.
03 87 68 25 00. du mer. au lun. les jours fériés.
Le bâtiment incorpore d'anciens thermes gallo-romains, un couvent du XVIIe siècle et un grenier aux dîmes de céréales du XVe siècle. Les collections sont pour la plupart le résultat des fouilles archéologiques messines. On y verra aussi des peintures françaises et allemandes.

Les cigognes

Cet animal porte-bonheur passe l'hiver en Afrique occidentale et revient dès le mois de mars en Europe pour nicher. Toutefois, l'assèchement des marécages, l'emploi des pesticides, les câbles électriques ont failli entraîner la disparition de l'espèce en Alsace. Aussi, depuis les années 1980, des centres de reproduction ont été créés, notamment à Molsheim, Hunawihr et Turkheim, et ont permis que plusieurs dizaines de couples reviennent nicher sur les cheminées.

Des fresques restaurées décorent la chapelle des Templiers de Metz (XIIIe s.)

La statue de Stanislas Leszczynski, duc de Lorraine, beau-père de Louis XV, se dresse au centre de la place qui porte son nom

Nancy ❹

Meurthe-et-Moselle. 👥 *102 000.*
✈ 🚌 🚆 🛈 *14, place Stanislas (03 83 35 22 41).* 🛍 *du mar. au sam.*

La capitale historique de la Lorraine est bâtie dans une plaine le long de la Meurthe. C'est surtout au XVIIIe siècle que la ville acquit sa personnalité architecturale. En effet, le duc Stanislas Leszczynski décida alors de parer sa capitale d'un ensemble urbain dont il confia la maîtrise d'œuvre à Emmanuel Héré (1705-1763).

Sa réussite en est la magnifique **place Stanislas**, bordée de cinq pavillons que le ferronnier Jean Lamour relia par de somptueuses grilles de fer forgé dorées à l'or fin. Un arc de triomphe d'inspiration antique, érigé en l'honneur de Louis XV, ouvre sur la Carrière, longue place ombragée qui s'étend jusqu'au **palais du Gouvernement** à l'entrée de la vieille ville. Dans le parc de la Pépinière, la statue de Claude Gellée dit le Lorrain, peintre paysagiste d'origine vosgienne, est une œuvre de Rodin.

🏛 Église et couvent des Cordeliers et musée des Arts et Traditions populaires.

64-66, Grande-Rue. 📞 *03 83 32 18 74.*
🕐 *du mer. au lun.* ● *1er janv., 1er mai, 14 juil., 1er nov., 25 déc.* 🎫
L'église à nef unique abrite les tombeaux des ducs et duchesses de Lorraine, dont le gisant de Philippa de Gueldre (milieu du XVIe s.), par Ligier Richier. Dans le couvent, des reconstitutions d'intérieurs illustrent la vie quotidienne.

🏛 Musée des Beaux-Arts

3, place Stanislas. 📞 *03 83 85 30 72.*
🕐 *du mer. au lun.* ● *1er janv., 1er mai, 14 juil., 1er nov., 25 déc.* 🎫 🔖
Aménagé dans l'un des pavillons de la place Stanislas, le musée a doublé sa surface pour offrir un vaste panorama de l'art en Europe du XIVe au XXe siècle : Le Caravage, Rubens, Boucher, Manet, Modigliani, Picasso…, un beau fonds d'artistes lorrains (Callot, Friant, Prouvé) et une belle collection de vases Daum.

🏛 Musée historique lorrain

Palais Ducal, 64, Grande-Rue.
📞 *03 83 32 18 74.* 🕐 *du mer. au lun.* ● *1er janv., Pâques, 1er mai, 14 juil., 1er nov., 25 déc.* 🎫
Bâti au XVIe siècle, le palais ducal abrite, entre autres, une riche collection archéologique, des gravures de Jacques Callot et des tableaux de Georges de La Tour.

🏛 Musée de l'école de Nancy

36-38, rue du Sergent-Blandan.
📞 *03 83 40 14 86.* 🕐 *du mer. au dim.* ● *1er janv., Pâques, 1er mai, 1er nov., 25 déc.* 🎫 🔖
À l'écart du centre historique, les œuvres du verrier Émile Gallé, fondateur de l'école de Nancy, sont présentées dans un cadre riche en mobilier, tissus, bijoux et verrerie Art nouveau.

Aux environs

Au sud-est de Nancy, en direction de Baccarat, **Lunéville** est réputée pour son imposant château. Le

L'arc de triomphe séparant la place Stanislas de la place Carrière

Panorama vosgien vu de la Route des Crêtes

LA ROUTE DES CRÊTES

Créée pendant la Première Guerre mondiale, cette route permettait des mouvements de troupes à l'abri des regards allemands. Voie stratégique de 83 km de long, elle traverse prés et forêts des hautes Vosges depuis le col du Bonhomme jusqu'à Cernay, à l'est de Thann. Passant par le Grand Ballon, point culminant du massif à 1 424 m, elle offre, quand elle n'est pas enveloppée de brume, des vues extraordinaires sur la Lorraine.

« Versailles lorrain », édifié de 1702 à 1706 par l'architecte Boffrand pour le duc Léopold, renferme une importante collection de faïences des manufactures de Saint-Clément et de Lunéville même.

Gérardmer ❺

Vosges. *9 800.* *place des Déportés (03 29 27 27 27).* *jeu. et sam.*

Au bord d'un lac superbe, c'est pour son site plus que pour son architecture que Gérardmer attire de nombreux visiteurs, car la ville fut détruite à la Libération. Ce drame ne brisa toutefois pas une vocation d'accueil ancienne. En effet, dès 1875, la fondation d'un « comité des promenades » avait créé à Gérardmer le premier office du tourisme français. Sportifs et amoureux de la nature y viennent en toutes saisons : en hiver pour dévaler à ski les pentes des Vosges, aux beaux jours pour profiter des activités nautiques, notamment le canotage sur le lac. Les forêts et la campagne environnantes et leurs 300 km de sentiers balisés se prêtent de surcroît à d'innombrables randonnées.

La région est aussi réputée pour ses activités traditionnelles, tels la production de linge de maison de qualité, le travail artisanal du bois et la fabrication du géromé, cousin lorrain du munster.

Artisanat traditionnel à l'écomusée d'Alsace d'Ungersheim

Rejoindre la **Route des Crêtes** au col de la Schlucht permet de gagner l'Alsace par un superbe itinéraire.

Mulhouse ❻

Haut-Rhin. *109 000.* *9, av. du Maréchal-Foch (03 89 35 48 48).* *mar., jeu. et sam.*

Malgré les destructions causées par la Seconde Guerre mondiale et le déclin de ses activités traditionnelles, le textile et l'exploitation de mines de potasse, la deuxième ville d'Alsace a su entretenir un dynamisme industriel dont témoignent ses musées.

Le **musée de l'Impression sur étoffes** propose près de 10 millions d'échantillons en documentation, tandis que le **musée français du Chemin de Fer** présente des machines originales – des premières locomotives au matériel moderne –, ainsi que des trains miniature. Le **musée national de l'Automobile** compte, parmi ses 500 véhicules en état de marche, plus de 100 Bugatti et la Rolls Royce de Charlie Chaplin. Dans le quartier

Cochon noir alsacien à l'écomusée

le plus animé de la cité, le Musée historique expose dans l'ancien hôtel de ville des objets retraçant l'histoire de Mulhouse.

Aux environs
À Ungersheim, à 11 km au nord de Mulhouse, l'**écomusée d'Alsace** regroupe une soixantaine de maisons rurales : greniers à grains, maisons de pêcheurs, de vignerons, forge… où des artisans font revivre les métiers d'autrefois.

🏛 **L'écomusée d'Alsace**
Chemin du Grosswald.
📞 *03 89 74 44 54.* ◯ *t.l.j.* 🖉 ♿

Le lac de Gérardmer permet de nombreuses activités nautiques

Guebwiller **❼**

Haut-Rhin. 🚌 *11 000.* 🚉 **ℹ** *73, rue de la République (03 89 76 10 63).* 🛒 *mar. et ven.*

Appelée la « porte du Florival » (le Val des fleurs), cette petite sous-préfecture au passé industriel présente, avec ses dignes maisons bourgeoises, un aspect beaucoup moins poétique que son surnom le laisserait supposer malgré les vignobles qui l'entourent. Témoin chacune d'une étape de son histoire, ses **trois églises** justifient néanmoins de s'y arrêter : Saint-Léger, de style roman ; l'église des Dominicains, gothique, ornée d'un élégant jubé et d'une remarquable *Annonciation* datant de 1709 ; et la collégiale Notre-Dame, édifice néo-classique à la riche décoration baroque révélant une influence autrichienne.

Église Saint-Léger à Guebwiller

Aux environs
Au départ de Guebwiller, la D 430 rejoint la Route des Crêtes en suivant la vallée de la Lauch, ou Florival. À 8 km, **Lautenbach**, base de départ pour des randonnées dans les forêts environnantes, renferme une gracieuse église romane.
   À 6 km au nord-ouest, l'abbatiale de Murbach, dont la nef a disparu, présente un chevet remarquable par l'étagement de ses volumes et la richesse de son décor sculpté.

Neuf-Brisach **❽**

Haut-Rhin. 🚌 *2 100.* 🚉 **ℹ** *Palais du Gouverneur, 6, place d'Armes (03 89 72 56 66).* 🛒 *1er et 3e lun.*

Face au village autrichien d'Alt-Breisach (devenu depuis la ville allemande de Breisach-am-Rhein), Louis XIV décida la création d'une ville neuve, qui fut construite par Vauban de 1698 à 1707. La place forte, au plan en damier centré, est fermée par une fortification en bastion octogonale et parfaitement symétrique.

LA CITADELLE DE NEUF-BRISACH

Porte de Bâle

Les murs de la forteresse ont 9 m de hauteur et 4,50 m d'épaisseur à la base.

La place d'Armes, théâtre des parades, servait d'ultime refuge.

La porte de Strasbourg avait jadis un pont-levis.

Bastion

48 îlots égaux partagent la citadelle.

La porte de Belfort abrite le musée Vauban. Une promenade la relie à la porte de Colmar.

Les défenses extérieures comprennent deux fossés.

La porte de Colmar

Le célèbre retable d'Issenheim par Matthias Grünewald à Colmar

Au centre, d'où partent les rues droites facilitant la défense, se trouve la place d'Armes entourée des bâtiments de service (arsenal, intendance, hôpital, église), tandis que les casernes et les magasins sont répartis le long des ouvrages de défense.

Deux des quatre portes de la citadelle subsistent. Celle de Belfort abrite le **musée** où une maquette permet d'admirer ce chef-d'œuvre d'architecture militaire. Une promenade aménagée dans les fossés permet de gagner les différentes portes d'entrée.

🏛 **Musée Vauban**
Pl. Porte-de-Belfort. 📞 03 89 72 56 66. 🔵 d'avril à oct. : du mer. au lun. 🏷 ⚙

Eguisheim ➒

Haut-Rhin. 👥 1 500. 🚆 🛈 22a, Grand'Rue (03 89 23 40 33).

Serré dans trois cercles concentriques de remparts médiévaux, ce village mariant l'austérité de ses fortifications avec une architecture civile souriante offre une étape fort agréable sur la Route des Vins.

Au centre se dressent les restes du **château des comtes d'Eguisheim**. Devant, une fontaine Renaissance rend hommage au membre le plus célèbre de la famille, Bruno, né en 1002 et devenu en 1049 le pape Léon IX resté célèbre dans l'histoire de l'Église par son action réformatrice. Non loin, le **Marbacherhof**, ancien grenier à dîmes de céréales, est entouré de

maisons aux portails armoriés. Et l'église paroissiale moderne conserve un tympan sculpté du XIIIᵉ siècle.

Des centres de dégustation sont installés, partout dans le village, dans les jolies cours intérieures des maisons à pans de bois remontant parfois au Moyen Âge.

Colmar ➓

Haut-Rhin. 👥 67 000. 🛫 🚆 🚌 🛈 4, rue d'Unterlinden (03 89 20 68 92). 🔵 lun., mer., jeu. et sam.

Partout, dans la ville la mieux préservée d'Alsace, l'architecture témoigne de la richesse d'une cité dont la prospérité culmina au XVIᵉ siècle quand les négociants en vin confiaient leurs barriques aux bateliers qui descendaient la Lauch.

La rivière passe au pied des façades fleuries du quartier de la **Petite Venise**, prolongé par celui des Tanneurs où l'ancienne Douane (le Koifhus),

bel exemple d'édifice des XVᵉ et XVIᵉ siècles, fut longtemps le centre de la vie civique locale. Conduisant au quartier de la collégiale, le long de la rue des Marchands, des maisons Renaissance conservent de belles enseignes ; la **collégiale gothique Saint-Martin** présente d'intéressantes sculptures aux portails sud et est. Plus loin, l'**église des Dominicains**, de style rhénan, abrite une *Vierge au Buisson de roses* (1473), chef-d'œuvre du peintre Martin Schongauer, né à Colmar.

Ancien couvent dominicain, le **musée d'Unterlinden** est célèbre par le retable d'Issenheim, figurant la crucifixion, peint par Matthias Grünewald (début XVIᵉ s.) et exposé dans la chapelle avec des peintures de Schongauer. Le musée possède aussi des pièces archéologiques, des sculptures médiévales et Renaissance, des objets d'arts décoratifs présentés dans des intérieurs reconstitués et des œuvres contemporaines.

En sortant, ne pas manquer dans la rue qui lui doit son nom les visages grimaçants de la maison des Têtes (XVIIᵉ s.), ou l'une de ces demeures décorées de fresques, telles la **maison Pfister**, rue des Marchands, ou encore la maison du Cygne, rue Schongauer, qui donnent son cachet unique à Colmar.

Aux environs
Kaysersberg et son château rappellent l'importance historique de la petite ville qui fut longtemps un verrou entre l'Empire et la Lorraine.

Le quai de la Poissonnerie dans le quartier de la Petite Venise à Colmar

Rive du lac de Retournemer, en Lorraine ▷

Riquewihr ⓫

Haut-Rhin. ⌂ 1 100. ⊟ ⓘ 2, rue de la 1ʳᵉ-Armée (03 89 49 08 40). ⊖ ven.

Son vignoble – qui produit l'un des meilleurs crus d'Alsace – pousse jusqu'au pied des remparts du plus joli village de la Route des Vins (p. 232-233) ; pour leur beauté mais aussi pour détecter très tôt les parasitoses, chaque rangée de ceps est alignée derrière des rosiers.

Propriété des comtes de Wurtemberg jusqu'à la Révolution, Riquewihr a gardé à l'intérieur de sa double enceinte rectangulaire l'aspect qu'elle avait aux XVIᵉ et XVIIᵉ siècles quand les vignerons y élevèrent leurs demeures ; les rues pavées, les balcons fleuris, les cours à galeries et les tours de guet offrent un décor digne d'un conte de fées.

Bordée de superbes maisons du Moyen Âge et de la Renaissance, certaines à colombage, d'autres en pierre, la **rue du Général-de-Gaulle** monte en pente douce depuis l'hôtel de ville. Des ruelles et des passages s'en échappent : on découvre alors fontaines, enseignes, galeries sculptées et, surtout, de jolies cours.

En haut, la rue du Général-de-Gaulle débouche sur le **Dolder** (XIIIᵉ s.), porte haute de l'enceinte intérieure abritant un musée.

Ribeauvillé ⓬

Haut-Rhin. ⌂ 4 800. ⊟ ⊟ ⓘ 1, Grand'Rue (03 89 73 62 22). ⊖ sam.

Dominée par trois châteaux en ruine, anciennes résidences des

Riquewihr se proclame à juste titre la perle du vignoble

Ribeaupierre – l'une des grandes familles alsaciennes jusqu'à la Révolution –, cette étape sur la Route des Vins offre aux amateurs maintes occasions de goûter du riesling (p. 232-233), notamment près du parc, dans la ville basse.

Dans la Grand'Rue, qui passe sous la tour des Bouchers, l'hôtel de ville conserve des planches à imprimer les étoffes ainsi qu'une superbe collection de hanaps en argent massif (pèces d'orfèvrerie du XVIIᵉ siècle) ; et la **Pfifferhüs** (nᵒ 14), décorée d'une sculpture de l'Annonciation, aurait été le siège de la confrérie des ménétriers.

Dans la ville haute aux jolies façades peintes et aux fontaines Renaissance, l'église gothique **Saint-Grégoire** possède un buffet d'orgue du XVIIᵉ siècle. Au-dessus du lycée, deux sentiers conduisent aux châteaux de Ribeauvillé. Le château de Saint-Ulrich, du XIIᵉ siècle, est le plus spectaculaire ; en face, on arrive au Girsberg, puis, plus haut, au Haut-Ribeaupierre.

Le château du Haut-Kœnigsbourg ⓭

Orschwiller. ⓘ 03 88 82 45 82. ◯ t.l.j. ● 1ᵉʳ jan., 1ᵉʳ mai, 25 déc. ⊠ ⓘ

À 757 mètres au-dessus de la plaine d'Alsace, le monument le plus visité de la région surplombe le joli village de Saint-Hippolyte. Bâti par les Hohenstaufen, le château se dressa sur cet éperon rocheux dès le XIIᵉ siècle. Il subit une première destruction en 1462, puis, reconstruit et agrandi sous les Habsbourg, il connut une seconde destruction par le feu, en 1633.

Pendant la période de l'annexion de l'Alsace au Reich (1871-1918), l'empereur Guillaume II décida de redonner vie à cette ruine germanique. Le résultat suscita à tort bien des critiques. L'architecte berlinois Bodo Ebhardt, s'appuyant sur un relevé précis des ruines, une campagne photographique et des documents d'archives, effectua une restauration minutieuse et vraisemblable de l'immense édifice en grès rose.

À l'intérieur, les salles « gothiques » sont meublées, telle la salle des fêtes ornée de lambris, ou la salle d'armes. Le château comporte aussi une belle collection de poêles en carreaux de céramique.

Des remparts, vue exceptionnelle, d'un côté sur la plaine d'Alsace jusqu'à la Forêt-Noire, de l'autre sur les Vosges et les vignobles.

Jardin

Bastion ouest

Aile ouest

Enceinte extérieure

Chapelle Saint-Sébastien, près de Dambach-la-Ville sur la Route des Vins

Sélestat ⑭

Bas-Rhin. 🏛 *15 900.* 🚃 🚌 🛈
Commanderie Saint-Jean, boulevard du Général-Leclerc (03 88 58 87 20).
🚐 *mar. et sam.*

Cette vieille cité – où avait séjourné Charlemagne – fut un centre florissant à la Renaissance. La **Bibliothèque humaniste**, installée dans l'ancienne halle aux blés, témoigne de ce rayonnement intellectuel. Plus de 2 000 éditions rares, ayant appartenu notamment à l'ami d'Érasme, Beatus Rhenanus, manuscrits et incunables retracent l'histoire du livre depuis le VIIe siècle.

Tout près se dressent l'**abbatiale romane Sainte-Foy** (XIIe siècle) au magnifique clocher octogonal et l'**église gothique Saint-Georges** (XIIIe-XVe siècles) à l'étincelante toiture de tuiles bourguignonnes vertes et rouges.

🏛 Bibliothèque humaniste
1, rue de la Bibliothèque.
📞 *03 88 58 07 20.* ⏺ *de sept. à juin : lun., mer., jeu., ven. et sam. matin ; juil.-août le week-end de 14 h à 17 h en plus.* ⏺ *les jours fériés.* 🈺

Aux environs

Depuis **Dambach-la-Ville**, autre jolie bourgade médiévale, une route de campagne sinue entre les vignobles jusqu'à Itterswiller et Andlau.

Ebersmunster possède une abbatiale de style baroque autrichien (1719-1727) coiffée de bulbes et somptueusement décorée de stucs dorés.

Obernai ⑮

Bas-Rhin. 🏛 *10 000.* 🚃 🚌 🛈
place du Beffroi (03 88 95 64 13).
🚐 *jeu.*

Jeunes Alsaciens en costumes traditionnels

Au pied du mont Sainte-Odile, sur la Route des Vins, Obernai est une ville opulente.

Sur la place du Marché, la **halle aux blés**, à la façade décorée de têtes de bœufs rappelant sa première fonction de boucherie, abrite désormais un restaurant. Sur la place de la Chapelle attenante qu'agrémente le puits aux Six-Seaux de style Renaissance, le beffroi gothique domine l'**hôtel de ville** construit à la fin du Moyen Âge au centre d'une structure étoilée.

Aux environs

À quelques kilomètres d'Obernai, le **mont Sainte-Odile** suscita très tôt au Moyen Âge un pèlerinage. Odile, née aveugle vers 660, avait fondé ce monastère où elle fut enterrée. Sa popularité grandit alors très vite, car elle était réputée guérir la cécité. Proclamée sainte patronne de l'Alsace, elle attire aujourd'hui encore les pèlerins. À Rosheim, l'église romane **Saint-Pierre-et-Saint-Paul** possède un admirable portail sud au chevet entouré de bas-reliefs.

À 10 km au nord d'Obernai, dans la vallée de la Bruche, la ville fortifiée de **Molsheim** renferme, sur la place de l'Hôtel-de-Ville, l'ancien siège de la Corporation des bouchers, la Metzig, édifice Renaissance, et son horloge à jacquemarts.

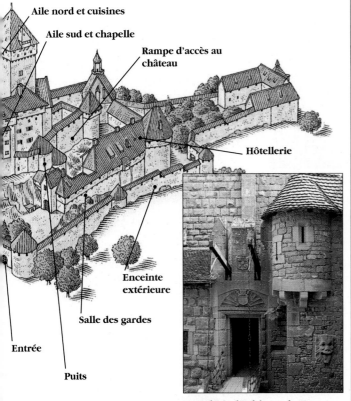

Aile nord et cuisines
Aile sud et chapelle
Rampe d'accès au château
Hôtellerie
Enceinte extérieure
Salle des gardes
Entrée
Puits

Pont-levis du château du Haut-Kœnigsbourg

Strasbourg ⑯

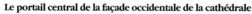

À mi-chemin de Paris et de Prague, Strasbourg mérite bien son surnom de « carrefour de l'Europe » ; et, en 1977, la capitale de l'Alsace a affirmé sans complexe sa vocation internationale en construisant le très moderne Palais de l'Europe, siège du Conseil de l'Europe, à proximité immédiate de son centre historique. Un des moyens pour découvrir la capitale de l'Alsace est d'effectuer une promenade en bateau, au départ du palais Rohan. Vous verrez les ponts couverts et leurs tours de guet médiévales qui gardent toujours l'accès des quatre canaux de la Petite France, l'ancien quartier des tanneurs aux quais bordés de moulins et de maisons à colombage et à encorbellements, qui s'étend presque jusqu'à l'église Saint-Thomas, la « cathédrale des protestants », où se trouve le fameux mausolée du maréchal de Saxe.

Statue de la cathédrale

Bateau-promenade sur le canal

Le portail central de la façade occidentale de la cathédrale

⛪ Cathédrale Notre-Dame

La construction de ce magnifique édifice de grès rose des Vosges, commencée en 1015, ne se termina qu'en 1439 par l'achèvement de sa façade occidentale aux portails ornés, sous la rosace délicate, de nombreuses sculptures. Notamment, le portail de droite est flanqué dans les embrasures des statues des Vierges sages et des Vierges folles.

Le portail latéral sud, consacré à la Vierge, est encadré des étonnantes figures de l'Église et de la Synagogue ; à l'intérieur du transept, le pilier des Anges, chef-d'œuvre gothique, se trouve près de l'horloge astronomique qui, tous les jours à 12 h 30, fait mouvoir le défilé de ses petits personnages allégoriques, notamment « les âges de la vie ». Autres spectacles : depuis la plate-forme panoramique de la tour, la vue sur la ville, la Forêt-Noire et les Vosges ; et, certains soirs, des concerts d'orgue.

La place de la cathédrale est entourée de belles demeures, comme la pharmacie du Cerf (1268) et la maison Kammerzell (1467 et 1589) aux façades richement sculptées.

🏛 Musée de l'Œuvre Notre-Dame

3, place du Château. 📞 03 88 52 50 00. ⭕ du mar. au dim. ⬤ 1er janv., Ven. saint, 1er mai, 1er nov., 25 déc. 📷♿

Ses collections retracent, au moyen de documents, vitraux, sculptures déposées de la cathédrale et objets d'orfèvrerie, l'histoire de l'art alsacien et rhénan du XIIe au XVIIe siècle. Il expose aussi des peintures

Le musée d'Art moderne et comtemporain à Strasbourg

MODE D'EMPLOI

Bas-Rhin. 👤 250 000. ✈ 15 km au sud-ouest de Strasbourg. 🚆 SNCF (08 36 35 35 35). 🚌 CTS (03 88 77 70 09). ℹ 17, place de la Cathédrale (03 88 52 28 22). 🏛 lun., mer.-sam. 🎭 Festival de musique classique (juin) ; festival de jazz (juil.) ; Musica, festival des musiques d'aujourd'hui (de mi-sept. à déb. oct.).

STRASBOURG :
LE CENTRE-VILLE

Cathédrale Notre-Dame ④
Maison Kammerzell ③
Musée alsacien ⑦
Musée de l'Œuvre
  de Notre-Dame ⑤
Palais Rohan ⑥
Petite France ②
Ponts couverts ①

0   250 m

LÉGENDE

🚢 Embarcadère

🅿 Parc de stationnement

ℹ Information touristique

✝ Église

Les Grands Appartements comportent un riche mobilier. Dans l'aile des Écuries est exposée l'une des plus belles collections de faïences et de porcelaines de France.

🏛 **Musée d'Art moderne et contemporain**

1, pl. Jean-Hans-Arp. 📞 03 88 23 31 31. ⬤ du mar. au dim. ⬤ jours fériés. 🅿 ♿ 🏛 🎭 *Concerts, cinéma.*
Il retrace l'évolution des idées et des formes depuis les débuts de la photo et l'impressionnisme jusqu'à nos jours.

🏛 **Musée historique**

3, place de la Grande-Boucherie. 📞 03 88 52 50 00. ⬤ pour restauration jusqu'en 2004.
Dans la Grande Boucherie du XVIe siècle est évoqué le passé militaire, économique et politique de la ville.

🏛 **Musée alsacien**

23, quai St-Nicolas. 📞 03 88 35 55 36. ⬤ du mer. au lun. ⬤ 1er janv., Ven. saint, 1er mai, 1er nov., 25 déc. 🅿
Dans trois maisons des XVIIe et XVIIIe siècles, il retrace l'histoire des arts populaires de la région.

alsaciennes du Moyen Âge et de la Renaissance.

🏛 **Palais Rohan**

2, pl. du Château. 📞 03 88 52 50 00. ⬤ du mer. au lun. **Musées** ⬤ 1er janv., Ven. saint, 1er mai, 1er et 11 nov., 25 déc. 🅿 ♿
Dessiné en 1730 par le premier architecte du roi, Robert de Cotte, pour les cardinaux-princes-évêques de Strasbourg, ce grand palais classique abrite trois musées : archéologique, Beaux-Arts, Arts décoratifs.

Les ponts couverts et leurs tours médiévales

La Route des Vins d'Alsace

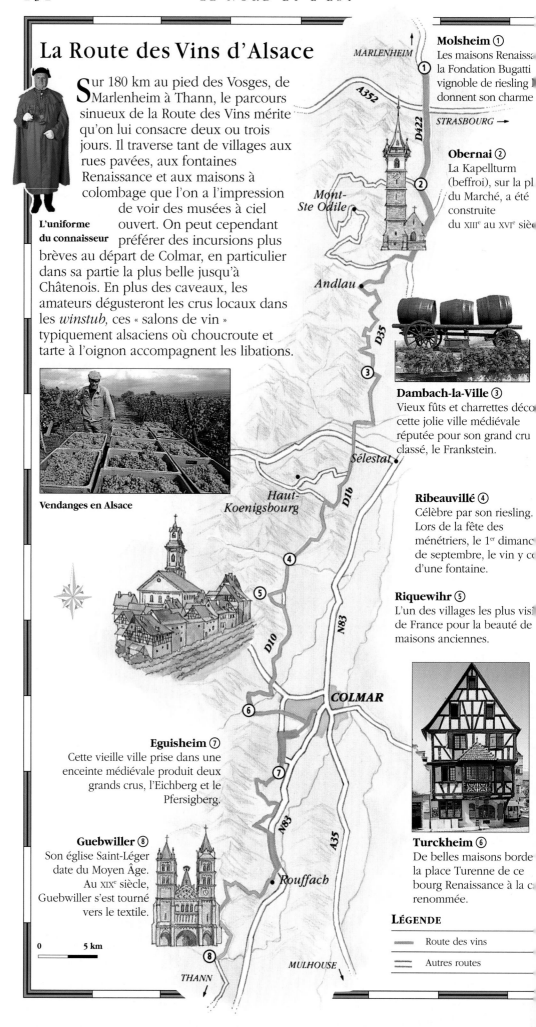

Sur 180 km au pied des Vosges, de Marlenheim à Thann, le parcours sinueux de la Route des Vins mérite qu'on lui consacre deux ou trois jours. Il traverse tant de villages aux rues pavées, aux fontaines Renaissance et aux maisons à colombage que l'on a l'impression de voir des musées à ciel ouvert. On peut cependant préférer des incursions plus brèves au départ de Colmar, en particulier dans sa partie la plus belle jusqu'à Châtenois. En plus des caveaux, les amateurs dégusteront les crus locaux dans les *winstub,* ces « salons de vin » typiquement alsaciens où choucroute et tarte à l'oignon accompagnent les libations.

L'uniforme du connaisseur

Vendanges en Alsace

MARLENHEIM

STRASBOURG →

Mont-Ste Odile

Andlau

Sélestat

Haut-Koenigsbourg

COLMAR

Rouffach

MULHOUSE

THANN

Molsheim ①
Les maisons Renaissa
la Fondation Bugatti
vignoble de riesling
donnent son charme

Obernai ②
La Kapellturm
(beffroi), sur la pl
du Marché, a été
construite
du XIIIᵉ au XVIᵉ siè

Dambach-la-Ville ③
Vieux fûts et charrettes déco
cette jolie ville médiévale
réputée pour son grand cru
classé, le Frankstein.

Ribeauvillé ④
Célèbre par son riesling.
Lors de la fête des
ménétriers, le 1ᵉʳ dimanc
de septembre, le vin y c
d'une fontaine.

Riquewihr ⑤
L'un des villages les plus vis
de France pour la beauté de
maisons anciennes.

Turckheim ⑥
De belles maisons borde
la place Turenne de ce
bourg Renaissance à la c
renommée.

Eguisheim ⑦
Cette vieille ville prise dans une
enceinte médiévale produit deux
grands crus, l'Eichberg et le
Pfersigberg.

Guebwiller ⑧
Son église Saint-Léger
date du Moyen Âge.
Au XIXᵉ siècle,
Guebwiller s'est tourné
vers le textile.

0   5 km

LÉGENDE

—— Route des vins

== Autres routes

LES VINS D'ALSACE

Généralement fruités et secs, ils sont tous blancs à l'exception du pinot noir, un rouge léger.

Vendange tardive d'une maison réputée

EN BREF

Climat
Protégée par les Vosges, l'Alsace a un climat continental relativement doux et sec.

Cépages
Les vins d'Alsace, qui se boivent jeunes, prennent les noms de leurs cépages : le gewurztraminer, fruité et plein de caractère, le riesling au bouquet subtil, le sylvaner léger, le muscat, fruité lui aussi mais moins impérieux que le gewurztraminer, le pinot gris, ample, et le pinot blanc plus nerveux. Le pinot noir est le seul cépage rouge. Spécialité alsacienne délicieuse en apéritif, les vins de vendange tardive possèdent une grande puissance aromatique.

Quelques producteurs réputés
Albert Boxler, Marcel Deiss, Marc Kreydenweiss, Bernard & Robert Schoffit, Kuentz-Bas, Domaine Weinbach, Josmeyer, Olivier Zind-Humbrecht, Charles Schléret, Domaines Schlumberger, Domaine Ostertag, Domaine Trimbach, Hugel & Fils, Cave de Turckheim.

Bons millésimes
1992, 1990, 1989, 1988, 1985.

La chapelle (XIIᵉ s.) du château du Haut-Barr, près de Saverne

Saverne ⓱

Bas-Rhin. 🏛 10 280. 🚉 🚌 🛈 37, Grand'Rue (03 88 91 80 47). 🛒 mar., jeu. et sam. matin.

Entourée de collines, bordée par la Zorn et le canal de la Marne au Rhin, Saverne s'étend autour de la résidence d'été des Rohan, vaste édifice néo-classique (1780-1790) en grès rouge ; sa somptuosité lui a valu le surnom de « Versailles alsacien ». Il abrite le **musée de la Ville**.

Dans la Grand-Rue, jusqu'à la rue du Tribunal, les maisons anciennes à colombage présentent des poutrages richement sculptés (au nº 80, Maison Katz).

🏛 Musée de la Ville de Saverne
Château des Rohan. 📞 03 88 91 06 28. ⭘ de mars à nov. : du mer. au lun. ; de déc. à fév. : dim. 🖼 ♿

Aux environs
Au sud-ouest, perché sur un promontoire rocheux, le **château du Haut-Barr**, « l'Œil de l'Alsace », aujourd'hui en ruine, commandait jadis l'accès au col de Saverne.

À 6 km au sud, l'abbatiale de **Marmoutier** fondée au VIᵉ siècle possède une façade romane encadrée de tours octogonales, une nef gothique et une crypte archéologique.

Betschdorf ⓲

Bas-Rhin. 🏛 3 600. 🛈 mairie (03 88 54 48 00).

En bordure de la forêt de Haguenau, à 45 km au nord de Strasbourg, Betschdorf est situé dans l'Outre-Forêt au particularisme fort. Depuis le XVIIIᵉ siècle, les potiers ont fait la prospérité de la localité en exploitant l'argile du sous-sol. Les poteries au décor bleu de cobalt caractéristique ont une glaçure grise particulière, obtenue en jetant du gros sel dans les flammes de la cuisson. Un atelier de potier a été reconstitué dans la grange du musée. Quinze fours fonctionnent encore.

Poterie de Betschdorf

Une flammeküeche (tarte flambée) au lard ou aux fruits apportera une savoureuse conclusion à une journée de visite.

Le temple luthérien de Kuhlendorf (1820), à 2 km au nord, est le seul sanctuaire à colombage d'Alsace.

Aux environs
À 10 km au sud-est, les potiers de **Soufflenheim** produisent une céramique de couleur brune décorée de motifs floraux et d'animaux.

L'OUEST

Présentation de l'Ouest

Hormis la Normandie, qui dispose également de centres industriels importants autour de Rouen et du Havre, les trois grandes régions qui composent l'ouest du pays vivent essentiellement de l'agriculture et de la pêche, mais aussi du tourisme.

Nombre de visiteurs apprécieront en effet les belles plages de la côte normande, tandis que d'autres leur préféreront le charme des chemins creux bretons ou la splendeur des châteaux de la Loire.

*La silhouette familière du **Mont-Saint-Michel** accueille les pèlerins depuis le XIᵉ siècle. L'abbaye reçoit aujourd'hui près d'un million de visiteurs par an (p. 256-261).*

L'enclos paroissial de Guimiliau

Le Mont-Saint-Michel

LA BRETAGNE
(p. 268-295)

Les alignements de Carnac

Les alignements de Carnac *attestent le peuplement très ancien de la Bretagne. Le mystère que constituent ces mégalithes de granit, érigés 4 000 ans avant J.-C., n'a pas encore été élucidé (p. 283).*

La tapisserie de Bayeux, *en fait une broderie* (p. 252-253), *raconte l'invasion de l'Angleterre par Guillaume le Conquérant. Vigueur et finesse caractérisent ses 58 tableaux, dont la bataille d'Hastings. Ici, deux des compagnons de Guillaume se hâtent à sa rencontre.*

La cathédrale de Rouen

La tapisserie de Bayeux

LA NORMANDIE
(p. 246-267)

La cathédrale de Chartres

Le château de Chambord *est le plus imposant des châteaux de la Loire* (p. 320-321). *Construit à l'emplacement d'un ancien pavillon de chasse pour François Iᵉʳ (comme en témoigne la présence récurrente de la salamandre, emblème du roi), il a été modifié par Louis XIV à partir de 1683-1684. Au fil de ses 440 pièces, on peut admirer ses 365 cheminées, une pour chaque jour de l'année.*

La cathédrale du Mans

Le château de Chambord

Le château de Villandry

Le château de Chenonceau

LA VALLÉE DE LA LOIRE
(p. 296-331)

0   50 km

Les spécialités de l'Ouest

Dans ces régions à vocation agricole et aux ressources maritimes variées, la cuisine est à la fois une, par ses produits de base, et diverse, par leur utilisation. Doux en Normandie, demi-sel en Bretagne, le beurre est partout, comme la crème qui donne naissance à tant de sauces, certaines pouvant napper avec bonheur toutes sortes de poissons, crustacés ou coquillages que la mer et le littoral offrent à profusion de la Seine-Maritime à la Vendée.

Mais les réputations que se sont taillés la Normandie avec ses fromages (32 sortes), la Bretagne avec ses artichauts ou le Val de Loire avec ses fruits ne doivent pas faire oublier les préparations permises par un élevage extrêmement varié : des canards de Rouen aux tripes de Caen en passant par le mouton de pré-salé ou les salaisons bretonnes.

Camembert

Le sel de mer *est récolté de manière traditionnelle par les paludiers de Guérande ; naturel et parfumé, ce sel au « goût de violette » est riche en magnésium et oligo-éléments.*

Crevettes

Palourdes

Homard

Langoustine

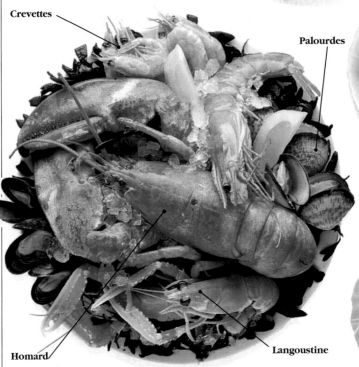

Un plateau de fruits de mer *équilibré associe huîtres, coquillages divers et crustacés sur un lit d'algues et de glace pilée. Le pain de seigle beurré et un muscadet sur lie bien frais s'imposent à la dégustation, mais soyez circonspect avec le citron ou le vinaigre aux échalotes.*

Les moules marinière, *avec un peu de céleri à la cuisson et un peu de crème ensuite deviennent « à la normande ».*

Les huîtres, *nappées de sauce, sont délicieuses passées sur le grill.*

Au Mans, on utilise aussi les ***rillettes*** *pour de délectables tartes ou dans des omelettes...*

*Pour changer de la vinaigrette, essayez l'***artichaut*** farci, ou avec une simple sauce au beurre.*

Une fondue d'oignons
doucement cuite au beurre
parfume les haricots
du **gigot à la bretonne**.

Inventé sur les bords de Loire,
le **beurre blanc** (au vinaigre)
ou **nantais** (au muscadet)
est le meilleur ami du saumon.

Selon la tradition,
c'est à 10 h du matin
qu'il convient de déguster
les **tripes à la mode de Caen**.

En dépit de ses pommes et de sa
crème fraîche, la **tarte Tatin**
n'est pas normande
mais solognote.

Symbole de la Bretagne
touristique, les **crêpes**
de froment sont nées
à la fin du XIXe siècle.

C'est au beurre légèrement salé
que les **galettes bretonnes
et les palets** doivent
leur inimitable saveur.

LES FROMAGES

Normands (camembert,
livarot, pont-l'évêque, etc.)
aussi bien que berrichons
(crottin de Chavignol),
ces fromages et bien
d'autres, sont désormais protégés
par des appellations
d'origine contrôlées.

Pont-l'Évêque

**Crottins
de Chavignol**

Livarot

Camembert

LES BOISSONS

Produit à la ferme ou dans des cidreries,
qu'il soit normand ou breton, doux
ou brut, le cidre est, dit la tradition,
« difficile à faire et facile à boire ».
C'est vrai aussi pour le calvados,
qui nécessite de 6 à 10 ans de fût,
et pour la Bénédictine, élaborée
depuis 1510 selon une recette secrète.

Bénédictine   **Calvados**   **Cidre**

Les régions viticoles : la Loire

**Le cabernet franc,
dit « le breton »**

L es vignobles de la Loire se succèdent
le long de ce fleuve, couvrant
72 000 ha. Si, à quelques exceptions
près, ils offrent peu de grands crus,
les producteurs de cette région
ont fait de gros efforts qualitatifs.
Ils produisent des vins très agréables,
rouges fruités, rosés rafraîchissants,
blancs secs ou moelleux,
et mousseux d'excellente tenue.
Les vins blancs secs, qui sont ici
les plus nombreux, se boivent en principe assez
jeunes. Les liquoreux (vouvray ou côteaux du layon)
donnent cependant de grandes bouteilles de garde.

CARTE DE SITUATION

Les vignobles de la Loire

Le quarts de chaume
*est un vin moelleux
très apprécié des
connaisseurs.*

Le muscadet sur lie
*bénéficie d'une méthode
de tirage à la propriété
sur lie de vinification.*

LES VINS DE LOIRE
Le cours de la Loire
serpente sur près de
1 000 km. C'est aux confins
mêmes de la Bourgogne, au centre
de la France, que l'on trouve
le sancerre et le pouilly-fumé. Le fleuve
traverse ensuite la Touraine et l'Anjou,
jusqu'au plat Pays nantais, patrie
du gros plant et du muscadet.

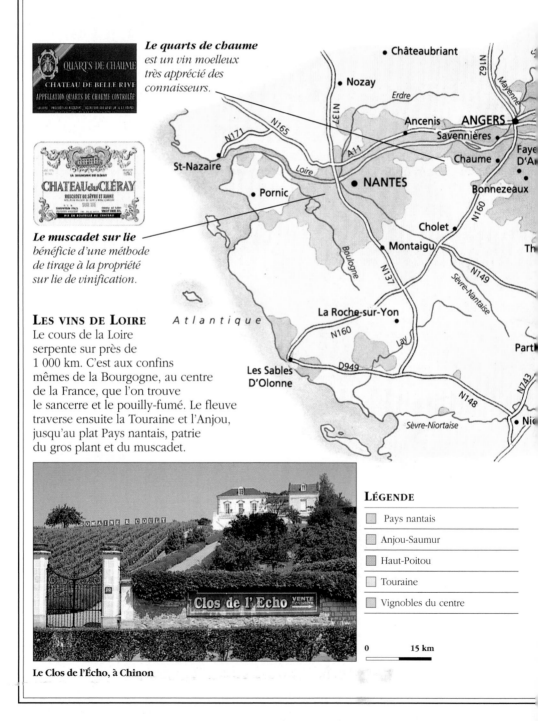

LÉGENDE
- Pays nantais
- Anjou-Saumur
- Haut-Poitou
- Touraine
- Vignobles du centre

0   15 km

Le Clos de l'Écho, à Chinon

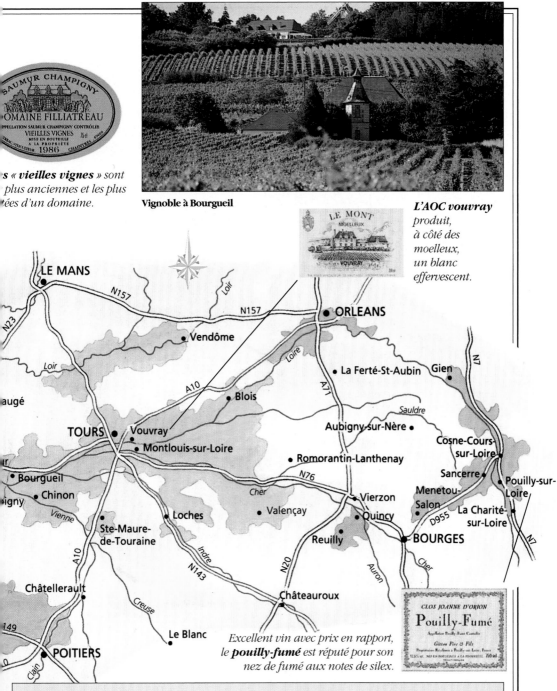

Les « *vieilles vignes* » sont les plus anciennes et les plus réputées d'un domaine.

Vignoble à Bourgueil

L'AOC vouvray produit, à côté des moelleux, un blanc effervescent.

*Excellent vin avec prix en rapport, le **pouilly-fumé** est réputé pour son nez de fumé aux notes de silex.*

CE QU'IL FAUT SAVOIR SUR LES VINS DE LOIRE

 Sol et climat
Ces terres fertiles sont propres à bien des cultures : fruits, légumes et céréales, vignes.
Le climat doux et humide donne aux vins un bon équilibre acidité/alcool.

 Cépages
Le muscadet est issu du cépage melon, certains blancs de Touraine, le sancerre et le pouilly-fumé du sauvignon. Le chenin blanc est le principal cépage des vins blancs d'Anjou comme le savennières ou le bonnezeaux du montlouis de Touraine, et de grands vins effervescents comme le vouvray ou le saumur.
Pour le vin rouge, on peut citer le cépage gamay, qui donne des vins gouleyants et fruités, et le cabernet franc aux saveurs herbacées, cépage du bourgueil.

Quelques producteurs réputés
Muscadet : Sauvion, Guy Bossard, Luneau-Papin. *Anjou, savennières, vouvray* : Richou, Ogereau, Nicolas Joly, Huet, Domaine des Aubuissières, Bourillon-Dorléans. *Touraine* : Ch. de Chenonceau. *Saumur-Champigny* : Filliatreau, Couly-Dutheil, Yves Loiseau. *Chinon/bourgueil* : Joguet. *Sancerre, pouilly-fumé, menetou-salon* : Francis Cotat, Dagueneau, Reverdy, Vacheron, Mellot, Vincent Pinard.

Évolution de l'architecture

Autrefois défensifs, les châteaux du Val de Loire
sont peu à peu devenus des résidences d'agrément.
L'invention de l'artillerie avait rendu caducs murs épais,
chemins de ronde et mâchicoulis. Les donjons, les créneaux,
les douves et les portes monumentales devinrent des signes
de noblesse et de magnificence, et les ornements
de la Renaissance apportèrent l'élégance.

**La salamandre,
emblème de François Ier**

**Murs de pierre et
d'ardoise**

**Fortifications
aux créneaux arasés**

**Tour ronde,
autrefois défensive**

**Chemin de ronde
en encorbellement**

Le **château d'Angers** (p. 303),
construit de 1230 à 1240 par Louis IX
sur un piton rocheux, domine la ville.
À la fin du XVIe siècle, Henri III modifie
la forteresse en faisant décapiter les tours
à hauteur du mur d'enceinte.

Le **château de Chaumont** (p. 324),
rasé sous Louis XI, a été reconstruit et
remanié, de 1445 à 1510, par la famille
d'Amboise. Ses éléments apparemment
défensifs, comme les tours, les créneaux
ou les poternes, ne sont plus, en fait,
que décoratifs. Il a été restauré
au XIXe siècle.

Tourelle décorative

Azay-le-Rideau (p. 314), que l'on considère
comme l'un des châteaux les plus élégants
et les plus achevés de la Renaissance, fut
construit par Gilles Berthelot, l'un des quatre
trésoriers de France et maire de Tours, et sa
femme Philippa Lesbahy. Les pilastres et les
clochetons délicats contrastent avec l'escalier
monumental à trois volées, les baies en saillie
et les frontons surchargés.

Tour cylindrique

Fenêtres en lucarne

Fenêtres sculptées

Pilastres

Ussé (p. 311) fut construit dans
la seconde moitié du XVe siècle par Jean
de Bueil. Le château fort comportait alors
force mâchicoulis, créneaux et meurtrières.
Les Espinay, chambellans des rois Louis XI
et Charles VIII, firent l'acquisition du
château et modifièrent en partie son aspect.
Avec ses pilastres et ses fenêtres en lucarne,
c'est un bon exemple de style Renaissance.
L'aile nord a été rasée au XVIIe siècle.

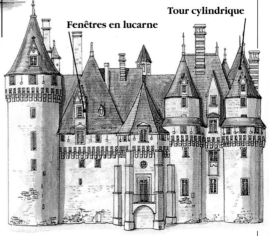

Les traditions bretonnes

Chassés par les Anglo-Saxons, les Bretons insulaires venus se fixer en Armorique aux ve et vi^e siècles ont baptisé leur nouvelle terre *Breiz Izel*, la petite Bretagne. Ils apportent leurs coutumes, leur langue et leur religion. La Bretagne, au cours des siècles, a résisté à Charlemagne, aux invasions des Vikings et des Normands, aux Anglais et même au royaume de France jusqu'en 1532. Aujourd'hui encore, elle conserve jalousement ses traditions et son folklore.

La haute coiffe bigouden

La musique bretonne est fortement marquée par l'influence celtique. Le bagad, élément obligé des fêtes locales, est composé de joueurs de biniou et de bombarde.

Les pardons, avec processions solennelles, sont des manifestations collectives de piété et de contrition qui rassemblent à travers les rues, autour de bannières et reliques, un grand nombre de fidèles, notamment à Sainte-Anne-d'Auray et à Sainte-Anne-la-Palud.

Coiffe de cérémonie **Le célèbre « chapeau rond »** **Coiffe de lin** **Coiffe de travail**

Galoches

Tablier brodé

Pantalons bouffants

Les costumes traditionnels, portés lors des processions, des fêtes locales ou des mariages, varient d'une région à l'autre. Plusieurs musées (Quimper, Pont-l'Abbé) évoquent l'histoire du costume breton, source d'inspiration pour des artistes comme Gauguin et les peintres de l'école de Pont-Aven.

Paysages et oiseaux de Bretagne

Couple de petits pingouins

La Bretagne est la région de France qui voit passer ou séjourner sur ses côtes le plus grand nombre d'oiseaux marins. Dès la fin de l'été, les oiseaux qui sont allés nicher dans le Nord de l'Europe repassent en Bretagne. Les uns poursuivent leur voyage vers le sud, mais beaucoup y restent jusqu'au début du printemps et repartent vers les régions septentrionales pour se reproduire, en compagnie des migrateurs venus du sud qui les ont rejoints.

Busard cendré en Bretagne

CÔTES PLATES ET SABLONNEUSES

La flore des plages et des dunes a la particularité de supporter le sel. On trouve la roquette de mer et plusieurs arroches au niveau des laisses de mer. Les oyats, qui croissent sur les dunes et les fixent, abritent euphorbes, chardons bleus, liserons et giroflées des dunes.

BAIES ET CÔTES VASEUSES

Les vasières sont couvertes d'une végétation basse et grise : salicornes, soudes et obiones, avec parfois lilas de mer aux fleurs violettes, qui supportent un sol salé et gorgé d'eau en permanence par les marées qui les recouvrent en partie deux fois par jour.

Le grand gravelot *recherche sur les plages de sable les vers marins, les puces de mer et les petits mollusques.*

Les bécasseaux variables *se déplacent par milliers, en sondant sans cesse la vase avec leur bec.*

Le guêpier d'Europe est présent en Bretagne d'avril à septembre et hiverne au sud du Sahara.

Les goélands cendrés *nichent au nord de l'Europe et hivernent en Bretagne, où ils arrivent dès le mois d'août.*

Les bécasseaux sanderling *nichant dans les régions boréales arrivent en Bretagne en août pour hiverner ou repartir vers l'Afrique.*

L'huîtrier pie *se rencontre toute l'année en Bretagne. Il se nourrit surtout de moules, de coques et de bigorneaux.*

LE GUILLEMOT DE TROÏL

Plongeur marin, noir et blanc, avec le cou court et les ailes étroites, le guillemot de Troïl hiverne sur les côtes de la Manche et de l'Atlantique. Il niche en colonies sur les falaises des caps Fréhel et Sizun, à Camaret et aux Sept-Îles, pondant un seul œuf sur une corniche rocheuse. On le trouve aussi sur les rochers isolés, souvent avec des pingouins et des mouettes tridactyles. À la saison des nids, son cri est bruyant, fait de sons longs et rauques. Le jeune nage vingt jours après son éclosion, mais ne vole qu'à deux mois. Il pêche les poissons, sa nourriture principale, en haute mer, plongeant à plus de 50 mètres de profondeur pour s'en emparer.

Colonie de guillemots de Troïl

CÔTES ROCHEUSES ET FALAISES

Les falaises abritent une flore originale : arméries maritimes et spergulaires à fleurs roses, verges d'or maritimes et choux sauvages à fleurs jaunes, romulées printanières et scilles d'automne, minuscules fougères et nombreux lichens.

LANDES DE L'INTÉRIEUR

Une grande partie de l'année, les bruyères, cendrées, ciliées, à balai ou tétragones, recouvrent la lande d'un tapis rose qui contraste avec les fleurs jaunes des ajoncs d'Europe. Les fourrés d'argousiers, de ronces et d'églantiers y sont nombreux.

La pétrel fulmar vit en haute mer et niche sur les corniches des falaises les plus abruptes.

Le macareux moine pêche les poissons en haute mer et creuse au printemps un profond terrier où il dépose un seul œuf blanc.

Le busard Saint-Martin chasse en terrain découvert les campagnols et les petits oiseaux.

Les courlis cendrés migrent dès juin vers les côtes atlantiques où beaucoup hivernent.

En France, le puffin des Anglais ne niche qu'en Bretagne, aux Sept-Îles et dans les archipels d'Ouessant et d'Houat.

La fauvette pitchou chasse tout au long de l'année les petits insectes et les araignées.

NORMANDIE

EURE · SEINE-MARITIME · MANCHE · CALVADOS · ORNE

Le seul mot de Normandie évoque des prairies verdoyantes et des troupeaux de vaches grasses paissant paisiblement sous les pommiers à cidre. Mais la Normandie, c'est aussi les plages du Cotentin et les rives boisées de la Seine, les surprenantes abbayes de Caen ou du Mont-Saint-Michel, ou encore le jardin de Monet à Giverny.

La Normandie tire son nom des « hommes du Nord », ces farouches Vikings qui ont remonté la Seine au IXe siècle. Autorisés à s'installer dans la région par le traité de Saint-Clair-sur-Epte en 911, les anciens pillards assagis ont fait de Rouen leur capitale. Les méandres de la Seine arrosent au passage les abbayes de Jumièges et de Saint-Wandrille, avant de gagner les plages lumineuses où s'est épanoui, au XIXe siècle, le talent des peintres impressionnistes.

Au nord de Rouen se dressent les falaises crayeuses de la Côte d'Albâtre, prolongées à l'ouest par les sables de la Côte Fleurie, sans oublier le charmant petit port de Honfleur.

C'est surtout dans le pays d'Auge, à l'intérieur des terres, que l'on trouve les maisons à colombage associées à la région et les fameuses vaches normandes à l'œil cerclé de brun. Le bocage normand est une succession d'enclos protégés du vent par des haies de hêtres.

La ville de Caen, largement reconstruite après la dernière guerre, a conservé ses deux églises abbatiales édifiées au XIe siècle à la demande de Guillaume le Conquérant et de son épouse. C'est à Bayeux, toute proche, qu'est exposée la fameuse Tapisserie, dite de la reine Mathilde. La Côte de Nacre et la presqu'île du Cotentin gardent le souvenir d'un débarquement plus récent, celui du 6 juin 1944, prélude à la fin de la Seconde Guerre mondiale. À l'extrême pointe du Cotentin, Cherbourg, base militaire, ferme la baie où se dresse l'abbaye du Mont-Saint-Michel, l'un des hauts lieux du tourisme en France.

Maison à colombage à Beuvron-en-Auge, près de Lisieux

◁ **Les vaches normandes sont l'une des principales ressources du pays**

À la découverte de la Normandie

La richesse de son patrimoine historique et la diversité de ses paysages font de la Normandie un lieu de promenade idéal, en voiture ou à bicyclette. Toute la côte offre des routes pittoresques qui dominent les plages en plusieurs endroits. « Le Couesnon en sa folie mit Saint-Michel en Normandie », si bien que la célèbre abbaye marque de façon spectaculaire l'ancienne frontière avec la Bretagne. À l'intérieur, en suivant les méandres de la Seine, on atteint Rouen et sa cathédrale.

Pommiers en fleur dans le pays d'Auge

CHERBOURG

D901

COTENTIN

D14

N13

Douve

D2

PARC RÉGIONAL DES MARAIS DU COTENTIN ET DU BESSIN

BAYEUX

ST-LÔ

D572

COUTANCES

D13

A84

D577

GRANVILLE

SUISSE NORMANDE

Orne

AVRANCHES

D977

Varenne

MONT-ST-MICHEL

A84

N176

DOMFRONT

La Côte d'Albâtre

Vers Rennes

La région d'un coup d'œil

Légende

▬▬▬	Autoroute
▬▬▬	Route principale
▬▬▬	Route secondaire
▬▬▬	Route pittoresque
～～	Fleuve ou rivière
☀	Point de vue

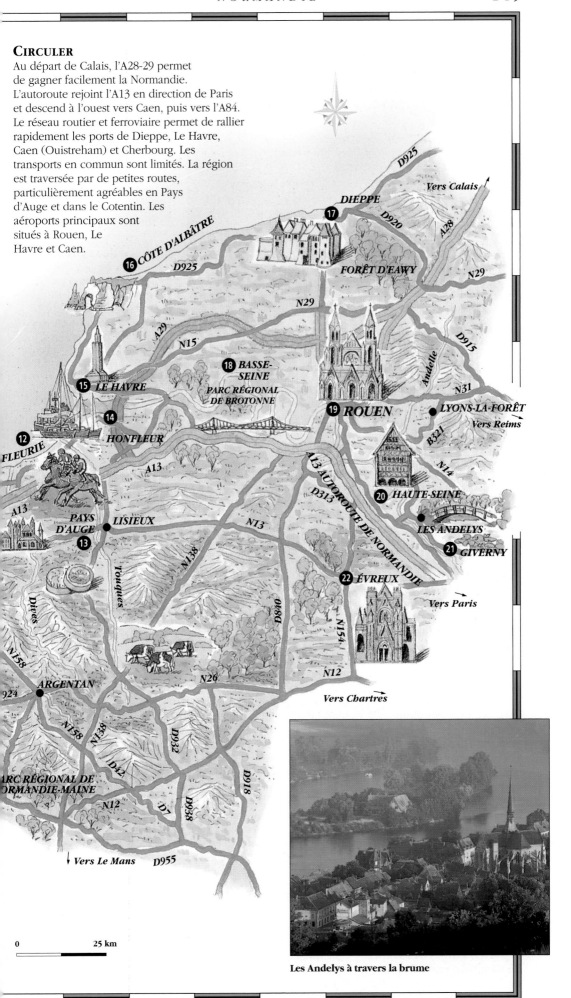

CIRCULER

Au départ de Calais, l'A28-29 permet de gagner facilement la Normandie. L'autoroute rejoint l'A13 en direction de Paris et descend à l'ouest vers Caen, puis vers l'A84. Le réseau routier et ferroviaire permet de rallier rapidement les ports de Dieppe, Le Havre, Caen (Ouistreham) et Cherbourg. Les transports en commun sont limités. La région est traversée par de petites routes, particulièrement agréables en Pays d'Auge et dans le Cotentin. Les aéroports principaux sont situés à Rouen, Le Havre et Caen.

D925

Vers Calais

DIEPPE

17

D920

A28

CÔTE D'ALBÂTRE

16 FORÊT D'EAWY

D925

N29

N29

A29

N15

D915

18 BASSE-SEINE
PARC RÉGIONAL
DE BROTONNE

Andelle

N31

15 LE HAVRE

19 ROUEN

LYONS-LA-FORÊT

Vers Reims

14

B321

12 HONFLEUR

N14

FLEURIE

A13

20 HAUTE-SEINE

D313

LES ANDELYS

PAYS
D'AUGE

A13

LISIEUX

N13

21 GIVERNY

13

N138

Vers Paris

22 ÉVREUX

Touques

D840

N154

Dives

N158

N26

N12

Vers Chartres

924 ARGENTAN

N158

N138

D932

D42

RC RÉGIONAL DE
ORMANDIE-MAINE

D918

N12

D7

D938

↓ Vers Le Mans   D955

0   25 km

Les Andelys à travers la brume

Crique rocheuse dans le Cotentin

Le Cotentin ❶

Manche. ✈ 🚆 🚌 🚢 *Cherbourg.*
ℹ️ *Cherbourg (02 33 93 52 02).*

D ans la presqu'île
du Cotentin, baignée
par la Manche, les longues
plages de sable alternent
avec des promontoires
rocheux balayés par les vents,
comme la pointe de la Hague
ou le Nez de Jobourg,
réserve d'oiseaux de mer.
C'est à Utah Beach, au seuil
du Cotentin, que les troupes
alliées ont débarqué le 6 juin
1944. À Sainte-Mère-Église,
le **musée Airborne**
commémore l'événement.
Voir aussi, à la sortie du
village, la **Ferme-musée du
Cotentin**, qui témoigne du
passé rural de la région. À
Valognes, le **musée
régional du Cidre** célèbre
les spécialités locales.

Au nord-est, **Barfleur**,
petit port de pêche, et **Saint-
Vaast-la-Hougue**, réputé
pour ses parcs à huîtres
et ses excursions à l'île
de Tatihou, méritent un détour.
Dans le Val de Saire,
le panorama de La Pernelle
embrasse plusieurs kilomètres
de côtes. À l'ouest de la
presqu'île, **Barneville-
Carteret** étale ses plages
de sable. En été, service
régulier de bateaux vers
les îles anglo-normandes.
À l'est de Carentan et de
l'embouchure de la Douve,
le **parc régional des Marais
du Cotentin et du Bessin**
est un exemple caractéristique
du bocage normand.

🏛 **Musée Airborne**
14, rue Eisenhower, Sainte-Mère-Église.
📞 *02 33 41 41 35.* ⭕ *de fév. à nov. :
t.l.j. ;* ⚫ *en déc. et janv.* ♻ ♿

🏛 **Ferme-Musée
du Cotentin**
Route de Beauvais, Sainte-Mère-Église.
📞 *02 33 41 30 25.* ⭕ *d'avr. à oct. :
t.l.j. l'a.-m. ; de juin à sept. : t.l.j.*
♻

🏛 **Musée régional du Cidre
et du Calvados**
Rue du Petit-Versailles, Valognes.
📞 *02 33 40 22 73.* ⭕ *d'avr. à sept. :
du mer. au lun. ; juil.-août : t.l.j. sauf
dim. matin.* ♻ ♿

Cherbourg ❷

Manche. 🏃 *44 100.* ✈ 🚆 🚌 🚢 ℹ️
2, quai Alexandre-III (02 33 93 52 02).
📧 *mar., jeu. et sam.* Ⓦ *www.ot-
cherbourg-cotentin.fr*

B ase navale depuis le milieu
du xixᵉ siècle, Cherbourg
est aujourd'hui encore un port
militaire. C'est aussi un port de
commerce, d'où partent
régulièrement des navires vers
l'Amérique du Nord et du Sud,
et des ferries vers l'Angleterre
et l'Irlande.

Sur les hauteurs, le **fort du
Roule** abrite le **musée de la
Libération**, où sont rassemblés
les souvenirs du débarquement
et de la libération de la ville. La
place du marché, abondam-
ment fleurie, et les rues
commerçantes voisines,
comme la rue de la Tour-
Carrée ou la rue de la Paix,
sont très animées.

Le **musée Thomas-Henry**
expose des tableaux de l'école
flamande et des portraits
de Jean-François Millet (auteur

du célèbre *Angélus*), un enfant
du pays né à Gréville.

Voir aussi le **musée
d'Histoire naturelle**, dans le
parc Emmanuel Liais qui
regroupe plusieurs petits
jardins botaniques.

La toute nouvelle **Cité de la
Mer** possède un impressionant
auarium de haute mer
cylindrique et permet de
visiter le plus grand sous-
marin accessible au public.

🏛 **Musée de la Libération**
Fort du Roule. 📞 *02 33 20 14 12.*
⭕ *de mai à sept. : du lun. au dim.
(a.-m.slt) ; d'oct. à avr. : du mer. au sam.
(a.-m. slt).* ⚫ *jours fériés.* ♻ ♿

🏛 **Musée Thomas-Henry**
Rue Vastel. 📞 *02 33 23 39 30.* ⭕ *mai-
sept. : t.l.j. ; oct. : du mer. au dim a.-m.*
⚫ *jours fériés.* ♻ ♿

🏛 **Musée d'Histoire
naturelle**
Parc Emmanuel Liais, 9, rue de
l'Abbaye. 📞 *02 33 53 51 61.*
⭕ *du mar. au dim.* ⚫ *jours fériés.* ♻

🏛 **La Cité de la Mer**
Gare maritime transatlantique.
📞 *02 33 23 31 60.* ⭕ *t.l.j.* ♻
📷 🍴 🛍

Au centre de Cherbourg

Coutances ❸

Manche. 🏃 *11 500.* 🚆 🚌 ℹ️
pl. Georges-Leclerc (02 33 19 08 10).
📧 *jeu.*

B âtie au xiiiᵉ siècle,
l'actuelle cathédrale,
fleuron du gothique
normand, incorpore des
parties importantes de la
cathédrale romane du
xiᵉ siècle. Elle possède
une tour lanterne haute
de 66 m et abrite un
important ensemble de
vitraux gothiques.

La ville a été endommagée
à 65 % lors de la dernière
guerre, mais la cathédrale
a échappé au désastre
ainsi que les églises Saint-
Pierre, Saint-Nicolas

et le **jardin des plantes**. Au sud-est, on peut visiter les intéressantes ruines de l'**abbaye d'Hambye** (XIIᵉ s.).

Le chevet de la cathédrale de Coutances et sa tour lanterne

Granville ❹

Manche. 🏠 13 500. 🚉 🚌 ⛴ ℹ️ 4, cours Joinville (02 33 91 30 03). ⛴ mer., sam. 🌐 www.ville-granville.fr

Fortifiée par les Anglais en 1439, la ville haute est aujourd'hui encore ceinte de remparts d'où l'on découvre à l'horizon le Mont-Saint-Michel et sa baie.
Le **musée du Vieux Granville** occupe l'une des anciennes poternes.
Les murs de l'**église Notre-Dame** sont tapissés d'ex-voto offerts par les marins pêcheurs du pays à leur sainte patronne, Notre-Dame du Cap Lihou. La ville basse est une station balnéaire Belle Époque, avec un casino, des promenades, des jardins, un aquarium et un musée des Coquillages. Le **musée Christian-Dior**, installé dans la maison d'enfance du couturier, présente d'intéressantes expositions retraçant l'évolution de la mode de 1937 à 1952.

Service régulier de vedettes pour les îles Chausey, d'où proviennent les pierres de l'abbaye du Mont-Saint-Michel.

🏛 **Musée du Vieux Granville**
2, rue Lecarpentier. 📞 02 33 50 44 10. ⭕ d'avr. à sept. : du mer. au dim. ; d'oct. à mars : mer., sam., dim. (a.-m. slt). ⚫ les jours fériés. 🚫
🏛 **Musée Christian-Dior**
Villa les Rhumbs jardin public Christian Dior. 📞 02 33 61 48 21. ⭕ de juin à sept. : du mar. au dim.

LES PLAGES DU DÉBARQUEMENT

Le 6 juin 1944, aux premières heures du jour, les forces alliées déferlent sur les plages. La Normandie est la première étape de l'Opération Overlord, dont l'objectif est de libérer la France. Les parachutistes sont largués au-dessus de Sainte-Mère-Église et de Pegasus Bridge, et l'infanterie de marine est débarquée le long des plages, qui portent encore aujourd'hui leur nom de code. Les Américains arrivent par l'ouest, à Utah et à Omaha, tandis que les Britanniques et les Canadiens, accompagnés de commandos français, ont pour objectifs Gold, Juno et

Le débarquement des troupes américaines

Sword, un peu plus loin vers l'est. Bénouville, où se dressait le double pont sur l'Orne rebaptisé Pegasus Bridge pour la circonstance, est un point de départ idéal pour entamer le circuit des plages et des monuments commémoratifs.

À Arromanches, on peut encore voir les vestiges du port artificiel établi par les Alliés. Nombreux cimetières militaires et musées de la guerre, à Bayeux, Caen, Sainte-Mère-Église, Cherbourg, retraçant l'histoire du jour J et de la bataille de Normandie.

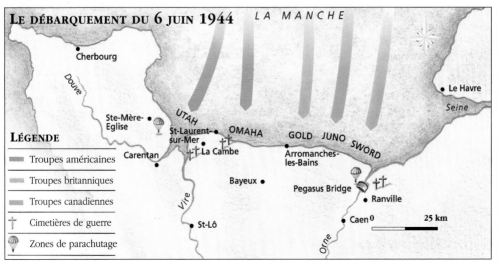

LE DÉBARQUEMENT DU **6 JUIN 1944**

LA MANCHE

Cherbourg

Douve

Le Havre
Seine

Ste-Mère-Église
UTAH
St-Laurent-sur-Mer
OMAHA
GOLD JUNO SWORD
La Cambe
Carentan
Arromanches-les-Bains
Bayeux
Pegasus Bridge
Ranville

LÉGENDE

▬ Troupes américaines
▬ Troupes britanniques
▬ Troupes canadiennes
† Cimetières de guerre
⛱ Zones de parachutage

Vire
St-Lô
Orne
Caen

0 — 25 km

À la fin du jour J, environ 135 000 hommes étaient débarqués, avec des pertes d'environ 10 000 hommes

Avranches ❺

Manche. 🏛 *9 230.* 🚌 🚉 ℹ️ *2, rue Général-de-Gaulle (02 33 58 00 22).* 🛒 *sam.* 🆆 *www.ville-avranches.fr*

Centre religieux depuis le VIe siècle, la petite bourgade est tout naturellement devenue la dernière étape des pèlerins en route pour l'abbaye du Mont-Saint-Michel. La légende raconte qu'en l'an 708, l'archange saint Michel apparut en songe à saint Aubert, évêque d'Avranches, et lui intima l'ordre d'élever une chapelle sur un îlot rocheux de la baie.
À l'**église Saint-Gervais**, on peut voir le « chef de saint Aubert », marqué au front de la trace laissée par l'index de l'archange. C'est depuis le **Jardin des Plantes** que l'on a la meilleure vue d'ensemble du Mont.
203 manuscrits de son abbaye ont été transférés à Avranches, où certains sont exposés à l'**hôtel de ville** ainsi que 14 000 autres provenant d'abbayes des environs. Non loin de là, le **Musée municipal** regroupe d'intéressants témoignages du passé.

🏛 **Hôtel de ville**
Pl. Littré. 📞 *02 33 89 29 40.* ◯ *de juin à sept. : t.l.j.* 📷 ♿
🏛 **Musée municipal**
Pl. Jean-de-Saint-Avit. 📞 *02 33 89 29 50.* ◯ *de juin à sept. : t.l.j.* ● *1er mai.* 📷

Les ruines de Mulberry Harbour

Le Mont-St-Michel ❻

p. 256-261.

La Côte de Nacre ❼

Calvados. ✈️ *Caen.* 🚌 🚉 *Caen, Bayeux.* ⛴ *Caen-Ouistreham.* ℹ️ *Caen (02 31 27 14 14).*

La Côte de Nacre, ainsi appelée depuis le XIXe siècle pour sa lumière particulière et ses sables blancs, s'étend de l'embouchure de l'Orne à celle de la Seulles. C'est là que les troupes alliées ont débarqué en juin 1944, dans le cadre de l'Opération Overlord *(p. 251)*.
On y trouve donc, outre de nombreux cimetières militaires, quantité de monuments commémoratifs et de musées qui méritent une visite.

On voit encore, au large d'Arromanches, les vestiges du port artificiel de Mulberry Harbour. Les vastes plages de sable sont fréquentées aujourd'hui par les amateurs de grand air et de baignade, assurés de trouver le gîte et le couvert dans de charmantes localités comme **Courseulles** ou **Luc-sur-Mer**.

Bayeux ❽

Calvados. 🏛 *15 400.* 🚌 🚉 ℹ️ *pont Saint-Jean (02 31 51 28 28).* 🛒 *sam.*

Première commune libérée par les Alliés en 1944, Bayeux a échappé par miracle aux destructions de la guerre. On peut y admirer de belles maisons du XVe au XIXe siècles autour de la rue Saint-Martin et de la rue Saint-Jean,

LA TAPISSERIE DE BAYEUX

Ce prestigieux ancêtre de la bande dessinée, un lé de toile écrue long de plus de 70 m sur 50 cm de large, présente successivement les divers épisodes de l'accession de Guillaume le Conquérant, né à Falaise en 1027, au trône d'Angleterre, dont la bataille décisive d'Hastings. La Tapisserie, en réalité une patiente broderie attribuée, sans doute à tort, à la reine Mathilde, est un précieux témoignage de la vie quotidienne au Moyen Âge.

Harold et sa suite sont envoyés avertir Guillaume du vœu d'Édouard de le voir lui succéder sur le trône d'Angleterre.

Des arbres aux branches entrelacées matérialisent parfois la fin d'une scène.

voie piétonne et commerçante. La **cathédrale Notre-Dame**, de style gothique, dont les flèches élancées et la tour lanterne dominent le centre, possède aussi une magnifique crypte romane du XIe siècle, décorée de fresques, seul vestige de l'église paroissiale consacrée en 1077, date à laquelle, selon toute vraisemblance, l'évêque Odon décida de faire exécuter pour l'occasion la célèbre Tapisserie, orgueil de la ville. La Tapisserie de Bayeux, ou « Telle du Conquest », est admirablement mise en valeur au **Centre Guillaume-le-Conquérant-Tapisserie de Bayeux** récemment restauré. À l'ombre de la cathédrale, le **musée Baron-Gérard** possède une riche collection de porcelaine de Bayeux.

À la sortie sud-ouest de la ville, le **musée mémorial de la Bataille de Normandie** retrace les événements locaux de la Seconde Guerre mondiale.

🏛 **Centre Guillaume-le-Conquérant-Tapisserie de Bayeux**
Rue de Nesmond. 📞 02 31 51 25 50.
◯ t.l.j. ● 1er janv., 25 déc. 🈺♿
🏛 **Musée Baron-Gérard**
Pl. de la Liberté. 📞 02 31 92 14 21.
◯ t.l.j. 🈺
🏛 **Musée mémorial de la Bataille de Normandie**
Bd Fabian-Ware. 📞 02 31 51 46 90. ◯ t.l.j. ● 2 dernières sem. de janv. 🈺♿

Aux environs
Cérisy-la-Forêt, au sud-ouest,

Caen, l'abbaye-aux-Hommes

garde une église romane du XIe siècle, tandis que le **château de Balleroy** est dû à Mansart et Le Nôtre.

Caen ❾

Calvados. 🏙 117 000. ✈🚆🚌🚢
ℹ pl. Saint-Pierre (02 31 27 14 14).
🅰 ven., dim. 🆆 www.ville-caen.fr

Guillaume le Conquérant et la reine Mathilde firent de Caen, au milieu du XIe siècle, leur résidence favorite. La ville fut détruite aux trois quarts pendant la dernière guerre, mais le château, aménagé en parc public, se dresse encore bravement sur la rive de l'Orne.

Quant aux deux abbayes monumentales édifiées par les souverains en expiation de leur mariage consanguin, elles ont traversé les siècles sans trop souffrir.

L'**église Saint-Pierre**, élevée au XIIIe siècle, a été remaniée et complétée au début du XVIe siècle. Son clocher du XIVe siècle abattu pendant la dernière guerre a été reconstruit. Dans le Vieux Quartier, à l'est de la ville, la rue Vaugeux, réservée aux piétons, présente encore quelques jolies maisons à pans de bois. Pour gagner le quartier commerçant, on peut prendre la rue Saint-Pierre ou le boulevard du Maréchal-Leclerc.

Les Anglais prennent un dernier repas avant d'embarquer pour la Normandie.

Des moustaches hirsutes, apanage des Anglais, les distinguent des Normands impeccablement rasés.

Les brins de laine colorés utilisés pour la broderie ont perdu leur éclat au cours des siècles.

Des inscriptions latines orthographiées à la saxonne commentent les scènes.

Les bordures ornementales accumulent les allégories et les figures symboliques.

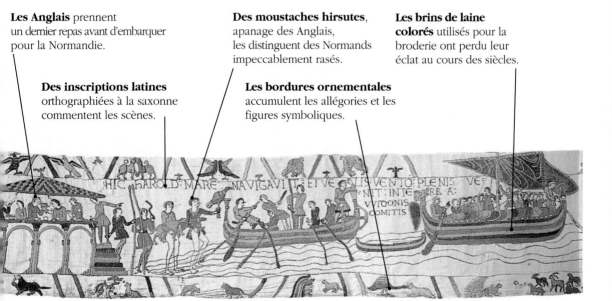

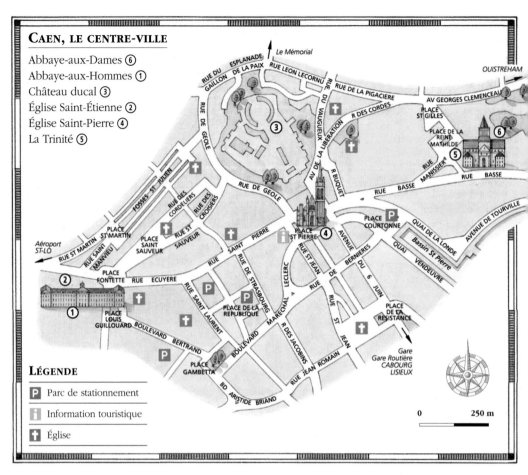

CAEN, LE CENTRE-VILLE

Abbaye-aux-Dames ⑥
Abbaye-aux-Hommes ①
Château ducal ③
Église Saint-Étienne ②
Église Saint-Pierre ④
La Trinité ⑤

LÉGENDE

🅿 Parc de stationnement

ℹ Information touristique

✝ Église

🏛 Abbaye-aux-Hommes ①

Esplanade Jean-Marie-Louvel.
📞 *02 31 30 42 81.* ⭘ *t.l.j.*
⬤ *1er janv., 25 déc.* 🈂🛗
☑ *obligatoire.*
Commencée en 1063,
l'abbaye-aux-Hommes fut
achevée vingt ans plus tard.
L'abbatiale, l'**église Saint-
Étienne**, est un chef-d'œuvre
de l'art roman, dont l'austère
façade occidentale est
surmontée de flèches du
XIIIe siècle. La nef, très épurée,
fut couverte au début du
XIIe siècle par des voûtes de
pierre annonciatrices de l'art
gothique.

🏛 Abbaye-aux-Dames ②

Pl. de la Reine-Mathilde. 📞 *02 31 06
98 98.* ⭘ *t.l.j.* ⬤ *1er janv., 1er mai,
25 déc.* ☑ *obligatoire.* 🛗
Sa superbe abbatiale est
romane, l'**église de la
Trinité**, flanquée d'une aile
du XVIIIe siècle. Commencée
en 1060, elle ne fut consacrée
qu'en 1066, quelques mois
avant la victoire d'Hastings. La
blancheur des blocs de pierre
et la solennité du lieu en font
un mausolée à la mesure
de la reine Mathilde,
qui repose dans le chœur.

🏛 Château ducal ③

Esplanade du Château. **Musée des
Beaux-Arts** 📞 *02 31 30 47 70.*
Musée de Normandie 📞 *02 31 30
47 50.* **Musées** ⭘ *du mer. au lun.*
⬤ *1er janv., Pâques, 1er mai,
Ascension, 1er nov., 25 déc.* 🈂🛗
Les ruines du château de Caen
sont entourées de jardins
et de remparts offrant une
jolie vue sur la ville. L'enceinte
abrite le **musée des Beaux-Arts**,
qui expose essentiellement
des peintures et un très
important fonds d'estampes,
et le **musée de Normandie**,
qui rassemble des témoignages
divers (archéologiques,
ethnographiques…) sur le
passé de la région.

🏛 Mémorial de Caen

Esplanade Dwight-Eisenhower.
📞 *02 31 06 06 44.* ⭘ *de mi-janv. à
déc. : t.l.j.* ⬤ *25 déc.* 🈂🛗
Au nord-ouest de la ville, le
Mémorial place le
débarquement dans le
contexte des conflits du
XXe siècle. Il utilise des
techniques audiovisuelles et
interactives, à partir de
documents d'archives et
d'extraits de films.

Aux environs

Guillaume le Conquérant est
né au château de **Falaise**,
dont le puissant donjon date
du XIIe siècle ; en ville,
plusieurs églises intéressantes.

La vallée de l'Orne, en Suisse normande

La Suisse normande ❿

Calvados et Orne. ✈ *Caen.* 🚆 🚌
Caen, Argentan. ℹ️ *Thury-Harcourt-Clécy (02 31 69 79 95).* 🔲 www.
suisse-normande.com

Même si le terme paraît un peu excessif, les escarpements et les reliefs inattendus de la vallée de l'Orne, au sud de Caen, attirent les amateurs de randonnée, de camping, d'escalade et de sports de rivière. On peut aussi se promener en voiture sur de petites routes pittoresques. Le point culminant est la roche d'Oëtre, accessible par la D 329, d'où l'on peut admirer en contrebas les gorges vertigineuses de la Rouvre.

Le parc régional de Normandie-Maine ⓫

Orne et Manche. ✈ *Alençon.*
🚆 🚌 *Carrouges.*
ℹ️ *Carrouges (02 33 27 40 62).*

C'est le plus grand parc régional de France. On y trouve de charmantes localités, telles **Domfront**, qui domine la Varenne, ou **Bagnoles-de-l'Orne**, petite ville d'eau dotée d'un casino et de clubs sportifs. **Sées**, un peu plus à l'est, possède une magnifique cathédrale gothique. La **Maison du Parc**, à Carrouges, fournit toutes informations utiles pour découvrir les lieux, à pied, à bicyclette ou à cheval, et pratiquer escalade et canoë.

Réclame pour Deauville, dans les années 1930

🌿 **Maison du Parc**
Carrouges. 📞 *02 33 81 75 75.*
🔲 *du lun. au ven.* ⚫ *les jours fériés.*

Aux environs
À la sortie de Mortrée se dresse le **château d'O**, splendide exemple d'architecture Renaissance. Non loin de là, le **Haras du Pin** organise à la belle saison diverses manifestations hippiques. **Alençon**, ancienne cité ducale, retient par son musée de la Dentelle, son château, ses vieux quartiers. Non loin, splendide **forêt d'Écouves**.

La Côte Fleurie ⓬

Calvados. ✈ 🚆 🚌 *Deauville.*
ℹ️ *Deauville (02 31 14 40 00).*
🔲 www.deauville.org

La Côte Fleurie, jalonnée de stations balnéaires à la mode, s'étend de Villerville à Cabourg. **Trouville**, qui n'était alors qu'un petit village de pêcheurs, attira au XIXᵉ siècle l'attention de Gustave Flaubert et d'Alexandre Dumas. Après la guerre de 1870, la commune s'était dotée de plusieurs grands hôtels, d'une gare ferroviaire et de chalets élégants en bordure de plage. Sa voisine, **Deauville**, lancée par le duc de Morny à la même époque, ne devait pas tarder à la supplanter. Qui ne connaît, au moins de réputation, son imposant casino, ses champs de courses, ses marinas et surtout ses fameuses « planches » (au point d'en oublier que Trouville en possède aussi) ?

Plus discrètes, à l'ouest, sont les plages de **Houlgate** et de **Villers-sur-Mer**. **Cabourg**, enfin, servit de modèle à la plage imaginaire de Balbec, évoquée par Marcel Proust dans *À la recherche du temps perdu*. L'auteur fit en effet de multiples séjours au Grand Hôtel, dont les bâtiments élevés au tournant du siècle dominent encore la localité.

Le pays d'Auge ⓭

Calvados. ✈ *Deauville.* 🚆 🚌
Lisieux. ℹ️ *Lisieux (02 31 48 18 10).*
🔲 www.ville-lisieux.fr

À l'intérieur des terres, le pays d'Auge illustre bien la Normandie telle qu'on l'imagine, avec son herbe drue, ses bosquets ombragés, ses vergers, ses fermes et ses belles demeures. **Lisieux**, sa capitale, est pratiquement dédiée à Thérèse de l'Enfant-Jésus, carmélite canonisée en 1925, dont le culte attire sur les lieux plus d'un million de fidèles par an. On peut préférer le calme de petites villes comme **Orbec** ou **Saint-Pierre-sur-Dives**.

La route du Cidre, les circuits ruraux, bien balisés, permettent d'admirer solides bâtiments de ferme et manoirs à colombages témoignant de la prospérité de la région. Une visite des châteaux de **Crèvecœur-en-Auge** où se trouve l'étonnant musée Schlumberger, et de **Saint-Germain-de-Livet,** ainsi que du village de **Beuvron-en-Auge**, aux vieilles maisons à colombage, s'impose.

LES POMMES ET LE CIDRE

Les pommeraies sont indissociables du paysage normand. Toute pâtisserie qui se respecte propose sa « *tarte normande* », tarte aux pommes nappée de crème fraîche, et les écriteaux annonçant « *Ici, vente de cidre* » sollicitent les promeneurs au détour des chemins. La Normandie est aussi le berceau du calvados, alcool de pomme vieilli en fût de chêne. On y fabrique également une boisson légèrement alcoolisée à base de poire, le poiré.

Pommes à cidre et pommes à couteau

Le Mont-Saint-Michel ❻

L'abbaye au
Xᵉ siècle

Ceint d'une écharpe de brume et cerné par les flots, le Mont-Saint-Michel, l'une des curiosités les plus étonnantes de la côte française, se dresse fièrement dans le scintillement de la baie, entre Normandie et Bretagne, à l'embouchure du Couesnon. L'ancien Mont-Tombe, doté au VIIIᵉ siècle d'un modeste oratoire, fut couronné du Xᵉ au XVIᵉ siècle d'une abbaye monumentale, plusieurs fois remaniée, qui double pratiquement sa hauteur. Lieu de pèlerinage particulièrement fréquenté au XIIᵉ et au XIIIᵉ siècles, le Mont continua longtemps d'être pris d'assaut par les « miquelots », venus parfois de très loin pour honorer saint Michel. Le « Mont-Michel », Révolution oblige, fut transformé en prison, avant que sa rénovation ne soit confiée, en 1874, aux Monuments historiques. Il est relié au continent par une digue carrossable depuis 1879.

Saint Michel

L'abbaye au
XIᵉ siècle

L'abbaye a
milieu d
XVIIIᵉ siècl

La chapelle Saint-Aubert

Édifié sur le rocher au XVᵉ siècle, l'oratoire est consacré au fondateur du Mont-Saint-Michel.

Tour Gabriel

★ Les remparts
La ville a été fortifiée pendant la guerre de Cent Ans pour résister aux assauts des Anglais.

Entrée

CHRONOLOGIE

966 Fondation d'une abbaye bénédictine	**1211-1228** Construction de la Merveille	**1434** Dernière attaque des Anglais. La ville est ceinte de remparts	**1789** À la Révolution, le Mont devient prison politique	**1874** La sauvegarde de l'abbaye est confiée aux Monuments historiques **1922** Restauration du culte dans l'abbatiale
700	**1000**	**1300**	**1600**	**1900**
1017 Début des travaux de l'abbaye **708** Saint Aubert fait construire un oratoire sur le Mont-Tombe	**1516** Déclin de l'abbaye **1067-1070** Le Mont-Saint-Michel est représenté sur la Tapisserie de Bayeux *Détail de la Tapisserie de Bayeux*		**1877-1879** Construction de la digue	**1895-1897** Addition de la tour, de la flèche et de la statue de l'Archange **1969** Retour d'une communauté bénédictine

MODE D'EMPLOI

Pontorson, puis autobus.
bd de l'Avancée (02 33 60 14
30). Saint-Michel de Printemps
(mai), Saint-Michel d'Automne
(sept.). **Abbaye** 02 33 89 80 00.
t.l.j. de 9 h à 19 h de mai. à
août ; de 9 h 30 à 18 h de sept. à
avril. Visites nocturnes l'été
(recommandées). les 1er janv.,
1er mai, 1er et 11 nov., 25 déc.
12 h 15 mar.-dim.
www.monum.fr

Les marées
Les marées sont d'une amplitude exceptionnelle dans la baie. Les sables mouvants n'opposent aucune résistance à la montée des eaux, dont la vitesse peut atteindre 10 km/h aux marées d'équinoxe.

★ L'abbaye
Protégées par de hautes murailles, l'abbaye et son église occupent une position imprenable.

Le Saut Gauthier
Situé au sommet du Grand Degré, on y jouit d'une vue magnifique sur le sud de la baie.

Église Saint-Pierre

Tour de la Liberté

Tour de l'Arcade, où logeaient les gardes.

Tour du roi

★ La Grande-Rue
L'ancien itinéraire des pèlerins jusqu'aux portes de l'abbaye, aujourd'hui envahi de restaurants et de boutiques de souvenirs, longe l'église Saint-Pierre.

À NE PAS MANQUER

★ **L'abbaye**

★ **Les remparts**

★ **La Grande-Rue**

L'abbaye du Mont-Saint-Michel

L'histoire du Mont-Saint-Michel est sensible à travers son architecture même. L'abbaye qui le domine connut des affectations diverses, passant du monastère bénédictin à la prison politique. C'est en 1017 que fut construite une première église abbatiale, qui prenait appui sur un édifice pré-roman du

Croix dans le chœur Xe siècle, la chapelle Notre-Dame-sous-Terre. Au tout début du XIIIe siècle, un imposant monastère à trois niveaux, la Merveille, est adjoint au nord de l'abbatiale, à flanc de rocher.

★ L'église abbatiale
La nef ne comprend plus que quatre travées. Les trois autres ont été abattues en 1776.

Réfectoire des moines
La grande salle est baignée d'une lumière douce, diffusée par de très étroites et très hautes ouvertures.

★ La Merveille
Il n'a fallu que 16 ans pour construire ce chef-d'œuvre de l'art gothique.

Salle des Chevaliers
Les voûtes et les chapiteaux sont typiquement gothiques.

NIVE. SUPÉRIE (ÉGLIS

NIVEAU INTERMÉDIAI

NIVEAU INFÉRIEUR

Notre-Dame-des-Trente-Cierges
C'est l'une des deux cryptes qui supportent le transept.

★ Le cloître
Avec ses colonnettes de poudingue disposées en quinconce, c'est une parfaite illustration du style anglo-normand.

VISITE DE L'ABBAYE

Les trois niveaux de l'abbaye reflétaient la hiérarchie monastique. Les moines logeaient à l'étage supérieur, où se situaient l'église, le cloître et le réfectoire. Les hôtes de marque étaient reçus par l'abbé à l'étage intermédiaire. À l'étage inférieur étaient hébergés les gardes, ainsi que les pèlerins de modeste condition. Le circuit habituel allait de la terrasse de l'ouest à l'Aumônerie, où les pauvres recevaient l'aumône, transformée aujourd'hui en comptoir de vente.

ÉGLISE

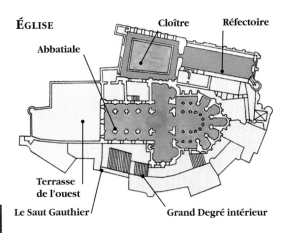

- Abbatiale
- Cloître
- Réfectoire
- Terrasse de l'ouest
- Le Saut Gauthier
- Grand Degré intérieur

NIVEAU INTERMÉDIAIRE

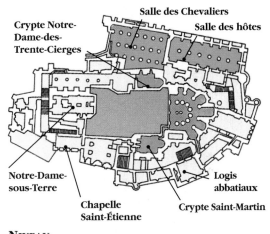

- Crypte Notre-Dame-des-Trente-Cierges
- Salle des Chevaliers
- Salle des hôtes
- Notre-Dame-sous-Terre
- Chapelle Saint-Étienne
- Logis abbatiaux
- Crypte Saint-Martin

NIVEAU INFÉRIEUR

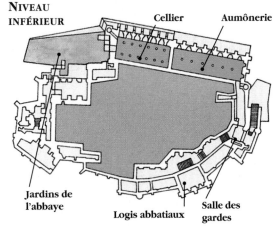

- Cellier
- Aumônerie
- Jardins de l'abbaye
- Logis abbatiaux
- Salle des gardes

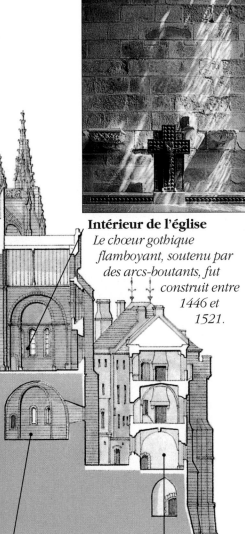

Intérieur de l'église

Le chœur gothique flamboyant, soutenu par des arcs-boutants, fut construit entre 1446 et 1521.

Crypte Saint-Martin
Cette chapelle, avec sa voûte en berceau, témoigne de l'austérité de la première abbatiale.

Les logis abbatiaux, proches du parvis, permettaient au père abbé de recevoir dignement les hôtes de marque. Les pèlerins plus modestes étaient accueillis à l'Aumônerie.

Les bénédictins

Une petite communauté de moines bénédictins est de nouveau installée dans l'abbaye, perpétuant ainsi une tradition religieuse vieille de dix siècles.

> **À NE PAS MANQUER**
> ★ L'église abbatiale
> ★ La Merveille
> ★ Le cloître

Le Mont-Saint-Michel, de nuit ▷

Honfleur ⑭

Calvados. 🚶 8 500. 🚌🚆ℹ️ *quai Lepaulnier (02 31 89 23 30).* 🚢 *sam.*

Honfleur, place forte édifiée au XIIIᵉ siècle et port de guerre très actif jusqu'au XVᵉ, est aujourd'hui l'un des endroits les plus paisibles de la côte normande. Le **Vieux Bassin**, construit à la fin du XVIIᵉ siècle, est bordé à l'ouest de hautes maisons. C'est au XIXᵉ siècle que la localité est devenue le rendez-vous des artistes, à commencer par Eugène Boudin, né à Honfleur en 1824. D'autres peintres, tels que Courbet, Sisley, Pissarro, Renoir et Cézanne, aimaient à se réunir à la ferme Saint-Siméon, transformée depuis en un hôtel de luxe. Le charme très particulier du lieu continue d'inspirer les peintres contemporains ; des expositions sont organisées dans les **Greniers à sel**, entrepôts construits en 1670.

Le **musée de la Marine** et l'ancienne prison qui le jouxte donnent à voir l'un et l'autre divers témoignages du passé. Sur la place Sainte-Catherine se dresse une curieuse église, construite uniquement en bois, au XVᵉ siècle, par les ouvriers des chantiers navals. Ne pas manquer le **musée Eugène-Boudin**, où sont exposées les œuvres des paysagistes amoureux de la côte normande et de l'estuaire de la Seine, comme Eugène Boudin ou Raoul Dufy. Un sentier abrupt mène à la **chapelle Notre-Dame de Grâce**, sur la hauteur, d'où

l'on peut admirer à loisir la côte de Grâce et l'immense **pont de Normandie** enjambant l'estuaire de la Seine.

🏛 Greniers à sel
Quai de la Tour. 📞 *02 31 89 02 30.* ⭕ *lors des expositions.* 🎫 *obligatoire, sauf durant les expositions d'été.* 📷♿

🏛 Musée de la Marine
Quai Saint-Étienne. 📞 *02 31 89 14 12.* ⭕ *de mi-fév. à mi-nov. : du mar. au dim. ; juil.-août. t.l. j.* ⚫ *1ᵉʳ mai.* 📷♿

🏛 Musée Eugène-Boudin
Pl. Erik-Satie, rue de l'Homme-de-Bois. 📞 *02 31 89 54 00.* ⭕ *du 15 mars au 30 sept. : du mer. au lun. ; hors saison : tous les a.-m. sauf mar., plus sam. et dim. toute la journée.* ⚫ *de janv. à mi-fév.* 📷

Les quais du Vieux Bassin à Honfleur

Le Havre ⑮

Seine-Maritime. 🚶 194 000. ✈️🚆 🚌🚢ℹ️ *186, bd Clemenceau (02 32 74 04 04).* 🚢 *t.l.j.*

Fondé en 1517 sur ordre de François Iᵉʳ pour remplacer Harfleur envasé, Le Havre, deuxième port de France, garde l'embouchure de la Seine. Pratiquement anéantie par les

bombardements alliés, la ville a été reconstruite. C'est l'architecte Auguste Perret qui présida dans les années 50 aux travaux de rénovation du centre-ville, dominé par l'hôtel de ville et son beffroi de 72 m, l'**église Saint-Joseph**, sur le boulevard François-Iᵉʳ, et complété par le centre culturel d'Oscar Niemeyer.

Le **musée Malraux**, bâtiment contemporain entièrement construit en verre et métal, présente une collection très riche de peintures, notamment de Boudin et de Dufy, né au Havre en 1877.

🏛 Musée Malraux
2, bd Clemenceau. 📞 *02 35 19 62 62.* ⭕ *du mer. au lun.* ⚫ *les jours fériés.*

La Côte d'Albâtre ⑯

Seine-Maritime. ✈️ 🚆🚌🚢 ℹ️ *Dieppe (02 35 14 40 60).*

La Côte d'Albâtre, ainsi nommée pour ses eaux laiteuses et ses blanches falaises de craie, s'étend du Havre au Tréport. Ce sont les falaises d'Étretat qui attirent le plus de visiteurs, notamment le fameux arceau de la **falaise d'Aval**, que Guy de Maupassant comparait à un éléphant plongeant sa trompe dans la mer. Une route en corniche longe la côte d'ouest en est jusqu'à Dieppe.

Fécamp fut jadis, grâce à la relique du Précieux Sang, un lieu de pèlerinage important (selon la légende, en effet, une châsse contenant quelques gouttes du sang du Christ aurait accosté sur le rivage au VIIᵉ siècle). De l'abbaye, aujourd'hui détruite, ne subsiste que l'église abbatiale, la **Trinité**, où est exposé le reliquaire.

Le **Palais Bénédictine**, une imitation d'art néo-gothique et Renaissance, est un souriant hommage à l'une des célébrités de la ville, Alexandre Le Grand, négociant en vins et spiritueux qui redécouvrit la recette de la Bénédictine initialement concoctée par un moine. Construit en 1882, il comporte une distillerie et un

Eugène Boudin, *Femme à l'ombrelle* (v. 1880), musée E. Boudin

Les falaises d'Étretat

musée extravagant. Les salles d'exposition permettent aussi de découvrir en détail les 27 ingrédients, herbes ou épices, qui composent la célèbre liqueur, et d'en faire la dégustation.

🏛 Palais Bénédictine

110, rue Alexandre-Le-Grand, Fécamp. 📞 *02 35 10 26 10.* ⭘ *t.l.j.* ⬤ *en janv.* 💳 W www.benedictine.fr

Vue générale de Dieppe depuis les tours du château

Dieppe ⓱

Seine-Maritime. 🚶 *36 600.* ✈ 🚉 🚌 ⛴ ℹ *pont Jehan-Ango (02 35 14 40 60).* 🛒 *mar., jeu., sam.*

Station balnéaire, port de voyageurs et de commerce, Dieppe exploite au maximum l'avantage de sa position, à la pointe du pays de Caux. Le **musée du Château**, en bordure de la côte, rappelle le passé glorieux de la ville, à une époque où la population représentait deux fois celle d'aujourd'hui et où une confrérie de 300 artisans gravait l'ivoire importé. On peut y admirer des cartes anciennes, des maquettes de bateaux et la plus importante collection d'ivoires d'Europe. Plusieurs tableaux du XIXᵉ siècle attestent aussi le développement de la station, la plus proche de la capitale.

Au-delà des vertes pelouses du front de mer, un quartier commerçant animé entoure l'**église Saint-Jacques**.

Par mauvais temps, on peut toujours visiter la **Cité de la Mer-L'Estran**, une vaste et plaisante exposition sur les activités maritimes.

🏛 Musée du Château

📞 *02 35 84 19 76.* ⭘ *de juin à sept. : t.l.j. ; d'oct. à mai : du mer. au lun.* ⬤ *1ᵉʳ janv., 1ᵉʳ mai, 1ᵉʳ nov., 25 déc.* 💳

🏛 Cité de la Mer-L'Estran

37, rue de l'Asile-Thomas. 📞 *02 35 06 93 20.* ⭘ *t.l.j.* ⬤ *1ᵉʳ janv., 25 déc.* 💳 ♿

Aux environs
Élégants jardins à **Varengeville** (parc floral du bois des Moutiers), avec un cimetière marin en belvédère, manoir d'Ango (XVIᵉ s.) et château de **Miromesnil** (XVIIᵉ s.) vers le sud-ouest.

Vers le nord-est, forêt et château d'**Eu**, ainsi que la station du **Tréport**, qui est également un port de pêche.

La basse Seine ⓲

Seine-Maritime et Eure. ✈ *Le Havre, Rouen.* 🚉 🚌 *Yvetot.* ⛴ *Le Havre.* ℹ *Yvetot (02 35 95 08 40).*

La Seine, qui déroule ses méandres de Rouen au Havre, est franchie par deux ouvrages d'art spectaculaires, le pont de Brotonne et le pont de Tancarville. Un troisième, le pont de Normandie, a été inauguré en 1995 entre Le Havre et Honfleur.

À **Saint-Martin-de-Boscherville**, on peut encore voir l'abbatiale, l'élégante église Saint-Georges, dont la salle capitulaire abrite de remarquables statues-colonnes et des chapiteaux sculptés. De là, prendre la D 67 en direction de La Bouille, village pittoresque en bordure du fleuve. À Mesnil-sous-Jumièges, le bac conduit aux ruines colossales de l'**abbaye de Jumièges**, fondée en 654 et dont l'église abbatiale fut consacrée en 1067, en présence de Guillaume le Conquérant.

La D 913, traversant les forêts du **parc régional de Brotonne**, amène à l'abbaye de **Saint-Wandrille** qui, avec l'abbaye du **Bec-Hellouin** située près de Brionne, témoigne de la continuité bénédictine en Normandie. Près de Brionne aussi, très beaux châteaux du Champ-de-Bataille (XVIIIᵉ s.) et d'**Harcourt**, médiéval. Plus au sud encore, château Louis XIII de **Beaumesnil**. À **Caudebec-en-Caux**, le **musée de la Marine de Seine** vous instruira sur la vie du fleuve et des mariniers. À **Villequier**, musée Victor Hugo, dont la fille se noya ici.

L'abbaye de Saint-Wandrille compte une cinquantaine de bénédictins

Rouen ⓙ

Fondée sur les rives de la Seine à l'endroit où le fleuve pouvait être franchi par un pont, Rouen doit sa prospérité au commerce. Malgré les ravages de la guerre, la rive droite comporte encore un certain nombre de monuments, autour de la cathédrale Notre-Dame, qui devait inspirer Claude Monet. Plaque tournante du temps des Celtes, garnison romaine et colonie viking, Rouen devient capitale du duché de Normandie en 911. Pendant la guerre de Cent Ans, après un siège de six mois, les Anglais s'emparent de la ville en 1419. C'est ici, sur la place du Vieux-Marché, que Jeanne d'Arc périt sur le bûcher.

Rouen, née de son port sur la Seine

À la découverte de Rouen

Depuis la cathédrale, en passant sous le **Gros-Horloge**, on gagne la place du Vieux-Marché et l'**église Sainte-Jeanne-d'Arc**, moderne cadre de vitraux anciens. La rue aux Juifs longe le **Palais de Justice** et mène à la rue des Carmes, où se succèdent cafés et boutiques. Un peu plus à l'est, entre l'église Saint-Maclou et l'église Saint-Ouen, on trouve encore quelques vieilles maisons à pans de bois, rue Damiette et rue Eau-de-Robec. Place du Général-de-Gaulle se dresse l'**hôtel de ville**, construit au XVIIIe siècle.

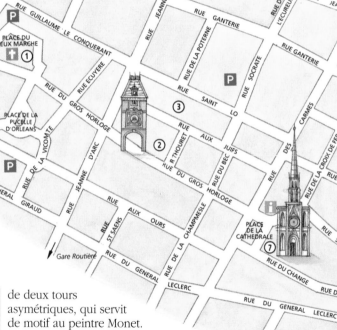

ⓘ Cathédrale Notre-Dame

De ce chef-d'œuvre de l'art gothique, on retient surtout la façade ouest *(p. 267)*, flanquée

Rouen, la cathédrale Notre-Dame

de deux tours asymétriques, qui servit de motif au peintre Monet. La tour Saint-Romain est antérieure à la tour de Beurre, financée, dit-on, par un impôt levé sur la consommation illicite de beurre en période de carême. Une flèche de fonte néo-gothique fut érigée en 1876 sur la tour lanterne située au centre. Ne manquez pas d'admirer au nord le portail des Libraires, du XIVe siècle, et le portail de la Calende au sud. Des visites guidées permettent de découvrir les trésors de la cathédrale, notamment le gisant de Richard Cœur de Lion qui renferme son cœur et la crypte semi-circulaire de

l'édifice roman antérieur, presque unique en son genre, qui fut mise au jour par les fouilles en 1934.

LÉGENDE

P	Parc de stationnement
ⓘ	Information touristique
✝	Église

0   250 m

🛕 Église Saint-Maclou

Bel exemple de gothique flamboyant, l'église possède sur la façade ouest un porche à cinq baies, dont les vantaux sculptés représentent des scènes bibliques. Derrière l'église, l'ossuaire, ou *aître*, est un spécimen rare des charniers médiévaux où étaient ensevelies à la hâte les victimes de la peste. Dans la cour, les poutres et les piliers de l'édifice sont gravés de frises macabres, crânes grimaçants, tibias croisés, cercueils, sabliers et autres bêches de fossoyeurs.

Pichet exposé au musée de la Céramique

🛕 Église Saint-Ouen

Ancienne abbatiale d'une importante communauté de bénédictins, c'est une église gothique aux formes très épurées et sans fioritures, magnifiée par d'admirables vitraux du XIVe siècle très bien restaurés.

🏛 Musée des Beaux-Arts

Square Verdrel. 📞 02 35 71 28 40. ⭕ du mer. au lun. ⚫ les jours fériés. ♿

Le musée possède d'importantes collections de tableaux du Caravage et de Vélasquez, ainsi que des artistes du cru, Théodore Géricault, Eugène Boudin et Raoul Dufy. On peut également voir l'une des pièces maîtresses de la série des Cathédrales par Monet, *Le Portail, temps gris*.

MODE D'EMPLOI

Seine-Maritime. 🏠 108 800. ✈ 11 km S.-E. Rouen. 🚉 gare rive droite, pl. Bernard-Tissot (02 92 35 35 35). 🚌 25, rue des Charrettes (0825 076 027). 🛈 25, pl. de la Cathédrale (02 32 08 32 40). 🚋 mar.-dim. 🎭 Fête de Jeanne d'Arc (der. week-end de mai).

🏛 Musée de la Céramique

Hôtel d'Hocqueville,1, rue Faucon. 📞 02 35 07 31 74. ⭕ du mer. au lun. ⚫ les jours fériés. ♿

Exposition permanente de 1 000 pièces rares de faïence de Rouen et de verrerie, françaises et étrangères. La faïence de Rouen (le Vieux-Rouen) a connu son apogée au XVIIIe siècle.

🏛 Musée Le Secq des Tournelles

Rue Jacques-Villon. 📞 02 35 82 42 92. ⭕ du mer. au lun. ⚫ les jours fériés. ♿

Abritées dans une église du XVe siècle, les collections illustrent les arts du fer du IIIe au XIXe siècle. C'est l'un des plus riches musées de ferronnerie du monde.

🏛 Musée Flaubert

51, rue de Lecat. 📞 02 35 15 59 95. ⭕ du mar. au sam. ⚫ les jours fériés. ♿

Le père de Gustave Flaubert était chirurgien à l'hôtel-Dieu de Rouen. La chambre natale de l'écrivain, reconstituée dans l'enceinte de l'hôpital, présente, outre ses objets personnels, une impressionnante collection d'instruments chirurgicaux.

GUSTAVE FLAUBERT

Le romancier Gustave Flaubert, né à Rouen en 1821, y a passé une grande partie de sa vie. Sa région natale lui inspira les décors de *Madame Bovary*, fine analyse de la vie monotone d'une petite bourgeoise, femme d'un officier de santé, saisie et condamnée par la passion. Sa publication, en 1857, causa un énorme scandale, apportant la célébrité à son auteur. La dépouille empaillée de son perroquet familier, évoqué dans *Un cœur simple*, se trouve au musée.

Le perroquet empaillé de Flaubert

ROUEN D'UN COUP D'ŒIL

Château-Gaillard et Les Andelys, dans une boucle de la Seine

La haute Seine ⑳

Eure. ✈ *Rouen.* 🚌 *Vernon,*
Val de Reuil. 🚆 *Gisors, Les Andelys.*
ℹ *Les Andelys (02 32 54 41 93).*

Au sud-est de Rouen,
les principaux centres
d'intérêt se trouvent sur la rive
droite de la Seine. **Lyons-
la-Forêt**, ses maisons
à colombage et son vieux
marché couvert se nichent
au cœur de la forêt de Lyons,
ancienne chasse des ducs
de Normandie. La D 313
descend vers le sud en
direction des **Andelys**, dominé
par les ruines de la forteresse
de **Château-Gaillard**,
construite en 1197 par Richard
Cœur de Lion pour barrer aux
Français la route de Rouen
et reprise par Philippe Auguste
en 1204. Plus loin, collégiale
d'**Écouis** riche en statues
polychromes. Imposant donjon
de **Gisors** et superbe église
Renaissance.

Giverny ㉑

Eure. 🏠 *600.* ℹ *Vernon, 36, rue
Carnot (02 32 51 39 60).*
🌐 *www.ville-vernon27.fr*

En 1883, Claude Monet loue
une maison à Giverny et y
travaille jusqu'à sa mort, en
1926. La **Fondation Claude**

Monet ouvre aux visiteurs la
maison, les splendides jardins
qui ont tant inspiré le peintre
et l'atelier des Nymphéas. Le
Musée américain tout
proche rappelle que de
nombreux peintres américains
sont venus chercher
l'inspiration en France.

🏛 **Fondation Claude Monet**
Giverny, Gasny. 📞 *02 32 51 28 21.*
◯ *d'avr. à oct. : du mar. au dim.* 🖼
🔲 *www.fondation-monet.com*
🏛 **Musée américain**
99, rue Claude-Monet, Giverny.
📞 *02 32 51 94 65.* ◯ *d'avr. à nov. :
du mar. au dim.* 🖼 ♿

Aux environs
Vernon est la petite capitale
du Vexin normand ; toiles de
Monet au musée. Le beau
château de **Gaillon** évoque la
Renaissance italienne.

Évreux ㉒

Eure. 🏃 *58 000.* 🚆 🚌 ℹ *1 ter, pl. De-
Gaulle (02 32 24 04 43).* 🍴 *mer. et sam.*

La ville, entourée de
grandes plaines fertiles, a
beaucoup souffert de la
dernière guerre. La
cathédrale Notre-Dame a
cependant miraculeusement
gardé ses superbes vitraux des
XIVᵉ-XVᵉ siècles. Bien que
l'édifice soit en majeure partie
gothique, les voûtes de la nef
sont romanes et les jubés
finement sculptés sont de style
Renaissance. L'ancien palais
épiscopal abrite le **Musée
municipal**, qui expose divers
meubles et objets d'art du
XVIIIᵉ siècle. L'**église Saint-
Taurin** abrite la châsse de son
saint patron, exceptionnelle
pièce d'orfèvrerie du XIIIᵉ s.

Les jardins de Monet à Giverny, rendus à leur luxuriance originelle

MONET ET LA CATHÉDRALE DE ROUEN

En 1892, Monet entama une série de trente toiles, terminées deux ans plus tard et représentant presque exclusivement le portail ouest de la cathédrale de Rouen, diversement éclairé selon la couleur du ciel et le moment de la journée. Plusieurs tableaux de cette série sont exposés à Paris, au musée d'Orsay *(p. 120-121)*. Gardien de l'instant fugitif, Monet traduit par petites touches de couleur les variations de la lumière sur les vieilles pierres. « Dieu, que cette mâtine de cathédrale est donc dure à faire ! », avouait-il lui-même.

HARMONIE BLEUE ET OR (1894)
Le cadre et le point de vue changent peu. Monet avait installé son chevalet dans une échoppe, face au parvis, et s'intéressait surtout aux jeux de l'ombre et de la lumière, symboles de la fuite du temps.

Une étude préparatoire *de l'artiste, très différente de l'œuvre définitive.*

Harmonie brune *(1894) est le seul tableau achevé présentant la cathédrale vue de face, alors que sur tous les autres la façade est légèrement de biais.*

Harmonie bleue *(1894), plus nostalgique que la première, représente le majestueux portail comme estompé par la lumière diffuse des brumes matinales.*

Le Portail, temps gris *(1894) appartient à une catégorie que Clemenceau qualifiait de « série grise ». « La merveille, ajoutait-il, c'est de voir vibrer la pierre. »*

BRETAGNE

FINISTÈRE · CÔTES D'ARMOR · MORBIHAN · ILLE-ET-VILAINE

L'extrême ouest de la France, qui s'élance dans la mer comme la proue d'un navire, est resté longtemps à l'écart des autres régions. Aussi la Bretagne, connue des Celtes sous le nom d'Armor, « le pays de la mer », est-elle encore bruissante de légendes, qui parlent de cités englouties, de preux chevaliers et d'enchanteurs.

La richesse essentielle de la Bretagne, c'est la côte. Bordé au nord de magnifiques plages de sable lavées par les marées, de stations balnéaires vivifiantes et de pittoresques ports de pêche, le pays breton semble s'apprivoiser au sud, avec ses riantes vallées, ses ports de plaisance abrités et son climat plus doux.

Mais, à l'extrême ouest, la nature reprend ses droits, et les mugissements du vent sur les rochers du Finistère, *finis terrae*, ont effectivement des accents de fin du monde.

À l'intérieur, l'Argoat, autrefois « pays de la forêt », est aujourd'hui une mosaïque de prairies, de landes et de bocages, prolongée à l'ouest par le parc régional d'Armorique.

Les traditions tiennent encore une certaine place dans la vie des quatre pays bretons. Le vif attachement à la musique celtique et aux costumes folkloriques se manifeste à l'occasion des fêtes et des cérémonies religieuses, mariages, baptêmes ou pardons. Des villes comme Vannes, Dinan ou Rennes, la capitale administrative, ont su préserver ou restaurer leur vieille ville et leurs maisons à pans de bois. À l'abri de ses remparts, Saint-Malo, sur la Côte d'Émeraude, n'a pas oublié son passé de cité corsaire, tandis que les majestueux châteaux forts de Fougères et de Vitré rappellent la résistance de la Bretagne face au royaume de France.

Jeunes Bretonnes en costume traditionnel, au début du XXᵉ siècle

◁ **Éboulis de rochers sur la Côte de Granit rose, dans les Côtes-d'Armor**

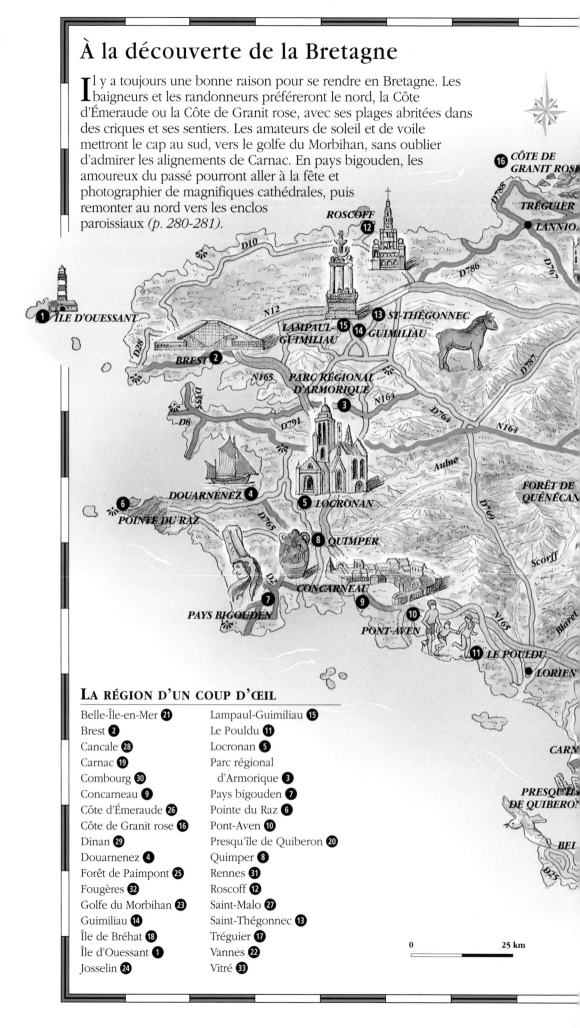

À la découverte de la Bretagne

Il y a toujours une bonne raison pour se rendre en Bretagne. Les baigneurs et les randonneurs préféreront le nord, la Côte d'Émeraude ou la Côte de Granit rose, avec ses plages abritées dans des criques et ses sentiers. Les amateurs de soleil et de voile mettront le cap au sud, vers le golfe du Morbihan, sans oublier d'admirer les alignements de Carnac. En pays bigouden, les amoureux du passé pourront aller à la fête et photographier de magnifiques cathédrales, puis remonter au nord vers les enclos paroissiaux *(p. 280-281)*.

LA RÉGION D'UN COUP D'ŒIL

0   25 km

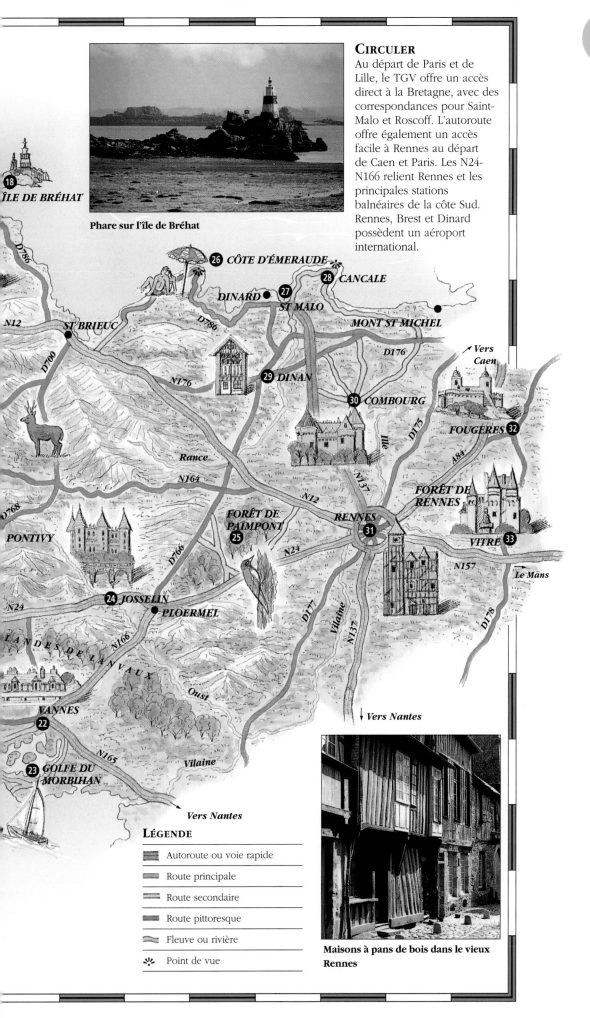

Phare sur l'île de Bréhat

CIRCULER

Au départ de Paris et de Lille, le TGV offre un accès direct à la Bretagne, avec des correspondances pour Saint-Malo et Roscoff. L'autoroute offre également un accès facile à Rennes au départ de Caen et Paris. Les N24-N166 relient Rennes et les principales stations balnéaires de la côte Sud. Rennes, Brest et Dinard possèdent un aéroport international.

18 ÎLE DE BRÉHAT

D786

26 CÔTE D'ÉMERAUDE

28 CANCALE

DINARD 27

ST MALO

MONT ST MICHEL

N12 ST BRIEUC

D786

D700

D176

Vers Caen

N176

29 DINAN

30 COMBOURG

Ille

D175

FOUGÈRES 32

Rance

N164

A84

D768

N12

FORÊT DE RENNES

PONTIVY

D766

FORÊT DE PAIMPONT 25

RENNES 31

N24

VITRÉ 33

N157

N24

24 JOSSELIN

PLOERMEL

N166

D177

Vilaine

N137

D178

Le Mans

LANDES DE LANVAUX

Oust

Vers Nantes

VANNES 22

N165

Vilaine

23 GOLFE DU MORBIHAN

Vers Nantes

LÉGENDE

	Autoroute ou voie rapide
	Route principale
	Route secondaire
	Route pittoresque
	Fleuve ou rivière
☀	Point de vue

Maisons à pans de bois dans le vieux Rennes

La musique en Bretagne

L a musique bretonne n'en finit pas de voler de succès en succès. Dans les années 1990, plusieurs centaines de milliers de copies de *L'Héritage des Celtes* et d'*Again* d'Alan Stivell se sont écoulées, Dan Ar Braz a remporté une deuxième Victoire de la musique, Denez Prigent a reçu des critiques élogieuses. En Bretagne, la musique baigne la culture populaire. Près de 70 % des musiciens traditionnels français sont Bretons, et 70 % des petits lieux de spectacle français ont ouvert leurs portes en terre bretonne. L'héritage des Celtes n'a pas été dilapidé.

BREST

FESTIVAL-CONCOURS NATIONAL DE MUSIQUE

4.5.6 JUIN 1932

Affiche de 1932 annonça un festival de Musique à Brest.

LA TRADITION INSTRUMENTALE

Le biniou et la bombarde sont les seuls instruments spécifiquement bretons. Si d'autres instruments traditionnels sont utilisés par les sonneurs bretons, le couple biniou-bombarde, acompagné parfois d'un tambour ou tambourin, constitue la formation traditionnelle.

La bombarde, *instrument à vent de la famille des hautbois, est fabriquée en ébène ou en bois fruitier.*

Le biniou, *cornemuse courte, est de plus en plus délaissé au profit de la cornemuse écossaise (bagpipe).*

La cornemuse *est appelée biniou en Bretagne et porte le nom de veuze dans la région de Guérande et dans le marais breton-vendéen.*

Flûte traversière irlandaise

La harpe celtique, *instrument sacré des druides et des bardes, a subjugué l'Antiquité et le Moyen Âge à travers l'Occident.*

L'accordéon diatonique, *bouëze en pays gallo, a remplacé progressivement la vielle à roue associée au monde rural.*

Tambour

Les sonneurs, ici ceux de Douarnenez, jouent traditionnellement du biniou et de la cornemuse. Mais au début du XXe siècle, certains apprennent la clarinette – longtemps surnommée « tronc de choux » –, l'accordéon puis le saxophone. Autrefois, les sonneurs vivaient de leur art.

Pour le groupe Tri Yann, *qui a fêté ses 30 ans de carrière en 2001, la création est la première des traditions de la musique bretonne. Pour la 2ᵉ fois depuis la formation du groupe, une femme prend la place d'un des fondateurs.*

Gilles Servat *a donné un nouvel élan à la musique bretonne dans les années 1970.*

...an Stivell, depuis Reflets *...1970, a enregistré plus ...une vingtaine d'albums.*

Bagpipe ou cornemuse écossaise

Dan Ar Braz, *lauréat de deux Victoires de la musique, a représenté la France au concours de l'Eurovision et rassemble aujourd'hui une large audience. Pour évoquer sa musique, le musicien quimpérois préfère parler de musique de Bretagne que de musique traditionnelle bretonne.*

LES *BAGADOU* BRETONS

Les *bagadou* sont des orchestres bretons qui réunissent bombardes, *bagpipes* et tambours. Grâce à eux, la tradition musicale bretonne a survécu. Parmi les plus célèbres, on peut citer ceux de Landerneau et de Lann Bihoué.

LA SCÈNE CONTEMPORAINE

La nouvelle génération a compris la nécessité de s'ouvrir à de nouvelles formes musicales pour faire vivre la tradition. Né à Paris, Erik Marchand a appris le chant breton avant de rallier des instrumentistes tsiganes et orientaux à ses expériences. Kristen Nikolas marie les rythmes bretons à la techno. Son groupe Angel IK mêle allègrement guitares sauvages et chant breton. Yann-Fanch Kemener, rompu à la pratique du chant breton, explore des collaborations avec des musiciens de jazz. Denez Prigent, un des talents les plus sûrs de cette génération, s'est aventuré, après la *gwerz* et le *kan ha diskan* sur les chemins de la techno.

Denez Prigent

L'île d'Ouessant ❶

Finistère. ⊠ *Ouessant via Brest.*
🚆 *Brest, puis bateau.* 🚌
Le Conquet, puis bateau. 🛈 *pl. de*
l'Église, Lampaul (02 98 48 85 83).

« Q ui voit Ouessant voit son
sang », dit un proverbe
local. Car les marins bretons
ont appris à leurs dépens que
les violentes tempêtes et les
courants rendent ces parages
extrêmement dangereux.
Pourtant, sur l'île d'Ouessant,
les étés sont chauds et les
hivers doux, au moins par
temps calme. Elle abrite
d'importantes colonies
d'oiseaux nicheurs ou
migrateurs que l'on peut
observer sur les pointes de
Pern et de Penn ar Roch, et un
petit groupe de phoques.
    À l'**écomusée d'Ouessant**,
on peut voir des témoignages
de la rude existence des
îliens, en particulier des
meubles fabriqués à partir
des épaves rejetées sur les
plages.
    Au phare de Créac'h, le
musée des Phares et
Balises est consacré à la vie
quotidienne des gardiens de
phare et à la signalisation
côtière.

🏛 Écomusée d'Ouessant

Niou Uhella. 📞 *02 98 48 86 37.*
○ *de mai à sept. et vac. scolaires :*
t.l.j. ; d'oct. à avr. : du mar. au dim.
(après-midi uniquement). 🚫 &

🏛 Musée des Phares et Balises

Phare du Créac'h. 📞 *02 98 48 80 70.*
○ *de mai. à sept. et vac. scolaires :*
t.l.j. ; d'oct. à avril : du mar. au dim.
(après-midi uniquement). 🚫 &

Brest ❷

Finistère. 👥 *153 000.* ✈ 🚆 🚌 ⛴
🛈 *pl. de la Liberté (02 98 44 24 96).*
🚢 *t.l.j.*

P ort naturel protégé par la
presqu'île de Crozon, Brest
connaît une activité intense et
abrite, entre autres, le siège du
Service hydrographique et
océanographique de la
marine. La ville, presque
entièrement détruite à la fin
de la guerre, a néanmoins
gardé son **château** du
xve siècle, qui abrite le musée

de la Marine. Il subsiste aussi
une partie des remparts
édifiés par Vauban, d'où le
cours Dajot domine la rade.
    Au bas de la rue de Siam
s'élance le **pont de**
Recouvrance, le plus haut
pont levant d'Europe. Créé en
1631, l'arsenal maritime de
Brest, le plus ancien de France,
s'étend le long de la Penfeld et
sur le port de Laninon.
    Le musée du Vieux-Brest,
dans la **tour de la Motte-**
Tanguy, évoque le passé
militaire de la ville. Ne pas
manquer non plus
Océanopolis, centre de
culture scientifique et
technique de la mer, dont les
trois pavillons (polaire,
tempéré et tropical)
reconstituent les différents
écosystèmes sous-marins.

⚓ Château de Brest

📞 *02 98 22 12 39.* ○ *d'avr. à sept. :*
t.l.j. ; d'oct. à mars : du mer. au lun. 🚫

🏰 Tour de la Motte-Tanguy

Square Pierre-Peron. 📞 *02 98 00 88 60.*
○ *de juin à sept. : t.l.j. ; d'oct. à mai :*
mer., jeu., sam. et dim. après-midi.

Charpentiers de marine, port-
musée de Douarnenez

Nuages sur la lande, parc régional d'Armorique

🐠 Océanopolis

Port de plaisance du Moulin-Blanc.
📞 *02 98 34 40 40.* ○ *d'avr. à sept.*
et vac. scolaires : t.l.j. ; d'oct. à mars :
du mar. au dim. ● *1er jan., 10 jours*
en jan., 25 déc. 🚫 &

Le parc régional d'Armorique ❸

Finistère. ✈ *Brest.* 🚆 *Châteaulin,*
Landerneau. 🚌 *Le Faou, Huelgoat.*
🛈 *Saint-Éloy (02 98 81 90 08).*

L e parc régional d'Armorique
s'étend des monts d'Arrée,
à l'est, à la presqu'île de
Crozon et englobe l'archipel
d'Ouessant. Créés en 1969
pour préserver la faune et la
flore, et aménager au mieux
l'espace rural, ses magnifiques
paysages sont propices aux
promenades.
    En partant d'**Huelgoat**, on
peut entreprendre de belles
balades à pied, et le **Menez**
Hom (330 m), à l'« entrée » de
la péninsule de Crozon, offre
des vues splendides. On
trouvera toutes informations
utiles au domaine de **Menez**
Meur (Hanvec), sur la D 342,
qui regroupe diverses expositions
ainsi qu'un parc animalier.
D'autres lieux d'exposition
permanente sont disséminés
dans le parc, dont la **Maison**
des artisans de Bretagne
(ferme de Saint-Michel) au nord
de Brasparts. Dans cette
localité, ne pas manquer l'église
réputée pour son porche
Renaissance et son grand
calvaire. Voir aussi le **musée**
de l'École rurale à Trégarven.

Douarnenez ❹

Finistère. 🏛 16 700. 🚉 Quimper. 🚌
ℹ 1, rue Docteur-Mével (02 98 92
13 35). 🖥 t.l.j. sauf sam. et dim.

Avec près de mille bateaux
de pêche, Douarnenez
était, au début du siècle, le
plus grand port sardinier de
France. La concurrence
française et étrangère l'a
contraint à se tourner vers le
chalutage et le tourisme.

On aperçoit au large l'**île
Tristan**, associée à Tristan
et Iseult et repaire, au
xvıᵉ siècle, du redoutable
brigand La Fontenelle.

Au **port du Rosmeur**,
des vedettes proposent une
mini-croisière dans la baie
et, dès 6 h du matin, vous
pourrez assister à la criée
au nouveau port.

Au **Port-Rhu**, une centaine de
bateaux sont exposés à flot ou
dans une ancienne conserverie.
Les plus grands peuvent être
visités en haute saison.

Belles promenades
pédestres le long de la côte.

🏛 Le Port-Rhu Musée

Place de l'Enfer. 📞 02 98 92 65 20.
🖥 du 15 juin à mi-sept. : t.l.j. ; de mi-
sept à mi-juin : du mar. au dim. 🖾 ♿

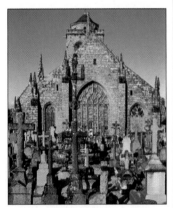

Église Saint-Ronan à Locronan

Locronan ❺

Finistère. 🏛 800. 🚉 ℹ pl. de la
Mairie (02 98 91 70 14).

C'est à Locronan, cité de
tisserands, que fut fabriqué
pendant deux siècles l'essentiel
des voilures de la marine à
voile, avant que la Bretagne ne
perdît ce monopole à la fin du
règne de Louis XIV. La localité
attire aujourd'hui un grand
nombre de touristes, séduits

Les impressionnantes falaises rocheuses de la pointe du Raz

par ses superbes maisons
Renaissance, sa vieille place
pavée, son calvaire et la tour
massive de son église de granit
dédiée à saint Ronan. La
chapelle du Pénity, ajoutée au
xvıᵉ siècle, abrite le tombeau
du saint évêque, orné d'un
gisant. Tous les ans, en juillet,
les fidèles se rendent en
procession au sommet d'une
colline et font le tour de
l'ancien asile monastique. C'est
la *petite Troménie*, relayée tous
les six ans par la *grande
Troménie*, sans doute
survivance d'un rite païen.

La pointe du Raz ❻

Finistère. ✈ Quimper. 🚉 Quimper,
Douarnenez, puis autobus.
ℹ Audierne (02 98 70 12 20).

C'est un étroit éperon
rocheux haut de 80 mètres
et martelé par les vagues,
spectacle sauvage et
impressionnant. Il ferme la baie
des Trépassés, face à la pointe
du Van. Un service régulier relie
Audierne à l'**île de Sein**, où
260 habitants continuent de
vivre malgré l'aridité du lieu. Les
femmes âgées y portent encore
la coiffe de deuil, la « jibilinen ».

Le phare d'Ar Men termine à
l'ouest la « chaussée de Sein »,
chapelet de dangereux récifs. Ne
pas manquer la **réserve
ornithologique** du cap Sizun.

Le pays bigouden ❼

Finistère. 🚉 Pont-l'Abbé. ℹ Pont-
l'Abbé (02 98 82 37 99).

À la pointe sud-ouest de la
Bretagne, le « Ar Vro
Bigouden », gardien des
traditions, est le plus typique
des pays bretonnants. C'est ici
que les femmes, à l'occasion
des fêtes et des pardons
(p. 243), portent ces hautes
coiffes tubulaires que l'on peut
voir aussi au musée bigouden
de Pont-l'Abbé.

La baie d'Audierne est
bordée de petits hameaux
pittoresques et de chapelles,
telle **Notre-Dame de
Tronoën**, dont le calvaire est
le plus ancien de toute la
Bretagne. Vue magnifique
depuis la **pointe de la Torche**
et le **phare d'Eckmühl**.

🏛 Musée Bigouden

Le Château, Pont-l'Abbé. 📞 02 98 66
09 09. 🖥 de Pâques à mai : du lun.
au sam. ; de juin à sept. : t.l.j. 🖾

Quimper ●8

Finistère. 🚶 *63 000.* ✈ 🚋 🚌 ⛴
ℹ *pl. de la Résistance (02 98 53 04 05).* 🛒 *t.l.j.*

Ancienne capitale de la Cornouaille, Quimper, en breton *Kemper* (confluent), est située au point de rencontre du Steir et de l'Odet. La ville est restée très attachée aux traditions régionales.

À l'ouest de la **cathédrale Saint-Corentin**, le **vieux Quimper** possède encore de belles maisons à pans de bois et de riches hôtels particuliers, autour de la rue Kéréon, de la place au Beurre et de la rue des Gentilshommes.

Qui ne connaît le célèbre « petit Breton » qui orne les assiettes en faïence de Quimper ? C'est en 1690 que la première faïencerie s'installe sur les bords de l'Odet. Depuis, la production de vaisselle peinte à la main, au décor bleu et jaune, n'a pas cessé et les pièces anciennes sont très recherchées par les collectionneurs. À Locmaria, on peut visiter les **Faïenceries HB-Henriot** et le **musée de la Faïence**.

🔒 Cathédrale Saint-Corentin
La cathédrale, la plus ancienne construction gothique de basse Bretagne, est consacrée à l'évêque saint Corentin. Sur la façade, entre les deux flèches ajoutées en 1856, une statue équestre du roi Gradlon domine la ville, qu'il aurait fondée après avoir échappé à l'engloutissement de la ville d'Ys. À l'intérieur, où les fresques ont été récemment restaurées, on peut voir plusieurs tombeaux et gisants, et de splendides vitraux de la fin du XVᵉ siècle.

🏛 Musée des Beaux-Arts
40, pl. Saint-Corentin. **📞** *02 98 95 45 20.* ⭕ *juil. et août : t.l.j. ; de sept. à juin : du mer. au lun.* ⚫ *les jours fériés et le dim. matin de nov. à mars.* ♿♿

Le Martyre de sainte Triphine **(1910), Paul Sérusier**

Restauré en 1993, c'est sans doute le plus riche des musées de la région. Le point fort de l'exposition est une importante collection de peintures flamandes et hollandaises du XVIIᵉ siècle. On peut également y admirer des œuvres de Max Jacob, enfant du pays, ainsi que des peintres de l'école de Pont-Aven.

🏛 Musée départemental breton
1, rue du Roi-Gradlon. **📞** *02 98 95 21 60.* ⭕ *de juin à sept. : t.l.j. ; d'oct. à mai : du mar. au dim.* ♿♿

Faïence de Quimper : assiette décorée

L'ancien palais épiscopal, devenu au XIXᵉ siècle musée des Arts et Traditions populaires du Finistère, abrite des collections de costumes bretons, de meubles, notamment des coiffes et des lits clos, et de faïence.

Aux environs
De Quimper, on peut descendre l'**Odet** en bateau jusqu'à la jolie station balnéaire de **Bénodet** située dans l'estuaire.
La rivière est bordée de bois et de châteaux. Elle serpente à travers les falaises du site des Vire-Courts, surplombée par le « Saut de la Pucelle », rocher auquel se rattache une curieuse légende.

Concarneau ●9

Finistère. 🚶 *20 000.* 🚌 ⛴ *pour les îles.*
ℹ *9, quai d'Aiguillon (02 98 97 01 44).* 🛒 *lun. et ven. matin*

Très important port de pêche, Concarneau est aussi un centre touristique. On accède à sa **Ville Close** *(p. 278-279)* par un pont depuis la place Jean-Jaurès. Elle est ceinte de remparts de granit dont les chemins de ronde constituent un lieu de promenade idéal, même si les venelles de la petite cité semblent envahies à l'excès par des magasins de souvenirs. Quant aux anciens entrepôts, ils abritent le **musée de la Pêche**, qui évoque l'activité côtière d'hier et d'aujourd'hui.

🏛 Musée de la Pêche
Rue Vauban. **📞** *02 98 97 10 20.* ⭕ *t.l.j.* ⚫ *en janv.* ♿♿

Chalutiers dans le port de pêche de Concarneau

Pont-Aven ⑩

Finistère. 🚶 *3 000.* 🚎 🛈
pl. de l'Hôtel-de-Ville (02 98 06 04 70).
🛥 *mar. (t.l.j. en été)*

Autrefois riche de « 14 moulins et 15 maisons », le petit bourg de Pont-Aven est devenu au XIXᵉ siècle l'un des hauts lieux de la peinture. Autour de Paul Gauguin, Émile Bernard et Paul Sérusier, entre autres, formèrent l'école de Pont-Aven, un groupe d'artistes séduits par la Bretagne, ses paysages et ses habitants. Ils réalisèrent ici et au Pouldu tout proche une grande partie de leurs œuvres. Outre le **musée de Pont-Aven**, qui expose certaines de ces toiles, on ne compte pas moins de 50 galeries d'art pour témoigner de ce passé prestigieux. En traversant à pied le Bois d'Amour, on découvre la **chapelle de Trémalo**, où l'on peut voir le Christ en bois qu'admirait Gauguin.

🏛 **Musée de Pont-Aven**
Pl. de l'Hôtel-de-Ville. 📞 *02 98 06 14 43.* ◯ *t.l.j. des vacances de fév. à déc.* ◑ *hors expositions.* 🖼 ♿

Le Pouldu ⑪

Finistère. 🚶 *3 700.* 🚎 🛈
bd Charles-Filiger (02 98 39 93 42).

À l'embouchure de la Laïta, au port du Pouldu,

Notre-Dame-de-Kroaz-Baz à Roscoff

Gauguin et quelques-uns de ses amis ont séjourné dans la **maison de Marie Henry**, entre 1889 et 1893. On y découvrit en 1924, sous plusieurs couches de papier peint, des portraits, des natures mortes et des caricatures réalisés par ces artistes. La maison de Marie Henry a été reconstituée dans une maison voisine qui abrite des copies de leurs œuvres.

🏛 **Maison de Marie Henry**
Rue des Grandes-Sables.
📞 *02 98 39 98 51.* 🖼 ♿

En remontant le Scorff à partir de Lorient, vous pourrez admirer l'**église de Kernascléden** (XVᵉ s.), chef-d'œuvre de l'art flamboyant breton.

Roscoff ⑫

Finistère. 🚶 *3 700.* 🚃 🚎 ⛴ 🛈 *46, rue Gambetta (02 98 61 12 13).* 🛥 *mer.*

Autrefois cité corsaire, Roscoff se consacre aujourd'hui au commerce, à l'agriculture et au tourisme. Autour du vieux port, les imposantes façades de granit témoignent de l'opulence des armateurs au XVIᵉ et au XVIIᵉ siècle, tandis que les caravelles et les canons qui décorent l'**église Notre-Dame-de-Kroaz-Baz** (XVIᵉ siècle), couronnée d'un clocher à lanternons, rappellent que Roscoff fut en d'autres temps la rivale de Saint-Malo *(p. 288).* À voir aussi l'**aquarium Charles-Perez** et le **jardin exotique** riche de 2 000 espèces de plantes australes. Service régulier pour l'**île de Batz.**

🐟**Aquarium Charles Perez**
Pl. Georges-Teissier. 📞 *02 98 29 23 25.* ◯ *de Pâques à sept. : t.l.j. ; oct. : sam. et dim.* 🖼 ♿
🍁**Jardin exotique**
À 20 mn à pied du centre. 📞 *02 98 61 29 19.* ◯ *de nov. à mars : du mer. au lun. ; d'avr. à oct. : t.l.j.* 🖼 ♿

Aux environs

De **Saint-Pol-de-Léon**, ancienne métropole religieuse et important centre maraîcher, on peut partir à la découverte des châteaux du haut Léon jusqu'au **château de Kerjean** (XVIᵉ s.), fortifié et entouré de jardins à la française.

GAUGUIN ET LA BRETAGNE

Le Christ de la chapelle de Trémalo

Fasciné par le « primitivisme » de la foi bretonne, Paul Gauguin (1848-1903) s'est attaché à traduire par sa peinture cet exotisme familier. Ayant renoncé à son emploi d'agent de change et décidé de tout quitter pour se consacrer à son art, il fit plusieurs longs séjours en Bretagne, à Pont-Aven et au Pouldu, entre 1886 et 1894. C'est dans la chapelle de Trémalo au Bois d'Amour qu'il découvrit le Christ en bois qui inspira son *Christ jaune*. La dimension mystique est omniprésente dans l'œuvre de Gauguin, dont les formes simplifiées et les aplats de couleurs aux contours fortement accentués rappellent les vitraux du Moyen Âge. Cette nouvelle esthétique fera école. De nombreux artistes, dont les Nabis, se réclameront de Gauguin et de l'école de Pont-Aven.

***Christ jaune**, Paul Gauguin (1889)*

Concarneau pas à pas

La ville close, lieu historique de la cité maritime, est actuellement un haut lieu du tourisme breton. Ses ruelles étroites et pavées, bordées de jolies maisons, occupent l'île de 350 m de large sur 100 de long. La ville est accessible par deux ponts qui mènent à une poterne ornée des armes royales. La première enceinte, composée d'une cour intérieure entourée de hautes murailles et de deux tours (tour du Major et tour du Gouverneur), rendait la ville imprenable. On atteint les ruelles moyenâgeuses en passant par-dessus l'ancienne douve. La rue Vauban, bordée de façades inclinées, s'annonce avec la maison du Gouverneur, l'une des plus anciennes de la ville.

Berceau de l'histoire de la ville, la ville close vue du port de pêche

★ Logis du Major
En traversant la cour triangulaire dont les angles sont marqués par les tours du major et du gouverneur, on accède au logis du Major (1730).

Musée de la Pêche

RUE MILITAIRE

RUE VAUBAN

RUE

RUE THÉOPHILE

RUE

La maison du gouverneur

★ Beffroi
Face aux deux tours, l'ancien poste de garde, lieu de l'actuel beffroi.

Ravelin

À NE PAS MANQUER

★ Beffroi

★ Logis du Major

★ Remparts

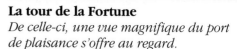

La tour de la Fortune
De celle-ci, une vue magnifique du port de plaisance s'offre au regard.

★ Remparts

Après les deux petits ponts de l'entrée, un escalier situé à gauche mène aux célèbres remparts. La promenade est indispensable à la connaissance du lieu.

MODE D'EMPLOI

🏛 *20 000.* ℹ️ *9, quai d'Aiguillon (02 98 97 01 44).*
🚢 *lun. et ven. matin.*
🎫 *pour la promenade des remparts.*
ⓦ *www.concarneau.org*

Amphithéâtre

Face aux remparts, l'amphithéâtre est un lieu d'animations estivales.

QUAI DE LA PORTE AU VIN

RUE SAINT – GUÉNOLÉ

PLACE INT-GUÉNOLÉ

RUE

DE L'ÉGLISE

QUAI DU PASSAGE

0   50 m

Légende

– – – Itinéraire conseillé

La poudrière

PLACE DU PETIT CHÂTEAU

Tour et porte du Passage

Elles permettent d'accéder au bac pour une traversée du Moros.

Façade de l'ancien hôpital

Situé au bout de la rue Vauban et des ruelles qui la prolongent, à quelque pas de l'amphithéâtre, bel édifice qui abrita un hôpital.

VAUBAN

Sébastien Le Prestre de Vauban, Maréchal de France, est nommé commissaire des fortifications en 1678. Passionné par les techniques militaires, il écrit des ouvrages sur l'art de la guerre et la politique. La position stratégique de la Bretagne et les nouvelles tactiques de guerre obligent Vauban à remanier les constructions militaires de Belle-île, Concarneau, Port-Louis, Brest et Saint-Malo, et à construire les forts d'Hoëdic, d'Houat et la tour Dorée de Camaret.

Sébastien Le Prestre de Vauban

Saint-Thégonnec ⑬

Finistère. 🚌 ⭕ *t.l.j.* ♿ ℹ️ mairie
(02 98 79 61 06)

C'est ici qu'est situé l'enclos paroissial le plus complet de Bretagne, avec son ossuaire Renaissance, son portail monumental et son calvaire de granit, édifié en 1610, qui illustre merveilleusement le talent des tailleurs de pierre de la région. Parmi les figures sculptées, religieuses et profanes, se trouve une statue de saint Thégonnec avec, à ses pieds, le loup que l'évêque aurait, selon la légende, attelé à une charrette.

Guimiliau ⑭

Finistère. ⭕ *t.l.j.* ♿

Le calvaire (1581-1588) comporte près de 200 personnages, précieux témoignage sur le costume au XVIᵉ siècle. L'un des registres représente le supplice de Katell Gollet, torturée par les démons pour avoir dérobé une hostie consacrée. À l'intérieur de l'église, dédiée à saint Miliau, un retable polychrome retrace la vie légendaire de ce prince de Bretagne décapité au VIᵉ siècle par son frère, jaloux de sa puissance.

Dais du baptistère (1675) à Guimiliau

Lampaul-Guimiliau ⑮

Finistère. ⭕ *t.l.j.* ♿

Passé le portail monumental, le visiteur pourra découvrir la chapelle et l'ossuaire à gauche, et le calvaire à droite, avant d'entrer dans l'église, magnifiquement décorée de fresques naïves, de retables et de jubés sculptés.

Les enclos paroissiaux

La ferveur religieuse des Bretons, la volonté aussi de s'attirer les bonnes grâces du ciel pour se protéger des épidémies et du mauvais sort, ont motivé la construction des enclos paroissiaux entre le XVᵉ et le XVIIIᵉ siècle. Chaque village rivalise avec ses voisins et consacre à la construction de ces ensembles, poursuivie parfois sur plusieurs générations, une bonne part des richesses issues du commerce maritime et de la fabrication de toile de lin. C'est en pays de Léon, dans la vallée de l'Élorn, que se trouvent la plupart de ces enclos.

L'enclos, délimité par un mur, est un espace sacré. On y accède par un portail monumental (ici, le portail de Pleyben).

Le cimetière, où sont enterrés les membres de la petite communauté.

L'ENCLOS PAROISSIAL DE GUIMILIAU

Un enclos comporte trois parties essentielles : un arc ou portail monumental qui y donne accès, un calvaire sculpté de figures bibliques et un ossuaire accolé à l'église.

Les calvaires *de ce genre sont typiques de la région. Peut-être s'inspirent-ils des croix hissées sur les menhirs (p. 283) par les premiers chrétiens. Construits pour l'édification des fidèles, ils portent aussi témoignage de la vie quotidienne des siècles passés.*

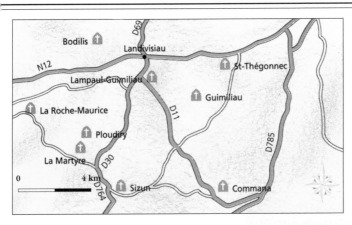

Les enclos les plus visités sont ceux de Saint-Thégonnec, de Guimiliau et de Lampaul-Guimiliau. Toutefois, ceux de Bodilis, de la Martyre, de la Roche-Maurice, de Ploudiry, de Sizun et de Commana méritent un détour, de même que ceux de Locmélar, Pleyber Christ ou Plouénour.

ℹ 14, av. du Mal-Foch, Landivisiau (02 98 68 33 33). *t.l.j.* ♿

L'intérieur des églises est richement décoré de scènes bibliques et d'épisodes de la vie des saints, peints sur les murs ou gravés sur les retables et les jubés (ici, le maître-autel de Guimiliau).

Les ossements sont transférés périodiquement dans un **ossuaire**, lieu de transition entre le monde des vivants et celui des morts.

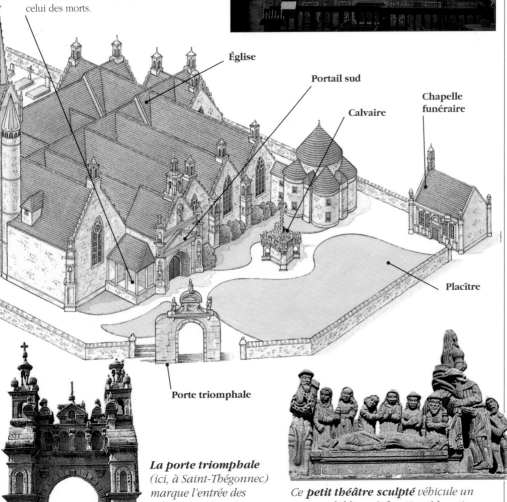

Église

Portail sud

Calvaire

Chapelle funéraire

Placître

Porte triomphale

La porte triomphale (ici, à Saint-Thégonnec) marque l'entrée des fidèles dans l'enclos, préfiguration de l'arrivée des justes au royaume des cieux.

Ce **petit théâtre sculpté** véhicule un message biblique à fonction éducative. À Saint-Thégonnec, ces sculptures ont particulièrement bien résisté aux intempéries et aux lichens.

La chapelle Notre-Dame, érigée sur un rocher de Port-Blanc, sur la Côte de Granit rose

La Côte de Granit rose ⑯

Côtes-d'Armor. ✈ 🚌 🚆 *Lannion.* ℹ *Lannion (02 96 46 41 00).*

Les blocs de granit rose fortement errodés ont donné leur nom à la côte qui va de Paimpol à l'est à Trébeurden à l'ouest, et qui est particulièrement belle entre Trégastel et Trébeurden. Cette pierre colorée a servi à la construction d'un grand nombre d'édifices et de maisons. Trégastel et Perros-Guirec sont les stations les plus fréquentées, mais les jolies petites criques et les belles plages ne manquent pas à **Ploumanac'h**, à **Trévou-Tréguignec** ou à **Port-Blanc**. **Paimpol**, aujourd'hui port de plaisance, conserve le souvenir de l'époque glorieuse où sa flottille se consacrait à la pêche hauturière – morue et baleine – au large des côtes d'Islande ou sur les bancs de Terre-Neuve.

Tréguier ⑰

Côtes-d'Armor. 👥 *2 900.* 🚌 ℹ *les quais (02 96 92 22 33).* 🐟 *mer.*

Ancienne cité épiscopale et capitale historique du Trégor, Tréguier est surtout réputée pour son imposante cathédrale gothique, **Saint-Tugdual**, dédiée à l'un des saints fondateurs de Bretagne.

Aux environs
À Plougrescant, la chapelle Saint-Gonery possède un très beau plafond de bois peint du xvᵉ siècle. La côte des Ajoncs (très bien fléchée) permet de découvrir la plus belle partie de la Côte de Granit rose.

L'île de Bréhat ⑱

Côtes-d'Armor. 🚌 🚆 *Paimpol, puis autocar jusqu'à Pointe de l'Arcouest (lun. au ven.), puis bateau.* ℹ *Paimpol (02 96 20 04 15).*

À un quart d'heure de la pointe de l'Arcouest, l'île de Bréhat, qui ignore l'usage de l'automobile, vous offre à profusion ses arbres fruitiers, ses lauriers-roses, ses mimosas et ses magnifiques massifs d'hortensias. On peut louer des bicyclettes à **Port-Clos** et visiter ainsi toute l'île, qui fait à peine 4 km de long. On peut aussi monter à pied jusqu'à la **chapelle Saint-Michel**, au point culminant de l'île.

La chapelle Saint-Michel, sur l'île de Bréhat

Carnac ⑲

Morbihan. 👥 *4 400.* 🚌 ℹ *74, av. des Druides (02 97 52 13 52).*

Les quelque 3 000 menhirs alignés sur la lande, aux abords de la ville (alignements du Menec, de Kermario, de Kerlescan), font de Carnac l'un des sites préhistoriques les plus importants du monde, complété par un **musée de la Préhistoire**. C'est aussi l'une des principales stations balnéaires de la Bretagne sud. À voir également l'église paroissiale **Saint-Cornély**, pour son porche et ses panneaux peints.

🏛 **Musée de la Préhistoire**
10, pl. de la Chapelle. 📞 *02 97 52 22 04.* 🕐 *de juin à sept. : t.l.j., d'oct à mai : du mer. au lun.* ⬤ *1ᵉʳ janv., 1ᵉʳ mai, 25 déc.* 📷 ♿

La presqu'île de Quiberon ⑳

Morbihan. ✈ *Quiberon (via Lorient).* 🚌 🚆 🚢 *Quiberon.* ℹ *Quiberon (02 97 50 07 84).*

L'étroite presqu'île de Quiberon offre des paysages très divers. La côte sauvage, à l'ouest, battue par le vent du large, est bordée de falaises impressionnantes et d'éboulis rocheux. La côte est, au contraire, est semée de plages de sable abritées. De **Quiberon**, ancien village de pêcheurs à l'extrême pointe de la presqu'île, des vedettes vous conduiront à Belle-Île ou aux îles de Houat et de Hoëdic.

Les monuments préhistoriques

Les tribus primitives qui peuplaient la péninsule dès le quatrième millénaire avant J.-C. ont élevé en divers endroits des mégalithes dont la disposition reste mystérieuse.

Vraisemblablement, la signification de ces pierres est essentiellement religieuse, mais certains tracés laissent supposer l'existence très ancienne d'un calendrier fondé sur l'observation des astres.

Le tumulus de Gavrinis, golfe du Morbihan

LES MÉGALITHES

Les divers assemblages de pierres portent des noms formés à partir de mots bretons tels que *men* (pierre), *dol* (table) ou *hir* (long).

Les **menhirs** *sont des pierres levées, isolées ou disposées en ligne. Les pierres levées disposées en cercles forment un cromlech.*

Les **dolmens***, telle la Table des Marchands de Locmariaquer, sont des dalles de pierre soutenues par deux pierres levées.*

Une **allée couverte***, dont on peut voir des exemples à Carnac, est un alignement de dolmens.*

Un **tumulus** *est un dolmen recouvert de terre, qui faisait office de chambre mortuaire.*

LÉGENDE

☐ Sites mégalithiques

☐ Alignements

0   10 km

Les principaux sites mégalithiques de Bretagne

Les alignements de Carnac

Un champ de menhirs, près de Carnac

Belle-Île-en-Mer 21

Morbihan. *Quiberon (via Lorient).* *depuis Quiberon.* *Le Palais (02 97 31 81 93).*

À 14 km au sud de Quiberon, d'où part un service régulier de vedettes et de ferrys (environ trois quarts d'heure de traversée), Belle-Île-en-Mer est la plus grande des îles bretonnes. Falaises et plages de sable alternent sur ses côtes, tandis qu'à l'intérieur les plateaux ventés sont coupés de vallées abritées. L'agglomération principale, **Le Palais**, fortifiée sous l'Empire, est dominée par la **citadelle Vauban** du XVIe siècle.

Le cloître de Saint-Pierre de Vannes

Vannes 22

Morbihan. *54 000.* *1, rue Thiers (02 97 47 24 34).* *mer,. sam.*

Blottie au fond du golfe du Morbihan, Vannes fut longtemps le port d'attache des Vénètes, hardis navigateurs vaincus par Jules César en 56 avant J.-C. Nominoë, premier duc de Bretagne au IXe siècle, en fit à son tour sa capitale. L'annexion de la Bretagne par le royaume de France marqua le déclin de la cité, remplacée officiellement par Rennes. C'est aujourd'hui une ville animée et commerçante, qui a su préserver ses traditions et restaurer sa vieille ville, dont on peut admirer les remparts depuis la promenade de la Garenne. Voir aussi la porte Prison et le château de l'Hermine reconstruit au XVIIIe siècle. Par la porte Saint-

Un vieux loup de mer

Vincent, on atteint de vieilles rues bordées de belles maisons à pans de bois et la **place des Lices**, où se déroulaient autrefois les tournois à l'arme blanche et où se tient le marché les mercredi et samedi matin. Dans la **cathédrale Saint-Pierre**, plusieurs fois remaniée depuis sa construction au XIIe siècle, la chapelle du Saint-Sacrement abrite le tombeau de saint Vincent Ferrier, prédicateur espagnol mort à Vannes en 1419.

Face au parvis se trouve l'ancienne halle, **la Cohue**, siège du musée des Beaux-Arts, du Golfe et de la Mer. C'est au premier étage du bâtiment que fut signé l'acte de rattachement de la Bretagne à la France en 1532, « sous réserve de ses droits, libertés et privilèges ».

Le **musée archéologique du Morbihan**, dans le château Gaillard, expose, outre une intéressante collection d'objets d'art Renaissance, diverses antiquités préhistoriques (bijoux, armes et poteries).

Musée archéologique du Morbihan
Château Gaillard, 2, rue Noé.
02 97 47 35 86. *de juin à sept. : t.l.j.* *jours fériés.*

Aux environs
En plus d'un certain nombre d'attractions, le **parc du Golfe**, à la sortie de la ville, est doté d'un aquarium océanographique rassemblant plus de 400 espèces différentes et d'une exposition de papillons.

On peut aussi visiter le joli **manoir de Plessis-Josso** (XIVe siècle) à Theix, sur la route de Nantes, et les **tours d'Elven**, dont les ruines sont accessibles par la N 166 au nord-est.

Le golfe du Morbihan 23

Morbihan. *Lorient.* *Vannes.* *Vannes (02 97 47 24 34).*

Le golfe du Morbihan, nom qui signifie en breton « petite mer », est bel et bien une mer intérieure, soumise aux marées de l'Atlantique, avec lequel elle communique par un passage étroit, entre Locmariaquer et Port-Navalo, à l'extrémité de la presqu'île de Rhuys. Le golfe est semé d'îlots et d'îles dont certaines sont habitées, notamment les deux plus grandes, l'**île d'Arz** et l'**île aux Moines**, paradis de vieilles pierres et de mimosas, desservies régulièrement par des vedettes.

Les villages alentour vivent de la pêche, de l'ostréiculture et du tourisme.

Le Bono, pittoresque petit port du Morbihan

Dinard, jeux d'enfants et tentes de plage

Sur l'**îlot de Gavrinis**, accessible par bateau depuis Larmor-Baden, on a découvert un grand tumulus *(p. 283)* aux parois gravées de signes étranges. Des vedettes proposent le tour du golfe au départ de Locmariaquer, Auray, Vannes et Port-Navalo.

Le château de Josselin au bord de l'Oust

Josselin ❷❹

Morbihan. 🏘 *2 300.* 🚌 🛈 *pl. de la Congrégation (02 97 22 36 43).* 🛋 *sam.*

Le bourg est célèbre par son **château** médiéval *(p. 286-287).* Propriété de la famille de Rohan depuis le XVᵉ siècle, il domine l'Oust de ses tours altières. Ses murs de granit sont ornés de la lettre A, en hommage à la duchesse Anne (1477-1514), qui présida aux destinées de la Bretagne à l'époque de son âge d'or.

Les anciennes écuries abritent un musée des Poupées, riche de 600 sujets avec leurs accessoires.

La **basilique Notre-Dame-du-Roncier** abrite le cénotaphe d'Olivier de Clisson (1336-1407), connétable de

France, qui posséda et fit fortifier le château.

Non loin de là, à Bignan, le domaine de Kerguéhennec, dédié à l'art contemporain, présente d'intéressantes sculptures dans un agréable parc à l'anglaise.

⚓ **Château de Josselin**
📞 *02 97 22 36 45.* ⏰ *juil.-août : t.l.j. 10 h-18 h ; avril, mai, oct, vacances scolaires et j.f. : t.l.j., 14 h-18 h. ; juin-sept. : t.l.j. 14 h-18 h* ♿ ♿

La forêt de Paimpont ❷❺

Ille-et-Vilaine. ✈ *Rennes.* 🚌 *Monfort-sur-Mer (20 mn de Paimpont).* 🚌 *Rennes* 🛈 *Plélan (02 99 06 86 07).*

Cette grande étendue boisée (7 000 ha) témoigne des temps lointains où les chevaliers du roi Arthur chevauchaient à travers l'immense **forêt de Brocéliande**, au cœur de l'Armorique. Il ne reste plus que la légende, mais les visiteurs s'ingénient encore à

Merlin l'enchanteur et Viviane, la Dame du Lac

découvrir la source où Merlin l'enchanteur rencontra la fée Viviane. Les promeneurs trouveront à **Paimpont** toutes informations utiles.

La Côte d'Émeraude ❷❻

Ille-et-Vilaine et Côtes-d'Armor.
✈ *Dinard-Saint-Malo.* 🚌 🚌 🛥
🛈 *Dinard (02 99 46 94 12).*

Au nord de la péninsule, entre le Val-André et la pointe du Grouin, au-dessus de Cancale, la Côte d'Émeraude, dont l'eau bleu-vert très pure a en effet quelque chose d'une pierre précieuse, déroule ses plages de sable entrecoupées de falaises rocheuses. **Dinard**, la « Perle » de la côte si l'on en croit les prospectus, attire encore une riche clientèle étrangère.

Moins tapageuses, les stations balnéaires de Saint-Jacut-de-la-Mer, de Saint-Cast, des Sables-d'Or et d'Erquy sont propices aux vacances familiales et aux concours de châteaux de sable. À mi-parcours, les fractures spectaculaires du **cap Fréhel** abritent une réserve naturelle d'oiseaux de mer. Décor de nombreux films de cape et d'épée, le **Fort-la-Latte** ferme la baie de la Fresnaye. Entre Dinard et Saint-Malo, la D 186 enjambe le **barrage de la Rance** et son usine marémotrice, construite en 1966, la première au monde à avoir utilisé la force des marées pour produire de l'électricité.

Le château de Josselin

Juchée sur des rochers face à l'Oust, la forteresse des Rohan, défendue par quatre tours érigées par Olivier de Clisson au xive siècle, est impressionnante. L'austérité militaire est tempérée par la façade intérieure (début du xvie siècle) ouvrant sur les jardins. Joyau du gothique flamboyant, elle déploie une dentelle de granit ciselé à travers des galeries ajourées, des pinacles ; des balustrades et des cheminées. Fleurs de lys, hermines, losanges… les artisans y ont décliné avec virtuosité tous les motifs du répertoire ornemental.

Cheminée du salon avec la devise des Rohan *A plus*

Les 10 lucarnes
à double étages occupent presque la moitié de la façade.

★ Bibliothèque
Riche de 3 000 ouvrages, la bibliothèque a été réaménagée au xixe siècle dans le style néo-gothique.

★ Façade intérieure nord
Les lucarnes à frontons ouvragés animent la façade intérieure. Toutes différentes, elles déclinent l'ensemble du répertoire décoratif de l'époque.

OLIVIER DE CLISSON

Statue équestre d'Olivier de Clisson

Né en 1336, Olivier de Clisson est élevé dans la haine du roi de France qui avait fait décapiter son père, trop favorable aux Anglais. Lors de la guerre de Succession, il se rallie au parti de Montfort et sort victorieux à la bataille d'Auray (1364). Quand Olivier de Clisson réclame son dû à Jean de Montfort, celui-ci se rétracte. Les rapports s'enveniment. Olivier se rapproche du parti français, devient l'ami de Du Guesclin et lui succède comme connétable. Clisson finira par donner sa fille en mariage au fils de Charles de Blois, son ennemi d'hier ! Il s'éteint en 1407 et repose à l'église de Josselin.

Tour isolée

À NE PAS MANQUER

★ **Façade intérieure nord**

★ **Bibliothèque**

★ **Grand Salon**

★ Grand Salon

Devant la cheminée décorée de guirlandes et de scènes de chasse, le mobilier du XVIIIe siècle arbore un joyau : le portrait de Louis XIV par Rigaud.

MODE D'EMPLOI

Pl. de la Congrégation. ☎ 02 97 22 36 45. **Rez-de-chaussée**
🌓 juil.-août : t.l.j. 10h-18h ; avr., mai, oct., vacances scolaires et j.f. : tous les après-midi 14h-18h ; juin-sept. : t.l.j. 14h-18h.
🌑 nov.-mars.

La cour d'honneur

permet de contempler ce joyau gothique.

Façade sur l'Oust

La forteresse se dresse sur un massif de schiste au pied duquel coule l'Oust. Seules quatre des neuf tours construites par Olivier de Clisson ont traversé les siècles.

Porte d'entrée

Porte d'entrée

Après la porte d'entrée, la dentelle de pierre s'impose au regard.

Salle à manger

La statue équestre d'Olivier de Clisson domine un mobilier néo-gothique réalisé par un ébéniste local. La cheminée reprend les traits de celle du Grand Salon.

SAINT-MALO, CITÉ CORSAIRE

Les Malouins participèrent activement
à la découverte du Nouveau Monde
et c'est Jacques Cartier, né à Rothéneuf,
qui prit possession du Canada en 1534
au nom du roi de France. À la fin
du XVIIe siècle, les marins bretons occupent
les premiers un archipel situé au large
de l'Antarctique, baptisé pour cette raison
îles Malouines et devenu plus tard colonie
anglaise sous le nom d'îles Falkland. Le siècle
suivant, la ville connaît la grande époque
des corsaires, comme notamment
René Duguay-Trouin, ou encore l'intrépide
Robert Surcouf (*p. 290*).
Enrichis par le commerce et la piraterie,
les armateurs se font dès lors construire
des demeures cossues, véritables petits
châteaux appelés *malouinières*.

L'explorateur Jacques Cartier (1491-1557)

Saint-Malo **27**

Ille-et-Vilaine. 👥 *53 000.* ✈
🚉 🚌 🚢 ℹ *esplanade Saint-
Vincent (02 99 56 64 48).* 🛒 *du lun.
au sam.*

S aint-Malo fut fondé au
XIIe siècle sur ce qui n'était
encore qu'un îlot rocheux. La
ville fortifiée, qui doit sa
fortune et sa renommée aux
exploits de ses corsaires et de
ses marins parcourant les
mers du XVIe au XIXe siècle,
verrouille l'embouchure de la
Rance. Grand port de pêche
et de commerce en même
temps que centre de tourisme,
la ville a retrouvé son visage
d'autrefois, malgré les
bombardements intensifs lors
de la dernière guerre.

Depuis les remparts
de Saint-Malo, on domine
la rade et les îles. On peut
suivre le chemin de ronde
depuis les degrés de la **porte
Saint-Vincent**, sans oublier
d'admirer au passage la
Grande Porte du XVe siècle.

Les petites rues étroites
de la vieille ville sont
bordées de boutiques, de
crêperies et de magasins de
souvenirs. La rue Porcon-de-
la-Barbinais conduit à la
cathédrale Saint-Vincent,
dont l'austère nef romane
contraste avec les vitraux
contemporains très lumineux
qui entourent le chœur.

La maison de la duchesse
Anne, cour La Houssaye, a été
soigneusement restaurée.

**La plage à marée basse,
porte du Fort National**

⚜ Château
📞 *02 99 40 71 57.* 🕐 *d'avr. à sept. :
t.l.j. ; d'oct. à mars : du mar. au dim.*
🔴 *1er janv., 1er mai, 1er et 11 nov.,
25 déc.* 📷
Le château a été construit entre
le XIVe et le XVe siècle. Le grand
donjon (1424) abrite le musée
d'Histoire de la ville, tandis que
le musée de cire de la galerie
Quic-en-Groigne évoque le
glorieux passé corsaire de la
cité. Place Vauban, l'exotarium
malouin se visite toute l'année,
alors qu'à la sortie de la ville,
le Grand Aquarium laisse
découvrir 500 espèces animales
dans 1 million de litres d'eau
de mer (tunnel aux requins
et simulations de plongée
dans les hauts fonds en sous-
marin).

⚐ Fort National
🕐 *de juin à sept. : t.l.j. à marée basse.* 📷

Construit en 1689 par Vauban,
commissaire des fortifications
du Roi-Soleil, le fort, accessible
par la plage à marée basse,
offre une vue splendide
sur la ville et les remparts.
À marée basse, ne pas
manquer de gagner à pied le
Grand-Bé, où se trouve la
tombe de François-René de
Chateaubriand, né à Saint-Malo
en 1768, et le fort du Petit-Bé,
d'où l'on peut admirer les
plages de Saint-Servan, de
Paramé et une grande partie
de la Côte d'Émeraude.

⚐ Tour Solidor
Saint-Servan. 📞 *02 99 40 71 58.*
🕐 *d'avr. à sept. : t.l.j. ; d'oct. à mars :
du mar. au dim.* 🔴 *1er janv., 1er mai,
1er nov., 25 déc.* 📷
La tour Solidor à Saint-Servan,
construite en 1382, fut
autrefois une prison. Le
musée international des Cap-
horniers installé dans ses
murs présente aujourd'hui
des maquettes, des journaux
de bord et des instruments
de navigation.

⚐ Manoir Limoëlou
Rue D.-Macdonald-Stuart, Limoëlou-
Rothéneuf. 📞 *02 99 40 97 73.*
🕐 *juil. et août : t.l.j. ; de sept. à juin :
du lun. au sam.* 📷
Le manoir de Limoëlou,
à Rothéneuf, fut la résidence
de Jacques Cartier,
le « découvreur du Canada ».
Non loin de là, en bordure
de mer, les rochers sculptés
furent exécutés à la fin
du XIXe siècle par l'abbé Fouré.

Les huîtres de Cancale, déjà
appréciées des Romains

Aux environs

Un service de vedettes
permet l'été de rejoindre
Dinard *(p. 285)*, le cap
Fréhel, l'île de Cézembre et,
plus loin, Jersey, Guernesey
ou Sark.

On peut aussi, à marée
haute, remonter la Rance
jusqu'à Dinan.

Cancale ❷⑧

Ille-et-Vilaine. 🚶 *5 000.* 🚌 🛈 *44,
rue du Port (02 99 89 63 72).* ⛴ *mer.*

Depuis Cancale, petit port
réputé pour ses huîtres dès
l'époque romaine, on aperçoit
par beau temps, au fond de la
baie, le Mont-Saint-Michel. En
longeant la côte par le sentier
des douaniers (GR 34), on peut
admirer les immenses parcs à
huîtres, recouverts deux fois
par jour par les fortes marées.
Les ruelles en pente
descendent vers les quais, où
de nombreux restaurants
proposent les spécialités de la
mer, et le port de la Houle, où
accostent les chalutiers.

Pour en savoir plus sur
l'ostréiculture et sur la fameuse
bisquine cancalaise, on peut
visiter, route de la corniche, le
**musée de l'Huître et du
Coquillage**, et le musée des Arts
et Traditions populaires, dans
l'église Saint-Méen, au bourg.

🏛 **Musée de l'Huître
et du Coquillage**
Plage de l'Aurore. 📞 *02 99 89 69
99.* 🕐 *de mi-juin. à mi-sept. : t.l.j.; hors
saison : du lun. au ven.* ● *3 sem. en
déc.* 📷 ♿

Dinan ❷⑨

Côtes-d'Armor. 🚶 *12 800.* 🚆 🚌
🛈 *6, rue de l'Horloge (02 96 87 69
76).* ⛴ *jeu.*

Accrochée à flanc de coteau
sur les rives escarpées de la
Rance, très profondément
encaissée à cet endroit, la vieille
ville de Dinan, entourée de
faubourgs plus modernes,
dresse ses remparts intacts
autour de ses églises et de ses
maisons à pans de bois, comme
on le voit du haut de la **tour de
l'Horloge**. Le cœur du
valeureux connétable Bertrand
Du Guesclin, né en 1320 à
La Motte-Broons, près de Dinan,
est conservé dans la **basilique
Saint-Sauveur**. Depuis le
Jardin anglais, on peut admirer
l'impressionnant viaduc qui
enjambe la Rance. La vieille **rue
du Jerzual**, bordée d'échoppes
d'artisans, fleurie de géraniums
et coupée à mi-chemin par une
porte de défense, descend vers
le vieux port, d'où s'exportaient
jadis la toile à voile et autres
productions des tisserands
locaux. Il se consacre désormais

à la navigation de plaisance.
Le petit bourg de Léhon, au sud,
possédait un monastère du
XVIIᵉ siècle, le **prieuré
Saint-Magloire**, aujourd'hui
restaurée.

Le **château de la Duchesse
Anne**, tout près de la grande
place du marché, abrite le
musée d'Art et d'Histoire du
Pays de Dinan. Juste à côté, la
tour de Coëtquen. Ne pas
manquer la jolie promenade
dite des Petits-Fossés.

♜ **Château-Musée**
Château de la Duchesse Anne, rue
du Château. 📞 *02 96 39 45 20.*
🕐 *de juin à sept. : t.l.j. ; d'oct. à mai :
du mer. au lun. (mi-nov.-déc. : a.-m.
seulement).* 📷 ♿

**François-René de Chateaubriand
(1768-1848)**

Combourg ❸⓪

Ille-et-Vilaine. 🚶 *4 900.* 🚆 🚌
🛈 *pl. Albert-Parent (02 99 73 13 93).*
⛴ *lun.*

Le sombre **château
de Combourg**, édifié au
XIVᵉ et au XVᵉ siècle autour
d'une forteresse féodale,
domine la petite ville de sa
silhouette sévère. L'ancienne
demeure de la famille Du
Guesclin fut achetée en 1761
par le comte de Chateaubriand.
C'est là que son fils François-
René passa une adolescence
austère, évoquée dans les
Mémoires d'outre-tombe
(1841). Le château, déserté à la
Révolution et restauré au
XIXᵉ siècle, est ouvert au public,
qui peut ainsi retrouver l'un
des chantres du romantisme à
travers ses meubles et ses
papiers personnels.
Diaporama, librairie et salon
de thé concourent à l'accueil
des visiteurs.

♜ **Château de Combourg**
23, rue des Princes. 📞 *02 99 73 22 95.*
🕐 *d'avr. à juin et oct. : du dim. au
jeudi (juil. et août t.l.j.)* 📷

Vue aérienne de Lanvallay, sur la rive opposée à Dinan

Les traditions maritimes

Extrémité occidentale de l'Europe, la Bretagne ouvre sur la mer par plus de 2 700 km de côtes. Dès les XIe et XIIe siècles, les marins bretons se distinguent sur les océans. Leur hégémonie va s'affirmer avec éclat au XVe et XVIe siècles. Les échanges commerciaux assurent la prospérité de la région. Au XVIIe siècle, le tiers des équipages de la marine nationale et de la flotte de commerce est composé de Bretons. La vocation bretonne s'incarne également au travers des professionnels de la pêche. Aujourd'hui, à Brest ou à Douarnenez, dundees, goélettes, bisquines et autres bateaux de travail rejoignent les anciens vaisseaux de guerre au cours de vastes rassemblements.

Almanach du marin breton exemplaire de 1899

Les pêcheurs, chaudement vêtus, demeurent à poste fixe dans des tonneaux arrimés sur l'extérieur du bastingage.

LA PÊCHE À LA MORUE

Au XIXe siècle, âge d'or de la pêche à la morue, des centaines de bateaux quittent les côtes du Nord de la Bretagne pour Terre-Neuve ou l'Islande. Pendant 6 mois, les marins pêcheurs vivent dans des conditions précaires sur les trois-mâts goélettes. Mis à part les armements malouins, la grande pêche a disparu après la seconde guerre mondiale.

En 1534, Jacques Cartier embarque de Saint-Malo, sa ville natale, vers Terre-Neuve et le Labrador et découvre l'estuaire du Saint-Laurent. L'année suivante, il explore le fleuve et découvre le Canada. Grâce à lui, la Nouvelle-France voit le jour.

SURCOUF ET DUGUAY-TROUIN

Saint-Malo, « nid de guêpes et de pirates », s'affirme au XVIIe et XVIIIe siècles comme capitale de la guerre de course. La ville malouine repousse tous les assauts et demeure la cité corsaire. Capitaine à 18 ans, Duguay-Trouin (1673-1736) s'illustre en ravageant la mer d'Islande avant d'être pris par les Anglais. La prise de Rio de Janeiro sur les Portugais en 1711 le rend célèbre. Surcouf (1773-1827), après avoir remporté de nombreuses victoires sur les mers et pillé sans vergogne les navires anglais de la Compagnie des Indes, devient le plus riche armateur de Saint-Malo où il termine sa vie au début du XVIIIe siècle.

Le corsaire Surcouf à l'abordage du Kent

Pour conjurer les dangers de la grande pêche, pardons et processions se multipliaient. Le Pardon des Terre-Neuvas de Paul Signac (1928) en témoigne.

Les exploits de Duguay-Trouin lui vaudront d'être anobli par Louis XIV avec cette devise : « Le courage lui a donné la noblesse ». Ici, le Malouin, secondé par le chevalier Forbin, emporte la victoire sur 5 vaisseaux de guerre anglais.

Les matelots portent le bonnet fourré ou le chapeau de cuir verni, typique des pêcheurs du XIXᵉ siècle.

Le corps des marins pompiers, est un corps sédentaire de la marine dont la formation est assurée par la compagnie des marins pompiers de Brest.

Brest 2000 a rassemblé 2 500 bateaux traditionnels et 20 000 marins venus de 20 pays et de 620 ports d'attache différents. Tous les 4 ans, Brest est bien la capitale mondiale de la marine de tradition.

La bisquine, utilisée pour la pêche côtière, était fabriquée au XIXᵉ siècle et au début du XXᵉ siècle à Cancale et Granville.

Michel Desjoyaux, vainqueur du dernier Vendée Globe, s'inscrit dans la longue lignée de la voile bretonne. Fils d'un des fondateurs de l'école des Glénans, l'équipier d'Éric Tabarly de 1984 à 1986, prend ensuite son envol et va inscrire son nom au palmarès des plus grandes courses.

La personnalité médiatique d'Olivier de Kersauson, coureur d'océans au palmarès éloquent, ne doit pas éclipser sa science maritime. Sous le brocardeur aux bons mots se cache un marin exigeant.

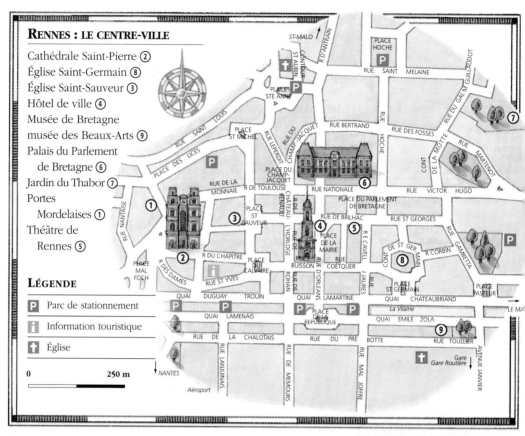

RENNES : LE CENTRE-VILLE

Cathédrale Saint-Pierre ②
Église Saint-Germain ⑧
Église Saint-Sauveur ③
Hôtel de ville ④
Musée de Bretagne
musée des Beaux-Arts ⑨
Palais du Parlement
　de Bretagne ⑥
Jardin du Thabor ⑦
Portes
　Mordelaises ①
Théâtre de
　Rennes ⑤

LÉGENDE

P Parc de stationnement

ℹ Information touristique

✝ Église

0 ——— 250 m

Rennes ③

Ille-et-Vilaine. 204 000. *11, rue Saint-Yves (02 99 67 11 11). mar.-dim.*

Fondée par les Gaulois au confluent de l'Ille et de la Vilaine, la ville de Rennes fut colonisée par les Romains. Elle devint capitale de la Bretagne après le rattachement de la province à la France. L'ancienne cité médiévale, presque entièrement construite en bois, fut partiellement dévastée en 1720 par un gigantesque incendie qui dura six jours. On reconstruisit alors, le long de voies tracées au cordeau, de hautes maisons de pierre, ornées de balcons et de pilastres. Autour de ce noyau historique, la ville nouvelle reste fidèle à sa vocation de centre culturel et universitaire.

Les vieux quartiers méritent un détour. À l'extrémité ouest de la rue de la Monnaie se dressent les **portes Mordelaises**, vestiges des remparts et porte triomphale des ducs de Bretagne. La **cathédrale Saint-Pierre**, trois fois reconstruite, a conservé un retable flamand (v. 1520). **Rue Saint-Sauveur**, à proximité de la basilique du même nom, rue Saint-Guillaume ou rue du Chapitre, quelques beaux hôtels particuliers ont échappé aux flammes. Après la charmante rue Saint-Georges, bordée de maisons à colombage, l'**église Saint-Germain** possède encore ses vitraux du XVIe siècle et son plafond lambrissé typique de la région. Sur la place de la Mairie, l'**hôtel de ville** et le **théâtre** se font face. On se promènera avec plaisir dans le **jardin du Thabor**, derrière l'église Saint-Mélaine, ancienne abbatiale en partie romane.

Rennes, la place des Lices un jour de marché

Une maison à colombage dans une ruelle du vieux Rennes

🏛 Palais du Parlement de Bretagne

Pl. du Parlement-de-Bretagne. ○ *visites guidées organisées par l'office de tourisme.* 📞 *02 99 67 11 11.*
L'ancien Parlement de Bretagne *(p. 294-295),* qui abrita ensuite les salles du Palais de Justice, fut construit de 1618 à 1655 selon les plans de Salomon de Brosse. Ravagé par un incendie en 1994, le bâtiment est maintenant presque restauré à l'exception du plafond à caissons et des boiseries de la Grande Chambre. La cour d'appel a réinvesti les lieux en 1999.

Certaines salles, notamment la Grand'Chambre, dont certaines boiseries ont pu être sauvées, ne seront terminées qu'en 2004.

🏛 Musée de Bretagne, musée des Beaux-Arts

20, quai Émile-Zola. 📞 02 99 28 55 84 (musée de Bretagne). 📞 02 99 28 55 85 (musée des Beaux-Arts). 🕐 du mer. au lun. ⬤ les jours fériés. 🖼🔧

La collection permanente comporte des meubles bretons et des costumes traditionnels. Le musée doit déménager en 2003 dans un bâtiment neuf et jusqu'à cette date, seules les expositions temporaires sont visibles.

Dans le même bâtiment, le **musée des Beaux-Arts** expose, outre *Le Nouveau-né*, chef-d'œuvre de Georges de La Tour, de nombreux tableaux de Gauguin, Émile Bernard et autres artistes de l'école de Pont-Aven *(p. 277)*, ainsi que plusieurs toiles de Picasso, dont *La Baigneuse*, réalisée à Dinard en 1928.

Aux environs

À la sortie sud de la ville, l'**écomusée du Pays de Rennes** retrace l'évolution de l'économie rurale depuis le XVIIᵉ siècle.

À 16 km au sud-est, **Châteaugiron** est un charmant bourg médiéval, avec un imposant château et de belles maisons à pans de bois.

🏛 Écomusée du Pays de Rennes

Ferme des Bintinais, route de Châtillon-sur-Seiche. 📞 02 99 51 38 15. 🕐 fév.-mi-janv. : mar.-dim. ⬤ les jours fériés. 🖼🔧

♟ Château de Châteaugiron

Châteaugiron. 📞 02 99 37 89 02. 🕐 mi-juin-mi-sept. : t.l.j. ; sur r.d.v. le reste de l'année. 🖼

Fougères ㉜

Ille-et-Vilaine. 🚶 23 000. 🚊 🚌 ℹ 2, rue Nationale (02 99 94 12 20). 🕐 sam.

À la frontière orientale de la Bretagne, sur le Nançon, la ville forte de Fougères fut conçue pour résister à l'envahisseur. Ses remparts sont pour la plupart toujours debout et descendent

Le château de Fougères (XIIᵉ-XVᵉ s.)

jusqu'au majestueux **château**, entouré de ses douves. Beau panorama depuis la place des Arbres du jardin public, derrière l'**église Saint-Léonard**. Dans la vallée, quelques demeures à pans de bois en encorbellement entourent la place du Marchix. L'église Saint-Sulpice (XVᵉ-XVIIIᵉ s.) est un remarquable édifice gothique flamboyant. À l'intérieur, deux intéressants retables de granit.

L'impression de force qui se dégage du château, couronné de treize tours et ceint de murailles de trois mètres d'épaisseur, et le décor insolite de la ville close, des chemins de ronde sinueux et des maisons ancrées dans le roc ont inspiré Honoré de Balzac, qui y situe pour l'essentiel l'action des *Chouans* (1829).

♟ Château de Fougères

Pl. Pierre-Simon. 📞 02 99 99 79 59. 🕐 de fév. à déc. : t.l.j. 🖼

Vitré, maisons à pans de bois en encorbellement

Vitré ㉝

Ille-et-Vilaine. 🚶 16 000. 🚊 🚌 ℹ place du Général-de-Gaulle (02 99 75 04 46). 🕐 lun.

La ville fortifiée, aux portes de la Bretagne, domine la vallée de la Vilaine. Le **château**, remodelé au XIVᵉ siècle, est en parfait état de conservation. Triangulaire, il s'appuie sur trois grosses tours, dont la tour Saint-Laurent, qui abrite un musée.

Dans la vieille ville, rue Beaudrairie, où les artisans travaillaient le cuir, et rue d'En-Bas, subsistent des maisons à encorbellement.

Les maisons anciennes sont aussi nombreuses autour de l'**église Notre-Dame**, de style gothique flamboyant, qui possède, sur sa façade sud, une étonnante chaire extérieure. Plus loin commence la promenade du Val, qui fait le tour des remparts.

Par la D 88, au sud-est, on atteint le **château des Rochers-Sévigné**, ouvert au public, où séjourna Marie de Rabutin-Chantal (1626-1696), veuve du marquis de Sévigné et épistolière infatigable. Ses lettres fourmillent d'anecdotes concernant la cour de Louis XIV.

♟ Château de Vitré

📞 02 99 75 04 54. 🕐 d'avr. à sept. : t.l.j. ; d'oct. à mars : du mer. au lun. sauf sam., dim. et lun. matin. ⬤ 1ᵉʳ janv., Pâques, 1ᵉʳ nov., 25 déc. 🖼🔧

♟ Château des Rochers-Sévigné

📞 02 99 96 76 51. 🕐 ⬤ horaires identiques à ceux du Château de Vitré 🖼🔧 limité.

Parlement de Bretagne

Bâti de 1618 à 1655, le parlement de Bretagne est un édifice majeur du paysage rennais. Salomon de la Brosse, architecte du palais du Luxembourg à Paris, a conçu la façade dans le goût italien, tandis que la cour intérieure, en brique et de pierre, suit la tradition française. À l'intérieur, les décors soulignent l'importance accordée au pouvoir breton : la salle des Pas-Perdus, ornée des armes de Bretagne et de France, le plafond de la Grand'Chambre, créé par le premier peintre de Louis XIV, l'illustrent somptueusement. Le 5 février 1994, un incendie embrase le parlement. Il faudra cinq ans de travaux pour lui rendre son éclat d'antan.

★ Salle des Assises
L'ensemble du mobilier des salles d'audience (tables, bancs) est réalisé en chêne, l'éclairage assuré par des lustres classiques et contemporains.

Ancienne salle du Conseil de la Chambre criminelle

★ Salle des Pas-Perdus
La porte percée d'ouvertures ornées de ferronneries mène à une salle où des caissons à moulures saillantes forment la voûte en bois sculpté.

Salle Jobbé-Duval
En 1866, Félix Jobbé-Duval signe les derniers décors peints du parlement : des allégories dont on peut admirer l'Éloquence ici.

Fronton

Salle des Piliers
L'intérieur du parlement marie pierre et brique. Cette tradition française vient en contrepoint de la façade au style italianisant voulue par Gabriel. Au rez-de-chaussée, le palais ouvre sur la salle des Piliers.

Galerie supérieure

Les salles d'audience du niveau supérieur, l'étage noble, sont distribuées par des galeries qui ceinturent la cour.

MODE D'EMPLOI

Place du Parlement-de-Bretagne.
📞 02 99 67 11 11. W www.
parlement-bretagne.com et
www.france-ouest.com/parlement.
📷 obligatoire, se renseigner à
l'office de tourisme.

Le toit en ardoise s'étale sur 5 200 m²

★ Grand'Chambre

Le parlement sert de terrain d'expérimentation à Errard pour les décors de Versailles. Pour la Grand'Chambre, il fait appel à son élève favori, Noël Coypel, et, pour la Première Chambre civile, à Jean-Baptiste Jouvenet. Les deux peintres signent des tableaux allégoriques.

Allégories de la toîture

Quatre figures allégoriques ornaient autrefois le faîtage des pavillons sud. Jean-Loup Bouvier a été choisi sur concours pour restituer ces statues en plomb doré à la feuille dans l'esprit de celles du XIXe signées Dolivet. L'Éloquence, la Force, la Loi et la Justice ont retrouvé leur place au-dessus des bâtiments.

Les bâtiments de la partie basse étaient réservés à un usage cérémoniel ou religieux.

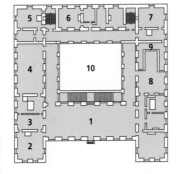

PARLEMENT DE BRETAGNE

1 Salle des Pas-Perdus
2 Salle Jobbé-Duval
3 Chapelle
4 Salle des Assises
5 Bureau du Premier président
6 Deuxième Chambre
7 Première Chambre
8 Grand'Chambre
9 Bibliothèque
10 Cour et galeries

VALLÉE DE LA LOIRE

INDRE · INDRE-ET-LOIRE · LOIR-ET-CHER · LOIRET · EURE-ET-LOIR
CHER · VENDÉE · MAINE-ET-LOIRE · LOIRE-ATLANTIQUE · SARTHE

Avec son histoire prestigieuse, la région est célèbre par ses magnifiques châteaux où s'élabora l'art de vivre de la Renaissance. Aujourd'hui encore, avec ses villes élégantes et ses paysages tranquilles traversés par le majestueux sillon du fleuve, la vallée de la Loire est le pays de la douceur de vivre.

À la recherche de nouveaux terrains de chasse, les rois de France s'installèrent sur les bords de Loire dès la Renaissance À proximité des grandes forêts giboyeuses de Sologne, de Touraine ou de l'Orléanais s'élevèrent palais et résidences d'agrément pour les souverains et les grands personnages de la cour.

Les villes voisines en profitèrent bientôt. Longtemps centre intellectuel du pays, Orléans est aujourd'hui trop proche de Paris pour avoir une véritable autonomie, et c'est plutôt Tours qui fait figure de métropole régionale, suivie par Angers. Moins importantes, Blois, Saumur ou Amboise ont conservé plus de cachet. Guirlande de cités royales, de châteaux et de vignobles, le Val de Loire se termine aux abords de Nantes, ancienne résidence des ducs de Bretagne, capitale des pays de Loire et porte océane de la région. Au sud du fleuve, la Vendée offre ses plages ventées aux sportifs et aux amoureux de la nature. Plus au nord, dans les riches plaines des confins de l'Île-de-France ou des pays normands, les grandes cités marchandes et épiscopales de Chartres et du Mans ont conservé de majestueuses cathédrales.

Châteaux imposants ou modestes manoirs, habitations troglodytiques et églises à fresques, jardins somptueux, villages de vignerons ou de pêcheurs de Loire, balades en forêt et promenades en barque, la région à beaucoup à offrir aux visiteurs, qui pourront s'y restaurer de gibier, de primeurs (comme les célèbres asperges), de poissons de rivière ou d'un pot de rillettes arrosé d'un bourgueil fruité ou d'un vouvray léger.

La Loire à Montsoreau, au sud-ouest de Saumur

◁ Le majestueux château de Saumur domine la ville et le fleuve

À la découverte de la Vallée de la Loire

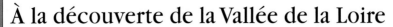

Les châteaux de la Loire, luxueuses résidences des rois de France et des grands seigneurs de la cour, constituent bien sûr l'attrait essentiel de la région. Mais les croisières en péniche au départ de Saumur, Angers et Nantes, les tranquilles vallées de l'Indre ou du Loir, les plages de l'Atlantique et la « douceur angevine » ravissent les estivants, tandis que les amateurs de bons vins vont de bourgueil en vouvray et de muscadet en chinon. Les amoureux de la nature, des arts ou de la gastronomie n'ont ici que l'embarras du choix.

Effet de nuages près de Vouvray

LÉGENDE

	Autoroute
	Route principale
	Route secondaire
	Route pittoresque
	Rivière
✿	Point de vue

0   **25 km**

Le château de Villandry et ses célèbres jardins

LA RÉGION D'UN COUP D'ŒIL

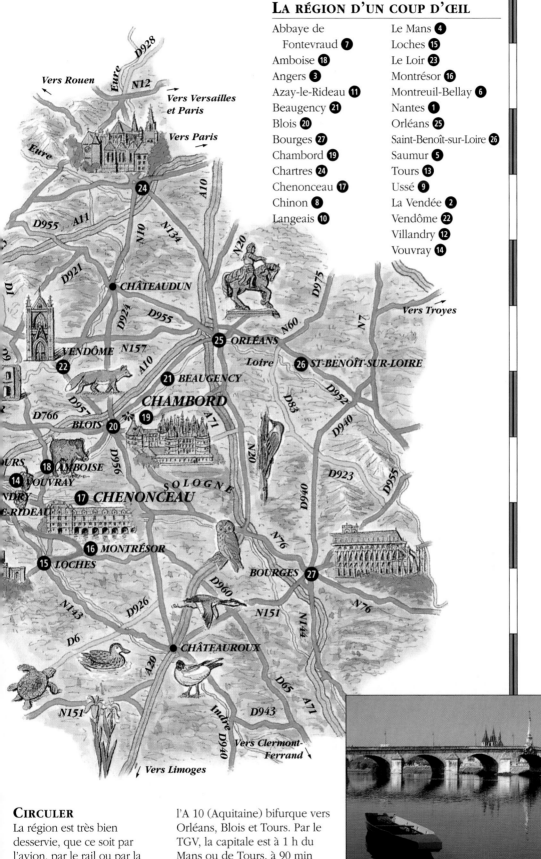

CIRCULER

La région est très bien desservie, que ce soit par l'avion, par le rail ou par la route. Les aéroports de Nantes et Tours sont reliés au reste du pays. L'autoroute A 11 (Océane) joint Paris à Chartres, au Mans, à Angers et à Nantes, l'A 10 (Aquitaine) bifurque vers Orléans, Blois et Tours. Par le TGV, la capitale est à 1 h du Mans ou de Tours, à 90 min d'Angers et à 2 h de Nantes. La région est également reliée à Lille par le TGV. Les châteaux les moins connus sont parfois d'accès difficile.

Un pont sur la Loire au lever du jour

L'intérieur des châteaux

**Médaillon
sculpté**

Un château de la Loire typique présente de grandes pièces de réception somptueusement meublées, ornées de tapisseries et de tableaux précieux, dont le Grand Salon, souvent doté d'une imposante cheminée, et la salle à manger. La galerie servait de point de rencontre ; l'hôte et ses invités y discutaient des événements du jour, admiraient la vue ou les tableaux qui s'y trouvaient. Les appartements privés du châtelain et ceux que l'on réservait aux invités de marque (particulièrement de sang royal) étaient regroupés dans des ailes séparées. Quant aux domestiques, ils étaient logés dans les mansardes.

**Appartements
privés**

Grand escalier

Les sièges étaient souvent légers, élégants mais inconfortables. Les plus confortables, avec accoudoirs, pouvaient être recouverts de tapisserie précieuse, d'Aubusson par exemple, comme ici, à Cheverny.

Le Grand Salon, surtout réservé aux divertissements, avec sa majestueuse cheminée de marbre gravée des armoiries ou des initiales entrecroisées du châtelain.

Le grand escalier, ou escalier d'honneur, avait des balustrades sculptées et un plafond très décoré, tel ce magnifique escalier Renaissance, en voûte en plein cintre, à Serrant, qui menait aux appartements privés et à ceux des invités, ainsi qu'à des pièces de réception occasionnelle, comme la salle d'armes.

Entrée principale

Les galeries, comme celle de Beauregard ci-contre, servaient de lieux de rencontre aux hôtes et à leurs invités. Sur les murs étaient souvent accrochés des portraits.

Les salles à manger d'apparat, réservées
*aux invités de marque, étaient également
somptueusement meublées et décorées. Celle-ci,
à Chaumont, possède un mobilier Renaissance.*

**Les pièces du
château** *étaient
ornées de tableaux,
de tapisseries et de
meubles précieux.
Les éléments
décoratifs, tels
cette plaque
émaillée de
Limoges ou les
panneaux de bois
sculpté, étaient très
fréquents. Même les
carreaux des poêles
étaient souvent peints.*

La salle d'armes,
où armes et armures voisinent
avec des meubles précieux.

L'aile est, réservée
aux hôtes de marque.

**Salle à
manger**

**La chambre
du roi**

La chambre du roi *était
toujours prête à accueillir le
souverain. En vertu du droit
de gîte, le maître du château
était tenu d'héberger le roi
en contre-partie du permis
de construire. À Cheverny,
cette pièce était fréquemment
occupée.*

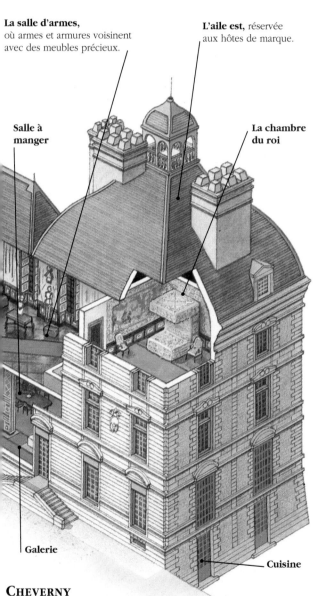

Galerie

Cuisine

CHEVERNY
Bel édifice classique en pierre de taille, construit entre
1620 et 1634, Cheverny a subi peu de dommages
depuis lors. L'escalier, au centre, est flanqué de deux ailes
symétriques, chacune d'elles coiffée d'un toit en dôme
surmonté d'un petit toit pentu. La décoration intérieure
remonte au XVIIe siècle.

Les cuisines *se trouvaient dans
les sous-sols ou dans des bâtiments
séparés. Sur des broches
gigantesques rôtissaient des
animaux entiers. Dans l'obscurité
luisaient des batteries de cuisine
en cuivre, comme celle de
Montgeoffroy.*

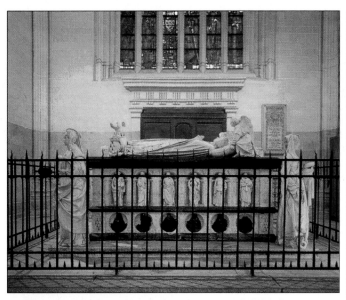

Nantes, tombeau de François II et de sa femme, Marguerite de Foix

Nantes ❶

Loire-Atlantique. 🏛 *270 000.*
✈ 🚂 🚌 ℹ *pl. du Commerce*
(02 40 20 60 00). 🚢 *t.l.j.*

Pendant des siècles, Nantes a disputé à Rennes le titre de capitale de la Bretagne. L'histoire et l'administration ont finalement tranché, puisque la ville n'appartient plus à la Bretagne depuis 1790.

C'est pourtant bien une cité bretonne qui entoure l'église Sainte-Croix et le château. L'élégante **cathédrale Saint-Pierre** et **Saint-Paul** abrite le tombeau de François II, dernier duc de Bretagne, et se pare de lumières bleutées à la nuit tombante. Le **château des Ducs de Bretagne** *(p. 304-305)*, en complète restructuration, promet de devenir un complexe muséologique axé sur l'histoire de Nantes. Le bâtiment du Harnachement, complètement remanié, accueille des expositions temporaires.

Le projet prévoit l'accès public à la totalité des courtines et l'ouverture de salles d'expositions permanentes consacrées à l'histoire de la ville. C'est aussi dans ce château qu'en 1477 est née Anne de Bretagne, la « duchesse en sabots », et qu'Henri IV signa, en 1598, le célèbre édit de Nantes qui accordait la liberté de culte aux protestants.

♠ Château des Ducs de Bretagne

4, pl. Marc-Elder. 📞 *02 40 41 56 56.*
✋ ♿

Aux environs

Au départ de Nantes, on peut se promener en bateau sur l'Erdre, bordée de châteaux et de gentilhommières.

Au nord-ouest de Nantes, entre mer et Brière, Guérande fit fortune grâce à ses marais salants, ses côtes poissonneuses et la richesse de son arrière-pays. Au sud-est, Clisson, rasée pendant les guerres de Vendée, fut reconstruite à l'italienne avec force tuiles et briques rouges. Le **château de Clisson**, édifié sur un monticule rocheux dans la vallée de la Sèvre Nantaise, est en cours de rénovation.

♠ Château de Clisson

📞 *02 40 54 02 22.* 🌙 *d'avr. à sept. du mer. au lun. ; d'oct. à mars du mer. au dim.* 🌑 *vacances de Noël.* 📷 🎫

La Vendée ❷

Vendée et Maine-et-Loire. ✈ *Nantes.*
🚂 🚌 *La Roche-sur-Yon.* ℹ
La Roche-sur-Yon (02 51 36 00 85).

Le mouvement contre-révolutionnaire qui devait agiter l'Ouest de la France entre 1793 et 1799 commença par une série de soulèvements en Vendée. Bastion de l'Ancien Régime, rurale et profondément religieuse, la région ne pouvait accepter sans heurts les valeurs urbaines et laïques de la République. La répression, très brutale, fit de nombreux morts et occasionna un traumatisme durable.

Deux musées retracent ce pan de l'histoire : La Chabotterie, à Saint-Sulpice-de-Verdon, et le musée d'Art et d'Histoire à Cholet, par ailleurs centre textile et patrie du mouchoir.

Autour de La Roche-sur-Yon, le Bocage vendéen est un centre de tourisme vert. L'Atlantique baigne ici l'une des côtes les plus propres de France, comme aux **Sables-d'Olonne**, où l'on peut visiter le musée de l'abbaye Sainte-Croix et d'où vous pourrez partir à la découverte des marais salants en bateau. L'**île de Noirmoutier**, désormais reliée à la côte par un pont, est aussi accessible par une curieuse chaussée carrossable, le passage du Gois, recouvert à marée haute et bordé de balises-refuges, où les imprudents peuvent se mettre au sec. De Noirmoutier, une vedette vous mènera à l'île d'Yeu, dont la côte sauvage battue par les vents est

Bateaux à Noirmoutier, au large des côtes de Vendée

dominée par la silhouette du Vieux-Château.

Le **Marais poitevin** (*p. 432*), est un véritable sanctuaire pour les oiseaux. Ses canaux courent entre les hameaux, dont certains possèdent de belles églises (Mouillezais, Chaillé-les-Marais). Le meilleur moyen de découvrir cette « Venise verte » est de se laisser glisser sur ses eaux calmes à bord d'une barque que l'on peut louer dans un de ses villages (Coulon est le principal « port » de location).

Angers, la tenture de l'*Apocalypse*

Angers ❸

Maine-et-Loire. 🏛 *156 000.* 🚉 🚌 🅸 *pl. Kennedy (02 41 23 50 00).* 🚌 *sam.*

Capitale historique de l'Anjou, berceau des Plantagenêts, Angers s'est reconvertie dans les nouvelles technologies. Elle n'en est pas moins fière de son passé royal, dont elle a gardé un imposant **château** médiéval (*p. 242*). Ancienne demeure de Foulques Nerra, comte d'Anjou, la forteresse abrite une riche collection de tapisseries, dont la tenture de l'*Apocalypse*, exécutée entre 1375 et 1378. À deux pas du château, la **cathédrale Saint-Maurice** possède de remarquables vitraux des XIIᵉ et XIIIᵉ siècles. Quelques pas encore, et vous pourrez admirer, sur la façade de la **Maison d'Adam**, un arbre de vie sculpté dans le bois. Le **musée David d'Angers** a trouvé asile dans une ancienne abbatiale restaurée. Sur la rive opposée de la Maine, l'ancien hôpital des Pauvres abrite aujourd'hui le **musée Jean Lurçat** et la tenture du *Chant du monde* exécutée d'après les cartons de l'artiste.

♣ **Château d'Angers**
🄲 *02 41 87 43 47.* ◯ *t.l.j.*

◯ *1ᵉʳ janv., 1ᵉʳ mai, 1ᵉʳ et 11 nov., 25 déc.* 🈺 🈶

🏛 **Musée David d'Angers**
33 bis, rue Toussaint. 🄲 *02 41 87 21 03.* ◯ *de mi-juin à mi-sept. : t.l.j. ; de mi-sept. à mi-juin : du mar. au dim.* ◯ *les jours fériés.* 🈶

🏛 **Musée Jean Lurçat**
4, bd Arago. 🄲 *02 41 24 18 45.* ◯ *de mi-juin à mi-sept. : t.l.j. ; de mi-sept. à mi-juin : du mar. au dim.* ◯ *les jours fériés.* 🈶 ♿

Aux environs
Dans un rayon de 15 km, on peut visiter le **château de Serrant** au sud-ouest, le château de Brissac-Quincé au sud-est et, au nord, le **château de Plessis-Bourré**, construit par un ministre de Louis XI, dont la principale curiosité est un plafond à caissons orné de peintures alchimiques.

♣ **Château de Serrant**
Saint-Georges-sur-Loire. 🄲 *02 41 39 13 01.* ◯ *juil.-août : t.l.j. ; d'avr. à juin et de sept. à mi-nov. : du mer. au lun.* 🈶

♣ **Château du Plessis-Bourré**
Écuillé. 🄲 *02 41 32 06 01.* ◯ *juil.-août : t.l.j. ; d'avr. à juin et sept. : du jeu. au mar. (fév., mars, oct. et nov. : seulement l'après-midi).* 🈶 ♿

Le Mans ❹

Sarthe. 🏛 *150 000.* ✈ 🚉 🚌 🅸 *rue de l'Étoile (02 43 28 17 22).* 🚌 *du mar. au dim.*

Depuis qu'Amédée Bollée eut, en 1873, l'idée farfelue de placer un moteur sous le capot d'une voiture, Le Mans est synonyme d'automobile. Les fils Bollée instituèrent un embryon de Grand Prix, événement (*p. 33*) que le **musée de l'Automobile**

***L'Ascension*, vitrail de la cathédrale Saint-Julien au Mans**

continue à célébrer.

Le vieux quartier, ancienne cité fortifiée, est entouré de l'enceinte gallo-romaine la mieux conservée de France. De nombreux films, dont *Cyrano de Bergerac,* ont été tournés dans ce décor naturel de maisons à pans de bois, de ruelles pavées et de cours intérieures. La **cathédrale Saint-Julien**, à l'admirable chevet gothique, conserve un portail contemporain du portail royal de Chartres.

Entre Le Mans et Laval, Sainte-Suzanne et son château dominent le cours de l'Erve. À quelque distance, dans la vallée, Évron abrite une remarquable basilique du XIᵉ-XIIIᵉ siècle.

🏛 **Musée de l'Automobile**
Circuit des 24 Heures du Mans.
🄲 *02 43 72 72 24.* ◯ *de fév. à déc. : t.l.j. ; jan. : sam. et dim.* 🈶 ♿

Le circuit du Mans, gravure de *L'Illustration*, 1935

Château des Ducs de Bretagne

Bâti au bord de la Loire à partir du XIIIe siècle, le château des Ducs de Bretagne fut à la fois un palais résidentiel et une forteresse militaire. Anne de Bretagne y voit le jour en 1477, Henri IV passe pour y avoir signé l'édit de Nantes en 1598. Au fil des siècles, le château a sans cesse été remanié : aux tours puissantes et au pont-levis à vocation défensive répondent de délicats édifices Renaissance ayant façade sur cour. Transformé en caserne au XVIIIe siècle, le château devient propriété municipale après la première guerre mondiale et abrite plusieurs musées. Depuis 1993, une vaste campagne a été lancée visant à restituer aux différents bâtiments leur aspect d'origine et à créer un grand musée d'Histoire de la ville et de sa région.

★ Le Grand Logis
Il porte les armes de Louis XII et d'Anne de Bretagne.

La tour du Port est restée deux siècles enfouie sous un bastion, qui a été démoli en 1853.

La courtine de la Loire (XVe-XVIe siècles), en pierre de taille, relie la tour de la Rivière à la tour du Port.

Le Petit Gouvernement
Construit sous François Ier (XVIe siècle), le « Logis du Roy » est aujourd'hui appelé le Petit Gouvernement. Les lucarnes sont tout à fait caractéristiques du style Renaissance.

DES HÔTES DE MARQUE

**Henri IV
(1553-1610)**

Le château des Ducs de Bretagne a vu passer bien des personnages célèbres. En 1471, y fut célébré le mariage de François II et de Marguerite de Foix, suivi, en 1499, de celui de la duchesse Anne avec le roi Louis XII. Puis, en 1532, il reçut la visite de François Ier venu célébrer l' « union perpétuelle des pays et duché de Bretagne avec le royaume de France », comme le rappelle une inscription dans la cour. Henri II, puis Charles IX y effectuèrent un bref séjour. En 1598, Henri IV y a débattu de l'édit de Nantes, qui accordait un statut légal aux protestants et la liberté d'exercer leur culte. Peut-être même l'a-t-il signé sur place. Enfin, Louis XIV séjourna au château lors de sa visite à Nantes en 1661, à l'occasion de la tenue des États de Bretagne.

Tour de la Rivière
La tour de la Rivière fait partie du système défensif du château. Elle comprend deux niveaux surmontés d'une terrasse.

Grand Gouvernement
Le palais ducal, appelé depuis le XVIIe siècle le Grand Gouvernement, a retrouvé son lustre d'antan. Un escalier à double volée conduit à un perron à l'ordonnance classique, surmonté d'un toit en forme de carène.

Le musée du château traite de l'art populaire régional du XVIe au XXe siècle.

★ Le Vieux Donjon
Cette tour polygonale du XIVe siècle, dont la construction fut ordonnée par le duc Jean IV de Monfort, est la partie la plus ancienne du château. Elle est accolée à la conciergerie (XVIIIe siècle).

Le bastion Saint-Pierre (fin du XVIe siècle), fut arasé en 1904.

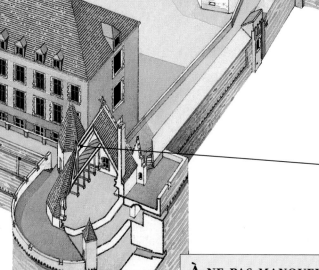

★ Tour du Fer-à-cheval
Ce blason orne la clé de voûte à l'intérieur de la tour du Fer-à-Cheval, qui barre l'angle nord-ouest du château, un beau témoignage de l'architecture militaire du XVe siècle.

À NE PAS MANQUER

★ **Le Grand Logis**

★ **Le Vieux Donjon**

★ **La Tour du Fer-à-Cheval**

Le bâtiment de l'Harnachement (XVIIe-XVIIIe siècles), construit par les militaires du château.

Saumur ❺

Maine-et-Loire. 🏃 *30 000.* 🚋 🚌 ℹ️
pl. de la Bilange (02 41 40 20 60). 🛍️ *sam.*

Le château de Saumur et la flèche de Saint-Pierre, vus de la Loire

Haut lieu du protestantisme au XVIIe siècle, la ville *(p. 308-309)* est aujourd'hui surtout célèbre par ses vins, ses champignons, son château et son fameux Cadre noir.

Forteresse au XIIIe siècle, sous la minorité de Saint Louis, puis logis de plaisance, le **château des ducs d'Anjou** domine la ville de ses hautes murailles et de ses quatre tours. Il abrite le musée des Arts décoratifs et le musée du Cheval.

Sur la **place Saint-Pierre**, autour de l'église, subsistent plusieurs maisons à pans de bois. Non loin de là, rue des Patenôtriers (n° 7), se trouve la maison qui inspira Balzac pour son roman *Eugénie Grandet*.

À l'**école nationale d'équitation**, les écuyers du Cadre noir perpétuent la tradition équestre avec les sauts d'école, au cours des reprises publiques et galas.

Le **musée du Champignon**

Le blason du roi René

permet de découvrir, lors des visites guidées dans les galeries creusées dans le tuffeau, la culture du champignon de Paris et du pleurote. Le **musée des Blindés** abrite une collection, unique en Europe, de 150 véhicules blindés de 1914 à nos jours, tous en état de marche.

Pas question de quitter Saumur sans déguster son excellent saumur brut, produit selon les règles de la méthode traditionnelle.

🏯 **Château de Saumur**
📞 *02 41 40 24 40.* 🕐 *d'avr. à sept. : t.l.j. ; d'oct. à mars : du mer. au lun.* ⬛ *1er janv., 25 déc.* 🖼️

🐴 **École nationale d'équitation**
St-Hilaire-St-Florent. 📞 *02 41 53 50 60.* 🕐 *d'avr. à sept. : du mar. au sam.* 🖼️ ♿
🏛️ **Musée du Champignon**
St-Hilaire-St-Florent. 📞 *02 41 50 31 55.* 🕐 *de mi-fév. à mi-nov. : t.l.j.* 🖼️ ♿
🏛️ **Musée des Blindés**
1043, route de Fontevraud.
📞 *02 41 53 06 99.* 🕐 *t.l.j.* 🖼️

Aux environs
En aval de Saumur, la petite **église de Cunault**, abbatiale romane du XIe siècle, possède un très beau portail et 223 chapiteaux historiés. **Le château de Brézé** permet quant à lui de découvrir une stupéfiante forteresse souterraine et son réseau de caves et tunnels.

Montreuil-Bellay ❻

Maine-et-Loire. 🏃 *4 300.* 🚋 🚌
ℹ️ *pl. du Concorde (02 41 52 32 39).* 🛍️ *mar.*

Sur la rive droite du Thouet, au sud de Saumur, Montreuil-Bellay possède encore une partie de ses remparts et deux portes fortifiées, dont la **porte Saint-Jean**. Très typique de l'architecture angevine, c'est une excellente entrée en matière pour la visite de la région.

L'imposant **château de Montreuil-Bellay**, remanié au XVe siècle autour d'une forteresse médiévale, possède une cuisine à cheminée centrale, comme à Fontevraud, et une cave voûtée où se réunit la confrérie des Sacavins, qui entend faire mieux connaître le vin d'Anjou.

🏯 **Château de Montreuil-Bellay**
📞 *02 41 52 33 06.* 🕐 *d'avr. à oct. : du mer. au lun.* 🖼️ 📷 *obligatoire.*

LES HABITATIONS TROGLODYTIQUES

Le calcaire tendre, ou tuffeau, de la vallée de la Loire a favorisé le creusement des habitations troglodytiques, en particulier autour de Saumur, de Vouvray et sur les bords du Loir. Ces grottes, taillées à flanc de coteau ou creusées dans le sol, ont constitué une façon sûre et économique de se loger pendant des siècles. Certains les achètent aujourd'hui comme résidences secondaires, mais on les utilise aussi pour conserver le vin ou pour cultiver les champignons. Quelques restaurants ont mis à profit ce décor original. À Doué-la-Fontaine, on y trouve même un zoo. À Rochemenier existe un village-musée, avec ses maisons, ses granges et sa chapelle souterraine. Le hameau souterrain de La Fosse, inhabité depuis une vingtaine d'années, ouvert aux visiteurs par un propriétaire hospitalier, se visite comme un musée vivant.

L'entrée d'une maison troglodytique

La vie de cour à la Renaissance

Le règne de François Ier (1515-1547) coïncide avec l'apogée de la Renaissance française. L'époque se caractérise par un renouveau d'intérêt pour l'humanisme, les arts et l'architecture à l'antique, importés d'Italie. De Blois à Chambord ou Amboise, la cour se déplace et les courtisans partagent leurs journées entre la chasse, la fauconnerie, les fêtes, les jeux et les intrigues. Le soir, on dîne, on danse, on fait de la poésie et on pratique l'amour courtois.

Luths et mandolines, venus d'Italie, accompagnaient les récitations et les ballets travestis. Gentilshommes et belles dames dansaient le passe-pied, la pavane ou la gaillarde.

Deux des plus célèbres bouffons de François Ier, Triboulet et Caillette, régalaient les convives de leurs bons mots. Ils n'en étaient pas moins traités cruellement. On raconte que les courtisans s'amusaient à immobiliser le second en clouant ses oreilles à un poteau de bois.

LES FESTINS ET BANQUETS

Le dîner, accompagné de musique italienne, commençait vers 7 heures du soir. On y lisait à voix haute des textes philosophiques, interrompus par les facéties des bouffons.

Les courtisans se servaient de leur couteau personnel, et les fourchettes, malgré l'exemple de l'Italie, étaient rares.

Un menu typique se composait d'anguille fumée, de jambon cru, de terrine de veau, de potage aux œufs et au safran, de gibier rôti ou de viande en ragoût et de poisson accompagné d'une sauce au citron et aux groseilles.

Le prix du damas, du satin et de la soie était tel que les courtisans s'endettaient parfois lourdement pour rivaliser d'élégance.

Diane de Poitiers (1499-1566) devint la maîtresse du futur roi Henri II. Malgré le mariage du souverain avec Catherine de Médicis, elle resta sa favorite jusqu'à sa mort.

L'amour est un oiseau volage, comme ces cœurs ailés qui le symbolisent ici.

Saumur pas à pas

Son château de conte de fées se dresse très au-dessus
de la ville, sur une colline d'où l'on aperçoit sans
mal le vieux quartier, situé pour sa plus grande partie
entre le château, le fleuve et la rue principale qui prend
naissance juste devant le pont central de la Loire. Les
rues qui en serpentant montent et descendent la colline
méritent qu'on s'y attarde. La modeste taille de Saumur,
qui engage à visiter la ville à pied, n'est qu'un de ses
nombreux charmes.

Le théâtre
*Le théâtre de Saumur, construit sur le
modèle de l'Odéon à Paris, date de la
fin du XIXe siècle.*

La rue Saint-Jean est le cœur
du centre commerçant de Saumur.

L'hôtel des Abbesses de Fontevraud a été
construit au XVIIe siècle, avec un merveilleux
escalier en colimaçon.

La maison du Roi
*Derrière la façade XIXe de cette banque
de la rue Dacier, un bâtiment
Renaissance, jadis demeure royale, est
aujourd'hui le siège de la Croix-Rouge.
Dans la cour, une plaque célèbre René Ier
d'Anjou qui y tenait souvent sa cour.*

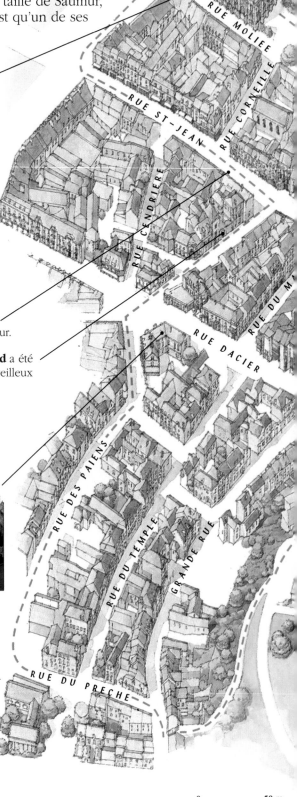

À NE PAS MANQUER

★ **Château de Saumur**

★ **Église Saint-Pierre**

0   50 m

L'hôtel de ville
À l'origine, c'était un manoir qui faisait partie des fortifications de la ville. Construit en 1508, il a fait l'objet d'ajouts postérieurs toujours dans le style gothique.

MODE D'EMPLOI

30 000. 🚉 av. David-d'Angers. 🚌 pl. St-Nicolas. ℹ️ pl. de la Bilange (02 41 40 20 60). 🛒 sam. Cavalerie du Carrousel (juil.).

La place Saint-Pierre
Les plus anciennes maisons à colombage de Saumur, qui datent du XVᵉ siècle, se trouvent place Saint-Pierre (n° 3, 5 et 6).

★ L'église Saint-Pierre
Érigée aux XIIᵉ et XIIIᵉ siècles, achevée aux XVᵉ et XVIᵉ siècles, elle renferme une collection de tapisseries.

La maison des Compagnons,
au sommet de la Montée-du-Fort, est un bâtiment du XVᵉ siècle qui a été restauré par la corporation des tailleurs de pierre, dont on peut voir les apprentis à l'œuvre.

★ Le château de Saumur
Il est situé à côté de la Butte-des-Moulins, petite colline autrefois parsemée de moulins à vent. Du haut de la tour de guet, on a vue sur la ville, sur la Loire et sur le Thouet.

LÉGENDE

— — — Itinéraire conseillé

Le cloître du Grand Moutier

L'abbaye de Fontevraud ❼

Maine-et-Loire. 🚌 *depuis Saumur.*
📞 *02 41 51 71 41.* ⭘ *t.l.j.* ⬤
1er janv., 1er et 11 nov., 25 déc. ♿ ⛆

C'est le plus grand et le mieux conservé des ensembles monastiques médiévaux d'Europe. Fondé au début du XIIe siècle par Robert d'Arbrissel, prédicateur visionnaire, il rassemblait à l'époque plusieurs communautés, des prêtres et frères

LA TOUR D'ÉVRAUD

lais, des religieuses contemplatives, des lépreux, des malades et des prostituées repenties. La direction en était confiée à une abbesse, généralement de haute naissance, si bien que les dames de l'aristocratie, dont Aliénor d'Aquitaine, y venaient volontiers faire retraite.

Prison depuis 1804, l'abbaye a été confiée aux Monuments historiques en 1963 et remise peu à peu en état. Les bâtiments

Des lanternons en poivrière surmontent les conduits d'aération de la cuisine, restaurée au XXe siècle.

Les absidioles, comme autant de chapelles, abritent les fours.

s'ordonnent autour de l'église abbatiale romane, consacrée en 1119. Son immense nef est coiffée de quatre coupoles, seul exemple de ce type en France. L'édifice abrite les gisants polychromes des Plantagenêts : Henri II et sa femme Aliénor, leur fils Richard Cœur de Lion, le roi-croisé, et Isabelle d'Angoulême, veuve de Jean sans Terre.

Les moniales occupaient le **Grand Moûtier**, la **cour Saint-Benoît** abritait les infirmeries et le **prieuré Saint-Lazare**, aujourd'hui transformé en hôtellerie, était affecté aux lépreux.

Du monastère de Saint-Jean-de-l'Habit, quartier des hommes, et du prieuré de la Madeleine, quartier des sœurs laies, il ne reste rien.

La cuisine romane ou **tour d'Évraud**, restaurée par Magne en 1904, est célèbre par son toit à pointes de diamant, piqué de cheminées.

Devenue Centre culturel de l'Ouest, l'abbaye accueille aujourd'hui expositions, concerts et stages.

Chinon ❽

Indre-et-Loire. 👥 *8 500.* 🚌 🚉 ℹ️
1, pl. d'Hofheim (02 47 93 17 85). 🛍 *jeu.*

C'est au **château de Chinon** qu'eut lieu la rencontre historique entre Jeanne d'Arc et le dauphin de France, futur Charles VII, qu'elle reconnut, dit-on, au premier regard malgré son déguisement.

Laissé à l'abandon au XVIIIe s.,

il sera restauré au XIXe siècle.

Les ruelles pittoresques du vieux Chinon, autrefois entourées de murailles, ont conservé de belles maisons à pignons et à pans de bois des XVe et XVIe siècles. Dans la **rue Voltaire**, au n° 12, est situé le **musée animé du Vin et de la Tonnellerie**. Au n° 44 se trouve la maison où serait

Femme en costume médiéval, Chinon

mort le roi Richard en 1199 et où se réunirent les états généraux de 1428.

Au n° 38 de la rue du Grand-Carroi, ne pas manquer la **Maison Rouge** (XIVe s.), au colombage hourdé de briques, et, au n° 48, l'**hôtel du Gouvernement** (XVIIe s.).

C'est aussi dans cette rue que se déroule

Vignobles près de Chinon

chaque année, le troisième week-end d'août, le marché 1900, à l'occasion duquel les marchands portent des costumes d'époque. Danses et musiques envahissent alors les rues.

Cette ambiance de fête ne devait pas manquer d'inspirer Rabelais, qui passa à Chinon une partie de son adolescence. L'**hostellerie Gargantua**, près de l'église Saint-Maurice, garde le souvenir de ce moraliste truculent et de ses géants débonnaires.

🏛 Musée animé du Vin
12, rue Voltaire. **C** 02 47 93 25 63.
☐ d'avr. à sept. : t.l.j. 🖾

Aux environs
François Rabelais est né en 1494 à La Devinière, à 5 km au sud-ouest de Chinon, où **La Devinière**, sa maison natale est ouverte aux visiteurs.

Au confluent de la Loire et de la Vienne, le joli village fortifié de **Candes-Saint-Martin** est construit autour d'une imposante collégiale et du château des archevêques de Tours.

🏛 La Devinière
Seuilly. **C** 02 47 95 91 18. ☐ t.l.j. toute l'année. ● 1er janv. et 25 déc. 🖾

Le château d'Ussé ❾

Indre-et-Loire. 🚉 Langeais, puis taxi. **C** 02 47 95 54 05. ☐ de mi-fév. à mi-nov. : t.l.j. 🖾 🎫 obligatoire.

Le **château d'Ussé**, avec ses tourelles et ses hautes cheminées, dont les jardins en terrasses dominent l'Indre, inspira à Charles Perrault le décor de *La Belle au bois dormant*.

Construit au XVe siècle à partir d'une ancienne forteresse, le château fort devint rapidement résidence d'agrément. On doit à la famille d'Espinay les corps de logis sur cour et une gracieuse chapelle Renaissance, en bordure de la forêt de Chinon, marquée des initiales C et L (Charles et Lucrèce). On peut y admirer une *Vierge* de faïence émaillée de Luca della Robbia.

Le château de Langeais ❿

Indre-et-Loire. 🚉 Langeais. **C** 02 47 96 72 60. ☐ t.l.j. ● 25 déc. 🖾

Contrairement à la plupart des localités avoisinantes, Langeais semble un peu à l'écart du grand tourisme, ce qui ajoute à son charme. Construit sous Louis XI, le château, avec son pont-levis, ses créneaux et ses mâchicoulis, est entièrement médiéval. On voit encore dans le parc les ruines d'un formidable donjon, sans doute le plus ancien de France, édifié par Foulques Nerra en 994.

Dans la salle de la Chapelle où se déroula en 1491 la cérémonie qui unit Charles VIII et Anne de Bretagne, un spectacle son et lumière célèbre l'événement qui devait définitivement rapprocher la Bretagne et la France. Les appartements aux carrelages tous différents sont tendus de tapisseries, dont la remarquable série des *Neuf Preux*.

FRANÇOIS RABELAIS

À la fois moine lettré, diplomate et médecin, Rabelais est surtout un grand humaniste, dont on s'accorde à reconnaître la sagesse et la tolérance. *La vie très horrifique du grand Gargantua* et *Les horribles et épouvantables faits et prouesses du très renommé Pantagruel* donnent la mesure de son talent satirique.

Gargantua enfant, gravure de Gustave Doré

Parcours à thème

Pour ceux qui préfèrent éviter les excursions organisées ou qui s'intéressent à quelque particularité de la région, les parcours à thème offrent une séduisante alternative. Les offices du tourisme locaux sauront vous guider selon vos goûts, qu'il s'agisse de vins, d'églises, de châteaux, de bâtiments historiques, de jardins botaniques ou d'arboretums. Pour chaque itinéraire des brochures et des cartes illustrées sont disponibles, et certains itinéraires sont même balisés. Les offices du tourisme peuvent aussi adapter un parcours spécifique à vos désirs.

À la Recherche des Plantagenêts suit les traces d'Henri II Plantagenêt et d'Aliénor d'Aquitaine. Les témoignages de leur présence sont nombreux dans la région, comme la forteresse de Loches qu'ils conservèrent jusqu'à ce que Philippe Auguste s'en empare en 1205.

La Route des Vignobles conduit le voyageur à travers les plus jolis paysages de vignoble, y compris les coteaux de la Loire. S'adresser à l'office du tourisme d'Angers, de Nantes ou de Saumur.

La Route de la Vallée des Rois mène les automobilistes à des résidences royales, Azay-le-Rideau par exemple, comme à des cathédrales ou à des églises situées le long des rives de la Loire connues sous le nom de Vallée des Rois. S'adresser à l'office du tourisme de Saumur, de Blois, de Gien ou d'Orléans.

Le Circuit Sud-Vendéen au Pays de la Fée Mélusine embrasse tous les charmes de la Vendée méridionale, y compris le Marais poitevin, grâce à un choix de sites des plus divers. S'adresser à l'office du tourisme de La-Roche-sur-Yon.

La Route historique des Parcs et Jardins *promène le voyageur à Villandry et dans bien d'autres jardins de châteaux ou de gentilhommières, comme dans des jardins, des parcs ou des arboretums contemporains. Se mettre en rapport avec l'office du tourisme de Tours.*

Abbaye de l'Eau

Villeprévost

Montmirail

Orléans-la-Source
Orléans
Arboretum des Barres

Vendôme Talcy
St-Benoît-sur-Loire
La Bussiére
Beaugency
Gien
Parc de la Fosse
Briare-le-Canal
Blois Chambord
Aubigny-sur-Nère
Chaumont-sur-Loire Cheverny
La Verrerie
andry
Chenonceau
Selles-sur-Cher
Menetou-Salon
Loches Montrésor
Bouges-le-Château
Bourges
Apremont-sur-Allier
Villegongis
Abbaye de Noirlac
Le Bouchet
Ainay-le-Vieil
Argenton-sur-Creuse
Culan

La Route Jacques Cœur *conduit l'automobiliste, à travers des villes pittoresques, à de mémorables châteaux, dont celui de Maupas, et au palais Jacques Cœur à Bourges, la demeure du riche marchand dont cette excursion a pris le nom. Certains de ces châteaux privés reçoivent des hôtes payants. S'adresser à l'office du tourisme de Bourges.*

0   50 km

La Route historique François Ier *explore des châteaux comme Valençay, qui ont été construits pendant le règne de François I*^{er}*. Au XVI*^e *siècle, il tenait sa cour à Chambord ou à Blois. Renseignements à l'office du tourisme de Romorantin-Lanthenay.*

LÉGENDE

▬	Circuit Sud-Vendéen
▬	Route Historique des Parcs et Jardins
▬	À la Recherche des Plantagenêts
▬	Route Historique François Ier
▬	Route Jacques Cœur
▬	Route de la Vallée des Rois
▬	Route Touristique du Vignoble

Le château d'Azay-le-Rideau ⓫

Indre-et-Loire. 🚉 *Azay-le-Rideau.*
📞 *02 47 45 42 04.* ◯ *t.l.j.*
● *1er janv., 1er mai, 1er et 11 nov.,*
25 déc. 📷 📧

Ce « diamant aux mille facettes », selon le mot de Balzac, est peut-être le plus féminin des châteaux de la Loire. C'est en tout cas une femme, Philippa Lesbahy, épouse de Gilles Berthelot, financier influent sous le règne de François Ier, qui présida aux destinées du château.

Bâti à partir de 1518 sur les ruines d'une ancienne forteresse *(p. 50-51 et p. 242)*, Azay offre tous les raffinements d'une architecture alliant les charmes de la tradition française (hautes toitures, poivrières effilées, verticalité des fenêtres et lucarnes) à la rigueur de l'ordonnance à l'italienne (imposante symétrie et lignes horizontales continues). Tandis que la cour est dominée par le grand escalier ouvert, à rampes droites, les façades extérieures se reflètent dans la rivière.

Propriété de l'État depuis 1905, Azay présente au public un mobilier soigneusement choisi, des tapisseries et des tableaux qui redonnent aux salles l'ambiance qu'elles connurent du XVIe au XIXe siècle.

Au sud d'Azay, par le pont de l'Indre, on aura une jolie vue sur l'ensemble du château. Agréables lieux de

Le jardin d'agrément du château de Villandry

promenade dans la vallée de l'Indre. À Pont-de-Ruan, on voit encore les deux moulins sur la rivière que décrit Balzac dans *Le Lys dans la vallée.*

Le château de Villandry ⓬

Indre-et-Loire. 🚉 *Tours, puis taxi.*
📞 *02 47 50 02 09.*
Château ◯ *t.l.j.* **Jardins** ◯ *t.l.j.*
📷

Parfait exemple de l'architecture du XVIe siècle, Villandry fut le dernier grand château Renaissance construit dans la région. Au début de ce siècle, les jardins ont été magnifiquement remis dans leur état initial par Joachim Carvallo, dont l'arrière-petit-fils poursuit les efforts.

Le **jardin potager**, le **jardin d'agrément** et le **jardin d'eau** se succèdent sur trois niveaux. Chaque plante a sa signification : la courge symbolise la fertilité et le chou la débauche du corps et de l'esprit, alors

que le piment facilite la digestion. Un **jardin de simples**, de création plus récente, présente dans l'esprit des jardins monacaux un assortiment de plantes médicinales et aromatiques. Les 52 km de jardins sont entretenus à la main.

Boutique d'un confiseur à Tours

Tours ⓭

Indre-et-Loire. 👥 *140 000.* ✈ 🚉 🚌
ℹ *78, rue Bernard-Palissy*
(02 47 70 37 37). 🛍 *mar.-dim.*

Autrefois métropole gallo-romaine, Tours est la patrie de saint Martin, ce légionnaire de l'armée romaine qui coupa en deux son manteau pour en couvrir un mendiant. Sous Louis XI, Tours devient virtuellement la capitale de la France, et la cité fonde sa prospérité sur la fabrication des armes et le tissage de la soie. Le règne d'Henri IV amorce son déclin.

La ville, gravement endommagée par les bombardements prussiens en 1870 et par les raids aériens au cours de la Seconde Guerre mondiale, s'est remise avec peine de ses blessures et n'a repris une véritable activité économique et intellectuelle qu'au début des années 60,

Le château d'Azay-le-Rideau se mire dans l'Indre

grâce à une politique dynamique de Jean Royer, maire de 1958 à 1996.

Au centre du vieux quartier ranimé par l'installation d'une faculté des lettres, la **place Plumereau**, entourée de galeries, de boutiques et de cafés, est l'un des endroits les plus plaisants de la zone piétonne. De là, on gagne la place Saint-Pierre-le-Puellier, où des ruines gallo-romaines ont été mises au jour. La rue Briçonnet et les rues avoisinantes procurent un échantillon complet d'architecture tourangelle – maisons à pans de bois, cours intérieurs, tours d'escalier et statuettes sculptées.Près de la place de Châteauneuf, la **tour Charlemagne** est tout ce qui reste de l'ancienne basilique Saint-Martin. Le quartier du Petit-Saint-Martin, autour de l'ancien carroi aux herbes, est investi par les artisans d'art.

À l'est de la ville, la **cathédrale Saint-Gatien**, remaniée du XIIIe au XVIe siècle, présente une façade de style gothique flamboyant, élancée et harmonieuse, des tours romanes et de superbes verrières médiévales.

L'**hôtel Goüin**, qui fut

Tours, la cathédrale Saint-Gatien

autrefois la demeure d'un riche négociant en soie, abrite le musée de la Société archéologique de Touraine.

Le **musée des Beaux-Arts** possède un cèdre du Liban deux fois centenaire. La *Résurrection* et le *Christ au jardin des Oliviers*, d'Andrea Mantegna voisinent avec des portraits (*Balzac*, par Boulanger) et des paysages de la Loire. Une salle est consacrée à l'artiste contemporain Olivier Debré.

Rue Colbert, enfin, autour de l'**église Saint-Julien**, il reste

d'un ancien monastère une salle capitulaire gothique, qui abrite le musée du Compagnonnage, et les celliers Saint-Julien, où se trouve le musée des Vins de Touraine.

🏛 **Hôtel Goüin**
25, rue du Commerce. 📞 02 47 66 22 32. ⭕ de mi-mars à mi-sept. : t.l.j. ; fév.-mars et mi-sept.-nov. du sam. au jeu. 🈲

🏛 **Musée des Beaux-Arts**
18, pl. François-Sicard.
📞 02 47 05 68 73. ⭕ du mer. au lun. ⚫ jours fériés. 🈲

Aux environs
Le **château de Montpoupon**, tout près de Céré-la-Ronde, abrite un très intéressant musée de la Chasse (ouvert t.l.j. en été, uniquement le week-end en hiver).

Joueurs de jacquet sur la place Plumereau, à Tours

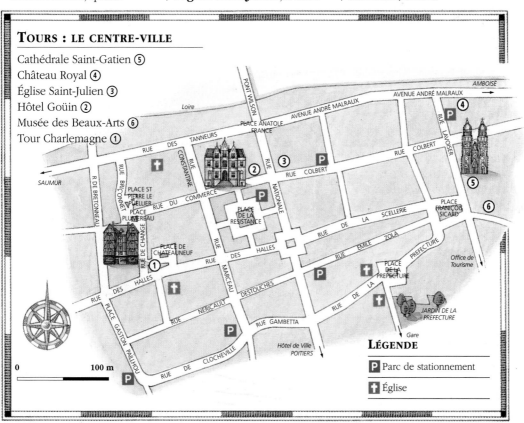

TOURS : LE CENTRE-VILLE

AMBOISE

AVENUE ANDRÉ MALRAUX

PONT WILSON
Loire
PLACE ANATOLE FRANCE
AVENUE ANDRÉ MALRAUX
RUE LAVOISER

RUE DES TANNEURS
RUE CONSTANTINE
RUE COLBERT
RUE COLBERT

SAUMUR
R. DE BRETONNEAU
RUE BRIÇONNET
PLACE ST PIERRE LE PUELLIER
RUE DU COMMERCE
PLACE PLUMEREAU
RUE NATIONALE
PLACE DE LA RESISTANCE

RUE DE CHANGE
PLACE DE CHÂTEAUNEUF
RUE DES HALLES
RUE MARCEAU
DESTOUCHES
RUE DE LA SCELLERIE
RUE EMILE ZOLA
PREFECTURE
PLACE FRANÇOIS SICARD
PLACE DE LA PREFECTURE
Office de Tourisme

RUE DES HALLES
PLACE GASTON PAILHOU
RUE NERICAULT
RUE GAMBETTA
RUE DE CLOCHEVILLE
Hôtel de Ville
POITIERS
RUE DE LA PREFECTURE
JARDIN DE LA PREFECTURE
Gare

0   100 m

LÉGENDE
🅿 Parc de stationnement
✝ Église

Le château de Chenonceau ⓱

Élégant château Renaissance, Chenonceau fut agencé au cours des siècles par les quelques femmes de tête et de cœur qui l'occupèrent tour à tour. Une allée de platanes conduit à de magnifiques jardins à la française et à l'étonnant château-pont, « bâti sur l'eau, en l'air », comme l'écrivait Gustave Flaubert. Sur 60 m, ses cinq arches de pierre, couronnées d'une galerie, enjambent le Cher et se reflètent dans ses eaux tranquilles. L'intérieur est luxueusement aménagé, avec des meubles d'époque, de riches tapisseries et de beaux tableaux.

Corps de logis
Assis sur les piles d'un ancien moulin, il fut construit entre 1513 et 1521 par Thomas Bohier et son épouse Catherine.

Chapelle
Les voûtes en ogive sont soutenues par des pilastres sculptés de feuilles d'acanthe et de coquilles Saint-Jacques. Les vitraux, détruits par un bombardement, ont été remplacés en 1953.

Jardin de Catherine de Médicis
Influencée sans doute par ses origines italiennes, la reine donnait ici des bals masqués et des fêtes fastueuses.

CHRONOLOGIE

Catherine de Médicis

1533 Mariage de Catherine de Médicis (1519-1589) et d'Henri II (1519-1559). Chenonceau devient résidence royale

1559 À la mort du roi, Catherine oblige la favorite en disgrâce à échanger Chenonceau contre Chaumont

1789 À la Révolution, Madame Dupin sauve Chenonce[au] de la destruction

1500	1600	1700	1800

1575 Louise de Lorraine épouse Henri III, troisième fils de Catherine de Médicis et son préféré

1547 Henri II offre Chenonceau à Diane de Poitiers

1513 Thomas Bohier acquiert une forteresse médiévale que sa femme va faire reconstruire dans le plus pur style Renaissance

1863 Madame Pel[uze] redonne au château[u] aspect i[...]

1730-1799 Le salon de Madame Dupin, épouse d'un fermier général, attire écrivains et philosophes

MODE D'EMPLOI

Chenonceaux.
depuis Tours.
02 47 23 90 07.
t.l.j. au rez-
de-chaussée uniquement
www.chenonceau.com

Grande galerie
La grande galerie, de style florentin, fut construite (1570-1576) sur ordre de Catherine de Médicis.

1913 La famille des chocolatiers Menier achète le château

1944 La chapelle est endommagée par un bombardement aérien

Diane de Poitiers

La création de Chenonceau

Chacune des femmes qui ont vécu à Chenonceau y a laissé son empreinte. Catherine Bohier fit construire le corps de logis sur le Cher et l'un des premiers escaliers à rampe droite. Diane de Poitiers commanda les jardins et les arches sur la rivière, que Catherine de Médicis fit couronner d'une galerie à l'italienne. Louise de Lorraine, veuve d'Henri III et surnommée la « reine blanche », exigea que les plafonds de sa chambre à coucher soient repeints en noir et en blanc, couleurs du deuil royal. C'est grâce à Madame Dupin, amie des lettres (Jean-Jacques Rousseau fut le précepteur de son fils), que le château fut épargné à la Révolution. Madame Pelouze, enfin, entreprit en 1863 de le restaurer.

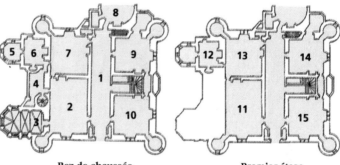

Rez-de-chaussée   Premier étage

SUIVEZ LE GUIDE

Les appartements royaux sont situés dans le corps de logis, au milieu du Cher. Un ensemble de quatre salles, réparties autour d'un vestibule, s'ouvre sur la grande galerie au rez-de-chaussée : la salle des Gardes et la chambre de Diane de Poitiers, tendues l'une et l'autre de tapisseries flamandes du XVIe siècle ; la chambre de François Ier, décorée des Trois Grâces de Van Loo ; et le salon Louis XIV. Au premier étage se trouvent, entre autres, la chambre de Catherine de Médicis et la chambre de Vendôme.

1 Vestibule
2 Salle des Gardes
3 Chapelle
4 Terrasse
5 Librairie de Catherine de Médicis
6 Cabinet Vert
7 Chambre de Diane de Poitiers
8 Grande Galerie
9 Chambre de François Ier
10 Salon Louis XIV
11 Chambre des Cinq Reines
12 Cabinet des Estampes
13 Chambre de Catherine de Médicis
14 Chambre de Vendôme
15 Chambre de Gabrielle d'Estrées

La chambre de Catherine de Médicis

Vouvray 🄳

Indre-et-Loire. 🏘 *3 000.* 🚋 🚍
ℹ️ *02 47 52 68 73.* 🛒 *mar. et ven.*

À quelques kilomètres à l'est de Tours, la petite ville de Vouvray, entourée de vignobles, était déjà réputée au XVIᵉ siècle.

L'un des producteurs les plus renommés demeure le **domaine Huet**, dont Walter Scott fit l'éloge en 1829, chantant les vertus de ses vins blanc secs et la splendeur de l'église gothique trônant au milieu des vignobles. À Vouvray, rien n'a changé depuis lors, ou si peu. La famille Huet continue de produire d'excellents vins, élevés selon les méthodes traditionnelles. Assuré du soutien de la plupart des producteurs locaux, Gaston Huet fit la une des journaux, en 1990, pour s'être élevé avec véhémence contre le tracé du TGV à travers les vignobles.

Le **château de Montcontour**, où des moines cultivèrent la vigne pour la première fois au IVᵉ siècle, possède son propre musée, abrité dans d'impressionnantes caves du Xᵉ siècle.

La cité médiévale de Loches

🍁 Huet

Le Manoir du Haut-Lieu, 10, rue Croix-Buisée. 📞 *02 47 52 78 87.* 🕐 *du lun. au sam. pour les dégustations ; visite des caves sur r.-v.* ● *les jours fériés.* 🚫

⛪ Château de Montcontour

Route de Rochecorbon 📞 *02 47 52 60 77.* 🕐 *d'avr. à nov. : t.l.j. ; de déc. à mars : du lun. au ven.* 🚫 🎫

Loches 🄵

Indre-et-Loire. 🏘 *7 000.* 🚋 🚍
ℹ️ *place de la Marne (02 47 91 82 82).* 🛒 *mer. et sam.*

Cette petite cité fortifiée de la vallée de l'Indre, avec son enceinte presque intacte, offre le même aspect qu'au Moyen Âge. Son donjon est l'un des plus hauts de France (belle vue). L'histoire du **Logis royal** est liée à la belle Agnès Sorel, favorite de Charles VII, qui vécut ici et est enterrée sous un gisant immaculé. Jeanne d'Arc vint ici chercher le futur Charles VII pour le conduire à Reims. Loches est aussi la ville natale d'Alfred de Vigny. La demeure familiale du peintre Emmanuel Lansyer abrite une centaine de toiles de l'artiste, élève de Courbet et Viollet-le-Duc.

⛪ Logis royal

📞 *02 47 59 01 32.* 🕐 *t.l.j.* ● *1ᵉʳ janv. et 25 déc.* 🚫 🎫

LA PATRONNE DE LA FRANCE

Jeanne d'Arc (1412-1431) est l'héroïne qu'attendait un pays divisé et soumis à l'envahisseur, l'une des plus illustres figures de l'histoire de France. Inspirée par des voix divines, une paysanne de 15 ans décida de « bouter les Anglais hors de France » et le paya de sa vie. Vierge et guerrière, fragile et indomptable, la pucelle d'Orléans a de tout temps inspiré les artistes, peintres, écrivains ou cinéastes. En 1429, elle rencontre à Chinon le futur Charles VII, le convainc de l'aider et, après avoir délivré Orléans à la tête de ses troupes, fait sacrer le roi à Reims. Capturée par les Bourguignons, elle fut vendue aux Anglais. Après un simulacre de jugement mené par l'évêque Cauchon, elle fut accusée d'hérésie et de sorcellerie, et brûlée sur le bûcher, à Rouen, le 29 mai 1431. Elle n'avait que 19 ans. En considération de son courage et de sa foi inébranlable, elle fut canonisée en 1920.

Le plus ancien portrait connu de Jeanne (1429)

Portrait de la pucelle en armure, dans la Maison Jeanne d'Arc à Orléans *(p. 330). Elle reprit la ville aux Anglais le 8 mai 1429, anniversaire que la ville continue de célébrer.*

Montrésor ⑯

Indre-et-Loire. 👥 *380.* ℹ️ *Grande-Rue (02 47 92 70 71).*

Sur la rive droite de l'Indrois, Montrésor est, dit-on, l'un des « plus beaux villages de France ». La collégiale du XVIᵉ siècle abrite une *Annonciation*, de Philippe de Champaigne.

En 1849, le comte Xavier Branicki, émigré polonais, acquit le **château**, du XVIᵉ siècle. Le bâtiment appartient toujours à ses descendants.

Bâtiment de ferme et coquelicots, près de Montrésor

Aux environs
Le **château de Valençay** fut construit au XVIᵉ siècle par Jacques d'Étampes.

🏛 **Château de Valençay**
📞 *02 54 00 10 66.* ⭘ *de mars à nov. : t.l.j. ; hors saison : les week-ends et jours fériés.* 🏷

🏛 **Château de Montrésor**
📞 *02 47 92 60 04.* ⭘ *d'avr. à oct. : t.l.j. (en hiver : dim.)* 🏷 ♿

Le château de Chenonceau ⑰

p. 316-317.

Amboise ⑱

Indre-et-Loire. 👥 *11 500.* 🚇 🚌 ℹ️
📞 *02 47 57 01 37.* 🛒 *ven. et dim.*

Amboise a joué un rôle historique considérable. Louis XI y a vécu, Charles VIII y mourut à 28 ans après avoir heurté le linteau d'une porte basse. François Iᵉʳ y fut élevé, tout comme les dix enfants de Catherine de Médicis. François II s'y réfugia en 1560 pour fuir une conspiration huguenote, la Conjuration d'Amboise. Là furent exécutés la plupart des conjurés.Les balcons en fer forgé de la façade firent office de gibets auxquels furent pendus douze d'entre-eux.

Amboise vu de la Loire

La **tour des Minimes** possède une large rampe en spirale, que les cavaliers pouvaient gravir avec leur monture.

Sur le flanc des remparts, la **chapelle Saint-Hubert** abrite une tombe qui est peut-être celle de Léonard de Vinci. Invité par François Iᵉʳ, l'artiste finit ses jours au **Clos-Lucé**, que l'on aperçoit depuis la terrasse du château. On y visite son atelier et la chambre où il mourut en 1519.

🏛 **Château d'Amboise**
📞 *02 47 57 00 98.* ⭘ *t.l.j.*
● *1ᵉʳ janv., 25 déc.* 🏷
🏛 **Clos-Lucé**
2, rue de Clos-Lucé. 📞 *02 47 57 62 88.*
⭘ *t.l.j.* 🏷

Héroïne de légende, *Jeanne d'Arc a inspiré de nombreux artistes. Ici, un tableau de François Léon Bénouville.*

Le supplice du bûcher. *Dans le film d'Otto Preminger,* Sainte Jeanne *(1957), c'est Jean Seberg qui tient le rôle titre.*

Le château de Chambord ⑲

Entre des marais fangeux et un bois de grands chênes, on rencontre tout à coup un château royal, ou plutôt magique. » Cette description de Chambord par le poète Alfred de Vigny donne bien la mesure de la surprise que provoque encore aujourd'hui le plus grand et le plus extravagant des châteaux de la Loire. En 1519, François Iᵉʳ fait raser un rendez-vous de chasse dans la forêt de Boulogne pour lui substituer une demeure grandiose, peut-être initialement dessinée par Léonard de Vinci. Près de deux mille ouvriers, sous la direction de trois maîtres maçons, participent à la construction des tours, des donjons et des terrasses, terminés dès 1537. Les travaux sont seulement achevés en 1685 par Louis XIV.

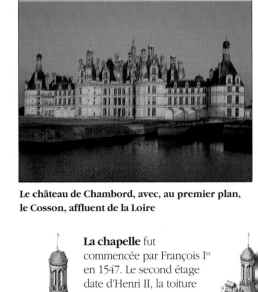

Le château de Chambord, avec, au premier plan, le Cosson, affluent de la Loire

La salamandre
L'emblème de François Iᵉʳ apparaît plus de 800 fois à travers le château.

La chapelle fut commencée par François Iᵉʳ en 1547. Le second étage date d'Henri II, la toiture de Louis XIV.

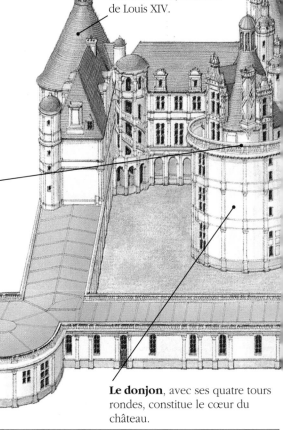

★ Les terrasses du donjon
Elles sont dominées par de délicates coupoles et une forêt de cheminées ouvragées, de clochetons, de lanternons et de pignons sculptés.

À NE PAS MANQUER

★ **Les terrasses du donjon**

★ **Les salles en croix**

★ **Le grand escalier**

Le donjon, avec ses quatre tours rondes, constitue le cœur du château.

CHRONOLOGIE

1519-1547 François Iᵉʳ ordonne et suit la construction du château

1725-1733 Stanislas Leszczynski, roi de Pologne destitué, s'installe au château

1547-1559 Henri II construit l'aile ouest et le second étage de la chapelle

1748 Louis XV donne le château au maréchal de Saxe, qui meurt deux ans plus tard

1500	1600	1700	1800	1900

1547 À la mort de François Iᵉʳ, la cour quitte Chambord pour Chenonceau et Blois

1669-1685 Louis XIV termine les travaux de construction

1840 Le château est classé monument historique

1670 Première représentation du *Bourgeois gentilhomme*

1997 L'ensemble du domaine est classé monument historique

Molière

★ Les salles en croix
qui entourent le grand escalier accueillaient autrefois les réceptions, les représentations et les bals de la cour. Les plafonds voûtés sont ornés de la salamandre.

MODE D'EMPLOI

🚌 depuis Blois, puis taxi ou bus. 📞 02 54 40 40 00. 🌐 www.chambord.org 🕐 t.l.j. 9 h - 18 h 15 (juil. - août jusqu'à 18 h 45 ; nov. - mars : 9 h - 17 h 15). Der. entrée. 30 min av. la ferm. **Son et lumière** avr. - sept. **Musée de la Chasse** ⬤ 1er janv., 1er mai, 25 déc. ♿ 📷 🎧

La tour lanterne du grand escalier, haute de 32 m, surmonte la terrasse. Elle est soutenue par des arcs-boutants et couronnée d'une fleur de lys.

Chambre de François Ier
C'est peut-être dans cette pièce que le roi déçu grava sur une vitre la phrase célèbre : « Souvent femme varie, bien fol est qui s'y fie. »

Bureau de François Ier
Le cabinet de travail du souverain, qui occupe la tour nord, fut transformé en oratoire par la reine Catherine, belle-mère de Louis XV.

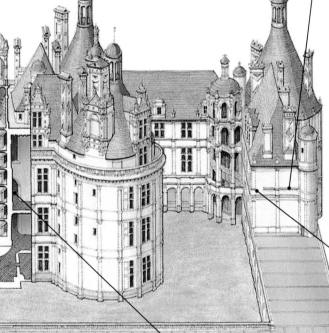

★ Le grand escalier
Dans cet escalier à double vis, attribué à Léonard de Vinci, la personne qui monte et celle qui descend peuvent se voir mais ne se rencontrent pas.

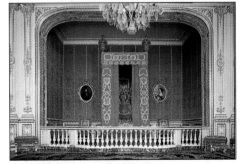

Chambre de Louis XIV
La chambre du Roi-Soleil est la pièce centrale des luxueux appartements royaux.

La cathédrale Saint-Louis et l'hôtel de ville, vus de la rive gauche de la Loire

Blois ⓴

Loir-et-Cher. 🚶 *60 000.* 🚆 🚌 ℹ️
Voûte du Château (02 54 90 41 41).
🛍️ *mar., jeu. et sam.*

Ancien fief des comtes de Blois, la ville devient domaine royal au xvᵉ siècle, ce qui lui vaut ses jolis monuments et son atmosphère raffinée. Entre la Loire, le château et la cathédrale, le vieux Blois, bâti à flanc de coteau, est en grande partie une zone piétonne, permettant au visiteur d'admirer en toute tranquillité les maisons nobles admirablement conservées. N'hésitez pas à suivre l'itinéraire « Blois, ville royale », très bien balisé, où vous découvrirez les hôtels particuliers et les cours intérieures qui font le charme de la ville.

Élevé sur la rive droite, le **château de Blois** resta résidence royale jusqu'en 1598, date à laquelle Henri IV choisit d'installer la cour à Paris. Avec la construction de Versailles

(p. 168), Louis XIV devait donner à Blois le coup de grâce. Bien que très disparates, les quatre ailes forment un tout harmonieux. La Salle des états généraux, vestige de l'ancien château féodal, est la plus belle salle seigneuriale du Val de Loire. Les états généraux s'y sont tenus deux fois. L'aile Louis XII, construite à la fin du xvᵉ siècle, subit déjà l'influence de la Renaissance. Les médaillons sont frappés du porc-épic, emblème du roi, et de sa fière devise, *« Cominus et eminus »* (De près et de loin).

C'est contre l'aile François Iᵉʳ, chef-d'œuvre de la Renaissance, que se trouve le fameux escalier monumental à cage octogonale. Sobre et équilibrée, l'aile Gaston d'Orléans est un modèle d'architecture classique.

À l'intérieur, on peut voir des meubles d'époque et divers tableaux illustrant les épisodes mouvementés dont

Le porc-épic, emblème du roi Louis XII

le château fut le théâtre, notamment l'assassinat du duc de Guise. Soupçonné de vouloir détrôner Henri III, le chef de la Ligue fut poignardé dans la chambre même du roi par sa garde personnelle. La

L'escalier de François Iᵉʳ
L'un des fleurons de la Renaissance, construit entre 1515 et 1524.

La galerie, observatoire idéal lors des fêtes et des tournois.

La salamandre, emblème du souverain, orne les balustrades ajourées.

Les volées de marches, plus inclinées que les balustrades.

Château de Blois, l'aile Louis XII

pièce la plus étonnante est sans doute le cabinet de travail de Catherine de Médicis, dont les murs lambrissés recèlent quatre armoires secrètes, destinées à contenir bijoux et documents. On les ouvre en pressant du pied une pédale dissimulée dans la plinthe.

Depuis 1940, l'**hôtel de ville** est installé dans l'ancien palais épiscopal, dont les jardins en terrasses dominent le fleuve. La **cathédrale Saint-Louis**, pratiquement détruite par une tornade en 1678, a été reconstruite moins de trente ans plus tard.

La **place Saint-Louis** est entourée de balcons ouvragés et de vieilles maisons à pans de bois. La plus belle est la **Maison des Acrobates**, dont les éléments sculptés représentent des personnages de comédie, bateleurs et jongleurs.

La rue Pierre-de-Blois descend vers le ghetto médiéval, jusqu'à la vieille rue des Juifs, où subsistent de nombreux hôtels particuliers, comme l'**hôtel de Condé**, avec sa galerie et sa cour intérieure et l'**hôtel Jassaud**, dont le porche est surmonté de superbes bas-reliefs du XVIᵉ siècle. Autres belles demeures Renaissance dans la rue du Puits-Châtel.

On trouve restaurants et cafés sur la place Vauvert, l'un des endroits les plus agréables du vieux Blois, où l'on peut admirer l'**hôtel Sardini**, habité autrefois par de riches banquiers.

🏰 **Château de Blois**
📞 02 54 90 33 33. ⬜ t.l.j.
⬛ 1ᵉʳ janv., 25 déc. 🈳 ♿

Passerelle couverte, dans la rue Pierre-de-Blois

Beaugency, nef de l'église Notre-Dame

Beaugency ㉑

Loiret. 🏠 7 000. 🚉 🚌 ℹ️ 3, pl. de l'Hôtel-de-Ville (02 38 44 54 42). 🛒 sam.

Beaugency est une paisible petite cité médiévale où l'on peut se promener à pied le long du fleuve et des levées, ce qui est exceptionnel en bord de Loire. Depuis le quai de l'Abbaye, on a une belle vue sur le pont de pierre du XIᵉ siècle, qui fut longtemps le seul moyen de traverser le fleuve entre Blois et Orléans. Cette importance stratégique explique que la ville ait été occupée quatre fois par les Anglais au cours de la guerre de Cent Ans, avant d'être reprise par Jeanne d'Arc en juin 1429.

Du château féodal du XIᵉ siècle ne reste, sur la **place Saint-Firmin**, qu'un donjon en ruine, flanqué d'un clocher du XVIᵉ (l'église a été détruite pendant la Révolution) et d'une statue de Jeanne d'Arc. La place est entourée de maisons nobles, dont le **château Dunois**. Ce manoir Renaissance abrite aujourd'hui le musée régional de l'Orléanais, qui présente de belles collections de costumes, de meubles et de jouets.

L'**église Notre-Dame** lui fait face. C'est dans cette ancienne abbatiale romane que fut prononcée, par le concile de 1152, l'annulation du mariage entre Louis VII et Aliénor d'Aquitaine, ce qui permit à cette dernière d'épouser Henri Plantagenêt, futur roi d'Angleterre.

Un peu plus loin, dans la rue du Change, ne pas manquer la **tour de l'Horloge** et l'**hôtel de ville** (façade Renaissance) qui abrite huit superbes panneaux muraux brodés (XVIIᵉ s). À voir aussi, l'ancien quartier des moulins et ses cours d'eau, entre la rue du Pont et la rue du Rü.

🏰 **Château Dunois (musée Daniel Vannier)**
Pl. Dunois. 📞 02 38 44 55 23.
⬜ du mer. au lun. ⬛ 1ᵉʳ janv., 1ᵉʳ mai, 1ᵉʳ nov., 24 et 25 déc. 🈳

Circuit des châteaux de Sologne

La Sologne est un pays d'étangs, de forêts et de landes de bruyère. À l'ouest, la région devient viticole, produisant des vins rares et prisés, comme le cheverny, qui accompagne merveilleusement le gibier local. En effet, la Sologne est, depuis des siècles, le paradis de la chasse et de son corollaire obligé, le braconnage. C'est en Sologne, par exemple, que Maurice Genevoix situe *Raboliot* et Jean Renoir *La Règle du jeu*.

Un certain nombre de grands seigneurs, à proximité des résidences royales, ont fait construire en Sologne de jolis châteaux, que l'on peut aisément visiter en deux ou trois jours. On y retrouve tous les styles, de la robustesse féodale à l'élégance classique, en passant par la grâce de la Renaissance. Beaucoup sont habités, mais néanmoins ouverts au public.

Château de Beauregard ②
Rendez-vous de chasse de François Ier, construit en 1520. Ne pas manquer la galerie des Illustres (plus de 300 portraits).

Château de Chaumont ①
C'est un château féodal remodelé à la Renaissance, commandant une vue superbe sur le cours de la Loire *(p. 242).*

0   5 km

LÉGENDE

▬▬ Circuit recommandé

═══ Route

Pontlevoy

Vendôme ㉒

Loir-et-Cher. 🚶 *18 500.* 🚉 🚌
ℹ️ *Hôtel du Saillant (02 54 77 05 07).*
🛒 *ven. et dim.*

Ancienne étape des pèlerins sur le chemin de Compostelle, Vendôme est aujourd'hui, par la grâce du TGV, celle des Parisiens sur la route du week-end. Malgré l'afflux hebdomadaire des citadins, la ville garde son charme provincial, avec ses vieilles maisons à pans de bois, ses terrasses de restaurants et ses jardins fleuris, qui se reflètent paisiblement dans les eaux du Loir.

La Trinité, ancienne église abbatiale, a conservé son clocher médiéval, éclipsé cependant par une magnifique façade de style gothique flamboyant. À l'intérieur, le vitrail de la Vierge (1150) rivalise avec les stalles sculptées du chœur. Sur la colline, les vestiges du château des comtes de Vendôme, domine le **parc Ronsard**, où se dresse l'ancien collège des Oratoriens où Balzac fut pensionnaire. Agréables promenades le long des saules et des vieilles maisons. Vendôme est la patrie de Rochambeau, héros de la guerre d'indépendance américaine.

Le maréchal de Rochambeau, né à Vendôme en 1725

Le Loir ㉓

Loir-et-Cher. ✈️ *Tours.* 🚉 *Vendôme.*
🚌 *Montoire-sur-le-Loir.* ℹ️ *Montoire-sur-le-Loir (02 54 85 23 30).*

Sur plus de 300 km, le Loir traverse des prairies verdoyantes, des villages fleuris, de vieux lavoirs et des moulins désaffectés. C'est le long de ses falaises calcaires que l'on trouve aussi les habitations troglodytiques *(p. 306)* les plus nombreuses, les plus pittoresques et les mieux conservées.

Aux **Roches-l'Évêque**, petite cité fortifiée, de nombreuses grottes se dissimulent sous les glycines. À **Lavardin**, en amont, on peut admirer les ruines du château féodal, qui domine le pont gothique sur le Loir, le prieuré Saint-Genest, de style roman primitif, et quelques vieilles maisons en encorbellement. À **Montoire-sur-le-Loir**, la chapelle Saint-Gilles est décorée de peintures

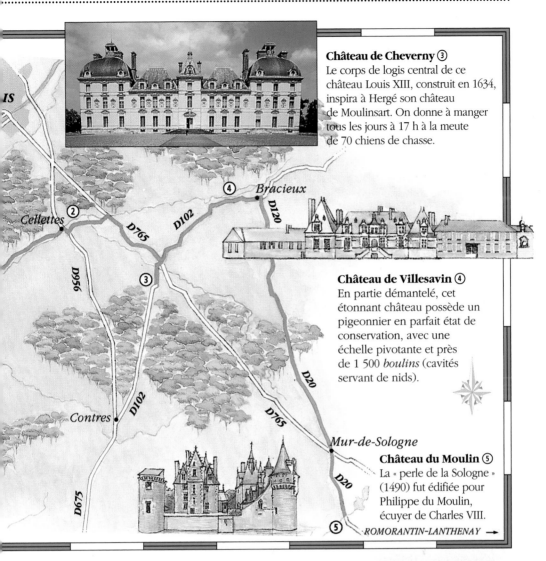

Château de Cheverny ③
Le corps de logis central de ce château Louis XIII, construit en 1634, inspira à Hergé son château de Moulinsart. On donne à manger tous les jours à 17 h à la meute de 70 chiens de chasse.

Château de Villesavin ④
En partie démantelé, cet étonnant château possède un pigeonnier en parfait état de conservation, avec une échelle pivotante et près de 1 500 *boulins* (cavités servant de nids).

Château du Moulin ⑤
La « perle de la Sologne » (1490) fut édifiée pour Philippe du Moulin, écuyer de Charles VIII.

ROMORANTIN-LANTHENAY →

---

murales, dont un magnifique *Christ de l'Apocalypse*. C'est sans doute à **Trôo** que l'on peut voir, outre une ancienne collégiale, le plus grand village troglodytique, parcouru de ruelles et d'escaliers. Depuis la « butte », on aperçoit la chapelle de **Saint-Jean-des-Guérets**. À **Poncé-sur-le-Loir**, on trouve un centre artisanal et le musée départemental du Folklore sarthois. Caves troglodytiques encore, mais servant de celliers, à **Chartre-sur-le-Loir**.

C'est l'exceptionnelle qualité de son spectacle « son et lumière », avec ses jeux d'eau et son mur d'images, qui a fait la réputation du **Lude** et de son château. **La Flèche**, enfin, s'enorgueillit d'être une pépinière de grands hommes, ce que ne dément pas le prestigieux palmarès du prytanée militaire, ancien collège de jésuites, fondé par Henri IV en 1603 et dont René Descartes fut l'un des premiers élèves (1606-1614).

Chartres ㉔

Eure-et-Loir. 🏃 *41 850.* 🚊 🚌
ℹ️ *pl. de la Cathédrale (02 37 18 26 26).*
🛒 *sam.*

Chartres possède, c'est vrai, la plus belle cathédrale d'Europe *(p. 326-329).* Mais il ne faut pas oublier pour autant ses églises. **Saint-Aignan** s'appuie sur les remparts de la ville haute et l'**abbatiale Saint-Pierre**, dans la ville basse, possède de magnifiques vitraux des XIIIᵉ-XIVᵉ siècles. Quant à **Saint-André**, église désaffectée, elle sert de salle de concert et d'exposition. À côté de la cathédrale, dans l'ancien palais épiscopal, le **musée des Beaux-Arts** expose des toiles de Vlaminck et une riche collection polynésienne. Plusieurs belles maisons anciennes s'alignent le long des vieilles rues pavées, telle la **rue des Écuyers**. De hautes marches appelées « tertres »

Un vieux lavoir, sur les bords de l'Eure

descendent vers les rives de l'Eure et ses vieux moulins, tanneries, lavoirs et ponts en dos d'âne. Vue magnifique sur la cathédrale depuis la berge.

La **maison Picassiette**, ornée de fragments de porcelaine, est un ensemble insolite d'art naïf.

🏛 **Musée des Beaux-Arts**
29, cloître Notre-Dame. 📞 *02 37 36 41 39.* ⬤ *du mer. au lun.* ⬤ *1ᵉʳ janv., 1ᵉʳ et 8 mai, 1ᵉʳ et 11 nov., 25 déc.* 📷 ♿

⚓ **Maison Picassiette**
22, rue du Repos. 📞 *02 37 34 10 78.* ⬤ *d'avril. à oct. : du mer. au dim.* 📷

La cathédrale de Chartres

Les statues-colonnes du portail royal représentent des figures de l'Ancien Testament.

« Nos pères ont exprimé dans la hardiesse des voûtes et l'audace des flèches l'élan qui les portait vers Dieu. » Cette phrase du cardinal Poupard traduit le sursaut mystique de toute une cité, qui unit ses forces pour reconstruire, en moins de 25 ans, sa cathédrale détruite, en 1194, par un gigantesque incendie. De l'édifice roman ne subsistent que la flèche sud, ou « clocher Vieux », la crypte et une partie du portail ouest. Depuis près de huit siècles, fidèles et curieux viennent feuilleter, pour leur édification ou pour leur plaisir, cette étonnante « Bible de pierre » miraculeusement épargnée par l'histoire.

Vitrail de Vendôme, détail

À NE PAS MANQUER

★ **Le portail royal**

★ **Le portail sud**

★ **Les vitraux**

La nef gothique, *large de 16,40 m et longue de 130,20 m, culmine à plus de 37 m.*

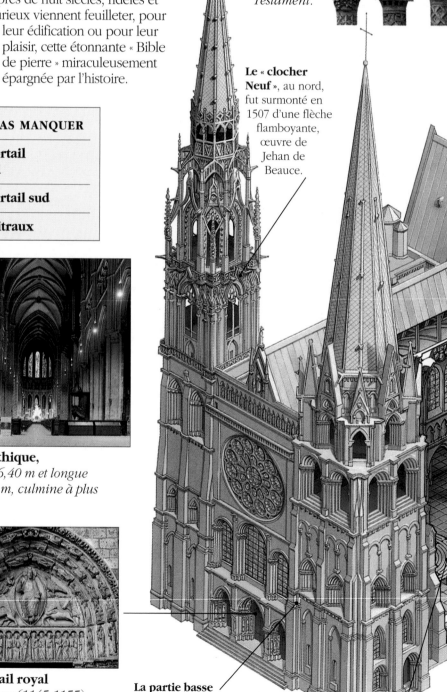

Le « clocher Neuf », au nord, fut surmonté en 1507 d'une flèche flamboyante, œuvre de Jehan de Beauce.

★ **Le portail royal** *Les sculptures (1145-1155) s'ordonnent autour du tympan, où figure un Christ en majesté.*

La partie basse de la façade occidentale a survécu à l'incendie.

Labyrinthe

LE LABYRINTHE

Assemblage de pierres claires et sombres sur le sol de la nef, le labyrinthe est une réalisation qui était assez courante au XIIIe siècle. Ce chemin de croix de 261,50 m que les pèlerins accomplissaient à genoux figure le parcours de l'homme vers la Jérusalem céleste. Le diamètre total est d'environ 13 m.

MODE D'EMPLOI

Cloître Notre-Dame. 📞 02 37 21 75 02. ○ de 8 h 30 à 18 h 45 : t.l.j. ✝ 9 h mar. et ven. ; 11 h 45 et 18 h 15 du lun. au sam. (18 h sam.) ; 9 h 15 (en latin), 11 h dim. 📷 ♿ ✉ Ⓦ www.cathedrale-chartres.com

Chapelle Saint-Piat
Construite à partir de 1324, la chapelle abrite le trésor de la cathédrale et les panneaux d'un jubé sculpté démantelé en 1763.

La voûte d'ogives,
élément caractéristique des cathédrales gothiques.

★ Les vitraux
Les vitraux et les verrières totalisent une surface de près de 2 600 m².

★ Le portail sud
Les sculptures du tympan illustrent le Jugement dernier. Au centre, le Christ entre la Vierge et saint Jean.

La crypte
Construite au XIe siècle, c'est la plus grande de France. Elle comprend deux galeries parallèles reliées par un déambulatoire et plusieurs ︎apelles. Sous le chœur subsiste aussi une crypte du IXe s.

Les vitraux de Chartres

L es magnifiques vitraux de la cathédrale de Chartres, installés entre 1212 et 1240, constituent un véritable itinéraire spirituel en même temps qu'un témoignage précieux sur la vie quotidienne au Moyen Âge (n'oubliez pas de vous munir de jumelles). Déposés au cours des deux guerres mondiales et mis en lieu sûr, ils ont échappé à la destruction. Depuis les années 1970, ils sont l'objet d'une campagne de restauration, œuvre de longue haleine.

Les verrières de l'abside

La Rédemption. *L'une des verrières illustre la Passion du Christ et sa crucifixion (environ 1210).*

★ L'arbre de Jessé
Cette verrière est consacrée à la généalogie du Christ, depuis Jessé, père de David, à la base de l'arbre, jusqu'à Jésus au sommet.

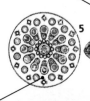

★ La rose occidentale
(1215)
Elle compte 72 éléments, qui composent le Jugement dernier.

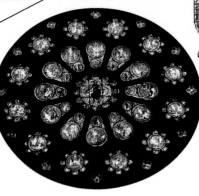

LÉGENDE

1 L'arbre de Jessé	**14** Sainte Marie-Madeleine	**23** Notre-Dame de la Belle Verrière	**33** Saint Théodore et saint Vincent
2 L'Incarnation	**15** La parabole du Bon Samaritain, Adam et Ève	**24** Vie de la Vierge	**34** Saint Étienne
3 La Passion et la Résurrection	**16** L'Assomption	**25** Les Signes du Zodiaque	**35** Saint Cheron
4 Rose nord	**17** Vitraux de la chapelle de Vendôme	**26** Vie de saint Martin	**36** Saint Thomas
5 Rose occidentale	**18** Les miracles de Marie	**27** Saint Thomas Becket, archevêque de Canterbury	**37** Vitrail de la Paix
6 Rose de l'Apocalypse	**19** Saint Apollinaire		**38** Vitrail moderne
7 La Rédemption	**20** Vitrail moderne	**28** Sainte Marguerite et sainte Catherine	**39** Parabole du fils prodigue
8 Saint Nicolas	**21** Saint Fulbert, évêque fondateur (1954)	**29** Saint Nicolas	**40** Ézéchiel et David
9 Joseph	**22** Saint Antoine et saint Paul Ermite	**30** Saint Remi	**41** Aaron
10 Saint Eustache		**31** Saint Jacques le Majeur	**42** La Vierge à l'Enfant
11 Saint Lubin		**32** Charlemagne	**43** Isaïe et Moïse
12 Noé			**44** Daniel et Jérémie
13 Saint Jean l'Évangéliste			

La rose nord. *Elle illustre la glorification de Marie. Les rois de Juda entourent la Vierge de majesté (environ 1230).*

COMMENT LIRE LES VITRAUX

Les panneaux d'un vitrail se lisent de gauche à droite et de bas en haut. La façade nord est consacrée à l'Ancien Testament, qui cède la place, du côté ensoleillé, au Nouveau Testament. Éclairé par les dernières lueurs du jour, l'ouest symbolise traditionnellement les dernières heures de la vie.

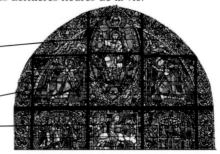

La Vierge et l'Enfant, dans une mandorle (environ 1150)

Deux anges sont agenouillés de part et d'autre du trône

Entrée triomphale de Jésus à Jérusalem le jour des Rameaux

Panneaux supérieurs du vitrail de l'Incarnation

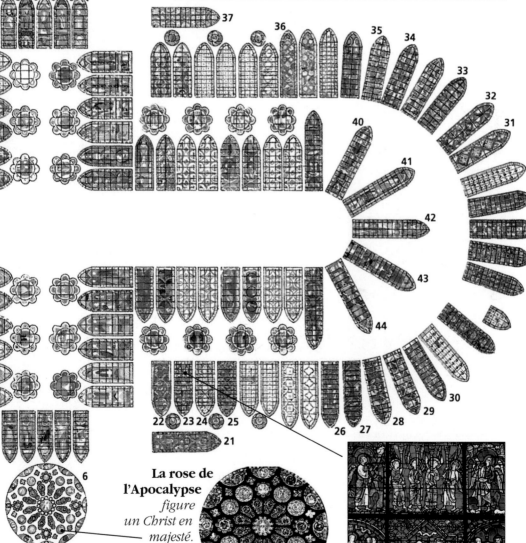

La rose de l'Apocalypse *figure un Christ en majesté.*

À NE PAS MANQUER

★ La rose occidentale

★ L'arbre de Jessé

★ Notre-Dame de la Belle Verrière

★ **Notre-Dame de la Belle Verrière**
Les noces de Cana, *panneaux du XIIIe siècle situés sous Notre-Dame de la Belle Verrière (XIIe s.).*

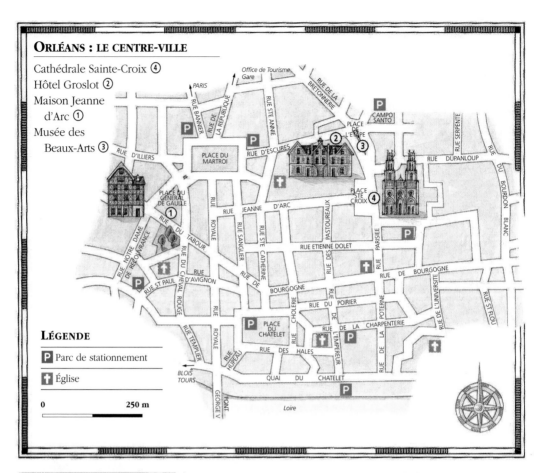

ORLÉANS : LE CENTRE-VILLE

Cathédrale Sainte-Croix ④
Hôtel Groslot ②
Maison Jeanne
    d'Arc ①
Musée des
    Beaux-Arts ③

LÉGENDE

Ⓟ Parc de stationnement

✝ Église

0   250 m

La cathédrale Sainte-Croix à Orléans

Orléans ㉕

Loiret. 120 000. ✈ 🚂 🚌
ℹ 6, rue Albert-Ier (02 38 24 05 05).
mar. au dim.

Le spectaculaire nouveau pont d'Orléans, le 100e à traverser la Loire, symbolise l'importance croissante d'une ville géographiquement au cœur de la France et de l'Europe. Orléans reste cependant très attachée à son passé, et surtout à Jeanne d'Arc. La cité commémore tous les ans, le 29 avril et les 7 et 8 mai, la capitulation des Anglais et l'entrée triomphale de Jeanne et de ses troupes par un défilé en costumes suivi de l'embrasement de la cathédrale.

Le centre historique d'Orléans a été en partie rasé durant la dernière guerre. Sur la **place du Martroi**, cœur commercial de la ville, trône la statue équestre de Jeanne d'Arc (XIXe s.).

C'est en 1965 que fut reconstituée la **maison dite de Jeanne d'Arc**, propriété au XVe siècle de Jacques Boucher. Elle abrite aujourd'hui un musée consacré à l'héroïne.

Il reste, dans la rue d'Escures, de nobles hôtels du XVIIe siècle, notamment les Pavillons d'Escures. L'**hôtel Groslot**, place de l'Étape, est un bel hôtel Renaissance, construit en 1550 pour Jacques Groslot, bailli de la ville. L'édifice, qui abrita l'hôtel de ville de 1790 à 1982, possède un bel intérieur restauré au XIXe siècle. On visite le salon d'honneur, la salle du conseil et la salle des mariages, où mourut le roi François II, âgé de 16 ans, en 1560.

En face, le **musée des Beaux-Arts** expose des peintures française des XVIe-XXe siècles, des bronzes de Maillol et de Rodin, des toiles de Velázquez, de Ruysdael, du Tintoret et du Corrège ainsi qu'une superbe collection de pastels.

La **cathédrale Sainte-Croix**, détruite par les huguenots en 1568, a été reconstruite de 1601 à 1829 dans un style gothique approximatif qui fait toute l'originalité de l'édifice.

▥ Hôtel Groslot
Pl. de l'Étape. ☎ 02 38 79 22 30.
◯ t.l.j. ● jours fériés.
🏛 Musée des Beaux-Arts
Place Sainte-Croix. ☎ 02 38 79 21 55.
◯ du mar. au dim. ● 1er janv., 1er mai, 1er nov., 25 déc. 🚫 ♿
🏛 Maison Jeanne d'Arc
3, pl. du Général-de-Gaulle. ☎ 02 38 52 99 89. ◯ du mar. au dim.
● les jours fériés ; nov.-avril : l'après-midi. 🚫

Aux environs : à 20 km, l'oratoire carolingien de **Germigny-des-Prés** possède dans son abside une mosaïque du IXe siècle représentant l'arche d'alliance. Au château de **Sully-sur-Loire**, à une vingtaine de kilomètres au sud de Saint-Benoît, le donjon conserve une des plus belles charpentes médiévales.

Le supplice de Jeanne d'Arc, vitrail de la cathédrale Sainte-Croix

Saint-Benoît-sur-Loire ㉖

Loiret. 🏠 2 000. 🚌 ℹ 44, rue de l'Orléannais (02 38 35 79 00).

L'abbaye de Fleury, édifiée en 650, accueillit plus tard les reliques de saint Benoît de Nursie, fondateur de l'ordre des bénédictins. Important lieu de pèlerinage, elle prit le nom de son patron. Les bâtiments conventuels ont été détruits, mais il subsiste l'une des plus belles **abbatiales** romanes de France. La tour qui précède le porche a de remarquables chapiteaux. Au-dessus de la crypte abritant le reliquaire, le sol du chœur est pavé d'une étonnante mosaïque, tandis que la haute nef laisse entrer à flots la lumière. Les offices quotidiens accompagnés de chants grégoriens sont publics.

Bourges ㉗

Cher. 🏠 80 000. ✈ 🚌 🚌
ℹ 21, rue Victor-Hugo (02 48 23 02 60). 🛒 mar.-dim.

B ien que Bourges ait gardé des vestiges de son enceinte gallo-romaine, on associe plus volontiers la ville au souvenir du plus célèbre de ses enfants, Jacques Cœur. D'origine modeste, cet homme d'affaires adroit, protecteur des arts, acquit une fortune considérable et devint en 1439 le grand argentier du roi Charles VII, avant de tomber en disgrâce.

Bourges organise chaque année, en avril, le traditionnel *Printemps de Bourges*, festival de la chanson et du rock, qui attire un public jeune et nombreux.

Joyau de l'architecture gothique civile, le **palais Jacques-Cœur** (achevé vers 1451) conserve le souvenir de son premier propriétaire, dont il affiche les emblèmes, le cœur et la coquille Saint-Jacques, et la devise : « *À vaillans cœurs, riens impossible* ». Ne pas manquer la visite qui vous fera découvrir des trésors insoupçonnés, dont les anciennes étuves.

La pittoresque rue Bourbonnoux conduit à la **cathédrale Saint-Étienne**. Des cinq portails ouvragés qui ornent la façade ouest, le plus beau est le portail central, aux innombrables figures sculptées illustrant le Jugement dernier. Les

Vitrail de la cathédrale Saint-Étienne

vitraux du chœur, qui datent du XIIIᵉ siècle, ont traversé avec succès les épreuves du temps. Magnifique vue panoramique du haut de la tour nord sur les ruelles du quartier médiéval, les marais alentour et les remparts gallo-romains.

Statue de Jacques Cœur

Le long de l'Yèvre, le **jardin des Prés Fichaux**, outre ses bassins et ses parterres fleuris, possède un théâtre de verdure.

Au nord de la ville s'étendent les **Marais de Bourges**, utilisés par les maraîchers pour transporter leur production.

♣ Palais Jacques-Cœur

Rue Jacques-Cœur.
📞 02 48 24 06 87.
🕐 t.l.j. ● 1ᵉʳ janv., 1ᵉʳ mai, 1ᵉʳ et 11 nov., 25 déc.
📷 ✦

Aux environs

À une trentaine de km au sud de Bourges, on peut visiter l'**abbaye de Noirlac**, l'une des abbayes cisterciennes les mieux conservées de France (cloître, abbatiale, salle capitulaire, réfectoire, dortoir). À quelques kilomètres, la tour du Lion du **château de Meillant** annonce l'architecture Renaissance des bords de Loire, tandis que la superbe forteresse médiévale d'**Ainay-le-Vieil** a conservé douves, créneaux et mâchicoulis.

Statue dans le jardin des Prés Fichaux

LE CENTRE DE LA FRANCE ET LES ALPES

Présentation du centre de la France et des Alpes

Les villes et les paysages de cette grande région ont peu de points communs. Lyon, métropole industrielle et gastronomique, s'oppose aux paysages ruraux de la Bourgogne. Les sommets arrondis du Massif central, à l'ouest, diffèrent des montagnes jeunes des Alpes à l'est, même si les uns et les autres attirent randonneurs et amateurs de sports d'hiver.

La basilique Sainte-Madeleine à Vézelay, chef-d'œuvre de l'art roman bourguignon, attirait au Moyen Âge de nombreux pèlerins. Les visiteurs de notre époque viennent y admirer son tympan sculpté et ses chapiteaux historiés (p. 356-357).

L'abbaye de Sainte-Foy est un important centre de pèlerinage (p. 390-391). *Le trésor de Conques rassemble plusieurs objets précieux du Moyen Âge et de la Renaissance.*

MASSIF CENTRAL
(p. 372-393)

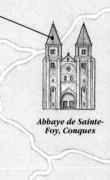

Abbaye de Sainte-Foy, Conques

Les gorges du Tarn offrent des paysages spectaculaires. De la route qui serpente à travers les falaises des Causses, le long des rives escarpées, la vue sur le canyon est, en plusieurs endroits, magnifique et vertigineuse (p. 392-393).

L'abbaye de Fontenay, fondée au début du XII⁰ siècle, est l'une des mieux conservées de France (p. 352-353). Son décor austère illustre parfaitement les exigences et la règle très stricte des disciples de saint Bernard.

Abbaye de Fontenay

*Madeleine,
zelay*

Palais des Ducs, Dijon

Théâtre romain, Autun

BOURGOGNE
ET FRANCHE-COMTÉ
(p. 344-371)

*Église et monastère
de Brou,
Bourg-en-Bresse*

Mont Blanc

*Temple d'Auguste
et de Livie, Vienne*

VALLÉE DU RHÔNE
ET ALPES
(p. 394-415)

*Palais idéal du Facteur
Cheval, Hauterives*

Le Puy

0   50 km

Gorges du Tarn

Les spécialités régionales

La profusion et l'excellence des produits du terroir suffiraient à expliquer la vocation culinaire des grands chefs lyonnais et bourguignons, qui collectionnent les « toques » et les étoiles, et dont la réputation n'est plus à faire. Poulets de Bresse, bœuf charolais, jambon sec du Morvan, gibier d'eau des Dombes, cuisses de grenouilles et poissons de rivière disputent aux emblématiques escargots de Bourgogne la première place au palmarès de la bonne cuisine. Le Jura et la Franche-Comté ne sont pas en reste, avec les saucisses fumées, les fromages ou l'huile de noix, pas plus que l'Auvergne avec ses jambons salés, ses fromages aussi, ses robustes potées aux choux et ses lentilles vertes.

Les « nonnettes » de pain d'épices

Les œufs en meurette, *pochés dans le vin et mollets, sont servis sur des toasts frottés d'ail et nappés d'une sauce au vin.*

La rosette *et le « jésus », saucissons secs enveloppés de boyaux naturels, sont des spécialités du Lyonnais.*

*La fameuse **moutarde de Dijon**, forte ou aromatisée, est un condiment à base de vinaigre et de graines de moutarde sélectionnées. Il en existe plusieurs variétés, pour la table ou pour la cuisine.*

Moutarde à l'ancienne

Moutarde fine

Les escargots à la bourguignonne, *farcis d'une persillade, sont servis dans leur coquille.*

Lard   Champignons

Bœuf   Sauce au vin

Le bœuf bourguignon, *grand classique des menus d'hiver, est préparé avec des morceaux de choix, marinés et cuits au vin rouge, avec du lard fumé coupé en dés, des champignons et des petits oignons.*

La « falette », *poitrine de veau farcie, se déguste chaude avec du chou braisé, ou froide avec une salade.*

L'entrecôte à la dijonnaise *s'accompagne d'une sauce moutarde, qui convient aussi aux viandes blanches et au lapin.*

Le poulet de Bresse, *appellation contrôlée, est aussi bon nature qu'avec une sauce aux morilles.*

Les pieds paquets, *spécialité lyonnaise, sont des pieds de porc farcis au foie de veau et emballés dans une crépine.*

Le petit salé *plat typiquement auvergnat, se sert avec des lentilles vertes du Puy.*

La croûte aux poires *est additionnée de noix concassées, abondantes dans la région.*

Le clafoutis *limousin est une sorte de pâte à crêpes cuite au four, avec des fruits, de préférence des cerises noires.*

LES FROMAGES

Ces régions produisent une palette de fromages très variée, depuis l'odorant époisses bourguignon jusqu'au sage cantal, en passant par le roquefort au lait de brebis ou les fromages à pâte cuite, comme la raclette ou l'emmenthal à fondue.

Fromages de Bourgogne

Époisses

Fourme de Montbrizon

Bleu de Bresse

Fromages des Alpes

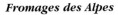

Tomme au raisin

Raclette

Emmenthal français

Vacherin

Fromages du Massif Central

Saint-nectaire

Roquefort

Fourme d'Ambert

Cantal

Les régions viticoles : la Bourgogne

Panier de vendangeur

Déjà présent au début de notre ère, ce vignoble prestigieux fut repris en main par les moines cisterciens au XIIe siècle, puis développé pour les ducs de Bourgogne aux XIVe et XVe siècles. Les vins sont d'une grande diversité, qui tient aux sols et aux expositions. Ils sont souvent produits sur de toutes petites exploitations, où l'on est fier d'être vigneron depuis des générations, et très attaché aux traditions, en particulier à l'élevage en fût de chêne.

CARTE DE SITUATION

▨ *Les vignobles de Bourgogne*

Côte de Nuits : le Clos de Vougeot

LES VIGNOBLES
Entre Chablis, dans l'Yonne, et le Mâconnais, la côte d'Or se subdivise en côte de Nuits et côte de Beaune. Il est d'usage de distinguer le Beaujolais *(p. 399).*

RÉPARTITION DES VINS

Chablis
Auxerre •
• Chablis
A31
A6
Yonne
Serein
Saône
DIJON
N74
A36

LÉGENDE

▨ Chablis
▨ Côte de Nuits
▨ Côte de Beaune
▨ Côte chalonnaise
▨ Mâconnais
▨ Beaujolais

Beaune •
Chalons-sur-Saône
• Mâcon
A6
A40
• Villefranche-sur-Saône
LYON

0　　　　50 km

CE QU'IL FAUT SAVOIR SUR LE BOURGOGNE

Sol et climat
Le climat semi-continental, et très variable, explique l'importance du millésime. Les meilleurs vignobles, exposés au sud ou à l'est, sont sur sol crayeux.

Cépages
Pour les vins rouges, le **pinot noir** aux arômes de fruits rouges l'emporte très largement, devant le **gamay** (Mâcon et Beaujolais). Les vins blancs sont issus en majeure partie du **chardonnay**. Ce cépage donne un vin d'une bonne aptitude au vieillissement. L'**aligoté** produit un blanc souvent utilisé dans la confection du kir. Le **sauvignon** est cultivé autour de Saint-Bris dans l'Yonne.

Quelques producteurs réputés
Bourgognes blancs : Jean-Marie Raveneau, René Dauvissat, La Chablisienne, Comtes Lafon, Guy Roulot, Étienne Sauzet, Pierre Morey, Louis Carillon, Jean-Marc Boillot, André Ramonet, Hubert Lamy, Jean-Marie Guffens-Heynen, Olivier Merlin, Louis Latour, Louis Jadot, Olivier Leflaive.
Bourgognes rouges : Denis Bachelet, Daniel Rion, Domaine Dujac, Armand Rousseau, Joseph Roty, De Montille, Domaine de la Pousse d'Or, Domaine de l'Arlot, Jean-Jacques Confuron, Robert Chevillon, Georges Roumier, Leroy, Drouhin.

Bons millésimes
(Rouges) 1996, 1993, 1990, 1988.
(Blancs) 1996, 1995, 1993, 1992.

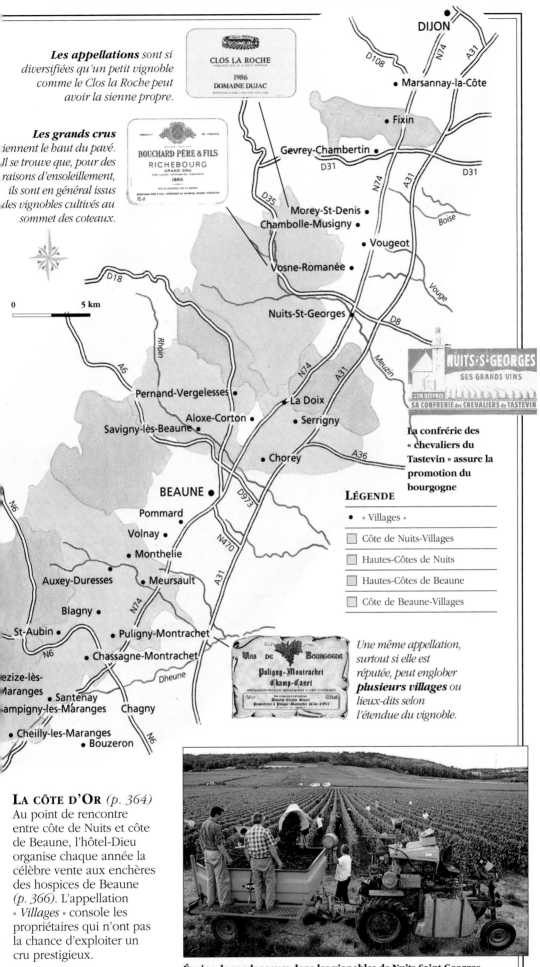

Les appellations sont si diversifiées qu'un petit vignoble comme le Clos la Roche peut avoir la sienne propre.

CLOS LA ROCHE
1986
DOMAINE DUJAC

Les grands crus tiennent le haut du pavé. Il se trouve que, pour des raisons d'ensoleillement, ils sont en général issus des vignobles cultivés au sommet des coteaux.

BOUCHARD PÈRE & FILS
RICHEBOURG
GRAND CRU
1986

DIJON

Marsannay-la-Côte

Fixin

Gevrey-Chambertin

Morey-St-Denis

Chambolle-Musigny

Vougeot

Vosne-Romanée

Nuits-St-Georges

Pernand-Vergelesses

La Doix

Aloxe-Corton

Serrigny

Savigny-lès-Beaune

Chorey

BEAUNE

Pommard

Volnay

Monthelie

Auxey-Duresses

Meursault

Blagny

St-Aubin

Puligny-Montrachet

Chassagne-Montrachet

ezize-lès-
Maranges

Santenay

ampigny-les-Maranges

Chagny

Cheilly-les-Maranges

Bouzeron

0   5 km

NUITS-St-GEORGES
SES GRANDS VINS
SON BEFFROI
SA CONFRERIE des CHEVALIERS du TASTEVIN

La confrérie des « chevaliers du Tastevin » assure la promotion du bourgogne

LÉGENDE

● « Villages »

☐ Côte de Nuits-Villages

☐ Hautes-Côtes de Nuits

☐ Hautes-Côtes de Beaune

☐ Côte de Beaune-Villages

*Une même appellation, surtout si elle est réputée, peut englober **plusieurs villages** ou lieux-dits selon l'étendue du vignoble.*

Vins de Bourgogne
Puligny-Montrachet
Champ-Canet

LA CÔTE D'OR *(p. 364)*
Au point de rencontre entre côte de Nuits et côte de Beaune, l'hôtel-Dieu organise chaque année la célèbre vente aux enchères des hospices de Beaune *(p. 366)*. L'appellation « *Villages* » console les propriétaires qui n'ont pas la chance d'exploiter un cru prestigieux.

Équipe de vendangeurs dans les vignobles de Nuits-Saint-Georges

Les Alpes

On peut visiter les Alpes à tout moment et y trouver un plaisir sans cesse renouvelé, tant ses magnifiques paysages changent avec les saisons. Cette impressionnante chaîne de montagnes, qui s'étend du lac Léman à la Méditerranée, culmine au mont Blanc, à 4 807 m. La région comprend le Dauphiné et la Savoie, indépendante jusqu'en 1860. Elle a su préserver son identité malgré l'essor du tourisme et des sports d'hiver, qui contribuent d'ailleurs largement à son équilibre économique.

Jeunes Savoyards en costume traditionnel

Paysage d'hiver près de Courchevel : chalets sous la neige et skieurs

L'HIVER

La saison de ski commence un peu avant Noël pour se terminer fin avril. Dans la plupart des stations, on pratique le ski de fond

Télécabine à Courchevel, station pilote des Trois-Vallées

et la descente, sur un réseau de pistes bien entretenues. Les moins hardis pourront profiter du spectacle grâce aux téléphériques les plus hauts du monde. Parmi une centaine de stations, les plus réputées sont **Chamonix-Mont-Blanc**, où se sont tenus les premiers Jeux olympiques d'hiver en 1924 ; **Megève**, qui possède une école de ski particulièrement renommée ; près de la frontière suisse, **Morzine** et, un peu plus haut, **Avoriaz**, où l'automobile est absente ; **Albertville**, cité olympique en 1992 ; celles des **Trois-Vallées**, à savoir **Courchevel**, **Méribel** et **Val-Thorens/Les**

Un skieur à Val-d'Isère

Ménuires ; **Tignes**, qui sont fréquentées toute l'année ; **Les Arcs** et **La Plagne**, construites tout exprès pour les touristes ; et enfin **Val-d'Isère**, la station préférée des célébrités.

LA FLORE ALPINE

Au printemps, les hauts pâturages se couvrent de fleurs, gentianes jaunes et gentianes bleues, campanules et saxifrages, jacinthes sauvages et sabots-de-Vénus. Préservées des fertilisants et des désherbants que l'on utilise en plaine, loin de la pollution, des espèces rares peuvent croître ici en toute tranquillité.

Gentianes bleues (*Gentiana verna*)

Lis martagon (*Lilium martagon*)

Les Alpes au printemps : pâturages fleuris et neiges éternelles

LE PRINTEMPS ET L'ÉTÉ

La saison d'été commence fin juin et se prolonge jusqu'à la mi-septembre. La plupart des stations sont fermées en octobre et novembre. Après la fonte des neiges, les pâturages fleuris et les lacs de glacier composent un décor idyllique pour les randonneurs, qui disposent en outre de circuits bien balisés. Rien qu'autour de Chamonix, on peut emprunter 310 km de sentiers de randonnée. L'itinéraire balisé le plus long est le **Tour du mont Blanc**, circuit de dix jours à travers la France, l'Italie et la Suisse. Le **GR5** parcourt toute la chaîne des Alpes, à travers le **parc national de la Vanoise** et le **parc naturel régional du Queyras** (*p. 411*) du nord au sud. On accède par le téléphérique aux sentiers les plus élevés, d'où la vue est impressionnante. N'oubliez pas de vous munir de vêtements chauds et d'imperméables, car le temps change très vite en altitude.

Outre l'escalade et la randonnée, diverses activités comme le golf, le tennis, l'équitation, le parapente, le canoë, le rafting ou le VTT sont en plein développement.

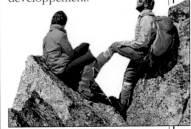

Grimpeurs au repos sur les pentes du mont Blanc

Vaches laitières portant au cou leurs clarines

Géologie du Massif central

Vieux de plus de 250 millions d'années, le Massif central occupe presque un cinquième du territoire français. Les sommets, adoucis par l'érosion, forment un vaste plateau que sillonnent des vallées profondes. Le sous-sol est composé de roches dures, comme le granit, au centre du massif, et de roches tendres, comme le calcaire, à la périphérie. L'architecture même reflète la nature des roches. Dans les gorges du Tarn, les maisons sont faites de blocs de calcaire rosé. Les fermes du Limousin sont construites en granit et celles de l'Auvergne volcanique en basalte.

CARTE DE SITUATION

☐ *Le Massif central*

Des blocs de granit, *dont le sous-sol abonde, ont servi à la construction de ce portail gothique, au Moûtier-d'Ahun (p. 376).*

Le basalte *est une roche volcanique formée par la lave des éruptions. En Auvergne, on l'utilise fréquemment comme matériau de construction, en assemblant les blocs avec un mortier plus clair, comme sur la Grande-Place de Salers (p. 383).*

Montluçon

Moutier d'Ahun

Limoges

Clermont-Ferrand

Dordogne

Salers

Des tuiles de schiste *couvrent les toits d'Argentat. Le schiste est une roche assez facile à débiter en feuilles minces, ce qui permet de l'utiliser comme matériau de couverture.*

Argentat

Cère

Lot

Le calcaire *est une roche de couleur variable, très facile à travailler : on peut la couper à l'aide d'une simple scie à main. C'est ainsi que sont faites les maisons d'Espalion (p. 388).*

Milla

Tarn

0   50 km

La lave, pétrifiée au contact de l'air, forme parfois des cristaux prismatiques géants. Ici, les orgues basaltiques de Prades.

LÉGENDE

- ⬜ Roche sédimentaire
- ⬜ Roche volcanique
- ⬜ Roche plutonique
- ⬜ Roche métamorphique

evers

Loire

Saône

Lyon •

• St-Etienne

• Le-Puy-en-Velay

Rhône

Les plateaux calcaires, ou causses, sont typiques de la région. Les rivières qui dévalent les pentes y ont creusé profondément leur lit.

L'Aigoual est le point culminant des Cévennes (p. 389). C'est la ligne de partage des eaux entre les rivières qui coulent vers l'Atlantique et celles qui descendent vers la Méditerranée.

LES DIVERS TYPES DE ROCHES

On distingue les roches sédimentaires, dues à la désagrégation de roches préexistantes, et les roches magmatiques, volcaniques (basalte) ou plutoniques (granit). Les roches métamorphiques résultent des variations de température et de pression.

ROCHE SÉDIMENTAIRE

Le calcaire oolithique contient des fossiles et de petites quantités de quartz.

ROCHE VOLCANIQUE

Le basalte, en couches très épaisses, est la roche éruptive la plus répandue.

ROCHE PLUTONIQUE

Le granit rose est une roche grenue, qui se forme sous la croûte continentale.

ROCHE MÉTAMORPHIQUE

Le schiste est une roche argileuse à grain fin et à structure feuilletée.

BOURGOGNE
ET FRANCHE-COMTÉ

YONNE · NIÈVRE · CÔTE D'OR · SAÔNE-ET-LOIRE
HAUTE-SAÔNE · DOUBS · JURA

Région prospère célèbre pour ses vins charpentés et sa succulente cuisine, la Bourgogne possède aussi un patrimoine architectural exceptionnel. À l'est de la Saône, la Franche-Comté offre des paysages d'une sauvage beauté.

Après avoir reçu en apanage le duché de Bourgogne, Philippe le Hardi, fils cadet de Jean le Bon, fit de la deuxième maison de Bourgogne la plus dangereuse rivale du royaume de France. La province s'étendait alors bien au-delà des frontières actuelles et englobait, entre autres, la Franche-Comté. Cette dernière, dont le nom signifie « comté libre », resta en effet pratiquement indépendante entre le démantèlement du domaine bourguignon et sa propre annexion par la France en 1678. Ancienne capitale des ducs de Bourgogne, Dijon est une superbe cité, où les palais somptueux et un musée des Beaux-Arts riche en sculptures et en toiles de maîtres témoignent d'un passé opulent. Les vignobles de la Côte-d'Or ou de Cha-

blis sont parmi les plus renommés dans le monde. Les forêts du Morvan comme les terres généreuses du Brionnais recèlent des spécialités variées, les poulets de Bresse, le bœuf charolais ou les fameux escargots de Bourgogne. Mais la région fut aussi un haut lieu du renouveau spirituel en Occident, avec les abbayes de Cluny, de Fontenay ou de Vézelay.

La Franche-Comté mène parade plus discrète, malgré le charme et l'élégance de Besançon, naguère capitale horlogère où naquit la célèbre « comtoise ». Les terres fertiles de la vallée de la Saône font très vite place, à l'est, aux premiers contreforts montagneux du Jura, pays de la truite, du vacherin et du comté, sans oublier le facétieux vin d'Arbois ou le rare « vin jaune ».

Le site préhistorique de la roche de Solutré, près de Mâcon

◁ **Vignoble de la côte de Beaune, près de Santenay**

À la découverte de la Bourgogne et de la Franche-Comté

La Bourgogne est certainement l'une des provinces les plus riches de France, sur le plan gastronomique, économique, historique et culturel. Paradoxalement, c'est aux communautés monastiques, bénédictins et cisterciens, que la province doit la constitution de son patrimoine architectural et l'essor de ses ressources viticoles. Les paysages vallonnés de la Franche-Comté et ses cours d'eau limpides conviennent aux sports de rivière et aux promenades en forêt.

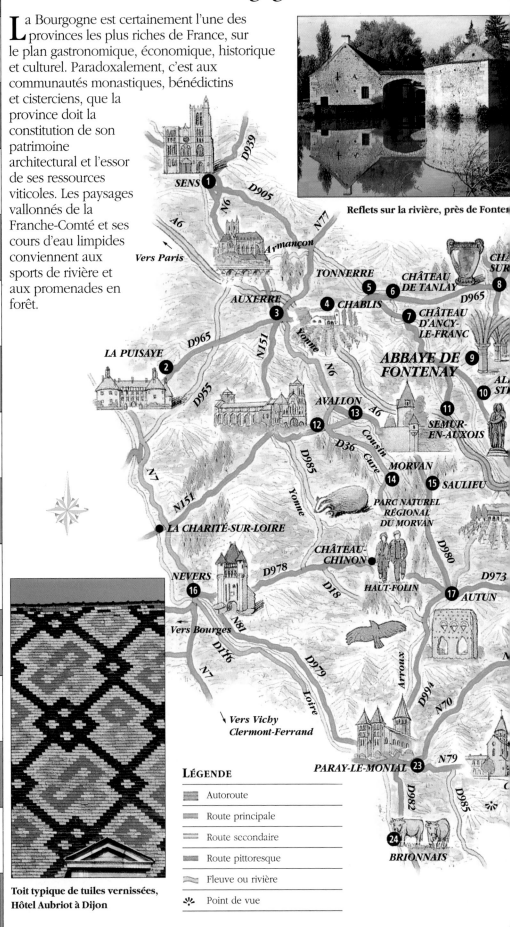

Reflets sur la rivière, près de Fonten

LÉGENDE
- Autoroute
- Route principale
- Route secondaire
- Route pittoresque
- Fleuve ou rivière
- Point de vue

Toit typique de tuiles vernissées, Hôtel Aubriot à Dijon

LA RÉGION D'UN COUP D'ŒIL

Vendangeurs dans les vignobles de la Côte-d'Or

CIRCULER

L'autoroute A 6 relie Paris à Lyon et à Marseille. Elle est rejointe par l'A 31, vers Nancy et Dijon, et par l'A 36, vers Besançon. Vous pouvez également traverser la région de Dijon à Lyon par l'A 39. Si vous aimez flâner sur les petites routes, vous découvrirez agréablement la Bourgogne et la Franche-Comté. Depuis Paris, Genève et Marseille, le TGV dessert Mâcon, Montchanin-Le Creusot (entre Autun et Chalon), et Dijon, important nœud ferroviaire. Dijon compte également un aéroport international qui dessert les grandes villes européennes.

La Sainte-Châsse, trésor de la
cathédrale de Sens

Sens ❶

Yonne. 🕴 29 000. 🚉 🚌
ℹ️ pl. Jean-Jaurès (03 86 65 19 49).
🛒 lun. et ven.

La cité de Sens aurait
occupé en Gaule une
place prépondérante bien
avant de combattre César aux
côtés de Vercingétorix. Les
Sénons, menés par Brennus,
auraient pris Rome par
surprise, en 390 avant J.-C.,
sans l'intervention fameuse et
tonitruante des oies du
Capitole.

Saint-Étienne, construite
vers 1140, fut la première des
grandes cathédrales gothiques
et servit d'ailleurs de modèle
à plusieurs autres. C'est là que
fut célébré, en 1234, le
mariage de Louis IX *(p. 47)* et
de Marguerite de Provence.

De magnifiques verrières
représentent diverses scènes
bibliques et un Arbre de
Jessé, et l'une d'elles rappelle
le souvenir de Thomas
Becket, qui séjourna à Sens
après son exil et dont les
ornements sacerdotaux sont
conservés dans le **trésor de
la cathédrale.** Celui-ci est

présenté au très riche musée,
récemment réaménagé dans
l'ancien **palais des
Archevêques** (belles
collections gallo-romaines).

Aux environs
Beau château médiéval et
Renaissance à **Fleurigny**.

🏛 **Trésor de la cathédrale
Saint-Étienne**
Pl. de la Cathédrale. 📞 03 86 64 46 22.
🕐 de juin à sept. : t.l.j. ; d'oct. à mai :
les mer., sam. et dim. 🎦 ♿

La Puisaye ❷

Yonne, Nièvre. 🚉 Auxerre, Clamecy,
Bonny-sur-Loire, Cosne-Cours-sur-
Loire. 🚌 St-Fargeau, St-Sauveur-en-
Puisaye. ℹ️ Charny (03 86 63 65 51).

Pays de bocage romantique
et secret, la Puisaye est la
région natale de Colette (1873-
1954), qui l'associait aux jours
heureux de son enfance à
Saint-Sauveur. Le meilleur
moyen de la découvrir est de
parcourir sa campagne paisible,
parsemée d'étangs, de prairies
et de bosquets. Le château
féodal de **Ratilly**, près de
Saint-Sauveur, accueille des
expositions. Voir aussi le
chantier médiéval de Guédelon
à **Treigny** et les ateliers de
poterie à **Saint-Amand**. C'est
au **château de Saint-Fargeau**
que se réfugia la Grande
Mademoiselle *(p. 53)* après
la Fronde. L'**église de la
Ferté-Loupière** possède une
remarquable *Danse macabre*
du XVᵉ siècle, tandis que les
fresques de l'église Saint-Pierre
à **Moutiers** retracent l'histoire
de la Création et la vie de

Colette à Saint-Sauveur, 1880

saint Jean-Baptiste.

Joigny, coquette cité étagée
au-dessus de l'Yonne, entre
Puisaye et pays d'Othe, garde
un centre ancien. C'est sur la
place du Pilori que l'on peut
admirer les plus belles maisons.
Du quai de la Butte, superbe
panorama de la ville.

Auxerre ❸

Yonne. 🕴 40 000. 🚉
ℹ️ 1-2, quai de la République
(03 86 52 06 19). 🛒 mar. et ven.

Construite à flanc de
coteau sur les rives de
l'Yonne, Auxerre s'enorgueillit
à juste titre de ses églises et
vieux quartiers. La
cathédrale Saint-Étienne,
édifiée en trois siècles, n'a été
terminée qu'en 1560. La
façade flamboyante a été
gravement mutilée par les
guerres et les intempéries,
mais les vitraux sont encore
très beaux, et les colonnettes
du chœur sont des merveilles
de légèreté et d'élégance.
Dans la crypte, une fresque
montre l'image rarissime du
Christ monté sur un cheval
blanc. Le trésor, malgré les
déprédations, rassemble de
précieuses enluminures.

L'évêque d'Auxerre au
Vᵉ siècle a donné son nom à
l'**église abbatiale Saint-
Germain**, vestige d'un
monastère fondé par la reine
Clothilde, femme de Clovis
(p. 44-45), le premier roi
franc converti au
christianisme. On a dégagé
trois étages de cryptes
médiévales et carolingiennes,
décorées de fresques très

Château de Saint-Fargeau, en Puisaye

BOURGOGNE ET FRANCHE-COMTÉ

anciennes, et plusieurs tombeaux, dont celui du saint évêque. Le centre culturel installé au même endroit comporte un **Musée archéologique**.

🏛 Musée St-Germain

2, pl. St-Germain. ☎ *03 86 18 05 50.* ⭘ *du mer. au lun.* ⬤ *les jours fériés.* 📷

Aux environs

La vaste église cistercienne (XIIᵉ s.) de **Pontigny**, austère et harmonieuse, conserve le souvenir de Thomas Becket, archevêque de Cantorbéry, qui, banni par Henri II, y trouva refuge.

Fresque médiévale, cathédrale d'Auxerre

Chablis ④

Yonne. 🚶 *2 600.* 🚌
ℹ *1, quai du Biez (03 86 42 80 80).*
🛒 *dim.*

La notoriété séculaire de ce bourg lui vient de ses vignes. Dévalant les fortes pentes du Serein, affluent

La source de la Fosse Dionne à Tonnerre

de l'Yonne, elles produisent un vin à la robe d'or, fin et élégant, issu du chardonnay. Chaque année, à la Saint-Vincent, les Chablisiens en procession rendent hommage au patron des vignerons.

Tonnerre ⑤

Yonne. 🚶 *6 300.* 🚌 🚃
ℹ *rue F.-Mitterrand (03 86 55 14 48).*
🛒 *sam.*

La **Fosse Dionne** est une source vauclusienne qui remplit sans fin un vieux lavoir du XVIIIᵉ siècle. Un serpent, dit la légende, y aurait élu domicile. Le phénomène à lui seul mérite la visite de Tonnerre, petite ville animée sur les rives de l'Armançon.

L'**hôtel-Dieu**, fondé par Marguerite de Bourgogne, belle-sœur de Saint Louis, quelque 150 ans avant celui de Beaune, abrite un musée et le tombeau de sa

fondatrice. L'édifice a gardé, dans la grande salle des malades, une magnifique charpente de chêne.

🏥 Hôtel-Dieu et musée

Rue du Prieuré. ☎ *03 86 55 14 48.* ⭘ *de Pâques à mai et en oct. : sam. et dim. et jours fériés ; de juin à sept. : du mer. au lun.* 📷 ♿

Le château de Tanlay ⑥

Tanlay. ☎ *03 86 75 70 61.* ⭘ *d'avril à mi-nov. : du mer. au lun.* 📷 🎫 *obligatoire.*

À l'abri de ses douves, le château de Tanlay, joyau de la Renaissance, possède une Grande Galerie en trompe-l'œil. Dans la tour de la Ligue, une curieuse peinture montre les personnages de la cour d'Henri II sous les traits de divinités antiques. Dans les communs, expositions d'art contemporain.

Façade et cour d'honneur du château de Tanlay

L'abbaye de Fontenay ❾

L a paisible abbaye de Fontenay, fondée en 1118, est l'un des plus anciens établissements cisterciens de France. À l'abri de la forêt, elle fut construite selon les principes mêmes de saint Bernard, comme en témoigne le dépouillement de son église romane et de sa majestueuse salle capitulaire vierge de toute décoration. Après la Révolution, elle fut convertie en manufacture de papier. Magnifiquement restaurée, elle est inscrite au patrimoine mondial de l'UNESCO.

Pigeonnier
Ce grand pigeonnier circulaire, construit au XIIIᵉ siècle, est situé près du chenil où étaient enfermés les chiens de chasse des ducs de Bourgogne.

Le logis abbatial destiné au père abbé nommé par le roi fut ajouté au XVIIIᵉ siècle.

De **la boulangerie**, on peut voir aujourd'hui un four et une cheminée du XIIIᵉ siècle.

L'hôtellerie permettait aux moines d'accueillir pour la nuit les voyageurs et les pèlerins fatigués.

★ **Le cloître,**
promenoir silencieux pour les moines en prière ou en méditation.

Chauffoir

Dans la forge, les moines fabriquaient eux-mêmes leurs outils et leurs ustensiles de cuisine.

L'« enfermerie »
(XVᵉ s.) était peut-être le lieu où, au premier étage, l'on enfermait les archives de l'abbaye pour les mettre à l'abri des rats.

◁ **Forêt enneigée, Bois d'Amont**

Salle des moines
C'est ici que travaillaient les moines copistes. Le chauffoir voisin leur permettait de se dégourdir les doigts

★ L'église abbatiale

La majesté de l'architecture, la couleur chaude de la pierre et le jeu de la lumière tiennent lieu de décoration, conférant à cette superbe église romane une indéniable grandeur.

MODE D'EMPLOI

Marmagne. ☎ *03 80 92 15 00.*
🆆 *www.abbayedefontenay.com*
🚊 *Montbard.* ◯ *10 h-17 h t.l.j.*
(11 nov-mars : 10 h-12 h, 14 h-17 h). 🈚 ◻ 👤 ♿ ✏

Dortoir

Les moines dormaient sur des paillasses, dans cette grande pièce sans chauffage. La splendide charpente de bois date du XVᵉ siècle.

À NE PAS MANQUER

★ **L'abbatiale**

★ **Le cloître**

Dans le jardin botanique, les moines cultivaient avec art des plantes médicinales.

Infirmerie

Salle capitulaire
Les moines s'y réunissaient chaque jour, autour de leur abbé, pour la lecture d'un chapitre de la règle et l'expédition des affaires courantes.

SAINT BERNARD ET LES CISTERCIENS

En 1112, Bernard de Clairvaux, natif de la région de Dijon, rejoignit avec trente jeunes nobles de son entourage une nouvelle communauté de moines implantée à Cîteaux. L'ordre cistercien, fondé essentiellement pour s'opposer au luxe et au relâchement des moines de Cluny *(p. 44-45)*, était encore assez obscur, et c'est au futur saint Bernard, théoricien, théologien et meneur d'hommes, qu'il doit son développement, dans le renoncement au monde, la pauvreté, le jeûne et la méditation. Celui-ci fut canonisé en 1174, 21 ans seulement après sa mort.

La Vierge protégeant l'ordre cistercien, Jean Bellegambe

Le château d'Ancy-le-Franc ⑦

Ancy-le-Franc. ☎ 03 86 75 14 63. ○ d'avr. à mi-nov. : du mar. au dim. 📷 obligatoire. 📷

Malgré une façade austère, le château d'Ancy-le-Franc, construit en 1546 par l'Italien Sebastiano Serlio pour le duc de Clermont-Tonnerre, réserve l'agréable surprise d'une cour intérieure élégante et d'une décoration très riche, œuvre du Primatice et d'autres artistes de l'école de Fontainebleau (*p. 174-175*). Dans la *chambre de Judith et Holopherne*, les deux personnages bibliques apparaissent sous les traits de Diane de Poitiers, belle-sœur du maître des lieux, et de François Ier. Pour compléter la visite, un **musée de l'Automobile et de l'Attelage** expose près de 80 véhicules de collection.

Façade du château d'Ancy-le-Franc

Le cratère de Vix, musée du Châtillonnais

Châtillon-sur-Seine ⑧

Côte-d'Or. 👥 6 850. 🚆 🚌 ℹ️ pl. Marmont (03 80 91 13 19). 🛒 sam.

Le **musée du Châtillonnais** de la ville expose entre autres le trésor de Vix. C'est en 1953 que l'on découvrit, au pied du mont Lassois, une sépulture datant du VIe siècle avant Jésus-Christ. Elle contenait la dépouille d'une princesse celte, entourée d'objets précieux et de bijoux d'or. Près d'elle se trouvait le plus grand vase de bronze connu, de fabrication grecque, d'une contenance de 1 100 litres, qui mesure 1,64 m et pèse 208 kg. L'**église Saint-Vorles**,

de style roman primitif, contient une *Mise au tombeau* sculptée de 1527.

Tout près de là, dans une jolie grotte, jaillit la résurgence de la Douix, affluent de la Seine.

🏛 **Musée du Châtillonnais**
7, rue du Bourg. ☎ 03 80 91 24 67. ○ du mer. au lun. (en juil. et août) ● 1er mai, 25 déc. et 1er janvier. 📷

L'abbaye de Fontenay ⑨

p. 352-353.

Alise-Sainte-Reine ⑩

Côte-d'Or. 👥 670. ℹ️ *Venarey-les-Laumes, 3 km (03 80 96 89 13).*

C'est très certainement sur le mont Auxois, à proximité d'Alise, que les troupes de Jules César, en 52 avant Jésus-Christ, ont finalement eu raison de la résistance de Vercingétorix,

après un siège de six semaines. Des fouilles ont mis au jour une cité gallo-romaine, avec son théâtre, son forum et ses rues en équerre. Les bronzes, les poteries et les bijoux découverts sur le site sont exposés au **musée d'Alésia**.

Une impressionnante statue représentant le vaillant chef gaulois domine le site.

Le belvédère offre également une vue aérienne sur l'ensemble des paysages du siège.

🏛 **Musée Alésia**
Rue de l'Hôpital. ☎ 03 80 96 10 95. ○ de mars à mi-nov. : t.l.j. 📷

Aux environs

Tout près, village médiéval de Flavigny-sur-Ozerain, riche en maisons anciennes. Spécialité de bonbons à l'anis. Non loin de là se trouve le **château de Bussy-Rabutin**, décoré de façon très personnelle par son propriétaire, Roger de Rabutin, comte de Bussy, auteur de *l'Histoire amoureuse*

Fouilles gallo-romaines près d'Alise-Sainte-Reine

des Gaules, exilé dans ses terres par le roi pour cause de libertinage. Sa chambre rassemble une impressionnante collection de portraits de grandes dames de la cour.

♣ Château de Bussy-Rabutin

Bussy-le-Grand. 📞 *03 80 96 00 03.* ◯ *d'avr. à sept. : du mar. au dim. ; d'oct. à mars : du jeu. au lun.* ● *1er janv., 1er et 11 nov., 25 déc.* 🏷️

Semur-en-Auxois ⓫

Côte-d'Or. 👥 *4 500.* 🚉 ℹ️ *2, pl. Gaveau (03 80 97 05 96).* 🛒 *dim.*

La petite bourgade, avec ses remparts et ses grosses tours rondes dominant le pont Joly et les rives de l'Armançon, apparaît comme une heureuse surprise sur une route jusque-là sans grand intérêt.

Elle possède une église gothique, **Notre-Dame** (XIIIe-XVe s.), restaurée au XIXe siècle par Viollet-le-Duc. Le superbe tympan de la porte des Bleds illustre la légende dorée de saint Thomas, patron des architectes. On remarque également une très belle *Mise au tombeau*, datant de la fin du XVe siècle. Précieux témoignage d'époque, dans les chapelles des corporations, des vitraux représentent le travail des bouchers et des drapiers.

Aux environs
Le petit village d'Époisses, tout près de là, possède un **château** cerné de douves, remanié à la Renaissance, avec un pigeonnier monumental. Mais la renommée du lieu tient surtout à son fameux fromage.

Détail d'un vitrail, église Notre-Dame à Semur-en-Auxois

Semur-en-Auxois sur les bords de l'Armançon

♣ Château d'Époisses

Époisses. 📞 *03 80 96 40 56.* ◯ *juil.-août : du mer. au lun., jardins ouverts toute l'année.* 🏷️ ♿ 🖼️

Vézelay ⓬

p. 356-357.

Au pied de la colline, superbe église gothique de **Saint-Père**.

Avallon ⓭

Yonne. 👥 *8 900.* 🚉 🚉 ℹ️ *4, rue Bocquillot (03 86 34 14 19).* 🛒 *sam. et dim.*

La cité fortifiée, édifiée sur un promontoire de granit entre deux dépressions, domine la vallée du Cousin. La ville eut beaucoup à souffrir au cours des siècles, mais elle a retrouvé aujourd'hui son charme et sa tranquillité. L'**église Saint-Lazare** possède deux magnifiques porches. Sur le plus grand, cinq cordons sculptés représentent les signes du zodiaque, les travaux des mois et les vieillards de l'Apocalypse.

Le plus sympathique éclectisme caractérise les collections du **musée de l'Avallonnais**, où l'on peut admirer indifféremment une mosaïque du IIe siècle avant Jésus-Christ représentant la déesse Vénus et la remarquable série de gravures du *Miserere* de Georges Rouault (1871-1958).

🏛️ Musée de l'Avallonnais

Pl. de la Collégiale. 📞 *03 86 34 03 19.* ◯ *de mai à oct. : du mer. au lun. a.-m. seulement.* 🏷️

Aux environs
Jolies vallées de la Cure, du Cousin et du Serein. **Noyers-sur-Serein** est un attachant bourg médiéval ; vestiges du Moyen Âge aussi et belle église à **Montréal**. À **Arcy-sur-Cure**, importantes grottes préhistoriques.

Miserere de Georges Rouault, musée de l'Avallonnais à Avallon

Vézelay ⑫

Chapiteau historié

La basilique Sainte-Madeleine, au sommet de la « colline éternelle », domine un pittoresque village ancien et se voit de très loin. Pèlerins et touristes gravissent la rue étroite qui mène à l'abbatiale. Au XIIᵉ siècle, l'abbaye dut sa prospérité aux reliques de Marie-Madeleine, qui aurait, selon la légende, trouvé refuge en France. Elle était un point de ralliement sur l'une des routes allant à Saint-Jacques-de-Compostelle *(p. 424-425)*.

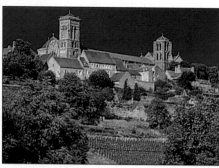

Vue de Vézelay
L'église abbatiale domine le bourg, comme autrefois la vie religieuse et sociale de la région.

La tour Saint-Michel (1230-1240) doit son nom à la statue de l'archange qui flanque l'angle sud-ouest.

Nef de Sainte-Madeleine
La nef fut reconstruite entre 1120 et 1140 avec une alternance de pierres claires et foncées.

Nef de Sainte-Madeleine

La façade, érigée vers 1150, est ornée d'un grand fronton. En 1840, alors qu'elle était sur le point de s'effondrer, on en confia la rénovation à Viollet-le-Duc.

Le narthex
était le point de rassemblement des processions.

★ **Tympan du portail central**
Ce chef-d'œuvre représente l'Église : le Christ en gloire envoie les apôtres en mission tandis que les peuples marchent vers lui.

À NE PAS MANQUER

★ **Le tympan**

★ **Les chapiteaux**

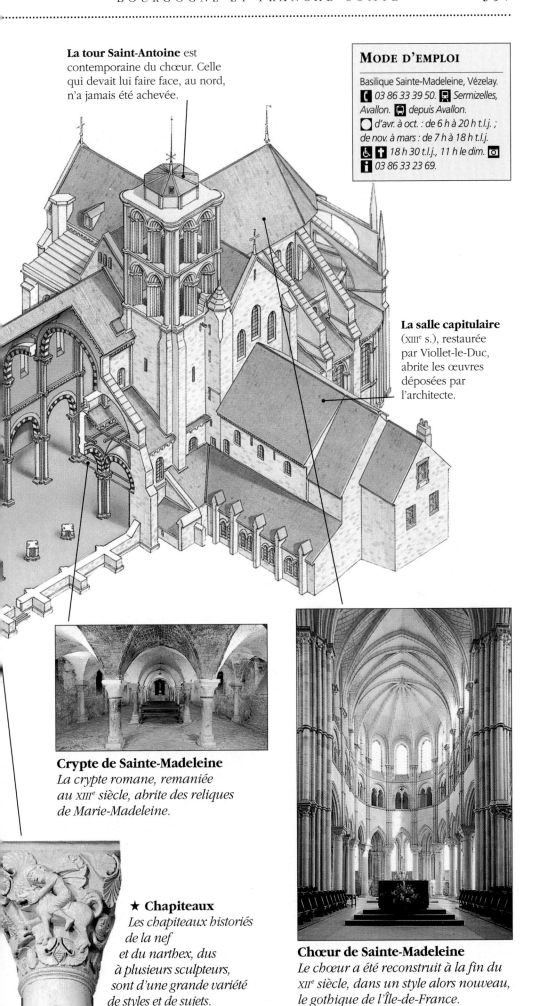

La tour Saint-Antoine est contemporaine du chœur. Celle qui devait lui faire face, au nord, n'a jamais été achevée.

La salle capitulaire (XIIIᵉ s.), restaurée par Viollet-le-Duc, abrite les œuvres déposées par l'architecte.

Crypte de Sainte-Madeleine
La crypte romane, remaniée au XIIIᵉ siècle, abrite des reliques de Marie-Madeleine.

★ **Chapiteaux**
Les chapiteaux historiés de la nef et du narthex, dus à plusieurs sculpteurs, sont d'une grande variété de styles et de sujets.

Chœur de Sainte-Madeleine
Le chœur a été reconstruit à la fin du XIIᵉ siècle, dans un style alors nouveau, le gothique de l'Île-de-France.

Pays de rivières et de forêts, le Morvan est le paradis des pêcheurs et des amateurs de nature

Morvan ⑭

Yonne, Côte-d'Or, Nièvre, Saône-et-Loire. ✈ Dijon. 🚋 Nevers, Autun, Corbigny. 🚌 Château-Chinon, Saulieu, Saint-Brisson. 🛈 Château-Chinon (03 86 85 06 58) ; Maison du Parc, Saint-Brisson (03 86 78 79 00).

Le Morvan, « montagne noire » en celte, mérite bien son nom : ce vaste plateau de granit couvert d'une forêt dense paraît d'autant plus sombre qu'il succède aux riantes vallées et aux prairies vertes de la Bourgogne agricole. Plus élevé au fur et à mesure qu'on avance vers le sud, il culmine au **Haut-Folin** à 901 m.

Les deux principales richesses du Morvan sont ses cours d'eau et ses lacs, mais aussi, précisément, cette grande forêt de chênes, de hêtres et de conifères. À partir du XVIᵉ siècle, la région fournit à Paris son bois de chauffage, acheminé jusqu'à la capitale par flottage sur les rivières le Cousin, la Cure et l'Yonne.

Le Morvan est un pays pauvre, menacé de désertification, où la vie est difficile. Les deux principales villes, Château-Chinon au centre et Saulieu à la périphérie, atteignent péniblement 3 000 habitants chacune. Le labyrinthe de forêts, de roches et d'étangs qui forme aujourd'hui le parc naturel régional du Morvan, mystérieux et sauvage, fut l'un des hauts lieux de la Résistance française, glorieux passé que rappelle le **musée de la Résistance** à la Maison du Parc de Saint-Brisson. Le visiteur y trouvera par ailleurs tout renseignement utile sur diverses activités de plein air, de la pratique du canoë à l'observation des oiseaux en passant par la promenade à cheval ou à bicyclette. C'est aussi un lieu idéal de randonnée sur des sentiers bien balisés, comme le GR 13 (de Vézelay à Autun) ou le tour du Morvan par les grands lacs.

🏛 Musée de la Résistance
Maison du Parc, St-Brisson.
📞 03 86 78 79 10. ◯ de Pâques à mi-oct. : t.l.j. 🖼 ♿

Saulieu ⑮

Côte-d'Or. 🧍 3 000. 🚋 🚌
🛈 24, rue d'Argentine (03 80 64 00 21). 🛒 jeu. et sam.

Aux portes du Morvan, Saulieu se distingue depuis toujours par la qualité de sa gastronomie, dont firent état plusieurs voyageurs illustres. Étape obligée entre Paris et Lyon au temps de la diligence, la ville maintient la tradition grâce à des restaurants aussi célèbres que la **Côte-d'Or** du chef Bernard Loiseau. Mais elle recèle des trésors moins éphémères que la poularde truffée ou le ris de veau de lait braisé. Les admirables chapiteaux sculptés de la **basilique Saint-Andoche** ont traversé le temps sans trop de dommage et le **musée François-Pompon** présente les œuvres du fabuleux sculpteur animalier.

Nevers ⑯

Nièvre. 🧍 44 000. 🚋 🚌 🛈 Palais ducal, rue Sabatier (03 86 68 46 00). 🛒 sam.

Située sur la rive droite de la Loire, Nevers offre un patrimoine original et diversifié. La **cathédrale Saint-Cyr-Sainte-Juliette** surprend par son baptistère, ses deux chœurs opposés (roman et gothique) et ses vitraux contemporains. Elle domine la « butte » où s'étend le quartier historique. Le **Palais ducal** (XVᵉ-XVIᵉ s.), bel exemple de la première Renaissance française, est le point de départ de deux circuits piétons permettant de découvrir la ville.

Vers 1580, Louis de Gonzague, duc de Nevers, introduisit l'art de la faïence. Depuis cette époque, Nevers est réputée pour son artisanat traditionnel de faïence de grand feu. Le **musée municipal Frédéric-Blandin** offre une très belle collection de pièces anciennes comme la *Vierge à la pomme* (1636).

Vase en faïence de Nevers

La **porte du Croux**, vestige des remparts, abrite le Musée archéologique.

L'église **Saint-Étienne** (1097) possède un très beau chevet roman.

Nevers est aussi célèbre par le pèlerinage à sainte Bernadette de Lourdes qui repose au couvent Saint-Gildard.

⛫ Musée municipal Frédéric-Blandin

Promenade des Remparts. 📞 *03 86 71 67 90.* ⬤ *du mer. au lun. (d'oct. à avr. : l'a.-m. slt).* ⬤ *les jours fériés.* 📷

⛫ Musée archéologique

Rue de la Porte-du-Croux. 📞 *03 86 59 17 85.* ⬤ *téléphoner pour connaître les horaires.* 📷

Aux environs

Au sud de Nevers, le **pont-canal du Guétin** permet au canal latéral à la Loire de franchir l'Allier. Au nord, **La Charité-sur-Loire** garde une église romane clunisienne remarquable par son chœur et son transept.

Ève, linteau de la cathédrale d'Autun

Autun ⑰

Saône-et-Loire. 👥 *19 500.* 🚉 🚌 🚏 *2, av. Charles-de-Gaulle (03 85 86 80 38).* 🕴 *mer. et ven.*

Augustodunum fut fondée par les Romains au Iᵉʳ siècle av. J.-C. pour remplacer Bibracte (mont

La porte Saint-André, vestige de l'enceinte gallo-romaine

Beuvray ; fouilles et musée) et devenir la nouvelle capitale des Éduens. Sa prospérité et son rayonnement culturel étaient alors considérables, et sa population quadruple de celle d'aujourd'hui.

Son théâtre pouvait contenir jusqu'à 20 000 spectateurs. La monumentale **porte Saint-André**, la **porte d'Arroux**, les ruines du **théâtre romain** et le **temple de Janus** témoignent du passé de la cité aux temps des Gallo-Romains.

La **cathédrale Saint-Lazare** (XIIᵉ s.) est un joyau de l'art roman bourguignon. Le tympan du portail principal, représentant le Jugement dernier, est signé par un mystérieux Gislebert (*Gislebertus hoc fecit*), qui réalisa sans doute une partie des chapiteaux. Ce chef-d'œuvre fut recouvert de plâtre au XVIIᵉ siècle, ce qui lui permit d'échapper à la fièvre iconoclaste des révolutionnaires. Une exposition sur place permet d'admirer de près quelques chapiteaux. On remarquera aussi les bustes de Pierre Jeannin et sa femme. Président du parlement de Dijon, Jeannin évita à Autun les massacres de la Saint-Barthélemy (*p. 50-51*), convaincu que les ordres des monarques en colère devraient être exécutés avec la plus extrême lenteur.

L'intéressante collection d'art médiéval du **musée Rolin** inclut un linteau de la cathédrale, sculpté par Gislebert (*Ève*), une Vierge polychrome du XVᵉ siècle et *La Nativité au cardinal Rolin* par le Maître de Moulins.

⛫ Musée Rolin

3, rue des Bancs. 📞 *03 85 52 09 76.* ⬤ *du mer. au lun.* ⬤ *la plupart des jours fériés.* 📷

Ruines du théâtre romain à Autun

Dijon pas à pas ⓲

La capitale des tout-puissants ducs de Bourgogne *(p. 363)* a hérité d'un exceptionnel patrimoine architectural, auquel les parlementaires ont ajouté leur contribution aux XVIIe et XVIIIe siècles. Aujourd'hui à une heure quarante de Paris par le TGV, Dijon maintient sa réputation de centre culturel et universitaire et garde des trésors d'art au musée des Beaux-Arts. On lui doit aussi la moutarde et le pain d'épice, témoins d'un temps où les marchands remontaient la Route des épices, et le fameux kir à la liqueur de cassis.

Hôtel de Vogüé
Cet élégant hôtel particulier du XVIIe siècle, décoré par Hugues Sambin, possède un remarquable toit de tuiles vernissées.

★ **Notre-Dame**
La façade de l'église, très ouvragée, est surmontée de gargouilles. Le jacquemart, horloge flamande, rythme le temps. Ci-contre, la chouette porte-bonheur.

Musée des Beaux-Arts
Il abrite entre autres des œuvres de l'école flamande. Ce triptyque (XIVe s.) est de Jacques de Baerze et Melchior Broederlam.

La place de la Libération, autrefois place Royale, fut dessinée par Mansart.

★ **Palais des Ducs et des États de Bourgogne**
Remodelé au XVIIe siècle, il abrite le riche musée des Beaux-Arts.

Rue Verrerie

Cette vieille rue pavée est bordée de maisons médiévales à pans de bois et poutres sculptées (aux nᵒˢ 8, 10 et 12).

★ Église Saint-Michel

Mélange de gothique flamboyant et de style Renaissance, elle possède un porche dont les splendides bas-reliefs mêlent personnages bibliques et mythologie païenne.

Musée Magnin

Installé dans l'hôtel Lantin (XVIIᵉ s.), il a conservé du mobilier d'époque et expose une riche collection de toiles françaises et étrangères.

L'église Saint-Étienne,
édifiée au XIᵉ siècle, a été
plusieurs fois remaniée. Sa
tour lanterne est de 1686.

LÉGENDE

– – – – Circuit recommandé

0   100 m

À NE PAS MANQUER

★ **Le palais des Ducs**

★ **Notre-Dame**

★ **L'église Saint-Michel**

Chartreuse de Champmol,
Le Puits de Moïse

À la découverte de Dijon

Le centre de Dijon, sillonné de rues pittoresques, mérite d'être découvert sans hâte. La rue des Forges, artère principale de la cité jusqu'au XVIIIᵉ siècle, témoigne de l'activité lucrative des joailliers et des orfèvres qui avaient là leurs ateliers. L'office de tourisme lui-même est établi dans un superbe édifice gothique flamboyant, l'hôtel Chambellan, doté d'un escalier à vis et de galeries ouvragées. À deux pas, la maison Maillard, construite en 1560, est attribuée à Hugues Sambin.

La rue Chaudronnerie est également bordée de remarquables façades, telle la Maison des Cariatides, au nº 28, ornée de dix statues de pierre et d'un chaudron fleuri. Le long de la place Darcy, où l'on trouve plusieurs cafés et restaurants, ne pas manquer le joli square du même nom.

🏛 Musée des Beaux-Arts
Place de la Sainte-Chapelle.
📞 *03 80 74 52 09.* ⭘ *du mer. au lun.* ⬤ *les jours fériés.* 🈺 ♿
Installé dans l'ancien palais des Ducs de Bourgogne *(p. 360),* il regroupe des objets d'art prestigieux. C'est dans la salle des Gardes, au premier étage, que se trouvent les tombeaux des ducs de Bourgogne, dont celui de Philippe le Hardi superbement sculpté par Claus Sluter (v. 1345-1405). On y voit aussi des retables flamands et un portrait de Philippe le Bon par Rogier Van der Weyden.

Dans les galeries, des tableaux de maîtres flamands ou hollandais et des sculptures de Sluter et de François Rude voisinent avec des peintures françaises des XVIᵉ, XVIIᵉ et XVIIIᵉ siècles, et les magnifiques toiles contemporaines de la donation Granville. À noter aussi, les vastes cuisines ducales, agrémentées de six cheminées monumentales, et la grande tour Philippe-le-Bon, haute de 46 m.

🔒 Cathédrale Saint-Bénigne
Il reste peu de chose du monastère bénédictin, mais, sous l'église gothique, la rotonde romane, presque intacte, comporte une triple rangée de colonnes.

🏛 Musée archéologique
5, rue du Docteur-Maret.
📞 *03 80 30 88 54.* ⭘ *du mer. au lun.* ⬤ *les jours fériés.* 🈺
Il est installé dans l'ancien dortoir de l'abbaye bénédictine Saint-Bénigne. La salle capitulaire du XIᵉ siècle abrite une intéressante collection de sculptures gallo-romaines. Au rez-de-chaussée, il ne faut pas manquer le buste du Christ, réalisé par Claus Sluter pour *Le Puits de Moïse* de la chartreuse de Champmol.

🏯 Chartreuse de Champmol
1, bd Chanoine-Kir. ⬤ *en rénovation.*
Le bâtiment, construit pour Philippe le Hardi et détruit pendant la Révolution, était le lieu de sépulture des membres de la maison de Bourgogne. Seuls le portail de la chapelle et le fameux *Puits de Moïse* de Claus Sluter ont subsisté. Ce que l'on nomme puits est en réalité le socle d'un calvaire, à l'origine sans doute environné d'eau. La réputation de réalisme du sculpteur n'est pas usurpée, si l'on en juge par le visage énergique et le geste décidé des six prophètes qui sont parvenus jusqu'à nous.

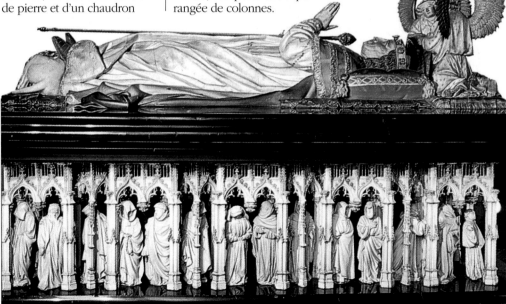

Tombeau de Philippe le Hardi par Claus Sluter, salle des Gardes de l'ancien palais des Ducs

L'âge d'or de la Bourgogne

Tandis que les rois de France s'épuisaient dans les combats de la guerre de Cent Ans *(p. 48-49)*, les ducs de Bourgogne édifiaient l'un des empires les plus puissants d'Europe, qui comprenait entre autres la Picardie, le Brabant, le Luxembourg et les Pays-Bas.

À commencer par Philippe le Hardi (1342-1404), ils furent aussi de clairvoyants mécènes, appelant à la cour de Bourgogne de prestigieux artistes flamands. Le duché fut démantelé après la mort de Charles le Téméraire en 1477.

Le tombeau de Philippe le Hardi fut commandé par le duc lui-même. Claus Sluter, l'un des sculpteurs les plus doués de son époque, exécuta les pleurants, achevés après sa mort par son neveu Claus de Werve.

LA BOURGOGNE EN 1477

☐ *Le duché à son apogée*

LE MARIAGE DE PHILIPPE LE BON

Philippe le Bon (duc de 1419 à 1467) épousa en secondes noces Isabelle du Portugal. Cette reproduction d'un tableau de Van Eyck évoque la somptueuse cérémonie. C'est à cette époque que le duc institua l'ordre de la Toison d'or.

Les ducs vivaient dans le luxe, accumulant les bijoux d'or fin et la vaisselle d'argent.

Isabelle du Portugal

La duchesse de Bedford, sœur de Philippe

Les lévriers, utilisés comme chiens courants pour la chasse.

Philippe le Bon, tout de blanc vêtu.

L'art bourguignon, dont ce livre d'heures fournit un exemple, est très largement inspiré de l'art flamand.

Le palais des Ducs, centre des arts, de la chevalerie et du bien-vivre, fut reconstruit en 1450 par Philippe le Bon. Déserté après la mort de Charles le Téméraire, il a été remodelé et intégré au palais des États au XVIIᵉ siècle.

Vendanges dans les vignobles de Nuits-Saint-Georges, en Côte-d'Or

Côte-d'Or ⑲

Côte-d'Or. ✈ *Dijon.* 🚉 🚌 *Dijon,
Nuits-St-Georges, Beaune, Santenay.*
ℹ *Santenay (03 80 20 63 15 en été
seulement) ; Beaune (03 80 26 21 30).*

Le vignoble de la Côte-d'Or comprend la côte de
Beaune et la côte de Nuits. Le coteau planté de vignes que baignent les rayons du soleil s'étend sans interruption sur 50 km, de Dijon à Santenay, entre la Saône au sud-est et les contreforts boisés du plateau de Langres au nord et du Morvan à l'ouest.

Sans entrer dans les subtilités techniques de la classification des crus, on peut avancer sans grand risque d'erreur que les meilleurs vignobles dominent la N 74 *(p. 338-339)*, qui traverse des villages aux noms évocateurs comme Gevrey-Chambertin, Vougeot, Chambolle-Musigny,

**Une rue étroite dans les vieux
quartiers de Beaune**

Vosne-Romanée, Nuits-Saint-Georges, Aloxe-Corton, Meursault ou Chassagne-Montrachet.

Beaune ⑳

Côte-d'Or. 🏃 22 000. 🚉 🚌 ℹ *rue de
l'Hôtel-Dieu (03 80 26 21 30).* 🅿 *sam.*

**Un panier de vendangeur, musée
du Vin de Bourgogne**

C'est à pied qu'il faut découvrir Beaune et sa ceinture de remparts. À ne manquer sous aucun prétexte, l'**hôtel-Dieu** *(p. 366-367)*. L'hôtel des Ducs de Bourgogne, magnifique construction gothique aux galeries de bois, abrite le **musée du Vin de Bourgogne**. La **collégiale Notre-Dame**, commencée au XIIe siècle, a été plusieurs fois remaniée. Les tapisseries, exécutées à la fin du XVe siècle avec des fils de laine et de soie, qui y sont exposées racontent en 19 scènes la Vie de la Vierge. Au sud, sur l'autoroute A 6, l'Archéodrome évoque la Bourgogne du paléolithique aux Gallo-Romains.

**🏛 Musée du Vin
de Bourgogne**
Rue d'Enfer. 📞 03 80 22 08 19.
🔵 *d'avr. à nov. : t.l.j. ; de déc. à
mars : du mer. au lun.* 🖌 🎨

Tournus ㉑

Saône-et-Loire. 🏃 6 000. 🚉 🚌 ℹ
pl. Carnot (03 85 27 00 20). 🅿 *sam.*

L'église abbatiale **Saint-Philibert** est un bel exemple du premier art roman méridional. C'est ici que se réfugièrent au IXe siècle les moines de Noirmoutier fuyant les Normands et apportant avec eux les reliques de leur saint patron, Philibert. L'église abbatiale (XIe-XIIe s.) comporte une avant-nef surmontée d'une chapelle. La lumière pénètre dans la haute nef grâce aux ouvertures pratiquées dans les berceaux transversaux et met en valeur la pierre rose de Préty. L'**hôtel-Dieu** (XVIIe siècle), dont l'apothicairerie a conservé son aménagement d'origine, abrite le musée Gueuze, consacré à ce peintre (1725-1805), natif de la ville.

Aux environs
À l'ouest de Tournus, la route des vins pénètre au cœur du

**Pigeonnier dans les jardins du
château de Cormatin, près de Mâcon**

Nef de l'abbatiale Saint-Philibert à Tournus

vignoble ponctué de châteaux et d'églises romanes. On visitera avec plaisir la cité médiévale de **Brancion**, l'église romane de **Chapaize**, le château Renaissance de **Cormatin**, **Taizé** et sa communauté œcuménique. À l'est, la route de la Bresse invite à découvrir les richesses architecturales, culturelles et gastronomiques de cette région.

Au nord, **Chalon-sur-Saône** mérite une halte pour ses vieux quartiers et son musée Niepce, du nom de l'inventeur de la photographie.

Cluny ㉒

Saône-et-Loire. 🚶 *4 800.* 🚇 🛈 *6, rue Mercière (03 85 59 05 34).* 🛒 *sam.*

Les vestiges de l'abbaye, qui fut jadis l'une des plus puissantes d'Europe *(p. 44-45)*, dominent la petite ville de leur formidable silhouette.

Fondée en 910 par Guillaume le Pieux, cette abbaye bénédictine fut longtemps le plus vaste sanctuaire de la chrétienté, et la puissance de ses abbés égalait celle du pape. Saint Odon en fit le centre de la réforme monastique, mais c'est à saint Hugues, abbé de 1049 à 1109, que l'on doit l'extension de l'ordre, qui comptait à sa mort environ 1 200 maisons affiliées. Pierre le Vénérable défendit l'ordre contre les attaques des cisterciens et redressa un temps la discipline. S'ajoutant aux jalousies que provoquait l'exceptionnel

rayonnement des clunisiens, l'essor des monastères cisterciens contribua au déclin de l'abbaye. Définitivement fermée à la Révolution, l'église abbatiale sera démantelée en 1798. Il n'en reste que la chapelle de Bourbon et le clocher de l'Eau bénite. Quelques chapiteaux du chœur sont exposés dans l'ancien farinier, et le **musée d'Art**, consacré à l'histoire locale et au passé de l'abbaye, occupe l'un des logis abbatiaux.

L'église Saint-Marcel, au bourg, mérite une visite, de même que, à quelques kilomètres de là, la chapelle de **Berzé-la-Ville**, dont les fresques du XIIᵉ siècle sont exceptionnelles.

🛈 Ancienne Abbaye de Cluny
📞 *03 85 59 12 79.* ◯ *t.l.j.* ● *les jours fériés.* 🎫 🚻
🏛 Musée d'Art
Palais Jean-de-Bourbon. 📞 *03 85 59 12 79.* ◯ *t.l.j.* ● *1ᵉʳ janv., 1ᵉʳ mai, 1ᵉʳ et 11 nov., 25 déc.* 🎫 ♿

Paray-le-Monial ㉓

Saône-et-Loire. 🚶 *10 500.* 🚇 🛁 🛈 *av. Jean-Paul-II (03 85 81 10 92).* 🛒 *ven.*

La **basilique du Sacré-Cœur**, à Paray-le-Monial, est une très belle église romane, réplique en plus petit de l'abbatiale de Cluny désormais disparue. Centre de pèlerinage depuis que sainte Marguerite-Marie Alacoque, au XVIIᵉ siècle, y institua le culte du Sacré-Cœur de Jésus (Chambre des Reliques, diorama), Paray accueille aujourd'hui de grands rassemblements religieux.

Dans les bâtiments du prieuré (XVIIIᵉ s.), le **musée Paul Charnoz** expose quelques belles pièces de la production locale du XIXᵉ siècle, décorées de scènes pastorales.

Place Guignaud, la **maison Jayet** (XVIᵉ s.), demeure d'un riche marchand drapier, abrite l'hôtel de ville.

Basilique du Sacré-Cœur at Paray-le-Monial

L'hôtel-Dieu de Beaune

Christ de pitié

Après la guerre de Cent Ans, la misère et la famine s'étaient abattues sur Beaune et sa région. En 1443, le chancelier Nicolas Rolin et sa femme Guigone tentèrent de remédier à cet état de choses en fondant cet hospice, d'après un projet du maître flamand Jehan Wisecrère sur le modèle de l'hôpital de Valenciennes.

Le couple s'engageait à verser une rente annuelle et à procurer les vignobles et les raffineries de sel nécessaires à la survie de la communauté. Le bâtiment, couvert de superbes tuiles vernissées, abrite deux chefs-d'œuvre de l'art religieux, le *Christ de pitié* et un retable de Rogier Van der Weyden.

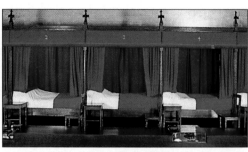

★ Grande Salle ou chambre des pauvres
Couverte d'un plafond de bois polychrome, elle comporte 28 lits ; chacun était occupé par deux malades. Les repas étaient servis sur des tables, au centre.

Hommage à Dame Rolin
Au milieu des initiales N et G entrelacées, des oiseaux et des étoiles, on notera le mot « seulle » plusieurs fois répété pour signifier à Guigone l'amour exclusif de Nicolas.

La salle Saint-Hugues contient un tableau montrant le saint occupé à soigner deux enfants. Des fresques d'Isaac Millon racontent les miracles du Christ.

Entrée

Dans la **salle Sainte-Anne**, un tableau représente des religieuses au travail dans ce qui fut jadis la lingerie.

LA VENTE AUX ENCHÈRES ANNUELLE

La vente aux enchères des Hospices de Beaune constitue le pivot des *Trois Glorieuses*, trois jours de festivités. Le premier jour se tient le banquet des chevaliers du Tastevin, au château du Clos de Vougeot. Le troisième jour, les producteurs se réunissent à la Paulée de Meursault pour présenter leurs meilleures bouteilles. Entre les deux est organisée la vente aux enchères des vins des Hospices, à des fins charitables. Les prix de l'année sont fixés pour les grands vins à partir des montants de l'enchère.

Hospices de Beaune
1986
BEAUNE
Appellation Beaune Contrôlée
Cuvée Nicolas-Rolin

Sélectionné, élevé et mis en bouteille par
Emile Chandesais à Fontaines, S.-&-L., France
acheteur traditionnel
à la Vente des Vins des Hospices de Beaune
Produit de France   75 cl

Étiquette de vin des Hospices

À NE PAS MANQUER

★ La Grande Salle

★ Le retable du Jugement dernier

Cuisine
Récemment restaurée, elle comporte une cheminée gothique à deux foyers, avec une broche mécanique actionnée par un robot de bois.

MODE D'EMPLOI
Rue de l'Hôtel-Dieu, Beaune.
☎ *03 80 24 45 00.* ◯ *d'avr. à mi-nov. : de 9 h à 18 h 30 t.l.j. ; de mi-nov. à mars : de 9 h à 11 h 30, de 14 h à 17 h 30 t.l.j.* 🖼 📷 ✏
Vente aux enchères Les Halles de Beaune (*03 80 24 45 00*).
Date *3ᵉ dim. de nov.*

Cour d'honneur
Les bâtiments s'ordonnent autour d'une cour intérieure flanquée d'une galerie surmontée de hautes lucarnes couronnées de girouettes. Une élégante ferronnerie complète le vieux puits.

Les tuiles vernissées sont l'une des curiosités les plus frappantes de l'hôtel-Dieu.

Pharmacie
Les pots en faïence de Nevers contiennent des substances étranges, ocelles d'insectes, poudre de cloportes ou de noix vomitive. Les mortiers de bronze servaient à broyer les ingrédients des préparations.

Salle Saint-Louis

★ Retable du Jugement dernier
Les personnages nus de ce polyptyque du XVᵉ siècle ont été sommairement « rhabillés » au XIXᵉ siècle. Au lieu de se lire recto verso comme à l'origine, les panneaux peints se présentent désormais en continu.

Le château de Pierreclos, dans le Mâconnais

Brionnais ㉔

Saône-et-Loire. ✈ *Mâcon.*
🚃 *Paray-le-Monial, La Clayette.*
🚌 *Paray-le-Monial, Anzy-le-Duc.*
ℹ *Marcigny (03 85 25 39 06).*

Serré entre la Loire et les premiers vignobles du Beaujolais, le Brionnais est une paisible région rurale à l'extrême sud de la Bourgogne.

C'est le royaume du bœuf charolais, que l'on peut voir paître un peu partout dans les prés ou admirer à la foire aux bestiaux de **Saint-Christophe**, chaque jeudi matin.

On y trouve aussi abondance de belles églises romanes de village, construites en pierre du pays. L'église d'**Anzy-le-Duc** est ainsi remarquable par son clocher ajouré et ses chapiteaux sculptés.

Chapiteau de Saint-Julien-de-Jonzy

L'église de **Semur-en-Brionnais** avoue l'influence de l'abbatiale de Cluny, peut-être parce que c'est dans cette ville qu'est né le grand saint Hugues. Celle de **Saint-Julien-de-Jonzy**, comme beaucoup d'autres dans la région, possède un magnifique tympan sculpté.

À **Marcigny**, la tour du Moulin (xvᵉ siècle) abrite une superbe collection de faïences anciennes. Le château de **La Clayette**, entouré d'un étang, n'est pas ouvert au public, mais propose un musée de vieilles voitures et, en été, un spectacle son et lumière. Au sud-est, la **montagne de Dun**, haute de 700 m, offre un magnifique panorama sur toute la région alentour, dont les recoins et les chemins creux sont particulièrement propices au pique-nique et à la promenade.

Mâcon ㉕

Saône-et-Loire. 👥 *36 000.* ✈ 🚃 🚌
ℹ *1, pl. Saint-Pierre (03 85 21 07 07).*
🛒 *sam.*

À la frontière entre la Bourgogne et la vallée du Rhône, Mâcon est à la fois une ville industrielle et le centre de vignobles fameux.

Un couvent, désaffecté, est devenu le **musée des Ursulines**. Il abrite des toiles françaises et flamandes et expose des objets préhistoriques trouvés près de la roche de Solutré. On découvrira avec plaisir sur la place aux Herbes, où se tient le marché, la **maison de Bois** (v. 1500) curieusement sculptée. Tout près, église romane de Saint-André-de-Bâgé.

🏛 Musée des Ursulines
Allée de Matisco. 📞 *03 85 39 90 38.*
🔾 *du mar. au sam. et dim. a.-m.*
● *les jours fériés.* ♿

Aux environs
L'impressionnante **roche de Solutré** se dresse au-dessus des vignobles de Pouilly-Fuissé. On a découvert à son pied des ossements et des silex taillés qui révèlent la présence de l'homme à l'âge de la pierre. Le Mâconnais est aussi le pays de Lamartine (1790-1869), qui passa son enfance à Milly, avant de séjourner au **château de Saint-Point**. Le **château de Pierreclos**, pour sa part, est à jamais associé à *Jocelyn*, épopée symbolico-philosophique du poète.

Bœufs charolais paissant sur les collines du Brionnais

La Franche-Comté

Pays de bois et de rivières, la Franche-Comté offre de magnifiques paysages, que l'on peut découvrir à pied ou en canoë l'été, ou encore en pratiquant le ski de fond l'hiver. Les cascades, les gorges impressionnantes et les grottes pittoresques de la vallée du Doubs, les sources de la Loue et du Lison rivalisent de beauté avec la région des lacs ou les hautes chutes et les spectaculaires *reculées*, comme à Baumes-les-Messieurs. Quelques villes au riche patrimoine complètent les atouts d'une région trop méconnue, mais qui vaut d'abord par ses sites naturels.

Cascades du Hérisson **26**

Pays des lacs. **ℹ** *Clairvaux-les-Lacs (03 84 25 27 47).*

Du pic de l'Aigle, au petit village de Doucier, s'étend la vallée du Hérisson, l'un des plus beaux sites naturels du Jura. Laissez votre voiture au Moulin Jacquand et gagnez à pied la cascade de l'Éventail, une chute de 65 m de haut, puis, un peu plus loin, la cascade du Grand Saut, tout aussi impressionnante. Le trajet dure deux heures et demie aller-retour ; le chemin étant souvent glissant, mettez de bonnes chaussures.

Arbois **27**

Jura. **♙** *4 000.* **🚋 🚌 ℹ** *10, rue de l'Hôtel- de-Ville (03 84 66 55 50).* **🏪** *ven.*

La jolie petite ville d'Arbois, célèbre par ses vins et en particulier son *vin jaune*, s'étage au milieu des vignobles, sur les rives de la Cuisance. Elle est un bon

Les superbes sources du Lison, en Franche-Comté

point de départ pour découvrir le Jura. Au nord d'Arbois, la **maison de Louis Pasteur**, conservée en l'état (ouverte au public), où habitait et travaillait le savant (1822-1895), qui découvrit entre autres le vaccin contre la rage et donna son nom à la *pasteurisation*. Voir aussi le musée de la Vigne et du Vin dans le château Pécauld.

Dole **28**

Jura. **♙** *27 800.* **🚋 🚌** **ℹ** *pl. Grévy (03 84 72 11 22).* **🏪** *mar., jeu. et sam.*

Ancienne capitale du comté, la cité reste le symbole de la résistance du pays au royaume de France. Elle se soumit à Louis XIV et signa la paix de Nimègues en 1678. Construite sur une pente qui dévale vers le Doubs, la vieille ville est sillonée de ruelles pittoresques, bordées de jolies maisons anciennes,

d'hôtels particuliers aux cours intérieures et aux escaliers bien conservés. Les couvents et chapelles, aux portails ornés de marbre rose, rappellent les luttes contre les protestants et l'éclat de la Renaissance. Belle vue sur les toits et clochers de la **collégiale Notre-Dame** depuis la place aux Fleurs. Au bord du canal des Tanneurs se dresse la petite maison où Louis Pasteur naquit en 1822.

Vierge à l'Enfant, portail nord de Notre-Dame à Dole

La Saline royale, Arc-et-Senans

Arc-et-Senans ㉙

Doubs. 🏘 *1 300.* 🚆 🚌
ℹ *03 81 57 43 21.*

Classée au Patrimoine mondial par l'UNESCO depuis 1982, l'ancienne **Saline royale** d'Arc-et-Senans est aujourd'hui un centre culturel.

Construite de 1775 à 1779 par l'architecte Claude Nicolas Ledoux (1736-1806), elle est dotée d'une architecture hors norme – un demi-cercle orienté sur la course du soleil – qui abritait lieux de production et habitations des ouvriers. Après la Révolution, Ledoux se servira de la Saline pour établir son projet de « cité idéale ».

Le **musée Ledoux** présente une collection de 60 maquettes de cet architecte visionnaire. Le « lieu du sel » explique le fonctionnement de la saline.

🏛 **Musée Ledoux-Lieu du Sel**
Ancienne Saline royale.
📞 *03 81 54 45 45.* ○ *t.l.j.*
● *25 déc. et 1er janv.* 🖼 🖊

Champlitte ㉚

Haute-Saône. 🏘 *1 900.*
🚌 ℹ *la mairie (03 84 67 64 10).*

Le **musée départemental d'Arts et Traditions populaires Albert-Demard** occupe un superbe château des XVIe et XVIIIe siècles. Albert Demard, un ancien berger du pays, eut l'idée d'y rassembler divers objets et souvenirs du passé. Le résultat est passionnant. On apprend, par exemple, avec émotion,

comment 400 habitants de la région, lassés de leur misère, sont partis tenter leur chance au Mexique au milieu du XIXe siècle.

🏛 **Musée Albert-Demard**
Pl. de l'Église. 📞 *03 84 67 82 00.*
○ *de juin à août. : t.l.j. ; de sept. à mai : du mer au lun.* ● *dim. a.-m. et jours fériés.* 🖼

Besançon ㉛

Doubs. 🏘 *120 000.* 🚆 🚌
ℹ *pl. de la 1re-Armée-Française (03 81 80 92 55).* 🚌 *t.l.j.*

Au XVIIe siècle, Besançon est devenue la capitale de la Franche-Comté, au détriment de Dole. Centre industriel, notamment dans le domaine de la mécanique de précision, la ville ne renie pas son riche passé, dont témoignent la vieille ville et son architecture.

Bâti entre 1534 et 1542 pour le chancelier de Charles Quint, le **palais Granvelle** est un pur produit de l'art Renaissance. Il abrite désormais le **musée du Temps**, dont la collection comporte des milliers de pièces d'horlogerie de toutes les époques et de toutes les tailles – un hommage à la renommée de la ville dans ce domaine. Victor Hugo est né dans cette même Grande-Rue, au n° 140 (1802-1895) et les frères Lumière *(p. 59)*, ont vu le jour… place Victor-Hugo. Derrière la **porte Noire**, vestige de l'enceinte gallo-romaine, se dresse la cathédrale Saint-Jean. C'est dans le clocher de cette église que l'on peut voir l'étonnante **horloge astronomique** et

son armée d'automates.

L'ancienne halle aux blés abrite le très riche **musée des Beaux-Arts et d'Archéologie**, qui expose des toiles de Bellini, Cranach, Rubens, Fragonard, Boucher, Greuze, David, Goya, Ingres, Courbet, Matisse et Picasso.

La **citadelle**, construite par Vauban, domine le site exceptionnel d'une boucle du Doubs. Le **Musée populaire comtois** est, avec d'autres, installé dans ses murs.

🏛 **Musée du Temps**
96, Grande-Rue. 📞 *03 81 87 81 50.* ○ *du mer. au lun.* ● *les jours fériés.* 🖼
🕰 **Horloge astronomique**
Rue de la Convention. 📞 *03 81 81 12 76.* ○ *d'avr. à sept. : du mer. au lun. ; d'oct. à mars : du jeu. au lun.* ● *en janv., 1er mai, 1er et 11 nov., 25 déc.* 🖼
🏛 **Musée des Beaux-Arts et d'Archéologie**
1, pl de la Révolution. 📞 *03 81 87 80 49.* ○ *du mer. au lun.* ● *1er janv., 1er mai, 1er nov., 25 déc.* 🖼 *sauf le dimanche et les jours fériés.* ♿
🏛 **Citadelle et Musée populaire comtois**
Rue des Fusillés-de-la-Résistance, la Citadelle. 📞 *03 81 65 07 50.* ○ *t.l.j.* ● *1er janv., 25 déc.* 🖼

L'horloge astronomique de Besançon (1857-1860)

Ornans ㉜

Doubs. 🏘 *4 000.* 🚌 ℹ *7, rue Pierre-Vernier (03 81 62 21 50).*

Le peintre Gustave Courbet est né en 1819 à Ornans, dont les paysages lui servirent fréquemment de cadre. Son *Enterrement à Ornans* eut une énorme influence sur la peinture du XIXe siècle. On admire quelques-unes de ses

Notre-Dame-du-Haut, dessinée par Le Corbusier, à Ronchamp

toiles exposées dans sa maison natale devenue le **musée Courbet**.

🏛 Musée Courbet
Pl. Robert-Fernier. 📞 *03 81 62 23 30.* ⭕ *d'avr. à oct. : t.l.j. ; de nov. à mars : du mer. au lun.* ⭕ *1er janv., 1er mai, 1er nov., 25 déc.* 🖼

Aux environs
Paradis de l'amateur de canoë, la **vallée de la Loue** est l'une des plus belles du Jura. La D 67 remonte la rivière d'Ornans à Ouhans vers l'est. Il suffit ensuite d'un petit quart d'heure à pied pour atteindre sa source, magnifique. De Nans-sous-Sainte-Anne, au sud-ouest d'Ornans, une promenade de vingt minutes conduit à la **source du Lison** *(p. 369).*

Belfort ❸❸

Territoire de Belfort. 👥 *52 000.* 🚃 🚌 ℹ️ *2 bis, rue Georges-Clemenceau (03 84 55 90 90).* 🛍 *du mar. au dim.*

Commandant le passage entre Vosges et Jura, Belfort fut très tôt fortifiée. Vauban réalisa là, sur ordre de Louis XIV, ce qui est sans doute un de ses chefs-d'œuvre.

L'énorme lion de grès rose, œuvre de Frédéric Bartholdi (1834-1904), à qui l'on doit aussi la statue de la Liberté à New York, commémore le siège de 103 jours soutenu contre les Prussiens en 1870-1871. En récompense de sa bravoure, la ville obtint de rester française après 1871, contrairement à l'Alsace et la Lorraine, formant ainsi le plus petit département, le Territoire de Belfort. Le **musée d'Art et d'Histoire** présente diverses collections historiques et préhistoriques, des peintures et un plan-relief de la ville.

Ronchamp ❸❹

Haute-Saône. 👥 *3 150.* 🚃 🚌 ℹ️ *14, pl. du 14-Juillet (03 84 63 50 82).* 🛍 *sam.*

La saisissante **chapelle Notre-Dame-du-Haut**, œuvre de l'architecte Le Corbusier, domine cette ancienne ville de mineurs. La lumière, les formes et la maîtrise de l'espace donnent à l'édifice une remarquable unité, à l'extérieur comme à l'intérieur.

Le **musée de la Mine** témoigne du passé industriel de la région.

Le Miroir d'Ornans, **musée Courbet à Ornans**

MASSIF CENTRAL

....

ALLIER · AVEYRON · CANTAL · CORRÈZE · CREUSE · HÂUTE-LOIRE
HAUTE-VIENNE · LOZÈRE · PUY DE DÔME

L*e Massif central, au cœur même de la France, qu'il semble regrouper autour de sa grandeur, reste étonnamment mal connu, si ce n'est pour ses stations thermales et quelques-unes de ses villes. Ses sites naturels, ses châteaux, ses églises méritent cependant de briser le secret qui entoure encore la région.*

Cet immense plateau de granit et de roches cristallines regroupe l'Auvergne, le Limousin, l'Aveyron et la Lozère. Force de la nature en sommeil aux multiples volcans éteints, il abrite aussi divers témoignages de l'histoire des hommes, comme la jolie ville du Puy-en-Velay ou l'inestimable trésor de Conques.

Avec ses lacs de cratère et ses sources chaudes, l'Auvergne est le paradis des randonneurs en été et des skieurs en hiver. Elle recèle aussi de magnifiques monuments, églises ou châteaux. De part et d'autre des plaines de l'Allier, les monts du Forez, du Livradois et du Velay, à l'est, font pendant aux volcans éteints de l'ouest, la chaîne des Puys, les monts Dore et le massif du Cantal. Le Limousin, étagé à la lisière nord-ouest du Massif, est un pays de landes et de pâturages, moins sauvage mais tout aussi désert.

Dans l'Aveyron, des rivières puissantes comme le Lot, le Tarn et l'Aveyron creusent de profonds ravins au bord desquels s'accrochent de pittoresques villages. C'est en Lozère enfin que se trouvent les Grands Causses, vastes plateaux calcaires au sud des Cévennes, pays d'élevage à l'herbe rare et au climat rude.

Dans ces régions, l'exode rural a été précoce. Elles ont fourni à la capitale des légions de maçons, de ferrailleurs, de cafetiers, sans parler des présidents de la République... Le thermalisme s'y est développé, relayé par le tourisme vert, familial ou sportif.

La Bourboule, station thermale dans les monts Dore

◁ Le puy Mary (1 787 m) offre une vue magnifique aux grimpeurs qui en font l'ascension

À la découverte du Massif central

Nulle part peut-être la nature sauvage n'est à la fois aussi belle et aussi facilement accessible. Les inconditionnels des sports de plein air opteront en fonction de leurs goûts pour le canoë, le raft, le parapente ou la randonnée. Les amateurs d'art pourront admirer les merveilles de l'architecture sacrée et profane ou les trésors des musées. Quant aux gastronomes, nul doute qu'ils apprécieront à leur juste valeur les produits du terroir, les plats régionaux et les vins du cru.

Légende

▬	Autoroute
▬	Route principale
▬	Route secondaire
▬	Route pittoresque
▬	Fleuve ou rivière
✳	Point de vue

0   25 km

Vers Poitiers

N147

N145

A20

N241

N141

LIMOGES ❶

AUBUSSON ❷

N21

D704

D979

D992

D12

D30

A20

UZERCHE ❶❹

D731

N120

A89

D16

TULLE

D978

N89

BRIVE

A20

TURENNE ❶❺

COLLONGES-LA-ROUGE ❶❻

D917

D940

NL

N122

CONQ

Lot

D911

D5

D926

Vers Toulouse Carcassonne

Les hautes parois calcaires des gorges du Tarn

CIRCULER

Les réseaux aérien et ferroviaire permettent de rallier rapidement depuis Paris, Limoges, Clermont-Ferrand et Vichy. Clermont-Ferrand, Issoire et Thiers sont proches des autoroutes principales ; l'A20, récemment étendue passe par Limoges. Très bien entretenu, en dépit des dégradations hivernales, le réseau secondaire permet de magnifiques découvertes. Quelques routes sont vertigineuses, notamment celle qui conduit au sommet du Puy Mary.

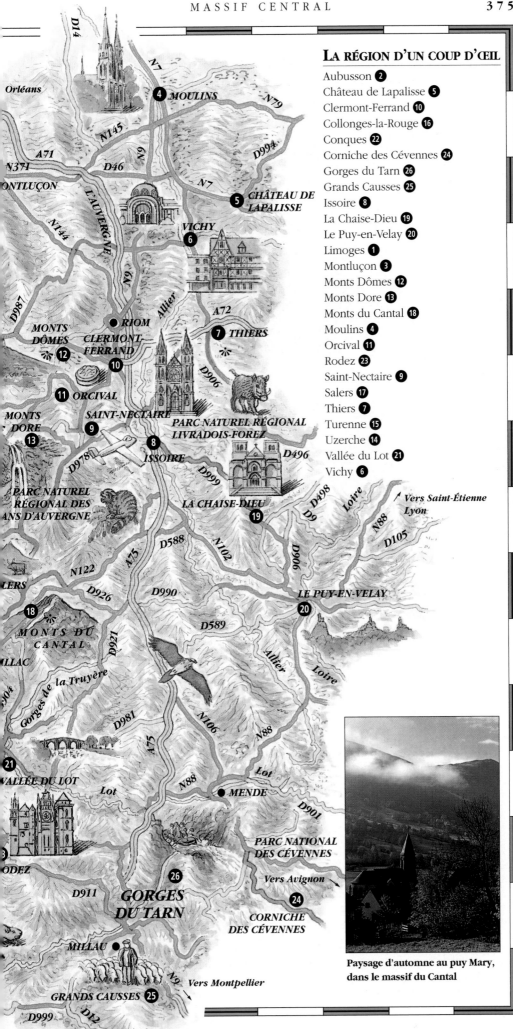

D14
Orléans
N7
N9
④ MOULINS
N79
N145
A71
N371
D46
N9
D994
ONTLUÇON
N144
N7
L'AUVERGNE
⑤ CHÂTEAU DE LAPALISSE
VICHY
⑥
D987
N9
Allier
A72
MONTS DÔMES
⑫
● RIOM
CLERMONT-FERRAND
⑩
⑦ THIERS
⑪ ORCIVAL
D906
MONTS DORE
⑬
SAINT-NECTAIRE
⑨
⑧ ISSOIRE
D978
PARC NATUREL RÉGIONAL LIVRADOIS-FOREZ
D496
PARC NATUREL RÉGIONAL DES ANS D'AUVERGNE
D999
LA CHAISE-DIEU
⑲
D498
D9
Loire
Vers Saint-Étienne Lyon
N88
D105
D588
N102
D906
D926
N122
D990
LE PUY-EN-VELAY
⑳
D589
⑱
MONTS DU CANTAL
D921
Allier
Loire
Gorges de la Truyère
D981
N106
ILLAC
A75
N88
④04
VALLÉE DU LOT
㉑
N88
Lot
Lot
● MENDE
ODEZ
③
D901
D911
㉖
PARC NATIONAL DES CÉVENNES
GORGES DU TARN
Vers Avignon
㉔
CORNICHE DES CÉVENNES
MILLAU ●
N9
Vers Montpellier
GRANDS CAUSSES ㉕
D999
D12

LA RÉGION D'UN COUP D'ŒIL

Paysage d'automne au puy Mary, dans le massif du Cantal

Une plaque d'émail peint, représentative de l'art limousin

Limoges ❶

Haute-Vienne. 👥 140 000. ✈ 🚉 🚌
ℹ️ 12, bd de Fleurus (05 55 34 46 87).
🅿️ t.l.j.

La capitale du Limousin est double : la « Cité », serrée sur un plateau autour de sa **cathédrale**, domine la rive droite de la Vienne, tandis que la ville neuve a remplacé l'ancien « Château ». Au cours de la guerre de Cent Ans, en 1370, la Cité fut dévastée par les troupes du Prince Noir. C'est aujourd'hui un quartier paisible, qui a gardé quelques vieilles ruelles bordées de maisons anciennes.

L'endroit était réputé pour ses émaux depuis le Moyen Âge, mais ce n'est qu'à la fin du XVIIIe siècle, lorsque des gisements de kaolin furent découverts à proximité, que Limoges devint synonyme de porcelaine. Au **musée national Adrien-Dubouché**, on peut admirer plus de douze mille pièces rares, porcelaines chinoises, faïences de Delft, de Nevers et de Limoges. Le **Musée municipal**, installé dans l'ancien palais épiscopal, présente une collection d'émaux du XIIe siècle à nos jours.

🏛 Musée national Adrien-Dubouché
8 bis, pl. Winston-Churchill.
📞 05 55 33 08 50. 🕐 du mer. au lun.
⬤ 1er janv., 1er mai, 25 déc. ♿
🏛 Musée municipal de l'Évêché, musée de l'Émail
Place de la Cathédrale 📞 05 55 45 98 10. 🕐 de juil. à août : t.l.j. ; de sept. à juin : du mer. au lun. ⬤ 1er janv., 1er mai, 1er et 11 nov., 25 déc.

Aux environs
Saint-Léonard-de-Noblat groupe ses maisons anciennes autour d'une superbe collégiale romane. À **Oradour-sur-Glane**, les ruines de l'ancien village et le Centre d'information et de recherche témoignent du massacre de la population d'Oradour perpétré par les SS en 1944. Non loin de là, la **collégiale de Saint-Junien** renferme le tombeau du saint, merveille de la sculpture limousine du XIIe siècle. Le château de **Rochechouart** abrite un centre d'art contemporain. Un peu plus au nord, **Le Dorat** possède une remarquable collégiale, dominée par un clocher octogonal.

Aubusson ❷

Creuse. 👥 6 000. 🚉 ℹ️ rue Vieille (05 55 66 32 12). 🛒 sam.

Capitale de la tapisserie de basse lisse depuis cinq siècle, Aubusson est le lieu d'un précieux savoir-faire qu'il faut prendre le temps de découvrir. Filature, teinture des laines et de la soie, tissage des tapis et tapisseries, restauration, tout ici est artisanal et de haute qualité.

Le **musée départemental de la Tapisserie** présente par roulement son fonds de tapisseries anciennes (verdures, sujets bibliques et mythologiques, cartons de toutes les époques) et contemporaines.

Une visite s'impose à la **maison du Tapissier**, demeure à tourelle du XVIe siècle, où sont reconstitués l'atelier de tissage, celui du peintre-cartonnier et les pièces à vivre (mobilier d'époque).

🏛 Musée départemental de la Tapisserie
Centre Culturel Jean Lurçat, av. des Lissiers. 📞 05 55 66 33 06. 🕐 du mer. au lun. ♿
🏛 Maison du Tapissier
Rue Piétonne. 📞 05 55 66 32 12. 🕐 du 15 juin au 30 sept. : t.l.j. ; hors saison : du lun. au dim. matin. ⬤ 1er janv., 25 déc.

Aux environs
Le village de **Moûtier-d'Ahun**, blotti dans la vallée de la Creuse, s'ordonne autour d'une seule

Restauration d'une tapisserie, manufacture Saint-Jean

L'église romane de Moûtier-d'Ahun, près d'Aubusson

rue bordée de maisons du XVe siècle et d'un pont romain. Vestige d'une abbaye, l'église mi-romane, mi-gothique possède un superbe portail. Dans le chœur, les stalles sculptées sont ornées de fleurs et d'animaux fantastiques.

Au sud, le lac artificiel de **Vassivière** offre un espace de loisirs unique dans tout le Massif central.

Montluçon ❸

Allier. 👥 *42 500.* ✈ 🚆 🚌
ℹ *5, place Piquand (04 70 05 11 44).* 🛒 *mer., sam. et dim.*

Centre économique de l'Allier, Montluçon n'en est pas moins fière de son passé médiéval. L'ancien château, en restructuration, abrite depuis 1999 le **musée des Musiques populaires**. Le premier étage est consacré aux instruments de musique, notamment la vielle, la cornemuse et la guitare. Le second étage expose le projet de la future Cité de la musique, qui complètera celle de la Villette à Paris.

⛪ **Château des ducs de Bourbon**
📞 *04 70 02 56 57.* ○ *du mer. au lun.* ● *1er janv., 1er et 8 mai, 14 juil., 11 nov. et 25 déc.* 📷

Aux environs
Au nord, la **forêt de Tronçais** est l'une des plus belles de France.

Moulins ❹

Allier. 👥 *21 000.* 🚆 🚌
ℹ *rue François-Péron (04 70 44 14 14).* 🛒 *mar. et ven.*

Capitale des ducs de Bourbon depuis le Xe siècle, Moulins a connu une ère de prospérité au début de la Renaissance.

Les superbes vitraux de la **cathédrale Notre-Dame** (XVe-XVIe s.) représentent personnages de la cour ducale et figures de saints. Le trésor contient le magnifique triptyque du Maître de Moulins, exécuté vers 1498, *La Vierge à l'Enfant adorée par les anges*, encadrée par les donateurs, le duc Pierre II et sa femme Anne de Beaujeu, vêtus de leurs plus riches atours et parés de leurs plus beaux bijoux.

Le pavillon d'Anne de Beaujeu, flanqué d'une tour rescapée, la Mal-Coiffée, abrite le **musée départemental d'Art et d'Archéologie**.

⛪ **Cathédrale Notre-Dame**
Rue Louis-Mantin. **Trésor** ○ *t.l.j. en été.* ● *mar. et dim. en hiver.* 📷

Aux environs
Ancien prieuré de Cluny, **Souvigny** fut la nécropole des Bourbons : superbe église.

Les vitraux de la cathédrale Notre-Dame à Moulins

Le château de Lapalisse ❺

Allier. 📞 04 70 99 37 58.
⭕ de Pâques à oct. : t.l.j. 📷

Au début du XVIᵉ siècle, Jacques II de Chabannes, seigneur de La Palice, passé bien malgré lui à la postérité, loua les services d'architectes florentins pour reconstruire le château féodal, qui appartient aujourd'hui encore à ses descendants. Le salon doré possède un plafond à caissons, doré à la feuille, et deux des tapisseries des neuf preux, immenses tapisseries flamandes du XVᵉ siècle, représentant Godefroi de Bouillon, le vaillant croisé, et Hector, héros de l'*Iliade*.

Aux environs
La D 480 permet d'admirer plusieurs petits châteaux, le long de la vallée de la Besbre. Seul le **château de Thoury**, qui expose notamment des objets et documents sur la chasse, est ouvert au public.

⌂ Château de Thoury
Dompierre. 📞 04 70 42 00 41.
⭕ d'avr. à nov. : t.l.j. 📷 ♿ ✉

Plafond du salon doré, château de Lapalisse

Vichy ❻

Allier. 🚶 28 000. 🚃 🚌 ℹ️ 19, rue du Parc (04 70 98 71 94). 🛒 mer. et dim.

Les Romains fréquentaient déjà la petite cité, dont les sources thermales soignent, aujourd'hui encore, les rhumatismes, l'arthrite et les troubles de l'appareil digestif. Les hôtes de marque se succédèrent ensuite, comme Mme de Sévigné, qui trouvait au traitement un avant-goût de purgatoire, ou les filles de Louis XV.

L'ancien établissement thermal à Vichy

Mais ce furent les séjours de Napoléon III qui contribuèrent à l'essor de la station. La ville, siège du gouvernement entre 1940 et 1944 *(p. 61)*, s'est efforcée de reléguer ce souvenir au rang d'épisode historique.

Les luxueux établissements de bains de la Belle Époque ont été convertis en galerie marchande, tandis que les thermes modernes permettent les cures traditionnelles et séjours de remise en forme.

Au centre de la ville et de la vie de la cité se trouve le **parc des Sources**, où un kiosque à musique, édifié au tournant du siècle, accueille encore des musiciens à la belle saison pour le plus grand plaisir du promeneur. Outre de nombreuses boutiques de luxe et de belles villas rococo, la ville a gardé de son passé les inévitables corollaires de l'oisiveté dorée, un opéra et un casino, où l'on peut encore assister à des concerts le soir et perdre son argent aux tables de jeu dans la journée. Dans les parcs d'Allier se trouvent quelques vestiges de l'ancien couvent qui a donné son nom à la **source des Célestins**, dont les robinets de cuivre emplissent les gobelets des curistes. La création d'un vaste plan d'eau sur l'Allier, dans les années 1960, a accéléré la conversion de la ville : c'est désormais un centre sportif ultramoderne à vocation internationale.

Une affiche touristique pour Vichy, dans les années 50

Pour un prix modique, vous pourrez pratiquer diverses activités, de l'aïkido au ski nautique, en passant par l'apprentissage du canotage sur une rivière artificielle de 3 km de long.

⚐ Bureaux Vichy-Thermes Établissement Callou
Square Glénard. 📞 04 70 97 39 59. ⭘ d'avr. à oct. : du lun. au sam. 🖾 ♿

♨ Source des Célestins
Bd Kennedy. ⭘ t.l.j. ♿

Thiers ⑦

Puy-de-Dôme. 👥 15 000. 🚃 🚌 ⓘ rue Conchette (04 73 80 65 65). 🛒 jeu. et sam.

Capitale de la coutellerie depuis le Moyen Âge, la petite ville accrochée à flanc de coteau au-dessus d'une rivière devrait cet héritage aux croisés, qui auraient importé d'Orient cet art initialement guerrier. Les nombreuses chutes de la Durolle se trouvaient là fort à propos pour faire tourner les meules affûtant tous les objets tranchants, des lames de couteau au couperet de la guillotine. Cette longue histoire, relatée par le **musée de la Coutellerie**, perdure aujourd'hui puisque la coutellerie est la principale activité industrielle de la ville.

De belles demeures bordent la rue Conchette, la rue du Bourg. Place du Pirou, la maison du Pirou (xvᵉ s.) arbore une belle façade de bois sculpté ; un peu plus loin, la maison des Sept-Péchés-Capitaux doit son nom aux sculptures qui ornent ses poutres. De la terrasse du rempart,

on voit les monts Dore et les monts Dômes. Le panorama, à l'ouest, est magnifique au coucher du soleil.

🏛 Musée de la Coutellerie
Maison des Couteliers, 21-23 et 58, rue de la Coutellerie. 📞 04 73 80 58 86. ⭘ de juin à sept. : t.l.j. ; d'oct. à mai : du mar. au dim. ⬤ 1ᵉʳ janv., 1ᵉʳ mai, 14 sept., 1ᵉʳ nov., 25 déc. 🖾

Issoire ⑧

Puy-de-Dôme. 👥 15 000. 🚃 🚌 ⓘ pl. du Général-de-Gaulle (04 73 89 15 90). 🛒 sam.

Depuis la fin de la Seconde Guerre mondiale, Issoire s'est consacrée à la métallurgie de l'aluminium. La construction aéronautique est également une activité de la ville.

PÈLERINAGES ET OSTENSIONS

En Auvergne et dans le Limousin, les paroisses organisent régulièrement des processions suivies par tous les fidèles. À Orcival, la tradition veut que, à l'Ascension, la statue de la Vierge soit portée de nuit à travers le village, accompagnée par les gitans et par les enfants qu'ils viennent faire baptiser. Tous les 7 ans (1995, 2002, 2009), dans certains villages limousins, a lieu une « ostension ». Au cours de cette grande manifestation de piété qui remonte au xᵉ siècle, les reliques d'un saint sont portées en procession à travers les champs et les bois.

La Vierge d'Orcival, portée en procession (1903)

Toutefois, touchée par la crise, elle s'est ouverte au tourisme. Si les guerres de Religion ont entraîné de nombreuses destructions, elles ont épargné l'**église abbatiale Saint-Austremoine** (xIIᵉ s.), parfait exemple d'art roman auvergnat, au chevet remarquable. Les chapiteaux historiés racontent divers épisodes de la *Vie du Christ*, dont une étonnante Cène (chœur). À voir, dans le narthex, la fresque du *Jugement dernier*. La crypte est une des plus belles d'Auvergne.

Aux environs
Magnifique église romane aussi à **Brioude,** la plus vaste d'Auvergne, avec chapiteaux et fresques remarquables. Romane encore, l'abbatiale du beau village de **Blesle**.

Vue générale de Thiers, étagée au-dessus de la Durolle

Saint-Nectaire ❾

Puy-de-Dôme. 🚶 *650.* 🚌 ℹ️
Les Grands Thermes (04 73 88 50 86).

L'une des plus belles
églises romanes
d'Auvergne est sans conteste
celle de **Saint-Nectaire**.
La décoration de cet édifice
élancé, aux proportions
harmonieuses, se résume
pour l'essentiel à
103 chapiteaux sculptés,
dont 22 polychromes.
Le trésor recèle deux
merveilles de l'art médiéval :
un buste précieux de saint
Baudime et une Vierge de
bois du XIIᵉ siècle, *Notre-
Dame-du-Mont-Cornadore.*
Saint-Nectaire-le-Bas est une
petite ville d'eau, dont les
40 sources, chaudes et
froides, soignent les affections
rénales et les troubles du
métabolisme.

Aux environs
Sobre église romane au bourg
médiéval de **Saint-Saturnin.**
Dans la citadelle du **château
de Murol**, partiellement
en ruine, des figurants
en costume d'époque
font revivre la vie quotidienne
au Moyen Âge et les tournois
des chevaliers.

Clermont-Ferrand, la fontaine d'Amboise (1515)

🏰 Château de Murol

Murol. 📞 *04 73 88 67 11.* 🕐 *d'avr.
à oct. : t.l.j. ; de nov. à mars : sam., dim.,
jours fériés et vacances scolaires.* 🖐️

Clermont-Ferrand ❿

Puy-de-Dôme. 🚶 *140 000.* ✈️ 🚌
🚉 ℹ️ *place de la Victoire
(04 73 98 65 00).* 🛒 *du lun. au sam.*

F ruit de la réunion, en 1630,
de deux cités initialement
distinctes, Clermont-Ferrand
est une ville étonnamment
jeune et animée grâce à ses
30 000 étudiants. Colonie
celtique bien avant
l'occupation romaine,
elle devint l'un des hauts lieux
de la chrétienté dès le Vᵉ siècle.
C'est ici que le prêche
d'Urbain II déclencha
la première croisade en 1095.

La période antique de la
ville est évoquée au **musée
Bargoin**, qui abrite de
remarquables collections
d'objets d'époque romaine.
Au cœur de la ville, sur
la place Saint-Pierre se tient
chaque matin le marché
couvert, particulièrement
animé le samedi. Tout près de
là, la **fontaine d'Amboise**,
curiosité monumentale
en pierre de Volvic, fait face
à une perspective sur le puy
de Dôme. Par la vieille rue
du Port, on atteint
la **basilique Notre-Dame-
du-Port**, l'une des églises
romanes majeures d'Auvergne.
À l'intérieur, le chœur surélevé
et les chapiteaux sculptés
(voir, par exemple, le combat
de la Charité contre l'Avarice,
incarnées par deux chevaliers
armés de lances et de masses
d'arme) justifient amplement
la visite.

La cathédrale, **Notre-
Dame-de-l'Assomption**, doit
la finesse de ses colonnes
et l'élégance de ses voûtes
gothiques à la solidité
de la lave. Cette pierre sombre
est aussi par contraste
un merveilleux écrin
pour les vitraux lumineux.

Chœur de la basilique Notre-Dame-du-Port

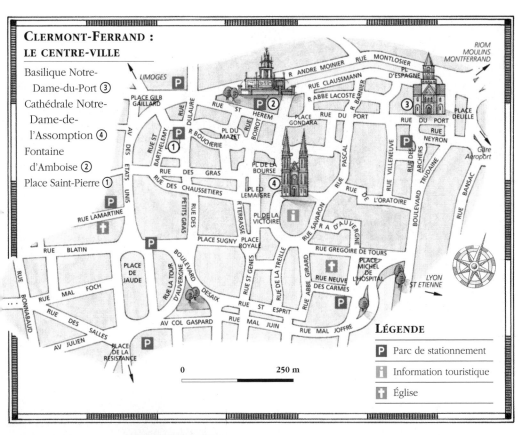

CLERMONT-FERRAND :
LE CENTRE-VILLE

Basilique Notre-
  Dame-du-Port ③
Cathédrale Notre-
  Dame-de-
  l'Assomption ④
Fontaine
  d'Amboise ②
Place Saint-Pierre ①

LÉGENDE

🅿 Parc de stationnement

ℹ Information touristique

✝ Église

0   250 m

Les comtes
d'Auvergne,
rivaux traditionnels
de l'épiscopat,
s'établirent
à Montferrand,
à quelque 3 km du
centre de Clermont.
La petite cité, bâtie
géométriquement
sur le modèle
des bastides,
est aujourd'hui un
quartier paisible
qui a conservé
de nombreux hôtels
particuliers construits
à la Renaissance par
de riches marchands, avec leurs
loggias à l'italienne, leurs
fenêtres à meneaux et leurs
pittoresques cours intérieures.
  À mi-chemin des deux,
le complexe Michelin, avec ses
usines, ses structures d'accueil

Le bonhomme
Michelin, vers 1910

et son stade
désormais géré par
la ville, constitue à
lui seul une ville
dans la ville,
royaume du
caoutchouc et du
pneu qui connut son
apogée au début
de ce siècle.

Aux environs
À **Royat,** on visitera
l'église romane et
une taillerie
de pierres fines.
Riom possède
d'intéressants
bâtiments sombres en pierre
de Volvic. Le palais du duc
Jean de Berry, dont subsiste la
Sainte-Chapelle et ses
magnifiques vitraux, fut rasé
au XIXe siècle et remplacé par
l'actuel palais de Justice.
Toutefois, le principal trésor
de Riom est une gracieuse
Vierge à l'oiseau, qui trône
dans l'église Notre-Dame-du-
Marthuret, plusieurs fois
remodelée depuis sa
construction au XIVe siècle.
Non loin, **Châtelguyon** et
Volvic sont des stations
thermales appréciées.
Sur la N 89 en direction de
Thiers, à la hauteur de Lezoux,
ne pas manquer le **château**

de Ravel (XIIe-XVIIIe s.).
Parfaitement conservé,
sa terrasse par Le Nôtre offre
une vue sur la chaîne des Dômes
et des monts Dore *(p. 382)*.

Orcival ⑪

Puy-de-Dôme. 🚶 *300.*
ℹ *04 73 65 89 77.*

L es hôtels de la région sont
en général bondés et les
rues noires de monde à la belle
saison. Mais la petite ville,
réputée pour son patrimoine
architectural, mérite bien qu'on
affronte la foule pour admirer
sa superbe église romane
parfaitement restaurée, avec
son abside étagée, ses
puissantes arcades, sa vaste
crypte et ses quatorze verrières.
C'est dans cette église
aussi que se trouve
une remarquable
Vierge de majesté
en bois recouvert
de vermeil
et d'argent,
assise sur
un imposant
trône carré.

Notre-Dame-de-l'Assomption,
le chœur

Vierge à
l'Enfant,
église
d'Orcival

Vue aérienne du puy de Dôme, dans les monts Dôme

Les monts Dôme ⓬

Puy-de-Dôme. ✈ 🚌 🚉 *Clermont-Ferrand.* 🛈 *sommet du puy de Dôme (04 73 62 21 45 : d'avril à nov.) ; accès provisoirement interdit pour instabilité du site.*

La chaîne des Puys, ou monts Dôme, compte plus d'une centaine de volcans alignés sur une trentaine de kilomètres.

Le point culminant est le **puy de Dôme** (1 465 m). Une route en lacet, la N 922, permet une ascension raisonnable (pente à 12 %) du sommet en voiture, tandis que l'ancienne voie romaine, beaucoup plus raide, est encore utilisée pour l'escalade à pied.

Au sommet, à environ une demi-heure de marche, les ruines d'un temple de Mercure voisinent avec une tour de télécommunications. Par temps clair, le panorama, grandiose, vous récompensera très largement de vos efforts !

À quinze kilomètres à l'ouest de Clermont-Ferrand,

La roche Tuilière, près du col de Guéry, dans les monts Dore

Vulcania, parc européen du volcanisme, utilise les dernières technologies pour simuler l'activité volcanique sur un circuit couvrant près de 2 ha.

À la pointe sud-ouest de la chaîne, tout près d'Orcival (*p. 381*), se trouve le **château de Cordès**, un petit manoir du XVe siècle, dont les vastes jardins à la française ont été dessinés par Le Nôtre (*p. 173*).

🍁 **Vulcania**
Saint-Ours-les-Roches. 📞 *04 73 19 70 00.* ⭘ *de fév. à nov. : du mer. au dim. de juin à août et vac. scol. : t.l.j.* 🗑 ♿ 🍴 🛍 🏠
🔱 **Château de Cordès**
Orcival. 📞 *04 73 65 81 34.* ⭘ *t.l.j. ; hors saison, sur r.-v.* 🗑

Les monts Dore ⓭

Puy-de-Dôme. ✈ *Clermont-Ferrand.* 🚌 🚉 *Le Mont-Dore.* 🛈 *Montlosier (04 73 65 64 00).*

Le massif des monts Dore, au cœur du parc naturel des Volcans d'Auvergne, s'ordonne autour de trois volcans géants, le puy de Sancy, la Banne d'Ordanche et le puy de l'Aiguiller. Couverts d'une grande et sombre forêt semée de lacs et parcourue de cours d'eau, ils sont le lieu de prédilection, été comme hiver, des amateurs de sports de plein air.

Le **puy de Sancy**, le plus haut sommet de tout le Massif central, culmine à 1 886 m. On peut s'y rendre en téléphérique depuis Le Mont-Dore, à condition de terminer le chemin à pied. Une route pittoresque, jalonnée de

cascades et de points de vue, suit la **vallée de la Couze de Chambon**.

La région comporte deux grandes stations thermales, **La Bourboule**, vouée aux maladies infantiles (on y trouve un casino), et **Le Mont-Dore**, où l'on soigne asthme et maladies respiratoires dans un ancien établissement thermal de toute beauté.

La route du col de Guéry, la D 983, longe deux éperons rocheux impressionnants, la **roche Sanadoire** et la **roche Tuilière**, d'où la vue englobe le cirque de Chausse et l'ensemble de la vallée.

L'église de La Bourboule

Uzerche ⓮

Corrèze. 🚶 *3 000.* 🚌 🚉 🛈 *pl. de la Libération (05 55 73 15 71).*

Avec ses toits d'ardoises, ses clochers pointus et ses maisons à tourelles qui dominent la Vézère, la petite ville d'Uzerche, couronnée par l'**église Saint-Pierre**, a décidément fière allure. Au Moyen Âge, déjà, ses habitants manifestaient la détermination la plus farouche. On raconte qu'assiégés par les Maures en 762, ils résistèrent pendant sept ans, au prix de dures privations. Sur le point de capituler, ils firent porter à l'ennemi leur dernier taureau gorgé de la dernière mesure de froment. Pensant que la ville était dotée de greniers à grains inépuisables, les Maures levèrent le siège.

LE CANTAL, HISTOIRE D'UN FROMAGE

En Auvergne, on pratique encore la transhumance : parquées l'hiver dans des étables, les vaches de Salers passent l'été dans les pâturages de montagne, dont l'herbe drue et les fleurs parfumées donnent au lait une saveur particulière. C'est à partir de ce lait exceptionnel que l'on fabrique le cantal. La production s'est industrialisée, mais, si la pâte n'est plus pressée à la main dans un linge, la qualité demeure. C'est avec de la tomme ou du cantal que l'on prépare l'*aligot*, purée de pommes de terre au fromage et à l'ail, qui constitue l'une des spécialités de la région.

Vache de Salers, race bovine du pays

Non loin de là, une jolie promenade vous conduira jusqu'aux gorges de Saillant.

Turenne ⑮

Corrèze. 🏘 750. 🚆 🚌 ℹ️
ancienne mairie (été : 05 55 85 94 38 ; hiver : 05 55 85 91 15).

Turenne est une charmante petite cité médiévale, sans doute la plus agréable de toute la Corrèze. Bâtie en forme de croissant au pied d'une falaise, elle fut l'un des derniers domaines féodaux du royaume de France, fief jusqu'en 1738 de la famille de La Tour d'Auvergne, dont le plus éminent représentant est le vicomte Henri de Turenne, maréchal de France sous le règne de Louis XIV.

Il ne reste du **château de Turenne** que la tour de l'horloge du XIIIᵉ siècle et la tour de César du XIᵉ, qui offre une vue circulaire sur le massif du Cantal et sur la vallée de la Dordogne. Ne pas manquer non plus la collégiale (XVIᵉ s.) et la chapelle des Capucins (XVIIIᵉ s.).

⛪ Château de Turenne
📞 *05 55 85 90 66.* ◯ *d'avr. à oct. : t.l.j. ; de nov. à mars : le dim. a.-m.* 🗾

Collonges-la-Rouge ⑯

Corrèze. 🏘 400. 🚆 ℹ️ *05 55 25 41 09.*

Le village, qui s'est développé au Moyen Âge, est entièrement construit en grès rouge. Le décor est resté semblable à ce qu'il était au cours des siècles passés, sans antennes ni poteaux électriques. Un intérieur collongeais d'autrefois a été recréé dans une demeure du XVᵉ siècle, dite maison de la Sirène. Une belle halle abrite toujours le four banal, et l'église du XIᵉ siècle fut fortifiée lors des guerres de Religion. Le tympan sculpté figure l'Ascension.

Ne pas manquer aux environs la superbe **abbatiale romane de Beaulieu-sur-Dordogne** à l'admirable tympan du *Jugement dernier* (env. 20 km sud-est), ni celle d'**Aubazine**, cistercienne, avec de rares vitraux du XIIᵉ siècle (15 km nord).

Salers ⑰

Cantal. 🏘 450. 🚌 *uniquement l'été.* ℹ️ *pl. Tyssandier-d'Escous (04 71 40 70 68).* 🛒 *mer.*

La jolie petite ville de Salers, qui donne son nom à une race fameuse de vaches laitières, domine la vallée de la Maronne, à la lisière du massif du Cantal. Elle a gardé presque intact son décor Renaissance, de belles maisons anciennes en lave et une église décorée de tapisseries d'Aubusson, où l'on peut voir également une *Mise au tombeau* en pierre polychrome de 1495.

De là, après avoir admiré les vallées alentour et prêté l'oreille au tintement incessant des clarines, on peut partir en excursion vers le puy Mary *(p. 386)*, le grand barrage de **Bort-les-Orgues** et le **château du Val** ou la vallée de la Cère.

Château du Val à Bort-les-Orgues, près de Salers

Les flancs du puy de Sancy, dans les monts Dore ▷

Massif du Cantal : le puy Mary

Le massif du Cantal ⓲

Cantal. 🛪 *Aurillac*. 🚊 🚌 *Lioran*.
🛈 *Aurillac (04 71 48 46 58)*.

À l'ère tertiaire, le Cantal constituait un seul et énorme volcan, sans doute le plus ancien et le plus grand d'Europe. Le **plomb du Cantal** (1 855 m) et le **puy Mary** (1 787 m) sont entourés de crêtes moyennes. La route des crêtes est étroite, ses perspectives vertigineuses, mais le panorama magnifique. On peut atteindre en voiture le **Pas de Peyrol**, le col le plus haut de la région (1 582 m). De là, une marche d'une demi-heure vous conduira au sommet du puy Mary.

Aux environs
C'est un compagnon de Jeanne d'Arc *(p. 318-319)* qui fit construire le **château d'Anjony**, l'un des plus beaux d'Auvergne.
À l'est des monts, la **Truyère** a creusé des gorges étroites ; il serait dommage de ne pas admirer le viaduc de **Garabit**, véritable prouesse technique réalisée par Gustave Eiffel.
À l'est, **Saint-Flour** campe son vieux quartier sur une plate-forme de basalte ; cathédrale, musée de la Haute-Auvergne.
Au sud, **Aurillac**, ville animée, offre plusieurs musées, dont la Maison des Volcans et le musée d'Archéologie.

⌂ Château d'Anjony
Tournemire. 📞 *04 71 47 61 67.* ⬜ *de mi-fév. à mi-nov. : t.l.j. l'a.-m.* 🈂

La Chaise-Dieu ⓳

Haute-Loire. 🏃 *965.* 🚊 🛈 *pl. de la Mairie (04 71 00 01 16).* 🍴 *jeu.*

L'abbatiale Saint-Robert, une magnifique église gothique construite à la demande du pape Clément VI dont elle abrite le tombeau de marbre, justifie à elle seule que l'on s'arrête à La Chaise-Dieu. Les murs du chœur sont tendus de magnifiques tapisseries fabriquées à Bruxelles et à Arras au début du XVIᵉ siècle, et consacrées à divers épisodes du Nouveau et de l'Ancien Testament. Les quelque 144 stalles sculptées illustrent le combat des Vices et des Vertus. Le collatéral nord est décoré d'une impressionnante *Danse macabre*, sarabande de squelettes sataniques entraînant riches et pauvres vers l'issue fatale. Dans la salle de l'Écho, deux personnes placées aux angles opposés de la pièce peuvent converser à voix basse. Voir aussi la tour Clémentine (XVᵉ siècle) au chevet de l'abbaye et les maisons aux façades médiévales du centre-ville.

Notre-Dame-de-France au Puy-en-Velay

Le Puy-en-Velay ⓴

Haute-Loire. 🏃 *23 000.* 🛪 🚊 🚌
🛈 *pl. du Breuil (04 71 09 38 41).*
🍴 *mer. et sam.* 🎪 *sept.*

Construite au centre même d'un cirque volcanique, la capitale du Velay, aujourd'hui centre commercial et touristique, entoure sa « ville sainte ». Dominant la basse ville, elle rassemble autour de la cathédrale un baptistère, la place du For, un cloître et la chapelle des Pénitents. Un sanctuaire païen serait à l'origine de ce lieu de culte. **La cathédrale** elle-même, dédiée à Notre-Dame et fière de sa Vierge noire, doit son originalité à l'influence de l'Orient. Elle abrite dans ses murs la « pierre des Fièvres », sans doute un vestige de dolmen, aux vertus guérisseuses.

Détail de la *Danse macabre*, abbatiale Saint-Robert de La Chaise-Dieu

LES VIERGES NOIRES D'AUVERGNE

Le culte de la Vierge Marie a toujours été très présent en Auvergne. Il suffit pour s'en convaincre de voir, un peu partout, le nombre de statues qui la représentent. La tradition des Vierges noires, faites de bois de châtaignier ou de cèdre patiné par les ans, serait un héritage des croisés, marqués par l'influence byzantine. La plus célèbre se trouve au Puy-en-Velay. Ce n'est toutefois que la copie, réalisée au XVIIᵉ siècle, de la Madone qui aurait été offerte par Louis IX.

La Vierge noire du Puy-en-Velay

chapiteaux médiévaux, peintures françaises et flamandes…

À la mi-septembre, la ville organise un grand festival, les fêtes Renaissance du Roi de l'Oiseau, une tradition qui remonte au XVIᵉ siècle, époque où un concours désignait chaque année le meilleur archer de la région (p. 34).

🏠 Chapelle Saint-Michel d'Aiguilhe

Aiguilhe. ☎ 04 71 09 50 03. ◯ de fév. à mi-nov. : t.l.j. ; du 21 déc. au 5 janv. : t.l.j. l'a.-m. 🖼

⛪ Notre-Dame-de-France

Rocher Corneille. ◯ de fév. à nov. : t.l.j. ; vacances de Noël a.-m. ● déc. et janv. 🖼

🏛 Musée Crozatier

Jardin Henri Vinay. ☎ 04 71 06 62 40. ◯ du mer. au lun. (t.l.j. en été) ● 1ᵉʳ janv., 1ᵉʳ nov., 25 déc. et dim. mat. d'oct. à avr. 🖼

Aux environs

Vers l'ouest, entre monts du Velay et Margeride, les impressionnantes **gorges de l'Allier** et leurs rapides attirent les amateurs de sports d'eau et les randonneurs. Au sud, ne manquez pas la visite du spectaculaire village fortifié d'**Arlempdes**.

Ses arcades multiformes, ses chapiteaux décorés de palmes et de feuillages, ses vantaux sculptés et les coupoles qui couvrent sa nef ont été marqués par une influence maure très sensible. Le transept est orné de fresques romanes, parmi lesquelles une immense représentation de l'archange saint Michel (XIᵉ s.). La pièce la plus intéressante du trésor, visible dans la sacristie, est la *Bible de Théodulphe* (VIIIᵉ s.), précieux témoignage de la calligraphie carolingienne.

Le **rocher Corneille**, au nord de la cathédrale, d'où la vue sur la ville et le bassin du Puy est panoramique, est surmonté d'une monumentale statue de la Vierge, **Notre-Dame-de-France**, coulée en 1860 à partir de 213 canons pris à l'ennemi à la bataille de Sébastopol, pendant la guerre de Crimée.

La **chapelle Saint-Michel d'Aiguilhe** fut construite sur un jaillissement de lave à l'emplacement d'un temple romain dédié à Mercure. C'est un évêque du Puy qui, revenant d'un pèlerinage à Saint-Jacques-de-Compostelle, fit construire, en l'an 962, la partie centrale de la chapelle, d'inspiration maure comme le montrent les mosaïques du porche. Un long escalier de 268 marches permet d'atteindre le sanctuaire, terminé au siècle

suivant, époque à laquelle furent exécutées les fresques aujourd'hui pâlies.

Dans la ville basse, au fond du jardin Vinay, se trouve le **musée Crozatier**, où l'on voit en particulier une importante collection consacrée à la dentelle, activité traditionnelle qui suscite aujourd'hui un regain d'intérêt. Le musée possède aussi de riches collections archéologiques et artistiques : bas-reliefs gallo-romains, sculptures et

La chapelle Saint-Michel d'Aiguilhe, construite sur un éperon de basalte

Ruines du château de
Calmont d'Ol
à Espalion, vallée du Lot

La vallée du Lot ㉑

Aveyron. ✈ *Aurillac et Rodez.* 🚃 *Rodez,
Séverac-le-Château.* 🚌 *Saint-Géniez,
Conques.* ℹ️ *Espalion (05 65 44 10 63).*

De la jolie petite ville de **Mende** au village de Conques, la vallée du Lot, qui s'appelait jadis l'Olt, traverse des régions fertiles couvertes de vergers, de vignobles et de forêts de sapins. **Saint-Côme-d'Olt**, près de l'Aubrac, est un petit village fortifié, serré autour de son église, sur lequel le temps ne semble pas avoir de prise. À **Espalion**, les maisons aux couleurs tendres et les tourelles du château se reflètent dans la rivière, qui passe là sous les trois arches du Pont-Vieux. À la sortie de la petite ville se dresse la vieille église romane, l'église de Perse, dont les chapiteaux historiés sont couverts de chevaliers allégoriques et d'oiseaux imaginaires.

Estaing fut, à partir du XII⁵ siècle, le fief de l'une des plus grandes familles du Rouergue. Le château, transformé en couvent, s'élève sur la rive, à la lisière du village. La route traverse les gorges du Lot avant d'atteindre, au confluent de la Truyère, la petite cité d'**Entraygues** (dont le nom signifie précisément « entre les eaux »), ses vieux quartiers et son pont du XIII⁵ siècle.

Conques ㉒

p. 390-391.

Rodez ㉓

Aveyron. 🏠 *26 000.* ✈ 🚃 🚌
ℹ️ *pl. Foch (05 65 75 76 77).*
🏠 *mer., ven. et sam.*

Comme beaucoup de villes médiévales, Rodez était autrefois coupée en deux fiefs. La **place du Bourg**, d'un côté, et, de l'autre, près de la cathédrale, la **place de la Cité** reflètent encore aujourd'hui cette opposition entre pouvoirs civil et religieux.

Le centre commercial de Rodez est sans doute son principal pôle d'attraction. Pourtant, la façade en grès rouge de son immense **cathédrale** mérite une visite. Entrepris en 1277, l'édifice était intégré à l'enceinte des remparts.

Depuis les petites rues du quartier des Chanoines aux belles maisons anciennes, on voit bien son clocher géant. À l'intérieur, superbe buffet d'orgue et riches stalles du chœur (XV⁵ s.), ornées de scènes religieuses et profanes.

De Rodez, on peut se rendre à travers le Rouergue jusqu'à **Villefranche-de-Rouergue**, ancienne bastide fortifiée, **Najac**, dont le château verrouillait les gorges de l'Aveyron, et **Sauveterre-de-Rouergue**, l'un des plus beaux villages de France. Le **site de Montjaux**, remarquable, ouvre sur les Grands Causses.

La Mise au tombeau de la cathédrale de Rodez

ROBERT LOUIS STEVENSON

Le romancier R. L. Stevenson, dont on connaît surtout *L'Île au trésor* et le diabolique *Docteur Jekyll et M. Hyde*, fut aussi l'auteur de passionnants récits de voyage. À la recherche d'un climat sain (il était atteint de tuberculose), il entreprit en 1878 une randonnée à travers les Cévennes, avec pour seule compagnie une ânesse nommée Modestine. Le *Voyage avec un âne à travers les Cévennes* parut l'année suivante.

Robert Louis Stevenson

Le parc national des Cévennes

La corniche des Cévennes ㉔

Lozère, Gard. ✈ *Rodez-Marcillac.* 🚉
Alès. 🚌 *Saint-Jean-du-Gard.* ℹ️
Saint-Jean-du-Gard (04 66 85 32 11).

L a route qui mène, à flanc
de montagne, de Florac
à Saint-Jean-du-Gard fut
tracée au début du XVIIIᵉ siècle
par les troupes de Louis XIV
lancées à la poursuite des
Camisards, rebelles calvinistes
ainsi nommés parce qu'ils
revêtaient sur leurs vêtements,
en signe de ralliement,
une large blouse blanche,
appelée *camiso*
en languedocien.

À **Saint-Laurent-de-
Trèves**, où l'on a découvert
des restes fossiles de
dinosaures, la vue
sur les Grands Causses,
les monts Lozère et Aigoual
est impressionnante.

À **Saint-Jean-du-Gard**,
en fin de circuit, le musée
des Vallées cévenoles,

installé dans un ancien relais
d'affenage du XVIIᵉ siècle,
rassemble divers
témoignages de la vie rurale
aujourd'hui menacée ou
disparue tels que les cultures, les
vignobles, la soie, la vannerie,
le travail du bois.

🏛 Musée des Vallées cévenoles

95, Grand' rue, Saint-Jean-du-Gard.
📞 *04 66 85 10 48.* ⭕ *juil.-août : t.l.j.
sans interruption ; avr.-mai-juin et sept.-
oct. : t.l.j. de 10 h à 12 h et de 14 h à
19 h ; nov.-mars : mar., jeu. et dim.* ♻️ ♿

Les Grands Causses ㉕

Aveyron. ✈ *Rodez-Marcillac.* 🚉 🚌
Millau. ℹ️ *Millau (05 65 60 02 42).*

L es causses sont de vastes
plateaux calcaires,
assez arides, presque déserts,
coupés de profondes vallées
fertiles.

Entre Mende au nord
et la vallée de la Vis au sud

s'étendent les quatre Grands
Causses, le **causse de Sauveterre**, le **causse Méjean**,
le **causse Noir** et le **causse
de Larzac**. Quelques sites
sont typiques de la région,
comme les **gorges de la
Dourbie**, les univers minéraux
que sont les chaos
(Montpellier-le-Vieux, Nîmes-
le-Vieux ou Roquesaltes),
qui ressemblent à des cités
en ruine, et les avens (**aven
Armand**, Dargilan), grottes
calcaires souterraines aux
reliefs étranges, consécutives
à un effondrement.

Sur le causse du Larzac,
ne pas manquer le pittoresque
village de **La Couvertoirade**,
commanderie templière
construite au XIIᵉ siècle.
Les ruelles de terre battue
et les vieilles demeures
sont encore telles qu'elles
étaient à l'époque.

Sur le Larzac, un second
village mérite le détour, pour
des raisons plus gourmandes :
c'est **Roquefort-sur-Soulzon**,
berceau du fameux fromage
dont il a l'exclusivité.
Des artisans le fabriquent ici,
à partir de lait de brebis
et d'un champignon obtenu
par moisissure, puis le laissent
vieillir dans les caves calcaires
réservées à cet usage.
Plus au sud, l'**abbaye
cistercienne de Sylvanès**,
désormais centre culturel
important (concerts,
expositions...), est l'une
des plus belles du Midi.
Sa nef unique a d'ailleurs
servi de modèle à de
nombreux édifices religieux
méridionaux.

Vue générale du causse Méjean, l'un des quatre plateaux des Grands Causses

Conques ㉒

L'admirable petit village de Conques, haut perché et tout couvert de lauzes, doit sa renommée à l'abbaye Sainte-Foy, édifiée en l'honneur d'une jeune martyre des premiers temps du christianisme. Au IXe siècle, un moine de Conques les déroba (pieux larcin?) et les apporta à l'abbaye, qui devint un centre important de pèlerinage et une étape sur la route de Compostelle (p. 424-425). Le trésor contient les pièces d'orfèvrerie du Moyen Âge et de la Renaissance les plus exceptionnelles de toute l'Europe, dont certaines furent fabriquées ici par les moines dès le IXe siècle. Le tympan de l'abbatiale est l'un des joyaux de la sculpture romane, alors que ses superbes vitraux sont l'œuvre de Pierre Soulages (1994).

Reliquaire du XIIe siècle

Vue générale de l'abbatiale

Les larges transepts étaient destinés à accueillir la foule des pèlerins.

Intérieur de la nef
La nef élégante, de pur style roman, est désormais éclairée par des vitraux de Soulages. Les trois étages d'arcades sont ornés de près de 250 chapiteaux sculptés.

Tympan
Ce Jugement dernier exécuté au XIIe siècle s'ordonne autour de la figure centrale du Christ. Ici, Satan préside au supplice des pécheurs.

LE TRÉSOR DE CONQUES

Le trésor de Conques constitue un témoignage unique de l'évolution de l'orfèvrerie rouergate, entre le IXᵉ et le XVIᵉ siècle. La *Majesté de Sainte-Foy*, précieuse statue-reliquaire faite de plaques d'or et d'argent repoussé sur âme de bois, est décorée de pierres dures. Si la statue semble dater du IXᵉ siècle, sa tête est plus ancienne, peut-être du Vᵉ siècle. On remarquera, entre autres, le « A » dit de Charlemagne, recouvert de plaques de vermeil, le superbe reliquaire de Pépin, une croix processionnelle du XVIᵉ siècle et une monstrance Renaissance.

La Majesté de Sainte-Foy

MODE D'EMPLOI

Abbaye de Sainte-Foy, Conques. ☎ 05 65 72 85 00. 🚌 🚍 depuis Rodez. **Trésors I et II** ⬤ juil.-août : de 9 h à 13 h et de 14 h à 19 h t.l.j. ; de sept. à juin : de 9 h à 12 h et de 14 h à 18 h. 🎦 ✝ 8 h 15, 11 h 30 (8 h 15 en hiver), 18 h 30 et 21 h (20 h 30 en hiver) du mar. au sam. 📷 ♿ ✋

Absidioles

Le chevet trilobé est surmonté des arcades aveugles du chœur et couronné d'un clocher. Trois chapelles entourent l'abside à l'est, ce qui permettait de dire la messe sur trois autels à la fois.

Trésor I

À la Révolution, le trésor a été caché par les habitants du village. Fait remarquable, toutes les pièces ont été restituées.

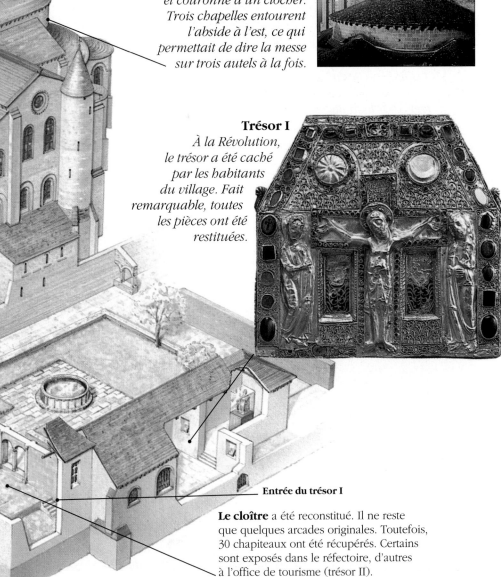

Entrée du trésor I

Le cloître a été reconstitué. Il ne reste que quelques arcades originales. Toutefois, 30 chapiteaux ont été récupérés. Certains sont exposés dans le réfectoire, d'autres à l'office de tourisme (trésor II).

Les gorges du Tarn ㉖

Avant de se jeter dans la Garonne, le Tarn parcourt l'un des canyons les plus spectaculaires d'Europe, long de 25 km. Le Tarn et la Jonte n'ont eu aucun mal à creuser fortement leur lit, parfois jusqu'à 400 mètres de profondeur, dans le calcaire tendre des Cévennes. Des routes sinueuses suivent le cours des rivières et s'ouvrent sur d'impressionnantes perspectives, qui ne manquent pas d'attirer les touristes à la belle saison. Les hauts plateaux, couverts de landes désertiques, composent un paysage plus austère, animé çà et là par un troupeau de moutons autour d'une ferme isolée et ensevelie sous la neige quand vient l'hiver.

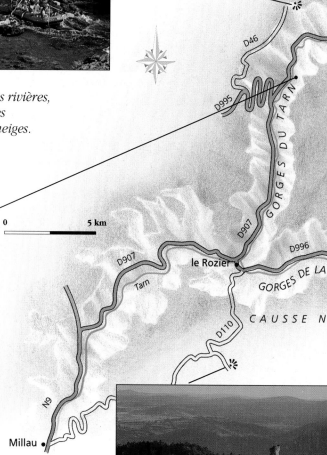

Le Point Sublime
au sommet d'une route en lacet offre une vue magnifique sur les gorges et sur les vastes étendues du causse Méjean.

Sports de plein air
Canoë et rafting se disputent les rivières, tranquilles en été, mais gonflées au printemps par la fonte des neiges.

Le Pas de Souci
En amont des Vignes, le Tarn rebondit entre les rochers du défilé avant de poursuivre sa route vers le nord.

Chaos de Montpellier-le-Vieux
Sur le flanc du causse Noir se trouve un remarquable site naturel formé de roches dolomitiques aux contours étranges.

La Malène
Au point de rencontre entre causse de Sauveterre et causse Méjean, le village et son château-hôtel constituent une étape idéale pour les promenades à pied ou en bateau.

MODE D'EMPLOI

Lozère. ✈ *Rodez-Marcillac.*
🚌 *Mende, Banassac, Séverac-le-Château.* 🚏 *Florac, Le Rozier.*
ℹ *Le Rozier (05 65 62 60 89), Sainte-Énimie (04 66 48 53 44).*

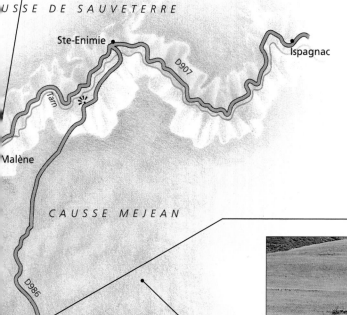

USSE DE SAUVETERRE

Ste-Enimie

Ispagnac

D907

Tarn

Malène

CAUSSE MÉJEAN

D986

D996

Jonte

de lan

D39

Meyrueis

Aven Armand
Dans ce puits d'effondrement du causse Méjean, les dépôts dus aux infiltrations ont formé des stalagmites multicolores.

Causse Méjean
Paradis du botaniste au printemps, les causses sont couverts de fleurs sauvages.

LES CAUSSES

Dans cette région, l'une des moins peuplées de France, des spécimens rares de la faune et de la flore peuvent se reproduire en toute tranquillité. Les vautours fauves y ont été réintroduits en 1981. C'est ce qu'on a appelé, en reprenant une vieille expression cévenole, « le retour des Bouldras ». Leur aire principale de nourrissage se trouve au bout du causse Méjean.

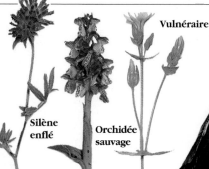

Vulnéraire

Silène enflé

Orchidée sauvage

La flore, *très abondante, comprend plusieurs variétés de plantes alpines.*

Le vautour fauve, *ou griffon, a couramment une envergure de 2,5 m.*

VALLÉE DU RHÔNE ET ALPES

LOIRE · RHÔNE · AIN · ISÈRE · DRÔME
ARDÈCHE · HAUTE-SAVOIE · SAVOIE · HAUTES-ALPES

L'axe de la région est constitué par la profonde vallée rhodanienne qui la traverse du nord au sud. La haute frontière naturelle qui la borne dresse à l'est ses majestueux sommets enneigés.

Les Romains fondèrent *Lugdunum* il y a plus de deux mille ans, conscients de l'exceptionnelle importance stratégique du site. Lyon est aujourd'hui la deuxième ville de France. Capable de rivaliser avec la capitale sur les plans économique, historique et culturel, elle détient même la première place en matière de gastronomie.

Il faut dire que la province est généreuse : les volailles élevées en Bresse et le gibier abondant de la Dombes marécageuse s'accompagnent d'un beaujolais fruité ou d'un côtes du rhône bouqueté, dont les vignobles mûrissent doucement au soleil.

Par ailleurs, les stations renommées de Chamonix, Megève ou Courchevel attirent une population cosmopolite, de même qu'Annecy et Chambéry, l'ancienne capitale historique de la Savoie, ou les villes d'eau au charme suranné qui bordent le lac Léman. De Grenoble, ville universitaire et centre de haute technologie, quelques minutes suffisent pour gagner deux des réserves naturelles les plus riches de France, le massif de la Chartreuse et le parc régional du Vercors.

Au fur et à mesure que l'on avance vers le sud, les vergers et les champs de tournesols cèdent la place aux plantations de lavande, aux vignobles et aux oliveraies, paysage émaillé de châteaux et de villages historiques. L'Ardèche, où la rivière du même nom dessine des gorges pittoresques, est devenu un rendez-vous international du canoë-kayak.

La ferme de la Forêt à Saint-Trivier-de-Courtes, près de Bourg-en-Bresse

◁ **Annecy, la vieille ville**

À la découverte de la vallée du Rhône et des Alpes

L'horizon des cimes marque les paysages. De Chamonix à Val-d'Isère, alpinisme et sports d'hiver sont rois. L'été, place au tourisme vert dans la Chartreuse ou la Vanoise, dans le Beaujolais ou en Ardèche, tandis que les rives romantiques des lacs Léman, d'Annecy ou du Bourget jouent la carte du charme. À Lyon, Grenoble ou Saint-Étienne, la culture est intense et vivante.

LA RÉGION D'UN COUP D'ŒIL

Le pont des Amours à Annecy

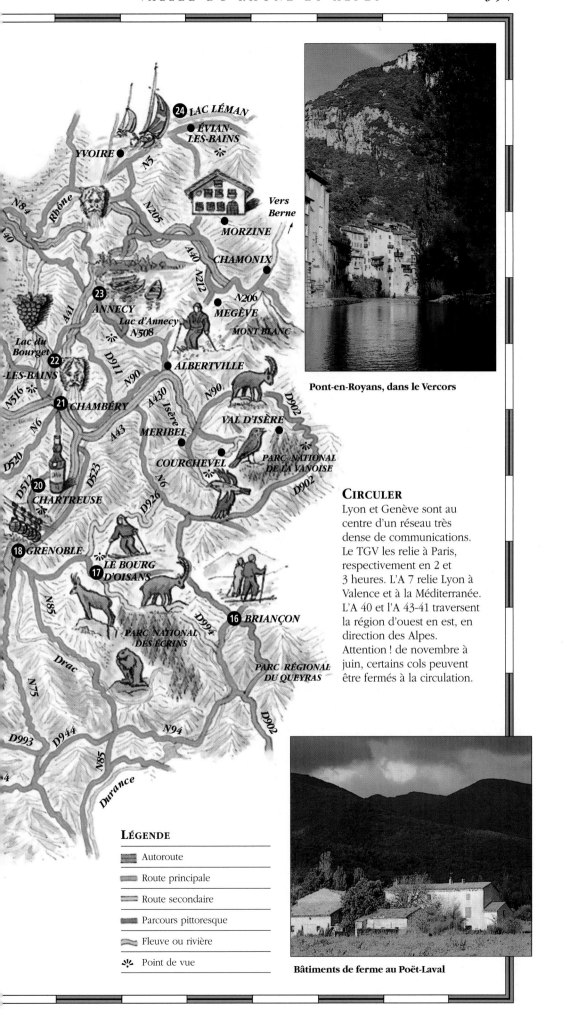

Pont-en-Royans, dans le Vercors

LÉGENDE DU PLAN

- 24 LAC LÉMAN
  - ÉVIAN-LES-BAINS
- YVOIRE
- N5
- Rhône
- N84
- 140
- N205
- Vers Berne
- MORZINE
- A40
- N212
- CHAMONIX
- 23 ANNECY
- N206
- MEGÈVE
- Lac d'Annecy
- N508
- MONT BLANC
- A41
- Lac du Bourget
- 22 -LES-BAINS
- D911
- N90
- ALBERTVILLE
- N516
- A430
- Isère
- N90
- D002
- 21 CHAMBÉRY
- N6
- A43
- MERIBEL
- VAL D'ISÈRE
- D520
- COURCHEVEL
- PARC NATIONAL DE LA VANOISE
- D512
- D523
- N6
- D902
- 20 CHARTREUSE
- D926
- 18 GRENOBLE
- 17 LE BOURG D'OISANS
- N85
- D994
- 16 BRIANÇON
- Drac
- PARC NATIONAL DES ÉCRINS
- PARC RÉGIONAL DU QUEYRAS
- N75
- D993
- D944
- N85
- N94
- D902
- Durance

CIRCULER

Lyon et Genève sont au
centre d'un réseau très
dense de communications.
Le TGV les relie à Paris,
respectivement en 2 et
3 heures. L'A 7 relie Lyon à
Valence et à la Méditerranée.
L'A 40 et l'A 43-41 traversent
la région d'ouest en est, en
direction des Alpes.
Attention ! de novembre à
juin, certains cols peuvent
être fermés à la circulation.

LÉGENDE

▬▬	Autoroute
▬▬	Route principale
▬▬	Route secondaire
▬▬	Parcours pittoresque
~~	Fleuve ou rivière
☀	Point de vue

Bâtiments de ferme au Poët-Laval

Bourg-en-Bresse ❶

Ain. 🚶 *43 000.* 🚃 🚌 👤 *Centre culturel Albert Camus, 6, av. Alsace-Lorraine (04 74 22 49 40).* 🚢 *mer. et sam.*

Capitale de la Bresse depuis sept cents ans, Bourg est à découvrir le mercredi et le samedi, jours de marché. Traditionnelle étape gastronomique d'un pays connu pour ses volailles, cette petite ville possède avec le monastère et l'église de Brou un des joyaux artistiques de la France. À 1 km du centre, cette grande église de style gothique flamboyant fut construite à partir de 1506 à l'instigation de Marguerite d'Autriche après la mort de son mari, le duc de Savoie Philibert le Beau. Le chœur abrite leurs tombeaux ouvragés en marbre de Carrare et celui de Marguerite de Bourbon, mère de Philibert, décédée en 1483. Les stalles de bois sculpté et les vitraux, le jubé et ses arcs en anse de panier sont également remarquables.

Dans les bâtiments du monastère, le musée de Brou expose des sculptures religieuses et des produits des arts décoratifs. Il comporte aussi une grande salle Gustave Doré et une salle consacrée à la peinture lyonnaise. Au cœur de la cité, voir la collégiale Notre-Dame, gothique et Renaissance.

Aux environs

À 8 km au nord-est, à Saint-Cyr-sur-Menthon, une authentique ferme bressane vieille de cinq siècles abrite depuis 1995 le **musée de la Bresse**. Outre l'évocation de la vie à la ferme, le musée est une invitation à découvrir le patrimoine bressan : architecture rurale, élevage des volailles, traditions alimentaires, etc. Un parcours du bocage permet de mieux comprendre comment s'est modelé, au fil du temps, le paysage bressan.

Poulets de Bresse

🏛 **Musée de la Bresse Domaine des Planons**

📞 *03 85 36 31 22.* ⏰ *d'avr. au 11 nov. : du mer. au lun. et du 16 juin au 15 sept. : t.l.j.* 🅿️

Tombeau de Marguerite d'Autriche, abbatiale de Brou

La Dombes ❷

Ain. ✈ *Lyon.* 🚃 *Lyon, Bourg-en-Bresse.* 🚌 *Villars-les-Dombes (depuis Bourg-en-Bresse).* 👤 *pl. de la Mairie, Villars-les-Dombes (04 74 98 06 29).*

Cette région associe intimement l'eau et la terre. Vaste plateau creusé de mille étangs, la Dombes attire ornithologues, pêcheurs et amateurs de vélo. La route des Étangs (99 km) permet d'en découvrir tous les charmes.

À **Villars-les-Dombes**, le parc des Oiseaux est riche de 400 espèces des cinq continents : émeus, ibis, flamants roses et autruches y vivent en liberté.

🦅 **Parc des Oiseaux**

Route Nationale 83, Villars-les-Dombes. 📞 *04 74 98 05 54.* ⏰ *t.l.j.* 🅿️ 🚻

Pérouges ❸

Ain. 🚶 *900.* 🚃 *Meximieux-Pérouges.* 🚌 👤 *04 74 61 01 14.*

Le village devrait son nom à une colonie d'immigrants venus de Pérouse *(Perugia)*. Il a conservé ses maisons médiévales, ses échoppes et ses ruelles pavées. L'intense activité artisanale de cette petite cité de tisserands n'a pas résisté aux mutations technologiques du XIXᵉ siècle, et sa population tombe alors de 1 500 habitants à une petite centaine. Le tourisme a pris le relais, après une intelligente restauration entreprise au début de ce siècle. Ce décor exceptionnel n'a pas échappé aux cinéastes, notamment pour le tournage d'une version des *Trois Mousquetaires* et de *Monsieur Vincent*, avec Pierre Fresnay.

Sur la place de la Halle se dresse un tilleul, planté en 1792 pour célébrer la Révolution.

Le circuit du beaujolais

C'est bien la vigne maîtresse qui fait la prospérité des cantons du Beaujolais. Issu d'un seul cépage, le gamay noir à jus blanc, le beaujolais se déguste en partie l'année de production. Le troisième jeudi de novembre, des affichettes fleurissent un peu partout en France, dans les épiceries et dans les cafés, pour annoncer que « le beaujolais nouveau est arrivé ».

Le côte de brouilly

Les dix appellations sont originaires du nord de la région (saint-amour, juliénas, moulin-à-vent, chénas, fleurie, chiroubles, morgon, brouilly et côte de brouilly, auxquels vient s'ajouter le régnié). On peut faire le tour des caves en une journée, à condition de consommer avec modération !

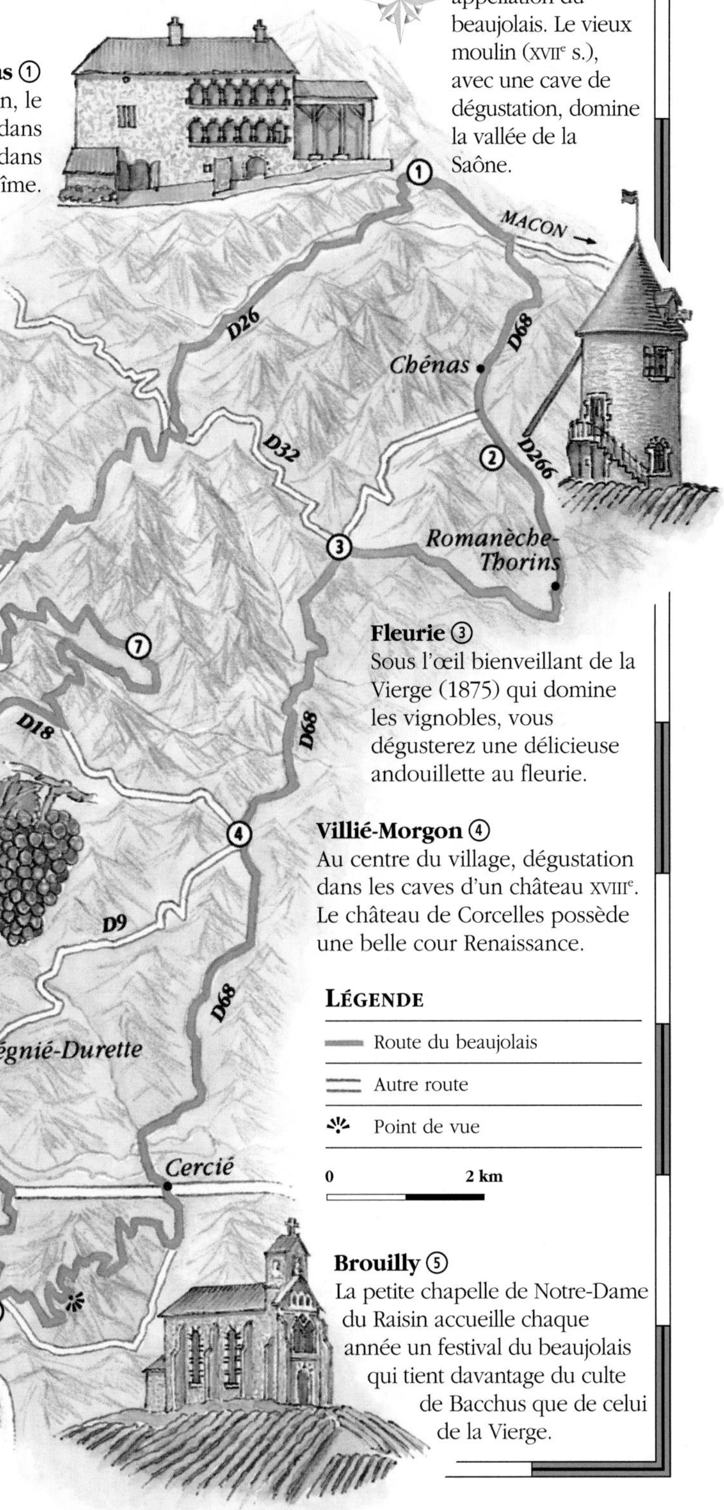

Juliénas ①
Célèbre par son coq au vin, le village vend du vin partout, dans l'église, au château et dans l'ancienne maison de la Dîme.

Moulin-à-Vent ②
La plus ancienne appellation du beaujolais. Le vieux moulin (XVIIᵉ s.), avec une cave de dégustation, domine la vallée de la Saône.

Le vignoble de gamay

Chiroubles ⑦
Un buste de Victor Pulliat, sur la place du village, rend hommage au bienfaiteur du vignoble, qui réussit, vers 1880, à endiguer l'épidémie de phylloxéra.

Fleurie ③
Sous l'œil bienveillant de la Vierge (1875) qui domine les vignobles, vous dégusterez une délicieuse andouillette au fleurie.

Villié-Morgon ④
Au centre du village, dégustation dans les caves d'un château XVIIIᵉ. Le château de Corcelles possède une belle cour Renaissance.

LÉGENDE

▬▬	Route du beaujolais
═══	Autre route
❊	Point de vue

0   2 km

Beaujeu ⑥
Ancienne capitale régionale, la cité a gardé de belles demeures Renaissance. Dégustation en ville et aux hospices de Beaujeu.

Brouilly ⑤
La petite chapelle de Notre-Dame du Raisin accueille chaque année un festival du beaujolais qui tient davantage du culte de Bacchus que de celui de la Vierge.

MACON →

Chénas

Romanèche-Thorins

Régnié-Durette

Cercié

VILLEFRANCHE-SUR-SAONE

Lyon pas à pas ❹

Demeures cossues, musées, restaurants et boutiques…, les raisons de visiter le vieux Lyon, sur la rive droite de la Saône, sont multiples. Le promeneur attentif empruntera les *traboules*, ruelles couvertes permettant une densité importante de logements, ou poussera la porte d'un bar à vin, le traditionnel « bouchon ». Fondée en 43 av. J.-C. par un lieutenant de Jules César, Lyon devient la capitale de la Gaule celtique, puis un haut lieu du christianisme qu'illustrent aujourd'hui la cathédrale Saint-Jean et la basilique de Fourvière. Sur la célèbre colline, un musée et deux amphithéâtres évoquent le passé latin de la ville. Autour de la place Saint-Jean, de beaux immeubles du XIIIᵉ au XVIIᵉ siècle témoignent de l'opulence d'une époque où le commerce de l'argent, l'imprimerie et les soieries assuraient la prospérité de la ville.

★ Théâtres romains
Le Grand Théâtre, l'un des plus anciens de France, peut contenir 3 000 spectateurs. L'Odéon, de dimensions plus réduites, comporte un pavement reconstitué, une mosaïque aux motifs géométriques.

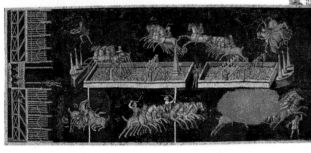

★ Le musée de la Civilisation gallo-romaine
Ce musée souterrain évoque tous les aspects de la vie de Lyon pendant l'Antiquité.

Entrée du funiculaire (la « ficelle »)

R DE L'ANTIQUAILLE

RUE CLEBERG

RUE R

MONTEE DU CHEM

R MOURGET

RUE BELLIEVRE

RUE DU DOYENNE

AV ADOLPHE MAX

RJ CARRIES

PL

QUAI FULCHIRON

PONT BONAPARTE

À NE PAS MANQUER

★ Les théâtres romains

★ Le musée de la Civilisation gallo-romaine

★ Le vieux Lyon

La cathédrale Saint-Jean
L'édifice, construit au XIIᵉ siècle, abrite une horloge astronomique donnant toutes les fêtes mobiles jusqu'en 2019.

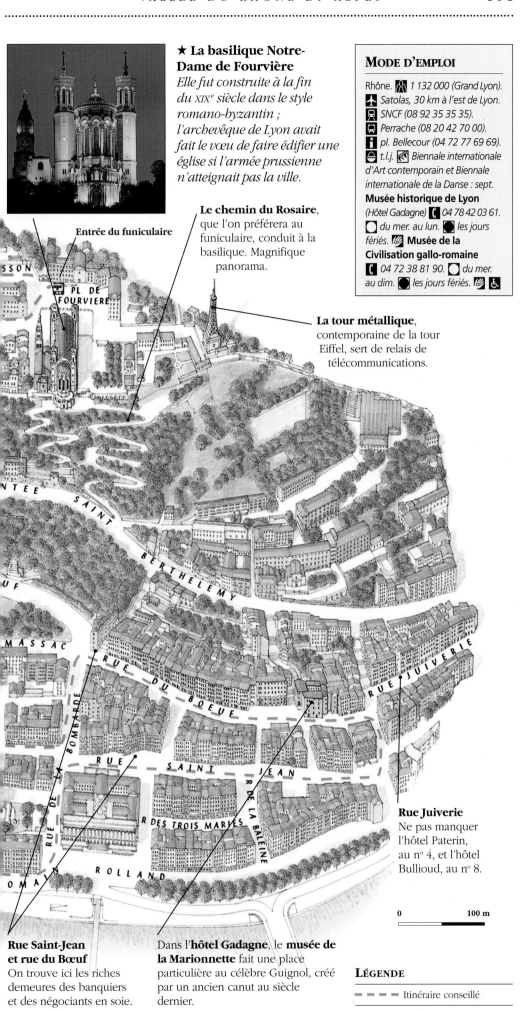

★ **La basilique Notre-Dame de Fourvière**
Elle fut construite à la fin du XIXe siècle dans le style romano-byzantin ; l'archevêque de Lyon avait fait le vœu de faire édifier une église si l'armée prussienne n'atteignait pas la ville.

Entrée du funiculaire

Le chemin du Rosaire, que l'on préférera au funiculaire, conduit à la basilique. Magnifique panorama.

MODE D'EMPLOI

Rhône. 🏙 *1 132 000 (Grand Lyon).*
✈ *Satolas, 30 km à l'est de Lyon.*
🚆 *SNCF (08 92 35 35 35).*
🚌 *Perrache (08 20 42 70 00).*
ℹ *pl. Bellecour (04 72 77 69 69).*
📅 *t.l.j.* 🎭 *Biennale internationale d'Art contemporain et Biennale internationale de la Danse : sept.*
Musée historique de Lyon
(Hôtel Gadagne) 📞 *04 78 42 03 61.*
⭕ *du mer. au lun.* ⚫ *les jours fériés.* 🖼 **Musée de la Civilisation gallo-romaine**
📞 *04 72 38 81 90.* ⭕ *du mer. au dim.* ⚫ *les jours fériés.* 🖼 ♿

La tour métallique, contemporaine de la tour Eiffel, sert de relais de télécommunications.

Rue Juiverie
Ne pas manquer l'hôtel Paterin, au n° 4, et l'hôtel Bullioud, au n° 8.

0   100 m

Rue Saint-Jean et rue du Bœuf
On trouve ici les riches demeures des banquiers et des négociants en soie.

Dans l'**hôtel Gadagne**, le **musée de la Marionnette** fait une place particulière au célèbre Guignol, créé par un ancien canut au siècle dernier.

LÉGENDE

– – – – – Itinéraire conseillé

À la découverte de Lyon

Au confluent de deux cours d'eau majeurs, le Rhône et la Saône, la deuxième ville de France a de tout temps constitué une charnière entre le nord et le sud. Lyon, c'est déjà un peu le Midi, sensible à travers l'architecture du Vieux Lyon, la couleur des toits et les façades ocre, et une pointe d'accent chantant. Siège d'industries textiles et pharmaceutiques prospères, c'est aussi le pays de la bonne cuisine, présente à chaque coin de rue, dans les brasseries les plus modestes comme dans les restaurants les plus renommés.

Le Vieux Lyon : la rue Saint-Jean

Le Vieux Lyon

Entre la Saône et Fourvière, le centre historique de Lyon, ancien fief des corporations, se divise entre les quartiers Saint-Jean, Saint-Paul et Saint-Georges. D'importants travaux de restauration ont été engagés pour sauvegarder ce qui est le plus grand ensemble urbain Renaissance d'Europe.

La Presqu'île

Le cœur de la ville se situe sur la Presqu'île, au nord du confluent du Rhône et de la Saône. La rue de la République relie la **place Bellecour**, parterre royal pour la statue équestre de Louis XIV, et la place de la Comédie, où se dresse l'**Opéra** futuriste de Jean Nouvel. En face, l'hôtel de ville du XVIIᵉ siècle s'ouvre sur la **place des Terreaux**, second pôle d'attraction de la cité, devant une fontaine monumentale, due au sculpteur Bartholdi. Une ancienne abbaye bénédictine, le palais Saint-Pierre, abrite le **musée des Beaux-Arts**.

On visitera avec intérêt le **musée des Tissus et des Arts décoratifs**, qui possède d'une part une extraordinaire collection retraçant l'hitoire des textiles d'Orient et d'Occident et rend hommage à la tradition de la soierie lyonnaise depuis la Renaissance, et présente d'autre part un remarquable ensemble de meubles, de tapisseries des Flandres et des Gobelins, des ivoires et des porcelaines.

Ne pas manquer le

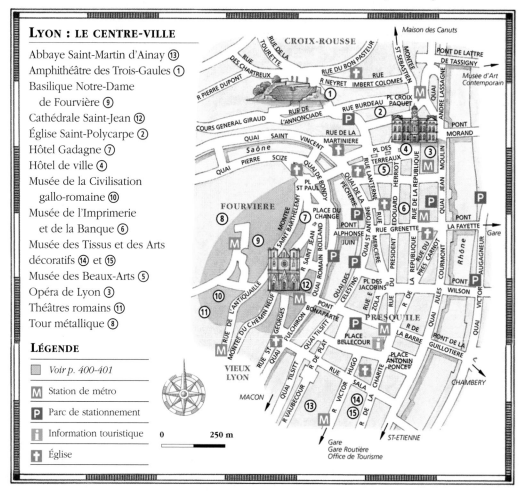

LYON : LE CENTRE-VILLE

Abbaye Saint-Martin d'Ainay ⑬
Amphithéâtre des Trois-Gaules ①
Basilique Notre-Dame
   de Fourvière ⑨
Cathédrale Saint-Jean ⑫
Église Saint-Polycarpe ②
Hôtel Gadagne ⑦
Hôtel de ville ④
Musée de la Civilisation
   gallo-romaine ⑩
Musée de l'Imprimerie
   et de la Banque ⑥
Musée des Tissus et des Arts
   décoratifs ⑭ et ⑮
Musée des Beaux-Arts ⑤
Opéra de Lyon ③
Théâtres romains ⑪
Tour métallique ⑧

LÉGENDE

   ⬛ *Voir p. 400-401*

   Ⓜ Station de métro

   🅿 Parc de stationnement

   ℹ Information touristique

   ✝ Église

0   250 m

Étal de marché, quai Saint-Antoine

Centre d'Histoire de la résistance et de la déportation, et l'**Institut Lumière**.

La Croix-Rousse

Ce vieux quartier, au nord de la ville, était le domaine des canuts, ouvriers spécialisés dans le tissage de la soie. Les célèbres « traboules » sont aujourd'hui un objet de curiosité. Pour s'en faire une idée, entrer au n° 6 de la place des Terreaux et « trabouler » jusqu'à l'**église Saint-Polycarpe**. C'est dans l'**amphithéâtre des Trois-Gaules**, tout près de là, qu'eut lieu le martyre de sainte Blandine.
Après une visite à la **Maison des Canuts**, le dévidage, le tordage et l'ourdissage, sans oublier la culture du ver à soie, n'auront plus de secret pour vous.

🏛 **Musée des Tissus et des Arts décoratifs**
34, rue de la Charité.
📞 04 78 38 42 00.
🕐 du mar. au dim.
⬤ les jours fériés. 📷

🏛 **Centre d'Histoire de la résistance et de la déportation**
14, av. Berthelot.
📞 04 78 72 23 11.

🏛 **Institut Lumière**
25, rue du Premier-Film.
📞 04 78 78 18 95.

🏛 **Maison des Canuts**
10-12, rue d'Ivry. 📞 04 78 28 62 04.
🕐 du lun. au sam. ⬤ les jours fériés.
📷 ♿

Le musée des Beaux-Arts

Installé dans l'ancien couvent des bénédictines de Saint-Pierre, le musée des Beaux-Arts de Lyon, récemment rénové, est un véritable petit Louvre. Chaque département est caractérisé par des séries homogènes et des chefs-d'œuvre insignes. Le musée d'Art contemporain (œuvres postérieures à 1940) a été transféré quai Charles-de-Gaulle, à deux pas du parc de la Tête d'Or, sur la rive gauche du Rhône.

ANTIQUITÉS

Le département des Antiquités possède de riches collections d'art égyptien, ainsi que des statues de marbre et de bronze d'origine étrusque, grecque et romaine. Les témoignages de la civilisation gallo-romaine ont été transférés au musée de Fourvière.

SCULPTURE ET OBJETS D'ART

Les sculptures du Lyonnais Joseph Chinard voisinent avec celles de Canova, de Carpeaux, de Pradier, de Rodin, de Bourdelle et de Maillol, dont certaines œuvres accueillent le visiteur dès la cour d'entrée. Les salles d'objets d'art du Moyen Âge et de la Renaissance, complétées par la salle du Médaillier (monnaies, médailles, sceaux), exposent des pièces d'orfèvrerie, des émaux peints et champlevés, une riche collection de majoliques et des céramiques d'Extrême-Orient.

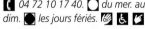

***Odalisque* (1841), par James Pradier**

PEINTURE ET ARTS GRAPHIQUES

L'Italie est la plus représentée, avec le Pérugin, Véronèse, le Tintoret. La Flandre, la Hollande et les pays germaniques sont évoqués par près de 200 toiles, dont un Rembrandt, quatre Brueghel de Velours et deux Rubens.

***Fleurs des champs* (1845) par Louis Janmot, école lyonnaise**

Le XVIIᵉ siècle domine la peinture française avec Philippe de Champaigne ou Nicolas Régnier, mais on peut voir aussi Greuze, Boucher, Ingres, Corot, les impressionnistes, les nabis ou les cubistes et, dans le « Salon des Fleurs », les tableaux de l'école lyonnaise. Le Cabinet des Dessins (sur rendez-vous) possède des croquis et des études de Delacroix, Degas et Rodin.

🏛 **Musée des Beaux-Arts**
Palais St-Pierre, 20, place des Terreaux.
📞 04 72 10 17 40. 🕐 du mer. au dim. ⬤ les jours fériés. 📷 ♿ 📷

***Méduse* (1923), par Alexeï von Jawlensky**

Mosaïque du *châtiment de Lycurgue*, musée de Saint-Romain-en-Gal

Vienne ❺

Isère. 🏛 *29 000.* 🚉 🚌 🛈 *cours Brillier (04 74 53 80 30).* 🍴 *sam.*

Des trésors d'architecture se cachent derrière les façades. Située dans une cuvette naturelle entre Rhône et colline, Vienne occupe un site dont l'intérêt stratégique et la beauté n'avaient pas échappé aux Romains. Ils s'empressèrent de développer le village construit à cet endroit au Iᵉʳ siècle avant J.-C. Sur la place du Palais se dressent le **temple d'Auguste et de Livie** (fin du Iᵉʳ s. av. J.-C.), magnifique édifice soutenu par des colonnes corinthiennes et, tout près de là, les vestiges d'un temple consacré au culte de Cybèle. Au pied du mont

Le temple d'Auguste et de Livie, Vienne

Pipet, le **théâtre romain**, l'un des plus vastes de la Gaule romaine, pouvait contenir plus de 13 000 spectateurs. Restauré en 1938, il a été rendu à sa destination première et accueille diverses manifestations, dont un festival international de jazz en juillet de chaque année.

On peut également voir, dans le jardin public, les fragments d'une voie romaine et, au sud de la ville, une curieuse **Pyramide** de 20 m de haut, qui ornait le terre-plein central du cirque.

Outre divers objets préhistoriques et gallo-romains, dont une intéressante collection numismatique, le **musée des Beaux-Arts et d'Archéologie** expose de belles céramiques, notamment des faïences de Perse, d'Italie et de Delft, et des faïences françaises du XVIIIᵉ siècle.

La **cathédrale Saint-Maurice** occupe cet emplacement depuis l'origine (IVᵉ s.). L'**église Saint-André-le-Bas** est ornée de beaux chapiteaux sculptés. L'**église Saint-Pierre**, dont la construction remonte au Vᵉ siècle, abrite le **Musée lapidaire**. On y découvre des bas-reliefs, des statues provenant d'édifices gallo-romains et des objets usuels. Les mosaïques ont été transférées au musée de Saint-Romain-en-Gal.

🏛 **Musée des Beaux-Arts et d'Archéologie**
Pl. de Miremont. 📞 *04 74 85 50 42.* 🕐 *d'avr. à oct. : du mar. au dim. ; d'oct. à mars : du mar. au sam. et dim. a.-m.* ● *1ᵉʳ janv., 1ᵉʳ mai, 1ᵉʳ et 11 nov., 25 déc.* 🎫

🏛 **Musée lapidaire**
Pl. Saint-Pierre. 📞 *04 74 85 20 35.* 🕐 *du mar. au dim.* ● *1ᵉʳ janv., 1ᵉʳ mai, 1ᵉʳ et 11 nov., 25 déc.* 🎫 ♿

Saint-Romain-en-Gal ❻

Rhône. 🏛 *1 300.* 🚉 *Sainte-Colombe-les-Vienne, Saint-Romain-en-Gal.*

Sur l'autre rive du Rhône, cette commune était dans l'Antiquité occupée par des quartiers suburbains

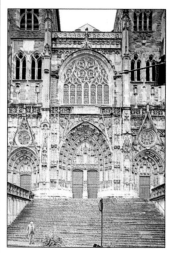

La cathédrale Saint-Maurice à Vienne

dépendant de Vienne. Dès le XVIIᵉ siècle, elle a livré de nombreuses mosaïques. Sur le site archéologique de la plaine, des villas, des thermes, des boutiques et des entrepôts ont été mis au jour. On remarque en particulier la **maison des dieux Océans**, vaste *domus* rectangulaire (100 m x 24 m), ornée d'une magnifique mosaïque à motifs marins. Les objets et statues provenant des fouilles sont exposés au nouveau **Musée archéologique** qui jouxte les ruines.

🏛 **Musée archéologique**
📞 *04 74 53 74 01.* 🕐 *du mar. au dim.* ● *les jours fériés.* 🎫 ♿ 🏛 🛈

Saint-Étienne ❼

Loire. 🏛 *200 000.* ✈ 🚉 🚌 ℹ *av. de la Libération (04 77 49 39 00).* 🅿 *t.l.j.*

« Je suis de Saint-Étienne, Loire/Où l'on fabrique tour à tour/Des fusils, instruments de gloire,/ Et des rubans, objets d'amour. » Ce quatrain naïf ne se justifie plus guère, et seul le **musée d'Art et d'Industrie** perpétue ce souvenir aux accents de carte postale ancienne, avec une rubannerie au rez-de-chaussée (métier à tisser de Jacquard, à l'origine de la prospérité locale), une salle permanente des armes au premier étage et une exposition de cycles au second.

Aujourd'hui « ville verte », centre artistique et culturel animé, Saint-Étienne possède un important **musée d'Art moderne**, l'un des plus grands de France, inauguré en 1987, qui expose, à côté d'œuvres prestigieuses plus anciennes, des œuvres de Fernand Léger, Soulages, Dubuffet, ainsi qu'un ensemble exceptionnel d'art américain (Andy Warhol, Frank Stella).

Au nord-ouest de Saint-Étienne, non loin de Montverdun, la **Bastie d'Urfé** est un chef-d'œuvre d'architecture Renaissance. Ce château où Honoré d'Urfé passa son enfance inspira le décor de son roman *L'Astrée*.

Hauterives, le Palais idéal du facteur Cheval

🏛 **Musée d'Art et d'Industrie**
Pl. Louis-Comte. 📞 *04 77 49 73 00.* ⭕ *du mer. au lun.* ⬤ *les jours fériés.* 📷 ♿ 🏠

🏛 **Musée d'Art moderne**
La Terrasse. 📞 *04 77 79 52 52.* ⭕ *du mer. au lun.* ⬤ *les jours fériés.* 📷 ♿

Le Palais idéal du facteur Cheval ❽

Hauterives, Drôme. 🚌 *Romans-sur-Isère* 📞 *04 75 68 81 19.* ⭕ *t.l.j.* ⬤ *du 1er au 15 janv., 25 déc.* 📷 ♿

À 25 km au nord de Romans-sur-Isère par la D 538 se trouve l'un des édifices les plus originaux qui soient, le Palais idéal du facteur Cheval, mélange d'architecture égyptienne, romaine, aztèque et siamoise. C'est l'œuvre d'un seul homme, Ferdinand Cheval, facteur de son état, construite avec les cailloux qu'il ramassait au cours de ses longues tournées. Si ses voisins le croyaient fou, André Breton et les surréalistes ne manquèrent pas de faire l'éloge de son extraordinaire réalisation, désormais classée monument historique.

À l'intérieur, l'architecte inspiré écrivit çà et là ses pensées, et conclut ainsi : « 1879-1912, 10 000 journées, 93 000 heures, 33 ans d'épreuves, plus opiniâtre que moi se mette à l'œuvre. »

LES PONTS SUR LE RHÔNE

Le Rhône a joué un rôle considérable dans l'histoire et dans l'économie du pays. Fleuve navigable, il a servi à transporter des hommes, des armes et des marchandises. Fleuve capricieux, il a toujours constitué un défi, pour les navigateurs comme pour les constructeurs. En 1825, Marc Séguin, concepteur de génie, lança sur le Rhône le premier pont suspendu. Aujourd'hui, vingt ponts enjambent les eaux du grand fleuve, réglant définitivement les problèmes de passage d'une rive à l'autre.

Le pont suspendu reliant Tournon à Tain-l'Hermitage

Le lac du Goléon, dans les Alpes ▷

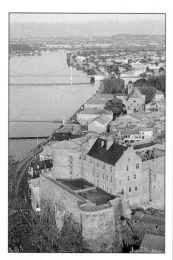

Tournon-sur-Rhône

Tournon-sur-Rhône ❾

Ardèche. 🚹 *10 000.* 🚌 **ℹ** *Hôtel de la Tourette (04 75 08 10 23).* 🛒 *mer. et sam.*

Construite au pied d'une falaise de granit, Tournon est une charmante petite ville aux promenades ombragées. L'imposant **château** (XIᵉ-XVIᵉ s.) qui la domine abrite le musée de la Ville, consacré à la batellerie et à l'histoire de la famille de Tournon. La **collégiale Saint-Julien** (XIVᵉ s.) mérite une visite pour sa chapelle des Pénitents et la *Résurrection* de Capassin, disciple de Raphaël (1576).

Le **lycée Gabriel-Faure**, fondé par le cardinal de Tournon en 1536, abrite de très belles tapisseries. Stéphane Mallarmé y fut professeur d'anglais de 1863 à 1866.

Sur la rive opposée, **Tain-l'Hermitage**, entourée de vignobles étagés, est au centre de la production du prestigieux hermitage (cépage syrah pour le rouge, roussane et marsanne pour le blanc), un grand cru équilibré, à la bouche riche en saveurs.

Au centre même de Tournon, sur la place Jean-Jaurès, commence une étroite route panoramique, la **corniche du Rhône**, qui conduit à Saint-Péray en passant par Plats et Saint-Romain-de-Lerps. De superbes points de vue jalonnent cet itinéraire et, à Saint-Romain, une table d'orientation permet de survoler du regard treize départements !

Valence ❿

Drôme. 🚹 *68 000.* ✈ 🚌 🚌 **ℹ** *parvis de la gare (04 75 44 90 40).* 🛒 *mer. et sam.*

Entre Ardèche et Vercors, Valence est un important marché pour les fruits de la vallée du Rhône. La **cathédrale Saint-Apollinaire**, sur la place des Clercs, remonte au XIᵉ siècle. Installé dans l'ancien palais épiscopal, le petit **musée des Beaux-Arts** n'en est pas moins exceptionnellement riche. Son principal titre de gloire est une importante collection de 90 dessins à la sanguine ou à la pierre noire, complétés de deux peintures et de deux lavis, les premières œuvres connues d'Hubert Robert.

À ne pas manquer, deux hôtels particuliers bien restaurés, la **maison des Têtes** (Aristote, Homère, Hippocrate et autres philosophes anciens) au nº 57 de la Grande-Rue, et la **maison Dupré-Latour**, 7, rue Pérollerie.

Le parc Jouvet, représentant six hectares de jardins semés d'étangs, offre une belle vue sur les ruines imposantes du château de Crussol qui dominent le Rhône.

🏛 **Musée des Beaux-Arts**
4, pl. des Ormeaux. 📞 *04 75 79 20 80.* ⭕ *du mar. au dim. l'a.-m. uniquement.* ⬤ *les jours fériés.* 📷 *sauf le dim.* ♿

Le pont d'Arc, arche calcaire sur l'Ardèche

L'Ardèche ⓫

Ardèche. ✈ *Valence, Avignon.* 🚌 *Montélimar, Pont-Saint-Esprit.* 🚌 *Montélimar, Vallon-Pont-d'Arc.* **ℹ** *Vallon-Pont-d'Arc (04 75 88 04 01).*

Modelés au cours des âges par des vents violents et des cours d'eau

LES CÔTES DU RHÔNE

Le vignoble des côtes du rhône, qui occupe près de 60 000 ha, produit en moyenne 300 000 hl de vins rouges, rosés et blancs. Il se divise en deux parties, aussi différentes par leur sol que par leur climat, les côtes du rhône septentrionales et les côtes du rhône méridionales. Un décret de 1967 a consacré en outre l'appellation côtes du rhône villages dans dix-sept villages de la Drôme. Au nord, les appellations de côte rôtie et de condrieu ne produisent que des vins rouges. C'est sur la rive gauche des côtes du rhône méridionales que sont produits deux des appellations les plus réputées, le gigondas, corsé et bien charpenté, et le fameux châteauneuf-du-pape (*p. 533*), qui ne réunit pas moins de treize cépages.

Travail dans les vignobles

impétueux, les paysages de l'Ardèche évoquent parfois plus nettement les canyons de l'Ouest américain que la campagne française traditionnelle. Le sous-sol n'est guère moins tourmenté et recèle un labyrinthe de galeries souterraines hérissées de concrétions calcaires spectaculaires. Les plus impressionnantes sont sans doute l'**aven d'Orgnac**, sur le plateau du même nom au sud, et la **grotte de la Madeleine**, accessible par la D 290.

La départementale suit d'ailleurs le tracé des gorges sur près de 40 km, du haut du plateau des Gras, après le **pont d'Arc**, immense arcade naturelle jetée sur la rivière. Plusieurs belvédères surplombent la falaise et permettent une magnifique vue plongeante.

C'est aussi le paradis des amateurs de canoë-kayak. On peut louer sur place le matériel nécessaire, notamment à **Vallon-Pont-d'Arc**, où des moniteurs assurent en plus le retour depuis Saint-Martin-d'Ardèche, à une trentaine de kilomètres en aval. Il est conseillé, surtout aux débutants, de ne pas s'aventurer sur la rivière, coupée de nombreux rapides, au moment des crues de printemps ou d'automne (mai et juin restant les mois les plus sûrs).

La visite de l'exposition de la **grotte Chauvet** permet de connaître certains aspects

Les gorges de l'Ardèche, entre Vallon-Pont-d'Arc et Pont-Saint-Esprit

Le village de Vogüé, sur les rives de l'Ardèche

de la vie des hommes préhistoriques dans les gorges, et de découvrir les peintures rupestres les plus anciennes connues du monde (- 30 000 ans).

À la convergence des vallées ardéchoises, **Aubenas** est une petite ville étonnamment dynamique, vivant du commerce, des services et de ses PME. Face au château des Ornano et Vogüé (XIᵉ-XVIIIᵉ s.), belles maisons du XVIᵉ siècle. Dôme Saint-Benoît du XVIIᵉ siècle.

À 13 km au sud d'Aubenas, le village de **Balazuc**, que l'on aperçoit de la route, est construit en nid de guêpe, disposition typique de la région.

Voir les sites de Servière et du vieil Audon. Au hameau de **Vogüé**, blotti entre la rive et la falaise calcaire, le château, ancienne forteresse médiévale, a été reconstruit au XVᵉ siècle. Il est converti aujourd'hui en musée.

⌂ **Château de Vogüé**
☎ 04 75 37 01 95. ◯ de Pâques à juin et oct.-nov. : sam., dim. et jours fériés l'a.-m. ; juil.-août : t.l.j. ▨ ♿

Vals-les-Bains ⓬

Ardèche. ♟ 3 700. 🚍 Montélimar. 🛈 Gare routière (04 75 37 49 27 FAX 04 75 94 67 00). 🛒 jeu. et dim.

Vals-les-Bains offre une gamme étendue de sources thermales, la plupart froides, riches en bicarbonate de soude et propres à soigner les troubles digestifs, les rhumatismes et le diabète. La petite ville d'eau, construite sur les bords de la Volane, a gardé son charme d'autrefois. La découverte du pouvoir thérapeutique de ses eaux date du début du XVIIᵉ siècle, mais c'est à la Belle Époque qu'elle atteignit son apogée, comme en témoignent ses villas, ses jardins et ses établissements de bains. Son casino, ses hôtels et ses restaurants en font une base idéale pour découvrir l'Ardèche.

À 8 km au nord, **Antraïgues**, pittoresque petit village construit sur un piton volcanique, est le pays d'élection de peintres et de chanteurs (Jean Ferrat).

À 15 km à l'est de Vals, superbe église romane de **Saint-Julien du Serre**.

Bâtiments de ferme, près de Montélimar

Montélimar ⑬

Drôme. 🚶 *32 000.* 🚉 🚌
ℹ️ *Allées Provençales (04 75 01 00 20).*
🚐 *mer. et sam.*

Qu'il soit dur ou mou, le nougat blanc a valu sa réputation à Montélimar. Avec l'importation de l'amandier au XVIᵉ siècle, les amandes ont remplacé les noix dans cette friandise à base de miel.

Bordées de cafés et de marchands de nougat, les Allées provençales sont avec la place du Marché l'un des lieux de rencontre de la ville, au caractère si méridional.

Le **château des Adhémar**, forteresse du XIIᵉ siècle transformée aux XIVᵉ et XVIᵉ, monte la garde sur une hauteur, à l'est de la ville. Il abrite un centre d'art contemporain.

🏰 **Château des Adhémar**
📞 *04 75 00 62 30.* ⭕ *d'avr. à oct. :*
t.l.j. ; de nov. à mars : du mer. au lun.
⬤ *1ᵉʳ nov., 1ᵉʳ janv., 25 déc.* 📷

Aux environs
Autour de Montélimar, les routes pittoresques et petits villages médiévaux sont nombreux. Centre touristique animé, la petite cité de **La Bégude-de-Mazenc** s'ordonne autour de sa vieille ville. **Le Poët-Laval**, harmonieux ensemble de pierre ocre, est dominé par l'ancienne commanderie de l'ordre de Malte. **Dieulefit**, centre renommé de la poterie et de la verrerie, est un gros bourg lié à l'histoire du protestantisme dauphinois ; voir le vieux quartier de la

Viale. À **Taulignan**, joli village fortifié, vous pourrez déguster les fameuses truffes, spécialité du pays. **Viviers**, au sud de Montélimar, ancienne cité épiscopale qui a donné son nom à la province du Vivarais, est un véritable musée architectural.

Grignan ⑭

Drôme. 🚶 *1 300.* 🚉 ℹ️ *Musée ancien, Grande-Rue (04 75 46 56 75).*
🚐 *mar.*

Le village, l'un des plus spectaculaires du Tricastin, édifié sur un promontoire rocheux au milieu des champs de lavande, doit sa renommée à Madame de Sévigné, dont les lettres adressées à sa fille, la marquise de Grignan, sont de grands textes classiques.

À l'intérieur de cette majestueuse demeure, joyau de l'architecture Renaissance, voisinent mobilier Louis XIII et tapisseries d'Aubusson.

Des terrasses du château, on voit jusqu'aux monts du Vivarais. En contrebas, l'église Saint-Sauveur abrite le tombeau

de Madame de Sévigné, décédée à Grignan en 1696.

Voir aussi au sud-ouest de Grignan : Saint-Paul-Trois-Châteaux, charmante bourgade, et l'exceptionnel village perché de La Garde-Adhémar. À l'est, le village médiéval de Taulignan.

🏰 **Château de Grignan**
📞 *04 75 91 83 50.* ⭕ *d'avr. à oct. :*
t.l.j. ; de nov. à mars : du mer. au lun.
⬤ *1ᵉʳ janv., 25 déc.* 📷 ⚡

Nyons ⑮

Drôme. 🚶 *7 000.* 🚌 ℹ️ *pl. de la Libération (04 75 26 10 35).* 🚐 *jeu.*

C'est de Nyons et des Baronnies, sa région, que vient l'essentiel de la production d'olives. Le marché du jeudi matin, très animé, présente tous les produits dérivés de ce fruit, qui est célébré lors de la fête de l'Alicoque (1ᵉʳ week-end de fév.) et des Olivades (week-end avant le 14 juillet).

Protégée par la barrière naturelle de ses coteaux, la région bénéficie d'un climat exceptionnellement doux, ce qui permet la culture de toutes les espèces méditerranéennes.

🏛️ **Musée de l'Olivier**
Pl. des Tilleuls. 📞 *04 75 26 12 12.*
⭕ *du mar. au sam. l'a.-m. uniquement.*
⬤ *les jours fériés.* 📷 ⚡

Aux environs
À la sortie de Nyons, la D 94 conduit à **Suze-la-Rousse**, petit village entouré de vignobles, capitale de la région au Moyen Âge. Son château du XIVᵉ siècle, ancien rendez-vous de chasse des princes d'Orange, abrite désormais une institution originale, l'université du vin.

La petite ville de Grignan et son château Renaissance

Plantation d'oliviers près de Nyons

♨ Château de Suze-la-Rousse
📞 *04 75 04 81 44.* ◯ *d'avr. à oct. : t.l.j. ; de nov. à mars : du mer. au lun.* ● *1er janv., 25 déc.* 🈺 🎫

Briançon ⑯

Hautes-Alpes. 🏃 *12 000.* �／🚌
ℹ️ *place du Temple (04 92 21 08 50).*

À une altitude de 1 330 m, c'est la plus haute ville de France. Citadelle romaine, elle

La partie de boules

verrouillait alors, comme aujourd'hui, le col de Montgenèvre, le plus important passage naturel entre la France et l'Italie. Fortifiée par Vauban au XVIIIe siècle pour la même raison, elle a gardé intacts ses magnifiques remparts. La meilleure façon de visiter la ville haute est de laisser son véhicule au parking du Champ-de-Mars et d'entrer à pied par la **porte de Pignerol**.

De là, la **Grand-Rue**, bordée de vieilles maisons et parcourue en son milieu par la Grande Gargouille, grimpe à travers la cité. Passé la **collégiale Notre-Dame**, construite d'après des plans de Vauban en 1718, on atteint la **citadelle**, couronnée d'une statue de Bourdelle, qui révèle une magnifique vue sur les montagnes.

Centre de nombreuses activités de plein air en été, Briançon est devenue station de sports d'hiver grâce au téléphérique du Prorel.

Aux environs
Le **parc national des Écrins**, le plus grand de France avec 91 800 hectares, est couronné de pics et de glaciers. On y voit des lièvres variables, des perdrix grises et la très rare perdrix bartavelle. Belle route de montagne (N 91) reliant Briançon au Bourg-d'Oisans

par le col du Lautaret. Le **parc régional du Queyras** abrite aussi une flore exceptionnelle qui allie des espèces steppiques, dans le haut Queyras, à des espèces méditerranéennes. Aux portes du parc, **Mont-Dauphin**, précieux exemple de l'architecture militaire au temps de Louis XIV.

Le Bourg-d'Oisans ⑰

Isère. 🏃 *3 000.* 🚌 ℹ️ *quai Girard (04 76 80 03 25).* 🛒 *sam.*

C'est une base idéale pour partir en excursion dans les vallées environnantes. On y pratique facilement tous les sports de plein air, VTT ou escalade, sans oublier le ski, l'hiver, à la station toute proche de L'Alpe d'Huez. Connue depuis le Moyen Âge pour l'extraordinaire richesse de son sous-sol, la ville a acquis une réputation mondiale dans le domaine de la géologie et de la minéralogie. Son **musée des Minéraux et de la Faune des Alpes** présente, outre un diorama, une collection exceptionnelle, dont un quartz provenant d'une ancienne mine d'or.

🏛 Musée des Minéraux et de la Faune des Alpes
Hôtel de ville. 📞 *04 76 80 27 54.*
◯ *t.l.j. de 14 h à 18 h ; en juil.-août : de 11 h à 19 h.* ● *du 15 nov. au 15 déc., 25 déc. et 1er janv.,* 🈺 ♿

LE PARC DE LA VANOISE

Parc d'alpages et de prairies qui s'étagent entre 1 000 m et 3 800 m d'altitude, le parc national de la Vanoise a été créé en 1963. L'une de ses plus belles réussites est le retour du bouquetin, dont les cornes atteignent 1 m de long. L'espèce, reliquat, croit-on, de la faune préhistorique et presque disparue, compte aujourd'hui près de 800 représentants.

Le retour du bouquetin dans la Vanoise

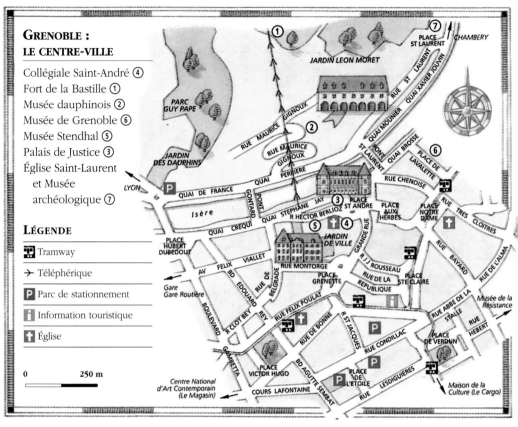

GRENOBLE :
LE CENTRE-VILLE

Collégiale Saint-André ④
Fort de la Bastille ①
Musée dauphinois ②
Musée de Grenoble ⑥
Musée Stendhal ⑤
Palais de Justice ③
Église Saint-Laurent
   et Musée
   archéologique ⑦

LÉGENDE

🚋 Tramway

→ Téléphérique

P Parc de stationnement

i Information touristique

✝ Église

0   250 m

**Le musée Stendhal, ancien hôtel
de Lesdiguières**

Grenoble ⑱

Isère. 🏛 165 000. ✈ 🚉 🚌
i *14, rue de la République
(04 76 42 41 41).* 🛒 *mar.-dim.*

Ancienne capitale du
Dauphiné, Grenoble est
aujourd'hui un centre
universitaire et industriel très
actif. Située au confluent du
Drac et de l'Isère, à deux pas
de la montagne, elle se consacre
à la chimie, à l'électronique, à
la métallurgie, à la recherche
nucléaire et hydraulique. Elle
accueillit les Jeux olympiques
d'hiver en 1968.
   Le téléphérique vous
emmène tout droit au **fort de la
Bastille** (XIXᵉ s.), d'où le
panorama est superbe. En
30 mn à pied on atteint le

Musée dauphinois, installé
dans l'ancien couvent des
Visitandines et consacré à
l'ethnologie régionale et à
l'histoire du ski.
   Sur la rive gauche de l'Isère
se trouvent la place Grenette,
au centre du quartier
piétonnier, et la place Saint-
André, cœur de la cité
médiévale. La **Collégiale
Saint-André**, du XIIIᵉ siècle, et
le **palais de Justice**, construit
au XVIᵉ pour être le siège du
parlement du Dauphiné, sont
deux des plus anciens
bâtiments de la ville, avec la
cathédrale Notre-Dame et
l'église Saint-Laurent,
du XIᵉ siècle, dont la crypte
date de la fin du VIᵉ siècle.
   L'hôtel Lesdiguières abrite le
musée Stendhal, consacré à
l'écrivain né à Grenoble en
1783. Le **musée de
Grenoble**, place de Lavalette,
possède une riche collection
d'art de notre siècle. Le musée
de la Résistance et de la
Déportation évoque la
Résistance dans le Vercors.
   Le **CNAC** (Centre national
d'Art contemporain), surnommé
le Magasin, se consacre à des
expositions temporaires.
Festivals de cinéma et concerts
de rock sont organisés par le
Cargo (Maison de la Culture).

Jusqu'en 2002, date de fin des
travaux de rénovation, les
différentes manifestations se
déroulent dans d'autres
espaces grenoblois.

🏛 **Musée dauphinois**
30, rue Maurice-Gignoux. 📞 *04 76
85 19 01.* ◯ *du mer. au lun.* ●
1ᵉʳ janv., 1ᵉʳ mai, 25 déc. 🈚 ♿
🏛 **Musée Stendhal**
1, rue Hector-Berlioz. 📞 *04 76 54 44
14. Téléphoner pour connaître les
heures d'ouverture.* ♿
🏛 **Musée de Grenoble**
5, pl. de Lavalette. 📞 *04 76 63 44 44.*
◯ *du mer. au lun.* ● *1ᵉʳ janv.,
1ᵉʳ mai, 25 déc.* 🈚 ♿

Le téléphérique panoramique

🏛 **Musée de la Résistance**
14, rue Hébert.
📞 04 76 42 38 53. ⏰ du mer.
au lun. ⬤ 1er janv., 1er mai, 25 déc.
♿ ♿

🏛 **Le Magasin (CNAC)**
155, cours Berriat.
📞 04 76 21 95 84. ⏰ du mar.
au dim. l'après-midi seulement
(pendant les expositions).
⬤ mi-sept.-oct. ♿ ♿

🏛 **Le Cargo**
4, rue Paul-Claudel.
📞 04 38 49 95 95. ⬤ pour
rénovation complète jusqu'en 2004.

Le Vercors ⑲

Isère et Drôme. ✈ Grenoble.
🚆 Romans-sur-Isère, Saint-Lattier,
Grenoble. 🚌 Pont-en-Royans,
Romans-sur-Isère. ℹ Pont-en-Royans
(04 76 36 09 10).

Le parc naturel régional
du Vercors couvre
135 000 ha occupés à
50 % par des forêts, en
majorité des conifères. Ses
escarpements et ses grottes
en font aussi le royaume
des spéléologues.

La D 531 traverse **Villard-de-Lans**, centre de randonnée
et de ski de fond, et continue
en direction des **gorges de la
Bourne** et du village de
Pont-en-Royans, accroché à
la paroi calcaire.

La **Combe-Laval** s'ouvre
entre de gigantesques falaises
dolomitiques. À travers
corniches aériennes et tunnels
naturels, on atteint le défilé
des **Grands-Goulets**, au-
dessus de la Vernaison,
baigné d'une lumière
verdâtre. Le **mont Aiguille**
(2 086 m), au sud-est du parc,
est l'un de ses sites les plus
majestueux.

Le Vercors fut aussi l'un
des foyers de la Résistance
française. Plusieurs villages,
pilonnés par l'aviation
ennemie en juillet 1944,
ont été complètement rasés,
les habitants et les maquisards
massacrés ou déportés.
La cours des Fusillés à la
Chapelle-en-Vercors et,
à Vassieux-en-Vercors,
le cimetière national
du Vercors et le monument
aux morts témoignent
de ces événements
douloureux.

**Troupeau de vaches dans les
pâturages**

La Chartreuse ⑳

Isère et Savoie. ✈ Grenoble,
Chambéry. 🚆 Grenoble, Chambéry.
🚌 St-Pierre-de-Chartreuse. ℹ St-
Pierre-de-Chartreuse (04 76 88 62 08).

À la sortie de Grenoble, la
D 512, en direction de
Chambéry, traverse les sombres
forêts de la Chartreuse. Le
**monastère de la Grande-
Chartreuse**, installé au cœur
d'un cirque rocheux, est la
maison mère de l'ordre des
chartreux, fondé par saint
Bruno en 1084. Les bâtiments
actuels (1676) abritent une
quarantaine de moines. C'est à
Voiron qu'est désormais
produite la fameuse liqueur des
chartreux, chartreuse verte et
chartreuse jaune, traditionnellement fabriquée par les frères
depuis le début du XVIe siècle.

On ne visite pas le monastère,
mais seulement, dans l'une des
dépendances, le **musée de la
Correrie**, qui témoigne de
l'histoire et de la vie quotidienne
de l'ordre. Voir aussi l'**église
Saint-Hughes**, qui abrite un
remarquable ensemble d'art
sacré contemporain, œuvre d'un
seul artiste, Arcabas.

🏛 **Musée de la Correrie**
St-Pierre-de-Chartreuse. 📞 04 76 88
60 45. ⏰ d'avr. à oct. : t.l.j. ♿

Une ferme au milieu des sapinières de la Chartreuse

Chambéry ㉑

Savoie. 🏠 56 000. ✈ 🚉 🚌
ℹ️ 24, bd de la Colonne
(04 79 33 42 47). 🛒 mar et sam.

Fière d'avoir été tout au long du Moyen Âge la capitale incontestée des États de Savoie, Chambéry parachève avec bonheur la remise en valeur du centre historique. Étroites galeries et passages secrets entre les façades de couleur sont à découvrir. Elle possède un curieux monument, la fontaine des Éléphants, dite « les quatre sans cul », érigée en 1838 à la mémoire du général comte de Boigne, bienfaiteur de la cité.

À l'opposé de la rue de Boigne s'élève le **château** des ducs de Savoie (XIIIᵉ-XXᵉ s.), dont on ne visite que la Sainte-Chapelle, le reste du bâtiment étant occupé par la préfecture. C'est à la sortie sud-est de la ville que se trouve la maison de Madame de Warens, **les Charmettes**, où vécut J.-J. Rousseau de 1732 à 1742. On y voit la chambre de l'hôtesse, son oratoire, la chambre du philosophe et divers objets personnels, ainsi que le jardin où il aimait à herboriser.

♣ Les Charmettes
892, chemin des Charmettes.
📞 04 79 33 39 44.
🕐 du mer. au lun.
🔴 les jours fériés.
🚫 ✍

Le lac du Bourget à Aix-les-Bains

Aix-les-Bains ㉒

Savoie. 🏠 30 000. ✈ 🚉 🚌
ℹ️ pl. Maurice-Mollard (04 79 88 68 00).
🛒 mer. et sam.

La petite ville d'eau est dotée d'un vaste établissement de soins, les **Thermes nationaux**, édifiés au XIXᵉ siècle sur des sources déjà connues des Romains, comme en témoignent les vestiges des bains découverts à cet endroit. En face, un petit musée archéologique et lapidaire installé dans le **temple de Diane** expose statues, poteries et monnaies gallo-romaines.

Au temple de Diane, buste d'empereur

Aix, c'est aussi le lac du Bourget, chanté par Lamartine après sa rencontre avec l'inaccessible Elvire.

Le **musée Faure**, qui comporte une petite salle Lamartine, expose une magnifique collection de toiles du XIXᵉ siècle (Degas, Bonnard, Pissarro, Sisley, Cézanne) et plusieurs œuvres de Rodin, aquarelles et bronzes.

♨ Thermes nationaux
Pl. Maurice-Mollard. 📞 04 79 35 38 50. 🕐 de mars à oct. : du lun. au sam. ; de nov. à fév. : du mer. au sam.
🔴 mi-déc.-janv., 1ᵉʳ mai, 14 juil., 15 août. 🚫 ♿

🏛 Musée Faure
Villa des Chimères, 10, bd des Côtes.
📞 04 79 61 06 57. 🕐 du mer. au lun.
🔴 les jours fériés. 🚫 ♿

Aux environs
Isolée dans un site magnifique de la rive ouest du lac, l'**abbaye de Hautecombe**, fondée au XIIᵉ siècle par les cisterciens, abrite les tombeaux de la maison de Savoie. Dans la grange batelière voisine (fin du XIIᵉ s.), exposition sur la vie monastique. Excursions régulières au départ du Grand-Port à Aix. Vaste plateau couvert de sapinières entrecoupées de clairières, le **mont Revard**, accessible par la D 913, est au centre des circuits de randonnée et de ski de fond.
La vue y est superbe de tous côtés, tant sur le lac que sur le mont Blanc.

Le palais de l'Isle avec, au premier plan, le Thiou

Les rives ombragées du Léman

Annecy ❷❸

Haute-Savoie. 🏛 *50 000.* ✈ 🚆 🚌
ℹ *1, rue Jean-Jaurès (04 50 45 00 33).*
🛒 *mar., ven. et dim. matin.*

Traversé par les eaux
du Thiou, le vieil Annecy
est presque entièrement
piéton. Cette coquette petite
ville ferme au nord le lac qui
porte son nom. La
cathédrale Saint-Pierre eut
pour évêque saint François
de Sales, qui fonda avec
Jeanne de Chantal le premier
couvent de la Visitation.
L'ancienne prison médiévale,
le monumental **palais de
l'Isle**, accueille des
expositions temporaires.

Construit au XIIe siècle sur
une hauteur, le **château
d'Annecy** abrite un musée,
consacré à l'archéologie
et à l'histoire des Alpes.
Avec le vieil Annecy,
les bords du lac constituent
un pôle très attractif (service
de vedettes, voiliers,
pédalos...).

Aux environs
Le tour du lac en bateau
est la façon la plus agréable
de découvrir ce site
exceptionnel. En voiture,
parcours de 40 km.
Au **Crêt de Châtillon** (par la
D 41), magnifique point de vue
sur les Alpes et le mont Blanc.

Le lac Léman ❷❹

Haute-Savoie et Suisse. ✈ *Genève.*
🚆 🚌 *Genève, Thonon-les-Bains,*
Évian-les-Bains. ℹ *Thonon-les-Bains*
(04 50 71 55 55).

Les rives du lac bénéficient
d'un climat qui en fait un
lieu idéal de villégiature.
On peut commencer le tour
du lac à **Yvoire**, petit port
gardé par un donjon du
XIVe siècle. Un peu plus loin,
Thonon-les-Bains maintient sa
réputation de ville d'eau. Son
petit port de pêche compte
encore une dizaine de pêcheurs
professionnels. À visiter le
château de Ripaille (XVe s.) et
l'écomusée de la Pêche.
Évian-les-Bains, enfin,
associe au charme un peu rétro
propre aux grandes stations
thermales de vieille réputation
l'animation d'un centre nautique
et sportif dont le renom
est aussi grand que celui
de ses eaux.

Chamonix
et le mont Blanc ❷❺

Haute-Savoie. 🏛 *10 000.*
✈ *Genève.* 🚆 🚌 *Chamonix.*
ℹ *pl. du Triangle-de-l'Amitié (04 50*
53 00 24). 🛒 *sam.*

Entre le mont Blanc et le
Brévent, Chamonix règne
sur l'alpinisme et le ski
français. C'est là que furent
organisés, en 1924, les
premiers Jeux olympiques
d'hiver. L'essor de cette
station a été favorisé par le
percement du tunnel du mont
Blanc en 1965.
Parmi les multiples
excursions : l'**aiguille du
Midi** (3 842 m) par
téléphérique, relayé jusqu'à la
pointe Helbronner à travers la
vallée Blanche ; le **Brévent**,
les **Grands-Montets** (le plus
beau domaine skiable
de France), le **glacier des
Bossons** et la classique **Mer
de Glace**. Il est possible
également d'entreprendre un
tour du mont Blanc à pied.

**Salle à manger de l'hôtel Royal
à Évian**

LE SUD-OUEST

Présentation du Sud-Ouest

Vaste ensemble rural avant tout, le Sud-Ouest est pour beaucoup le pays du foie gras, des vins de Bordeaux et du cognac... Deux métropoles, Bordeaux et Toulouse, concentrent pourtant des activités de pointe, tandis que le tourisme bénéficie des immenses plages landaises, des stations d'altitude des Pyrénées ou des vertes vallées périgourdines. Art roman poitevin, préhistoire en Périgord, églises et châteaux un peu partout, nature avenante et bien-vivre : autant d'atouts d'une région privilégiée.

La Rochelle

Ruines romaines à Saintes

La Rochelle, important port de commerce (p. 440), accueille aussi les bateaux de plaisance. La tour de la Chaîne et la tour Saint-Nicolas gardent l'entrée maritime de la cité, dont les vieilles rues pavées sont bordées de belles maisons anciennes.

Le Grand Théâtre,

Bordeaux, capitale du vin à l'ample urbanisme, recèle quelques beaux monuments, comme le Grand Théâtre ou le monument aux Girondins, sur l'esplanade des Quinconces (p. 444-445).

POITOU ET AQUITAINE
(p. 428-449)

PYRÉNÉES
(p. 474-489)

0   50 km

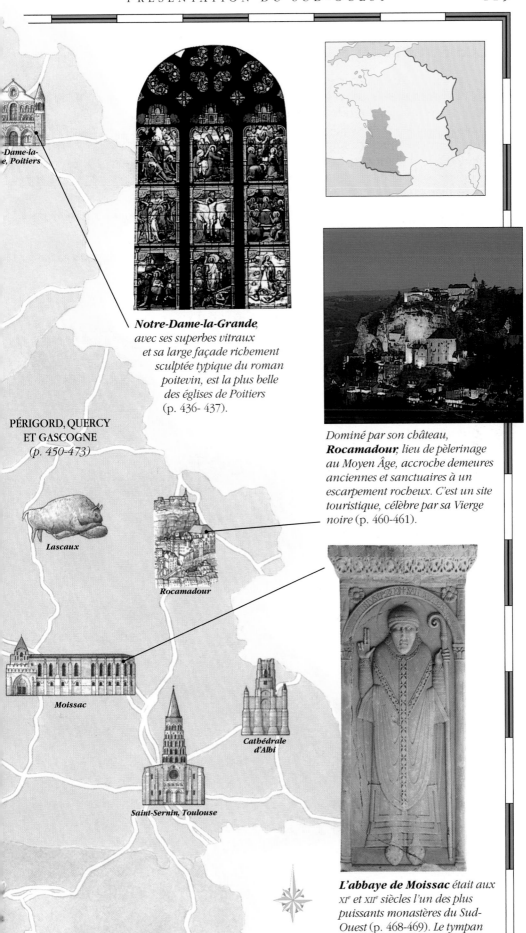

Notre-Dame-la-Grande, avec ses superbes vitraux et sa large façade richement sculptée typique du roman poitevin, est la plus belle des églises de Poitiers (p. 436- 437).

PÉRIGORD, QUERCY ET GASCOGNE (p. 450-473)

Lascaux

Rocamadour

Moissac

Saint-Sernin, Toulouse

Cathédrale d'Albi

Cirque de Gavarnie

-Dame-la-e, Poitiers

Dominé par son château, **Rocamadour**, lieu de pèlerinage au Moyen Âge, accroche demeures anciennes et sanctuaires à un escarpement rocheux. C'est un site touristique, célèbre par sa Vierge noire (p. 460-461).

L'abbaye de Moissac était aux XIe et XIIe siècles l'un des plus puissants monastères du Sud-Ouest (p. 468-469). Le tympan du portail méridional et le cloître sont des chefs- d'œuvre de l'art roman.

Les spécialités du Sud-Ouest

Difficile de faire en peu de mots l'inventaire culinaire de ce pays de cocagne. Huîtres et moules abondent sur le littoral, où les poissons, comme la lamproie ou l'anguille, sont souvent préparés à la bordelaise, c'est-à-dire au vin blanc. En Périgord ou en Gascogne, canards et oies sont à l'honneur, en confits, magrets et foie gras, quand on ne les retrouve pas dans le cassoulet de Toulouse ou de Castelnaudary. Les autres volailles abondent, ainsi que la palombe et d'autres gibiers à plumes. Préparé de toutes les façons, le porc donne les saucisses de Toulouse, le jambon de Bayonne et, à profusion, pâtés, confits et saucissons. Fameuses autant que coûteuses, les truffes couronnent le tout. Mais il faudrait aussi parler des fromages de chèvre du Quercy ou du Poitou, de ceux, pur brebis, des Pyrénées, ou des pruneaux d'Agen...

Tresse d'ail

La piperade basque se cuit à la poêle : on fait revenir des piments et du jambon cru, on ajoute les œufs battus.

Le foie gras d'oie ou de canard est confectionné à partir du foie entier de l'animal d'abord élevé plein air, puis gavé au maïs.

Le vrai pain de campagne, en miche ou en couronne, revient à la mode. Quelques artisans boulangers le fabriquent encore, cuit au feu de bois, à partir d'un levain naturel.

Saucisse de Toulouse

Canard

Le homard fleuron des crustacés, est ici préparé en terrine, en gelée et aux herbes.

Haricot blancs

Saucisson à l'ail

Le **cassoulet** fait l'objet d'âpres discussions, et chaque cuisinière a sa recette. Les ingrédients de base sont les haricots blancs, les saucisses et la graisse, de porc ou d'oie, où l'on fait revenir les morceaux de viande, porc, mouton ou volaille selon les régions.

Le cabécou du Quercy, petit fromage de chèvre, est délicieux sur un lit de salade verte additionnée de croûtons frits.

Le canard *est omniprésent dans la cuisine du Sud-Ouest, en confit (conservé dans sa graisse) ou servi en magrets.*

Les truffes *affectionnent les terrains calcaires du Périgord. Très rares, elles parfument foie gras et omelettes.*

Les pruneaux *spécialité d'Agen, accommodent lapin ou volaille, ou sont arrosés d'armagnac.*

Saucisson sec

Saucisson au poivre

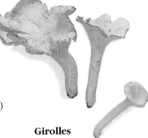

Le saucisson, *parfois encore confectionné à la ferme, est, avec le jambon et autres cochonnailles, à la base de la cuisine paysanne.*

Le fromage de chèvre *est parfois conservé en pots de verre, où il baigne dans l'huile d'olive aromatisée aux herbes.*

Le touron *du Pays basque est une pâte d'amandes présentée en pains multicolores, avec fruits confits, noisettes ou pistaches.*

LES CHAMPIGNONS SAUVAGES

Les forêts recèlent de nombreuses espèces de champignons savoureux : cèpes charnus et ventrus, aux têtes brunes, morilles aux chapeaux alvéolés, girolles (ou chanterelles) en forme de trompettes fripées.

Girolles

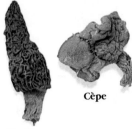

Morille

Cèpe

L'huile de noix *sert à assaisonner les salades. Les noyers, qui n'ont pas besoin d'un sol très profond, sont bien acclimatés en Périgord.*

LES ALCOOLS

Outre les crus illustres du Bordelais ou d'autres moins connus, la région propose le pineau des Charentes, issu du prestigieux cognac, dont l'armagnac est comme le cousin de Gascogne. On offre en Quercy un apéritif fabriqué à base de liqueur de noix.

Armagnac   **Cognac**   **Noix du Quercy**

Les régions viticoles : le Bordelais

Importé dans la région depuis le Ier siècle av. J.-C., le vin y a été produit dès le début de notre ère. Après le mariage d'Aliénor d'Aquitaine avec le roi anglo-angevin Henri II, les *clarets*, vins rouges ou rosés, étaient appréciés par la haute société anglaise. Ces échanges encouragèrent la recherche de la qualité. Au XVIIIe siècle, de grands domaines se constituèrent, les techniques de vinification progressèrent. Le commerce s'intensifia au siècle suivant, apportant la prospérité à la région. En 1855 fut établie la célèbre classification des crus du Médoc.

Le cerclage des barriques

CARTE DE SITUATION

Les vins de Bordeaux

Les vendanges autour du château Palmer

Le château Cos d'Estournel, d'A.O.C. saint-estèphe, est un remarquable deuxième cru classé.

LES VIGNOBLES BORDELAIS

Ils sont situés de part et d'autre de la Gironde, de la Garonne et de la Dordogne, et entre ces deux rivières. Les rouges les plus réputés sont issus du Libournais (Pomerol et Saint-Émilion) et du Médoc (Pauillac, Margaux, Saint-Julien, Saint-Estèphe...) et des Graves. Les grands liquoreux sont produits autour de Sauternes.

CE QU'IL FAUT SAVOIR SUR LES VINS DE BORDEAUX

Sol et climat

Les sols sont en général graveleux, et argilo-calcaires sur la rive droite. Le microclimat et l'orientation jouent un rôle important qui explique le plus souvent la différence qualitative d'un cru à l'autre.

Cépages

Les cépages utilisés dans le Bordelais sont principalement : en rouge, le **cabernet-sauvignon**, le **cabernet franc**, le **merlot** ; en blanc, le **sauvignon**, le **sémillon** et la **muscadelle**. Les sauternes liquoreux sont obtenus à partir du sémillon, du sauvignon et de la muscadelle, soumis à l'action du *botrytis cinerea*.

Quelques producteurs réputés

(rouges) Latour, Margaux, Haut-Brion, Cos d'Estournel, Mont-Las Cases rose, Léoville, Léoville-Las Cases, Lascombes, Pichon Longueville, Pichon Lalande, Lynch-Bages, Palmer, Rausan-Ségla, Duhart Milon, Léoville Poyferré, Branaire Ducru, Ducru Beaucaillou, Malescot Saint-Exupéry, Cantemerle, d'Angludet, Phélan-Ségur, Chasse-Spleen, Poujeaux, Domaine de Chevalier, Pape Clément, Cheval Blanc, Canon, Pavie, Angélus, Troplong Mondot, La Conseillante, Lafleur, Trotanoy.

Bons millésimes

(rouges) 1996, 1995, 1990, 1989, 1988, 1986, 1985.

Le Haut-Brion rouge est le seul cru des graves à avoir été classé en 1855.

Arcach

Cap Ferret

Lac de et de Sa

La fameuse mention « mis en bouteille au château » est une garantie d'authenticité.

Lac

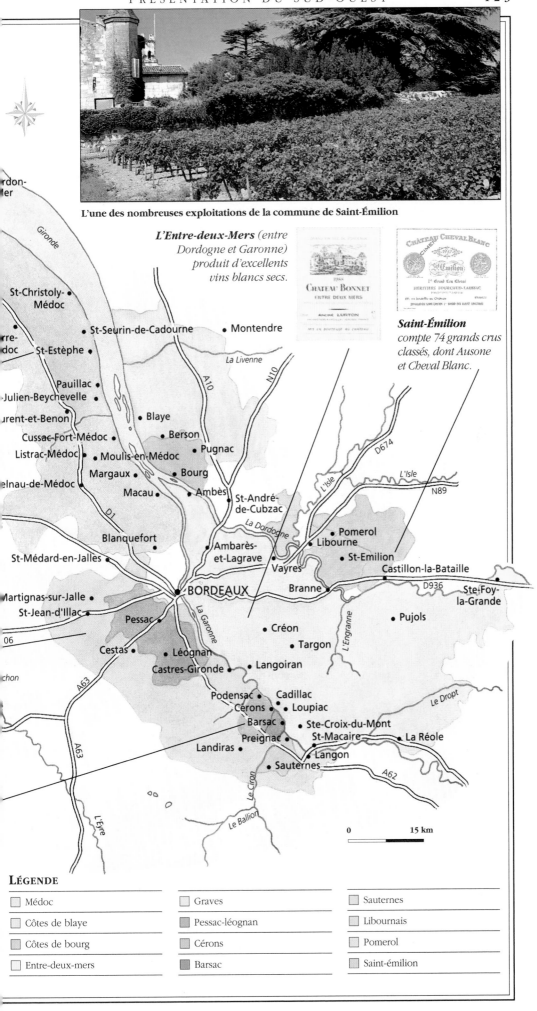

L'une des nombreuses exploitations de la commune de Saint-Émilion

L'Entre-deux-Mers (entre Dordogne et Garonne) produit d'excellents vins blancs secs.

Saint-Émilion compte 74 grands crus classés, dont Ausone et Cheval Blanc.

St-Christoly-Médoc

St-Seurin-de-Cadourne

Montendre

La Livenne

St-Estèphe

Pauillac

-Julien-Beychevelle

urent-et-Benon

Blaye

Berson

Cussac-Fort-Médoc

Pugnac

Listrac-Médoc

Moulis-en-Médoc

Bourg

Margaux

elnau-de-Médoc

Macau

Ambès

St-André-de-Cubzac

La Dordogne

L'Isle

L'Isle

N89

Pomerol

Blanquefort

Libourne

Ambarès-et-Lagrave

St-Emilion

St-Médard-en-Jalles

Vayres

Castillon-la-Bataille

BORDEAUX

Branne

D936

Ste-Foy-la-Grande

Martignas-sur-Jalle

St-Jean-d'Illac

Pujols

Pessac

Créon

La Garonne

Targon

Cestas

Léognan

Castres-Gironde

Langoiran

L'Engranne

Podensac

Cadillac

Le Dropt

Cérons

Loupiac

Barsac

Ste-Croix-du-Mont

Preignac

St-Macaire

La Réole

Landiras

Langon

A62

Sauternes

Le Ciron

Le Ballion

0   15 km

L'Eyre

LÉGENDE

Médoc	Graves	Sauternes
Côtes de blaye	Pessac-léognan	Libournais
Côtes de bourg	Cérons	Pomerol
Entre-deux-mers	Barsac	Saint-émilion

La route de Compostelle

Pendant plusieurs siècles, les pèlerins se sont rendus en grand nombre sur la tombe de saint Jacques (Santiago en espagnol), enterré à Compostelle. Pour faire pénitence et gagner leur salut, ils traversaient la France à pied, s'arrêtant chaque nuit dans un monastère ou dans un abri de fortune, et retournaient ensuite dans leurs foyers. Ce dur voyage prenait souvent plusieurs mois. En 1140, un moine eut l'idée d'écrire ce qui est sans doute l'ancêtre des guides de voyage, un itinéraire destiné aux pèlerins, les « jacquets » ou « jacquaires », dont le signe de reconnaissance était la coquille Saint-Jacques.

L'emblème des pèlerins

Les pèlerins arrivés par mer débarquaient notamment à Saint-Malo.

La première cathédrale de Saint-Jacques-de-Compostelle fut édifiée par Alphonse II en 813. La construction de l'actuel sanctuaire commença en 1075. La façade, baroque, fut ajoutée au XVIIIe siècle.

Jacques le Majeur, apôtre du Christ, serait venu, d'après la légende, prêcher en Espagne avant d'être martyrisé par Hérode. Ses restes auraient été transportés en Espagne.

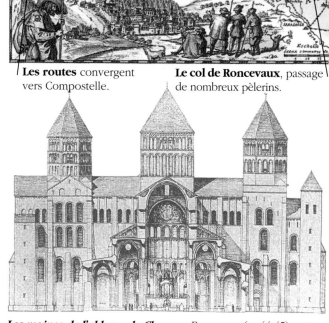

Les routes convergent vers Compostelle.

Le col de Roncevaux, passage de nombreux pèlerins.

Les moines de l'abbaye de Cluny, en Bourgogne (p. 44-45), ont largement contribué au succès du pèlerinage. Ils construisirent des hôtelleries et des sanctuaires abritant de précieux reliquaires, pour soutenir la foi des fidèles et les encourager à poursuivre leur route.

LES ITINÉRAIRES
Paris, Vézelay, Le Puy *(p. 386)* et Arles étaient les quatre points de ralliement « officiels ». Les pèlerins gagnaient l'Espagne par le col de Roncevaux ou par le Somport, et se rassemblaient à Puente la Reina, d'où une route unique conduisait au lieu saint, en Galice.

QUE VOIR AUJOURD'HUI
De petites chapelles et de vastes églises, comme Sainte-Madeleine à Vézelay *(p. 356)*, Sainte-Foy à Conques *(p. 390-391)* et Saint-Sernin à Toulouse *(p. 473)*, furent construites au Moyen Âge pour accueillir les pèlerins.

Chapiteau de Vézelay

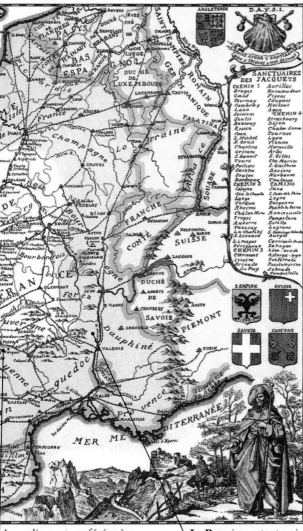

Les reliques transférées à **Conques** accroissent son prestige.

Le Puy, important point de ralliement.

Le premier pèlerinage *mentionné fut conduit en 951 par l'évêque du Puy. Mais des pèlerins se sont sans doute rendus en Espagne avant cette date.*

La Majesté de Sainte-Foy *est l'un des plus précieux reliquaires offerts à la dévotion des pèlerins, à une époque où les reliques d'un saint étaient, croyait-on, source de miracles.*

Compostelle *viendrait du latin* campus stellae, *champ d'étoiles, car la légende raconte qu'en 814, d'étranges étoiles s'arrêtèrent au-dessus du champ où fut découverte, le 25 juillet, la dépouille du saint.*

Les grottes du Sud-Ouest

Le travail de l'eau dans les terrains calcaires
donne naissance, en diverses régions, à des
grottes aux dimensions étonnantes et aux
concrétions parfois spectaculaires. Plusieurs de
celles de Dordogne ou du pied des Pyrénées ont en
outre la particularité d'être ornées de peintures,
œuvres de nos ancêtres d'il y a quinze à vingt mille
ans ; celles-ci, miraculeusement parvenues jusqu'à
nous, sont le témoignage de l'évolution humaine,
de cet instant magique où les êtres humains ne se
contentèrent plus de se nourrir et de se protéger du
froid, mais où ils entreprirent de graver, de peindre
et de sculpter.

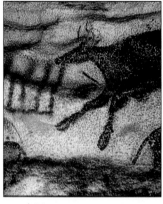

Un cerf, à Lascaux

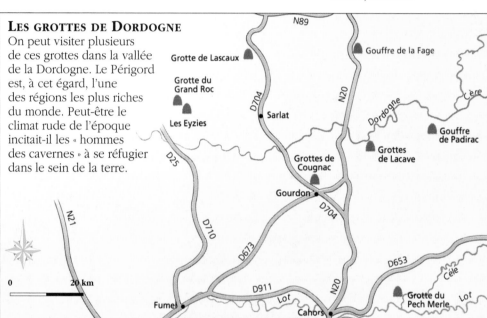

LES GROTTES DE DORDOGNE

On peut visiter plusieurs
de ces grottes dans la vallée
de la Dordogne. Le Périgord
est, à cet égard, l'une
des régions les plus riches
du monde. Peut-être le
climat rude de l'époque
incitait-il les « hommes
des cavernes » à se réfugier
dans le sein de la terre.

LA FORMATION DES GROTTES

Au cours des millénaires, l'eau
poursuit son travail de sape,
formant des puits
d'effondrement ou des grottes
plus importantes. Aux points
de ruissellement, le calcaire
dissous se redépose
patiemment, formant draperies
et colonnes calcaires, les
stalactites (qui tombent) et
les stalagmites (qui montent).

Grotte du Grand Roc, aux Eyzies

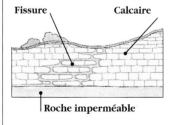

1 *L'eau pénètre à travers
les fissures et dissout
lentement la roche.*

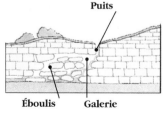

2 *Les infiltrations provoquent
des effondrements, qui
fragilisent l'ensemble.*

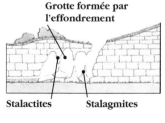

3 *Le calcaire dissous se dépose,
s'accumulant en stalactites
et stalagmites.*

LE GOUFFRE DE PADIRAC

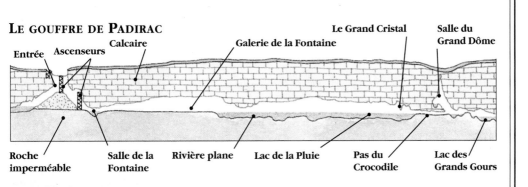

Entrée — Ascenseurs — Calcaire — Galerie de la Fontaine — Le Grand Cristal — Salle du Grand Dôme

Roche imperméable — Salle de la Fontaine — Rivière plane — Lac de la Pluie — Pas du Crocodile — Lac des Grands Gours

Grottes préhistoriques, Les Eyzies

GROTTES À VISITER

À **Cougnac**, les peintures représentent entre autres des êtres humains. Autour des **Eyzies-de-Tayac** *(p. 458-459)*, **Font de Gaume, Les Combarelles** et **La Mouthe** contiennent toutes trois des peintures et des dessins superbes, de même que **Rouffignac**, dont les mammouths sont célèbres. Les galeries du **Grand Roc** sont particulièrement riches en stalactites excentriques, les cascades pétrifiantes de **Proumeyssac,** spectaculaires, et les formations géologiques de **La Fage**, très originales. Sur la rive gauche de la Dordogne, on peut voir, dans les **grottes de Lacave**, une rivière et un lac souterrains étonnants. Le gigantesque **gouffre de Padirac** *(p. 462)* est encore plus impressionnant. La **grotte de Lascaux** a été fermée et les fresques, sans doute le plus bel ensemble existant, reconstituées à **Lascaux II** *(p. 458)*, qui mérite largement une visite. Plus au sud, les concrétions des grottes du **Pech-Merle** *(p. 462)* sont remarquables.

LES PEINTURES RUPESTRES

Les premières peintures préhistoriques d'Europe ont été découvertes au nord-ouest de l'Espagne en 1879. Plus de 200 autres ont été mises au jour depuis, en Espagne et en France, et notamment en Dordogne. Les sujets représentés sont en majorité des animaux, et parfois des silhouettes humaines. Les spécialistes de la préhistoire ont découvert des lampes et des empreintes miraculeusement conservées, grâce auxquelles la technique de ces artistes est un peu mieux connue. La signification de ces peintures, symboliques ou magiques, n'a pas été totalement élucidée.

On pense que l'artiste, éclairé par une lampe primitive, gravait les contours du sujet représenté avec un objet tranchant, en utilisant les courbes naturelles du support. Les ombres étaient faites au charbon, et des pigments minéraux, comme le kaolin ou l'hématite, étaient dilués et appliqués grâce à une technique proche du lavis. Parfois, l'exécutant posait sa main sur la paroi, à la manière d'un pochoir, et pulvérisait le mélange coloré en soufflant à travers une tige végétale.

Lampe à huile en grès rose

Kaolin

Charbon

Hématite

Cerfs et taureaux de la salle des Taureaux, à Lascaux

LE POITOU ET L'AQUITAINE

DEUX-SÈVRES · VIENNE · CHARENTE-MARITIME
CHARENTE · GIRONDE · LANDES

Cette vaste région, dont la bordure ouest occupe un quart de la côte Atlantique, s'étend du Marais poitevin à la forêt des Landes. Les plages de sable sont accueillantes, et le climat très doux. La Gironde est le domaine des vins de Bordeaux, qui comptent parmi les plus réputés du monde.

Le passé mouvementé du Poitou et de l'Aquitaine a laissé des traces indélébiles dans la culture et dans l'architecture. Le grand amphithéâtre de Saintes, entre autres, témoigne de l'occupation romaine. La route des pèlerins vers Saint-Jacques-de-Compostelle est jalonnée de magnifiques églises romanes, comme celles de Poitiers ou de Parthenay, mais aussi de chapelles plus secrètes et tout aussi remarquables. La guerre de Cent Ans (p. 48-49) mit la région à feu et à sang, mais ce fut également l'époque où les Plantagenêts firent construire de splendides ouvrages de défense. Après les guerres de Religion, il fallut reconstruire, souvent avec faste, les sanctuaires et les châteaux.

Aujourd'hui, Poitiers est au centre d'une activité commerciale et universitaire animée. Les ports historiques de Rochefort et de la Rochelle dressent à l'ouest leurs fortifications. Bordeaux, capitale régionale, économique et culturelle, est également un centre touristique accueillant, fier d'un ensemble architectural exceptionnel. Le cognac de Charente et les vins du Bordelais remplissent légitimement les escarcelles locales autant que les verres du consommateur, et accompagnent à merveille aloses et anguilles, huîtres et palourdes, fromages de chèvre et confits d'oie.

Vieilles maisons à Saint-Martin-de-Ré

◁ **Les plages et les jetées d'Arcachon, sur le Bassin**

À la découverte du Poitou et de l'Aquitaine

Cette région semble destinée à accueillir les touristes : les plages de sable succèdent aux plages de sable, les rivières sont navigables, les ports et les stations balnéaires bien équipés. Les verres semblent se remplir comme par magie des meilleurs vins et du meilleur cognac.
Les amateurs de nourritures moins terrestres y trouveront aussi des chefs-d'œuvre de l'architecture médiévale, à commencer par les sanctuaires qui jalonnent la route de Saint-Jacques-de-Compostelle (p. 424-425). Une visite à Bordeaux, la seule très grande ville, s'impose pour ses monuments, ses églises et ses musées. Les paysages de la vaste pinède que se partagent la Gironde et les Landes sont, quant à eux, inoubliables.

Une petite crique le long du bassin d'Arcachon

CIRCULER

La principale autoroute de la région est l'A10 qui relie Paris et Poitiers. Elle permet de rallier Bordeaux, Rochefort et plus au sud Bayonne et l'Espagne. Elle est très empruntée et il est parfois plus intéressant de choisir des routes plus petites. Un TGV direct relie Paris et Lille à Bordeaux, mettant ainsi la ville à trois heures de Paris. Bordeaux possède un aéroport international. À partir de Poitiers, des bus desservent les villes voisines, notamment Parthenay, Chauvigny et Saint-Savin.

Vers Tours

FUTUROSCOPE ⑦

POITIERS ⑥

ANGLES-SUR-ANGLIN ⑩

⑨

⑪ **SAINT-SAVIN**

⑧

⑫

ABBAYE DE NOUAILLÉ-MAUPERTUIS   **CHAUVIGNY**   **MONTMORILLON**

Clain   *Vienne*

⑭

CONFOLENS

⑬

CHARROUX

D948

N141   *Vers Limoges*

㉔ **ANGOULÊME**

D16

ETERRE-
-DRONNE
㉕

MILION

ogne

Vers Toulouse

Un des plus beaux ports de l'île de Ré

LA RÉGION D'UN COUP D'ŒIL

L'abbaye de Nouaillé-Maupertuis ⑧

Angles-sur-Anglin ⑩

Angoulême ㉔

Aubeterre-sur-Dronne ㉕

Aulnay ⑮

Le bassin d'Arcachon ㉚

Bordeaux ㉖

Brouage ⑲

Charroux ⑭

Chauvigny ⑨

Cognac ㉓

Confolens ⑬

Dax ㉝

Futuroscope ⑦

L'île d'Oléron ⑱

La Côte d'Argent ㉙

La Rochelle ⑯

Les Landes ㉛

Le Marais poitevin ③

Melle ⑤

Mont-de-Marsan ㉜

Montmorillon ⑫

Niort ④

Parthenay ②

Pauillac ㉘

Poitiers ⑥

Rochefort ⑰

Royan ⑳

Saintes ㉒

Saint-Émilion ㉗

Saint-Savin ⑪

Talmont-sur-Gironde ㉑

Thouars ①

LÉGENDE

▓	Autoroute
▓	Route principale
▓	Route secondaire
▓	Route pittoresque
▓	Fleuve ou rivière
☀	Point de vue

0   25 km

Embarcadère à Coulon, dans le Marais poitevin

Façade de l'église Saint-Médard
à Thouars

Thouars ❶

Deux-Sèvres. 🏃 12 000. 🚉 🚌 🛈
3 bis, bd Pierre-Curie (05 49 66 17
65). 🛒 mar. et ven.

Construite sur une colline
aux confins de l'Anjou
et du Poitou, la ville mêle sur
les toits la tuile méridionale
à l'ardoise du Nord.

La façade de l'église romane
Saint-Médard est typique du
style poitevin (p. 436), si l'on
fait abstraction de la rose

gothique. La rue du Château,
bordée de vieilles maisons
à pans de bois, conduit
au château du XVIIᵉ s. des ducs
de la Trémoille (visite en été
uniquement).

À une dizaine de km à l'est,
le beau **château d'Oiron**
(1518-1549) garde une superbe
galerie Renaissance. Il abrite
aussi une collection originale
d'art contemporain. Vers le
sud, la vallée du Thouet
conduit vers la remarquable
église romane d'**Airvault** ;
non loin de là, celle de **Saint-
Jouin-de-Marnes** est fortifiée.

⛪ Château d'Oiron

79100 Oiron. 📞 05 49 96 51 25.
🕐 t.l.j. en juin, juil. et août ; du mar.
au ven. le reste de l'année. ● 1ᵉʳ janv.,
1ᵉʳ mai, 1ᵉʳ et 11 nov., 25 déc. 📷

Parthenay ❷

Deux-Sèvres. 🏃 11 000. 🚉 🚌
🛈 8, rue de la Vau-Saint-Jacques
(05 49 64 24 24). 🛒 mer.

Petit bourg paisible,
Parthenay s'anime
brusquement le mercredi
matin, jour du grand marché

agricole, le deuxième de
France. Les anciennes maisons
à pans de bois se pressent le
long de la rue Vau-Saint-
Jacques, autrefois empruntée
par les pélerins en route pour
Compostelle, et jalonnée de
nombreuses églises, telle la
maison-Dieu (XIIᵉ siècle).

À **Parthenay-le-Vieux**, sur
la façade très richement
sculptée de l'**église Saint-
Pierre** (XIIᵉ s.), on peut voir,
entre autres, Samson
combattant le lion et un
cavalier, faucon au poing.

Le Marais
poitevin ❸

Charente-Maritime, Deux-Sèvres,
Vendée. ✈ La Rochelle. 🚉 Niort.
🚌 Coulon, Arçais, Marans.
🛈 Venise verte (05 49 35 99 29).

Deuxième zone humide
de France après la
Camargue, le Marais poitevin
englobe un territoire de
80 000 hectares qui s'étend de
Niort à la baie de l'Aiguillon.

On distingue le marais
desséché voué à la
céréaliculture et à l'élevage,
et le marais mouillé, partie
inondable du territoire, à
vocation d'élevage et de
cultures à cycle court.

Ce dernier est surnommé la
« Venise verte », sillonnée de
voies navigables sous la
verdure des peupliers, des
frênes, des aulnes, des saules,
et peuplée d'une faune riche
(hérons, avocettes, loutres,
anguilles, pibales) qu'il faut
prendre le temps de découvrir.

On circule ici sur des
barques à fond plat, les *plates*,
que l'on manœuvre à l'aide
d'une perche, la *pigouille*, ou
d'une rame, la *pelle*. Des
promenades en barque,
auxquelles il faut prévoir de
consacrer deux heures,
partent de Coulon, la Garette,
Arçais, Saint-Hilaire-la-Palud,
Le Mazeau, Maillezais ou
Damvix.

À **Coulon**, capitale de
la Venise verte, on peut
également découvrir un
aquarium de poissons d'eau
douce, un écomusée ou
encore faire une promenade
en petit train touristique.

Maisons médiévales, rue de la Vau-Saint-Jacques à Parthenay

Les barques à fond plat typiques du Marais poitevin, à Coulon

Niort ❹

Deux-Sèvres. 👥 58 000. 🚉 🚌
ℹ️ 16, rue du Petit-Saint-Jean (05 49 24 18 79). 🛒 jeu. et sam.

Important port fluvial au Moyen Âge, Niort est aujourd'hui une cité moyenne prospère, siège des grandes mutuelles d'assurances et de la première société européenne d'assistance.

Le donjon des Plantagenêts à Niort

C'est la ville la plus informatisée de France !

Les spécialités du pays, anguilles, escargots et angélique, ne laissent aucun doute sur la proximité des marais. La dernière est une plante aromatique que l'on cultive en terrain humide depuis des siècles pour les vertus curatives de ses racines, et dont la tige, une fois confite, entre dans la composition de desserts et confiseries.

Dès l'arrivée, on aperçoit les tours du donjon des Plantagenêts qui domine les Vieux-Ponts. Construit par Henri II et Richard Cœur de Lion, il remplit son rôle de défense au cours de la guerre de Cent Ans, avant d'être converti en prison. Le père de Françoise d'Aubigné, future marquise de Maintenon *(p. 52)*, y fut incarcéré. Née à Niort en 1635, cette dernière y passa son enfance. Le musée ethnographique du Donjon

présente, entre autres, un intérieur poitevin, des coiffes régionales et des collections archéologiques.

Aux environs
Au nord de Niort, imposantes ruines du **château de Coudray-Salbart**. À **Saint-Maixent-l'École** se dresse l'église d'une ancienne abbaye reconstruite vers 1670 par François Le Duc.

Melle ❺

Deux-Sèvres. 👥 4 000. 🚌 ℹ️ rue E. Travers (05 49 29 15 10). 🛒 ven.

Les Romains, puis les rois francs, exploitaient à proximité des mines de plomb argentifère. Ainsi, au IXe siècle, Melle possédait-elle un important atelier monétaire. Grand centre d'élevage, le pays mellois fut longtemps réputé pour ses ânes, les fameux baudets du Poitou.

Saint-Hilaire, édifiée au XIIe siècle au bord de l'eau, est la plus belle des trois églises du lieu. Sur le portail nord, une statue équestre est supposée représenter l'empereur Constantin, et, à l'intérieur, des chapiteaux sculptés sont ornés de figures fantastiques du bestiaire poitevin.

Au nord de Melle, le **site mégalithique de Bougon** comprend cinq chambres mortuaires (tumulus), dont la plus ancienne remonte à plus de 4 500 ans av. J.-C.

L'église de l'abbaye augustine de **Celles-sur-Belle**, vers l'ouest, possède un superbe portail polylobé d'inspiration orientale, qui contraste avec le reste de l'édifice.

Statue équestre, portail nord de Saint-Hilaire, à Melle

Le Marais poitevin, un canal de la Venise verte ▷

Poitiers ➏

À de nombreuses reprises, Poitiers fut le théâtre de violents combats, le plus décisif ayant abouti à la victoire de Charles Martel sur les Arabes en 732. Après deux périodes de domination anglaise *(p. 47)*, la ville connut un essor particulier avec Jean de France, duc de Berry (1340-1416), mécène éclairé. Rabelais compta parmi les étudiants de l'université de Poitiers, fondée en 1431. Les ravages des guerres de Religion furent terribles et amorcèrent le déclin de la ville. Il fallut attendre le XIXᵉ s. pour que la cité, qui garde vieux hôtels et maisons à colombage, connaisse un nouveau développement. Elle est aujourd'hui une capitale régionale active et dynamique.

Fresque de l'église Saint-Hilaire-le-Grand

⛪ Notre-Dame-la-Grande

Lieu de pèlerinage très fréquenté, c'est un pur joyau de l'art roman, richement décoré au XIIᵉ siècle de sculptures et de peintures murales, dont la remarquable fresque du chœur, qui représente une Vierge de majesté et le Christ. Les chapelles latérales ont été ajoutées à la Renaissance.

⚖ Le palais de Justice

Pl. Alphonse-le-Petit.
📞 *05 49 50 22 00.* ⭘ *du lun. au ven. ; en juil.-août : t.l.j.*
Derrière la façade se trouve la grande salle du palais des comtes de Poitou, d'époque romane.

⛪ La cathédrale Saint-Pierre

Elle date des XIIᵉ, XIIIᵉ et XVᵉ siècles. Stalles parmi les plus anciennes de France et très belles verrières romanes et gothiques gothiques, dont le célèbre vitrail de la Crucifixion.

Les piliers polychromes de Notre-Dame-la-Grande

NOTRE-DAME-LA-GRANDE

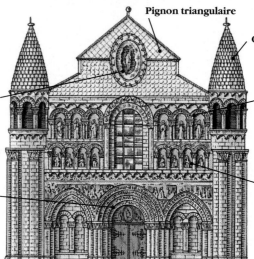

Pignon triangulaire

Clochetons coniques

Le Christ en majesté, entouré des attributs des 4 évangélistes, est figuré au centre du pignon.

Les arcatures aveugles sont typiques du style poitevin.

Les portails sont richement sculptés selon la tradition poitevine.

Les 14 statues de la façade représentent les douze apôtres entourés de deux évêques, sans doute saint Hilaire et son disciple, saint Martin.

L'orgue (1787-1791), fait par François-Henri Cliquot, est l'un des plus réputés et des plus beaux d'Europe.

L'église Sainte-Radegonde

Elle abrite la sépulture de Radegonde, fondatrice de l'abbaye Sainte-Croix. On peut voir son tombeau (587), dans la crypte, et, dans la nef, de beaux vitraux des XIIIᵉ-XIVᵉ siècles.

Le baptistère Saint-Jean

Rue Jean-Jaurès. ○ juil.-août : t.l.j. ; de sept. à juin : du mer. au lun. 🎦
C'est l'un des plus anciens sanctuaires chrétiens connus, édifié au IVᵉ siècle. Le petit musée d'archéologie préhistorique installé dans ses murs, décorés dans leur partie haute de fresques romanes, présente une importante collection de sarcophages mérovingiens.

🏛 Le musée Sainte-Croix

3 bis, rue Jean-Jaurès. ☏ 05 49 41 07 53. ○ du lun. a.-m. au dim. ● les jours fériés. 🎦
Le musée possède, outre une section archéologique, préhistorique, antique et médiévale, de riches collections de peintures et une collection de sculptures du XIXᵉ siècle,

parmi lesquelles des œuvres de Rodin et de Camille Claudel.

L'église Saint-Hilaire-le-Grand

Incendies et reconstructions successives ont fait de Saint-Hilaire un ensemble disparate mais qui demeure d'une grande beauté : le chœur roman conserve encore ses très belles peintures du XIIᵉ siècle.

🏛 Médiathèque François-Mitterrand

4, rue de l'Université. ☏ 05 49 52 31 51. ○ du mar. au sam. 🎦
Implantée au cœur du centre historique, elle offre la connaissance au plus grand nombre par les moyens de communication les plus modernes. À l'intérieur, la Maison du Moyen Âge expose de nombreux manuscrits et gravures médiévales.

MODE D'EMPLOI

Vienne. 🏠 84 000. ✈ 5 km O. Poitiers. 🚉 🚌 🛈 45, pl. Charles-de-Gaulle (05 49 41 21 24). 🛒 mar.-dim. 🎪 Printemps musical (première quinzaine d'avril). ⓦ www.interpc.fr/ot-poitiers

---

Le Kinemax, une des attractions les plus populaire du Futuroscope.

Futuroscope ❼

Jaunay-Clan. 🚉 ☏ 05 49 49 30 00. ○ t.l.j. ● nov.-janv. 🎦 🍴 🛍

Parc européen de l'Image et de la Communication, le Futuroscope présente les technologies de ces domaines dans un décor très futuriste. Outre un pavillon de la communication qui propose diverses expositions, il comporte quantité d'attractions, comme la Gyrotour ou le Tapis magique, le Mur d'images, l'Aquascope ou encore le Kinemax, théâtre alphanumérique.

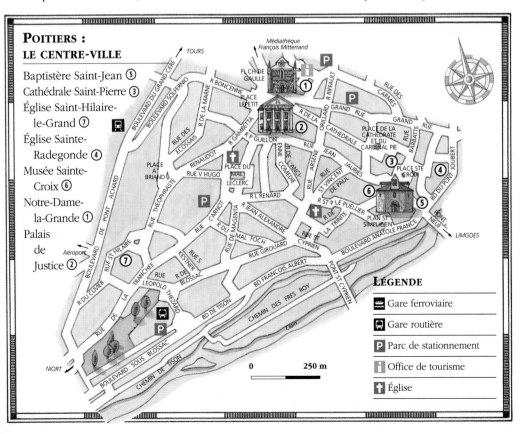

POITIERS :
LE CENTRE-VILLE

Baptistère Saint-Jean ⑤
Cathédrale Saint-Pierre ③
Église Saint-Hilaire-le-Grand ⑦
Église Sainte-Radegonde ④
Musée Sainte-Croix ⑥
Notre-Dame-la-Grande ①
Palais de Justice ②

TOURS
Médiathèque François Mitterrand
PL CH DE GAULLE
R BONCENNE
PLACE LEPETIT
R GAMBETTA
R P GUILLON
R DE LA MARNE
BOULEVARD DU GRAND CERF
BOULEVARD SOLFERINO
RUE DES ÉCOSSAIS
RENAUDOT
RUE V HUGO
PLACE A BRIAND
RUE THÉOPHRASTE
PLACE DU MAL LECLERC
R DE L'ANCIENNE COMÉDIE
RUE CARNOT
RUE DE MAGENTA
R JEAN ALEXANDRE
R L RENARD
RUE DE LA ANCIENNE
R DE LA ORILLARD
R RIFFAULT
RUE DES CARMES
RUE DE LA CATHÉDRALE
GRAND RUE
GRAND RUE
RUE BARBAITTE
PLACE DE LA CATHÉDRATE ET DU CARDINAL PIE
RUE ARSENE
RUE JEAN
RUE JAURIES
ST VINCENT DE PAUL
PLACE STE CROIX
R ST P LE PUELLIER
R DE LA TRINITÉ
PLAN ST SIMPLICIEN
BOULEVARD ANATOLE FRANCE
RUE ST CYPRIEN
RUE GIROUARD
RUE MAL FOCH
RUE S KESTNER
R DE BLOSSAC
RUE TRANCHÉE
RUE LÉOPOLD THÉZARD
BD FRANÇOIS ALBERT
BD DE TISON
CHEMIN DES FRES ROY
PONT ST CYPRIEN
Clain
PONT NEUF
LIMGOES
BOULEVARD DE PONT ACHARD
BOULEVARD ST HILAIRE
R DU CUVIER
RUE DE LA
BOULEVARD SOUS BLOSSAC
CHEMIN DE TISON
Aéroport
NIORT
BD DU PONT JOUBERT

0   250 m

LÉGENDE

🚉 Gare ferroviaire
🚌 Gare routière
🅿 Parc de stationnement
🛈 Office de tourisme
✝ Église

Angles-sur-l'Anglin, les ruines du château et le vieux moulin

L'abbaye de Nouaillé-Maupertuis ⑧

Nouaillé-Maupertuis. 🚌 *depuis Poitiers (STAO, ligne 28).* ☎ *Mairie (05 49 55 35 69).* ⭘ *(église seulement) t.l.j. de 9 h à 18 h.* ♿ ✍

Fondée à la fin du VIIᵉ siècle, l'ancienne abbaye bénédictine, fortifiée au XVᵉ siècle, dresse son imposante silhouette sur les rives du Miosson. L'**abbatiale** romane et classique abrite derrière le maître-autel le sarcophage de saint Junien, sur lequel sont peints trois aigles majestueux. Jubé baroque et stalles dans la nef. Les cryptes ne se visitent pas.

Tout près d'ici se déroula, en 1356, la troisième bataille de Poitiers opposant les troupes du Prince Noir à celles de Jean le Bon. La petite route de la Cardinerie conduit au gué de l'Omme, qui fut le centre des combats. Un monument marque la butte où le roi tint tête à l'ennemi, armé d'une simple hache d'armes et assisté de son jeune fils (le futur Philippe le Hardi, qui reçut plus tard le duché de Bourgogne en récompense de sa bravoure), et où le jeune homme lança l'avertissement qu'ont appris par cœur des générations d'écoliers : « Père, gardez-vous à gauche, Père, gardez-vous à droite ».

Chauvigny ⑨

Vienne. 🏠 *7 000.* 🚉 ℹ *5, rue Saint-Pierre (05 49 46 39 01).* 🛒 *mar., jeu. et sam.*

Construit sur un promontoire dominant la Vienne, la ville ne possède pas moins de cinq forteresses médiévales, toutes en ruine, dont celle des puissants évêques de Poitiers. Des XIᵉ et XIIᵉ siècles, l'**église Saint-Pierre** mérite une visite pour l'harmonie de sa nef et pour ses extraordinaires chapiteaux historiés représentant des scènes bibliques complétées d'un riche bestiaire fantastique. Dans la ville basse, **église Notre-Dame** (XIIᵉ s.), avec fresque du XVᵉ siècle.

Un chapiteau sculpté de l'église Saint-Pierre

Aux environs
Le joli **château de Touffou**, fait de blocs roses et ocre, étale sur la Vienne ses terrasses et ses jardins suspendus. Un peu plus au nord, le village de **Bonneuil-Matours** possède une église romane dont les stalles sont magnifiquement sculptées. Mais toute la vallée de la Vienne engage à l'excursion : **Saint-Pierre-les-Églises** pour ses peintures murales, **Mortemer** pour son château et son église, **Civaux**, surtout, pour son église et une nécropole carolingienne.

🏰 **Château de Touffou**
Bonnes. ☎ *05 49 56 08 48.* ⭘ *de mi-juin à mi-sept. : du mer. au lun. Le reste de l'année : sam., dim. et j. fériés.* ✍

Angles-sur-l'Anglin ⑩

Vienne. 🏠 *420.* ℹ *14, la Place (05 49 48 86 87).* 🛒 *dim.*

Entre collines et rivière, ce charmant village, dominé par un château médiéval en ruine, mérite un détour, ne serait-ce que pour son site ou le vieux moulin à aubes que l'on voit encore sur l'Anglin. Mais les ruelles étroites ne se prêtent guère à l'affluence, et il vaut mieux y venir hors saison. La tradition d'un savant travail d'aiguille qui fit la réputation du lieu, les *jours d'Angles*, se maintient vaillamment. Non loin au nord, église romane de **Vicq**.

Saint-Savin ⓫

Vienne. 🏠 1 100. 🚆 🛈 20, pl.
de la Libération (05 49 48 11 00).
🛒 ven.

L a gloire de la cité est la
majestueuse **église
abbatiale** du XIᵉ siècle,
épargnée par les conflits qui
ensanglantèrent longtemps
la région. Elle possède une
élégante flèche gothique et
une haute et harmonieuse
nef, mais surtout un ensemble
de **fresques**, réparties sur
toute la voûte, uniques en
Europe. Découvertes en 1836,
elles ont été classées, puis
entièrement restaurées entre
1967 et 1974. L'abbaye abrite
un musée consacré à leur
histoire et aux techniques
utilisées pour les réaliser.
Saint-Savin figure depuis 1984
parmi les sites reconnus
par l'Unesco comme
appartenant au patrimoine
mondial. Une copie de ces
fresques est exposée au Palais
de Chaillot (p. 110-111).
Joliment situé au bord
de la Gartempe, qu'enjambe
un pont du XIIIᵉ siècle, Saint-
Savin est un bon centre
d'excursion dans la charmante
vallée de cette rivière.

Le clocher de l'abbatiale

Montmorillon ⓬

Vienne. 🏠 7 200. 🚆 🛈 2, pl. Mᵃˡ-
Leclerc (05 49 91 11 96). 🛒 mer. et sam.

O utre l'**église Notre-Dame**
(XIIᵉ s.), ornée
de fresques romanes, l'intérêt
du bourg, fondé dès
le XIᵉ siècle, réside dans
l'ancien couvent de la Maison-
Dieu, dont la salle des Dîmes
et la tour de cinq étages
abritent chacune un musée.
Le célèbre **Octogone** était
probablement couronné
d'une lanterne des morts, sorte

de colonne creuse surmontée
d'une croix et contenant un
fanal, tracté par une poulie, qui
servait de repère aux
voyageurs égarés. L'**église
Saint-Laurent** présente une
frise historiée sur la façade.

Aux environs
À une demi-heure à pied,
en direction du sud, on atteint
les spectaculaires **Portes
d'Enfer**, un défilé
sur la Gartempe
que connaissent bien les
amateurs de canoë-kayak.
Nombreuses églises romanes
aux environs ; vers le nord-
est, restes de l'**abbaye
de Villesalem**.

Confolens ⓭

Charente. 🏠 3 150. 🚆 🛈 pl.
des Marronniers (05 45 84 22 22).
🛒 mer. et sam.

A ux portes du Limousin,
cette petite cité était jadis
un important lieu de passage,
grâce notamment au Pont-
Vieux, du XIIᵉ siècle. Chaque
année au mois d'août, elle
accueille un festival
international de folklore.

Charroux ⓮

Vienne. 🏠 1 400. 🛈 2, route de
Chatain (05 49 87 60 12). 🛒 jeu.

L'abbaye Saint-Sauveur,
l'une des plus importantes
d'Europe depuis Charlemagne
jusqu'au XVIᵉ siècle, n'est plus
que ruines. Ne subsistent que
la haute tour lanterne de
l'église, le cloître et la salle
capitulaire où sont exposés
des éléments lapidaires du
portail et le trésor.
    C'est ici que furent proclamés
au Xᵉ siècle, par le concile
de Charroux, les principes
de la « Paix de Dieu »,
qui imposait aux seigneurs
de respecter les églises,
les prêtres, les hommes,
les enfants et le bétail.

Aux environs
Au bord de la Charente,
superbe façade historiée de
l'église de **Civray**. Et au
nord-est, ancienne **abbaye
de La Réau** (ruines romanes
et château du XVIIIᵉ siècle).

LES FRESQUES DE SAINT-SAVIN (XIᵉ-XIIIᵉ S.)

Les fresques de Saint-Savin illustrent les épisodes de
l'Ancien Testament, de la création aux dix
commandements. Au commencement, Dieu créa les
étoiles... et la femme. Viennent ensuite l'arche de Noé,
la tour de Babel, Joseph vendu par ses frères et le
passage de la mer Rouge. L'unité stylistique donne à
penser que l'ensemble, dont les vives couleurs se sont
estompées avec le temps, est l'œuvre sinon d'un seul
homme, du moins d'une seule équipe.

L'arche de Noé, église abbatiale de Saint-Savin

Aulnay ⑮

Charente-Maritime. 🚶 *1 400.* 🚌 ℹ️
*290, av. de l'Église (05 46 33 14 44,
d'avril à sept.).*

L'église Saint-Pierre
d'Aulnay, contrairement à
beaucoup d'autres, a été
construite d'un seul jet.
Aucune abside, aucun transept
surajoutés ne viennent altérer
le sanctuaire entouré de
cyprès, qui se présente
exactement comme les
pèlerins l'ont connu au
XIIᵉ siècle, lorsqu'ils marchaient
vers Compostelle. Elle est
décorée de superbes
sculptures, notamment sur la
façade sud, la « face de
lumière », magnifique
spécimen de style poitevin.
Sur les voussures successives
du portail se côtoient de
gracieux personnages bibliques
et des animaux fantastiques, tel
un âne jouant de la lyre.

**Façade de l'église Saint-Pierre
à Aulnay**

La Rochelle ⑯

Charente-Maritime. 🚶 *71 000.* ✈️
🚌 🚌 ℹ️ *pl. de la Petite-Sirène, Le
Gabut (05 46 41 14 68).* ⛴ *t.l.j.*

Grand port de pêche et de
commerce depuis le
XIᵉ siècle, La Rochelle s'est
longtemps obstinée à prendre
le parti des Anglais ou des
calvinistes, raison pour
laquelle Richelieu fit raser les
remparts en 1628. Le Vieux-
Port, fermé par la **tour Saint-
Nicolas** et la **tour de la
Chaîne**, s'est reconverti dans
la navigation de plaisance, où

La tour Saint-Nicolas à La Rochelle

il occupe la première place sur
la côte atlantique. **La Pallice**,
à 5 km, est le port
de commerce.

C'est à pied qu'il faut
parcourir La Rochelle,
ses arcades et ses rues pavées
bordées de très belles
demeures derrière la **Grosse-
Horloge** (XIVᵉ s.), ancienne
porte de l'enceinte : rues
du Palais, Chaudrier,
des Merciers, etc. Le panorama
est magnifique du haut
de la **tour de la Lanterne**,
où l'on enfermait les
prisonniers et dont les parois
sont couvertes de graffiti et de
dessins de bateaux réalisés par
ceux-ci du XVIIᵉ au XIXᵉ siècle.

Au **muséum d'Histoire
naturelle**, on peut voir le
cabinet de travail du
naturaliste rochelais Clément
Lafaille tel qu'il était au
XVIIIᵉ siècle et son inestimable
collection de coquillages,
une salle de zoologie
et une salle d'ethnographie
africaine. Le **musée du
Nouveau Monde** témoigne de
l'importance de l'implantation
française en Amérique à partir
du XVIᵉ siècle grâce au
commerce maritime, tandis
que le **musée des Beaux-Arts**
expose des peintures
orientalistes.

Non loin du Vieux Port,
l'**aquarium** présente les fonds
sous-marins du globe dans
une mise en scène originale.
Point fort de la visite, le bassin
à requins.

🏰 Tour de la Lanterne

Le port. 📞 *05 46 34 11 81.* ⭕ *d'avr.
à sept. : t.l.j. ; d'oct. à mars : du mer.
au lun.* ⬤ *1ᵉʳ janv., 1ᵉʳ mai, 1ᵉʳ et
11 nov., 25 déc.* ♿

🏛 Muséum d'Histoire naturelle

28, rue Albert-Iᵉʳ. 📞 *05 46 41 18 25.*
⬤ *pour rénovation.* ♿

🏛 Musée du Nouveau Monde

10, rue Fleuriau. 📞 *05 46 41 46 50.*
⭕ *du mer. au lun.* ⬤ *dim. a.-m.,
1ᵉʳ janv., 1ᵉʳ mai, 1ᵉʳ et 11 nov., 25 déc.*
♿

🐠 Aquarium

Bassin des Grands Yachts. 📞 *05 46
34 00 00.* ⭕ *t.l.j.* ♿ ♿ 🍴 🅿️

Aux environs

Au nord, le blanc village
d'**Esnandes**, pays des
moules, garde une belle église
romane. L'**île de Ré**,
surnommée l'île blanche à
cause de ses falaises de craie
et ses dunes de sable clair,
abrite une importante
réserve d'oiseaux. Depuis
1988, elle est reliée au
continent par un pont
de 3 km de long reliant le
port de La Pallice à la pointe
de Sablanceaux.

À **Saint-Martin-de-Ré**,
principale localité de l'île,
la forteresse de Vauban
est toujours un pénitencier.

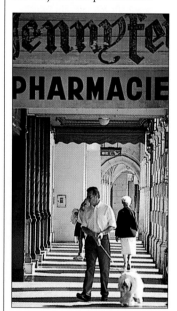

Les arcades de la rue du Palais

Rochefort ⑰

Charente-Maritime. 🚶 *25 000.* 🚌 🚌
ℹ️ *av. Sadi-Carnot (05 46 99 08 60).*
⛴ *mar., jeu. et sam.*

Construit par Colbert (*p. 52-
53*) au XVIIᵉ siècle pour être
le plus grand chantier naval
de France, le port de Rochefort
fut pendant des siècles le rival

Le phare des Baleines, à la pointe de l'île de Ré

historique de La Rochelle.

La **Corderie royale**, magnifiquement restaurée, abrite le Centre international de la mer et le chantier de l'*Hermione*, où l'on reconstruit à l'identique la frégate de La Fayette. Le **musée de la Marine**, installé dans l'hôtel de Cheusses, expose des maquettes de bateaux et de machines utilisées à terre ou en mer et des figures de proue.

C'est à Rochefort qu'est né le romancier **Pierre Loti** (1850-1923), grand voyageur devant l'Éternel. Sa maison natale, transformée en musée, est un extraordinaire entassement, enchaînant au petit bonheur chambre arabe et salon turc.

Outre le produit des fouilles effectuées dans la région, le **musée d'Art et d'Histoire** possède une belle collection de poterie saintongeaise.

🏭 **La Corderie royale**
Centre International de la mer, rue Toufaire. 📞 *05 46 87 01 90.* 🔵 *t.l.j.* ⚫ *1er janv., 25 déc.* 🎟️ ♿

🏛 **Musée de la Marine**
Pl. de la Galissonnière.
📞 *05 46 99 86 57.* 🔵 *du mer. au dim.* ⚫ *les jours fériés (sauf à Pâques et à la Pentecôte).* 🎟️ ♿

🏛 **Maison de Pierre Loti**
141, rue Pierre-Loti. 📞 *05 46 99 16 88.* 🔵 *du mer. au lun. ; de juil. à mi-sept. : t.l.j.* ⚫ *en jan. et les jours fériés.* 🎟️ 📷 ♿

🏛 **Musée d'Art et d'Histoire**
63, av. du Général-de-Gaulle. 📞 *05 46 82 67 80.* ⚫ *pour rénovation jusqu'en 2004.*

Aux environs
L'**île d'Aix**, desservie par un ferry au départ de Fouras, accueillit Napoléon avant son exil à Sainte-Hélène.

🏛 **Musée napoléonien**
Rue Napoléon. 📞 *05 46 84 66 40.* 🔵 *du mer. au lun.* ⚫ *1er mai.* 🎟️ ♿

🏛 **Musée africain**
Rue Napoléon. 📞 *05 46 84 66 40.* 🔵 *du jeu. au mar.* ⚫ *1er mai.* 🎟️ ♿

Napoléon, détenu à l'île d'Aix en 1814

Île d'Oléron ⑱

Charente-Maritime. ✈️ *La Rochelle.* 🚉 *Rochefort, Marennes, puis bus.* ⛴️ *depuis La Rochelle.* 🛈 *Bourcefranc (05 46 85 65 23).*

C'est la plus grande des îles, après la Corse, riche en belles plages et forêts et jouissant d'un climat exceptionnellement doux. La **Côte Sauvage**, au sud, attire chaque année un grand nombre de touristes,

à proximité de La Cotinière. Moins fréquenté, le nord de l'île se consacre à la pêche et à l'agriculture.

Le train miniature de **Saint-Trojan**, importante station balnéaire au sud de l'île, sillone dunes et sous-bois.

Brouage ⑲

Charente-Maritime. 👥 *180.* 🛈 *2, rue du Québec, Hiers-Brouage (05 46 85 19 16).*

Place forte de Richelieu pendant le siège de La Rochelle en 1627, le port de Brouage, envasé, a été déserté par l'océan au siècle suivant et dresse désormais dans la campagne son mur d'enceinte inutile. C'est ici que Marie Mancini fut envoyée en exil par son oncle Mazarin, qui désapprouvait sa liaison avec le jeune Louis XIV. Le roi n'oublia jamais son premier amour et vint se recueillir dans la chambre qu'avait occupée la jeune fille.

Aux environs
Dans les parcs de **Marennes-Oléron**, au sud de Brouage, on récolte de petites huîtres bien vertes, les fines de claire, soit la moitié de la production ostréicole française. Vue magnifique depuis le clocher de l'**église Saint-Pierre**. Exposition d'attelages au **château de La Gataudière**. Musée de l'Huître au **fort Louvois** (XVIIe s.), et visites d'élevages possibles.

L'une des cinq plages de Royan

Royan ⑳

Charente-Maritime. 🚶 *17 500.* 🚆 🚌 🚢 *jusqu'à Verdon seulement* ℹ️ *rond-point de la Poste (05 46 05 04 71).* 🎪 *du lun. au dim. (de juin à sept. : t.l.j.).*

G ravement endommagée par les bombardements intensifs, Royan a été entièrement reconstruite après la fin de la dernière guerre. La ville neuve et ses cinq plages de sable fin, dont la **Grande Conche**, attirent chaque été une foule de touristes.

Élégant édifice de béton armé, l'**église Notre-Dame** a été construite par Guillaume Gillet entre 1955 et 1958.

Épargné par les guerres et les intempéries, le phare Renaissance de **Cordouan**, construit au large en 1611, a été surélevé postérieurement. Il mesure 66 m de haut. Des vedettes de promenade y conduisent depuis Royan.

Aux environs
De part et d'autre, stations et plages de **Saint-Palais** et **Saint-Georges-de-Didonne**.

Au nord, ancienne abbaye de Sablonceaux (XIIIᵉ s.). Magnifiques pinèdes fixant des dunes dans la forêt de la Coubre, en bordure de l'Océan fougueux. Parc zoologique à **La Palmyre** et ostréiculture à **La Tremblade** et **Étaules**.

Talmont-sur-Gironde ㉑

Charente-Maritime. 🚶 *83.* ℹ️ *rue de l'Église (05 46 90 16 25).*

L a curieuse petite église romane **Sainte-Radegonde** de Talmont, construite en 1094, domine la Gironde en équilibre instable sur une falaise calcaire. Une des deux travées de la nef s'est d'ailleurs effondrée à cause de l'érosion. L'abside épouse la forme de la proue d'un navire, le portail est sculpté et les chapiteaux de la nef sont remarquables (saint Georges terrassant le dragon). Le petit village, lui-même, avec ses maisons blanches et ses roses trémières, est une vraie merveille.

Saintes ㉒

Charente-Maritime. 🚶 *27 000.* 🚆 🚌 ℹ️ *Villa Musso, 62, cours National (05 46 74 23 82).* 🎪 *jeu. et dim.*

L a capitale de la Saintonge et son pont sur la Charente ont vu passer pendant des siècles pèlerins et voyageurs. Le pont romain a été remplacé, mais, au bord du fleuve, l'**arc de Germanicus** est toujours debout.

Un peu plus loin sur la rive droite se dresse l'**abbaye aux Dames**, où furent éduquées un certain nombre de jeunes filles nobles. L'église abbatiale, consacrée en 1047, possède un magnifique portail sculpté.

Sur la rive gauche se trouve un **amphithéâtre romain** du premier siècle et, un peu plus loin, un chef-d'œuvre d'architecture romane, l'**église Saint-Eutrope**. C'est Louis XI, attribuant à saint Eutrope la guérison de son hydropisie, qui fit construire le clocher (XVᵉ s.). Si l'édifice a été endommagé par la destruction de la nef en 1803, les chapiteaux du chœur ont été conservés. Voir aussi l'**église Saint-Pierre** et les musées des Beaux-Arts et Dupuy-Mestreau.

Aux environs
Dans un superbe parc, **La Roche-Courbon** est dit « le château de la Belle au bois dormant ».

L'arc de Germanicus à Saintes

Cognac ㉓

Charente. 🚶 *20 000.* 🚆 🚌 ℹ️ *16, rue du 14-Juillet (05 45 82 10 71).* 🎪 *t.l.j.*

T oute la ville, ancien port de batellerie au bord de la Charente, semble vouée à son illustre alcool. Le

La nécropole de l'église Saint-Jean, Aubeterre-sur-Dronne

château des Valois, bâti entre les XIIIᵉ et XVIᵉ siècles, où naquit François Iᵉʳ, est lui-même occupé par une distillerie, **Cognac Otard**, que l'on peut visiter, tout comme d'autres chais répartis dans la ville où l'on trouve encore quelques maisons anciennes. On découvrira le musée de Cognac à l'hôtel de ville et un beau parc forestier à l'est. Les vignobles des champagnes, aux environs, produisent des vins médiocres ; mais une fois « brûlés » par une double distillation et vieillis en fûts entre 3 et 40 ans, ils donneront les plus fameuses de nos eaux-de-vie.

Verre à cognac

Pons, au cœur du vignoble, est une ville ancienne groupée autour de son donjon du XIIᵉ siècle, non loin du joli château Renaissance d'**Usson** et de nombreuses églises romanes saintongeaises aux remarquables façades.

🍷 Cognac Otard
Château de Cognac, 27, bd Denfert-Rochereau. ☎ 05 45 36 88 86. ○ d'avril à oct. : t.l.j. ; de nov. à déc. : du lun. au ven. ● les jours fériés. 🚫

Angoulême ㉔

Charente. 🏠 46 000. 🚌 🚉 ℹ️ 7 bis, rue du Chat (05 45 95 16 84). 🛒 mer. et sam.

Au sommet de la ville, tout près de la promenade des remparts, la cathédrale Saint-Pierre possède une extraordinaire façade romane, où plus de 70 personnages de pierre sculptée illustrent les thèmes de l'Ascension et du Jugement dernier. Au XIXᵉ siècle, les restaurations menées par l'architecte Abadie furent inconsidérées, au point d'entraîner la destruction d'une crypte du VIᵉ siècle. Abadie fit abattre le château comtal, hormis la **tour de Lusignan** et la **tour de Valois** où serait née Marguerite d'Angoulême (auteur de l'*Heptaméron*), et le remplaça par un hôtel de ville de style éclectique. On peut admirer dans la ville ancienne les belles demeures de la Renaissance et de l'époque classique.

Le **Centre national de la Bande dessinée et de l'Image** (CNBDI) possède d'intéressantes collections de pièces rares et des documents relatifs à la bande dessinée dans le monde, les axes majeurs étant l'âge d'or américain et l'école franco-belge (Tintin et Astérix en tête).

🏛 Centre national de la Bande dessinée et de l'Image
121, rue de Bordeaux. ☎ 05 45 38 65 65. ○ du mar. au dim. (a.-m. uniquement sam. et dim.). ● en janv. et les jours fériés. 🚫 ♿

Aux environs
Angoulême s'est illustrée longtemps dans la fabrication du papier. Au **moulin du Verger**, à Puymoyen, on fabrique encore du papier à la cuve selon les méthodes traditionnelles. **Saint-Amand-de-Boixe** garde une belle église en partie romane, et le pittoresque bourg de **La Roche-foucauld** cerne son vaste château des XIIᵉ et XVIᵉ siècles.

🏚 Moulin du Verger
Puymoyen. ☎ 05 45 61 10 38. ○ t.l.j. sauf j. fériés. Entrée gratuite.

Aubeterre-sur-Dronne ㉕

Charente. 🏠 390. 🚌 ℹ️ pl. du Château (05 45 98 57 18). 🛒 dim.

Aubeterre (en latin *alba terra*) doit son nom à sa blanche falaise calcaire, dans laquelle les premiers chrétiens ont creusé un sanctuaire dès le IVᵉ siècle. Dans l'**église monolithe Saint-Jean**, on peut admirer un baptistère que des fouilles ont mis au jour, ainsi qu'un monument monolithe ayant pu servir de reliquaire.

Façade de la cathédrale Saint-Pierre à Angoulême, détail

Bordeaux pas à pas ㉖

É difié sur une courbe de la Garonne, le « port de la lune » des *Chroniques* de Froissart est au carrefour des voies terrestres et maritimes depuis l'époque romaine. La physionomie actuelle de la ville conserve peu de chose du passage successif des Francs et des Anglais ou des bouleversements des guerres de Religion ; son architecture est surtout marquée par une réorganisation totale au XVIIIe siècle. Les rues du centre s'ordonnent autour de la vaste esplanade des Quinconces dont les terrasses dominent le fleuve. S'y ajoutent la place de la Bourse et la place de la Comédie où se dresse le Grand Théâtre. Tournée vers la mer et vers l'avenir, Bordeaux est la cinquième ville de France.

L'église Notre-Dame construite de 1684 à 1707

La Maison du Vin renseigne sur la visite des chais.

★ Le Grand Théâtre
La façade de ce chef-d'œuvre, édifié entre 1773 et 1780, est ornée de statues des 9 muses, plus Junon, Minerve et Vénus.

À NE PAS MANQUER

★ Le Grand Théâtre

★ L'esplanade des Quinconces

★ La place de la Bourse

LÉGENDE

– – – – Itinéraire conseillé

---

0   100 m

Les quais offrent une superbe façade du XVIIIe siècle, à l'image d'une prospère cité portuaire.

★ La place de la Bourse, *ancienne place Royale, est un chef-d'œuvre d'harmonie ; la Bourse y fait face à l'hôtel des Douanes.*

★ L'esplanade des Quinconces

Entourée d'arbres et ornée des statues de Montaigne et de Montesquieu, elle a été aménagée au XIXᵉ siècle.

Les Chartrons, quartier des riches négociants en vin.

Le monument aux Girondins
Des fontaines symbolisant le Triomphe de la Concorde et de la République flanquent le monument aux Girondins (1894-1902) ; au sommet, la Liberté brise ses fers.

COURS DE TOURNON

RUE BOUDET

COURS DE GOURGUE

E DES QUINCONCES

COURS DU MARECHAL FOCH

RUE VAUBAN

RUE FERRERE

RUE FOY

ALLEE DE BRISTOL

ALLEES DE CHARTRES

ESPLANADE DES QUINCONCES

QAI LOUIS XVIII

★ **Le CAPC,**
musée d'Art contemporain, est installé dans un ancien entrepôt.

Les terrasses offrent une belle vue sur le port.

Embarquement des barriques au XIXᵉ siècle

LE MARCHÉ DU VIN

Bordeaux est le plus ancien port de commerce de France après Marseille. Depuis l'époque romaine, la prospérité de la ville repose sur l'exportation du vin, développée par l'occupation anglaise (1154-1453). La barrique bordelaise (225 litres depuis une loi de 1886) est la plus utilisée dans le monde. La **maison du Vin**, 1, cours du 30-Juillet, informe les visiteurs et propose de déguster une sélection des vins de Bordeaux. L'**Intendant**, 2, allées de Tourny, assure la vente au détail.

GRAND THÉÂTRE DE BORDEAUX

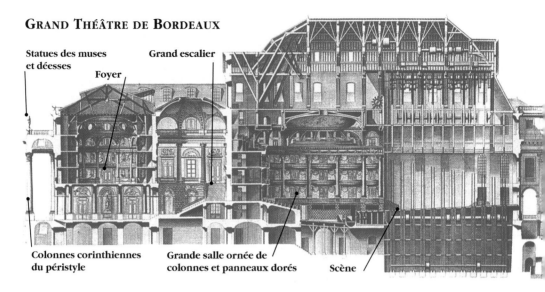

Statues des muses et déesses

Foyer

Grand escalier

Colonnes corinthiennes du péristyle

Grande salle ornée de colonnes et panneaux dorés

Scène

À la découverte de Bordeaux

Le Triangle est délimité par le cours de l'Intendance, le cours Clemenceau et les allées de Tourny. La rue Sainte-Catherine, rendue aux piétons, et la rue de la Porte-Dijeaux sont bordées de boutiques et de cafés.

Le Grand Théâtre

Pl. de la Comédie. *05 56 00 85 20.* Ce qui est sans doute l'un des plus beaux théâtres du monde fut construit entre 1773 et 1780 par Victor Louis. La salle est réputée pour son acoustique exceptionnelle, et le grand escalier servit de modèle à Garnier pour celui de l'Opéra de Paris *(p. 95).*

L'église Saint-Seurin

Mélange de styles divers, du XIe au XVIIIe siècle, cette église abrite une intéressante collection de sarcophages des VIe et VIIe siècles et une chaire épiscopale sculptée dans la pierre. à côté du portail sud se trouve un intéressant site paléochrétien. Le **palais Gallien**, tout près, est un ancien amphithéâtre romain.

L'église Saint-Michel

Commencé en 1350, le sanctuaire, qui compte trois nefs parallèles, ne fut achevé que 200 ans plus tard (remarquable statue de sainte Ursule). La flèche gothique de son clocher isolé (1472-1492) atteint 114 mètres.

Le musée des Beaux-Arts

20, cours d'Albret. *05 56 10 20 56.* *du mer. au lun.* *les jours fériés.*

Installé dans les ailes nord et sud de l'hôtel de ville, le musée possède d'importantes collections de peinture de toutes les époques, exposées en alternance (Titien, Véronèse, Rubens, Delacroix, Corot, Boudin, Renoir). Non loin, l'hôtel de Lalande abrite un **musée des Arts décoratifs**.

Le musée d'Aquitaine

20, cours Pasteur. *05 56 01 51 00.* *du mar. au dim.* *les jours fériés.*

Le musée se consacre à l'ethnographie régionale et en particulier à l'histoire du vignoble bordelais, à travers des œuvres d'art, des documents divers, des outils et des objets usuels. La pièce maîtresse de la collection préhistorique est le trésor de Tayac, qui comprend des monnaies et un torque en or massif.

Rue du vieux Bordeaux, porte de la Grosse Cloche

La cathédrale Saint-André

Totalement reconstruite du XIIIe au XVe siècle, la cathédrale garde un mur du XIe siècle. On notera, sur la porte Royale, la représentation sculptée du Jugement dernier. Tout près, **centre Jean-Moulin**, consacré à la Résistance.

Le CAPC-Musée d'Art contemporain

Entrepôt Lainé, 7, rue Ferrère. *05 56 00 81 50.* *du mar. au dim.* *les jours fériés.*

Le Centre d'arts plastiques contemporain, ouvert en 1990 dans l'entrepôt Laîné, propose diverses expositions d'art moderne. Ses collections rassemblent des œuvres des années 1960-1970. Complété par un auditorium, une bibliothèque et un centre de documentation, il tient également lieu de centre culturel.

Saint-Émilion ㉗

Gironde. *2 800.* *pl. des Créneaux (05 57 55 28 28).* *dim.*

Le nom évoque l'une des plus prestigieuses appellations de bordeaux rouge *(p. 422-423).* Mais c'est aussi une ravissante petite ville médiévale entourée de vignobles qui, à l'origine, se développa autour d'un ermitage. On y voit les vestiges d'un ancien couvent, le mur des Dominicains, ainsi que des remparts, des cloîtres, une collégiale du XIIe siècle et surtout l'église monolithe creusée par les moines à même la falaise après la mort du saint ermite Émilion, étonnante réalisation de l'art troglodytique, malheureusement désormais quelque peu défigurée par des piliers empêchant qu'elle ne s'effondre. Le **château Ausone**, premier grand cru classé de Saint-Émilion, rappelle le souvenir du consul et poète gallo-romain, qui vantait déjà les vertus du bordeaux au IVe siècle.

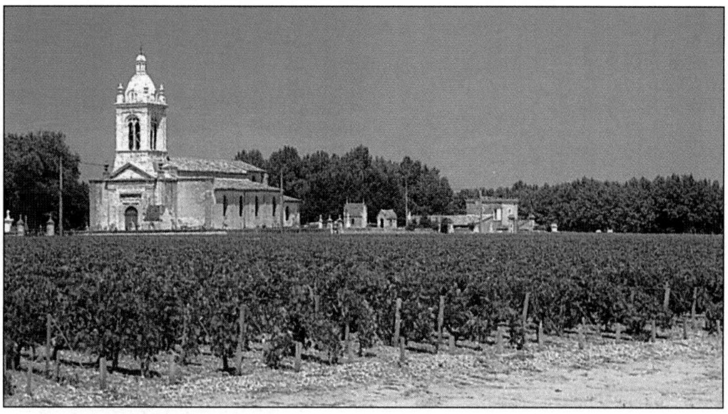

Un vignoble dans le Médoc

Pauillac 28

Gironde. 5 850.
La Verrerie (05 56 59 03 08). *sam.*

La petite commune de Pauillac, dans le Médoc *(p. 422-423)*, détient à elle seule trois des quatre premiers grands crus classés du Médoc, le **château Lafite-Rothschild**, le **château Latour** et le **château Mouton-Rothschild** (visite des chais sur r.-v.). Capitale du Médoc viticole, Pauillac possède aussi un port, équipé aujourd'hui pour la navigation de plaisance. Sur les quais, on déguste les spécialités du pays, vins, agneau et crevettes de l'estuaire. On aperçoit au loin les cabanes de pêche ou « carrelets », posées sur la berge comme de grands échassiers. Sur l'autre rive de la Gironde, à 15 km au sud-est de Pauillac, se dresse la citadelle de **Blaye** construite sur ordre de Louis XIV pour protéger Bordeaux.

LES CHÂTEAUX DU BORDELAIS

Emblématique du bordeaux, le vin le plus connu dans le monde, le « château » est un vignoble assorti d'un édifice, qui peut aller du plus modeste au plus élaboré, symbole d'une tradition aristocratique de qualité, attachée à un domaine. Certains châteaux sont ouverts aux visiteurs. Pour les itinéraires et la visite des chais (celliers de dégustation, car le sous-sol friable ne permet pas de creuser des caves), se renseigner auprès du Comité interprofessionnel des vins de Bordeaux, à la Maison du Vin, cours du 30-Juillet *(p. 444)*.

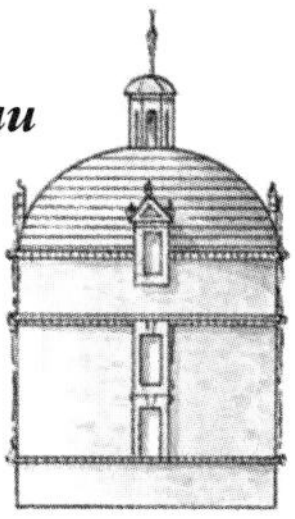

***Le château Latour**, à Pauillac, est reconnaissable à sa tour ronde représentée sur l'étiquette du vin.*

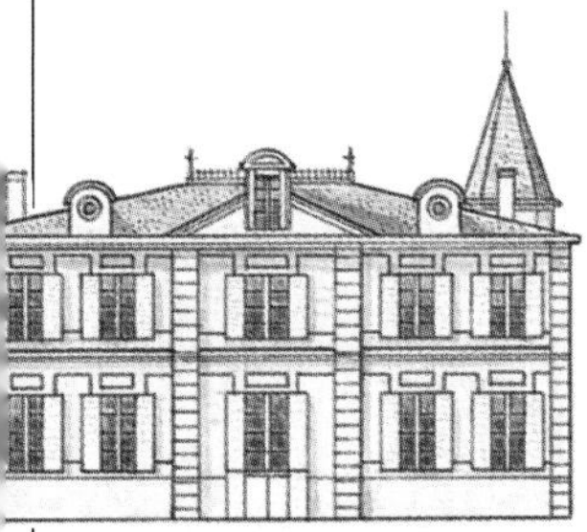

***Le château Cheval-Blanc** est l'un des premiers grands crus classés de saint-émilion.*

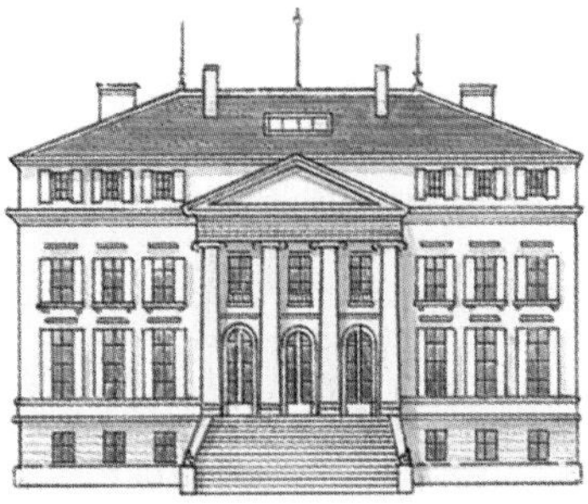

***Le château Margaux** est un premier grand cru classé harmonieux, à l'image du péristyle de la façade (1802).*

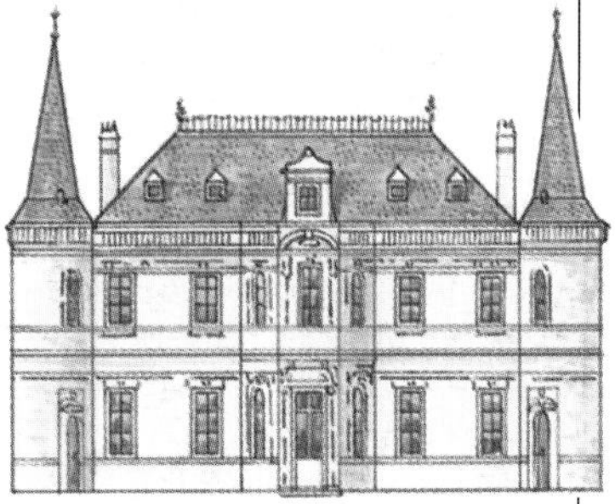

***Le château Palmer** (1856), de style néo-Renaissance, donne un médoc troisième cru (Cantenac-Margaux).*

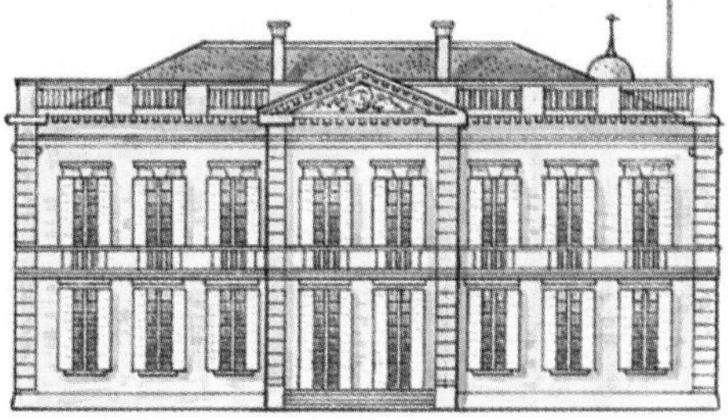

***Le château Gruaud-Larose**, édifice classique fait de pierres ocre, donne un médoc deuxième cru bien charpenté (Saint-Julien).*

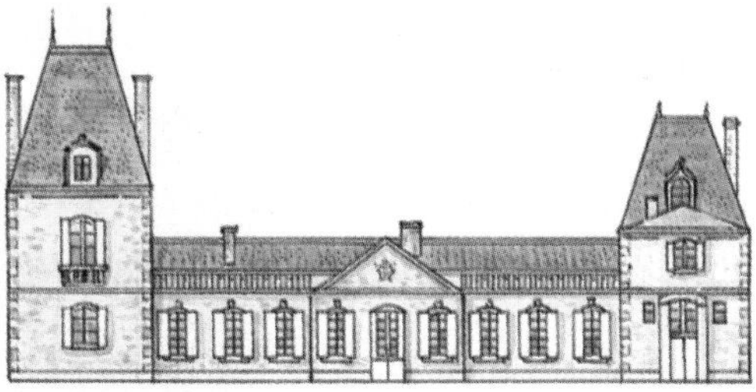

***Le vieux château Certan**, dont les propriétaires sont belges, se classe parmi les pomerols, qui occupent indiscutablement la première place malgré l'absence de tout classement officiel.*

La dune du Pilat, à l'entrée du bassin d'Arcachon

La Côte d'Argent ㉙

Gironde, Landes. ✈ *Bordeaux.* ▯
Soulac-sur-Mer, Arcachon, Labenne.
▯ *Lacanau, Arcachon, Mimizan.* ℹ
Lacanau (05 56 03 21 01), Mimizan-
Plage (05 58 09 11 20), Capbreton
(05 58 72 12 11).

Elle s'étend de l'extrême pointe sud de l'estuaire de la Gironde aux plages de Bayonne et forme pratiquement une seule étendue de sable blanc, bordée de dunes mouvantes.
   Les stations balnéaires s'y succèdent : **Soulac-sur-Mer, Lacanau-Océan** et **Mimizan-Plage, Hossegor** et sa plage de **Capbreton**.
   À l'intérieur, des chapelets de lacs sont reliés à l'Océan par des canaux émissaires appelés « courants », comme le **courant d'Huchet** qui régularise l'étang de Léon. C'est une zone protégée dont la flore est exceptionnellement riche.

Le bassin d'Arcachon ㉚

Gironde. 👥 *12 000.* ▯ ▯
ℹ *esplanade Georges-Pompidou,*
Arcachon (05 57 52 97 97). ⊖ *t.l.j.*

La ligne plate de la côte semble céder brusquement en son milieu, pour former une sorte d'enclave dans les terres, le bassin d'Arcachon, abri naturel pour les voiliers et les parcs ostréicoles.
   Quantité de petites plages sont semées autour du vaste

bassin, à commencer par **Le Cap-Ferret** au nord, station résidentielle dont le phare monte la garde sur l'Atlantique. De là, on gagne Arès et Andernos, au fond du bassin que la mer déserte à marée basse. Non loin de Gujan-Mestras, capitale de l'huître, le **parc ornithologique du Teich** accueille les oiseaux de mer et les espèces menacées. Des circuits bien balisés permettent d'observer sans être vu les différentes variétés d'oiseaux qui s'y réfugient selon les saisons.
   Arcachon, séparée de la commune de La Teste, la plus étendue de France, devint à partir de 1845 une plage à la mode, ce dont témoignent les élégantes villas construites jusqu'au début de ce siècle dans la paisible ville d'hiver. Autour de la plage Thiers, la ville d'été a pris le relais, avec son casino, ses boutiques et ses restaurants, sa digue-

promenade et ses aménagements sportifs.
   L'immense **dune du Pilat**, qui s'élève à plus de 100 m sur 3 km de long, est la plus grande d'Europe. Elle offre une magnifique vue panoramique sur le bassin, les maisons sur pilotis de l'île aux oiseaux et le banc d'Arguin, réserve classée.

🦅 Parc ornithologique du Teich
Le Teich. ☏ *05 56 22 80 93.* ◯ *t.l.j.*
🈳 ♿ 🍽 ▯

Les Landes ㉛

Gironde, Landes. ✈ *Bordeaux, Biarritz.* ▯ *Morcenx, Dax, Mont-Marsan.* ▯ *Mont-de-Marsan.*
ℹ *Mont-de-Marsan (05 58 05 87 37).*

Le parc naturel régional des Landes de Gascogne, créé en 1970, a ceci de particulier qu'il n'est précisément pas « naturel ». Jusqu'au milieu du

Le parc ornithologique du Teich

LA FORÊT DES LANDES

Entièrement créée par l'homme, l'immense forêt des Landes, la pinède, a été implantée au XIXᵉ siècle dans cette région marécageuse pour enrayer la dérive des sables et permettre l'utilisation des sols. Le marais a été asséché en 1855. Une association de pins maritimes, de chênes verts, de buissons et d'oyats contribue à stabiliser le terrain et les dunes, et à maintenir un équilibre écologique fragile.

La pinède

siècle dernier, la région était un vaste marécage, où les troupeaux de moutons trouvaient une maigre pâture, sous la surveillance des fameux bergers landais juchés sur leurs échasses. C'est l'intervention de l'homme qui en fit une forêt, exploitée pour le bois d'œuvre et la résine, afin d'arrêter la progression des dunes.

À Sabres, un petit train du siècle dernier conduit à **Marquèze**, l'un des deux pôles de l'écomusée de la Grande Lande où l'on voit des bâtiments de ferme en bois et torchis, semblables à ceux qui existaient dans la région au siècle dernier. La maison de maître, meublée à l'ancienne, comporte un auvent et une toiture typique à trois pentes. L'installation est complétée par un four à pain, une porcherie, une étable, un poulailler avec son échelle, plusieurs granges et deux bergeries.

À **Luxey**, le second pôle de l'écomusée comprend un atelier de distillation de la gemme (1859-1954), qui explique l'exploitation de la résine et des produits dérivés.

Dans le petit village de **Lévignacq**, on peut admirer un bel ensemble de maisons landaises traditionnelles ; son église fortifiée du XIVᵉ siècle est joliment décorée de fresques naïves.

Mont-de-Marsan ㉜

Landes. 🏃 *32 000.* 🚉 🚌 ℹ️ *6, pl. du Général-Leclerc (05 58 05 87 37).* 🛒 *mar. et sam.*

Haut lieu de la tauromachie en France, les arènes de Mont-de-Marsan attirent à la belle saison une foule cosmopolite. Moins sanglante que la corrida et tout aussi sportive, la course landaise est une série d'esquives destinées à mettre en valeur le courage et l'adresse des participants.

La ville possède aussi un hippodrome et un donjon construit au XIVᵉ siècle

par Gaston Phébus, comte de Béarn.

Le musée Despiau-Wlérick expose, autour des sculptures de ces deux artistes locaux, près de 600 œuvres Art déco. Vers l'est, **Labastide d'Armagnac**, bourg landais médiéval, vit du négoce du célèbre alcool *(p. 466).*

Au sud, **Saint-Sever** garde les restes d'une abbaye du XIᵉ siècle, dans un site en belvédère.

Dax ㉝

Landes. 🏃 *20 000.* 🚉 🚌 ℹ️ *pl. Thiers (05 58 56 86 86).* 🛒 *sam. et dim. matin (et le mar. de mi-nov. à mi-fév.).*

Dax est la première station thermale de France (rhumathologie, phlébologie). Les vertus curatives de ses sources chaudes (64° C) et des boues énergétiques de l'Adour étaient déjà connues sous le règne de l'empereur Auguste.

De l'ancienne cathédrale gothique Notre-Dame, ne subsiste que le **portail des Apôtres** (XIIIᵉ s.). Si le patrimoine architectural de la ville est limité, ses arènes et sa feria (août), en revanche, sont célèbres dans le monde entier. Dax est aux portes de la **Chalosse**, riche pays agricole, terre des confits et du foie gras. **Le Tursan** et son vin, **Aire-sur-l'Adour**, **Saint-Vincent-de-Paul** ou, aux portes du Pays Basque, **Peyrehorade** méritent un arrêt, parmi bien d'autres bourgs, qui pour une église, qui pour un château, ou une bastide...

La Force (1937) de Raoul Lamourdieu à Mont-de-Marsan, capitale de la tauromachie

PÉRIGORD,
QUERCY ET GASCOGNE

DORDOGNE · LOT · TARN · HAUTE GARONNE · LOT-ET-GARONNE
TARN-ET-GARONNE · GERS · CORRÈZE

Remontant aux plus lointaines époques, l'archéologie témoigne que le Sud-Ouest de la France est habité depuis plus longtemps que toute autre région d'Europe. Est-ce de là que provient la subtile harmonie des paysages où la présence humaine semble évidente depuis toujours ?

Les grottes du Périgord présentent des peintures rupestres du paléolithique supérieur ; vieilles de plus de quinze mille ans, elles figurent parmi les plus anciens témoignages connus de l'art préhistorique. Pour être de création plus récente, les bastides, exemple d'un urbanisme médiéval original *(p. 471)*, les châteaux et les églises qui jalonnent le pays, de Périgueux aux Pyrénées, de Toulouse à la Méditerranée, n'en sont pas moins remarquables. Des premiers temps du christianisme à la fin du XVIIᵉ siècle, ces régions furent le théâtre de conflits sanglants, combats franco-anglais de la guerre de Cent Ans, puis luttes fratricides entre catholiques et huguenots *(p. 48-51)*.

Il reste de ces époques troublées des fragments de remparts, des donjons et toute une suite de bastides, dans des sites naturels préservés. Mais il n'est sans doute pas inutile de se souvenir que nombre de ces ensembles grandioses, de l'abbaye de Moissac au village de Rocamadour, ont eu un jour ou l'autre à souffrir de la guerre.

Riche de tous les atouts pour de merveilleuses vacances (panoramas infinis, chemins tranquilles, eaux limpides et bonne cuisine), le Sud-Ouest rural connaît pourtant une économie souvent précaire. Les exploitants agricoles ont souffert des mutations technologiques de l'après-guerre ; les campagnes se sont vidées et ont vieilli, la population se concentrant notamment dans l'agglomération toulousaine.

« Vert » ou culturel, le tourisme est bien désormais une chance pour ces régions.

Les oies du Périgord, élevées pour la fabrication du foie gras

◁ **La Roque-Gageac, sur les bords de la Dordogne**

À la découverte du Périgord, du Quercy et de la Gascogne

Que l'on séjourne dans une ville moyenne, Périgueux, Cahors ou Albi, ou à Toulouse, la métropole régionale, quelques tours de roues suffiront pour retrouver les vertes collines et les villages tranquilles du Périgord (également appelé Dordogne) et de la Gascogne, qui savent vous offrir leurs délectables spécialités et déployer les merveilles de leurs sites, de leurs grottes souterraines ou de leurs sanctuaires et de leurs châteaux.

La cité médiévale de Cordes

CIRCULER

L'axe le plus important de la région est l'autoroute des Deux-Mers (A 62-A 61), qui permet de passer de l'Atlantique à la Méditerranée. La nouvelle autoroute A 20 au départ de Limoges dessert la Dordogne et le Quercy.
Des lignes TGV relient Paris à Bordeaux et à Toulouse, et les deux métropoles entre elles.
Trains régionaux et autocars complètent le réseau. Toulouse possède un aéroport international, dont les vols quotidiens desservent les capitales européennes.

LÉGENDE

▬▬	Autoroute
▬▬	Route principale
▬▬	Route secondaire
▬▬	Parcours pittoresque
～	Cours d'eau
☼	Point de vue

0   25 km

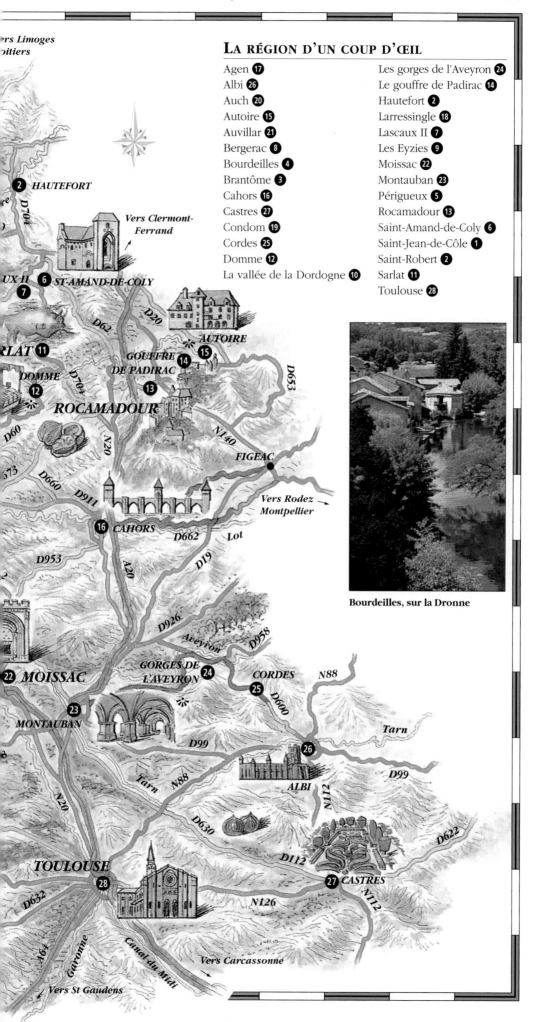

Vers Limoges
Poitiers

❷ HAUTEFORT

Vers Clermont-Ferrand

UX II ❻ ST-AMAND-DE-COLY
❼

RLAT ⑪

DOMME
⑫

AUTOIRE
⑮

GOUFFRE ⑭
DE PADIRAC
ROCAMADOUR ⑬

FIGEAC

Vers Rodez
Montpellier

⑯ CAHORS
Lot

MOISSAC ㉒

MONTAUBAN ㉓

GORGES DE
L'AVEYRON ㉔

CORDES
㉕

ALBI ㉖

TOULOUSE
㉘

CASTRES ㉗

Vers Carcassonne

Vers St Gaudens

D704 D62 D20 D653 N140 N20 D660 D911 D662 D19 D953 A20 D926 D958 D600 N88 D99 D112 N112 D622 D630 N126 N20 D632 A64 D60 D704

Bourdeilles, sur la Dronne

Saint-Jean-de-Côle **❶**

Dordogne. 🚶 *350.* **ℹ** *pl. du Château. 05 53 62 14 15.*

C'est un village pittoresque, dans un paysage de collines, avec son vieux pont en dos d'âne qui enjambe la Côle et ses maisons couvertes de tuiles brunes. Sur la grand-place, la halle couverte voisine avec le château de la Marthonie, mi-Renaissance, mi-classique, avec un prieuré qui renferme un cloître du XVIᵉ siècle et avec une église romane (XIᵉ-XIIᵉ s.). La coupole qui surmontait la nef de cet édifice au plan singulier était si grande qu'elle s'écroula plusieurs fois ; au XIXᵉ siècle, elle fut remplacée par un plafond de planches.

Saint-Jean-de-Côle, la grand-place

Le château de Hautefort **❷**

Dordogne. **ℹ** *05 53 50 51 23.* ⭘ *d'avr. à oct : t.l.j. ; de nov. à mars : le dim. et les jours fériés.* 📷 🎦 *uniquement.*

L e village de Hautefort s'accroche au flanc d'une colline escarpée, dont le sommet est couronné d'un massif château du XVIIIᵉ siècle, l'un des plus beaux de tout le Sud-Ouest. En partie fortifié, conçu comme un lieu de détente pour accueillir la femme dont Louis XIII était secrètement amoureux, Marie de Hautefort, le château est entouré de jardins à la française en terrasses, offrant une vue superbe sur la verte campagne environnante.

Dans le village, l'hospice, qui date de la même époque

L'abbaye de Brantôme et son clocher

que le château, abrite un surprenant musée de prothèses médicales et dentaires.

Brantôme **❸**

Dordogne. 🚶 *2 100.* 🚌 **ℹ** *Pavillon Renaissance (05 53 05 80 52).* 🚉 *ven.*

E ncerclée par la Dronne, Brantôme est une étape appréciée des gastronomes et une bourgade plaisante, avec ses jardins sur la rivière et surtout son ancienne abbaye, dont le clocher (XIᵉ s.) est orné de gables et coiffé d'un toit pyramidal. Pierre de Bourdeilles, seigneur de Brantôme (1540-1614), fut un très mondain abbé commendataire du monastère. Après une jeunesse bien remplie par des aventures amoureuses et guerrières, il se retira sur ses terres pour rédiger, entre autres, les *Vies des dames galantes.*

Dans l'une des grottes voisines du cloître, diverses scènes ont été sculptées dans le roc, dont une impressionnante crucifixion.

À une douzaine de km vers le nord-ouest, le **château de Puyguilhem**, d'une élégance digne du Val de Loire, émerge des bois. À l'intérieur, on admire des cheminées monumentales décorées dans le style Renaissance.

⛪ **Château de Puyguilhem**
Villars. 📞 *05 53 54 82 18.* ⭘ *de nov. à mars : du mar. au dim. ; d'avr. à oct. : t.l.j.* 📷 ♿

Bourdeilles **❹**

Dordogne. 🚶 *800.* **ℹ** *rue principale (05 53 03 42 96 ; -73 13 l'hiver).*

L a charmante petite cité possède un étroit pont gothique qui enjambe la Dronne, un vieux moulin et surtout un **château** du XIIIᵉ siècle dominant la rivière, doublé d'un château Renaissance que fit ajouter en toute hâte Jacquette de Montbron dans l'espoir d'y recevoir Catherine de Médicis. La reine ne vint pas et Jacquette fit interrompre les travaux. La plus belle réussite de l'époque reste le salon doré du premier étage, décoré par Ambroise le Noble, qui appartenait à l'école de Fontainebleau.

⛪ **Château de Bourdeilles**
📞 *05 53 03 73 36.* ⭘ *de fév. à juin et de sept. à déc. : du mer. au lun. ; juil.-août : t.l.j.* 📷

Le site de Bourdeilles

La cathédrale Saint-Front à Périgueux

Périgueux **⑤**

Dordogne. 🏛 *32 000.* ✈ 🚌 🚉
ℹ *26, pl. Francheville (05 53 53 10 63).*
🅿 *mer. et sam.*

Pour visiter Périgueux, capitale du Périgord et haut lieu gastronomique, choisissez de préférence un jour de marché ! Les amateurs d'archéologie iront d'abord découvrir, dans le quartier de **la Cité**, les rares vestiges de l'importante ville romaine de **Vésone**, saccagée au IIIe siècle, notamment ceux d'un temple, « la tour de Vésone », d'une riche villa et d'un immense amphithéâtre. La Domus de Vésone, musée gallo-romain a récemment ouvert ses portes. **Saint-Étienne**, la cathédrale primitive, une église à coupoles, est située dans ce premier noyau de Périgueux. Bien plus visible dans le tissu urbain, l'ancien bourg de Puy-Saint-Front, aujourd'hui restauré

et sauvegardé, s'est développé au Moyen Âge grâce au commerce. Il est couronné par son imposante **cathédrale Saint-Front**. L'édifice romano-byzantin en croix grecque, surmonté de cinq coupoles, fut pratiquement reconstruit au XIXe siècle par Paul Abadie, architecte du Sacré-Cœur de Montmartre *(p. 134)* ; c'est lors de cette restauration contestée que furent ajoutés les dix-sept clochetons qui lui donnent sa silhouette caractéristique. On gagne ce quartier par la place Francheville, gardée par la **tour Mataguerre** (XVe s.), vestige de l'ancien rempart. Dans les rues Limogeanne, Aubergerie et de la Constitution, on peut admirer de belles demeures du Moyen Âge ou de la Renaissance, telle la **maison Estignard** et son remarquable escalier à vis.

Vitrail de la cathédrale Saint-Front

La visite ne serait pas complète sans un passage au **musée du Périgord**, l'un des plus riches de France en matière de préhistoire et d'archéologie. On y voit des mosaïques, des sculptures et des objets usuels mis au jour sur le site de Vésone, ainsi que le squelette, découvert près de Montignac, d'un homme de Néanderthal (environ 70 000 ans av. J.-C.).

🏛 **Musée du Périgord**
22, cours Tourny. 📞 *05 53 06 40 70.*
⭘ *du mer. au lun.* ⬤ *les jours fériés.* ♿

Aux environs

En partie romane, l'**abbaye de Chancelade** est parfaitement restaurée, tout comme l'ont été, très récemment, l'église romane et le prieuré de Merlande à quelques km au nord. Vers Limoges, **château des Bories**, manoir du XVe siècle. Entre Périgueux et Sarlat, le **Périgord noir** domine les vallées de la Vézère et de la Dordogne. Au nord, vers Nontron, s'étend le **Périgord vert**, le pays de « l'arbre et de l'eau ».

Saint-Amand-de-Coly **⑥**

Dordogne. 📞 *05 53 51 67 50.*
⭘ *t.l.j.* ♿

Conçue comme une forteresse, l'abbatiale fut construite au XIIe siècle par les moines augustins. Derrière des remparts, l'église est couronnée d'une tour qui ressemble à un donjon. Malgré les dommages de la guerre de Cent Ans, ces défenses montrèrent une certaine efficacité ; en 1575, il fallut six jours à l'artillerie catholique pour reprendre l'abbatiale investie par les huguenots.

L'intérieur est d'une sobre beauté : une haute nef aux lignes très pures, une coupole et un pavement de pierre qui s'élève progressivement vers le maître-autel. Il comporte des dispositifs de défense, parmi lesquels une galerie circulaire, poste d'observation ou de tir. Le village de Saint-Amand, aujourd'hui déserté, fait l'objet d'un programme de restauration.

Sarlat ⑪

Les oies, statufiées

S arlat-la-Canéda possède un patrimoine architectural exceptionnel issu pour l'essentiel du Moyen Âge et de la Renaissance. La ville a connu l'existence prospère des riches petites cités de province, entrecoupée seulement d'épisodes sanglants pendant les guerres de Religion ou la Révolution. Une des premières villes a avoir été protégée, Sarlat n'est pas pour autant un musée à ciel ouvert ; c'est une cité animée, haut lieu de l'art et de la gastronomie.

La place de la Liberté
Bordée d'hôtels et de vieilles maisons, c'est le cœur de la ville.

La rue des Consuls, où se succèdent les maisons de notables, constitue un remarquable ensemble urbain du XVᵉ au XVIIᵉ siècle.

La rue Jean-Jacques-Rousseau était l'axe principal de la ville avant le percement de « la Traverse » (la rue de la République), au XIXᵉ siècle.

R DE LA CHARITÉ

RUE PEYRAT

R VICTOR HUGO

RUE JEAN-JACQUES ROUSSEAU

RUE DE LA RÉPUBLIQUE

COTE DE TOULOUSE

R DE LA BOETIE

RUE DU SIEGE

Anciens remparts

LÉGENDE

– – – – Itinéraire conseillé

0   50 m

Les noix sont une spécialité du Périgord

LE MARCHÉ DE SARLAT

Le marché se tient chaque samedi sur la place de la Liberté. Chaque samedi, il réunit les producteurs de toute la région qui viennent y vendre leurs fruits et légumes, ainsi que les célèbres foies gras. Comme autrefois, ces productions artisanales jouent un rôle important dans l'économie du Périgord dont elles ont assuré la réputation. En plus d'un grand choix de charcuteries et de fromages, vous trouverez au marché les fameuses spécialités régionales : foies gras d'oie ou de canard, cous farcis, confits, volailles, huile de noix, sans oublier, selon la saison, les cèpes ou les savoureuses truffes, ces « diamants noirs de la cuisine ».

Têtes d'ail au marché

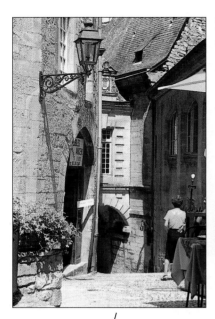

La rue de la Salamandre

Cette ruelle doit son nom à l'animal, emblème de François Iᵉʳ, qui orne les façades de nombreuses maisons de la ville.

MODE D'EMPLOI

Dordogne. 🏠 10 600. 🚉 av. de la Gare (05 53 59 00 21). 🚌 15, av. Aristide-Briand (05 53 59 01 48). 🛈 rue Tourny (05 53 31 45 45). 🛒 mer. et sam. 🎬 cinéma (déb. nov.) ; théâtre (fin juil.-début août).

La lanterne des Morts

Cette tour, où un fanal pouvait être allumé, fut élevée après une prédication de saint Bernard à Sarlat, en 1147.

La cathédrale Saint-Sacerdos,

sans grande unité, date essentiellement des XVIᵉ et XVIIᵉ siècles ; elle conserve un remarquable buffet d'orgue du XVIIIᵉ siècle.

La chapelle des Pénitents bleus, d'une sobriété toute romane, est tout ce qui subsiste de l'ancienne abbatiale médiévale.

L'ancien évêché, transformé en théâtre, conserve quelques éléments inspirés par la Renaissance italienne, comme ses fenêtres et sa galerie.

La cour des Fontaines,

où jaillissait une source, est l'emplacement de l'abbaye du Xᵉ siècle.

Un taureau, fresques de Lascaux

Lascaux II ❼

Montignac. 📞 *05 53 51 95 03.* ⭕ *d'avr à nov. : t.l.j. ; de déc. à mars : du mar. au dim.* ⬤ *en jan. et le 25 déc.* ▨

L a grotte de Lascaux est sans doute le plus célèbre de tous les sites préhistoriques de cette région *(p. 426-427)*. De jeunes garçons la découvrirent par hasard en 1940.

Elle est fermée au grand public depuis 1963, mais, à 200 m du site, une reproduction fidèle grandeur nature de la galerie des peintures, Lascaux II, permet d'admirer aurochs et chevaux ventrus qui cavalcadent sur les parois, entourés de signes géométriques énigmatiques. Les peintres du XXe siècle ont utilisé la même technique et les mêmes pigments, bruns, rouges, ocre et noirs, que les hommes de Lascaux. L'illusion est totale et la visite de Lascaux II un véritable enchantement.

Bergerac ❽

Dordogne. 👥 *27 000.* ✈ 🚌 🚉 ℹ *97, rue Neuve-d'Argenson. (05 53 57 03 11).* 🅿 *mer. et sam.*

U n pont jeté sur la Dordogne à la fin du XIIe siècle donna à Bergerac un rôle important dans les échanges entre le Périgord et le Bordelais. La ville est aujourd'hui au centre de la culture du tabac, ressource célébrée par son extraordinaire **musée** consacré à l'histoire de la consommation de cette plante.

L'ancien cloître des Récollets abrite le Conseil des vins de Bergerac. Parmi ceux-ci, le monbazillac, liquoreux, à la robe dorée, qui accompagne aussi bien les foies gras que les desserts, est le vin le plus célèbre de cette région.

🏛 Musée du Tabac
Maison Peyrarède, pl. du Feu. 📞 *05 53 63 04 13.* ⭕ *du mar. au dim.* ⬤ *les jours fériés.* ▨ ♿

Les Eyzies-de-Tayac ❾

Dordogne. 👥 *900.* 🚉 ℹ *18, av. de la préhistoire. (05 53 06 97 05).* 🅿 *lun.*

Q uatre sites admirables, parmi bien d'autres qui ponctuent la **vallée de la Vézère**, entourent le village des Eyzies et l'église-forteresse de **Tayac**. La visite du **musée national de la Préhistoire**, dans une forteresse remaniée au XVIe siècle, permet, grâce à la chronologie et aux documents exposés, de mieux apprécier les découvertes ultérieures.

La **grotte de Font-de-Gaume** renferme le plus intéressant ensemble de peintures rupestres encore ouvert au public, découvert en 1901. Remarquables également sont les scènes gravées de la **grotte des Combarelles**, qui représentent une faune très variée : rennes, bisons, mammouths, bouquetins, chevaux, félins…, ainsi que divers personnages et symboles rituels. L'**abri du Cap Blanc**

Une prairie près des Eyzies-de-Tayac

se distingue par une frise de chevaux grandeur nature sculptés sur les parois rocheuses.

Quant aux **grottes de Rouffignac**, elles étaient déjà connues au XVIᵉ siècle. Sur les 8 km de galeries, 2,5 km sont parcourus par un petit train électrique. De nombreuses représentations d'animaux animent les parois : bisons, rhinocéros et mammouths s'affrontent sans faiblir.

🏛 **Musée national de la Préhistoire**
📞 *05 53 06 45 45.* ⭘ *du mer. au lun.* ⬤ *25 déc., 1ᵉʳ janv.* 🖼

🗻 **Grotte de Font-de-Gaume**
📞 *05 53 06 90 80.* ⭘ *du jeu. au mar. sur r.-v.* ⬤ *1ᵉʳ janv., 1ᵉʳ mai, 1ᵉʳ et 11 nov., 25 déc.* 🖼

Musée national de la Préhistoire

🗻 **Grotte des Combarelles**
📞 *05 53 06 86 00.* ⭘ *du jeu. au mar.* ⬤ *1ᵉʳ janv., 1ᵉʳ mai, 1ᵉʳ et 11 nov., 25 déc.* 🖼

🗻 **Abri du Cap Blanc**
Marquay, Les Eyzies. 📞 *05 53 59 21 74.* ⭘ *du 1ᵉʳ avril à fin oct. : t.l.j.* 🖼 ♿

🗻 **Grottes de Rouffignac**
📞 *05 53 05 41 71.* ⭘ *de Pâques à oct. : t.l.j.* 🖼 ♿

La vallée de la Dordogne ❿

Dordogne. ✈ *Bergerac.* 🚌 *Beynac, Bergerac, Le Buisson-de-Cadouin.* ℹ *Le Buisson-de-Cadouin (05 53 22 06 09).*

L a rivière traverse des paysages variés et des formations géologiques diverses. Elle jaillit des roches volcaniques du Massif central, parcourt les terres granitiques du Limousin, puis sillonne des plaines fertiles et pénètre dans les causses calcaires entre Lot et Corrèze.

Une rue de Domme, depuis la porte de la Combe

Elle s'élargit à travers le département qui porte son nom, avant de se jeter dans la Garonne et de former avec elle l'embouchure de la Gironde.

En amont, au fil de la Dordogne quercynoise, on découvrira bastides et châteaux : **Castelnaud**, **Bretenoux**, **Carennac**, **Martel** et ses nobles demeures, les **grottes de Lacave** ; après **Souillac** et son tympan roman, le *cingle* (méandre) de **Montfort** et les villages ou châteaux belvédères de **Cénac, Domme** *(voir ci-contre)*, **La Roque-Gageac, Castelnaud, Beynac-et-Cazenac, Marqueyssac**.

En aval encore, **Limeuil** est une ancienne place forte dominant le confluent de la Vézère et le *cingle* de Trémolat.

Au sud de la vallée, on admirera le bel ensemble abbatial de **Cadouin**, la superbe bastide de **Monpazier** et l'exceptionnel château de **Biron**.

Sarlat ⓫

p. 456-457.

Domme ⓬

Dordogne. 👥 *1 000.* ℹ *pl. de la Halle (05 53 31 71 00).* 🎪 *jeu.*

S uperbe bastide aux maisons de pierre ocre sagement alignées *(p. 471)*, édifiée à la fin du XIIIᵉ siècle, Domme possède de belles portes médiévales pratiquement intactes. Les touristes ne se lassent pas de flâner dans ses ruelles. Le panorama, splendide, couvre toute la vallée de la Dordogne entre Beynac à l'ouest et Montfort à l'est. La vieille halle ouvre ses portes sur une grotte naturelle à concrétions, ouverte au public de Pâques à la Toussaint. La visite se termine par une remontée en ascenseur panoramique. La cité, sur son promontoire, semble inexpugnable. Les huguenots réussirent néanmoins à s'en emparer par ruse en 1588.

La vallée de la Dordogne, vue de Domme

Rocamadour ⓭

La Vierge noire

Dominant les gorges de l'Alzou, Rocamadour s'agrippe à un rocher calcaire, superposant maisons, églises et château. Aux origines de cette cité religieuse, un saint énigmatique et les moines bénédictins. Les seconds, dont la spiritualité rayonnait sur toute l'Europe, développèrent au XIe siècle un pèlerinage à la Vierge, qui devint étape sur le chemin de Saint-Jacques-de-Compostelle. La découverte en 1166 du corps intact d'un mystérieux ermite et les miracles qui s'ensuivirent firent affluer des milliers de pèlerins, humbles ou puissants. Après un long déclin, le renouveau religieux du XIXe siècle entraîna la restauration des sanctuaires. Ce site saisissant est aujourd'hui l'un des plus visités de France.

Le château est adossé aux remparts du XIVe siècle qui défendaient le sanctuaire vers l'ouest.

La chapelle Saint-Michel est ornée de remarquables fresques du XIIe siècle.

Vue générale
Au lever du soleil, les vieilles maisons serrées les unes contre les autres, les sanctuaires et les remparts semblent taillés à même la falaise.

La crypte de saint Amadour, ermite qui donna son nom à la cité. On venait y vénérer le corps du saint.

Musée d'Art sacré

Grand degré
Le grand escalier relie le bourg aux sanctuaires. Les pèlerins gravissaient ces hautes marches à genoux, en récitant leur chapelet.

La chapelle Saint-Jean-Baptiste fait face au portail de Saint-Sauveur.

La basilique Saint-Sauveur (XIIᵉ-XIIIᵉ s.) s'appuie à la paroi rocheuse.

La chapelle Sainte-Anne contient un beau retable du XVIIᵉ siècle.

Remparts

Croix de Jérusalem

MODE D'EMPLOI

Lot. 🚶 630. 🚌 5 km au sud-ouest de Rocamadour. ℹ️ Maison du Tourisme (05 65 33 22 00).
Chapelle Notre-Dame
⭕ juin-sept. : de 8 h à 21 h t.l.j. ; d'oct. à mai : de 8 h 30 à 18 h 30 t.l.j. ⚫ 1ᵉʳ janv. 📷 ♿ 🎫

Le chemin de Croix
Les 14 stations de la Passion du Christ se succèdent le long d'un chemin en lacet qui conduit à la Croix de Jérusalem.

Chapelle Saint-Blaise

Dans le village
La porte du Figuier (XIIIᵉ s.) ouvre sur la rue principale.

Chapelle Notre-Dame
C'est sous son parvis que fut retrouvée la dépouille du saint ermite. Sur l'autel trône la Vierge noire miraculeuse, du XIIᵉ siècle, objet de vénération.

Le gouffre de Padirac ⑭

Lot. 📞 *05 65 33 64 56.* ⭕ *d'avr. à mi-oct. : t.l.j.* ♿

Cet impressionnant puits naturel (35 m de diamètre, 75 m de hauteur), s'ouvrant sur le causse de Gramat, résulte de l'effondrement d'une grotte. Il communique avec une galerie parcourue par une rivière souterraine découverte en 1889 par le spéléologue Martel.

La visite (prévoir une heure et demie) s'effectue donc dans des embarcations légères sur cette rivière immobile.

En débouchant sur le « lac de la Pluie », le visiteur découvre la Grande Pendeloque, une gigantesque stalactite de plus de 75 m. Ensuite, la visite se poursuit à pied jusqu'à la salle du Grand Dôme, immense cathédrale naturelle dont la voûte domine la rivière de 94 m.

Installé près du gouffre, un parc zoologique complète agréablement la visite. Outre les animaux, dont certains vivent dans une totale liberté, il présente une belle collection de plantes tropicales et de cactées ainsi qu'un jardin japonais.

Autoire ⑮

Lot. 👥 *250.*

C'est sans doute l'un des villages les plus charmants

Le pittoresque village d'Autoire, vu de la rive opposée

du haut Quercy. La ville ne possède pas de monuments exceptionnels mais le site est un véritable village de conte de Noël. Au débouché de la gorge d'Autoire qui entaille le causse, de vieux logis aux toits bruns s'étagent dans un vallon verdoyant. Flanqués de leurs tourelles, le **château de Limarque** et celui de **Busqueille**, un peu plus haut, sont aussi d'architecture typiquement quercynoise.

On remarque çà et là les grands pigeonniers caractéristiques de la région, destinés à recueillir un engrais précieux plus qu'à abriter les volatiles.

À la sortie du village, le cirque d'Autoire vaut le détour, avec sa cascade de 30 m de haut et son belvédère d'où la vue est magnifique. Au voisinage, **Loubressac** est un vrai nid d'aigle fortifié. Ne pas manquer non plus l'élégant **château de Montal**, de style Renaissance.

Les vallées du Lot et du Célé

Le Lot, dans sa traversée du Quercy, et son affluent le Célé forment une succession de défilés. On rejoint l'itinéraire proposé (160 km) en quittant Cahors par le pont Valentré. Pour jouir en toute quiétude des perspectives changeantes qu'offrent ces cours d'eau sinueux, du spectacle des grottes, des châteaux et des villages haut perchés, il est bon de prévoir deux jours entiers. On goûtera au passage les spécialités du cru, confits, truffes, fromage de chèvre et vin de Cahors à la robe presque noire. Avec son quartier ancien, ses hôtels et restaurants, Figeac constitue une excellente étape. De Cahors à Cajarc, un train touristique permet de profiter d'un superbe paysage.

Grotte de Pech-Merle ①
Dans cette très belle grotte, près de Cabrerets, on peut contempler de grandes frises et des empreintes de pas d'hommes de la préhistoire.

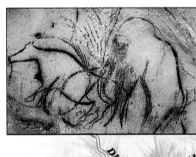

CAHORS

Vers

Lot

D653

D13

D41

① *Cabrerets*

Bouziès

D662

⑥

Saint-Cirq-Lapopie ⑥
Un superbe village perché sur une falaise dominant le Lot, avec des maisons à colombage et une église fortifiée du xve siècle.

Cahors ⑯

Lot. 🚶 20 000. 🚉 🚌 ℹ️ *pl. François-Mitterrand (05 65 53 20 65).* 🗓️ *mer. et sam.*

Capitale du Quercy, Cahors s'inscrit dans un méandre du Lot. Prospère à l'époque gallo-romaine, elle fut très puissante au Moyen Âge. Aujourd'hui, ce sont les spécialités locales qui font sa notoriété : les truffes et le vin de Cahors, déjà célèbre à l'époque romaine. La rue principale, le boulevard Gambetta, rend hommage au grand patriote républicain né à Cahors en 1838.

Dans la vieille ville aux rues pittoresques riches en maisons anciennes, la **cathédrale Saint-Étienne** fut érigée à partir de la fin du XIᵉ siècle. À noter, le tympan du portail nord représentant l'Ascension du Christ, la coupole peinte de la nef et le cloître de style flamboyant.

Le pont Valentré, ses tours et ses créneaux

Non loin, la **maison Roaldès** a sa façade nord décorée des motifs traditionnels quercynois, l'arbre, le soleil et la rose.

Ne pas manquer le quartier haut et la promenade du mont Saint-Cyr, pour la vue sur la ville. À la sortie de celle-ci, les arches en ogives du **pont Valentré** (XIVᵉ siècle) enjambent le Lot. Une promenade en bâteau (90 mn ; d'avr. à oct.) est le meilleur moyen d'en apprécier la splendeur.

Aux environs

À une soixantaine de km à l'ouest, le **château de Bonaguil** est un superbe exemple de l'architecture militaire de la fin du Moyen Âge.

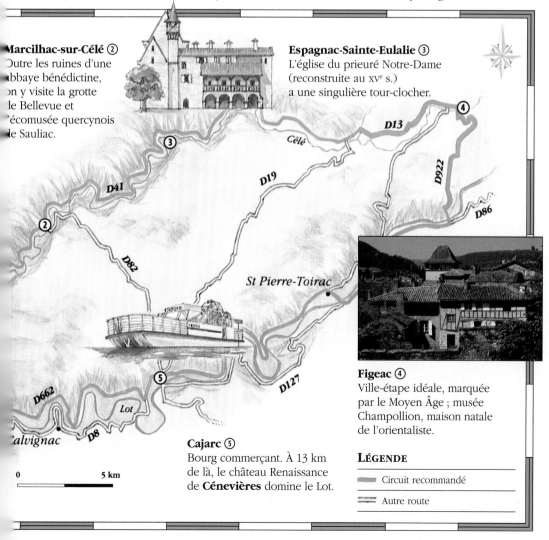

Marcilhac-sur-Célé ②
Outre les ruines d'une abbaye bénédictine, on y visite la grotte de Bellevue et l'écomusée quercynois de Sauliac.

Espagnac-Sainte-Eulalie ③
L'église du prieuré Notre-Dame (reconstruite au XVᵉ s.) a une singulière tour-clocher.

Célé

D13

D922

D19

D41

D86

D82

St Pierre-Toirac

D127

Figeac ④
Ville-étape idéale, marquée par le Moyen Âge ; musée Champollion, maison natale de l'orientaliste.

D662

Lot

Calvignac

D8

Cajarc ⑤
Bourg commerçant. À 13 km de là, le château Renaissance de **Cénevières** domine le Lot.

0   5 km

LÉGENDE

▬▬▬ Circuit recommandé

▭▭▭ Autre route

Vergers et vignobles autour d'Agen

Agen ⓱

Lot-et-Garonne. 🏛 *30 500.* ✈ 🚃
🚌 🛈 *107, bd Carnot*
(05 53 47 36 09). 🛥 *mer. et sam.*

Célèbre par son équipe de rugby, la préfecture du Lot-et-Garonne transforme et commercialise les produits des vergers environnants.

À l'origine du fameux pruneau, spécialité de la ville, la prune d'ente fut rapportée d'Orient au XIᵉ siècle par les croisés. Des moines de la vallée du Lot entreprirent de la cultiver et eurent l'idée de la faire cuire et sécher à l'étuve pour en prolonger la consommation.

On découvre au hasard des rues de vieilles maisons à pans de bois et quelques beaux hôtels particuliers. Quatre d'entre eux abritent les riches collections du **musée municipal des Beaux-Arts**. C'est là que sont exposées les cinq toiles de Goya qui font la gloire de la ville, des œuvres de Corot, Courbet, Boudin, Sisley, Picabia et Caillebotte, dans les salles d'archéologie gallo-romaine, la *Vénus* dite du Mas-d'Agenais, délicat marbre grec du Iᵉʳ siècle av. J.-C.

🏛 Musée municipal des Beaux-Arts
Pl. du Docteur-Esquirol. 📞 *05 53 69 47 23.*
🕐 *du mer. au lun.* ⬤ *1ᵉʳ janv., 1ᵉʳ mai, 1ᵉʳ nov., 25 déc.* 🖼

Aux environs
Le village fortifié de **Moirax**, vers le sud, possède une très belle église romane du XIIᵉ siècle, aux chapiteaux historiés.
Plus loin, beau village de **Layrac**. Au nord, **Villeneuve-sur-Lot** est une ancienne bastide au joli pont, voisinant avec de séduisants villages, comme **Penne-d'Agenais**, un nid d'aigle au-dessus du Lot.

Larressingle ⓲

Gers. 🏛 *150.* 🚌 🛈 *Larressingle*
(05 62 28 33 76).

Village-forteresse du XIIIᵉ siècle, Larressingle a gardé, ce qui est rare, une enceinte à peu près intacte renforcée de tours carrées. On y pénètre en franchissant un pont qui enjambe des douves, puis une porte fortifiée. Si la tour-donjon, résidence des évêques de Condom jusqu'au XVIᵉ siècle au centre du village, est en ruine, l'ensemble est dans un état de conservation remarquable.

Condom ⓳

Gers. 🏛 *8 000.* 🚌 🛈 *pl. Bossuet*
(05 62 28 00 80). 🛥 *mer.*

Capitale de la Ténarèze (*voir ci-contre*) bâtie le long de la Baïse, Condom est depuis longtemps au centre de la production de l'armagnac. Les écuries de l'ancien évêché abritent d'ailleurs un intéressant **musée de l'Armagnac**.

On peut admirer, dans la vieille ville, de beaux hôtels des XVIIᵉ et XVIIIᵉ siècles, dont l'hôtel de Cugnac, flanqué d'un chai et d'une distillerie.

Au centre, la **cathédrale Saint-Pierre** (début du XVIᵉ s.) constitue, avec sa tour carrée et sa nef unique, un bon exemple du gothique méridional. En 1569, les habitants la sauvèrent de la destruction en payant aux huguenots une forte rançon.

À l'est, **Lectoure** est l'une des plus antiques cités du Gers. Perchée sur un promontoire, elle se serre aussi dans ses remparts autour de sa cathédrale à l'imposant clocher quadrangulaire. Au sud se dressent les châteaux gascons de **Tauzia**, **Mansencôme**, **Lagardère** et **Pardeilhan**.

🏛 Musée de l'Armagnac
2, rue Jules-Ferry.
📞 *05 62 28 47 17.* 🕐 *d'avr. à sept. : du mer. au lun. ; d'oct. à mars : du mer. au dim. les a.-m.*
⬤ *janv. et les jours fériés.* 🖼 ♿

L'ARMAGNAC

C'est l'une des eaux-de-vie les plus chères du monde et l'un des « produits phares » du Sud-Ouest : 6 millions de bouteilles sont produites chaque année, dont 45 % sont exportés dans 132 pays. L'armagnac est obtenu à partir de vins blancs peu alcoolisés (8 à 9°), distillés dans des alambics de cuivre (invention arabe introduite en France au XVᵉ siècle), avant d'être conservés et vieillis en fûts de chêne. La zone de production est divisée en trois grandes régions, le haut Armagnac, le Téranèze et le bas Armagnac, la dernière appellation étant la plus appréciée des connaisseurs. Beaucoup de petits producteurs pratiquent la vente directe.

Bouteilles d'armagnac

D'ARTAGNAN

Les exploits de d'Artagnan, héros immortel des *Trois Mousquetaires* (1844), furent inspirés à Alexandre Dumas par la vie d'un gentilhomme gascon, Charles de Batz, seigneur d'Artagnan, qui servit successivement Louis XIII et Louis XIV. Capitaine des mousquetaires, il fut chargé, entre autres choses, de l'arrestation de Fouquet, surintendant des Finances, accusé d'avoir détourné à son profit une partie des fonds de l'État. Athos, Porthos et Aramis aussi ont chacun leur village d'origine en Gascogne ou Béarn.

Statue de d'Artagnan, le célèbre mousquetaire

Verriers et sculpteurs ont mêlé l'Antiquité biblique et profane, mythologie et légendes.

On ne négligera pas non plus la rue Dessoles, bordée de belles maisons du XVIIIe siècle, le quartier de l'hôtel de ville, la place de la Libération, prolongée par la promenade ombragée des allées d'Étigny, et le musée d'art et d'archéologie des Jacobins.

Aux environs

À une quinzaine de km au nord-est, le pittoresque village de **Lavardens**, dominé par son imposant château, s'intègre parfaitement au relief. Nombreuses bastides dans la région, dont **Gimont.**

Auch ⓴

Gers. 🏛 *25 000.* 🚃 🚌 🛈 *1, rue Dessoles (05 62 05 22 89).* 🛒 *jeu. et sam.*

La capitale de la Gascogne est un marché actif et une ville-étape pour gastronomes. Le visiteur gagnera la ville haute en escaladant, s'il est courageux, le grand escalier de 234 marches et ira droit à la **cathédrale Sainte-Marie** (XIVe-XVIIe s.). D'époque tardive,

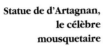

Vitrail de la cathédrale Sainte-Marie

elle ressemble cependant aux cathédrales gothiques de l'Île-de-France, malgré l'ornementation classique de la façade. Son vaste chœur renferme deux purs joyaux du XVIe siècle : les 18 vitraux aux superbes couleurs, dus à Arnaud de Moles, qui mettent en scène patriarches, prophètes, apôtres et sibylles, et les stalles de chêne finement sculptées, où s'unissent la finesse du gothique flamboyant et l'esprit de la Renaissance.

Auvillar ㉑

Tarn-et-Garonne. 🏛 *1 000.* 🚌 🛈 *pl. de la Halle (05 63 39 89 82).*

Nid d'aigle perché sur la rive gauche de la Garonne, c'est un petit bourg pittoresque, à visiter sur le chemin de Moissac (*p. 468-469*). Les arcades couvertes de sa place triangulaire encadrent une vieille halle ronde, portée par des colonnes.

De l'esplanade située à l'emplacement d'un ancien château, panorama de la vallée et des coteaux environnants.

Les champs de tournesols égaient les paysages du Sud-Ouest

Moissac ㉒

L'abbé Durand

Les vignobles alentour produisent un délicieux raisin de table protégé par un label de qualité, le chasselas de Moissac. L'autre gloire de la cité est l'abbaye Saint-Pierre. Fondée au VII* siècle par un moine bénédictin, elle fut pillée à l'envi par les Arabes, les Normands et les Magyars. Affiliée en 1047 à l'opulente congrégation de Cluny, elle devint au XII* siècle l'un des plus puissants monastères du Sud-Ouest en même temps qu'une étape importante sur la route de Saint-Jacques-de-Compostelle. Le portail de l'abbatiale est l'un des chefs-d'œuvre incontestés de l'art roman.

L'abbaye Saint-Pierre
Deux styles s'y côtoient, le roman (en pierre) et le gothique (en brique).

Le tympan
Au registre inférieur sont assis les « 24 vieillards avec des couronnes d'or sur leurs têtes », décrits dans l'Apocalypse de saint Jean.

Le Christ en majesté
Le Christ est assis au centre, tenant dans sa main gauche le « livre aux sept sceaux » et levant sa dextre en signe de bénédiction.

★ Le portail sud
Le portail historié (1100-1130) représente la vision de saint Jean (Apoc. IV et V). Les « quatre Vivants constellés d'yeux tout autour » (Matthieu, Marc, Luc et Jean représentés par leur symbole) se tiennent autour du trône. On notera sur les piédroits l'influence maure.

MODE D'EMPLOI

Tarn-et-Garonne. 🚂 🚌 ℹ️ *6, pl. Durand-de-Bredon (05 63 04 01 85).* **Abbaye** ⭕ *juil.-août : de 9 h à 19 h t.l.j. ; de sept. à juin : de 9 h à 12 h, de 14 h à 18 h (17 h de mi-oct. à mi-mars).* ⚫ *1er janv., 25 déc.* 🌿✝️ *10 h 30 dim.* 📷🎫🍴

★ Le cloître

Achevé au XIIe siècle, le cloître comporte 76 chapiteaux richement ouvragés, soutenues par des colonnettes de marbre, alternativement simples ou doubles.

PLAN AU SOL : ÉGLISE ET CLOÎTRE

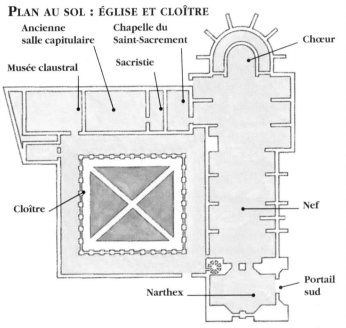

Ancienne salle capitulaire
Chapelle du Saint-Sacrement
Chœur
Musée claustral
Sacristie
Cloître
Nef
Narthex
Portail sud

Chapiteaux
Les superbes chapiteaux du cloître sont décorés de fleurs, d'animaux étranges et de figures bibliques.

À NE PAS MANQUER

★ **Le portail sud**

★ **Le cloître**

Montauban ㉓

Tarn-et-Garonne. 🚶 *54 000.* 🚂 🚌 ℹ️ *2, rue de l'Ancien-Collège (05 63 63 60 60).* 🛒 *mer. et sam*

Cette jolie ville de brique rose mérite mieux que sa réputation ordinaire de « petite sœur » de Toulouse. Capitale au XVIIe siècle de la « République protestante du Midi », peut-être a-t-elle payé le prix de sa révolte contre l'ordre établi ? C'est bien un édifice expiatoire en tout cas que la blanche **cathédrale Notre-Dame**, de style classique, construite après 1692 sur ordre de Louis XIV en signe de victoire sur l'hérésie.

Centre commerçant animé, la ville possède aussi une très riche collection de tableaux et de dessins de Jean Auguste Dominique Ingres, né à Montauban en 1780. Le **musée Ingres** abrite en outre plusieurs sculptures de Bourdelle (1861-1929) et des toiles contemporaines de Desnoyer, l'un et l'autre enfants du pays.

🏛️ **Musée Ingres**
Palais épiscopal. ☎️ *05 63 22 12 91.* ⭕ *de janv. à juin et de sept. à déc. : du mar. au dim. ; juil.-août : t.l.j.* ⚫ *1er janv., 14 juil., 1er et 11 nov., 25 déc.* 🌿

Les gorges de l'Aveyron ㉔

Tarn-et-Garonne. ✈️ *Toulouse.* 🚂 *Montauban, Lexos.* 🚌 *Montauban.* ℹ️ *CDT Montauban (05 63 63 31 40).*

Soudain, les plaines ensoleillées font place à de fraîches collines couvertes de noyers, qui bordent les gorges de l'Aveyron. Villages et châteaux forts paraissent toujours prêts à se défendre contre un ennemi invisible.

À **Bruniquel,** le château médiéval, tout en haut du village, domine le précipice depuis le VIe siècle. Un peu plus loin, le village de **Penne,** couronné d'une forteresse en ruine, semble construit tout entier en équilibre sur l'extrême pointe d'un rocher géant. Les gorges se font plus sombres et plus profondes jusqu'à **Saint-Antonin-Noble-Val,** bourg médiéval où la vallée débouche sur Cordes.

Cordes ㉕

Tarn. 🏠 *1 050.* 🚉 🚌 **ℹ** *Maison Fonpeyrouse (05 63 56 00 52).* 🛒 *sam.*

Perchée sur un promontoire des rives du Cérou, Cordes-sur-Ciel, puisque c'est ainsi qu'on la surnomme, semble en effet suspendue dans les airs. L'excommunication de la cité pour cause de sympathie envers l'hérésie cathare et les épouvantables épidémies de peste qui sévirent ensuite provoquèrent le déclin de l'ancienne bastide cernée de quatre enceintes, capitale de la cordonnerie et de la fabrication du pastel, activités aujourd'hui disparues.

Mais vint le peintre Yves Brayer, et son intérêt pour ce souvenir vivant du Moyen Âge entraîna un vaste programme de restauration, qui porte aujourd'hui ses fruits.

Les remparts, rénovés, datent de 1222, époque à laquelle le comte Raymond VII de Toulouse, favorable au mouvement cathare, les fit édifier. Autour de la halle et du vieux puits, les rues pavées sont bordées de belles maisons gothiques, telles la **maison du Grand Fauconnier**, décorée de rapaces sculptés (hôtel de ville et musée Yves Brayer), ou la **maison du Grand Veneur**, dont le haut-relief représente des scènes de chasse.

La porte du Rous abrite le **musée d'Art et d'Histoire Charles-Portal**. Aux abords de Cordes, forêt de la Grésigne et vallée de la Vère.

La cathédrale Sainte-Cécile à Albi

Albi ㉖

Tarn. 🏠 *47 000.* ✈ 🚉 🚌 **ℹ** *palais de la Berbie, pl. Sainte-Cécile (05 63 49 48 80).* 🛒 *sam.*

La cité des Albigeois fut au centre du mouvement cathare qui souleva tout le Sud-Ouest au XIIᵉ siècle et fut réprimé dans le sang. **Sainte-Cécile**, immense cathédrale de brique, fut dressée au-dessus d'Albi la Rouge en 1282, après la croisade contre l'hérésie, pour rappeler *urbi et orbi* la puissance de l'Église.

Ses tourelles et ses verrières hautes et étroites évoquent davantage une forteresse qu'un lieu de culte, impression que ne dément pas le haut clocher de 78 m. À l'intérieur, peinture et statuaire forment un catéchisme en images, un miroir de la doctrine et de la loi. À ne pas manquer, le plus grand *Jugement dernier* du Moyen Âge.

L'ancien évêché, le palais de la Berbie, est entouré de jardins en terrasses qui dominent le Tarn. Le **musée Toulouse-Lautrec**, installé dans ses murs, expose plus de

1 000 œuvres du peintre, des toiles, des dessins et les célèbres affiches réalisées pour le Moulin-Rouge ou le Jardin de Paris, Jane Avril ou Aristide Bruant. Le troisième étage expose des toiles de Matisse, Dufy et Yves Brayer.

🏛 **Musée Toulouse-Lautrec**
Palais de la Berbie. 📞 *05 63 49 48 70.* ⏰ *d'avr. à sept. : t.l.j. ; d'oct. à mars : du mer. au lun.* ⏺ *1ᵉʳ janv., 1ᵉʳ mai, 1ᵉʳ nov., 25 déc.* 📷 ♿

Castres ㉗

Tarn. 🏠 *47 000.* ✈ 🚉 🚌 **ℹ** *3, rue Milhau-Ducommun (05 63 62 63 62).* 🛒 *du mar. au sam.*

Ville de tisserands depuis le XIVᵉ siècle, Castres a gardé de belles maisons de teinturiers et de tanneurs au bord de l'Agout. C'est aujourd'hui un centre de l'industrie pharmaceutique. L'hôtel de ville, ancien palais épiscopal attribué à Mansart et entouré de magnifiques jardins à la française, abrite le **musée Goya**. Outre des toiles françaises, hollandaises et italiennes, on y voit le plus grand tableau du maître espagnol, la *Junte des Philippines*, ainsi qu'un *Portrait de Goya* par lui-même.

À voir aussi l'intéressant **musée Jean-Jaurès** qui retrace la vie et l'œuvre du grand tribun né à Castres.

🏛 **Musée Goya**
Hôtel de ville. 📞 *05 63 71 59 27.* ⏰ *juil.-août : t.l.j. ; de sept. à juil. : du mar. au dim.* ⏺ *1ᵉʳ janv., 1ᵉʳ mai, 1ᵉʳ nov., 25 déc.* 📷

🏛 **Musée Jean-Jaurès**
Place Pélisson. 📞 *05 63 72 01 01.* ⏰ *juil.-août : t.l.j. ; de sept. à juil. : du mar. au dim.* 📷

TOULOUSE-LAUTREC

Né à Albi en 1864, Henri de Toulouse-Lautrec, estropié depuis l'âge de quinze ans, quitta sa ville natale pour la capitale en 1882. Ami d'Émile Bernard et de Van Gogh, il s'installa à Montmartre, dont il croqua avec audace et concision les personnages hauts en couleur des bas-fonds qu'il fréquentait. Usé par la boisson et la maladie, il mourut prématurément à 36 ans.

La Modiste (1900)

Les bastides

Les bastides – il en reste environ 300 dans la région – furent hâtivement construites au XIIIe siècle, aussi bien par les Anglais que par les Français, pour encourager le peuplement des campagnes. Équivalent médiéval des « villes nouvelles », elles suivent un tracé géométrique autour d'une place à arcades, à l'intérieur d'une enceinte fortifiée.

La place du marché, *centrale, est souvent bordée d'arcades, comme à Montauban.*

Lauzerte, fondée en 1241 par le comte de Toulouse, a été construite en pierre grise au sommet d'une colline. Elle fut longtemps un avant-poste anglais.

L'église est fortifiée pour servir éventuellement d'ultime refuge.

De la grand-place part un réseau de rues et de ruelles tracées au cordeau, à la différence des villages traditionnels.

Des maisons fortifiées doublent l'enceinte.

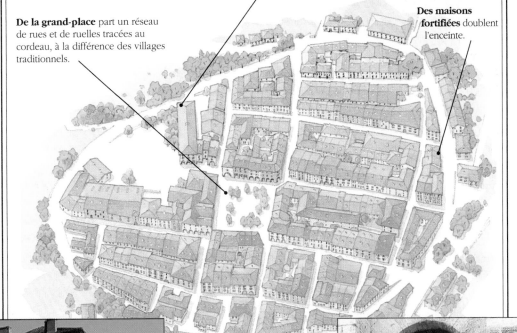

MONFLANQUIN, édifié en 1256 sur un axe stratégique nord-sud, a changé plusieurs fois de mains au cours de la guerre de Cent Ans.

La route des bastides *permet de visiter ses villages pittoresques qui s'animent particulièrement le jour du marché, lorsque leur place se couvre d'étals colorés.*

La porte de la Jane à Cordes *est une arche étroite typique, qu'il était facile de barrer d'une herse.*

Toulouse ⓽

Métropole culturelle, universitaire et industrielle du Sud-Ouest, Toulouse est la quatrième ville de France. Capitale de l'aérospatiale, c'est le berceau du Concorde, de l'Airbus, de la fusée Ariane et de la Cité de l'espace.

Haut lieu de la gastronomie, la ville rose, construite dans un coude de la Garonne, possède le long de ses rues pleines de vie plusieurs musées remarquables, de beaux hôtels particuliers et maints édifices religieux très caractéristiques.

Le Pont Neuf, sur la Garonne

Péniches amarrées sur le canal du Midi

À la découverte de Toulouse

La ville s'est élargie en cercles concentriques depuis la cité romaine, sur la rive droite du fleuve, pour s'adjoindre ensuite des boulevards circulaires et, plus récemment, un réseau de voies autoroutières. Capitale des Wisigoths, elle resta un centre économique et culturel important au Moyen Âge et à la Renaissance. Du XVIe au XVIIIe siècle, les riches marchands de pastel font construire de belles demeures de brique, bien conservées, dans le vieux quartier entre la **place du Capitole** et l'imposant hôtel de ville du XVIIIe siècle. Magasins, bars et cafés se concentrent ici et sur la place Saint-Georges et la rue Alsace-Lorraine. Grâce à l'importance de la population estudiantine (l'université de Toulouse a été fondée en 1229), cafés, bars et librairies pratiquent des prix bas. Un marché aux puces se tient place Saint-Sernin le dimanche. Les boulevards qui entourent la ville ont été conçus aux XVIIe et XIXe siècles. La rive gauche de la Garonne est en plein développement, elle est reliée à Toulouse depuis peu par un métro ultra-moderne. Les anciens abattoirs, magnifiquement rénovés abritent un centre d'art contemporain. Le fleuron de ces **Abattoirs** est le décor de théâtre peint par Picasso, *Le Minotaure déguisé en Arlequin*.

🛈 Les Jacobins

Commencé en 1229, le couvent des Jacobins fut fondé par l'ordre de saint Dominique, soucieux de lutter contre l'hérésie cathare. Le clocher (1294), très représentatif de l'école toulousaine, surmonte une double nef et une abside remarquable, dont la voûte en palmier comporte 22 arcs. La chapelle Saint-Antonin est décorée de fresques du XIVe siècle sur le thème de l'Apocalypse.

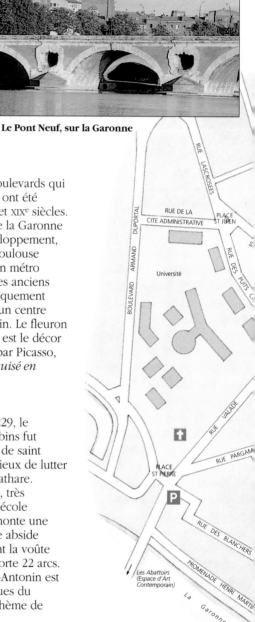

Abside des Jacobins : la voûte en palmier

🏛 Le musée des Augustins

21, rue de Metz. 📞 *05 61 22 21 82.*
🚶 *du mer. au lun.* ⬤ *1ᵉʳ janv.,*
1ᵉʳ mai et 25 déc.

L'ancien couvent des Augustins
possède une admirable
collection de sculptures
romanes et gothiques qui
proviennent des églises et
monastères de la
région.

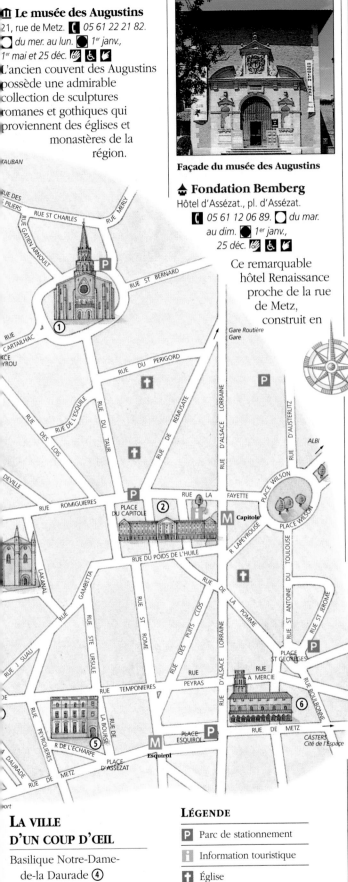

Façade du musée des Augustins

♣ Fondation Bemberg

Hôtel d'Assézat., pl. d'Assézat.
📞 *05 61 12 06 89.* ⬤ *du mar.*
au dim. ⬤ *1ᵉʳ janv.,*
25 déc.

Ce remarquable
hôtel Renaissance
proche de la rue
de Metz,
construit en

MODE D'EMPLOI

Haute-Garonne. 👥 *360 000.* ✈
6 km au nord-ouest de Toulouse.
🚉 *bd Pierre-Semard (trains :*
gare Matabiau). ℹ *Donjon du*
Capitole (05 61 11 02 22).
📧 *t.l.j.* 🎵 *Piano (sept.) ; Jazz (oct.).*
🆆 *www.ot-toulouse.fr*

1555, abrite la fondation
Bemberg, qui expose de façon
permanente les tableaux,
bronzes et objets d'art
rassemblés par l'amateur d'art
Georges Bemberg.

🔒 La basilique Saint-Sernin

C'est la plus grande église
romane de France, conçue
pour accueillir la foule des
pèlerins en route vers
Compostelle. Son clocher
octogonal de 65 m, surmonté
d'une flèche, comprend cinq
étages de baies géminées.
Dans le déambulatoire, un
bas-relief du XIᵉ siècle, œuvre de
Bernard Gilduin, représente le
Christ et les quatre évangélistes.
Sur la place, musée archéologique Saint-Raymond.

Cité de l'espace

Avenue Jean-Gonord. 📞 *08 20 37 72*
23. ⬤ *avr.-sept. t.l.j. ; oct.-mars :*
mar.-dim.

Au sud-est de Toulouse, ce
vaste parc spatial comporte un
planétarium, des expositions
interactives sur la découverte
de l'espace et une réplique
grandeur nature de la fusée
Ariane 5. Vous saurez tout sur
les fusées et les satellites.

LA VILLE D'UN COUP D'ŒIL

Basilique Notre-Dame-
de-la-Daurade ④
Basilique Saint-Sernin ①
Hôtel d'Assézat ⑤
Hôtel de Ville ②
Les Jacobins ③
Musée des Augustins ⑥

LÉGENDE

P   Parc de stationnement

ℹ   Information touristique

✝   Église

Ⓜ   Métro

0   250 m

**La tour-clocher de Saint-Sernin,
du XIIᵉ siècle.**

PYRÉNÉES

Pyrénées-Atlantiques · Hautes-Pyrénées · Ariège
Haute-Garonne

ieu d'échanges culturels autant que frontière naturelle entre l'Espagne et la France, les montagnes des Pyrénées offrent depuis toujours un refuge aux hérétiques et une voie d'évasion aux réfugiés. Très dépeuplées aujourd'hui, elles constituent le dernier grand espace naturel de l'Europe méridionale.

À l'est de la côte atlantique, les premiers contreforts du Pays basque paraissent étonnamment verts après les grandes plaines de l'Aquitaine, mais plus on s'enfonce dans les Pyrénées, plus escarpées sont les pentes qui enserrent les vallées et plus hauts sont les sommets qui les dominent. Ici, c'est la nature qui commande. Et l'isolement. Cette situation a marqué toute l'histoire du massif où ont voisiné pendant des siècles sans se fondre communautés et seigneuries. La principauté d'Andorre est un vestige de cette époque, et plus encore l'originalité des Basques *(p. 481)*. Ce peuple né dans les Pyrénées, le dernier en Europe à parler une langue non indo-européenne, a réussi à défendre son identité contre toutes les invasions et il continue à la préserver malgré la vocation touristique de villes comme Bayonne, Saint-Jean-de-Luz et Biarritz. L'isolement, toutefois, accélère aujourd'hui l'abandon du haut pays. Les activités du tourisme estival ou hivernal ne suffisent pas à fixer les agriculteurs malgré un vaste domaine skiable, où l'on pratique aussi bien ski de fond que ski alpin. Faune et flore, particulièrement protégées dans le parc national *(p. 486-487)*, reprennent alors leur droit. Pour les découvrir, les amoureux de la nature disposent dans la région de 1 600 km de chemins de randonnée.

Paysage typiquement pyrénéen près de Saint-Lizier

◁ Barèges, station thermale et de sports d'hiver des Hautes-Pyrénées

À la découverte des Pyrénées

Sur près de 450 km entre l'Atlantique et la Méditerranée, la chaîne des Pyrénées présente du côté français une façade aussi verte, en particulier à l'ouest, qu'elle est aride du côté espagnol. En hiver, les skieurs profiteront des activités offertes par les nombreuses stations. À la belle saison, des décors grandioses et une nature protégée s'offrent aux randonneurs, en particulier dans le parc national, mais les visiteurs pourront également se baigner au Pays basque, découvrir les paysages vallonnés du Béarn ou les ruines grandioses de Montségur. Les amateurs d'art et d'architecture ne manqueront pas abbayes, villages ou villes, entre autres Saint-Jean-de-Luz.

Le Sud-Ouest est riche en spécialités culinaires *(p. 420-421)*

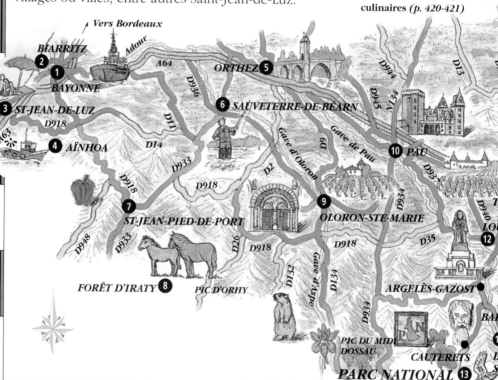

L'église du village basque d'Espelette

CIRCULER

Biarritz, Pau et Lourdes possèdent toutes trois un aéroport et sont desservies, comme Orthez et Tarbes, par la ligne de chemin de fer qui relie Toulouse et Bordeaux. Depuis Bordeaux, l'autoroute A 63 rejoint l'Espagne en traversant le Pays basque où elle se raccorde près de Bayonne à l'A 64 qui longe toutes les Pyrénées, de Bayonne à Toulouse, en passant par Orthez, Pau, Tarbes et Saint-Gaudens. Plus on s'enfonce dans le massif, plus les routes sont sinueuses et étroites. Pittoresque mais exigeante, la route de la corniche (D 918/118) franchit 18 cols entre l'Atlantique et la Méditerranée.

LA RÉGION
D'UN COUP D'ŒIL

Petits chevaux basques pottock en liberté dans la forêt d'Iraty

Vers Toulouse ↗

D632
D929
Gers
D17
D635
A64
Garonne
D627
N20
D919
ST-GAUDENS
PAMIERS
⓴
NÈRES-DE-BIGORRE
D33
⓰
D26
MIREPOIX
ST-BERTRAND-DE-COMMINGES
⓱ ST-LIZIER
D117
⓲ FOIX
D625
MIDI
RRE
ST-GIRONS
N618
D117
⓯ ARREAU
D125
N125
D618
MONTSÉGUR ⓳
Ariège
N20
D929
D618
ST-LARY
BAGNÈRES-DE-LUCHON
AX-LES-THERMES
D25
N20

Saint-Jean-de-Luz vu depuis l'autre rive de l'estuaire de la Nivelle

LÉGENDE

Autoroute

Route principale

Route secondaire

Parcours pittoresque

Rivière

Point de vue

0   25 km

Bayonne ❶

Pyrénées-Atlantiques. 🏛 *40 000*.
🚶 🚌 🚃 ℹ️ *pl. des Basques*
(05 59 46 01 46).
🛒 *tous les matins du lun. au sam.*

Capitale du Pays basque français, Bayonne, qui commande l'une des rares grandes voies de communication avec l'Espagne, était déjà une ville importante à l'époque romaine. Sous la domination anglaise à partir de 1154, elle se développa en tant que port libre, avant de revenir au royaume de France en 1451. Depuis lors, elle a soutenu avec succès 18 sièges.

L'Adour et la Nive partagent la cité en trois quartiers, dont deux sont protégés par des fortifications de Vauban. Celui du Grand Bayonne enserre dans un réseau de rues piétonnes et commerçantes la **cathédrale Sainte-Marie**. Commencée au XIIIe siècle pendant l'occupation anglaise, elle est gothique. Ne manquez pas son cloître ni le heurtoir du XVe siècle de sa porte nord. Quiconque arrivait à le saisir avait droit d'asile.

Vous pourrez boire, dans les cafés installés sous les arcades de la rue du Port-Neuf, un chocolat chaud, spécialité bayonnaise à l'instar du jambon, de la saucisse *loukinkos* ou du touron.

Sur l'autre rive de la Nive, le quartier du Petit Bayonne abrite dans une maison du XVIe siècle le **Musée basque** qui offre une

Les maisons du Grand Bayonne se serrent autour de la cathédrale

Phare de Biarritz

bonne introduction à la culture basque grâce à la reconstitution d'intérieurs traditionnels. Non loin, le **musée Bonnat** présente une belle collection de dessins et de peintures, notamment des œuvres de Léonard de Vinci, Poussin, Van Dyck, Rembrandt, Rubens, Goya, Corot, Constable et Ingres.

🏛 **Musée basque**
437, quai des Corsairs.
📞 *05 59 46 61 90.* 🕐 *du mar. au dim.* ⬤ *les jours fériés.* 📷 ♿
🏛 **Musée Bonnat**
5, rue Jacques-Lafitte. 📞 *05 59 59 08 52.* 🕐 *du mer. au lun.* ⬤ *les jours fériés.* 📷 ♿

Biarritz ❷

Pyrénées-Atlantiques. 🏛 *29 000*.
🚶 🚌 🚃 ℹ️ *Javalquinto, sq. d'Ixelles (05 59 22 37 10).* 🛒 *t.l.j.*

La vocation touristique de Biarritz remonte au Second Empire lorsque cet ancien village de pêcheurs de baleines devint une station balnéaire à la mode.

Depuis la Seconde Guerre mondiale, des quartiers résidentiels se sont développés le long de la côte – la population de Biarritz est constituée pour plus du quart par des retraités –, se mêlant à ceux de Bayonne et d'Anglet pour former une conurbation aux contours flous. Mais le cœur historique de la cité garde sa personnalité.

Inaugurée en 1999, le **musée Asiatica** présente une collection très importante d'art oriental, notamment des

pièces provenant d'Inde, du Népal, du Tibet et de Chine. Ne pas manquez non plus le **musée du Chocolat**.

Sur le port des Pêcheurs, le **musée de la Mer** renferme des aquariums où s'ébattent les principales espèces du golfe de Gascogne.

En bas, une chaussée étroite mène au **rocher de la Vierge** d'où l'on peut voir toute la côte basque.

🏛 **Musée de la Mer**
Esplanade du Rocher-de-la-Vierge,
14, plateau de l'Atalaye. 📞 *05 59 22 75 40.* 🕐 *d'avr. à oct. : t.l.j. ; de nov. à mars : du mar. au dim.*
⬤ *2e quinzaine de jan.* 📷 ♿
🏛 **Musée Asiatica**
1, rue Guy-Petit. 📞 *05 59 22 78 78.*
🕐 *du mar. au sam. ; dim. : a.-m. uniquement.*

Autel de l'église Saint-Jean-Baptiste

Saint-Jean-de-Luz ❸

Pyrénées-Atlantiques. 🏛 *13 000*.
🚌 🚃 ℹ️ *pl. Maréchal-Foch (05 59 26 03 16).* 🛒 *mar. et ven.*

Des pêcheurs de baleines fréquentaient déjà au XIe siècle l'anse naturelle qui abrite Saint-Jean-de-Luz et lui permet de posséder l'une des rares plages sûres du littoral aquitain. Aujourd'hui, ce sont les thoniers et les pêcheurs d'anchois qui assurent en hiver l'animation du port sur lequel veille l'**église Saint-Jean-Baptiste**, élevée aux XIVe et XVe siècles, la plus grande et la plus intéressante des églises basques avec ses trois étages de galeries. Il règne dans ce sanctuaire orné d'un beau retable du

Le port de pêche de Saint-Jean-de-Luz connaît chaque été une véritable explosion démographique

XVIIᵉ siècle une atmosphère de ferveur et de gaieté qu'apprécia peut-être Louis XIV quand il y épousa l'infante Marie-Thérèse en 1660. Une plaque à l'extérieur du bâtiment marque l'emplacement du portail que franchirent le Roi-Soleil et la jeune mariée. Il ne devait jamais resservir et fut immédiatement muré.

Négociée par Mazarin dans l'espoir de sceller l'alliance entre la France et l'Espagne, cette union entraînera finalement les deux royaumes dans la guerre de Succession d'Espagne, mais elle n'en reste pas moins le grand événement historique de Saint-Jean, et l'hôtel de Lohobiague, ou **maison Louis XIV**, où logea le souverain, renferme encore aujourd'hui son mobilier d'époque. Partout dans le quartier, notamment derrière le marché couvert, les restaurants ont à leur carte les *chipirons*, spécialité locale à base de poulpe cuit dans son encre.

🏛 Maison Louis XIV
Pl. Louis-XIV. 📞 *05 59 26 01 56.* ⭕ *de juin à sept. : t.l.j. sauf dim. matin.* 💳

Aux environs
Sur l'autre rive de la Nivelle s'étend **Ciboure**, ville natale du compositeur Maurice Ravel, au cachet typiquement basque avec ses rues étroites et ses maisons du XVIIIᵉ siècle. Une promenade de

deux heures le long de la côte conduit au village voisin de **Socoa** très apprécié des amateurs de surf. De son phare, au sommet de la falaise, la vue porte jusqu'à Biarritz.

Pas de Basques sans bérets

Aïnhoa ❹

Pyrénées-Atlantiques.
🛈 *05 59 29 92 60.* 🚶 *550.* 🚌

Ce petit village typique fut fondé à la fin du XIIᵉ siècle comme étape vers Saint-Jacques-de-Compostelle *(p. 424-425).*

Son église et ses maisons basques blanchies à la chaux datent du XVIIᵉ siècle.

Aux environs
Le village voisin d'**Espelette** possède une église de la même époque. Caractéristiques du style basque, les tribunes de bois augmentaient le nombre de places assises tout en séparant les hommes des femmes et des enfants. Ici se tient pendant le dernier week-end d'octobre la fête du piment, spécialité locale. À la fin janvier a lieu la vente aux enchères de pottocks, chevaux spécifiquement basques. **Cambo-les-Bains**, station thermale, Ustaritz ou **Itxassou** sont d'autres villages typiques du Pays Basque. Dans la direction opposée. Le joli petit village de **Sare** s'étend au pied du col de Saint-Ignace d'où un train à crémaillère grimpe jusqu'au sommet de la Rhune, qui offre le plus beau panorama de la côte et des montagnes dans la région.

Le château d'Espelette

Sauveterre-de-Béarn et les vestiges du pont de la Légende sur le gave d'Oloron

Orthez ❺

Pyrénées-Atlantiques. 🚶 *10 700.* 🚆
🚌 ℹ️ *Maison de Jeanne d'Albret,
rue du Bourg-Vieux (05 59 69 02 75).*
🛍️ *mar.*

Les vestiges de fortifications
médiévales entourent
toujours le donjon du château
Moncade, au nord de cette ville
du Béarn à laquelle le **Pont-
Vieux** (XIIIᵉ et XIVᵉ s.) au-dessus
du gave de Pau donnait
au Moyen Âge une importance
stratégique. De belles maisons
anciennes bordent sa rue
du Bourg-Vieux, en particulier
celle de Jeanne d'Albret, mère
d'Henri IV, au coin de la rue
Roarie. Sa conversion
au calvinisme entraîna son
royaume de Navarre dans les
guerres de Religion (1562-1598).

Un très beau marché se tient
le mardi à Orthez. De
novembre à février, les foies
gras viennent côtoyer
sur les éventaires volailles
et jambons de Bayonne.

Sauveterre-
de-Béarn ❻

Pyrénées-Atlantiques. 🚶 *1 460.*
🚌 ℹ️ *Parc de la mairie
(05 59 38 58 65).* 🛍️ *sam.*

Construite sur une terrasse
dominant le gave
d'Oloron, Sauveterre a
conservé une partie de son
enceinte médiévale. De
l'**église Saint-André** (XIIᵉ s.),
au clocher fortifié, la vue
embrasse le gave, les restes du
vieux pont fortifié, l'île de la
Glève et la **tour Monréal**
(XIIIᵉ s.). Chaque année de
mars à juillet, le gave voit se
dérouler le championnat du
monde de pêche au saumon.

La D 27 le longe. Elle
conduit (9 km) au **château de
Laâs** (XVIIIᵉ s.) qui renferme
une riche collection d'objets
d'art et de meubles –
notamment le lit où dormit
Napoléon la nuit qui suivit sa
défaite à Waterloo.

🏛️ Château de Laâs

📞 *05 59 38 91 53.* ⏰ *d'avr. à
oct. : du mer. au lun. (juil. et août :
t.l.j.)* 📷 ♿

**L'église Saint-André et la tour
Monréal, Sauveterre-de-Béarn**

Saint-Jean-
Pied-de-Port ❼

Pyrénées-Atlantiques. 🚶 *1 500.*
🚆 🚌 ℹ️ *14, pl. Charles-de-Gaulle
(05 59 37 03 57).* 🛍️ *lun.*

Cité fortifiée construite
en grès rouge, l'ancienne
capitale de basse Navarre
commande l'accès au col
(ou « port ») de Roncevaux où
les Basques écrasèrent en 778
l'arrière-garde de l'armée
de Charlemagne, tuant son chef
que glorifia plus tard
la *Chanson de Roland*.

Cette situation privilégiée lui
valut d'être tout au long du
Moyen Âge l'étape où se
regroupaient les pèlerins de
Saint-Jacques-de-Compostelle
(p. 424-425) avant de passer
en Espagne. Des guetteurs
surveillaient leur approche,
sonnant les cloches lorsqu'ils
repéraient un groupe pour lui
indiquer la direction à suivre.

La cité continue à vivre
aujourd'hui de ses visiteurs.
Entrant par la porte d'Espagne,
on dépasse cafés et restaurants
et l'on grimpe par les ruelles
de la ville haute, ceinte de
murailles du XVᵉ siècle, jusqu'à
la citadelle qui commande
une vue panoramique
sur la superbe **vallée de la
Nive** (ou de Baïgorry).

À voir aussi, tous les lundis,
le marché aux bestiaux et la
partie de pelote.

La forêt d'Iraty ❽

Pyrénées-Atlantiques. 🚌 🚆 *Saint-Jean-Pied-de-Port.* ℹ️ *Saint-Jean-Pied-de-Port (05 59 37 03 57).*

L andes et forêts de hêtres se disputent ce plateau sauvage, cadre splendide pour les promenades à pied, à cheval ou en ski. Ici vivent en liberté les pottocks, ces petits chevaux qui n'ont pas changé depuis que les ancêtres des Basques dessinaient leur silhouette sur les parois des grottes de la région. L'OT de Saint-Jean-Pied-de-Port propose des itinéraires de randonnées vers le pic des Escaliers (1 472 m) et le pic d'Orhy (2 017 m). Possibilité d'atteindre en suivant le GR 10 le sommet d'Occabe, sur le flanc duquel l'on peur repérer des mégalithes de 3 000 ans.

Oloron-Ste-Marie ❾

Pyrénées-Atlantiques. 👥 *11 000.* 🚌 🚆 ℹ️ *villa Bourdeu, pl. Pompidou (05 59 39 98 00).* 🛒 *ven.*

U ne colonie celtibère existait avant l'époque romaine à la jonction des vallées de l'Aspe et de l'Ossau *(p. 486)* où s'est développé Oloron, important centre de fabrication de bérets et de chocolat. De grandes foires s'y tiennent en mai (gastronomique) et en septembre (bétail).

LA CULTURE BASQUE

Seulement 10 % des 3 millions de Basques vivent en France. Ce peuple, né dans les Pyrénées où il défend son autonomie et son identité depuis des millénaires, continue de parler la seule langue d'Europe à avoir survécu à la vague qui imposa les idiomes indo-européens. Elle nourrit une poésie, notamment chantée, toujours vivante et, depuis le XVe siècle, une littérature originale.

La pelote, jeu traditionnel basque

Portail de l'église Sainte-Marie

Fierté de la cité, la **cathédrale Sainte-Marie**, malgré un remaniement dans le style gothique aux XIIIe et XIVe siècles, conserve un portail roman aux sculptures de toute beauté. L'autre sanctuaire de la ville, l'**église Sainte-Croix**, située au cœur d'un vieux quartier où les maisons les plus anciennes datent du XVe siècle, présente des voûtes qui témoignent d'une influence maure. Il est vrai que l'Espagne s'étend juste de l'autre côté du col du Somport qui ferme la vallée d'Aspe, où sont produits en grande partie les fromages de brebis, ou de laits de vache et de chèvre mélangés, des Pyrénées.

Une route latérale conduit à Lescun, petit village serré autour de son église au pied d'une chaîne d'aiguilles acérées où culmine à 2 504 m le **pic d'Anie** *(p. 486)*. C'est ce site magnifique, l'un des rares où se pratique l'agriculture traditionnelle et le dernier où survit l'ours brun des Pyrénées, que menace le tunnel du Somport.

Lande au-dessus de la forêt d'Iraty, dévastée pour construire les vaisseaux des flottes française et espagnole

Tapisserie des Gobelins du château de Pau

Pau ⑩

Pyrénées-Atlantiques. 🏠 *87 000.* ✈
🚉 🚌 ℹ *pl. Royale (05 59 27 27 08).*
🛒 *du lun. au sam.*

L es riches Anglais qui
fréquentaient Pau au début
du XIXᵉ siècle venaient en
automne et au début de l'hiver.
Non sans raison, car la douceur
du climat et la pureté de l'air en
font la meilleure période pour
visiter la plus intéressante des
grandes cités pyrénéennes.

Son **château** date du
XIIᵉ siècle, mais fut agrandi au
XIVᵉ pour Gaston Phébus
(p. 489), comte de Foix et
vicomte de Béarn. Pour venir y
mettre son enfant au monde
en 1553, Jeanne d'Albret quitta la
Picardie au huitième mois de sa
grossesse et entreprit un
voyage de 19 jours en carrosse.
Elle chanta pendant tout
l'accouchement et, dès sa
naissance, comme le voulait la
coutume, le futur Henri IV eut
les lèvres frottées d'une gousse
d'ail et de vin de Jurançon.

L'édifice où il vit le jour a
subi un très important
remaniement au XIXᵉ siècle. Les
tapisseries des Gobelins (XVIᵉ s.)
qu'il renferme sont superbes et
le **Musée béarnais**, installé au
3ᵉ étage, offre un remarquable
panorama de l'histoire, des
traditions et de la vie
quotidienne de la région.

À son pied s'ouvre le
boulevard des Pyrénées d'où
l'on a par temps clair une vue
superbe sur les plus hauts pics.
Il aboutit au parc Baumont qui
entoure le casino de 12 ha
de verdure, au nord desquels,
dans la rue Lalanne, le **musée
des Beaux-Arts** présente
une collection de peintures
éclectique qui comprend
des œuvres du Greco,
Le Jugement dernier
par Rubens et le splendide
*Bureau de coton à La Nouvelle-
Orléans* par Degas.

⌂ Château de Pau
Rue du Château. 📞 *05 59 82 38 00.*
🕐 *t.l.j.* ⬤ *1ᵉʳ janv., 1ᵉʳ mai, 25 déc.* 📷
obligatoire. ♿
🏛 Musée des Beaux-Arts
Rue Mathieu-Lalanne. 🕐 *du mer. au lun.*
📞 *05 59 27 33 02.* ⬤ *les jours fériés.* ♿

Aux environs
Au nord, belle cathédrale
de **Lescar**, en partie romane.
À 25 km du gave de Pau, la
vallée d'Ossau vit depuis le
Moyen Âge au rythme des
transhumances. **Laruns** est le
point de départ idéal pour
visiter la haute vallée du gave
d'Ossau.

Tarbes ⑪

Hautes-Pyrénées. 🏠 *48 000.* ✈
🚉 🚌 ℹ *3, cours Gambetta
(05 62 51 30 31).* 🛒 *jeu., sam. et dim.*

A u cœur d'une riche plaine
céréalière, l'ancienne
capitale de la Bigorre est
un grand marché agricole,
mais aussi le lieu d'implantation d'industries mécaniques
et chimiques. Le **jardin
Massey** en occupe le centre.
Dessiné au début du
XIXᵉ siècle, c'est l'un des plus
beaux parcs du Sud-Ouest
avec ses essences rares, sa
serre, un cloître du XVᵉ siècle
et la curieuse villa mauresque
qu'occupe le **musée Massey**
qui possède, entre autres, une
belle collection de peintures.
Ne manquez pas non plus
le **haras national**.

🏛 Haras national
Chemin du Mauhourat. 📞 *05 62 56
30 80.* 🕐 *du lun. au ven.* ⬤ *les jours
fériés.* ♿
🏛 Musée Massey
Jardin Massey. 📞 *05 62 36 31 49.*
🕐 *juil.-août : t.l.j. ; de sept. à juin : du
mer. au dim.* ⬤ *les jours fériés.* ♿

Lourdes ⑫

Hautes-Pyrénées. 🏠 *16 500.* ✈ 🚉
🚌 ℹ *pl. Peyramale (05 62 42 77 40).*
🛒 *un jeu. sur deux.*

C 'est une jeune fille de
14 ans qui changea en
1858 le destin de cette ancienne

Le château de Pau où naquit Henri IV en 1553

◁ **Collines en bordure des Pyrénées**

place forte, la transformant en un immense centre spirituel.

Depuis qu'eut lieu en 1873 le premier pèlerinage national, celui-ci n'a cessé de se développer. Chaque année, en effet, près de 5 millions de personnes visitent le cachot où vécut la famille Soubirous, dans la rue des Petits-Fossés, et se rendent à la **grotte de Massabielle** où la Vierge apparut à la jeune Bernadette.

Si ce n'est pas la foi qui vous amène à Lourdes, mieux vaut alors l'éviter pour lui préférer les **grottes de Bétharram**, que l'on explore en barque et en train, ou le **Musée pyrénéen**, au château (XIᵉ-XIVᵉ siècle), qui retrace l'histoire des premières ascensions des plus hauts sommets du massif.

Pèlerins participant à une messe en plein air à Lourdes

Spectaculaires concrétions calcaires aux grottes de Bétharram

Grottes de Bétharram
Saint-Pé-de-Bigorre. 05 62 41 80 04. *de mi-mars à mi-oct. : t.l.j.*

Musée pyrénéen
Château Fort, rue du Fort. 05 62 42 37 37. *d'avr. à mi-oct. : t.l.j. ; de mi-oct. à mars : du mer. au lun.* en hiver les jours fériés.

Le parc national des Pyrénées ⑬

p. 486-487.

Luz-Saint-Sauveur ⑭

Hautes-Pyrénées. 1 200. *pl. du 8-Mai (05 62 92 81 60).* lun.

Luz-Saint-Sauveur est une agréable station thermale d'où l'on gagne les grands sites pyrénéens. Les hospitaliers de Saint-Jean-de-Jérusalem entourèrent au XIVᵉ siècle son église romane d'une enceinte fortifiée percée de meurtrières d'où ils surveillaient la ville et la vallée pour protéger les pèlerins en route vers Saint-Jacques-de-Compostelle.

Aux environs
Cauterets, élégante ville thermale que fréquenta Marguerite de Navarre, constitue un bon point de départ pour des randonnées, à pied ou en pratiquant le ski de fond, dans les montagnes de la Bigorre. Depuis **Gavarnie**, ancienne étape des pèlerins de Saint-Jacques-de-Compostelle, un large sentier conduit, à pied ou à dos d'âne, au célèbre cirque, l'un des sites les plus visités des Pyrénées, où la plus longue cascade d'Europe (440 m) dévale dans un amphithéâtre nappé de glaciers et dominé par onze sommets de plus de 3 000 m.

De l'**observatoire du pic du Midi de Bigorre** furent prises les meilleures photos de Vénus et des planètes du système solaire, et notamment celles qui servirent à la préparation des missions américaines Apollo. À trente minutes de marche du col du Tourmalet, au-dessus de Barèges, le site offre une vue à couper le souffle sur les Pyrénées et la plaine gasconne. Un télescope de 2 m de diamètre y a été installé en 1978.

Observatoire du pic du Midi de Bigorre
Le Sommet des Loisirs, pic du Midi, Bagnères-de-Bigorre. 08 25 00 28 77. *t.l.j. (selon conditions météos).*

LES MIRACLES DE LOURDES

En 1858, une jeune fille analphabète eut dans la grotte de Massabielle, alors située hors de la ville, 18 visions de la Vierge qui suscitèrent dans la région un vaste mouvement de conversions. Après enquête, l'Église affirma la réalité des apparitions en 1862 et, depuis, les guérisons miraculeuses survenues après immersion dans la source de la grotte se sont multipliées. L'afflux de pèlerins du monde entier a entraîné le développement d'un énorme complexe religieux où prospère une très dynamique, et très mercantile, industrie touristique.

Souvenir de Lourdes

Le parc national des Pyrénées ⓭

Isard des Pyrénées

Créé en 1967, le parc national des Pyrénées s'étend sur 100 km, entre 1 000 et 3 300 mètres d'altitude, le long de la frontière espagnole derrière laquelle le prolonge le parc national d'Ordesa. Prairies chatoyantes de papillons et sommets coiffés de neiges éternelles y composent certains des plus beaux sites naturels d'Europe où prospèrent une faune et une flore d'une richesse exceptionnelle. 350 km de sentiers permettent, en les respectant, d'en découvrir les merveilles.

La vallée d'Aspe
Des aiguilles acérées dominent le cirque de Lescun et la vallée d'Aspe, aujourd'hui menacé par un projet d'autoroute (p. 481).

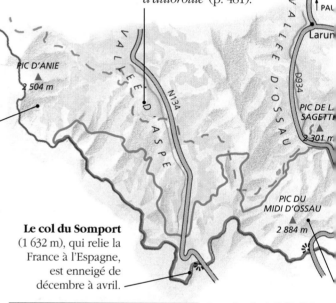

Le pic d'Anie
Les parois calcaires du pic d'Anie (2 504 m) dominent de riches alpages arrosés par la fonte des neiges. Ils se couvrent au printemps de variétés de gentiane et d'ancolie qui ne poussent que dans les Pyrénées.

Le col du Somport
(1 632 m), qui relie la France à l'Espagne, est enneigé de décembre à avril.

Le pic du Midi d'Ossa
Depuis le lac de Bious-Artigues, un sentier difficile condui la base du pic du Midi d'Ossau (2 884 m) et e fait le tour.

LA FAUNE PYRÉNÉENNE

L'isolement des Pyrénées a permis à la vie sauvage, notamment à de nombreuses espèces locales, de s'y maintenir comme dans peu d'autres endroits en Europe. Les isards, ou chamois des Pyrénées, restent nombreux dans les vallées du Parc national, mais la faune comprend également marmottes, genettes, hermines… Et pour les oiseaux, cincles plongeurs, lagopèdes, vautours fauves, aigles royaux, gypaètes barbus…

Les fritillaires des Pyrénées
fleurissent à la fin du printemps et au début de l'été.

Les lys des Pyrénées
embellissent de juin à août les parois rocheuses jusqu'à 2 200

Brèche de Roland
*célèbre faille du cirque de
Gavarnie offre un passage entre
France et l'Espagne.*

MODE D'EMPLOI

Bien signalés (des panneaux
indiquent notamment la durée
des parcours), de nombreux
sentiers ponctués de refuges
où l'on peut prendre un repas
chaud et passer la nuit
sillonnent le parc. Les
randonneurs trouveront toute
l'année cartes et informations
au siège du Parc à Cauterets
(05 62 92 52 56) ou à Luz-
Saint-Sauveur (05 62 92 38 38).

Randonnée en été

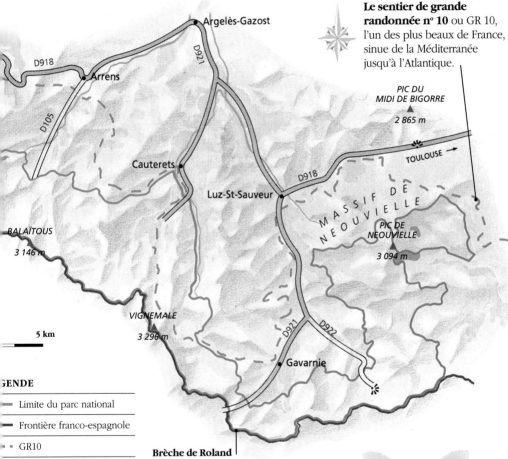

**Le sentier de grande
randonnée n° 10** ou GR 10,
l'un des plus beaux de France,
sinue de la Méditerranée
jusqu'à l'Atlantique.

Argelès-Gazost

D918

Arrens

D921

D105

*PIC DU
MIDI DE BIGORRE*

▲

2 865 m

TOULOUSE →

Cauterets

D918

Luz-St-Sauveur

M A S S I F   D E
N É O U V I E L L E

BALAÏTOUS

3 146 m

*PIC DE
NÉOUVIELLE*

3 094 m

VIGNEMALE

5 km

3 296 m

D921

D922

Gavarnie

LÉGENDE

— Limite du parc national

— Frontière franco-espagnole

- - GR10

Brèche de Roland

Le vautour d'Égypte *présent
dans toutes les Pyrénées, niche
au creux des falaises.*

L'ours des Pyrénées *ne survit
plus que dans les vallées d'Aspe et
d'Ossau.*

Cléopâtre

**Grand
porte-queue**

Des papillons *d'espèces
très colorées se rencontrent
en altitude.*

Arreau 🕒

Hautes-Pyrénées. 🏘 860. 🚌
ℹ château des Nestes
(05 62 98 63 15). 🏛 jeu.

Au confluent de la Neste
d'Aure et de la Neste de
Louron, Arreau est un village
animé dont l'église et
plusieurs maisons datent
du XVIᵉ siècle, et où l'on peut
se procurer tout le nécessaire
(cartes, chaussures ou
matériel) pour des randonnées.

Aux environs
Au cœur de la **vallée d'Aure**,
Saint-Lary-Soulan constitue un
bon point de départ pour des
excursions dans tout le massif
du Néouvielle. Les routes
qui en partent permettent
d'arriver en altitude avant
de commencer à marcher.
Au-dessus du village
de **Fabian**, dans un décor
parsemé de lacs, plusieurs
sentiers tracés, dont le GR 10
(p. 487), sinuent entre
les sommets. Plus à l'est,
Luchon est la ville de cure
la plus vivante de la chaîne
des Pyrénées.

Saint-Bertrand-de-Comminges 🕕

Haute-Garonne. 🏘 220.
🚉 Montréjean, puis taxi. 🚌
ℹ Les Olivetains, parvis de la
cathédrale (05 61 95 44 44).

Depuis une petite éminence
isolée, Saint-Bertrand-
de-Comminges, le centre
historique et archéologique le
plus important des Pyrénées
centrales, où se tient chaque

Cloître de la cathédrale Sainte-Marie, Saint-Bertrand-de-Comminges

été un festival de musique
réputé (p. 33), domine la vallée
où Pompée aurait fondé en
72 av. J.-C. une cité que
développa Auguste afin
d'asseoir sa domination sur le
massif pyrénéen. Gontran, petit-
fils de Clovis, l'aurait détruite en
585, mais des fouilles ont mis au
jour les vestiges d'un marché,
d'un théâtre, de deux thermes,
d'un temple et d'une basilique
chrétienne.

C'est au XIᵉ siècle que
Bertrand de l'Isle, évêque
de Comminges, décida de bâtir
sur ce site la **cathédrale Sainte-
Marie**. Canonisé en 1222,
il repose dans un mausolée
élevé dans le chœur. L'édifice
ne fut toutefois achevé qu'au
XIVᵉ siècle grâce aux fonds
apportés par Hugues de
Châtillon, riche évêque dont la
chapelle de la Vierge abrite
le tombeau en marbre.

De superbes sculptures ornent
le portail roman de la
cathédrale, réputée pour
l'élégance de son mobilier
intérieur, notamment les
66 stalles du chœur et le buffet
d'orgue (XVIᵉ s.).

Dans le **cloître**, on peut voir
des sarcophages et le célèbre
pilier des Quatre Évangélistes.
Ses deux galeries gothiques
(la troisième est romane)
présentent de beaux
chapiteaux sculptés.

🔔 Cathédrale Sainte-Marie
📞 05 61 89 04 91. 🕐 t.l.j. (pas de
visite le dim. matin). 🖼 🎫

Fresque de la cathédrale Saint-Lizier

Saint-Lizier 🕗

Ariège. 🏘 1 600. 🚉 ℹ pl. de
l'Église (05 61 96 77 77).

S'étendant à l'emplacement
d'une ancienne cité gallo-
romaine, dont il reste la
totalité de l'enceinte, ce bourg
fut un grand centre religieux
au Moyen Âge, ce qui lui vaut
de posséder deux cathédrales.

La plus belle, la **cathédrale
Saint-Lizier** décorée
de fresques romanes, date
des XIᵉ et XIVᵉ siècles
et possède un harmonieux
cloître surmonté d'un étage.

Dans la ville haute, des
ruelles bordées de maisons
anciennes mènent à la

La cathédrale Sainte-Marie (XIᵉ-XIᵉ s.) domine Saint-Bertrand-de-Comminges

Sommets enneigés vus depuis Saint-Lizier

cathédrale de la Sède qui commande une belle vue sur les Pyrénées. À voir aussi la pharmacie du XVIIIe siècle située dans l'hôtel-Dieu.

Foix ⓲

Ariège. 🚶 10 500. 🚉 🚌
🛈 29, rue Delcassé (05 61 65 12 12). 🛒 mer. et ven.

Les tours et les remparts du **château de Foix** (XVe s.) dominent du haut d'un énorme rocher la ville et le confluent de l'Arget et de l'Ariège. En juillet, des fêtes médiévales recréent l'ambiance de l'époque où les comtes de Foix gouvernaient tout le Béarn. Le plus brillant, Gaston III, dit Phébus (1331-1391), écrivit un *Livre de chasse* réputé.

À elle seule, la vue justifie l'ascension de la tour centrale du château. Au bord de l'Ariège, l'**église Saint-Volusien**, édifice roman du XIIe siècle agrandi dans le style gothique au XIVe, est d'une exquise simplicité.

🏰 Château de Foix
📞 05 34 09 83 83. ⭕ t.l.j. ⚫ lun. et mar. de nov. à avr. ✍

Aux environs
Les **grottes du Mas-d'Azil** et **de Niaux** sont les plus belles curiosités préhistoriques de la chaîne pyrénéenne.

Montségur ⓳

Ariège. 🚶 100. 🛈 l'été (05 61 03 03 03) ou l'hiver (05 61 01 10 27). ✍

Le village de Montségur s'accroche à la base de l'éperon rocheux que couronne l'enceinte pentagonale de la forteresse, symbole de la résistance cathare *(p. 519)*. Depuis le parc de stationnement, un sentier abrupt permet d'accéder à la citadelle d'où la vue s'étend, par temps clair, jusqu'à la Montagne Noire et où, au XIIIe siècle, *faydits* (aristocrates dépossédés) et hérétiques albigeois résistèrent pendant dix mois à l'armée envoyée par le roi. Lorsqu'elle tomba, 225 cathares se jetèrent de leur plein gré dans le bûcher plutôt que de renier leur foi.

Mirepoix ⓴

Ariège. 🚶 3 300. 🚉 🚌 🛈 pl. du Maréchal-Leclerc (05 61 68 83 76). 🛒 lun. et jeu.

Solide bastide *(p. 471)* à l'aspect presque inchangé depuis le Moyen Âge, Mirepoix prend tout son attrait les jours de marché, quand sa place centrale, l'une des plus belles du Sud-Ouest avec ses galeries et ses maisons à colombage datant des XIIIe-XVe siècles, se couvre d'éventaires proposant les productions agricoles locales. La cathédrale, commencée en 1343 et achevée en 1867, possède la nef gothique la plus large de France (22 m).

Galerie de la place principale de Mirepoix

LE MIDI

Présentation du Midi

Région viticole et fruitière qui conserve son
caractère rural, le Midi attire chaque été des
millions de vacanciers qui viennent profiter des plages
de la Côte d'Azur, à l'est, et de celles des stations
du littoral du Languedoc-Roussillon, à l'ouest.
Les amoureux de la nature, quant à eux, découvrent
en Corse des sites d'une beauté exceptionnelle. Le Midi
de la France ne séduit pourtant pas que les touristes :
des entreprises aux technologies de pointe s'y sont
installées autour de villes comme Nice ou Montpellier.

Le pont du Gard, *impressionnant ouvrage
d'art romain vieux de 2 000 ans* (p. 523)
*et long de 275 m, faisait partie d'un aqueduc
partiellement souterrain qui alimentait Nîmes
en eau depuis une source captée à presque
50 km de la ville.*

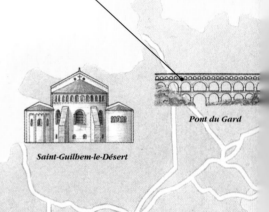

Saint-Guilhem-le-Désert

Pont du Gard

LANGUEDOC-ROUSSILLON
(p. 502-527)

Carcassonne

Peyrepertuse

*Saint-Martin-
du-Canigou*

0   50 km

*La Camargue abrite dans les marais
et les lagunes du delta du Rhône
une flore et une faune exceptionnelles.
De nombreux oiseaux, comme les
fameux flamants roses, prospèrent
dans son parc ornithologique* (p. 540-541)
à côté de chevaux élevés en liberté.

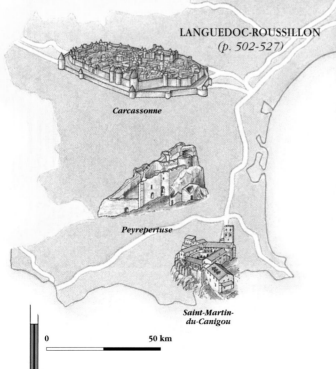

Avignon, qui a conservé ses fortifications, servit d'asile aux papes, contraints de quitter Rome au XIVe siècle (p. 533). Leur palais domine toujours la ville. Sa cour accueille désormais en été les spectacles du célèbre festival de théâtre.

ais des Papes, Avignon

Musée Matisse, Nice

PROVENCE ET CÔTE D'AZUR
(p. 528-565)

**Statue par Giacometti,
Saint-Paul-de-Vence**

amargue

*Riche de prestigieux festivals comme ceux de Cannes ou d'Antibes, la **Côte d'Azur** attire depuis les années 1920 célébrités et artistes (p. 500-501). Elle offre aussi des collections d'art moderne et contemporain de premier ordre (p. 498-499).*

CORSE
(p. 566-577)

**Statue de Napoléon,
Ajaccio**

0   50 km

Les spécialités du Midi

L es marchés du Midi ont été chantés, non sans raison. En été, les étals croulent sous les poivrons, les tomates, les courgettes et les aubergines qui composent, avec les fruits gorgés de soleil et les fleurs, une palette éclatante. Alors que le Languedoc-Roussillon fournit les premiers fruits de saison, à l'automne courges, châtaignes, cèpes et girolles donnent aux éventaires des tons plus chauds et un léger parfum de sous-bois. Traditionnellement, les légumes accompagnent le mouton ou l'agneau, provenant de préférence de la Crau ou des prés salés de la Camargue. En bord de mer, le poisson est à l'honneur, grillé ou avec les soupes que sont la célèbre bouillabaisse marseillaise ou la bourride languedocienne. Les huîtres de la Méditerranée ont une saveur plus prononcée et plus salée que celles de l'Atlantique ou de la Manche. La Corse, dont la cuisine est plus influencée par l'Italie, produit des fromages de caractère et une charcuterie savoureuse et de qualité, à partir de porcs élevés en plein air.

Romarin

La salade niçoise *est toujours composée de laitue, tomates, haricots verts, olives noires, œufs durs et anchois.*

La soupe au pistou*, avec haricots blancs et pâtes, est composée de légumes parfumés au basilic, à l'ail et à l'huile d'olive.*

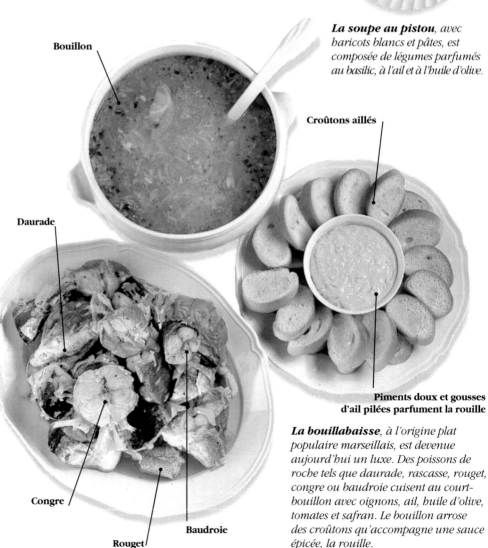

Bouillon

Croûtons aillés

Daurade

Congre

Rouget

Baudroie

Piments doux et gousses d'ail pilées parfument la rouille

La bouillabaisse*, à l'origine plat populaire marseillais, est devenue aujourd'hui un luxe. Des poissons de roche tels que daurade, rascasse, rouget, congre ou baudroie cuisent au court-bouillon avec oignons, ail, huile d'olive, tomates et safran. Le bouillon arrose des croûtons qu'accompagne une sauce épicée, la rouille.*

La ratatouille *est un ragoût de légumes d'été revenus dans de l'huile d'olive, puis cuits longtemps à feu doux.*

La pissaladière, *pâte à pizza garnie d'oignons, d'anchois et d'olives, s'achète dans toutes les boulangeries de Provence.*

L'aïoli *une mayonnaise à l'huile d'olive très aillée, accompagne morue, œufs durs et légumes crus ou à l'étuvée.*

La daube, *de bœuf ou de sanglier, doit mariner une nuit dans du vin rouge, puis mijoter au moins quatre heures.*

La brandade de morue, *spécialité nîmoise, mêle dans une purée pommes de terre, morue, ail, crème fraîche et huile d'olive.*

La tarte au citron *est encore meilleure si sa crème est faite avec des citrons de la Côte d'Azur, par exemple de Menton.*

OLIVES ET HUILE D'OLIVE

Les olives servent à la fabrication de l'huile, mais sont aussi mises en conserve, mûres (noires) ou encore vertes. Étalée sur du pain grillé, la tapenade, une purée d'olives, de câpres et d'anchois, accompagne le pastis de l'apéritif.

La fougasse *est une pâte à pain farcie d'olives noires, d'anchois, d'oignons et d'herbes aromatiques. Sucrée, elle est garnie d'amandes.*

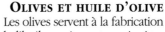

Tapenade

Olives noires

Le miel *présente une large palette de saveurs qui dépendent des plantes butinées par les abeilles : lavande, romarin, thym, mais également acacia, châtaignier ou sapin.*

Olives farcies

Huile d'olive

LES TISANES

Consommées en infusion, les plantes aromatiques qui poussent dans le Midi de la France ont de nombreuses vertus : le tilleul favorise la digestion et le sommeil, la camomille stimule les reins, la verveine facilite le travail du foie et le thym dégage les voies respiratoires.

Verveine   **Camomille**   **Tilleul**

Les régions viticoles : le Midi

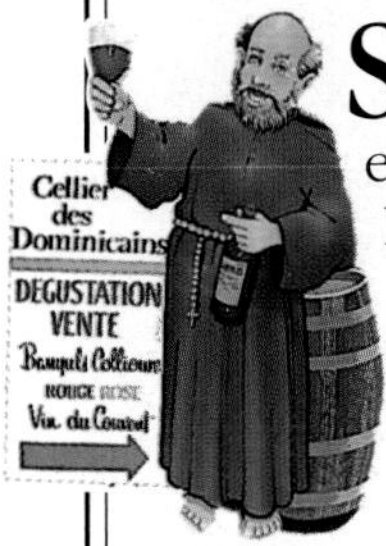

Sous le généreux soleil du Midi, les vignobles du Languedoc-Roussillon et de la Provence s'étendent depuis Banyuls à l'extrême sud, jusqu'à la frontière italienne. Pendant un siècle, ils ont produit pour la plupart des vins de consommation courante ; mais la qualité des cépages comme des techniques de vinification s'est beaucoup améliorée ces dernières années et l'on trouve désormais partout dans la région d'excellents crus qui tirent leur générosité et leur bouquet de terroirs où plantes cultivées et herbes aromatiques se disputent le sol de terrasses en pierres sèches.

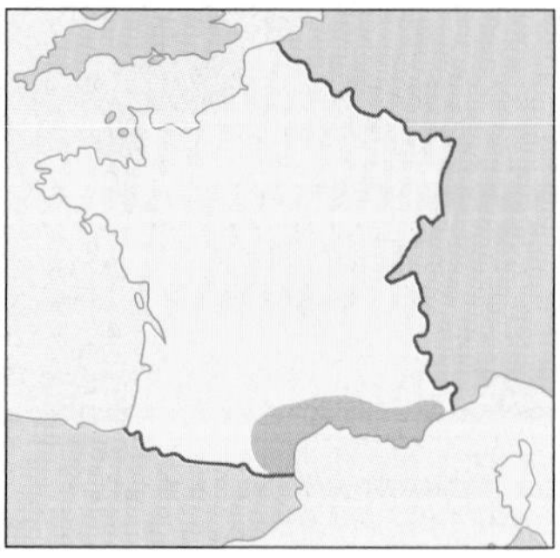

Enseigne de cave, Banyuls

CARTE DE SITUATION

Languedoc-Roussillon et Provence

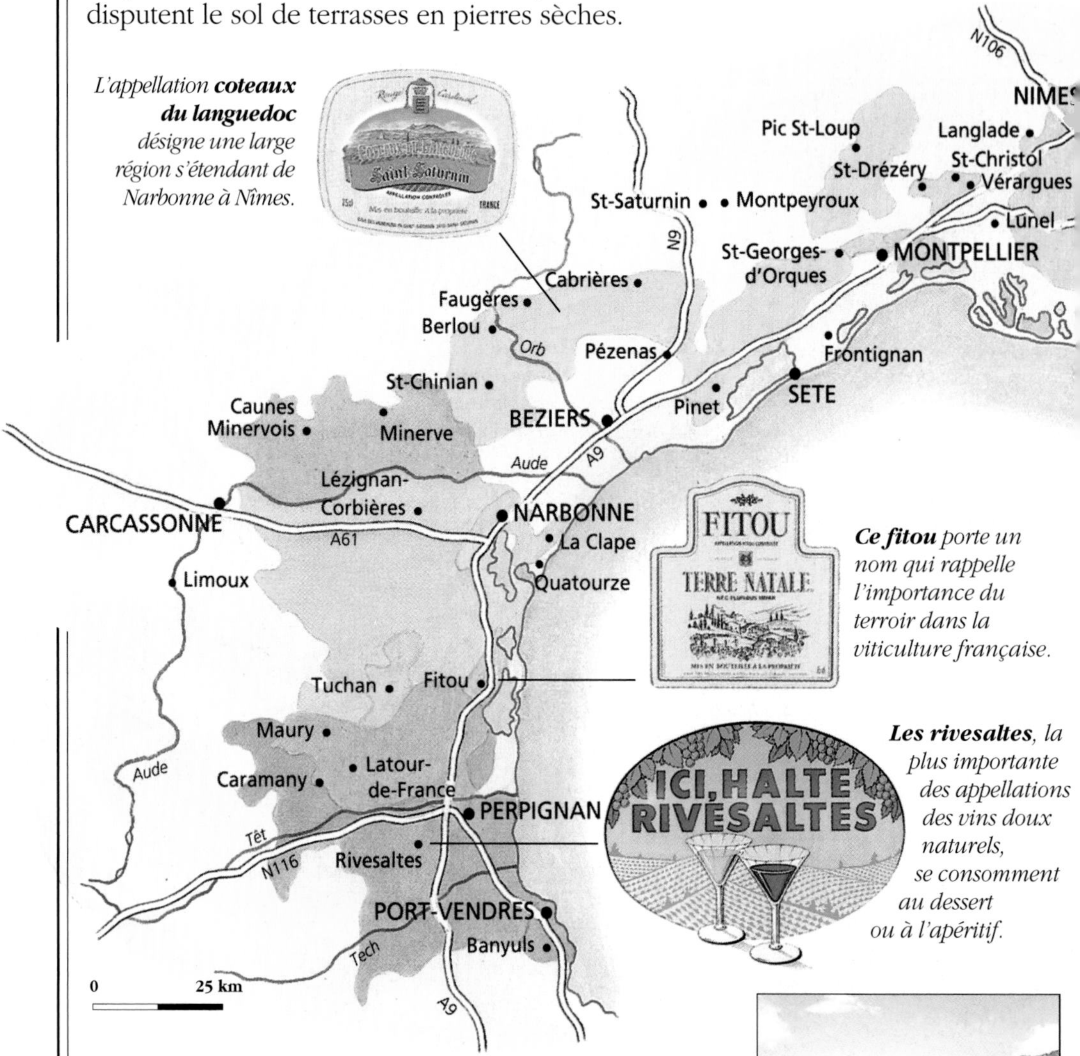

*L'appellation **coteaux du languedoc** désigne une large région s'étendant de Narbonne à Nîmes.*

NÎMES

Pic St-Loup • Langlade •
St-Drézéry • St-Christol •
St-Saturnin • Montpeyroux • Vérargues
St-Georges- • Lunel
St-Saturnin • d'Orques • MONTPELLIER
Cabrières •
Faugères •
Berlou • Pézenas • Frontignan
St-Chinian • SÈTE
Caunes • Pinet
Minervois • Minerve BÉZIERS
Lézignan- Aude
Corbières •
CARCASSONNE A61 NARBONNE
• La Clape
• Limoux Quatourze

FITOU

TERRE NATALE

*Ce **fitou** porte un nom qui rappelle l'importance du terroir dans la viticulture française.*

Tuchan • Fitou •
Maury •
Caramany • Latour-
de-France
Tèt N116 PERPIGNAN
Rivesaltes
PORT-VENDRES
Banyuls

ICI, HALTE RIVESALTES

*Les **rivesaltes**, la plus importante des appellations des vins doux naturels, se consomment au dessert ou à l'apéritif.*

0   25 km

LÉGENDE

▨ Collioure et banyuls	▨ Costières de Nîmes	
▨ Côtes du roussillon	▨ Coteaux d'aix-en-provence	
▨ Côtes du roussillon villages	▨ Côtes de provence	
▨ Fitou	▨ Cassis	
▨ Corbières	▨ Bandol et côtes de provence	
▨ Minervois	▨ Coteaux varois	
▨ Coteaux du languedoc	▨ Bellet	

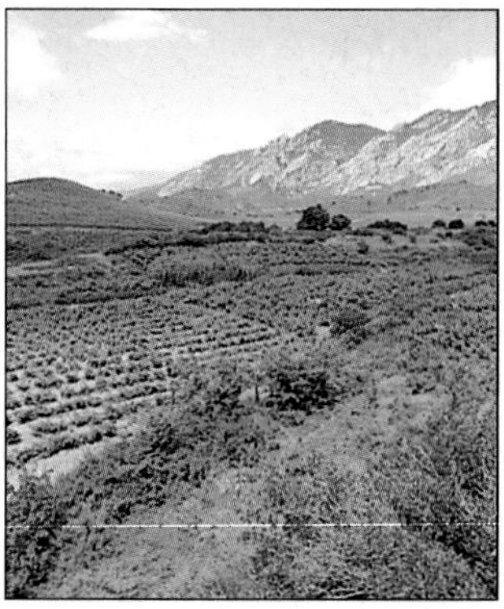

Les coteaux abrupts des Corbières

Vendanges manuelles en Provence

LES RÉGIONS VITICOLES

Aussi bien dans le vignoble des côtes de provence, que dans le Languedoc-Roussillon, les appellations contrôlées produisent des vins réputés.

Les rosés de provence, vins de vacances, tendres ou nerveux, se sont encore améliorés ces dix dernières années.

Le bandol est une petite appellation qui, fait inhabituel, a entièrement assis son renom mérité sur un cépage typiquement méridional : le mourvèdre.

CE QU'IL FAUT SAVOIR SUR LES VINS DU MIDI

 Sol et climat
Si le climat ensoleillé permet d'obtenir des vins généreux même en plaine, c'est sur les coteaux, calcaires ou schisteux, que sont généralement produits les meilleurs crus.

Cépages
Les cépages de grande production tels que le **carignan** et l'**aramon** cèdent de plus en plus la place, y compris pour les vins de pays, à des souches plus nobles : la **syrah**, le **mourvèdre**, le **grenache**, le **cabernet sauvignon** et le **merlot** pour les rouges ; le **chardonnay**, le **sauvignon blanc** et le **viognier** pour les blancs.

Quelques producteurs réputés
Collioure : Domaine de la Rectorie. *Côtes de roussillon :* Domaine Gauby. *Corbières :* Château La Voulte-Gasparets, Château de Lastours. *Minervois :* Château de Villerambert-Julien. *Coteaux du languedoc :* Mas Jullien, Prieuré de St-Jean-de-Bebian. *St-Chinian :* Château Cazal-Viel, Domaine des Jougla. *Faugères :* Château des Estanilles, Château de la Liquière. *Vin de pays de l'Hérault :* Mas de Daumas Gassac. *Costières de nîmes :* Château des Tourelles. *Coteaux d'aix :* Mas de la Dame, Mas de Gourgonnier, Domaine de Trevallon. *Côtes de provence :* Domaine Richeaume, Commanderie de Peyrassol. *Bandol :* Domaines Ott, Domaine Tempier.

Le Midi des artistes et des écrivains

Le climat et la beauté du Sud de la France ne pouvaient qu'attirer artistes et écrivains, français ou étrangers. C'est un poète, Stephen Liégeard, qui donne en 1887 son nom à la Côte d'Azur, tandis que des peintres comme Van Gogh, Cézanne, Dufy ou Picasso, fascinés par sa lumière, rendent la Provence célèbre dans le monde entier. La région les honore dans de nombreux musées, certains voués à un seul artiste (Chagall, Matisse ou Picasso), d'autres, notamment ceux de Céret, Nîmes, Montpellier, Saint-Tropez et Saint-Paul-de-Vence *(p. 508-559)*, plus variés.

La palette de Monet

Picasso et Françoise Gilot à Golfe-Juan, 1948

L'atelier de Paul Cézanne à Aix-en-Provence *(p. 541)*

UNE FÊTE DE LA LUMIÈRE

Les impressionnistes, dans leur quête de la lumière, ne pouvaient qu'être attirés par celle du Midi dont Monet pensait qu'elle rendait les couleurs si intenses qu'aucun peintre ne pouvait les restituer avec fidélité. Renoir l'accompagna en Provence en 1883 et, conquis, s'y installa. Il finit ses jours à Cagnes-sur-Mer où Bonnard, l'un des maîtres du mouvement nabi, le rencontra. Lui aussi se lança, dans son atelier du Cannet, à la poursuite de cette lumière si particulière. Toutefois, c'est sans doute Van Gogh, que son ami Gauguin rejoignit un temps à Arles, qui l'a le plus fidèlement traduite. Cézanne, qui naquit à Aix-en-Provence en 1839, la traqua toute sa vie, notamment dans ses tableaux de la montagne Sainte-Victoire. Un peu plus tard, Saint-Tropez inspira le néo-impressionniste Paul Signac.

LES FAUVES

C'est en 1904, lors d'une visite sur la Côte d'Azur où il retrouve Signac, que Matisse peint sa célèbre toile néo-impressionniste : *Luxe, calme et volupté*. L'année suivante, il s'installe à Collioure *(p. 25)*, petit port sur la Méditerranée au pied des Pyrénées, où il peindra avec son ami Derain des tableaux aux couleurs si intenses qu'elles vaudront aux deux artistes, ainsi qu'à Marquet, Van Dongen, Vlaminck ou Dufy qui rejoignent ce mouvement esthétique, le surnom de fauves.

L'art de Matisse s'assagit en 1918 dans sa grande série d'*Odalisques*, exécutée alors qu'il vit à Nice. Il consacrera la fin de sa vie à la réalisation du décor et des vitraux de la chapelle des dominicaines de Vence *(p. 555)*.

***Les Tournesols* (1888) par Vincent Van Gogh**

LE PAYS DE PICASSO

Le Sud de la France est sans conteste le pays d'adoption de Pablo Picasso, né à Malaga en Espagne en 1881. Ses peintures rappellent souvent les ombres tranchées et la lumière crue de la Méditerranée.

En 1911, en pleine période cubiste, il séjourne avec Braque à Céret dans les Pyrénées, puis, en 1920, il découvre Juan-les-Pins et la Côte d'Azur. À Antibes, où il peint *Pêche de nuit à Antibes* en 1939, le château Grimaldi qui lui sert d'atelier abrite désormais un musée qui lui est consacré *(p. 553)*.

À Cannes, puis à Vallauris, il réalisera une grande partie de ses céramiques et de ses sculptures *(p. 554)*. C'est dans sa retraite de Mougins, un village voisin, qu'il meurt en 1973. Il repose au château de Vauvenargues, à côté d'Aix-en-Provence.

Deux femmes courant sur la plage (1933) *par Pablo Picasso*

LE PARADIS PERDU

Chroniqueur des excès de l'âge du jazz et figure de proue de la « génération perdue », Scott Fitzgerald engendra avec *Tendre est la nuit* l'image clinquante qu'ont les Américains de la Côte d'Azur. Il s'y installa en 1924, avec sa femme Zelda,

Scott Fitzgerald, Zelda et leur fille Scottie

avant de laisser sa villa à Ernest Hemingway.

Friedrich Nietzsche, Katherine Mansfield, D. H. Lawrence, Aldous Huxley, Lawrence Durrell et Graham Greene apprécièrent également une région où Somerset Maugham, entouré d'invités exotiques, mena une vie brillante à Saint-Jean-Cap-Ferrat.

Colette, quant à elle, séjourna à Saint-Tropez, village qui attira, après la Deuxième Guerre mondiale, une jeunesse parisienne et oisive, que décrivit Françoise Sagan dans le roman qui la rendit célèbre à 18 ans : *Bonjour tristesse* (1954).

LE NOUVEAU RÉALISME

Le nouveau réalisme, mouvement qui détourne les objets de la vie quotidienne dans le but de leur donner un sens nouveau, est né à Nice de la rencontre de créateurs tels qu'Arman, Martial Raysse, César, Tinguely, Niki de Saint-Phalle et Daniel Spoerri *(p. 558-559)*, au travail desquels s'apparente la recherche du peintre Yves Klein dont les monochromes bleus semblent conduire à sa limite l'inspiration née d'une enfance passée au bord de la Méditerranée. Son sens de l'absurde lui venait, disait-il, de ce qu'il était né dans une région touristique !

LES ÉCRIVAINS PROVENÇAUX

Aux XIIe et XIIIe siècles, c'est en langue d'*oc* (le « oui » du sud) et non d'*oïl* (le « oui » du nord) que les troubadours du Midi inventèrent l'amour courtois. Il y a deux générations, les campagnes de Provence et du Languedoc parlaient encore occitan plutôt que français, entretenant une identité culturelle spécifique, incarnée par le poète Frédéric Mistral qui obtint le prix Nobel en 1904 et fonda l'école littéraire du Félibrige. Alphonse Daudet et Marcel Pagnol célèbrent le charme de la Provence, tandis que Jean Giono, à travers l'évocation de la vie rurale, scrute les rapports entre l'homme et la nature.

Frédéric Mistral dans le *Petit Journal*

Les plages du Midi

**L'enseigne de
l'hôtel Carlton**

Sur la Côte d'Azur, à l'est, les grandes agglomérations de Monte-Carlo, Nice, Antibes et Cannes sont à la fois des villes animées et de prestigieuses stations balnéaires, tandis que dans les anses du littoral varois, plus découpé, se nichent des agglomérations plus petites, comme Saint-Tropez et Cassis.
À l'ouest de Marseille et de la Camargue s'étendent les vastes plages de sable du Languedoc-Roussillon gagnées dans les années 1960 sur des zones marécageuses et bordées aujourd'hui de grands ensembles balnéaires modernes, comme La Grande-Motte, et de reconstitutions de villages de pêcheurs. La lutte contre la pollution garantit une eau propre presque partout, en dehors de quelques zones proches de Marseille et de Nice. Près des villes, les plages en concession offrent des services payants, mais sont très bien équipées.

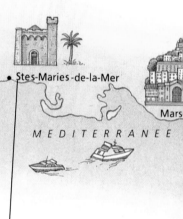

**Une affiche vantant la Côte d'Azur,
par Domengue**

Sète *(p. 520)* est un port
à la fois sur la Méditerranée
et l'étang de Thau. Les 15 km
de plage qui s'étendent au
sud ne sont pas surpeuplées,
même au cœur de l'été.

Les Saintes-Maries-de-la-Mer *(p. 540)*
proposent en pleine Camargue, région
de promenades à cheval, des plages
de sable blanc, dont une réservée
aux naturistes (à 6 km à l'est de la ville).

Le cap d'Agde (p. 515),
*aux longues plages de sable,
propose un large choix d'activités
sportives. Le plus vaste ensemble
naturiste d'Europe peut y accueillir
20 000 visiteurs.*

La Grande-Motte (p. 523)
*étend devant ses célèbres immeubles-
pyramides un port de plaisance
parfaitement équipé.*

0   25 km

La Côte d'Azur attira dès le XVIIIᵉ siècle grandes
fortunes et aristocrates de toute l'Europe qui venaient
en hiver pour échapper aux brumes du nord. Les bains
de mers estivaux ne devinrent à la mode que dans les
années 1920. Aujourd'hui, florissant toute l'année, le
tourisme n'est cependant plus l'activité principale
d'une région en pleine expansion.

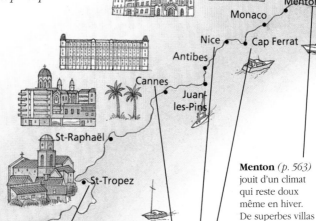

Menton (p. 563)
jouit d'un climat
qui reste doux
même en hiver.
De superbes villas
dominent ses
plages de galets.

Cannes (p. 552), tire une
grande fierté de ses plages
de sable méticuleusement
entretenues. La plupart,
privées, sont payantes.

Cassis (p. 543), petit village de
pêcheurs doté d'un casino, cache
entre de blanches falaises ses
fameuses calanques.

Le cap Ferrat (p. 562)
est une péninsule boisée.
Un sentier (10 km)
permet d'en faire le
tour, offrant des vues
plongeantes sur de
luxueuses villas.

Nice (p. 558), possède 5 km de
plages de galets, en contrebas de la
fameuse promenade des Anglais,
malheureusement souvent
submergée par la circulation.

La presqu'île de **Saint-Tropez** (p. 546)
est bordée de superbes plages de sable,
dont l'accès est souvent assez coûteux.

LANGUEDOC-ROUSSILLON

AUDE · GARD · HÉRAULT · PYRÉNÉES-ORIENTALES

Les deux provinces du Languedoc et du Roussillon s'étendent de la frontière espagnole jusqu'au delta du Rhône. Entre les immenses plages alanguies du littoral drainant la foule des estivants et un arrière-pays souvent sauvage qui escalade les contreforts du Massif central et des Pyrénées s'étend un terroir ensoleillé qui produit les premières pêches et les premières cerises, ainsi que d'agréables vins de pays.

Colonisé par les Romains à partir du IIe siècle av. J.-C., comme en témoignent encore des ouvrages tels que les arènes de Nîmes ou le pont du Gard, le sud-ouest de la Gaule subit les invasions barbares des IVe et Ve siècles, puis, en 719, celle des Arabes qui s'emparent de Narbonne et de Carcassonne, d'où ils seront expulsés en 759, après la victoire de Charles Martel à Poitiers (732). Les Carolingiens ne réussissent toutefois pas à imposer leur loi, ni la paix, à une région qui connaît au Moyen Âge des troubles dont les sévères châteaux cathares ou les fortifications de Carcassonne entretiennent le souvenir. Elle jouit en contrepartie d'une grande autonomie, y compris sous les Capétiens, et développe une culture autonome qui s'exprime dans la langue d'oc. Le gothique l'affecte peu et ses abbayes, comme celles de Saint-Martin-du-Canigou, Saint-Michel-de-Cuxa et Saint-Guilhem-le-Désert, sont de superbes exemples d'architecture romane. Le traité de Corbeil brise en 1258 l'unité du territoire en cédant le Roussillon à l'Aragon. Resté espagnol jusqu'en 1659, celui-ci en a conservé l'héritage dans son parler catalan.

En Languedoc, le succès de la Réforme et les guerres de Religion (1562-1598) marquent la géographie humaine du pays. En période de répression, les protestants cherchent refuge dans les zones montagneuses, notamment les Cévennes. Ces arrière-pays escarpés, comme également la Cerdagne et les Corbières, restent assez sauvages et offrent un contraste marqué avec les vallées où des villes comme Montpellier conjuguent harmonieusement histoire et modernité.

Mer et soleil au cap d'Agde

◁ **L'abbaye de Saint-Martin-du-Canigou cramponnée à son éperon rocheux**

À la découverte du Languedoc-Roussillon

Depuis les longues plages de sable et les stations balnéaires du littoral jusqu'aux pentes boisées des Cévennes, du haut Languedoc et de la Cerdagne, en passant par les vignobles du Minervois ou des Corbières, cette région riche en merveilles architecturales – qu'ils s'agisse d'impressionnantes réalisations antiques, de sanctuaires romans ou de forteresses médiévales – jusqu'au cœur de ses villes vivantes et dynamiques offre à ses visiteurs un très large éventail de plaisirs et de sites à découvrir.

Joutes sur le canal, en été à Sète

LA RÉGION D'UN COUP D'ŒIL

Aigues-Mortes 24
Béziers 17
Carcassonne 15
Cerdagne 1
Céret 6
Collioure 8
Corbières 12
Côte Vermeille 7
Elne 9
Golfe du Lion 14
La Grande-Motte 23
Minerve 16
Montpellier 22
Narbonne 13

Nîmes 26
Parc régional du haut
 Languedoc 20
Perpignan 10
Pézenas 19
Pont du Gard 25
Prieuré de Serrabone 5
Saint-Guilhem-le-Désert 21
Saint-Martin-du-Canigou 4
Saint-Michel-de-Cuxa 3
Salses 11
Sète 18
Villefranche-de-Conflent 2

CIRCULER

Montpellier possède un aéroport international ; Carcassonne, Perpignan et Nîmes disposent d'aéroports plus petits. Le TGV relie Montpellier à Béziers, et un bon réseau ferroviaire permet de rallier les principales villes de la région. L'autoroute A61 dessert l'ouest du Languedoc-Roussillon et l'A9 longe la côte. Depuis peu, l'A75 permet de gagner le nord. Les routes plus petites, y compris celles qui serpentent dans la montagne sont bien entretenues. Les amateurs de vacances paisibles peuvent descendre le canal du Midi.

LÉGENDE

	Autoroute
	Route principale
	Route secondaire
	Parcours pittoresque
	Cours d'eau
	Point de vue

0   25 km

Gruissan, que domine sa tour en ruine, sur le golfe du Lion

La Cerdagne ❶

Pyrénées-Orientales. ✈ *Perpignan, Andorre.* ▣ ▣ *Mont-Louis, Bourg-Madame.* ▌ *Mont-Louis (04 68 04 21 97).*

É tat indépendant au Moyen Âge, aujourd'hui divisé entre l'Espagne et la France, la Cerdagne propose aux sportifs et aux promeneurs ses massifs enneigés parsemés de lacs de montagne, ses hauts plateaux skiables et ses vallées aux pentes boisées de pins et de châtaigniers. Le Petit Train jaune permet d'en avoir un bon aperçu en une journée.

Les étapes comprennent **Mont-Louis**, cité fortifiée par Vauban, la station de ski de **Font-Romeu** et le village de **Latour-de-Carol** qui domine le hameau d'**Yravals**. Non loin de là, **Odeillo** et son grand four solaire (45 m de haut, 50 m de large), et, à **Targassonne**, la tour Thémis destinée à la recherche astrophysique.

Villefranche-de-Conflent ❷

Pyrénées-Orientales. ▨ *260.* ▣ ▣ ▌ *34 bis, rue Saint-Jacques (04 68 96 22 96).*

S a situation stratégique à l'endroit le plus étroit de la vallée de la Têt fit de Villefranche une importante forteresse contre son turbulent voisin, le comte de Roussillon. L'état exceptionnel de conservation des fortifications, dont on peut suivre le chemin de ronde, offre un panorama

Le cloître de l'abbaye de Saint-Michel-de-Cuxa

de l'architecture militaire du Moyen Âge au XIXᵉ siècle. À l'intérieur des murs, la place de l'**église Saint-Jacques** (XIIᵉ s.) est pavée de marbre rose provenant des carrières locales. Le sanctuaire roman possède deux portails en façade ornés de remarquables chapiteaux, œuvre de l'atelier de Saint-Michel-de-Cuxa. L'intérieur abrite un abondant mobilier dont un *Christ gisant,*

St-Sébastien, église de Villefranche

des stalles gothiques et de nombreux retables, dont un du maître catalan Joseph Sunyer.

Depuis le parvis, vous pourrez rejoindre à pied les **grottes des Canalettes** ou bien aller prendre le Petit Train jaune.

Saint-Michel-de-Cuxa ❸

Prades, Pyrénées-Orientales. 📞 *04 68 96 15 35.* ◯ *t.l.j. Pas de visite dim. mat. et j. de fêtes religieuses.* ▨ ♿

L e violoncelliste catalan Pablo Casals vécut plusieurs années à **Prades** pendant la dictature franquiste et la cité organise tous les ans un festival à sa mémoire. Petite sous-préfecture pavée de marbre rose de la vallée de la Têt, elle renferme l'**église Saint-Pierre**, sanctuaire gothique au clocher pyramidal roman et à l'intérieur remanié dans le style baroque catalan. Trois kilomètres plus haut dans la vallée, sur la commune de Codalet, est établie la splendide abbaye préromane de Saint-Michel-de-Cuxa.

Fondé en 878 par les bénédictins, le monastère connut rapidement en Espagne comme en France un grand renom qui lui permit de se développer et son église fut consacrée en 974. Ses murs massifs présentent des arcs dont les clefs de voûte témoignent d'une influence maure. Deux galeries du cloître, dont les superbes chapiteaux sculptés datent du XIIᵉ siècle, ont été reconstituées. Les pillages effectués après la Révolution et l'abandon de l'abbaye par les moines l'avaient en effet gravement endommagée.

LE PETIT TRAIN JAUNE DE LA CERDAGNE

Les premiers arrivés obtiennent les meilleures places dans ce tortillard dont la voie étroite serpente à flanc de montagne et emprunte d'impressionnants ouvrages d'art. Fondée en 1910 pour désenclaver cette région peu accessible, la ligne fonctionne aujourd'hui surtout pour le plaisir des touristes, désservant toutes les gares entre Villefranche-de-Conflent et Latour-de-Carol. 📞 *04 68 96 56 62.*

Le Petit train jaune comprend en été quelques wagons découverts

De 1907 à 1913, un Américain, George Grey Barnard, retrouva plus de la moitié des chapiteaux d'origine dispersés dans divers bâtiments de la région. Il les récupéra et les vendit au Metropolitan Museum of Art de New York en 1925. Ils font aujourd'hui partie du musée des Cloîtres, reconstitution d'une abbaye médiévale en plein Manhattan.

Saint-Martin-du-Canigou ➍

Vernet-les-Bains. 📞 *04 68 05 50 03.* 🕐 *visites guidées uniquement (une heure de visite, horaires variables selon la saison) : t.l.j. de Pâques à sept., du mer. au lun. d'oct. à Pâques.* ✍

L'accès du lieu est interdit aux voitures. La montée se fait à pied (40 min) ou par un service de jeeps depuis Vernet-les-Bains. Bâtie de 1001 à 1026, l'abbaye est perchée à 1 065 m d'altitude sur un promontoire rocheux du grandiose **massif du Canigou**. Guifred, le comte de Cerdagne qui finança la construction du monastère, abandonna sa famille en 1035 pour s'y retirer. Il y mourut 14 ans plus tard et fut inhumé dans le tombeau qu'il avait creusé lui-même dans le rocher.

Religieuse à St-Martin

La tribune du prieuré de Serrabone, aux colonnes en marbre de la région

L'église romane, de plan basilical, s'élève au-dessus d'un sanctuaire plus ancien qui fait office de crypte, et le cloître ouvert sur la montagne, très remanié, présente de beaux chapiteaux sculptés.

En continuant le sentier, on a une vue plongeante sur l'ensemble des bâtiments conventuels. Semblant jaillir du rocher dans un cadre sauvage et majestueux, Saint-Martin-du-Canigou prend alors tout son sens.

Le prieuré de Serrabone ➎

Boule-d'Amont. 📞 *04 68 84 09 30.* 🕐 *t.l.j.* ⬤ *les 1er janv., 1er mai, 1er nov., 25 déc.* ✍

Sur le flanc nord du massif du Canigou, la montagne sacrée des Catalans, serpente la D 618. Une dernière série de lacets, près du sommet, permet de découvrir la tour carrée et l'abside du prieuré de Serrabone, abbaye romane construite en ce lieu isolé aux XIe et XIIe siècles. L'église est bordée d'une galerie romane. Un jardin botanique l'entoure.

À l'intérieur, frais et austère, la tribune aux colonnes de marbre veiné de rouge surprend par la richesse de sa décoration. Le maître anonyme de Cuxa, dont les œuvres apparaissent dans toute la région, sculpta les animaux étranges et les ornements végétaux de ses chapiteaux. Remarquez en particulier la rose du Roussillon.

Le cloître du XIe siècle de Saint-Martin-du-Canigou

Céret ❻

Pyrénées-Orientales. 🏛 *8 000.* 🚉
ℹ *av. Clemenceau (04 68 87 00 53).*
🚌 *sam.*

Capitale de la cerise, Céret produit les premiers fruits de l'année. Les toits de tuiles, les façades peintes et les loggias donnent une touche hispanique à cette ville que Picasso, Braque et Matisse aimaient beaucoup. Aujourd'hui, Céret s'enorgueillit d'un magnifique **musée d'Art moderne**, à la remarquable architecture contemporaine. On y trouve des œuvres des artistes catalans comme Tapiès et Capdeville, des vases de Picasso ornés de scènes de tauromachie, des pièces de Matisse, Chagall, Juan Gris et Salvador Dali.

On retrouve cet héritage catalan dans les corridas qui se déroulent aux arènes et lors du festival de danses folkloriques du mois de juillet.

🏛 Musée d'Art moderne

Bd Maréchal-Joffre. 📞 *04 68 87 27 76.*
⭕ *de mai à sept. : t.l.j. ; d'oct. à avril : du mer. au lun.* ⭕ *1er janv., 1er mai, 1er nov., 25 déc.* 📷 ♿

Aux environs

De Céret, la D 115 suit la vallée du Tech jusqu'à la ville d'eau d'**Amélie-les-Bains**, où l'on a découvert les ruines de thermes romains.

Une œuvre du sculpteur Aristide Maillol

Plus loin, à **Arles-sur-Tech**, l'église Sainte-Marie abrite un mystérieux sarcophage qui, se remplissant parfois d'eau, verse, dit la légende, des larmes...
À **Saint-Martin-de-Fenollar**, fresques des XIIe et XIIIe siècles dans l'église romane.

La Côte Vermeille ❼

Pyrénées-Orientales. ✈ *Perpignan.*
🚉 *Collioure, Cerbère.* 🚌 *Collioure, Banyuls-sur-Mer.* ℹ *Collioure (04 68 82 15 47), Cerbère (04 68 88 42 36).*

Les Pyrénées, en rejoignant la Méditerranée, forment une côte sinueuse, découpée de criques de galets

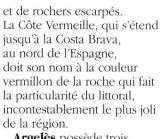

et de rochers escarpés. La Côte Vermeille, qui s'étend jusqu'à la Costa Brava, au nord de l'Espagne, doit son nom à la couleur vermillon de la roche qui fait la particularité du littoral, incontestablement le plus joli de la région.

Argelès possède trois magnifiques plages de sable ainsi qu'une splendide promenade bordée de palmiers. Collioure est sans conteste la perle de la côte *(voir ci-contre)*. Cerbère, dernière ville avant la frontière, arbore le drapeau catalan, attestant ainsi sa véritable allégeance. Ce sont les colons grecs qui les premiers ont planté le vignoble de la région au VIIe siècle av. J.-C. Aujourd'hui, tout le long de la côte, les vignes en terrasses qui s'accrochent aux collines cailouteuses donnent des vins forts et sucrés comme le banyuls et le muscat. **Banyuls** est également le lieu de naissance d'Aristide Maillol, célèbre sculpteur du XIXe siècle dont on peut admirer les œuvres dans toute la région. **Port-Vendres**, avec ses imposantes fortifications construites par l'infatigable Vauban, architecte de Louis XIV, est un port spécialisé dans la pêche à l'anchois.

Drapeau catalan

La côte Vermeille dans toute sa splendeur, vue du sud de Banyuls

Le port de Collioure, avec l'une des plages et l'église Notre-Dame-des-Anges

Collioure ❽

Pyrénées-Orientales. ♟ 2 800. ⊟
⊡ ℹ pl. du 18-juin (04 68 82 15
47). ⛴ mer. et dim.

Baignés d'une lumière
exceptionnelle, les maisons
peintes de couleurs vives et
les bateaux de pêche bariolés
bercés par la mer donnent
à Collioure un charme inouï.
Les couleurs de la ville
ont attiré Matisse et Derain.
Dès 1905, c'est dans cette
lumière qu'ils développèrent
les principes du fauvisme,
caractérisé par l'utilisation
de la couleur pure.

Aujourd'hui les galeries d'art
et les boutiques de souvenirs
bordent les rues, mais le petit
port de pêche a peu changé
avec le temps.

Si l'activité touristique
représente désormais la
première source de revenu,
il reste encore deux ateliers
de salaison d'anchois
où l'on continue à travailler
selon des méthodes
traditionnelles.

Près des quais, les trois
plages de sable et de galets
sont dominées par le
Château Royal qui fut
au XIVe siècle la résidence
des souverains de Majorque
avant d'appartenir aux rois
d'Aragon. La ville fut reprise
par la France en 1659. Dix ans
plus tard, Vauban renforça les
fortifications, rasant pour cela
une grande partie de la ville.

Aujourd'hui, le château
abrite des expositions d'art
traditionnel catalan, d'art
contemporain et des
spectacles.

Sur le quai, les pieds dans
l'eau, l'église Notre-Dame-
des-Anges fut construite au
XVIIe siècle pour remplacer celle
que Vauban avait détruite.
Le phare du Vieux Port lui
servit de clocher. L'intérieur,
richement décoré, abrite
un superbe retable, œuvre
du Catalan Joseph Sunyer.

Attention ! Collioure est très
fréquentée en été. Pour éviter
les embouteillages, l'accès
à la ville se fait désormais soit
par la route de la Corniche
(ancienne RN 114), soit par
la nouvelle RN 86.

⛪ **Château Royal**
🕍 04 68 82 06 43. ◯ t.l.j.
⬤ les 1er janv., 1er mai, 1er et 11 nov.,
25 déc. 📷

Elne ❾

Pyrénées-Orientales. ♟ 6 500. ⊟
⊡ ℹ Place Saint-Jordi (04 68 22 05
07). ⛴ lun., mer. et ven.

Lors de son expédition
vers Rome, en 218 av. J.-C.,
Hannibal fit étape avec ses
éléphants dans l'ancienne
ville d'Elne. Jusqu'au
XVIIe siècle, ce fut le siège
épiscopal du Roussillon.
Aujourd'hui, elle est connue
surtout par sa **cathédrale
Sainte-Eulalie et Sainte-
Julie**, au superbe cloître des
XIIe-XIVe siècles. Ouvrant
sur les vignes et les vergers
de la plaine alentour,
la cathédrale a été construite
entre le XIe et le XIVe siècle.
Ses chapiteaux de marbre
veiné de bleu, gravés
de motifs floraux, de
personnages ou d'animaux,
sont remarquables.

Chapiteau gravé d'Elne, représentant le songe des Rois mages

Une vaste plage de sable près de Perpignan : l'idéal pour les vacances en famille

Perpignan ❿

Pyrénées-Orientales. 🏃 108 000.
✈ 🚉 🚌 ❔ *Palais des Congrès,*
pl. Armand-Lanoux (04 68 66 30 30).
🛍 *t.l.j.*

Perpignan, la catalane, a un petit air du Sud avec ses palmiers, ses façades pimpantes peintes en rose et en turquoise. Les rues du quartier Saint-Jacques sentent bon les épices, le couscous et la paella.

Capitale du Roussillon, Perpignan est une ville importante dans la région. Pourtant, c'est aux XIIIe et XIVe siècles, sous le règne des rois de Majorque et des rois d'Aragon qui contrôlaient une grande partie de l'Espagne et du Sud de la France, que la ville a connu son âge d'or. Le palais des rois de Majorque occupe toujours une grande partie des quartiers sud de la ville.

La forte identité catalane se manifeste au cours des fêtes bihebdomadaires de l'été, où l'on danse la sardane sur la place de la Loge. En cercle, jeunes et vieux, les bras levés, renouent alors avec leurs racines en dansant au rythme d'anciens instruments à vent.

Sur la place se dresse l'un des plus beaux bâtiments de la ville, la **Loge de Mer**. Elle fut construite en 1397 pour abriter la Bourse maritime, mais seule l'aile conserve son architecture gothique d'origine. Le reste fut reconstruit dans le style Renaissance en 1540, avec des plafonds de bois sculptés et des fenêtres ouvragées. Les visiteurs sont parfois étonnés de trouver un fast-food à

l'intérieur, mais, mieux qu'un austère musée, cette nouvelle destination a redonné vie au bâtiment. Entouré de cafés chic, c'est aujourd'hui le cœur battant de la ville, le centre de son animation.

Juste à côté est situé l'**hôtel de ville**, avec sa façade de galets et ses portails de fer forgé. Les plus anciennes arcades de la cour remontent à 1315. Au centre se trouve une statue allégorique d'Aristide Maillol, *La Méditerranée* (1950).

À l'est, on rencontre le quartier Saint-Jean, véritable labyrinthe de ruelles et de placettes qui rassemble de magnifiques constructions des XIVe et XVe siècles.

Le Dévot Christ de la cathédrale

🔒 **Cathédrale Saint-Jean**
Pl. Gambetta.
Surmontée d'un campanile de fer forgé, la cathédrale, commencée en 1324, ne fut pas terminée avant 1509. Elle est presque entièrement construite en galets de rivière et en brique rouge, seuls matériaux disponibles alors dans la région. Elle remplace l'église Saint-Jean-le-Vieux, du XIe siècle, dont on aperçoit toujours les magnifiques portes romanes à travers le portail, à gauche de l'entrée principale.

À l'intérieur, la sombre mais vaste nef principale est ornée de plusieurs superbes retables. La cuve baptismale, en marbre blanc,

LA PROCESSION ANNUELLE DE LA SANCH

Le Vendredi saint, Perpignan connaît une atmosphère très catalane lors de la procession de la Sanch (le Saint-Sang). Au XVe siècle, cette confrérie avait pour vocation de réconforter et d'assister les condamnés. Lors de la procession, ses membres, vêtus des impressionnants costumes rouges ou noirs de l'époque, portent encore les reliques sacrées et la croix.

date de l'époque
pré-romane. La chapelle du
Dévot Christ doit son nom à un
pathétique Christ médiéval
en bois, sans doute d'origine
germanique.

⚏ Palais des rois de Majorque

2, rue des Archers. ☎ 04 68 34 48 29.
◯ t.l.j. ● 1er janv., 1er mai, 1er nov.,
25 déc. ▨

Il est aussi difficile d'accéder
aujourd'hui à la vaste forteresse
du XIIIe siècle construite par
les rois de Majorque que cela
l'était pour les soldats ennemis
de l'époque. Des volées
d'escaliers zigzaguent entre
les remparts de brique rouge
construits au XVe siècle et qui
se sont développés et
compliqués au fil des ans. On
arrive enfin aux élégants
jardins et au château dans
lequel on entre par la tour de
l'Hommage, dont le sommet
offre une belle vue sur la ville,
les montagnes et la mer.

Le palais est construit autour
d'une cour à arcades, flanquée
d'un côté par la salle de
Majorque, une vaste pièce
avec trois cheminées et de
splendides fenêtres gothiques.
Les deux chapelles royales,
voisines, l'une au-dessus
de l'autre, sont de véritables
chefs-d'œuvre du gothique
méridional, avec leurs voûtes
en pointe, leurs fresques et
leurs céramiques qui dénotent
une influence maure. L'allée
de marbre rose de la chapelle
haute est une expression typique
du style roman dans le
Roussillon, malgré les
chapiteaux de style gothique.
On donne parfois des
concerts dans la grande cour.

La cour de l'hôtel de ville

🏛 Musée catalan

Le Castillet. ☎ 04 68 35 42 05. ◯
du mer. au lun. ● les jours fériés.

La tour de brique rouge
et le beffroi rose du Castillet,
qui constituait l'entrée
de la ville au XIVe siècle,
sont les seuls vestiges des
anciens remparts. Le bâtiment,
qui servit autrefois de prison,
abrite aujourd'hui
une collection d'objets
artisanaux catalans, des
instruments agricoles,
des meubles de cuisine,
des poteries, des métiers
à tisser.

🏛 Musée Hyacinthe-Rigaud

16, rue de l'Ange. ☎ 04 68 35 43 40.
◯ du mer. au lun. ● les jours fériés.
▨

Dans un magnifique hôtel
du XVIIe siècle, ce musée
des Beaux-Arts possède
une intéressante collection
d'œuvres du peintre
Hyacinthe Rigaud
(1659-1743). Né à Perpignan,
il fut d'abord portraitiste à la
cour de Louis XIV, puis
à celle de Louis XV.

On trouve également des
tableaux allant du XIIIe siècle
à nos jours et de nombreuses
peintures catalanes
du XIVe au XVIe siècle, parmi
lesquelles le *Retable de la
Trinité* (1489), du maître de
Canapost.

Le musée possède aussi des
sculptures d'Aristide Maillol,
né à Banyuls, et des toiles de
Jean-Baptiste Greuze,
Jean Auguste Dominique
Ingres, Théodore Géricault,
Raoul Dufy et Picasso.
Au rez-de-chaussée,
collection de céramiques
hispano-mauresques.

La tour et les remparts, Salses

Château de Salses ⑪

Pyrénées-Orientales. 🏘 2 500. 🚉
🚌 ℹ pl. de la République
(04 68 38 60 13). 🛒 mer.

Tel un immense château
de sable se détachant
sur la terre ocre des vignobles
des Corbières, le **fort de
Salses** est situé sur l'ancienne
frontière séparant la France
et l'Espagne. Construit par
le roi Ferdinand d'Aragon
entre 1497 et 1506 pour
défendre ses terres, le
château verrouillait le défilé
qui sépare la montagne
de la Méditerranée. Ses murs
massifs et ses tours rondes
sont un bon exemple de
l'architecture militaire
espagnole de l'époque,
conçue pour résister
aux progrès de l'artillerie.

À l'intérieur, des écuries
souterraines pouvaient
accueillir 300 chevaux.
Très belle vue depuis
le donjon sur les étangs,
la côte et le Canigou.

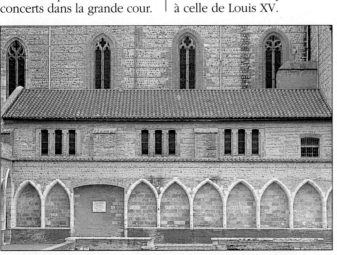

La cathédrale Saint-Jean, en galets et brique rouge, à Perpignan

Belvédère des Bouzèdes, dans le massif du Mont-Lozère ▷

Les vignobles sur les collines des Corbières

Les Corbières ⑫

Aude. ✈ *Perpignan.* 🚌 🚃 *Narbonne, Carcassonne, Lézignan-Corbières.* 🛈 *Lézignan-Corbières (04 68 27 05 42).*

Avec peu de routes et encore moins de villages, les Corbières, couvertes de garrigues ou de vignes, sont l'une des régions les plus sauvages de France, et surtout connues pour leurs vins et leurs anciens châteaux cathares.

Site essentiel de la Préhistoire, **Tautavel** présente dans un musée les découvertes relatives à l'homme du même nom, vieux de 450 000 ans.

Au sud se trouvent les spectaculaires châteaux médiévaux de **Peyrepertuse** et **Quéribus**, derniers bastions de la résistance cathare. **Lagrasse** est un beau village médiéval fortifié, avec une abbaye aux bâtiments du Xe au XVIIIe siècle.

À l'ouest, la région du Razès, dans la vallée de l'Aude, est pratiquement inhabitée. **Alet-les-Bains**, village mystérieux avec ses belles maisons de bois et ses ruines d'une abbaye bénédictine, veille farouchement sur ses secrets.

Narbonne ⑬

Aude. 🏙 *47 000.* 🚌 🚃 🛈 *pl. Roger-Salengro (04 68 65 15 60).* 🍴 *t.l.j.*

Narbonne est une ville dynamique qui profite de l'essor des vignobles qui l'entourent. Elle est traversée par le canal de la Robine.

Au nord, le quartier médiéval a été restauré, avec des boutiques élégantes et de bons restaurants. C'est là aussi que se trouve l'une des plus étranges curiosités, l'**Horreum**, partie souterraine d'un marché se développant en surface, du Ier siècle avant J.-C., époque où Narbonne était un port important et la capitale de la plus grande province romaine de Gaule. En 1997, des fouilles ont mis au jour un tronçon de la voie romaine qui reliait l'Italie à l'Espagne.

La ville a prospéré jusqu'au XVe siècle, mais l'Aude, en changeant de cours, emporta avec elle la fortune de la ville. À cette époque, l'archevéché qui avait pris de l'importance voulait bâtir une grande basilique de style gothique, mais ce projet grandiose fut abandonné, et les travaux qui commencèrent en 1272 aboutirent à la **cathédrale Saint-Just-et-Saint-Pasteur** que nous connaissons aujourd'hui.

Elle est décorée de sculptures du XIVe siècle, de vitraux magnifiques et d'un orgue somptueux du XVIIIe siècle. Des tapisseries d'Aubusson et des Gobelins ornent les murs, et la chapelle de l'Annonciade abrite des manuscrits, des reliques et des tapisseries.

Le transept inachevé n'a jamais été voûté. Entre la cathédrale et le **palais des Archevêques** se trouve le cloître qui possède de splendides galeries ogivales du XIVe siècle.

L'hôtel de ville, situé entre les tours massives du palais des Archevêques, présente une façade néo-gothique élevée au XIXe siècle par Viollet-le-Duc *(p. 196)*, l'architecte qui a consacré sa vie à restaurer le patrimoine de la France médiévale. Le palais lui-même est divisé en Palais Vieux et Palais Neuf.

Le chœur de la cathédrale Saint-Just-et-Saint-Pasteur, à Narbonne

LE CANAL DU MIDI

De Sète à Toulouse, le canal du Midi, long de 240 km, suit une route sinueuse entre les platanes, les vignes et les villages. Conçu par Pierre Paul de Riquet, le système d'écluses, d'aqueducs et de ponts constitue un chef-d'œuvre d'ingénierie. Terminé en 1681, il favorisa le commerce et permit de relier l'Atlantique et la Méditerranée via la Garonne. Aujourd'hui, il est surtout fréquenté par les bateaux des touristes.

Les eaux tranquilles du canal du Midi

L'abbaye cistercienne de Fontfroide, au sud-ouest de Narbonne

Ce dernier, qu'on rejoint à gauche par le passage de l'Ancre, abrite les plus grands musées de la ville. Le **Musée archéologique** conserve des témoignages de l'occupation romaine : décors peints, mosaïques, bas-reliefs, objets domestiques, monnaies, outils. La **chapelle de la Madeleine**, décorée de peintures murales du XIVe siècle, possède une collection de vases grecs, de céramiques protohistoriques et gallo-romaines.

Installé dans les anciens appartements de l'archevêque, le **musée d'Art** renferme du mobilier et des plafonds richement sculptés. On y trouve des peintures de Brueghel, Boucher, Canaletto et Véronèse, ainsi qu'une collection de faïences régionales.

Au sud du canal, le quartier de Bourg abrite de nombreuses demeures imposantes, comme la **maison des Trois Nourrices**, de style Renaissance, située à l'angle des rues des Trois-Nourrices et Edgar-Quinet. Tout près de là se trouve le **Musée lapidaire**, qui abrite des éléments d'architecture gallo-romains, ainsi que la basilique **Saint-Paul** à partir de laquelle on accède à une crypte archéologique proposant des sarcophages et un mausolée du IVe siècle.

♁ Horreum

Rue Rouget-de-l'Isle. ☎ 04 68 32 45 30. ○ d'avr. à sept. : t.l.j. ; d'oct. à mars : du mar. au dim. ● les jours fériés. 📷

� Musée d'Archéologie et de Préhistoire Musée d'Art

Palais des Archevêques.
☎ 04 68 90 30 54 poste 4371.
○ d'avr. à sept. : t.l.j. ; d'oct. à mars : du mar. au dim. ● les jours fériés. 📷

credit Musée lapidaire

Église Notre-Dame de Lamourguié.
☎ 04 68 65 53 58. ○ juil.-août : t.l.j.
● pour restauration jusqu'en 2004. ♿

Aux environs

À 13 km de Narbonne, dans une vallée tranquille, l'abbaye cistercienne de

Fontfroide, au cloître superbe et fleuri, est l'une des plus belles du Midi.

La côte du golfe du Lion ⓮

Aude, Hérault. ✈ 🚉 🚌 Montpellier. ⛴ Sète. 🛈 La Grande-Motte (04 67 56 42 00).

Jusqu'aux années soixante, ce littoral n'était qu'un marécage infesté de moustiques, parfois interrompu par des villages de pêcheurs. Certaines petites villes comme **Gruissan**, qui possède une tour médiévale, conservent quelques vestiges du passé, mais aujourd'hui la plus grande partie de ces 100 km de côte, aux plages de sable, a été transformée en une suite de stations de vacances. L'architecture est donc très moderne comme celle des ziggourats de La **Grande-Motte**, mais le respect de l'environnement a présidé aux aménagements et de grandes parties du rivage sont même dépourvues de constructions. **Port-Leucate** et **Port-Barcarès** sont parfaits pour pratiquer les sports nautiques. L'énorme complexe de la plage du **cap d'Agde** accueille des milliers de touristes par an. C'est le premier centre naturiste d'Europe. À l'intérieur des terres, la vieille ville d'**Agde** est célèbre par ses constructions en basalte noir, comme la **cathédrale Saint-Étienne**, du XIIe siècle, à l'allure de forteresse.

Une longue plage de sable au cap d'Agde

Carcassonne ⑮

La citadelle de Carcassonne est une cité médiévale parfaitement restaurée. Vision féerique de tours et de remparts dominant la bastide Saint-Louis, elle couronne une colline abrupte qui commande l'Aude, dont la haute vallée, au sud, est splendide. Sa position stratégique, au bord du couloir reliant la péninsule ibérique au reste de l'Europe, a présidé à sa création. La ville a été fortifiée par les Romains au Iᵉʳ et au IIᵉ siècle av. J.-C. Elle a joué un rôle clé dans la plupart des guerres du Moyen Âge. À son apogée, au XIIᵉ siècle, la cité était gouvernée par les Trencavel, qui ont fait construire le château et la cathédrale. Le traité des Pyrénées de 1659, qui redessina la frontière franco-espagnole, rendit les fortifications obsolètes, si bien qu'elles furent laissées à l'abandon. L'architecte Eugène Viollet-le-Duc *(p. 196)* les restaura au XIXᵉ siècle.

La Citadelle restaurée
La restauration de la ville a été très controversée, car certains auraient préféré conserver les ruines, plus romantiques.

★ Le château comtal
Forteresse dans la forteresse, le château possède une douve, cinq tours et un chemin de ronde.

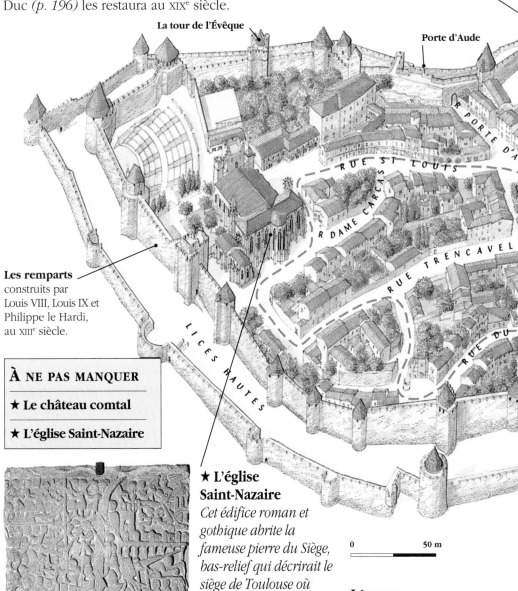

La tour de l'Évêque

Porte d'Aude

Les remparts construits par Louis VIII, Louis IX et Philippe le Hardi, au XIIIᵉ siècle.

RUE ST LOUIS

R DAME CARCAS

RUE TRENCAVEL

RUE DU

LICES HAUTES

R PORTE D'A

À NE PAS MANQUER

★ **Le château comtal**

★ **L'église Saint-Nazaire**

★ L'église Saint-Nazaire
Cet édifice roman et gothique abrite la fameuse pierre du Siège, bas-relief qui décrirait le siège de Toulouse où Simon de Montfort trouva la mort en 1238.

0   50 m

LÉGENDE

– – – – Itinéraire conseillé

LES PERSÉCUTIONS RELIGIEUSES

La position stratégique de Carcassonne plaça souvent la ville au centre des conflits religieux. Raymond-Roger Trencavel offrit l'hospitalité aux cathares *(p. 519)* lors du siège mené par Simon de Montfort, en croisade contre l'hérésie. Au XIVᵉ siècle, l'Inquisition s'attaqua encore aux cathares. Cette peinture montre les victimes dans la tour de l'Inquisition.

***Les Emmurés de Carcassonne*, J.-P. Laurens**

MODE D'EMPLOI

Aude. 45 000. port du canal du Midi (04 68 71 74 55). bd de Varsovie. Tour narbonnaise, La Cité (04 68 10 24 36/30). mar., jeu. et sam. Festival de la Cité (tout juillet) ; l'Embrasement de la Cité (juil.) ; spectacles médiévaux (une quinzaine, à la mi-août). **Château comtal** t.l.j. 1ᵉʳ janv., 1ᵉʳ mai, 14 juil., 1ᵉʳ et 11 nov., 25 déc.

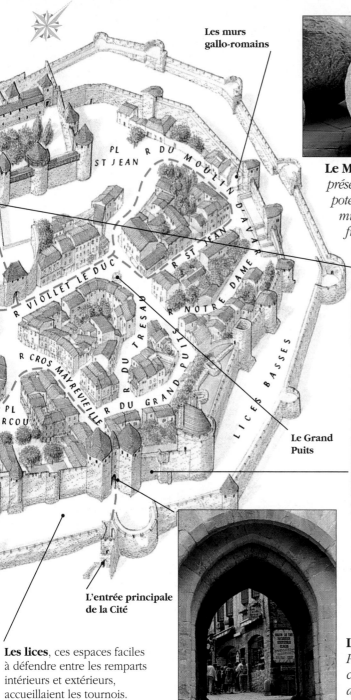

Les murs gallo-romains

Le Grand Puits

L'entrée principale de la Cité

Les lices, ces espaces faciles à défendre entre les remparts intérieurs et extérieurs, accueillaient les tournois. On y stockait également le bois et les matériaux de construction.

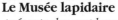

Le Musée lapidaire

présente des amphores et des poteries romaines, des peintures murales romanes, des fragments de la cathédrale et des vitraux gothiques, ainsi que ces projectiles de pierre datant du Moyen Âge.

La porte Narbonnaise

Flanquée de deux tours de grès, elle fut construite en 1280. Elle est protégée par un fossé et un double pont-levis.

La Cité

Pénétrer dans la Cité, c'est un peu faire un voyage dans le temps, bien que ce lieu soit très touristique, avec ses boutiques de souvenirs.

Béziers et sa cathédrale médiévale, vue du « pont vieux », au sud-ouest

Minerve ⑯

Hérault. 🏠 *100*. 🛈 *pl. du Monument
(04 68 91 81 43).*

Sur les collines arides du Minervois, entourée essentiellement de vignes, Minerve se dresse fièrement sur un éperon, au confluent de la Cesse et du Brian. Le village est défendu par ce que les Minervois appellent la « candela », la chandelle, une tour octogonale, seul vestige du château médiéval. En 1210, la petite ville résista à Simon de Montfort, grand ennemi des cathares, lors d'un siège qui dura sept semaines. Au terme de celui-ci, 140 cathares furent brûlés sur le bûcher pour avoir refusé d'abjurer leur foi.

Aujourd'hui, on accède à Minerve par un pont qui enjambe la gorge. Le long de la rue des Martyrs, on passe devant l'arche romane de la porte des Templiers qui mène à l'**église Saint-Étienne** du XIIᵉ siècle. À l'extérieur, on voit une colombe grossièrement sculptée, emblème des cathares. L'autel du Vᵉ siècle est l'une des œuvres les plus anciennes de la région.

En contrebas, un chemin rocailleux suit le lit de la rivière, où les eaux ont découpé dans le calcaire deux arches naturelles, le « pont grand » et le « pont petit ».

Béziers ⑰

Hérault. 🏠 *76 000*. ✈ 🚉 🚌 🛈
*palais des Congrès, 29, av. Saint-Saëns
(04 67 76 47 00).*

Célèbre par ses corridas, son équipe de rugby et ses vignobles alentour, Béziers dévoile son patrimoine au gré de promenades dans les vieux quartiers. Toutes ses rues conduisent à l'**église Saint-Nazaire**, à la décoration et aux vitraux raffinés.

En 1209, lors de la croisade contre les albigeois, la ville fut mise à sac par les troupes de Simon de Montfort.

Intéressants **musée des Beaux-Arts** et **musée du Biterrois**, qui présentent des expositions sur l'histoire locale, l'archéologie sous-marine, les

La statue de Paul de Riquet, sur les allées Paul-Riquet, à Béziers

vignobles et le canal du Midi, construit au XVIIᵉ siècle par Pierre Paul de Riquet, le plus célèbre des Biterrois (*p. 514*). La statue de Paul de Riquet domine l'allée du même nom et la vaste esplanade au pied de la colline. Elle est bordée de deux doubles rangées de platanes, ombrageant des terrasses de restaurants.

🏛 **Musée du Biterrois**
Caserne St-Jacques. 📞 *04 67 36 71 01.* ⬜ *du mar. au dim.* ⬤ *1ᵉʳ janv., Pâques, 1ᵉʳ mai, 25 déc.* 📷 ♿

Aux environs
L'oppidum d'Ensérune est un magnifique site proto-historique, puis celte et romain. Les fondations de certaines maisons renferment encore des poteries et des jarres, vestiges de l'ancienne occupation humaine. Le **musée de l'Oppidum d'Ensérune** présente une belle collection d'objets archéologiques celtes, grecs et romains, ainsi que des bijoux, des objets funéraires et des armes.

Entre Béziers et Lignan, le **château de Raissac** abrite dans ses étables un surprenant musée de la faïence (XIXᵉ siècle) ainsi qu'un atelier de production en activité (*du mar. au sam.*)

🏛 **Musée de l'Oppidum d'Ensérune**
Nissan-lez-Ensérune. 📞 *04 67 37 01 23.* ⬜ *t.l.j. (mi-sept.-mi-mai : mar.-dim.)* ⬤ *les jours fériés et le mar. de nov. à mars.* 📷 ♿

Les cathares

Les cathares (du grec *katharos*, « pur ») étaient une secte chrétienne du Languedoc qui s'opposa à la corruption de l'Église au XIIIᵉ siècle. Cette autonomie religieuse eut rapidement des objectifs politiques visant à l'indépendance de la région convoitée par Pierre II d'Aragon. Pour y affirmer sa souveraineté, Philippe de France ordonna une véritable croisade contre les cathares. Conduite par Simon de Montfort en 1209, elle dura près d'un siècle et les hérétiques furent systématiquement torturés et massacrés.

LES CHÂTEAUX CATHARES

Les cathares ont cherché refuge dans les châteaux fortifiés des Corbières et de l'Ariège, comme Peyrepertuse, isolé et d'accès difficile. La citadelle est en effet comme suspendue à un éperon escarpé de 609 m de haut.

Les cathares, aussi appelés Albigeois, croyaient à la dualité du bien et du mal. Pour eux, le monde matériel incarnait le mal. Afin d'atteindre la pureté, il fallait renoncer au monde, à la violence et à la sexualité.

La croisade contre les Albigeois fut meurtrière car le pape avait promis aux croisés les terres des cathares et le pardon, par avance, de leurs crimes. En 1209, 20 000 habitants furent massacrés à Béziers et 140 furent brûlés vifs à Minerve. En 1244, 225 cathares irréductibles moururent à Montségur en défendant leur idéal.

LE PAYS CATHARE

Souvent situés dans des paysages spectaculaires, les châteaux et les villes liés à l'histoire des cathares au Moyen Âge sont concentrés dans le Languedoc-Roussillon.

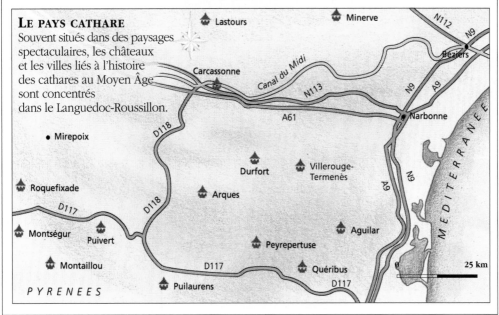

Lastours
Minerve
N112
N9
Carcassonne
Canal du Midi
Béziers
N113
N9
A9
A61
Narbonne
D118
Mirepoix
Durfort
Villerouge-Termenès
A9
N9
Roquefixade
D118
Arques
D117
Aguilar
Montségur
Puivert
Peyrepertuse
MÉDITERRANÉE
Montaillou
D117
Quéribus
25 km
Puilaurens
D117
PYRENEES

Le Grand Hôtel, quai de la Résistance, à Sète

Sète ⓲

Hérault. 🏠 *40 000.* 🚌 🚍 ⛴
ℹ️ *60, Grand' Rue-Mario-Roustan
(04 67 74 71 71).* ⛴ *t.l.j.*

Sète est un grand port
de commerce, de pêche et
de plaisance où règne une
ambiance plus authentique que
dans la plupart des villes
méditerranéennes.

Le cimetière marin à Sète,
où repose Paul Valéry **(1871-1945)**

La plupart des restaurants de
Sète, où l'on peut se régaler de
fruits de mer fraîchement
pêchés, se trouvent sur la
promenade qui longe le Grand
Canal. On y voit des maisons
aux couleurs pastel, ornées de
balcons en fer forgé qui
ouvrent sur un réseau de ponts
et de canaux. Ceux-ci offrent
un cadre idéal aux joutes
nautiques qui remontent à 1666
et qui animent toujours divers
festivals d'été *(p. 33).*
    Le nouveau **musée
international des Arts
modestes** entend présenter les
objets du quotidien (y compris
certaines pièces de designers
contemporains) dans un
contexte ludique et inhabituel.
    La ville est dominée par
le cimetière marin au pied
du mont Saint-Clair (182 m) où,
proche de la tombe du poète,
le musée Paul-Valéry évoque
aussi l'histoire, les arts et la mer.
Plus haut, le site des Pierres-
Blanches propose un parcours
touristique. Du sommet, vue
magnifique sur la ville, les
Cévennes et le bassin de Thau.

🏛 **Musée international
des Arts modestes**
23, quai du Mᵃˡ-de-Lattre-de-Tassigny
☎ *04 67 18 64 00.* 🕐 *juil. et août :
t.l.j. ; de sept. à juin : du mer. au lun.*
⬤ *les jours fériés.* 📷 ♿

Pézenas ⓳

Hérault. 🏃 *8 000.* 🚌 ℹ️
pl. Gambetta (04 67 98 36 40).

Pézenas est une petite ville
charmante où l'on peut
facilement se promener
d'un site à l'autre. Les rues
fourmillent de détails
pittoresques : ici une fenêtre
sculptée Renaissance, là un
splendide portail ou une
Vierge dans une niche. Tout
rappelle la splendeur passée
des XVIᵉ et XVIIᵉ siècles, époque
à laquelle le rayonnement de
la cité était tel qu'il avait attiré
Molière et son Illustre Théâtre.
    La décoration intérieure
de l'église Saint-Jean reflète
la richesse de l'influent chapitre
collégial sous l'Ancien Régime.
    Les belles demeures
dissimulent souvent des cours
un peu secrètes, comme par
exemple l'**hôtel des barons
de Lacoste**, au 8, rue
François-Oustrin, avec son
magnifique escalier de pierre,
ou encore la **maison des
Pauvres**, au 12, rue Alfred-
Sabatier, avec ses trois galeries
et son escalier.
    Ne manquez pas les vitrines
des boutiques d'artisans
de la rue Triperie-Vieille, ni la
porte Faugères du XIVᵉ siècle,
l'un des derniers vestiges des
fortifications médiévales.

Les voûtes de l'hôtel des barons
de Lacoste, à Pézenas

de Peyrou, dominée par le **Château d'eau** et l'aqueduc, offre une vue magnifique de la ville, prise entre mer et montagne. Au nord, le **jardin des Plantes** créé en 1593 est le plus vieux jardin botanique de France.

🏛 **Musée languedocien**
7, rue Jacques-Cœur. 📞 04 67 52 93 03. ○ du lun. au sam. ● les jours fériés. 🏷

🏛 **Musée Fabre**
39, bd Bonne-Nouvelle.
📞 04 67 14 83 00. ○ du mar. au dim. ● jusqu'en 2006 🏷 ♿
🌐 www.ville-montpellier.fr

Aux environs

Nombreux petits châteaux ou « folies » des XVIIe et XVIIIe siècles autour de la ville. Superbe et plus vaste, celui de **Castries** a des jardins dus à Le Nôtre. Très beau village médiéval à **Saint-Martin-de-Londres**, avec une église romane.

Le Château d'eau de Montpellier

La Grande-Motte ❻

Hérault. 🏠 6 500. 🚉 🛈 av. Jean Bene (04 67 56 42 00). ● dim. (et jeu. de mi-juin à mi-sept.).

Les étranges ziggourats blanches de cette mari moderne balnéaire atteste le développement de la c du Languedoc-Roussillon Elle est très bien équipé

Canalisation d'eau

Le parc régional du Haut-Languedoc ⓴

Hérault, Tarn. ✈ Béziers.
🚉 Béziers, Bédarieux. 🚌 Saint-Pons-de-Thomières, Mazamet, Lamalou-les-Bains. 🛈 Saint-Pons-de-Thomières (04 67 97 06 65).

Les hauts plateaux calcaires et les pentes boisées forment un univers totalement différent de celui de la côte. De la Montagne Noire, entre Béziers et Castres, jusqu'aux Cévennes s'étend un paysage rocheux, semé de bergeries perdues et creusé de rivières qui s'écoulent dans des gorges profondes. Une grande partie de cette région forme le parc régional du Haut-Languedoc. **Saint-Pons-de-Thomières** en marque l'entrée et donne accès aux forêts et sentiers de montagne, ainsi qu'à un centre de recherche où l'on peut observer mouflons, aigles et sangliers, autrefois très répandus dans la région. En prenant la D 908 depuis Saint-Pons, on traverse

le village d'**Olargues**, avec son pont du XIIe siècle qui franchit le Jaur. **Lamalou-les-Bains**, à l'extrémité est du parc, est une charmante petite ville d'eau.

Les Cévennes ㉗

Lozère, Gard. ✈ Nîmes.
🚉 Alès, Mende. 🛈 Florac (04 66 45 01 14).

Situées au sud-est du Massif Central, entre le mont Lozère (1 702 m) et le mont Aigoual, les Cévennes déploient en éventail un relief découpé dans la rude texture du schiste. Sur cette terre belle et sauvage, où les châtaignes servaient de pain quotidien, les hommes ont construit un habitat haut et sombre, parfaitement intégré au paysage. Bastion du protestantisme, elle fut le théâtre sanglant de la guerre des Camisards.

Le parc national des Cévennes (90 000 ha), dont le siège est à Florac, propose des itinéraires de randonnées permettant de découvrir ce pays secret.

Le paysage spectaculaire de la grotte de Clamouse

Saint-Guilhem-le-Désert ㉑

Hérault. 🏠 200. 🚌 été.
🛈 Maison communale (04 67 57 44 33).

Blotti dans sa montagne, Saint-Guilhem-le-Désert n'est pas aussi isolé qu'au IXe siècle, quand Guillaume d'Aquitaine se fit ermite. Cet ancien soldat qui avait reçu

L'abside de l'église de Saint-Guilhem-le-Désert

un fragment de la Vraie Croix des mains de Charlemagne établit un monastère au-dessus de l'Hérault.

Quelques vestiges du Xe siècle subsistent, mais le bâtiment actuel date surtout des XIe et XIIe siècles. L'église ouvre sur une jolie place centrale. À l'intérieur, les voûtes sombres mènent à une abside centrale baignée de lumière. Il ne reste plus que deux galeries du cloître ; les autres, démontées, sont dans un musée de New York *(p. 507)*.

À 3 km au sud de Saint-Guilhem, la **grotte de Clamouse**, avec ses deux niveaux de galeries, offre un spectacle merveilleux.

Plus au nord, les sites exceptionnels sont nombreux : au **cirque de Navacelles**, la Vis forme une boucle parfaite, dessinant une véritable île sur laquelle est installé le village de Navacelles ; la **grotte des Demoiselles** est une des plus belles de la région.

⚒ **Grotte de Clamouse**
Rte de Saint-Guilhem-le-Désert, Saint-Jean-de-Fos. 📞 04 67 57 71 05. ○ t.l.j.

⚒ **Grotte des Demoiselles**
Saint-Bauzille-de-Putois. 📞 04 67 73 70 02. ○ t.l.j. ● 1er janv., 25 déc. 🏷 ♿

LÉGENDE

🅿 Parc de stationne

✝ Église

Une terrasse
place de la C

Montp

Hérault. 🔀
ℹ 30, allé
(04 67 60
internatio
(juin-juil.)

M○'
v
et les
Sud :
moin
soirs
univ
au ○
Lan

Aigues-Mortes pas à pas

Les rois de France ne possédant pas de port sur la
Méditerranée au début du XIIIe siècle, Louis IX, qui
projetait de partir en croisade, acheta en 1240 une vaste
étendue désolée et marécageuse à la limite de la Camargue.
Il y fonda une ville au plan en damier. En 1248, il pouvait
embarquer avec 1 500 navires et non d'une cité étrangère
comme Marseille. Aigues-Mortes présente aujourd'hui le
même aspect que vers 1300 quand s'acheva la construction
de son enceinte fortifiée, bien qu'elle ait perdu sa
fonction portuaire car les sédiments du Rhône ont
ensablé le chenal qui la reliait à la mer.

**Dans la tour de la
Poudrière** étaient
entreposées armes et
munitions.

**Porte de
l'Arsenal**

Louis IX
*Celui qui allait devenir
Saint Louis dut
proposer d'énormes
avantages fiscaux
pour attirer des
habitants dans
cette zone
insalubre.*

La porte de la Reine
doit son nom à Anne
d'Autriche qui visita
la ville en 1622.

★ Les remparts
*Longs de 1 634 m, percés de
meurtrières et surmontés d'un
chemin de ronde, ils comportent
dix portes et six tours.*

**Dans la tour de la
Mèche**, une flamme
brûlait en permanence
pour allumer les canons.

**Chapelle des
Pénitents-Blancs**

Tour des Sels

┌─────────────────────┐
│ **À NE PAS MANQUER** │
│   │
│ **★ La tour de Constance** │
│   │
│ **★ Les remparts**   │
└─────────────────────┘

**Chapelle des
Pénitents-Gris**
*Construite de 1676 à
1699, elle est toujours
utilisée par l'ordre fondé
en 1400 qui lui a donné
son nom.*

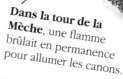

Porte de la Marine

C'était la porte d'apparat donnant sur le quai où les navires s'amarraient, notamment devant la poterne des galions.

MODE D'EMPLOI

5 800. av. de la Liberté route de Nîmes. porte de la Gardette (04 66 53 73 00). mer. et dim. fêtes de la Saint-Louis (fin août). Nuits d'Encens (août). www.ot-aiguesmortes.fr

Porte des Galions

Place Saint-Louis

Une statue du fondateur de la ville se dresse sur cette petite place ombragée, cœur de la cité. Les proues de nefs croisées ornent son socle.

Porte de l'Organeau

Notre-Dame des Sablons fut construite avant la ville.

RUE JEAN JACQUES ROUSSEAU

RUE MARCEAU

RUE THEAULON

RUE VICTOR HUGO

RUE P. ROLLAND

RUE D ROCHERAU

RUE ALSACE LORRAINE

RUE SADI-CARNOT

ST-LOUIS

RUE AMIRAL COURBERT

GRAND RUE JEAN JAURES

Tour des Bourguignons

Les corps des Bourguignons massacrés par les Armagnacs en 1421 y furent jetés et salés pour éviter la putréfaction.

N

Porte de Gardette

LÉGENDE

- - - Itinéraire conseillé

0   100 m

★ La tour de Constance

Ce donjon servit de geôle à des religieux, notamment Marie Durand, huguenote, qui y demeura 38 ans sans renier sa foi.

Nîmes ㉖

Au palmarès des curiosités de Nîmes figurent désormais l'abri-bus de Philippe Starck, à qui l'on doit aussi l'aménagement de la zone piétonne, l'immeuble Nemausus de Jean Nouvel, le Carré d'Art et le nouveau stade de Vittorio Gregotti. Important carrefour du monde antique, Nîmes est cependant d'abord célèbre par ses monuments romains dont les arènes sont le chef-d'œuvre. Trois festivals et plusieurs corridas ont achevé d'asseoir la réputation de la cité, vieille ville aux rues étroites et aux places secrètes. Bien plus modeste, à l'est sur le Rhône, Beaucaire mérite aussi une visite.

Les arcades de l'amphithéâtre romain

À la découverte de Nîmes

Nîmes, qui a eu une histoire mouvementée, a beaucoup souffert lors des guerres de Religion du XVIe siècle, époque à laquelle la **cathédrale Notre-Dame-et-Saint-Castor** a été gravement endommagée. Aux XVIIe et XVIIIe siècles, la ville a prospéré grâce à son industrie textile et à la toile de Nîmes (« denim ») dont on aurait fabriqué les tout premiers jeans. De nombreuses demeures de ce temps ont été restaurées dans la vieille ville, rue de l'Aspic, rue des Marchands et rue du Chapitre.

La **porte d'Auguste**, bâtie 20 ans avant le temple de la **Maison Carrée**, faisait autrefois partie du plus long mur d'enceinte de la Gaule. De la porte d'origine ont résisté deux grandes arches pour les chars et deux petites pour les piétons.

Une jarre, Musée archéologique

Autre vestige romain, le *castellum*, ou château d'eau, distribuait l'eau qu'amenait l'aqueduc du pont du Gard *(p. 523)* par l'intermédiaire d'un réseau de canalisations complexe.

🍁 **Jardin de la Fontaine**
Quai de la Fontaine.
⬛ *t.l.j.* ♿
Les Gaulois s'étaient établis près de la source dès l'âge du fer. À leur arrivée, les Romains trouvèrent un oppidum qu'ils baptisèrent *Nemausus*, du nom du dieu de la source.
Au XVIIIe siècle, on y dessina des jardins à la française dont il reste encore des terrasses et des fontaines. Au-dessus des jardins, sur le mont Cavalier, se trouve la **tour Magne**, ancien point stratégique de l'enceinte romaine.

Le jardin de la Fontaine, avec la ville à l'arrière-plan

LA VILLE D'UN COUP D'ŒIL

Les Arènes

Bd des Arènes. **(** 04 66 76 72 77.
◯ t.l.j. ● 1er janv., 1er mai,
25 déc. et les jours de
spectacles. 🎧 ♿

Presque toutes les rues
mènent à l'amphithéâtre
romain, les Arènes. Construit à
la fin du 1er siècle apr. J.-C., c'est
un cirque ovale dont les
gradins peuvent accueillir
25 000 spectateurs. On y donne
des concerts, des manifestations
sportives et des corridas.

**Les symboles de la ville dans
une sculpture de Martial Raysse**

Maison Carrée

Pl. de la Maison-Carrée. **(** 04 66 36 26 76.
◯ t.l.j. ● les jours fériés.

La Maison Carrée est le nom
bien prosaïque qu'on a
donné à ce temple romain,
fierté de la ville.
Construit entre 2 et
3 apr. J.-C., c'est l'un
des monuments
antiques les mieux
conservés du monde,
avec ses colonnes
corinthiennes élancées
et ses frises sculptées.

Musée des Beaux-Arts

Rue Cité-Foulc.
(04 66 67 38 21.
◯ du mar. au
dim. ● 1er janv.,
1er mai, 25 déc.
🎧 ♿

Il abrite une
collection
éclectique d'œuvres
de peintres flamands,
hollandais, français et
italiens, en particulier
Suzanne et les vieillards
de Jacopo Bassano.
La mosaïque gallo-romaine,
le *Mariage d'Admetus*,
découverte en 1882, occupe
la place d'honneur, sur le sol
de la salle principale.

Musée archéologique

Musée archéologique et d'Histoire
naturelle, 13 bis, bd Amiral-Courbet.
(04 66 76 74 80. ◯ du mar. au
dim. ● 1er janv., 1er mai, 11 nov.,
25 déc. 🎧 ♿

Les magnifiques collections
de statues romaines,
de céramiques, de verrerie,
de pièces de monnaie et
de mosaïques voisinent avec
le musée d'Histoire naturelle
où l'on trouve aussi
des statues-menhirs de
l'âge du fer.

**La Maison Carrée,
reconvertie en musée**

Carré d'Art

Pl. de la Maison-Carrée. **(** 04 66 76 35 35.
◯ du mar. au dim. ● les jours fériés.
🎧 ♿

Ce complexe culturel
controversé a été construit
par l'architecte britannique
Sir Norman Foster. Cinq
étages de ce palais de verre
et d'acier, hommage à la
Maison Carrée qui se trouve
en face, sont situés en sous-
sol. Il comprend une
bibliothèque, un musée
d'Art contemporain, où sont
exposées des œuvres de
Boltanski, Lavier et Raysse,
et, sur le toit en terrasse, des
restaurants tout autour de
l'atrium de verre.

LÉGENDE

🅿 Parc de stationnement

ℹ Information touristique

✝ Église

0   250 m

**Une corrida
aux arènes de Nîmes**

PROVENCE ET CÔTE D'AZUR

BOUCHES-DU-RHÔNE · VAUCLUSE · VAR
ALPES-DE-HAUTE-PROVENCE · ALPES-MARITIMES

Des collines parfumées aux yachts luxueux qui mouillent dans les ports, aucune région de France ne fait autant rêver que la Provence dont les paysages et la lumière ont inspiré artistes et écrivains, de Van Gogh à Picasso et de Scott Fitzgerald à Marcel Pagnol.

Les frontières de la région ont été dessinées par la nature : à l'ouest le Rhône, au sud la Méditerranée, au nord la limite des oliviers et à l'est les Alpes. À l'intérieur de ces limites, on trouve un paysage contrasté : plages ensoleillées, gorges encaissées, marécages de Camargue, champs de lavande, collines de pins.

À Orange et Arles, on utilise toujours les bâtiments romains, tandis que les villages perchés comme Èze ont été construits pour résister aux attaques des pirates qui ravageaient les côtes au VI\ :sup:`e` siècle. Au XIX\ :sup:`e` siècle, l'aristocratie et la riche bourgeoisie de l'Europe entière venaient chercher la douceur en hiver sur la «Riviera», et dans les années 1920 la haute société s'y fixa en permanence. Il est vrai que sous le soleil la vie semble plus douce, les fruits et les légumes gagnent en saveur, tels les olives et l'ail qui changent les poissons en ce fleuron de la gastronomie qu'est la bouillabaisse.

Cette image paradisiaque ne se trouble que lorsque souffle un violent mistral. Mais le vent a forgé un peuple chaleureux, aussi rude que l'olivier et prompt à profiter de la vie dès le retour du beau temps.

Le cap Martin, vu du village de Roquebrune

◁ **Un champ de lavande près des gorges du Verdon**

À la découverte de la Provence

Le Sud-Est de la France, très ensoleillé, est une destination de vacances privilégiée. Les amoureux du soleil se prélassent sur les plages en été. Les distractions ne manquent pas : festivals de jazz, opéras, ballets, corridas, courses automobiles, casinos, sans oublier les parties de boules. L'intérieur des terres, avec ses gorges, ses villages haut perchés et ses plateaux solitaires est idéal pour les randonneurs.

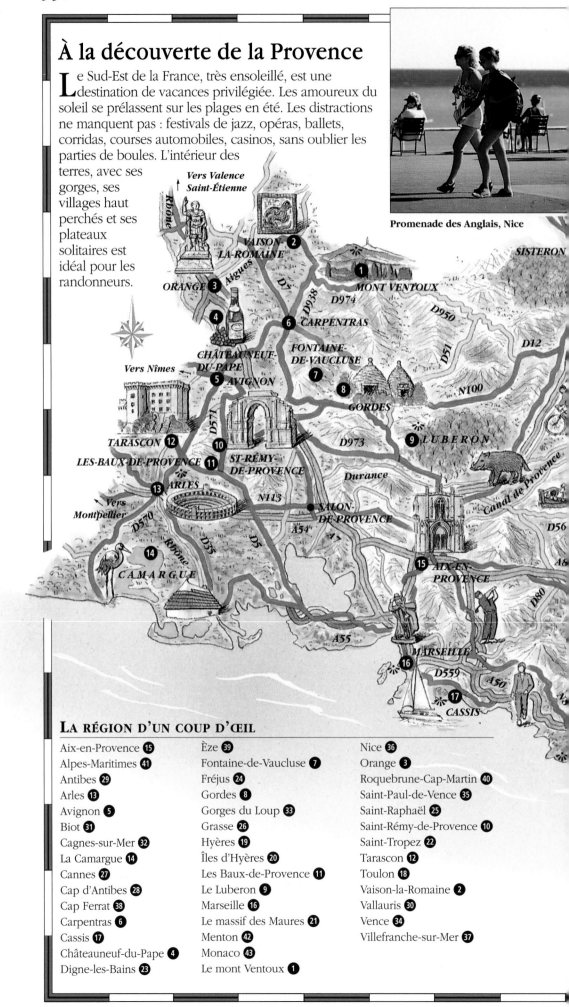

Promenade des Anglais, Nice

LA RÉGION D'UN COUP D'ŒIL

Vers Briançon

D900

BARCELONNETTE

D900

Bléone

Verdon

D64

Var

D2205

MERCANTOUR

ALPES-MARITIMES **41**

D907

N85

23 DIGNE-LES-BAINS

N85

N204

N202

D2211

D2565

MENTON **42**

G O R G E S
D U
V E R D O N

GORGES DU LOUP

N85

33

VENCE

34

35 ST-PAUL-DE-VENCE

ÉZE

39 **40** ROQUEBRUNE-
CAP-MARTIN

43 MONACO

37 VILLEFRANCHE-
SUR-MER

36

32 NICE

38 CAP FERRAT

D21

GRASSE **26**

BIOT
VALLAURIS **31**

CAGNES-SUR-MER

30 **29** ANTIBES

28 CAP D'ANTIBES

D30

D557

DRAGUIGNAN

A8

27

CANNES

Argens

ROVENÇALE

N98

FRÉJUS **24**

25

ST-RAPHAËL

M

N97

MASSIF
DES
MAURES

STE-MAXIME

22 ST-TROPEZ

D14

21

LE LAVANDOU

HYÈRES

19

20

ÎLES D'HYÈRES

CIRCULER

Le premier aéroport de la région, et le deuxième de France, est celui de Nice. La voiture individuelle est pratiquement indispensable, surtout si vous voulez visiter l'arrière-pays. En revanche, les villes côtières sont bien desservies par les bus ou le train. On peut essayer d'éviter les embouteillages de la côte (infernaux en été) en empruntant les autoroutes. Le sympathique petit train de Nice à Digne-les-Bains traverse des paysages spectaculaires. Bien que sinueuses, les routes de montagne sont assez bonnes.

LÉGENDE

Autoroute

Route principale

Route secondaire

Parcours pittoresque

Fleuve ou rivière

Point de vue

0   25 km

Aux environs de Forcalquier

Le mont Ventoux ❶

Vaucluse. ✈ *Avignon*. 🚊 *Orange*.
🚌 *Bédoin*. ℹ️ *Bédoin (04 90 65 63 95).*

Ce « mont venteux », en patois provençal, mérite bien son nom. Au bas des pentes, la faune et la flore sont très variées, mais seules les plantes alpines résistent en altitude car les températures hivernales peuvent atteindre - 27 °C. La calotte de calcaire du sommet le fait paraître enneigé, même en plein été.

En 1336, le poète Pétrarque fut le premier à relater l'ascension de ce pic de 1 909 m. Aujourd'hui, une route conduit à l'antenne radio du sommet. Par temps clair, on découvre la plaine jusqu'à la mer et les Alpes. Le col est fermé de novembre à avril.

Mosaïque romaine de la villa du Paon, à Vaison-la-Romaine

Vaison-la-Romaine ❷

Vaucluse. 🏙 *5 600.* 🚌 ℹ️ *pl. du Chanoine-Sautel (04 90 36 02 11).* 🛍 *mar.*

Sur les rives de l'Ouvèze, ce site, habité depuis l'âge du bronze, doit son nom à la cité romaine qui y a prospéré pendant cinq siècles. Bien que la ville haute, dominée par les ruines d'un château du XIIᵉ siècle, soit charmante avec ses rues étroites, ses somptueuses maisons de pierre et ses fontaines, les grands centres d'intérêt se trouvent sur l'autre rive.

Les **vestiges romains**, partagés en deux secteurs (Puymin avec le musée et La Villasse), s'étendent sur 15 ha. Ils comprennent des édifices publics (théâtre, thermes, sanctuaire, château d'eau), des rues bordées de boutiques, de riches demeures, ainsi qu'un pont, refait après la tragique crue de l'Ouvèze en 1992.

L'ancienne cathédrale Notre-Dame-de-Nazareth, avec son cloître, est un remarquable édifice de l'école romane de Provence.

🏛 La ville romaine

Fouilles de Puymin, pl. du Chanoine-Sautel. 📞 *04 90 36 02 11.* 🕐 *t.l.j.* 🔴 *1ᵉʳ janv., 1ᵉʳ mai, 25 déc.* 📷

Orange ❸

Vaucluse. 🏙 *28 000.* 🚌 🚊 ℹ️ *cours Aristide-Briand (04 90 34 70 88).* 🛍 *jeu.*

Orange est un grand centre régional. Les champs, les vergers et surtout le vignoble des Côtes du Rhône qui l'entourent en font une place de marché importante pour le raisin, les olives, le miel et les truffes. Les touristes peuvent explorer le quartier de l'hôtel de ville où les ruelles débouchent sur des places calmes et ombragées. Orange possède deux des plus prestigieux monuments romains d'Europe.

🏛 Le théâtre antique

Pl. des Frères-Mounet.
📞 *04 90 51 17 60.* 🕐 *t.l.j.*
🔴 *1ᵉʳ janv., 25 déc.* 📷 ♿

Élevé au 1ᵉʳ siècle apr. J.-C., sous le règne d'Auguste, ce théâtre, parfaitement conservé, à l'acoustique exceptionnelle, est aujourd'hui le cadre d'un festival d'art lyrique, les chorégies. Le mur de scène, « le plus beau mur du royaume », selon Louis XIV, mesure 36 m de haut et 103 m de long.

🏛 L'arc de triomphe

Av. de l'Arc-de-Triomphe.
Ce monument à trois arches, construit vers 20 av. J.-C., est

Statue d'Auguste, au théâtre antique d'Orange

richement décoré de scènes de bataille et de motifs de fleurs et fruits. Les inscriptions à la gloire de Tibère sont plus tardives.

🏛 Le Musée municipal

Rue Madeleine-Roch. 📞 *04 90 51 17 60.* 🕐 *t.l.j.* 🔴 *1ᵉʳ janv., 25 déc.* 📷 Les objets exposés reflètent l'histoire de la ville. En reconstituant le puzzle formé par 400 fragments de marbre, on retrouve les cadastres de la campagne orangeoise, établis d'après trois relevés. Le plus ancien remonte au règne de Vespasien, au 1ᵉʳ siècle av. J.-C.

Châteauneuf-du-Pape ❹

Vaucluse. 🏙 *2 100.* 🚊 *Sorgues, puis autobus.* ℹ️ *pl. du Portail (04 90 83 71 08).* 🛍 *ven.*

Au XIVᵉ siècle, les papes établis à Avignon décidèrent de construire un château sur ce site et d'y planter des vignes. Après les guerres de Religion *(p. 50-51)*

Vue du vignoble de Châteauneuf-du-Pape

et la Seconde Guerre mondiale, il ne restait plus de la forteresse papale que quelques pans de murs et une tour, mais les ruines spectaculaires offrent toujours une vue magnifique sur Avignon et le Vaucluse.

Les vignes ont prospéré et donnent un des meilleurs côtes-du-rhône. Aujourd'hui, tous les portails semblent ouvrir sur une cave de vigneron. Les fêtes du vin, qui ponctuent l'année, sont couronnées par la fête de la Véraison, en août *(p. 34)*, à la maturité des fruits, et le Ban des Vendanges, au moment de la récolte, en septembre.

Avignon ❺

Vaucluse. 🚶 *90 000.* ✈ 🚇 🚉 🛈
41, cours Jean-Jaurès (04 32 74 32 74). ⛴ *mar.-dim.*

D es remparts massifs abritent la ville la plus fascinante du Sud de la France. Dominée par l'immense palais des Papes *(p. 534-535)*, elle rassemble bien d'autres richesses. Au nord du palais se trouve le **Petit Palais** du XIIIᵉ siècle, ancienne demeure de l'archevêque d'Avignon qui accueillit des hôtes célèbres comme César Borgia et Louis XIV. Transformé en musée, il présente des sculptures romanes et gothiques, des peintures médiévales de l'école d'Avignon et de l'école italienne, avec des œuvres de Botticelli et Carpaccio.

Les rues Joseph-Vernet et du Roi-René sont bordées de magnifiques hôtels des XVIIᵉ et XVIIIᵉ siècles. La **cathédrale de Notre-Dame-des-Doms** et sa coupole romane ou l'**église Saint-Didier** du XIVᵉ siècle sont des édifices remarquables. Le **Musée lapidaire** abrite des statues et mosaïques antiques, ainsi que des sculptures gauloises de la Provence pré-romaine. Le **musée Calvet** donne un aperçu de l'art français des cinq derniers siècles.

La **place de l'Horloge** est le cœur de la vie sociale. La rue des Teinturiers est une des plus jolies de la ville. Jusqu'au siècle dernier, on y

Le pont Saint-Bénézet et le palais des Papes, à Avignon

imprimait des indiennes aux motifs chatoyants, qui ont inspiré les tissus provençaux.

De la mi-juillet à début août se déroule le Festival d'arts dramatiques d'Avignon, lancé en 1947 par Jean Vilar. Pièces de théâtre, ballets, concerts se succèdent dans la cour du palais des Papes *(p. 33)* et de nombreux lieux. Le festival « off » propose des spectacles de rue, des pièces

Spectacle de rue pendant le festival d'Avignon

d'avant-garde et des concerts allant du folk au jazz. Célébré par la fameuse chanson, le **pont Saint-Bénézet** (1171-1185) fut détruit plusieurs fois par les crues du Rhône. Sur l'une des arches restantes se dresse la minuscule chapelle Saint-Nicolas.

Une visite de **Villeneuve-lès-Avignon**, sur la rive du Rhône, est indispensable. Ne pas manquer la **chartreuse du Val-de-Bénédiction**, le *Couronnement de la Vierge* du musée et l'église.

🏛 **Petit Palais**
Pl. du Palais. 📞 *04 90 86 44 58.* ⬤ *du mer. au lun.* ⬤ *les jours fériés.* 🚫

🏛 **Musée lapidaire**
27, rue de la République.
📞 *04 90 86 33 84.* ⬤ *du mer. au lun.* ⬤ *les jours fériés.* 🚫 ♿

🏛 **Musée Calvet**
65, rue Joseph-Vernet.
📞 *04 90 86 33 84.* ⬤ *du mer. au lun.* ⬤ *les jours fériés.* 🚫 📷 ♿

Le palais des Papes

Le pape Clément VI (1342–1352)

En 1309, devant affronter des conflits à Rome et encouragé par les intrigues de Philippe IV de France, le pape Clément V installe sa cour en Avignon où elle reste jusqu'en 1377. Pendant cette période, ses successeurs transforment le petit bâtiment épiscopal en un magnifique palais entouré d'imposantes fortifications qui le protègent des bandes de mercenaires. Aujourd'hui, les attributs luxueux de la vie de la cour au XIVe siècle ont disparu, car meubles et œuvres d'art ont été détruits ou pillés après la Révolution de 1789.

Le cloître de Benoît XII comprend également l'aile des invités, les communs et la chapelle bénédictine.

Tour Trouillas

Tour de la Campane

Une architecture militaire
Avec ses dix tours et sa surface de 15 000 m², le palais se voulait une forteresse imprenable.

LES PAPES D'AVIGNON

Sept papes « officiels » régnèrent en Avignon jusqu'en 1377. Ils furent suivis des « antipapes » dont le dernier, Benoît XIII, s'enfuit en 1403. Papes ou antipapes, peu furent réputés pour leur sainteté. Clément VI (1342-1352), mort pour avoir absorbé de la poudre d'émeraude, prescrite contre l'indigestion, prétendait honorer Dieu dans le luxe. En 1367, Urbain V tenta de ramener la cour à Rome, ce qui ne se fit qu'en 1377.

Benoît XIII (1394-1409)

Tour la Gâche

Tour d'Angle

Porte des Champeaux

La salle du Consistoire
Les fresques de Simone Martini (1340) provenan de la cathédrale vinrent remplacer les œuvres de salle de réception détruites par l'incendie de 141

La puissance du pape

Plus citadelle guerrière que palais papal, les solides fortifications reflètent le climat d'insécurité qui régnait au XIVe siècle.

MODE D'EMPLOI

Pl. du Palais, Avignon.
☎ 04 90 27 50 00. ◯ de nov. à mars : de 9 h 30 à 17 h 45 ; d'avr. à oct. : de 9 h à 19 h (21 h en juillet, 20 h en août et sept.). Dernière entrée : 1 h avant la fermeture). .
● 1er janv., 25 déc. ✍ 🎫 Salon de thé dans les jardins en été.

★ Le Grand Tinel

Des tapisseries des Gobelins du XVIIIe siècle sont accrochées dans la salle des Festins où les cardinaux se rassemblaient pour élire le pape.

Tour des Anges

★ La chambre du Cerf

Les fresques de scènes de chasse et les mosaïques font du bureau de Clément VI la plus belle pièce du palais.

Chambre du pape

Grande Cour

LA CONSTRUCTION DU PALAIS

Le palais comprend le Palais-Vieux de Benoît XII (1334-1342) et le Palais-Neuf de Clément VI (1342-1352). Dix tours de 50 m de haut protègent les quatre ailes.

La grande chapelle, haute de 20 m, couvre 780 m².

La grande salle d'audience est divisée en deux nefs par cinq colonnes aux chapiteaux ornés de sculptures animalières.

À NE PAS MANQUER

★ Le Grand Tinel

★ La chambre du Cerf

LÉGENDE

☐ Benoît XII (1334-1342)

☐ Clément VI (1342-1352)

Carpentras ❻

Vaucluse. 🏃 *25 500.* 🚆 ℹ️ *place Aristide-Briand (04 90 63 57 88).* 🚌 *ven.*

En 1320, Carpentras devint la capitale du comtat Venaissin et le resta jusqu'en 1791. Les boulevards modernes suivent le tracé des anciens remparts, dont ne subsiste qu'une seule porte, la porte d'Orange.

Au Moyen Âge, la ville abritait une importante communauté juive. La **synagogue** de 1367 est la plus ancienne de France ; son sanctuaire a été restauré, mais sa piscine rituelle et sa boulangerie sont en l'état.

Bien qu'aucun pape n'eût ouvertement ordonné de persécutions, de nombreux juifs se convertirent ; pour leur baptême, ils entraient dans la **cathédrale Saint-Siffrein** par la porte Juive.

Le palais de justice (1640) rassemble des cartouches représentant les villages du comtat Venaissin. À voir aussi, l'**hôtel des Sobirats**, aménagé en musée, avec son beau mobilier provençal et l'hôtel-Dieu dont la pharmacie du XVIIIe siècle est une petite merveille.

✯ Synagogue
Pl. Maurice-Charretier. 📞 *04 90 63 39 97.* 🔘 *lun. au ven.* ⬤ *aux fêtes juives.*
🏛 Musée Sobirats
Rue du Collège. 📞 *04 90 63 04 92.* 🔘 *du mer. au lun.* ⬤ *les jours fériés.* 📷 ♿

Rive et moulin à eau à Fontaine-de-Vaucluse

Fontaine-de-Vaucluse ❼

Vaucluse. 🏃 *700.* 🚆 ℹ️ *chemin de la Fontaine (04 90 20 32 22).* 🚌 *mer.*

Jaillissant au pied d'une falaise avec un débit de 100 m³ à la seconde, la **source de la Sorgue** est la plus puissante de France. Elle alimente une usine à papier qui emploie encore des techniques du XVe siècle. La ville compte aussi plusieurs musées. Le poète Pétrarque, qui vécut ici, a bien sûr le sien ; à voir aussi le musée d'Histoire consacré à la vie sous l'Occupation et le musée du Santon et des Traditions de Provence.

Roues à eau et belle église baroque dans la localité de **L'Isle-sur-la-Sorgue**.

Gordes ❽

Vaucluse. 🏃 *2 000.* ℹ️ *le château (04 90 72 02 75).* 🚌 *mar.*

Dominé par un **château** du XVIe siècle, le bourg est si harmonieux qu'on le croirait l'ouvrage d'un architecte talentueux. Le château abrite une exposition des œuvres de Pol Mara, peintre flamand contemporain.

Au sud, le **village des Bories** présente un curieux habitat de pierres sèches. À voir aussi le musée du Vitrail à Saint-Pantaléon. Au nord, l'**abbaye de Sénanque** est l'une des plus belles abbayes romanes cisterciennes de France. Cloître, église, réfectoire expriment la paix monastique dans un site superbe.

♣ Château de Gordes
📞 *04 90 72 02 75.* 🔘 *juil.-août : t.l.j. ; de sept. à juin : du mer. au lun.* ⬤ *1ᵉʳ janv., 25 déc.* 📷
🏠 Village des Bories
Route de Cavaillon. 📞 *04 90 72 03 48.* 🔘 *t.l.j.* 📷 ♿

Le Luberon ❾

Vaucluse. ✈️ *Avignon.* 🚆 *Cavaillon, Pertuis.* 🚌 *Apt.* ℹ️ *Apt (04 90 74 03 18).*

Les monts du Luberon, dont le Mourre-Nègre culmine à 1 125 m d'altitude, s'étendent principalement sur le département du Vaucluse. Zones sauvages et bourgs pittoresques font tout le charme de cette région devenue parc naturel régional. **Apt** en est la capitale (riche cathédrale, musée). Elle est

Village perché de Gordes

aussi la capitale mondiale du fruit confit. À **Bonnieux**, il faut voir l'église du XIIe siècle et le musée de la Boulangerie.

Roussillon est remarquable par ses maisons au crépi ocre. Les ruines du château du marquis de Sade distinguent **Lacoste**, et **Ansouis** s'enorgueillit de son château du XVIIe siècle. La citadelle de **Ménerbes**, elle, offre un splendide panorama.

Saint-Rémy-de-Provence ⑩

Bouches-du-Rhône. *9 500.* *pl. Jean-Jaurès (04 90 92 05 22).* *mer.*

À plus d'un titre, la réputation de Saint-Rémy, avec ses fontaines, ses boulevards ombragés et ses rues étroites, n'est plus à faire. La ville, qui vit naître

Éventaire d'herbes à Saint-Rémy-de-Provence

Nostradamus en 1503, accueillit de 1889 à 1890 Vincent Van Gogh, venu se faire soigner à l'hôpital Saint-Paul-de-Mausole ; c'est là qu'il peignit plus de 150 toiles en un an. En 1921, la découverte des ruines romaines de **Glanum** donne un nouvel attrait à Saint-Rémy. Il ne reste pas grand-chose de l'ancienne cité, détruite par les Goths en 270 apr. J.-C., mais le site est impressionnant. Près de l'arc triomphal du Ier siècle av. J.-C. se trouvent des fondations, des murs en ruine et un mausolée orné de scènes d'inspiration hellénistique.

Glanum

04 90 92 23 79. *t.l.j.* *1er janv., 1er mai, 1er et 11 nov., 25 déc.*

Les Baux-de-Provence ⑪

Bouches-du-Rhône. *460.* *la Maison du Roy (04 90 54 34 39).*

Le château en ruine et les vieilles habitations dominent le Val d'Enfer, ancien repaire, selon la légende, des sorcières et des lutins. Au Moyen Âge s'y tenait une des plus célèbres cours d'amour de Provence et les troubadours chantaient en l'honneur des nobles dames.

Cette gloire ne fut pas éternelle, hélas ! car Louis XIII ordonna, en 1632, la destruction de la ville devenue place forte protestante.

Sur une charmante place se trouvent l'**église Saint-Vincent** (XIIe s.), la **chapelle des Pénitents** (XVIIe s.) et l'**hôtel des Porcelet** (XVIe s.), devenu le **musée Yves-Brayer**, l'un des peintres les plus représentatifs de la figuration contemporaine.

En 1821, on découvrit aux Baux un minerai rouge, la « bauxite », qui permit de fabriquer l'aluminium. Dans le Val d'Enfer, d'anciennes carrières de pierres proposent des spectacles « Son et Lumière », avec un thème différent chaque année.

Cathédrale d'images

D 27, Val d'Enfer. *04 90 54 38 65.* *t.l.j.*

Musée Yves-Brayer

Hôtel des Porcelet. *04 90 54 36 99.* *t.l.j.* *de déb. janv. à mi-févr.*

La citadelle médiévale désertée des Baux-de-Provence

Aux environs

À une dizaine de km des Baux et à 5 km d'Arles s'élève la superbe **abbaye de Montmajour**, trésor d'art roman, construite entre le XIe et le XIIIe siècle. Son cloître est un des plus beaux de Provence. Beaucoup plus à l'est, **Salon-de-Provence** n'est pas seulement le siège d'une célèbre école de l'Air, mais aussi une vieille cité pittoresque. Cette ancienne place commerçante est dominée par le château de l'Empéri qui fut un temps la résidence des archevêques d'Arles et abrite aujourd'hui un musée d'Art et d'Histoire militaires.

Le défilé de la Tarasque, 1850

Tarascon ⑫

Bouches-du-Rhône. *11 200.* *59, rue des Halles (04 90 91 03 52).* *mar.*

Une légende fait de Tarascon la ville de la Tarasque, monstre fabuleux qui terrorisait la région et dont on promène l'effigie dans les rues tous les ans en juin *(p. 33)*. Il fut finalement dompté par sainte Marthe, dont les reliques sont exposées dans la collégiale.

Sur la rive du Rhône, le **château** du XVe siècle est un bel exemple d'architecture militaire gothique. Son extérieur austère ne laisse rien soupçonner des beautés qu'il renferme : cour gothique, escalier de pierre en spirale, plafonds à caissons de la salle de réception… Sur la rive opposée, on aperçoit **Beaucaire** et son château en ruine entouré de jardins.

Château

Bd du Roi-René. *04 90 91 01 93.* *de mai à août : t.l.j. ; de sept. à avr. : du mar. au dim.* *les jours fériés.*

Arles ⑬

Peu de villes provençales réunissent autant d'atouts. Sa position sur les rives du Rhône en fait une porte naturelle vers la Camargue *(p. 540-541)*. Les ruines romaines sont mises en valeur par les murs ocre et les toits de tuiles plus récents. Bastion de la culture et de la tradition provençales, Arles possède entre autres un tout nouveau Musée archéologique. La ville où séjourna Van Gogh propose en outre de nombreuses distractions, du festival de la Photo et de la Feria au salon des santons et aux corridas.

L'empereur Constantin

Le musée Réattu

Situé dans le Grand Prieuré des chevaliers de Malte, il expose des dessins de Picasso, des toiles de l'artiste régional Jacques Réattu (1760-1833), des sculptures d'Ossip Zadkine, comme cette Grande Odalisque *(1932).*

Le Museon Arlaten

En 1904, grâce à l'argent de son prix Nobel, le poète Frédéric Mistral fonda ce musée qui reflète la vie en Provence au siècle dernier. Les salles sont surveillées par des Arlésiennes en costume traditionnel.

L'Espace Van Gogh

L'ancien hôpital où l'artiste fut soigné en 1889 est aujourd'hui un grand centre culturel.

★ L'église Saint-Trophime

Elle présente une superbe façade romane sculptée du XIIe siècle et un cloître roman et gothique, et renferme de belles œuvres d'art.

Les thermes de Constantin

sont les vestiges des thermes construits au IVe siècle. Seules subsistent aujourd'hui les salles tiède et chaude.

RUE DU GRAND PR
RUE TRUCHET
R DU
RUE DE L'HOTEL DE VILLE
RUE DU DR FANTON
RUE
RUE DU FORUM
PL DU FORUM
FR MISTRAL
RUE BAIZE
PLAN DE LA COUR
RU
RUE DE LA REPUBLIQUE
R DU PRESIDENT-WILSON
PL DE LA REPUBLIQUE
R DE LA ROTONDE
R JEAN JAURES
RUE MOLIERE
CLEMENCEAU
BD GEORGES

Bureau de tourisme

0   100 m

LES ALYSCAMPS

Ces « Champs-Élysées » abritent une nécropole romaine, puis médiévale. Devenue chrétienne dès le IVᵉ siècle, elle conserva son prestige jusqu'au XIIᵉ siècle. Il ne reste plus qu'une allée ombragée bordée de sépultures ; certains tombeaux ont été vendus à des musées, d'autres laissés à l'abandon. Mentionnés dans *L'Enfer* de Dante, peints par Van Gogh et Gauguin, les Alyscamps sont propices à la méditation.

Les Alyscamps de Paul Gauguin

MODE D'EMPLOI

Bouches-du-Rhône. 🏠 52 600. ✈ 25 km N.-O. Arles. 🚉 🚌 av. Paulin-Talabot. 🛈 esplanade Charles-de-Gaulle (04 90 18 41 20). 🏪 mer. et sam. 🎭 Arles Festival (juil.) ; Prémices du Riz (sept.). **Museon Arlaten** ⬜ de juil. à sept. : t.l.j. ; d'oct. à juin : du mar. au dim. 🏛 **Musée Réattu** ⬜ t.l.j. ⬛ les jours fériés. 🏛

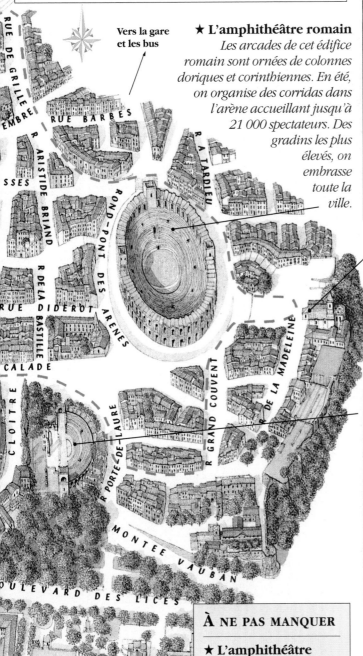

Vers la gare et les bus

★ L'amphithéâtre romain

Les arcades de cet édifice romain sont ornées de colonnes doriques et corinthiennes. En été, on organise des corridas dans l'arène accueillant jusqu'à 21 000 spectateurs. Des gradins les plus élevés, on embrasse toute la ville.

Notre-Dame-de-la-Major

C'est là que les gardians de Camargue célèbrent la Saint-Georges, fête de leur saint patron. Le bâtiment a été construit du XIIᵉ au XVIIᵉ siècle sur le site d'un ancien temple romain.

Map streets: RUE DE GRILLE, EMBRE, R ARISTIDE BRIAND, SSES, RUE BARBES, R A TARDIEU, ROND-PONT DES ARENES, R DE LA BASTILLE, RUE DIDEROT, CALADE, CLOITRE, R PORTE-DE-LAURE, R GRAND COUVENT, DE LA MADELEINE, MONTEE VAUBAN, BOULEVARD DES LICES

À NE PAS MANQUER

★ L'amphithéâtre romain

★ Le théâtre romain

★ L'église St-Trophime

★ Le théâtre romain

Richement orné à l'époque romaine, puis utilisé comme carrière, le théâtre accueille aujourd'hui des spectacles. Ici, on voit les dernières colonnes, dites « les deux veuves ».

La Camargue ⑭

Gardian de Camargue

Dans le delta du Rhône, 140 000 hectares de marais, de pâturages, de dunes et de salins se sont formés, mais des efforts importants sont nécessaires pour préserver l'environnement privilégié de la Camargue. Cette région à l'équilibre écologique fragile est pourvue d'une flore exceptionnelle (narcisses, tamaris) et d'une faune aux espèces rares (aigrettes, ibis). Dans les pâturages, le bétail est surveillé par les gardians montés sur de petits chevaux camargues blancs, selon la tradition.

Coucher de soleil sur la Camargue

Les taureaux noirs

Lors des courses de taureaux, il n'y a pas de mise à mort. On se contente d'arracher les rosettes fixées aux cornes des animaux.

0   5 km

Mas du Pont de Rо

N572

D570

D37

Le Petit Rhône

Méjanes

PLAINE DE LA CAMARGUE

Etang de Vacca

D570

PARC RÉGIONAL DE CAM

PETITE CAMARGUE

Centre de Ginès

Stes-Maries-de-la-Mer

MEDITERRANEE

Les flamants roses

Cet oiseau est toujours associé à la Camargue, mais il existe de nombreuses autres espèces dans la région : héron, chouette, martin-pêcheur, oiseaux de proie... Les environs de Ginès sont particulièrement indiqués pour les observer.

Les Saintes-Maries-de-la-Mer

En mai, le pèlerinage des gitans à cette église fortifiée rappelle la légende selon laquelle Marie-Jacobé, Marie-Salomé, Marie-Madeleine et Marthe auraient abordé sur ces côtes vers 40 apr. J.-C.

LÉGENDE

———	Limites du parc naturel
- - -	Sentier
- - -	Sentier et piste cyclable

MODE D'EMPLOI

Bouches-du-Rhône. 🚶 *90 km Marignane-Marseille*. 🚌 🚌 *Arles*. 🛈 *5, av. Van-Gogh, Les Saintes-Maries-de-la-Mer.* 📞 *04 90 97 82 55.* 🎪 *pèlerinages (fin mai, fin oct.).* **Musée camarguais**, *Mas du Pont de Rousty, Arles.* 📞 *04 90 97 10 82.* 🕐 *d'avr. à sept. : de 9 h 15 à 17 h 45 t.l.j. (jusqu'à 18 h 45 et juil. et août) ; d'oct. à mars : de 10 h 15 à 16 h 45 du mer. au lun.* 🚫 *les jours fériés.* ♿ **Équitation**, *Association des Loueurs de Chevaux de Camargue.* 📞 *04 90 97 82 55.*

Les chevaux blancs

Ces petits chevaux solides ne connaissent pas l'écurie. Le poulain conserve sa robe noire jusqu'à l'âge de cinq ans ; ensuite elle devient blanche.

La cabane de gardian

Autrefois, les gardians vivaient dans des cabanes au toit de chaume. Aujourd'hui, ils font la démonstration de leur talent dans les arènes d'Arles au mois d'avril.

Les camelles

Le sel est la plus importante production camarguaise. L'été, les salins s'assèchent et on rassemble les cristaux en monticules, les camelles, qui atteignent 8 m de haut.

Aix-en-Provence ⑮

Bouches-du-Rhône. 🏠 *126 000.* 🚶 🚌 🚌 🛈 *2, pl. du Général-de-Gaulle (04 42 16 11 61).* 📩 *t.l.j.*

Fondée vers 120 av. J.-C. par les Romains qui en apprécient les sources, cette cité prospère devient capitale de la Provence à la fin du XIIe siècle. Elle est à son apogée au XVe siècle sous le règne du « bon roi René », représenté sur le triptyque du Buisson Ardent de Nicolas Froment, dans la **cathédrale Saint-Sauveur**, dont il faut également remarquer les portes de noyer, le baptistère mérovingien et le cloître roman. La vocation culturelle d'Aix est toujours d'actualité ; en témoignent les nombreux musées, comme le **musée Granet** (art et archéologie), le musée du Vieil Aix et le **musée des Tapisseries** situé dans le palais de l'ancien archevêché, haut lieu du festival d'art lyrique.

Aix est souvent appelée la « cité aux mille fontaines » ; c'est place des Quatre-Dauphins ou sur le cours Mirabeau que l'on peut admirer quelques-unes des plus belles. Cette élégante avenue aux cafés animés est bordée de platanes et d'hôtels particuliers des XVIIe et XVIIIe siècles, très nombreux dans tout le Vieil Aix, autour de places élégantes (place d'Albertas) ou colorées par les marchés aux fruits ou aux fleurs.

L'**atelier de Paul Cézanne**, né à Aix en 1839, n'a pas changé depuis la disparition du peintre en 1906.

La **montagne Sainte-Victoire** qui a inspiré nombre de ses tableaux se trouve à 15 km à l'est d'Aix.

🏛 Musée Granet
13, rue Cardinale. 📞 *04 42 38 14 70.* 🕐 *du mer. au lun.* ⬤ *pour rénov. jusqu'en 2006.* ♿

🏛 Musée des Tapisseries
28, pl. des Martyrs-de-la-Résistance. 📞 *04 42 23 09 91.* 🕐 *du mer. au lun.* ⬤ *certains jours fériés.* ♿

🏠 Atelier de Cézanne
9, av. Paul-Cézanne. 📞 *04 42 21 06 53.* 🕐 *t.l.j.* ⬤ *certains jours fériés.* ♿

Le Vieux Port de Marseille, face au quai de Rive-Neuve

Marseille ⑯

Bouches-du-Rhône. 🚶 *800 000*. ✈
🚉 🚌 ⛴ ℹ *4, La Canebière
(04 91 13 89 00)*. ⛴ *t.l.j.*

Fondée par les Grecs au VIIᵉ siècle av. J.-C. sous le nom de Massalia, Marseille fut conquise en 49 av. J.-C. par les Romains qui en firent la porte de l'Occident pour le commerce oriental.

Premier port et deuxième ville de France, Marseille entretient toujours des liens étroits avec le Moyen-Orient et l'Afrique du Nord, et reste cosmopolite et très vivante. Le Vieux Port a servi de cadre à la trilogie de Marcel Pagnol, *Marius, Fanny* et *César*, savoureuse peinture du tempérament marseillais.

Les rues étroites et escarpées, les places calmes et les façades du XVIIᵉ siècle contrastent avec l'agitation de la célèbre Canebière, axe de la ville. L'hôtel du département, immense structure bleue sur pilotis, conçue par le Britannique Will Alsop, est le siège des instances régionales.

Le Vieux Port n'accueille plus que des embarcations modestes, mais son marché aux poissons est toujours réputé. Les gourmets affirment que c'est le seul endroit où l'on goûte une bouillabaisse digne de ce nom *(p. 494)*.

Près du Vieux Port, il faut aller voir les **musées des Docks romains, de la Marine** et **de l'Économie**, à l'ancienne Bourse, et le **musée d'Histoire de Marseille** qui abrite l'épave d'un navire romain.

⚓ Le château d'If

📞 *04 91 59 02 30.* ⭕ *de mai à août : t.l.j. ; de sept. à avr.: du mar. au dim.* ♿
Le château d'If est situé sur une petite île à 2 km au sud-ouest du port. Cette imposante forteresse construite en 1524, qui n'a jamais servi à des fins militaires, a été reconvertie en prison. C'est entre ses murs qu'Alexandre Dumas enferme son héros, le comte de Monte-Cristo, dont les visiteurs sont invités à voir le cachot présumé.

⛪ Notre-Dame-de-la-Garde

Construite entre 1853 et 1864, cette basilique néo-byzantine domine la ville. Son clocher de 46 m de haut est surmonté d'une statue de la Vierge. L'intérieur est richement décoré de marbre et de mosaïques.

⛪ L'abbaye Saint-Victor

Au sud du Vieux Port, l'abbaye, à l'allure de forteresse, a été reconstruite au XIᵉ siècle après sa destruction par les Sarrasins. À la Révolution, on en fit une caserne et une prison. La crypte (Vᵉ s.) abrite des sarcophages païens et chrétiens. Tous les ans, le 2 février, Saint-Victor attire les pèlerins. On vend des biscuits secs en forme de bateau rappelant l'arrivée légendaire de sainte Marie-Madeleine, de sainte Marthe et de Lazare, il y a près de 2 000 ans.

⛪ La cathédrale de la Major

Construite entre 1852 et 1893, cette cathédrale néo-byzantine jouxte l'ancienne **cathédrale romane**.

🏛 La Vieille Charité

2, rue de la Charité. 📞 *04 91 14 58 80.* ⭕ *du mar. au dim.* ⬤ *les jours fériés.* ♿
En 1640, un décret royal ordonna la construction d'un refuge pour les pauvres et les mendiants. Cent ans plus tard, l'hôpital et l'église de Pierre Puget ouvrirent finalement leurs portes. Aujourd'hui, le bâtiment restauré abrite le musée d'Archéologie méditerranéenne et le musée des Arts africains, océaniens et amérindiens.

🏛 Le musée Cantini

19, rue Grignan. 📞 *04 91 54 77 75.* ⭕ *du mar. au dim.* ⬤ *les jours fériés.* ♿
Occupant un hôtel particulier de la fin du XVIIᵉ siècle, ce

La Cité radieuse, construite par Le Corbusier, à Marseille

Le marché aux poissons à Marseille

musée constitue l'une
des plus belles collections
publiques, où se retrouvent
Bacon, Dufy, Ernst, Léger,
Matisse, Miró, Picasso.

Aux environs
Vers l'ouest, le vaste **étang de Berre** est un centre portuaire et industriel, mais **Fos-sur-Mer** reste un vieux village médiéval et **Martigues** une ville de pêcheurs qui séduisit les peintres. Entre Marseille et Brignoles (Var), le massif de la Sainte-Baume possède une forêt aux essences insolites. Au nord du massif, **Saint-Maximin-la-**
Sainte-Baume, d'origine gallo-romaine, recèle une admirable basilique.

Cassis ⑰

Bouches-du-Rhône. 🚶 8 000. 🚌 🚌 ℹ *le Port (04 42 01 71 17).* ⛴ *mer. et ven.*

De nombreux villages de la côte ont été urbanisés au point de perdre leur charme originel, mais Cassis ressemble toujours au petit port de pêche qui avait séduit Dufy, Signac et Derain. On peut se détendre à une terrasse de café au bord de l'eau, tout en savourant des fruits de mer et une bouteille de ce vin blanc sec qui fait la réputation de la ville.

De Marseille à Cassis, la côte forme des **calanques**, petites criques entourées de falaises atteignant parfois 400 m de haut. La faune est riche : oiseaux aquatiques, renards, martres, chauves-souris, serpents, lézards... La flore est tout aussi impressionnante avec 900 espèces dont 50 rares. À voir, les calanques d'En-Vau et de Port-Miou.

Toulon ⑱

Var. 🚶 170 000. ✈ 🚌 🚌 ⛴ ℹ *pl. Raimu (04 94 18 53 00).* ⛴ *t.l.j.*

Cette base navale dominée par le belvédère du **mont Faron** a un long passé maritime. Prise par la flotte anglo-espagnole en 1793, elle fut reconquise par le jeune Napoléon Bonaparte. Un siècle et demi plus tard, les troupes allemandes envahirent Toulon. Piégée, la flotte française se saborda (1942) pour échapper à l'ennemi.

Le **musée de la Marine** retrace l'histoire de la ville et expose une proue imposante et des maquettes de bateaux. Du quai Cronstadt d'avant-guerre, il ne subsiste plus que les atlantes de l'ancien hôtel de ville. Rebaptisé quai Stalingrad, bordé de cafés et de boutiques, il a la faveur des Toulonnais. La vieille ville, endommagée par la guerre, possède encore quelques bâtiments anciens, et le marché provençal vaut le détour.

🏛 **Musée de la Marine**
Pl. Monsenergue. 📞 *04 94 02 02 01.* ◯ *avr.-sept. : t.l.j. ; d'oct. à mars : du mer. au lun.* ● *mi-déc. à fin janv.* 🚫 ♿ 🏪

Cap Canaille, de Paul Signac, peint à Cassis en 1889

Les gorges du Verdon

L es gorges du Verdon sont l'un des paysages les plus spectaculaires de France. La rivière d'un vert sombre coule au fond d'une gorge profonde entre des falaises vertigineuses qui atteignent parfois 700 m de haut. Elle traverse une vaste zone inhabitée entre Castellane et le vaste lac de Sainte-Croix-du-Verdon, non loin de Moustiers-Sainte-Marie. L'itinéraire touristique offre de magnifiques points de vue, comme les Balcons de la Mescla, près du pont de l'Artuby, au confluent du Verdon et de l'Artuby, ou le Point Sublime.

Aiguines ③
Ce village possède un joli château du XVIIe siècle, avec quatre tourelles pointues. Belle vue sur le lac artificiel de Sainte-Croix.

Les gorges du Verdon vues de la route de Castellane

Hyères ⑲

Var. 🏛 *52 000.* ✈ 🚉 🚌 ⛴
ℹ *av. Ambroise-Thomas*
(04 94 01 84 50). ⛴ *t.l.j.*

À la fin du XVIIIe siècle, Hyères devint l'une des stations les plus en vue de la Côte d'Azur. La ville accueille alors des hôtes prestigieux comme la reine Victoria, Robert Louis Stevenson et Edith Wharton.

Les rues médiévales de la vieille ville (maison romane, église Saint-Louis) mènent à la spacieuse place Massillon où se tient chaque jour un marché haut en couleurs, puis vers les ruines du château, merveilleux point de vue sur la côte.

Ombragée de palmiers et très fleurie, la ville moderne est empreinte d'un charme Belle Époque qui a séduit bien des cinéastes. Au sud, la presqu'île de Giens avec ses plages et marais salants s'élance vers le large.

Scène de pêche à Porquerolles, la plus grande des îles d'Hyères

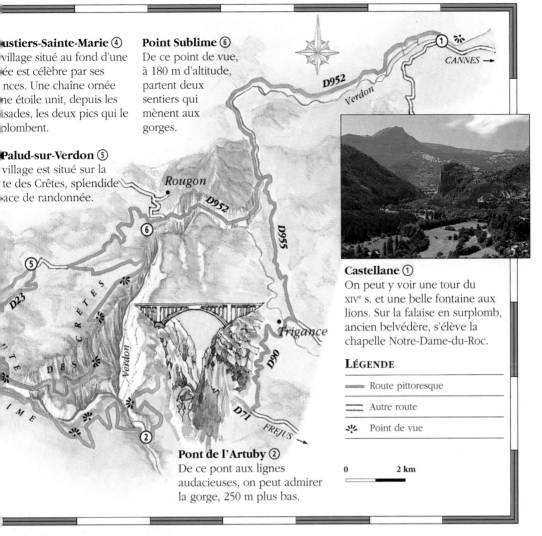

ustiers-Sainte-Marie ④
village situé au fond d'une
ée est célèbre par ses
nces. Une chaîne ornée
ne étoile unit, depuis les
sades, les deux pics qui le
lombent.

Point Sublime ⑥
De ce point de vue,
à 180 m d'altitude,
partent deux
sentiers qui
mènent aux
gorges.

Palud-sur-Verdon ⑤
village est situé sur la
te des Crêtes, splendide
ace de randonnée.

Rougon

Trigance

Castellane ①
On peut y voir une tour du
XIVᵉ s. et une belle fontaine aux
lions. Sur la falaise en surplomb,
ancien belvédère, s'élève la
chapelle Notre-Dame-du-Roc.

LÉGENDE

━━━ Route pittoresque

═══ Autre route

☀ Point de vue

Pont de l'Artuby ②
De ce pont aux lignes
audacieuses, on peut admirer
la gorge, 250 m plus bas.

0   2 km

Les îles d'Hyères ⓴

Var. ✈ *Toulon-Hyères.* 🚉 🚌 ⛴
Toulon-Hyères. ℹ *Hyères (04 94 01
84 50).*

C e splendide trio des îles
d'or, nom donné à cause
de la couleur des falaises, est
facilement accessible depuis
la presqu'île de Giens.
   Porquerolles, la plus
grande (7 km sur 3 km), est
couverte d'une riche
végétation parfois exotique.
On y trouve pins d'Alep,
eucalyptus et arbousiers.
   Le village de l'île, qui porte
également le nom de
Porquerolles, ressemble plus
à une mission coloniale nord-
africaine qu'à un village
provençal. Il fut créé en 1820,
comme lieu de retraite pour
les plus valeureux soldats de
Napoléon. Toutes les plages
se trouvent sur la côte nord.
La plus grande plage de sable,
qui compte parmi les plus
belles de la côte, est située

dans une baie abritée à une
heure de marche du village
de Porquerolles.
   Une promenade dans les
collines de **Port-Cros** prendra
une bonne partie de la
journée. Port-Cros est un parc
national depuis 1963. On peut
y apercevoir des espèces
protégées comme le merle
bleu ou le faucon pèlerin.
Réserve unique de
la faune et de la flore
méditerranéennes, ses eaux
sont également protégées.
Il existe même un circuit
touristique marin
de 300 m. Le point le plus
haut de l'ensemble des îles
se trouve à Port-Cros, à une
altitude de 195 m.
   L'île du Levant, très peu
boisée, est accessible par
bateau depuis Port-Cros.
Elle abrite depuis 1931 la plus
ancienne station naturiste de
France, Héliopolis. La partie
est de l'île, contrôlée par la
Marine nationale, est interdite
au public.

Le massif
des Maures ⓴①

Var. ✈ *Toulon-Hyères.* 🚉 *Toulon,
Le Luc ou Fréjus.* 🚌 *Bormes-les-
Mimosas.* ⛴ *Toulon.* ℹ *Bormes-
les-Mimosas (04 94 01 38 38).*

S 'étendant sur près de 65 km
entre Hyères et Fréjus,
ce superbe massif couvert de
forêts de chênes-lièges, de pins
et de châtaigniers est parcouru
par une belle route de
corniche. Face à la mer s'y
accroche le plaisant village
de **Bormes-les-Mimosas**.
   Au nord de **Cogolin**, la D 558
mène au cœur du massif. En
chemin, on traverse le village
de **La Garde-Freinet**, connu
pour son industrie du liège.
   Au nord-est du massif, vers le
haut Var, se dresse la splendide
abbaye romane du Thoronet,
une des « Trois Sœurs »
cisterciennes de Provence avec
celles de **Sénanque**, dans le
Vaucluse, et de **Silvacane**, dans
les Bouches-du-Rhône.

Les quais de Saint-Tropez

Saint-Tropez ②

Var. 🚶 6 000. 🚌 ℹ️ *quai Jean-Jaurès (04 94 97 45 21).* 🛒 *mar. et sam.*

En raison de sa position géographique, Saint-Tropez *(p. 548-549)* a été épargné par les premières vagues de développement touristique de la Côte d'Azur. Paul Signac fut, en 1892, l'un des premiers à succomber au charme d'un site qui avait gardé tout son cachet et il invita à le rejoindre ses amis peintres : Matisse, Bonnard, Van Dongen. Colette vint s'y installer dans les années vingt, et l'arrivée de célébrités comme le prince de Galles attira peu à peu un nombre croissant de curieux. C'est sur les côtes proches de Saint-Tropez qu'eut lieu, le 15 août 1944, le débarquement de Provence ; la ville subit alors des bombardements nourris.

La vie de la ville changea radicalement dans les années cinquante avec l'arrivée de jeunes Parisiens attirés par le couple Bardot-Vadim. Saint-Tropez devint alors le repaire d'une jeunesse dorée, stimulée par l'existence tumultueuse des célébrités, qui favorisa ensuite le tourisme de masse ; de nos jours, les touristes cherchent plus à croiser une tête connue qu'à visiter le **musée de la Citadelle**, logé dans la citadelle du XVIᵉ siècle qui domine la ville, ou le **musée de l'Annonciade** *(p. 550-551)*, qui réunit une remarquable collection de toiles signées Rouault, Bonnard, Derain, Signac et autres artistes.

Aujourd'hui, Brigitte Bardot a délaissé sa propriété de La Madrague, et les yachts sont plus nombreux dans le port que les bateaux de pêche. La vie tropézienne comporte deux principaux pôles d'animation : le port et ses cafés, et la place des Lices, où se tient le marché le matin.

Le territoire de Saint-Tropez comprend quelques petites plages, mais c'est autour de la ville que l'on trouvera les plus belles. Parmi celles-ci, la plage de Pampelonne, bordée de restaurants « branchés », est un « must » pour qui veut voir et être vu.

Selon la légende, Tropez, soldat romain devenu chrétien, aurait été martyrisé sous Néron. Chaque année au mois de mai, la ville l'honore à l'occasion d'une bravade où l'effigie du saint est promenée dans la ville, accompagnée de salves de mousqueterie.

À proximité de Saint-Tropez se trouvent des localités, au charme très différent, qui méritent un détour. À l'entrée des Maures, **Grimaud** reste un vieux village pittoresque, tandis que le village perché de **Ramatuelle** enserre ses maisons de ses ruelles tortueuses. Gérard Philipe y est enterré. Sur la côte, la création de **Port-Grimaud** ne remonte qu'à 1966, mais le respect de l'architecture et des matériaux traditionnels lui donnent un cachet plus ancien. C'est une cité lacustre sillonnée de canaux, où la plupart des habitations disposent de leur propre amarrage.

🏛 **Musée de la Citadelle**
Montée de la Citadelle.
📞 *04 94 97 59 43.* 🕐 *t.l.j.*
● *les jours fériés.* ♿

🏛 **Musée de l'Annonciade**
Pl. Grammont. 📞 *04 94 97 04 01.*
🕐 *du mer. au lun.* ● *1ᵉʳ janv.,*
Ascension, 1ᵉʳ mai, 25 déc. et en nov.
♿ 🔲

Une solution aux problèmes de circulation à St-Tropez

BRIGITTE BARDOT

En 1956, Roger Vadim tourne, à Saint-Tropez, *Et Dieu créa la Femme*, film dont la vedette est sa jeune épouse, Brigitte Bardot. L'engouement pour la nouvelle actrice, qui s'installa ensuite à Saint-Tropez, transforma l'existence de ce paisible village de pêcheurs qui devint le symbole d'un mode de vie hédoniste. À 40 ans, en 1974, Brigitte Bardot annonça qu'elle mettait un terme à sa carrière. Depuis, elle se consacre à la défense des animaux.

Brigitte Bardot en 1956

Digne-les-Bains ❷❸

Alpes-de-Haute-Provence. 🏃 *17 000*.
🚇 🚌 ℹ️ *pl. du Tampinet
(04 92 36 62 62).* 🛒 *mer. et sam.*

C'est une charmante
station thermale située
sur les contreforts des Alpes.
Le trajet entre Nice et Digne
à bord du **train des Pignes**
fait découvrir de superbes
paysages. Digne-les-Bains
mérite une visite pour sa fête
de la lavande *(p. 34)* et pour
la **fondation Alexandra
David-Néel**, centre tibétain.

Une cinquantaine de
kilomètres à l'ouest de Digne,
entre Durance et Ventoux,
Forcalquier est un bourg qui
connut son essor au Moyen
Âge. Ne pas manquer l'église
Notre-Dame et le couvent des
Cordeliers. Aux environs, le
prieuré de Ganagobie est un
très bel ensemble roman dont
l'église abrite de précieuses
mosaïques.

À l'est, la petite place forte
d'**Entrevaux** n'a guère
changé depuis le XVIIIᵉ siècle.

🏛 Fondation David-Néel
27, av. du Mᵃˡ-Juin. 📞 *04 92 31 32 38.*
🔘 *t.l.j.* ♿ 🎫

Fréjus ❷❹

Var. 🏃 *55 000*. 🚇 🚌 ℹ️ *325, rue
Jean-Jaurès (04 94 51 83 83).*
🛒 *mer. et sam.*

L es vestiges du port romain
de **Forum Julii**, fondé par
Jules César en 49 av. J.-C.,
sont d'une exceptionnelle
variété : un grand
amphithéâtre, un théâtre,
de beaux vestiges
d'un aqueduc et les restes
d'une porte d'enceinte.

Place Formigé, la
cathédrale marque l'entrée
du groupe épiscopal. Cette
enclave fortifiée renferme
l'un des plus anciens
baptistères de France (Vᵉ s.),
la cathédrale et son cloître
dont le plafond est orné
de panneaux représentant
des scènes de l'Apocalypse.

🏹 Amphithéâtre
Rue Henri-Vadon. 📞 *04 94 51 34 31.*
🔘 *du mer. au lun. (d'avr. à août : t.l.j.).*
⚫ *1ᵉʳ janv., 1ᵉʳ mai et 25 déc.* ♿

LA CRÉATION D'UN PARFUM

Les meilleurs parfums sont constitués à partir d'un
mélange d'huiles essentielles extraites d'éléments
naturels. Les parfumeurs confient à un « nez » le soin
de mélanger les arômes. Un seul parfum peut
réunir 300 essences, ce qui implique autant
d'opérations d'extraction par des procédés
variant selon la plante : distillation à la vapeur,
extraction par solvant, ou *enfleurage à froid*.
Cette méthode consiste à laisser quelques jours
des fleurs posées sur un mélange de graisse de
bœuf et de porc. Après

**Eau de
lavande**
saturation de cette
graisse, on
retire les fleurs et on
procède à un lavage à
l'alcool pour obtenir une
absolue de pommade à froid.

Fleurs de Grasse

⛪ Groupe épiscopal
Rue de Fleury. 📞 *04 94 51 26 30.*
🔘 *d'avr. à sept. : t.l.j. ; d'oct. à mars :
du mar. au dim.* ⚫ *1ᵉʳ janv., 1ᵉʳ mai et
11 nov., 25 déc.* 🎫 ♿

Saint-Raphaël ❷❺

Var. 🏃 *28 000*. 🚇 🚌 ℹ️ *rue Waldeck-
Rousseau (04 94 19 52 52).* 🛒 *t.l.j.*

A vec ses immeubles
Belle Époque et sa
promenade plantée de
palmiers, Saint-Raphaël est un
lieu de villégiature animé au
bord du golfe de Fréjus. On s'y
arrêtera principalement pour sa
plage, sa marina, son casino,
ses ruines romaines, ainsi que
son musée qui expose les
trésors retrouvés dans les
épaves antiques de la côte
rapahaëloise.

De Saint-Raphaël, on peut
entreprendre une excursion
dans le **massif de l'Esterel**
dont les blocs de porphyre
rouge surplombent la mer
(route de corniche) et
qui culmine au mont
Vinaigre (618 m).

Grasse ❷❻

Alpes-Maritimes. 🏃
43 000. 🚌 ℹ️ *cours
Honoré-Cresp (04 93 36
66 66).* 🛒 *mar.-dim.*

E ntourée de
collines d'où
l'on voit la mer,
Grasse a su
conserver tout
son charme
d'autrefois,

comme en témoignent la place
aux Aires et la place du Cours,
dans la vieille ville, aux rues
étroites bordées de maisons de
style Renaissance.

La ville est environnée de
fleurs : lavande, mimosa,
jasmin, roses. C'est la capitale
mondiale du parfum depuis
que Catherine de Médicis, au
XVIᵉ siècle, lança la mode des
gants parfumés. L'endroit le
plus intéressant pour se
documenter est le **musée
international de la
Parfumerie**, qui dispose d'un
jardin de plantes aromatiques.

Fragonard créa pour sa ville
natale sa seule œuvre sacrée ;
elle se trouve dans la
**cathédrale Notre-Dame-du-
Puy**. On peut également y
admirer trois toiles de Rubens.
Quant à la Villa-Musée Fragonard,
elle est décorée de fresques
exécutées par Alexandre-
Évariste, le fils de Jean-Honoré.

🏛 Musée international
de la Parfumerie
8, pl. du Cours. 📞 *04 93 36 80
20.* 🔘 *de juin à sept. : t.l.j. ;
d'oct. à mai : du mer. au lun.*
⚫ *les jours fériés et en
nov.* 🎫 ♿

🏛 Villa-Musée
Fragonard
23, bd Fragonard. 📞 *04 93
36 01 61.* 🔘 *de juin à sept. :
t.l.j. ; d'oct. à mai : du mer.
au dim.* ⚫ *les jours fériés
et en nov.* 🎫

**Le monument dédié
à Jean-Honoré
Fragonard, à Grasse**

Saint-Tropez pas à pas

Saint Torpes dans sa barque

Ancienne cité grecque puis romaine, Saint-Tropez, plusieurs fois détruite par les Sarrasins, fut du XVᵉ au XVIIᵉ siècles une république indépendante. Port de pêche et de cabotage, de corsaires aussi, elle repoussa de nombreuses attaques, exploits qu'évoquent ses bravades. Découverte au XIXᵉ siècle par des peintres, la localité devient après guerre une annexe de Saint-Germain-des-Prés. Malgré l'affluence touristique en été, ses ruelles et son port, aux maisons reconstruites à l'identique après de graves destructions en 1944, ont gardé une élégance un peu magique.

De la Fontanette part un sentier d'où la vue porte jusqu'à Sainte-Maxime.

Le quartier de la Ponche, relativement paisible, est resté typique.

Port de pêche
La tour Vieille le sépare d'un autre lieu de baignade : la crique de la Glaye.

Tour Vieille

Place de la Ponche

LA GLAYE

RUE DE LA PONCHE

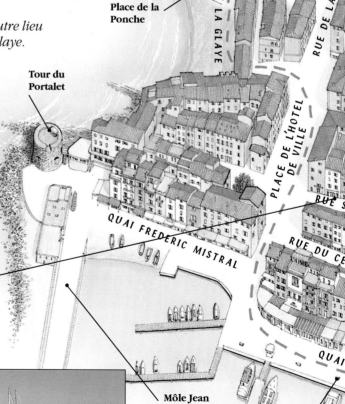

Tour du Portalet

PLACE DE L'HOTEL DE VILLE

RUE SI

QUAI FREDERIC MISTRAL

RUE DU CEP

Vieux Saint-Tropez
Une faune branchée envahit ses ruelles en été.

QUAI

Môle Jean Réveille

★ **Le quai Jean-Jaurès**
Bordé de maisons peintes, de boutiques et de grands cafés tel Sénéquier, c'est l'endroit où voir et être vu.

Sur les remparts de la citadelle
Dominant la ville à l'est, la citadelle offre une superbe vue des toits et du golfe de Saint-Tropez.

MODE D'EMPLOI

6 000. ancienne gare routière (04 94 97 88 51). quai Jean-Jaurès (04 94 97 45 21). mar. et sam. Bravades : du 16 au 18 mai, 15 juin. W www.saint-tropez.st

Vers la citadelle

★ L'église Saint-Tropez
Elle abrite le buste de saint Torpes porté en procession lors de la bravade de mai.

RUE DES PECHEURS

MPARTS

RUE D'ANNALE

RUE DE LA CITADELLE

RUE DU CLOCHER

MARTIN

RUE VICTOR LAUGIER

Vers la place des Lices

D'une fenêtre, vue sur le port de Saint-Tropez
(1925-1926) Cette aquarelle de Charles Camoin se trouve à l'Annonciade.

LÉGENDE

— — — Itinéraire

0   50 m

QUAI SUFFREN

Statue de Pierre-André de Suffren

Vers le musée de l'Annonciade

À NE PAS MANQUER

★ le quai Jean-Jaurès

★ L'église de St-Tropez

Le musée de l'Annonciade

En 1955, l'architecte Louis Süe aménagea
l'ancienne chapelle Notre-Dame-de-
l'Annonciade (1568) pour présenter la collection
d'art moderne constituée à partir de tableaux
légués à l'État par Georges Grammont. Dans un
cadre sobre sont exposées des œuvres peintes de
la fin du XIXᵉ siècle à l'entre-deux-guerres par des
artistes pointillistes, nabis ou fauves comme
Signac, Bonnard ou Matisse. Elles témoignent de la
volonté d'explorer les possibilités offertes par la
couleur. Le musée possède également quatre
sculptures d'Aristide Maillol.

Le Rameur *(1914)*
Cette œuvre est de
Roger de la
Fresnaye.

★ Saint-Tropez,
la place des Lices
et le café des Arts
(1925)
Charles Camoin,
Tropézien
d'adoption, peignit à
plusieurs reprises
cette célèbre place.

★ L'Orage *(1895)*
Ce tableau pointilliste de Paul Signac
rend avec force la lumière d'un temps
d'orage à Saint-Tropez.

Expositions
temporaires

SUIVEZ LE GUIDE !

Le choix d'œuvres exposées
change fréquemment au gré des
thèmes choisis. Le rez-de-
chaussée est souvent consacré
aux expositions temporaires en
rapport avec le fonds.

LÉGENDE DU PLAN

▢ Rez-de-chaussée

▢ Mezzanine

▢ Premier étage

▢ Circulations et services

★ Nu devant la
cheminée *(1919)*
Toute la maîtrise de la
couleur de Pierre
Bonnard s'exprime dans
cette peinture aux teintes
douces et sensuelles.

Étude pour Le Temps de l'harmonie *(1893-1895)*
Paul Signac peignit cette petite huile préparatoire pour un personnage de la vaste toile aujourd'hui à la mairie de Montreuil.

Mezzanine

MODE D'EMPLOI

Pl. Grammont. ☎ *04 94 97 04 01.*
◯ *mer.-lun. : de 10 h à 12 h, de 14 h à 18 h (juin-sept. : de 15 h à 19 h).* ● *1er janv., Ascension 1er mai, nov., 25 déc.* 🏷 📷 🎫

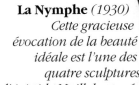

La Nymphe *(1930)*
Cette gracieuse évocation de la beauté idéale est l'une des quatre sculptures d'Aristide Maillol exposées à l'Annonciade.

Deauville, le champ de courses
Cette toile peinte par Raoul Dufy en 1928 témoigne de son attirance pour les stations balnéaires.

Entrée principale
(XVIIIe siècle)

À NE PAS MANQUER

★ **Saint-Tropez, la place des Lices et le café des Arts**

★ **L'Orage par Paul Signac**

★ **Nu devant la cheminée par Pierre Bonnard**

Une plage de la Croisette à hauteur du Carlton

Cannes ㉗

Alpes-Maritimes. 👥 *70 000.* 🚌 🚉
🚢 🛈 *Palais des Festivals, 1, La Croisette
(04 93 39 24 53).* 🅿 *t.l.j.*

Ce sont les festivals, et surtout le Festival international du Film qui se déroule tous les ans en mai, qui font aujourd'hui la renommée de Cannes.

La station doit sa fortune à un Anglais, lord Brougham.

En 1834, ne pouvant se rendre à Nice à cause d'une épidémie de choléra, il fit halte à Cannes, à l'époque simple port de pêche. Séduit par la beauté du site et la douceur du climat, il fit construire une villa, puis encouragea ses compatriotes à découvrir la localité.

La vieille ville, dans le quartier du Suquet, s'étage sur les pentes du mont Chevalier. Une partie de l'ancien mur d'enceinte borde encore la place de la Castre, où se dresse l'église **Notre-Dame d'Espérance**, de style gothique provençal (XVIᵉ et XVIIᵉ s.). La tour du Suquet fut construite entre le XIᵉ et le XIVᵉ siècle pour guetter les pirates. Dans le donjon de l'ancien château, le **musée de la Castre** expose des collections archéologiques et ethnographiques provenant de tous les continents, constituées par un explorateur néerlandais, le baron Lycklama.

La superbe promenade de **La Croisette**, agrémentée de palmiers et de jardins, est bordée de plages de sable fin. Magasins et hôtels de luxe y foisonnent, comme le Carlton, construit en 1907, dont les deux coupoles auraient été inspirées par les seins de la Belle Otéro.

🖼 Îles de Lérins

🚢 au départ de Cannes : Gare maritime, Vieux Port. **Horaires** : se renseigner auprès des compagnies. Compagnie maritime cannoise 📞 *04 93 38 66 33 ;* Esterel Chanteclair 📞 *04 93 39 11 82 ;* Horizon IV 📞 *04 92 98 71 36.*
Durée de la traversée : Sainte-Marguerite 15 mn, Saint-Honorat 30 min. Il existe d'autres services de bateaux au départ de Golfe-Juan et Juan-les-Pins.

Ces deux îles, situées au large de la pointe de la Croisette, sont habitées. Il y a mille raisons de s'y rendre : belles promenades en forêt, panorama des côtes et petites anses incitant à la baignade... **Sainte-Marguerite** est la plus grande. Dans son fort, devenu prison d'État à la fin du

---

LE FESTIVAL DE CANNES

C'est en septembre 1939 qu'aurait dû être lancé le premier festival, mais l'invasion de la Pologne le 1ᵉʳ septembre et le déclenchement de la Seconde Guerre mondiale en empêchèrent le déroulement. Il fallut attendre septembre 1946 pour que le projet puisse se réaliser. L'arrivée dans les années cinquante d'une nouvelle génération d'actrices, à commencer par Brigitte Bardot, transforma la nature du Festival qui devint le rendez-vous obligé et médiatique qu'il est resté. Le Festival de Cannes dure quinze jours en mai, et se termine par l'attribution d'un certain nombre de prix ; parmi ceux-ci, la Palme d'Or est la récompense la plus prestigieuse et la plus convoitée.

Gérard Depardieu arrive en famille au Festival de Cannes

XVIIᵉ siècle, fut enfermé le Masque de Fer dont l'identité reste une énigme. On peut visiter sa cellule. Un autre prisonnier célèbre fut aussi détenu au fort : le maréchal Bazaine, condamné pour avoir capitulé sans résistance à Metz en 1870 et qui s'évada quelques mois plus tard. L'île **Saint-Honorat** est habitée par des moines depuis le Vᵉ siècle ; c'est l'un des plus anciens monastères d'Occident. On y voit une tour fortifiée du XIᵉ siècle qui servait de refuge

Halte sur la Croisette

en cas d'attaque des Sarrasins, un cloître à deux étages, ainsi que cinq vénérables chapelles, restaurées ou en ruine.

Le cap d'Antibes ㉘

Alpes-Maritimes. ✈ *Nice.* 🚊 🚌
Antibes. 🚆 *Nice.* ℹ *Antibes*
(04 92 90 53 00).

Avec ses somptueuses villas, le « Cap » reste, sur la Côte d'Azur, l'un des symboles d'une existence luxueuse. La haute société américaine le fréquenta dans les années vingt, qu'il s'agisse de F. Scott Fitzgerald ou du milliardaire Frank Jay Gould et bien d'autres. Cette influence américaine est d'ailleurs présente au Festival mondial du Jazz, qui a lieu tous les ans dans la pinède de **Juan-les-Pins** *(p. 33).*

Sur la colline de la Garoupe, dominant le cap, la chapelle Notre-Dame-du-Bon-Port est ornée de nombreux ex-voto et d'une icône russe datant probablement du XIVᵉ siècle.

Le jardin Thuret, situé à proximité, fut créé en 1856 ; on y acclimate des plantes tropicales.

🍁 **Jardin Thuret**
62, bd du Cap, Chemin Raymond.
📞 *04 93 67 88 73.* ⭕ *du lun. au ven.*

Antibes ㉙

Alpes-Maritimes. 🏃 *70 000.* 🚆 🚌
🚢 ℹ *11, pl. du Gal-de-Gaulle*
(04 92 90 53 00). 🚤 *mar.-dim.*

Cette ville fut fondée par les Grecs sous le nom d'Antipolis, puis intégrée à l'empire romain. Objet de rivalités entre la France et la Savoie, à qui elle appartenait au XIVᵉ siècle, elle eut un rôle stratégique, comme en témoignent son **fort Carré** et les remparts modifiés par Vauban.

Le château Grimaldi, ancienne résidence des princes de Monaco, fut édifié au XIIᵉ siècle et reconstruit au XVIᵉ siècle. Il abrite aujourd'hui le **musée Picasso**. En 1946, le maître put disposer d'une partie du château pour installer son atelier ; en témoignage de reconnaissance, il fit don des 150 œuvres qu'il

La Chèvre (1946), au musée Picasso

exécuta dans ces lieux. La plupart expriment l'amour de Picasso pour la mer, comme *La Joie de Vivre*. Le **musée d'Archéologie** présente notamment des objets retirés des épaves coulées entre le Moyen Âge et le XVIIIᵉ siècle.

🏛 **Musée Picasso**
Château Grimaldi. 📞 *04 92 90 54 20.*
⭕ *du mar. au dim.* ⚫ *les jours fériés.*
📷 ♿ 🚻
🏛 **Musée d'Archéologie**
Bastion Saint-André, 1, av. Mézière.
📞 *04 92 90 54 35.* ⭕ *du mar. au dim.*
⚫ *les jours fériés.* 📷 ♿

Dans le port d'Antibes

Vallauris ③⓪

Alpes-Maritimes. 🏛 *24 000*. 🚉 🚌
ℹ️ *square 8-mai-1945 (04 93 63 82 58).*
🔷 *mar.-dim.*

C'est à Picasso que Vallauris doit sa renommée actuelle, car il fut parmi ceux qui firent revivre la tradition potière de la localité. En 1951, les autorités municipales avaient en effet commandé au maître une peinture murale destinée à une ancienne chapelle située à proximité du château. Cette œuvre, commencée en 1952 et intitulée *La Guerre et la Paix*, est aujourd'hui la pièce maîtresse du **musée national Picasso**. La place Paul-Isnard s'orne d'une statue en bronze de l'*Homme au Mouton*, offerte à la ville par Picasso.

🏛 Musée Picasso

Pl. de la Libération. 📞 *04 93 64 16 05.* ⬤
du mer. au lun. ⬤ *les jours fériés.* 📷 ♿

Biot ③①

Alpes-Maritimes. 🏛 *8 000*. 🚉 🚌
ℹ️ *46, rue Saint-Sébastien (04 93 65 78 00).* 🔷 *mar. et ven.*

Ce petit village provençal a conservé tout son cachet et continue d'attirer artistes et artisans. Fernand Léger y exécuta ses premières céramiques en 1949. Le **musée Fernand-Léger**, situé à l'écart de la localité, rend hommage au peintre, dont une gigantesque mosaïque-céramique recouvre la façade.

La renommée de Biot tient également à sa production artisanale de verre bullé, dont on peut suivre la fabrication et acheter les modèles à la Verrerie de Biot.

🏛 Musée Fernand-Léger

Chemin du Val-de-Pôme. 📞 *04 92 91 50 30.*
⬤ *du mer. au lun.* ⬤ *1ᵉʳ janv., 1ᵉʳ mai, 25 déc.* 📷 ♿

Façade du musée Léger à Biot

L'atelier de Renoir au domaine des Collettes, à Cagnes-sur-Mer

🏺 Verrerie de Biot

Chemin des Combes. 📞 *04 93 65 03 00.*
⬤ *t.l.j.* ⬤ *25 déc.* ♿

Cagnes-sur-Mer ③②

Alpes-Maritimes. 🏛 *43 000*. 🚉 🚌
ℹ️ *6, bd Maréchal-Juin (04 93 20 61 64).*
🔷 *mar.-dim.*

La ville se divise en trois quartiers bien définis. Le plus intéressant est le Haut-de-Cagnes, le vieux bourg aux rues escarpées, aux passages couverts. En bordure de mer s'étend le Cros-de-Cagnes (port de pêche et lieu de villégiature) que le Logis (la ville moderne) relie à la vieille ville.

Le **château Grimaldi**, situé dans le Haut-de-Cagnes, fut édifié au XIVᵉ siècle et transformé au XVIIᵉ siècle par Henri Grimaldi, ancêtre de la famille. Aujourd'hui musée, il dissimule derrière ses remparts une cour où prospère un poivrier deux fois centenaire. Il abrite le musée ethnographique de l'Olivier et une petite collection d'art méditerranéen moderne, ainsi que des toiles léguées par Suzy Solidor : 40 portraits de la chanteuse, par Marie Laurencin, Jean Cocteau, Dufy, Van Dongen, Picabia… La grande salle est ornée d'un plafond du XVIIᵉ siècle.

C'est à Cagnes, dans le **domaine des Collettes**, que Pierre Auguste Renoir passa les douze dernières années de sa vie et qu'il s'essaya pour la première fois à la sculpture. La maison est restée telle qu'elle était à la mort du peintre en 1919 et abrite notamment onze de ses toiles. Dans le jardin planté d'oliviers et d'orangers se trouve une *Vénus* en bronze du maître.

🏛 Domaine des Collettes
📞 *04 93 20 61 07. Mêmes horaires que le château.* 🈺

⛪ Château Grimaldi
📞 *04 92 02 47 30.* ⭘ *du mer. au lun.* ● *en nov, 1ᵉʳ mai et 25 déc.* 🈺

La Ferme des Collettes (1915), toile exécutée par Renoir

Gorges du Loup ㉝

Alpes-Maritimes. 🛬 *Nice.* 🚍 *Cagnes-sur-Mer.* 🚌 *Grasse.* 🚤 *Nice.* ℹ️ *Grasse (04 93 36 66 66).*

Né dans les Préalpes derrière Grasse, le Loup se jette dans la Méditerranée après une course ponctuée de cascades. Il traverse des paysages magnifiques, couronnés par les villages perchés si célèbres dans la région.

Les vieilles maisons de **Gourdon** se serrent autour d'un château du XIIᵉ siècle ; celui-ci, construit à l'emplacement d'une ancienne forteresse sarrasine et restauré au XVIIᵉ siècle, occupe un site vertigineux. Agrémenté de jardins en terrasses dessinés par Le Nôtre *(p. 173)*, il abrite un musée de Peinture naïve.

Tourrettes-sur-Loup offre la particularité d'être fortifiée de remparts constitués par un front de maisons. C'est la capitale de la violette, utilisée aussi bien pour la parfumerie que pour la confiserie.

⛪ Château de Gourdon
📞 *04 93 09 68 02.* ⭘ *de juin à sept. : t.l.j. ; d'oct. à mai : du mer. au lun. l'a.-m. uniquement.* 🈺

Vence ㉞

Alpes-Maritimes. 🚶 *15 000.* 🚌 ℹ️ *pl. du Grand-Jardin (04 93 58 06 38).* 🛒 *mar. et ven.*

La clémence du climat de Vence attire depuis longtemps les visiteurs. La **cathédrale** de cette ancienne cité épiscopale, édifiée sur le site d'un ancien temple de Mars, fut restaurée au XVIIᵉ siècle. On remarquera un sarcophage romain du Vᵉ siècle, des pierres sculptées d'origine carolingienne, des stalles en bois du XVᵉ siècle et le tombeau de l'évêque Godeau dans la chapelle Saint-Véran.

La vieille ville a conservé ses remparts et ses portes des XIIIᵉ et XIVᵉ siècles ; la place du Peyra, ancien forum romain, est agrémentée d'une fontaine, construite en 1822 sur l'emplacement d'une autre du XVIᵉ siècle.

La **chapelle du Rosaire**, située à l'écart de la ville, a été décorée par Henri Matisse en témoignage de reconnaissance

Toit en coupole à Vence

pour les soins prodigués par les dominicaines pendant la guerre. Sur fond de murs blancs, des scènes de la Bible sont figurées par de simples traits noirs que vient inonder la lumière dispensée par des vitraux de couleur, jaune, vert et bleu.

⛪ Chapelle du Rosaire
Av. Henri-Matisse. 📞 *04 93 58 03 26.* ⭘ *de déc. à oct. : mar. et jeu.* ● *les jours fériés.* 🈺

Marché à Vence, dans la vieille ville

Saint-Paul-de-Vence pas à pas ❸⑤

L'enseigne de la Colombe d'Or

Cet ancien poste frontière avec la Savoie est une des plus célèbres localités de l'arrière-pays niçois. Ceinturé par ses remparts du XVIe siècle, il offre une vue panoramique sur un paysage de cyprès, de palmiers et de tuiles rouges. De nombreux artistes y ont séjourné tout au long du siècle. Saint-Paul a conservé ses rues tortueuses et ses constructions médiévales, qui ont été restaurées. C'est aujourd'hui l'un des principaux sites touristiques de la région ; environné de riches villas, il accueille des galeries d'art et des ateliers d'artistes.

Vue de Saint-Paul-de-Vence
Saint-Paul et ses environs ont inspiré bon nombre d'artistes, dont le peintre post-impressionniste Paul Signac (1863-1935).

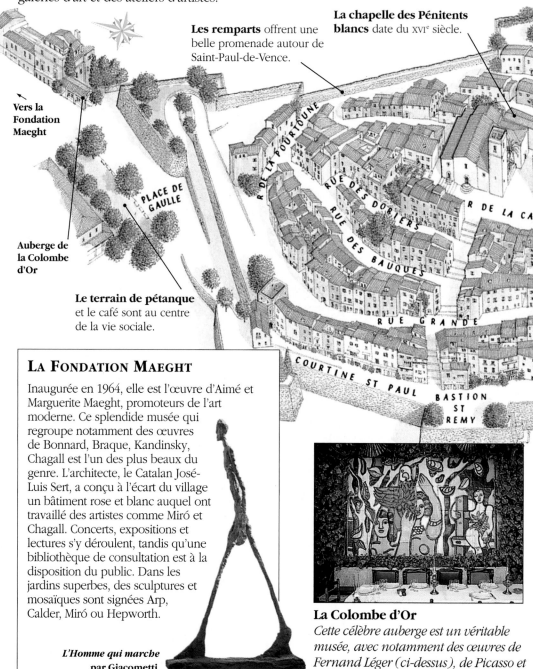

La chapelle des Pénitents blancs date du XVIe siècle.

Les remparts offrent une belle promenade autour de Saint-Paul-de-Vence.

Vers la Fondation Maeght

PLACE DE GAULLE

Auberge de la Colombe d'Or

Le terrain de pétanque et le café sont au centre de la vie sociale.

R DE LA POURTOUNE

RUE DES DORIERS

RUE DES BAUQUES

R DE LA CA

RUE GRANDE

COURTINE ST PAUL

BASTION ST REMY

LA FONDATION MAEGHT

Inaugurée en 1964, elle est l'œuvre d'Aimé et Marguerite Maeght, promoteurs de l'art moderne. Ce splendide musée qui regroupe notamment des œuvres de Bonnard, Braque, Kandinsky, Chagall est l'un des plus beaux du genre. L'architecte, le Catalan José-Luis Sert, a conçu à l'écart du village un bâtiment rose et blanc auquel ont travaillé des artistes comme Miró et Chagall. Concerts, expositions et lectures s'y déroulent, tandis qu'une bibliothèque de consultation est à la disposition du public. Dans les jardins superbes, des sculptures et mosaïques sont signées Arp, Calder, Miró ou Hepworth.

L'Homme qui marche par Giacometti

La Colombe d'Or
Cette célèbre auberge est un véritable musée, avec notamment des œuvres de Fernand Léger (ci-dessus), de Picasso et de Matisse, et une colombe signée Braque.

La Collégiale
Le début de la construction de cette église date du XIIᵉ siècle. Parmi ses trésors, une toile représentant sainte Catherine est attribuée au Tintoret.

Le musée d'Histoire locale
évoque les grandes heures de Saint-Paul (scènes historiées de personnages en cire).

Le donjon
Cet édifice médiéval servit de prison jusqu'au siècle dernier.

La place de la Grande-Fontaine
Elle est pavée et a une fontaine en forme d'urne.

La rue Grande
relie la porte de Vence, au nord, à la porte de Nice, au sud.

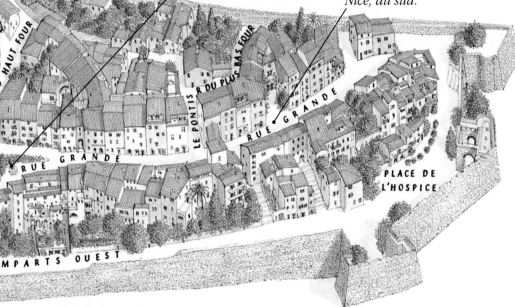

LE RENDEZ-VOUS DES CÉLÉBRITÉS

L'Auberge de la Colombe d'Or fut un endroit très fréquenté à partir des années 1920 par de nombreux artistes et écrivains : Picasso, Modigliani, Signac, Soutine, Cocteau, Colette… Ces clients laissaient fréquemment une de leurs œuvres en paiement de leurs notes ; l'établissement s'est ainsi enrichi d'une collection de toiles inestimables qui ornent la salle du restaurant. Il a continué à attirer un certain nombre de célébrités, comme le tapageur couple Fitzgerald, F. Scott et Zelda, ou Yves Montand et Simone Signoret qui y fêtèrent leur mariage. Une collection de photographies présente les illustres clients de l'auberge : Jean-Paul Sartre et Simone de Beauvoir, Greta Garbo, Burt Lancaster, Sophia Loren, Catherine Deneuve…

Marc Chagall (1887-1985) s'établit à Saint-Paul-de-Vence en 1950

Nice ㊱

Cinquième ville de France par sa population, Nice est la plus grande station de la côte méditerranéenne. L'importance du trafic fait de son aéroport le deuxième du pays. La douceur du climat méditerranéen et la présence d'une végétation subtropicale attirent depuis longtemps les visiteurs. Jusqu'à la Seconde Guerre mondiale, ce fut la villégiature favorite de l'aristocratie internationale. Cette période brillante contribua à faire de Nice la capitale de la Côte d'Azur ; la ville, très vivante, est aujourd'hui un centre de tourisme et de conférences. Le point fort de l'animation niçoise est bien sûr le carnaval, qui dure dix-huit jours et s'achève par l'incinération de S.M. le Roi quai des États-Unis et un superbe feu d'artifice *(p. 35)*.

Dans la vieille ville

Bateaux de plaisance dans le port de Nice

À la découverte de Nice

La promenade des Anglais fut aménagée dans les années 1830 grâce aux fonds collectés par la colonie anglaise de la ville. Elle longe la mer sur 7 km. Elle est bordée de galeries d'art, de magasins et de palaces comme le Negresco.

Nice n'est française que depuis 1860, et l'influence italienne est présente dans l'architecture des bâtiments de la vieille ville, au pied de la colline du Château, qui doit son nom à un château fort détruit au début du XVIIIᵉ siècle. Ce quartier fait l'objet d'une restauration très active, et les ruelles étroites abritent aujourd'hui artistes, galeries d'art, boutiques et restaurants. Le cours Saleya est animé tous les jours par un pittoresque marché aux fleurs et légumes.

Le quartier résidentiel de **Cimiez** est situé sur les collines qui occupent le nord de la ville. Le vieux monastère de Notre-Dame-de-Cimiez mérite une visite, pour ses deux cloîtres, son jardin et la vue sur Nice.

Plus bas se trouvent les ruines d'une importante cité romaine. Les résultats des fouilles entreprises sur le site sont exposés au musée d'Archéologie, voisin du musée Matisse.

🏛 Musée Matisse

164, av. des Arènes-de-Cimiez.
📞 *04 93 53 40 53.* ⬤ *du mer. au lun.* ⬤ *certains jours fériés.* 📷 ♿ 🚻

Cet homme venu du Nord passa plusieurs années à Nice, inspiré comme de nombreux peintres par la lumière de la Côte d'Azur. Le musée occupe une partie de la Villa des Arènes (XVIIᵉ s.), ainsi que des bâtiments situés en contrebas. Parmi les œuvres exposées, signalons *Nature morte aux grenades*, ainsi que *Fleurs et fruits*, gouaches découpées qui furent la dernière œuvre de l'artiste.

🏛 Musée Chagall

Av. du Docteur-Ménard.
📞 *04 93 53 87 20.* ⬤ *du mer. au lun.* ⬤ *1ᵉʳ janv., 1ᵉʳ mai, 25 déc.* 📷 ♿

Il regroupe la plus importante collection d'œuvres de l'artiste : toiles, dessins, gouaches, sculptures, vitraux et mosaïques. Le bâtiment a été spécialement conçu pour abriter les 17 compositions de grande taille constituant le *Message Biblique*, données par Chagall aux musées nationaux.

🏛 Palais Lascaris

15, rue Droite. 📞 *04 93 62 72 40.* ⬤ *du mar. au dim.* ⬤ *certains jours fériés et 2 semaines en nov.*

Il accueille le musée des Arts et Traditions populaires. C'est un palais de style génois du XVIIᵉ siècle, dont l'intérieur s'orne de boiseries peintes, de tapisseries flamandes, ainsi que de fresques en trompe-l'œil. Il donne accès à la **chapelle de la Miséricorde**, joyau baroque.

Nu Bleu IV (1952), par **Henri Matisse**

Petite halte sur la promenade des Anglais

MODE D'EMPLOI

Alpes-Maritimes. 🏛 *345 000*. ✈
7 km S.-O. 🚉 *av. Thiers (04 92 14
82 52)*. 🚌 *12, av. Félix-Faure (04 93
85 61 81)*. ⚓ *quai du Commerce
(04 93 13 66 66)*. ℹ *5, promenade
des Anglais (0892 707 407)*. ⛪
mar.-dim. 🎭 *Carnaval en février*.

🏛 Musée d'Art contemporain

Promenade des Arts. 📞 *04 93 62 61 62.*
⭕ *du mer. au lun.* ⬤ *1er janv., Pâques,
1er mai, 25 déc.* ♿

Situé dans un ensemble composé de quatre tours revêtues de marbre et reliées entre elles par des passerelles de verre, il rassemble principalement des œuvres du Pop Art et du Nouveau Réalisme, avec des créations de Niki de Saint-Phalle, Jean Tinguely, Andy Warhol… L'École de Nice est également bien représentée par Yves Klein, César et Arman.

⛪ Cathédrale Sainte-Réparate

Édifiée au XVIIe siècle, elle est surmontée d'un dôme, l'intérieur baroque s'orne de stucs, marbres et panneaux originaux.

🏛 Musée des Beaux-Arts

33, av. des Baumettes. 📞 *04 92 15 28 28.*
⭕ *du mar. au dim.* ⬤ *1er janv.,
Pâques, 1er mai, 25 déc.* ♿

Installé dans une villa du XIXe siècle, il rassemble des œuvres expédiées à Nice par Napoléon III après le rattachement de la ville à la France, ainsi que d'autres de Monet, Renoir, Sisley, Dufy.

🏛 Palais Masséna

65, rue de France. 📞 *04 93 88 11 34.*
⬤ *jusqu'en 2004.* ♿

Cette maison du XIXe siècle expose, entre autres, des œuvres religieuses et de la faïence blanche vernie.

🏛 Musée des Arts asiatiques

405, promenade des Anglais. 📞 *04 92
29 37 00.* ⭕ *du mer. au dim.*
⬤ *1er jan., 1er mai, 25 déc.* ♿

Conçu par l'architecte japonais Kenzo Tangé, ce musée rassemble des œuvres classiques et contemporaines.

⛪ Cathédrale orthodoxe russe Saint-Nicolas

Consacrée en 1912, cette cathédrale fut édifiée à la mémoire du tsarévitch Nicolas qui mourut prématurément de phtisie, à Nice, en 1865.

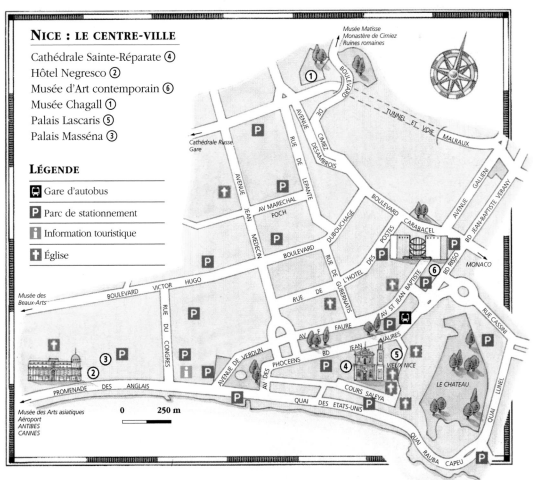

NICE : LE CENTRE-VILLE

Cathédrale Sainte-Réparate ④
Hôtel Negresco ②
Musée d'Art contemporain ⑥
Musée Chagall ①
Palais Lascaris ⑤
Palais Masséna ③

LÉGENDE

🚌 Gare d'autobus

🅿 Parc de stationnement

ℹ Information touristique

✝ Église

Nice pas à pas

Sur un site occupé depuis 400 000 ans, Nice est né de la réunion de la Nikaïa grecque fondée au VIᵉ siècle av. J.-C. et de la Cemenelum romaine établie vers 100 av. J.-C. Au Moyen Âge, ses habitants se réfugièrent sur la colline du Château devenue aujourd'hui un jardin. À partir du XIIIᵉ siècle, ils s'installent à son pied, créant ce qui est aujourd'hui le Vieux-Nice dont les ruelles et les églises baroques évoquent le passé italien. La promenade des Anglais qui borde la baie des Anges doit son nom aux riches « étrangers » qui résidaient jadis à Nice.

★ La cathédrale Sainte-Réparate
Édifice baroque (1650-1680) bâti par Jean-André Guibert, il possède une façade classique du début du XIXᵉ siècle.

Palais de justice
Inauguré le 17 octobre 1892, il remplaçait un édifice devenu trop petit après le rattachement de Nice à la France. Sur le site se dressaient également un couvent et une église du XIIIᵉ siècle.

★ Le cours Saleya
Son marché quotidien et ses cafés en font un lieu animé de jour comme de nuit.

L'opéra
Construit en 1855, le somptueux opéra de Nice a son entrée sur le quai des États-Unis

Chapelle de la Miséricorde
Dessinée en 1740 par Guarino Guarini, elle renferme deux superbes retables de la Miséricorde par Louis Brea et Jean Miralhet.

MODE D'EMPLOI

👥 *345 000.* ✈ *7 km au sud-ouest.* 🚆 *av. Thiers.* 🚌 *12, av. Félix-Faure.* ⛴ *quai du Commerce.* ℹ *5, prom. des Anglais (0892 707 407).* ♻ *mar.-dim.* 🎭 *Carnaval (fév.), Festival de jazz de Nice (juil.).* 🌐 *www.nicetourism.com*

★ Le palais Lascaris
Un plafond peint en trompe l'œil du XVIIe siècle et des statues de Vénus et de Mars ornent son escalier d'apparat.

Le petit train
Son circuit touristique sillonne la vieille ville.

LÉGENDE

— — —   Itinéraire conseillé

0   100 m

Les Ponchettes
Une des formes architecturales les plus originales de Nice : de petits bâtiments blancs longeant la mer, utilisés autrefois par les pêcheurs, et convertis aujourd'hui en galeries d'art et restaurants ethniques.

À NE PAS MANQUER

★ **La cathédrale Sainte-Réparate**

★ **Le palais Lascaris**

★ **Le cours Saleya**

La chapelle St-Pierre à Villefranche

Villefranche-sur-Mer ③⑦

Alpes-Maritimes. 🏛 *8 150.* 🚉 🚌
ℹ️ *Jardin François Binon (04 93 01 73 68).* 🛒 *mar., sam., dim. et jours fériés.*

N ichée dans un site en amphithéâtre, Villefranche bénéficie d'une position exceptionnelle. La ville est située au fond d'une rade magnifique protégée par des collines et domine un port naturel.

Le front de mer, très animé, est rythmé par des façades de style italianisant et ponctué de cafés et de bars. On trouve également à proximité la **chapelle Saint-Pierre**, de style roman. Désaffectée, utilisée pour ranger les filets de pêche, elle a été restaurée en 1957, puis décorée par Jean Cocteau de sujets sacrés (scènes de la vie de saint Pierre) et profanes.

La **citadelle Saint-Elme** (XVIᵉ s.) abrite aujourd'hui l'hôtel de ville, des musées, des jardins et un théâtre de verdure.

Les ruelles sinueuses et les escaliers de la vieille ville dévalent vers le port. Avec ses voûtes du XIIIᵉ siècle, la rue Obscure a toujours constitué un abri contre les bombardements, même pendant la dernière guerre.

🏛 **Chapelle Saint-Pierre**
Quai de l'Amiral-Courbet. 📞 *04 93 76 90 70.* 🕐 *de mi-déc. à mi-nov. : du mar. au dim.* ⬤ *25 déc.* 📷

Le cap Ferrat ③⑧

Alpes-Maritimes. ✈️ *Nice.* 🚢 *Nice.*
🚆 *Villefranche-sur-Mer.* 🚌 ℹ️ *Saint-Jean-Cap-Ferrat (04 93 76 08 90).*

C 'est au cap Ferrat que l'on peut apercevoir quelques-unes des plus somptueuses villas de la Côte d'Azur. Là, dans sa Villa Mauresque, Somerset Maugham reçut, jusqu'à sa mort en 1965, des personnalités aussi prestigieuses que le duc de Windsor ou Winston Churchill.

L'une des plus belles est ouverte au public : le **musée Ephrussi-de-Rothschild**, demeure construite au début du siècle, au milieu d'un parc rehaussé de vasques et de sculptures. Elle fut léguée en 1934 à l'Institut de France par la baronne Ephrussi de Rothschild. L'intérieur abrite de superbes collections de porcelaine, des objets ayant appartenu à Marie-Antoinette, des tapisseries, des peintures, ainsi qu'une collection tout à fait unique de dessins de Fragonard.

Beaulieu est situé au début du cap, en partie au bord de la baie des Fourmis ; il bénéficie d'un microclimat très doux. L'extraordinaire **Villa Kerylos** est l'une des curiosités de la ville ; elle fut édifiée entre 1902 et 1908 par l'archéologue Théodore Reinach. Ce « reflet » de la Grèce antique est décoré de magnifiques reproductions de cette époque.

🏛 **Musée Ephrussi-de-Rothschild**
Chemin du Musée, cap Ferrat.
📞 *04 93 01 45 90.* 🕐 *t.l.j.* 📷 ✏️
♿ 🖥 🛍
🏛 **Villa Kerylos**
Impasse Eiffel, Beaulieu. 📞 *04 93 01 61 70.* 🕐 *t.l.j.* ⬤ *de mi-nov. à mi-oct. ; 1ᵉʳ janv. et 25 déc.* 📷 ✏️ ♿

La Villa Kerylos à Beaulieu

Intérieur Louis XV à la Fondation Ephrussi-de-Rothschild

Èze ❸❾

Alpes-Maritimes. 🚶 *2 600.* 🚉 🚌
ℹ *pl. De-Gaulle (04 93 41 26 00).*

C'est un très pittoresque village perché sur un piton rocheux, avec une porte fortifiée du XIVᵉ siècle et des ruelles moyenâgeuses. Les maisons bien restaurées et fleuries abritent de très nombreux ateliers d'artisans, des galeries d'art et des boutiques. Le village est dominé par un château en ruine entouré d'un **jardin exotique** riche en plantes tropicales, d'où l'on a une vue superbe.

En suivant la **Grande Corniche**, la plus haute des trois corniches de la Côte d'Azur (entre Nice et Menton), on parvient ensuite au trophée des Alpes de la Turbie *(p. 42-43)*, qui fut édifié en 6 av. J.-C. ; vue magnifique sur Monaco.

🌿 **Jardin exotique**
Rue du Château. ☎ *04 93 41 10 30.*
🕐 *t.l.j.* 📷
🏛 **La Turbie**
🕐 *t.l.j.* ⬤ *les jours fériés.* 📷 🎦

Roquebrune-Cap-Martin ❹⓿

Alpes-Maritimes. 🚉 🚌
ℹ *218, av. Aristide-Briand (04 93 35 62 87).* ⚓ *mer.*

Ce village médiéval construit autour d'un château, bel exemple d'architecture militaire, domine le cap Martin et ses pins, où abondent les villas de luxe. Coco Chanel ou Greta Garbo fréquentèrent cette station ; c'est là que moururent le poète irlandais Yeats, en 1939, et Le Corbusier, qui se noya au large en 1965.

Tous les ans en août, Roquebrune perpétue la procession de la Passion depuis 1467, date à laquelle le village lui devrait d'avoir été épargné par la peste.

Roquebrune

L'arrière-pays niçois ❹❶

Alpes-Maritimes. ✈ *Nice.* 🚉 *Nice.*
🚌 *Peille.* 🚠 *Nice.* ℹ *Peille (04 93 91 71 71).*

Il contraste nettement avec la côte et l'on y trouve des villages n'ayant aucunement souffert du tourisme et qui ont conservé les coutumes d'antan, comme **Peille** et **Peillon**, perchés sur des affleurements dominant le Paillon. Leurs ruelles, parfois couvertes, s'étagent souvent par degrés, et les églises abritent retables baroques et primitifs niçois. Tout l'arrière-pays offre des paysages préservés et étonnants, notamment la sauvage **vallée de la Roya** et ses villages perchés (Saorge), la très étrange **vallée des Merveilles** et ses gravures rupestres, ou la **vallée de la Vésubie**. Enfin, le **parc national du Mercantour**, milieu naturel parmi les plus riches d'Europe, court le long de la frontière italienne à plus de 2 000 m d'altitude.

Menton ❹❷

Alpes-Maritimes. 🚶 *30 000.* 🚉 🚌
ℹ *Palais de l'Europe, av. Boyer (04 92 41 76 76).* ⚓ *t.l.j.*

Avec ses plages, les Alpes toutes proches, ses immeubles Belle Époque, Menton a largement de quoi attirer le visiteur ; et la douceur de son climat permet aux jardins tropicaux et aux agrumes de s'épanouir.

🏛 **Église Saint-Michel**
Cet édifice de pierre baroque et coloré, voisinant avec la **chapelle des Pénitents blancs**, est un magnifique exemple d'architecture baroque. Devant le parvis, pavé aux armes des Grimaldi, se déroule chaque année en août un festival de musique de chambre de renommée mondiale.
🏛 **Hôtel de ville**
☎ *04 92 10 50 00.* 🕐 *du lun. au ven.* ⬤ *les jours fériés.* 📷
La salle des mariages est décorée d'œuvres de Jean Cocteau exécutées en 1957.
🏛 **Musée Cocteau**
Quai de Monéon. ☎ *04 93 57 72 30.*
🕐 *du mer. au lun.* ⬤ *les jours fériés.*
Dans un fortin du XVIIᵉ siècle, il rassemble des œuvres de l'artiste. Cocteau lui-même conçut et supervisa l'aménagement du musée.

Mosaïque au musée Cocteau de Menton

Monaco ❸

L'arrivée à Monaco peut se faire par plusieurs itinéraires, mais c'est par l'une des plus belles routes du monde, la Moyenne Corniche, que l'on aura les meilleurs points de vue sur la côte. Monaco était à l'origine une colonie grecque, qui fut conquise par les Romains, puis occupée en 1297 par les Grimaldi, grande famille génoise contrainte à l'exil. Malgré les drames familiaux illustrés par de nombreuses querelles et quelques assassinats, la famille Grimaldi, qui a fêté ses 700 ans en 1997, est la plus ancienne dynastie du monde. La principauté a augmenté sa superficie de 31 % par empiétement sur la mer, mais, avec 195 ha, elle occupe un territoire plus petit que le VIᵉ arrondissement de Paris.

Vue aérienne de Monaco

Le Grand Casino

À la découverte de Monaco

La principauté est surtout connue par son casino, qui procura au prince Charles III des gains tout à fait bienvenus. C'est sous l'égide de la S.B.M. (Société des Bains de Mer), fondée en 1856, que fut ouvert en 1863 le premier casino ; il fut édifié sur un promontoire situé au nord du port de la vieille ville, auquel on donna plus tard le nom de Monte-Carlo en l'honneur du prince. Le succès du casino fut tel qu'il permit d'abolir l'impôt dès 1869. Encore aujourd'hui, Monaco est un paradis fiscal pour quelques privilégiés, et ses résidents ont le plus haut revenu du monde par habitant. Les animations sont très nombreuses à Monaco. Le Grand Prix automobile (mai) et le Rallye de Monte-Carlo (janvier) sont très attendus *(p. 33)*. L'activité se traduit également par une saison musicale (hiver) à laquelle participent les plus grands chanteurs d'opéra, par un festival de feux d'artifice (juillet-août), par un festival international de cirque (fin janvier), par des ballets et concerts de grande qualité. La vieille ville compte par ailleurs d'intéressants édifices, comme le fort Antoine et la cathédrale de style néo-roman.

🎰 Casino
Pl. du Casino. 📞 *377 92 16 23 00.*
⭕ *t.l.j.* ♿
Conçu en 1878 par Charles Garnier, l'architecte de l'Opéra de Paris *(p. 95)*, il est entouré de superbes jardins et offre une vue magnifique sur Monaco. L'intérieur, de style Belle Époque, rappelle le temps où s'y rencontraient princes, aristocrates et aventuriers.

Aujourd'hui, les « bandits manchots » occupent la Salle Blanche, les roulettes la Salle Europe. Pour un prix modique, on pourra regarder sans toucher, car le jeu n'est conseillé qu'aux très fortunés.

♞ Le palais princier
Pl. du Palais. 📞 *377 93 25 18 31.*
⭕ *de juin à oct. : t.l.j.* 📷 ♿
Il date en partie du XIIIᵉ siècle. La garde en est relevée à 11 h 55. La visite permet

Monte-Carlo aujourd'hui

LA FAMILLE PRINCIÈRE

Le sens des affaires de Rainier III, prince régnant depuis 1949, a donné une impulsion nouvelle à la principauté. Il descend du Grimaldi qui pénétra déguisé en moine dans la forteresse de Monaco en 1297. De son mariage avec Grace Kelly, décédée en 1982, il eut trois enfants ; si Albert est le prince héritier, ce sont ses sœurs qui tiennent la vedette.

Le prince Rainier, la princesse Grace et la princesse Caroline

MODE D'EMPLOI

Monaco. 🏛 30 000. ✈ 7 km S.-O. Nice. 🚆 av. Prince-Pierre (377 93 10 60 15). ℹ️ 2a, bd. des Moulins (377 92 16 61 16). 🚢 t.l.j. 🎪 Festival du Cirque (janv.-fév.) ; Festival international de Feux d'Artifice (juil.-août) ; Fête nationale : 19 nov. (fête du prince).

🍁 Jardin exotique

62, bd du Jardin-exotique. 📞 377 93 30 33 65. ⭘ t.l.j. ● 19 nov., 25 déc. ♿ & à une partie du jardin.

Il compte parmi les plus beaux jardins d'Europe et comporte de très nombreuses variétés de plantes subtropicales et tropicales. Le musée d'Anthropologie édifié dans le jardin abrite des ossements d'ours, de mammouths et d'hippopotames dont la région était peuplée il y a des millénaires.

d'admirer la cour d'Honneur, la salle du Trône et une série de somptueux salons.

🏛 Musée napoléonien

Place du Palais 📞 377 93 25 18 31. ⭘ de déc. à mai : du mar. au dim. ; de juin à oct. : t.l.j. ● les jours fériés. ♿ &

Le musée rassemble des objets et vêtements ayant appartenu à l'Empereur, ainsi que des bustes et portraits de Napoléon et Joséphine. Un arbre généalogique y indique les liens de

Garde du Palais princier

famille qui unissent les Grimaldi et les Bonaparte.

🗡 Musée océanographique

Av. Saint-Martin. 📞 377 93 15 36 00. ⭘ t.l.j. ♿ &

Il a été fondé en 1910 par le prince Albert Ier qui fut un véritable passionné d'océanographie ; le commandant Cousteau y installa son centre de recherches. Il abrite un magnifique aquarium qui accueille dans plusieurs bassins une flore et une faune marines très rares.

🏛 Musée national des Poupées et Automates

17, av. Princesse-Grace. 📞 377 93 30 91 26. ⭘ t.l.j. ● 1er janv., 1er mai, 19 nov., 25 déc. ♿

Il compte plus de 400 poupées des XVIIIe et XIXe siècles et des automates que l'on anime plusieurs fois par jour.

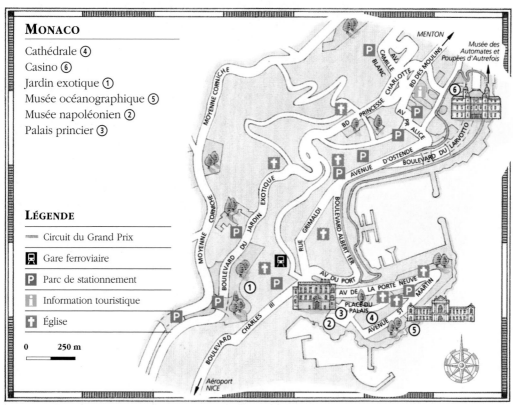

MONACO

Cathédrale ④
Casino ⑥
Jardin exotique ①
Musée océanographique ⑤
Musée napoléonien ②
Palais princier ③

LÉGENDE

— Circuit du Grand Prix
🚆 Gare ferroviaire
P Parc de stationnement
ℹ️ Information touristique
✝ Église

0   250 m

CORSE

··

HAUTE-CORSE · CORSE-DU-SUD

Torrents et lacs de haute montagne, désert brûlant et maquis parfumé, pâturages et pins laricio immenses, calanques rouges et falaises blanches : plus qu'une île, la Corse est un véritable continent où les paysages se bousculent. Jadis inhospitalière, la côte accueille aujourd'hui les deux tiers de la population insulaire dans les villes d'Ajaccio et de Bastia, et 80 % des touristes de l'été.

Quatrième île de la Méditerranée par la taille, la Corse conserve avec les pierres dressées à visage humain de Filitosa, proches de celles des Cyclades, les témoins d'une civilisation mégalithique importante à partir du troisième millénaire.

Succédant à la présence romaine (Aleria), les républiques de Pise et de Gênes vont se disputer la possession de l'île. La première lui a légué ses belles églises romanes, la seconde, qui régna près de cinq siècles, les villes-citadelles, un patrimoine baroque, ainsi que ces tours solitaires qui hantent encore les rivages.

À plusieurs reprises, les Corses tenteront de reprendre en main leur destin : lutte de Sampiero Corso (1564), guerre de Quarante Ans (1729-1769) qui se traduit par une courte indépendance de treize années sous l'autorité de Pascal Paoli. Gênes sollicite alors le concours de la France, puis décide de lui céder ses droits sur la Corse. Le 8 mai 1769, à l'issue de la bataille de Ponte Nuovo, la Corse est unie à la France.

Le XIXᵉ siècle lui sera favorable, mais la Première Guerre mondiale puis les départs la privent d'une population jeune qui lui aurait sans doute permis de se moderniser.

En 1974, la Corse est organisée en deux départements : la Haute-Corse (132 500 hab.) et la Corse-du-Sud (118 000 hab.). Huit ans plus tard, elle est la première région française à élire son Assemblée régionale au suffrage universel.

Au cœur du Nebbio, Oletta produit un fromage de brebis apprécié

◁ **Ce pêcheur de Bastia s'est fait facilement des amis**

À la découverte de la Corse

La Corse, c'est d'abord un dialogue sublime de formes et de couleurs entre la montagne et la mer. Perdues dans le maquis, des églises romanes et baroques, pisanes et génoises. Partout la plus séduisante nature, des plages de sable fin, des sentiers de randonnée (le célèbre GR 20) et, pour ponctuer le temps, la préhistoire et Napoléon.

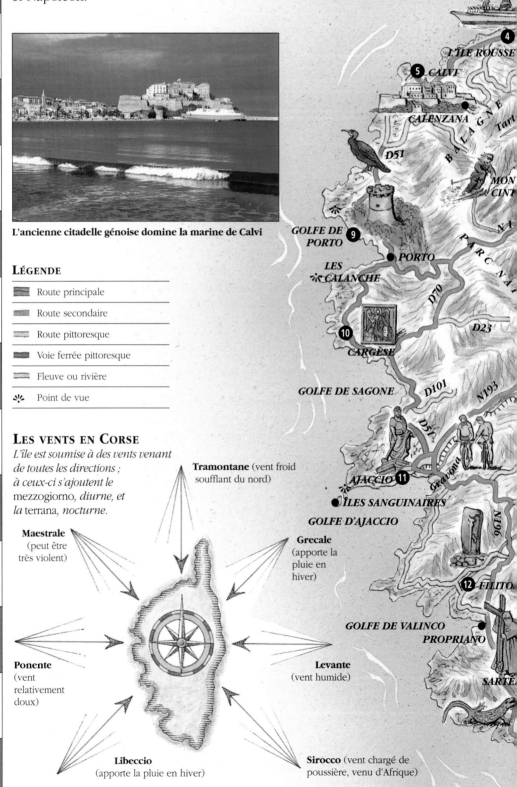

L'ancienne citadelle génoise domine la marine de Calvi

LÉGENDE

▬	Route principale
▬	Route secondaire
▬	Route pittoresque
▬	Voie ferrée pittoresque
▬	Fleuve ou rivière
⁂	Point de vue

LES VENTS EN CORSE

L'île est soumise à des vents venant de toutes les directions ; à ceux-ci s'ajoutent le mezzogiorno, *diurne, et* la terrana, *nocturne.*

Tramontane (vent froid soufflant du nord)

Maestrale (peut être très violent)

Grecale (apporte la pluie en hiver)

Ponente (vent relativement doux)

Levante (vent humide)

Libeccio (apporte la pluie en hiver)

Sirocco (vent chargé de poussière, venu d'Afrique)

4 L'ÎLE ROUSSE

5 CALVI

CALENZANA

D51

BALAGNE

Tart

MONT CINT

GOLFE DE PORTO 9

PARC NAT

PORTO

LES CALANCHE

D70

D23

10 CARGÈSE

GOLFE DE SAGONE

D101

N193

D51

Gravona

AJACCIO 11

ÎLES SANGUINAIRES

GOLFE D'AJACCIO

N196

12 FILITO

GOLFE DE VALINCO

PROPRIANO

SARTÈ

CAP CORSE

MONTE STELLO

BASTIA

ST-FLORENT

NEBBIO

CASTAGNICCIA

ORTE

FORÊT DE VIZZAVONA

ALERIA

CÔTE ORIENTALE

CONCA

PORTO-VECCHIO

BONIFACIO

La région d'un coup d'œil

Ajaccio ⑪	Côte orientale ⑮
Bastia ②	Filitosa ⑫
Bonifacio ⑭	Golfe de Porto ⑨
Calvi ⑤	L'Île-Rousse ④
Cap Corse ①	Le Niolo ⑥
Cargèse ⑩	Saint-Florent ③
La Castagniccia ⑧	Sartène ⑬
Corte ⑦	

Les *Calanche* de Piana, dans le golfe de Porto

Circuler

La Corse est reliée au continent par des ferrys au départ de Marseille, Toulon et Nice, les ports de voyageurs étant Bastia, L'Île-Rousse, Calvi, Ajaccio, Porto Vecchio et Propriano ; mieux vaut réserver à l'avance. D'autres liaisons maritimes existent avec l'Italie (Gênes, Livourne, La Spezia). La Corse dispose également de quatre aéroports, à Ajaccio, Bastia, Calvi et Figari, près de Bonifacio. Les transports publics étant peu développés, une voiture est pratiquement indispensable. Il est possible de louer des voitures dans la plupart des ports et aéroports et certaines compagnies aériennes proposent des forfaits avion + auto.

0   20 km

Corte : jadis capitale, aujourd'hui ville universitaire

Le cap Corse ❶

Haute-Corse. ✈ *Bastia.* 🚌 *Bastia, Macinaggio, Rogliano.* ⛴ *Bastia.* ℹ *Bastia (04 95 54 20 40).*

Situé à l'extrême nord de l'île, le cap Corse est une excursion majeure pour les vues marines qu'il réserve. Il mesure 40 km de long et dépasse rarement 12 km de large.

Deux routes typiquement corses, c'est-à-dire étroites et très sinueuses, permettent de faire le tour du cap Corse au départ de Bastia : par l'ouest, en empruntant la D 81 qui rejoint la D 80 après la commune viticole de Patrimonio ; par l'est, vers **Erbalunga** et la **baie de Macinaggio**, par l'autre extrémité de la D 80.

En prenant la D 80 pour longer la côte orientale, puis en bifurquant vers l'ouest à **Lavasina**, on atteint Pozzo par la D 54 ; de là, il faudra compter 5 heures à pied pour faire l'ascension du Monte Stello et revenir. Le sommet du **Monte Stello**, point culminant du cap avec ses 1 307 m, offre une vue panoramique de 360 degrés : Saint-Florent à l'ouest, l'île d'Elbe à l'est, la grande chaîne insulaire vers le sud.

En poursuivant la route côtière vers le nord, on parvient à la **tour de l'Osse**, qui a été restaurée ; édifiée par les Génois au XVIᵉ siècle, elle faisait partie, comme beaucoup d'autres le long de la côte, d'un système défensif destiné à prévenir en deux heures toutes les villes corses d'un raid barbaresque.

Centuri, situé à l'extrémité du cap sur la côte occidentale, est un charmant port de pêche où déguster les produits de la mer. Plus au sud, **Pino** est un petit village de montagne qui s'étage dans la verdure. Dans son église baroque, de nombreuses maquettes de bateaux ont été déposées en ex-voto par les marins reconnaissants de la protection de la Vierge.

En poursuivant vers le sud la route en corniche, on passe près de **Canari**, qui mérite le détour ; outre la vue magnifique sur la mer, le village possède un véritable joyau, l'église Santa Maria Assunta, de style roman pisan du XIIᵉ siècle. L'église Saint-François, de style baroque, abrite plusieurs peintures intéressantes des XVᵉ et XVIᵉ siècles. Plus loin, avec ses maisons et jardins accrochés à une falaise noire, le site de **Nonza** est exceptionnel.

Erbalunga, sur la côte orientale du cap Corse

Bastia ❷

Haute-Corse. 👥 *38 700.* ✈ 🚌 🚌 ⛴ ℹ *pl. Saint-Nicolas (04 95 54 20 40).* 🛒 *du mar. au dim.*

Préfecture de la Haute-Corse, Bastia tranche par son animation avec le rythme plus calme de son ancienne rivale, Ajaccio. Ville de tradition militaire et marchande, Bastia est plus commerçante que balnéaire. En vigie sur la mer Tyrrhénienne, l'ancienne citadelle génoise domine le Vieux Port.

Au centre de la vie bastiaise, la **place Saint-Nicolas** ouvre sur le port moderne où débarquent les passagers en provenance du continent. En longeant la mer vers le sud, on parvient à la **place de l'Hôtel-de-Ville** où s'installe tous les matins un pittoresque marché. À proximité se trouvent la **chapelle de l'Immaculée-Conception** (début du XVIIᵉ s., intérieur du XVIIIᵉ s.), ainsi que l'**église Saint-Jean-Baptiste** (milieu du XVIIᵉ s.) qui domine le Vieux Port.

Vers le sud, Terranova, le quartier de la **citadelle** (XVᵉ s.), abrite dans l'ancien palais des Gouverneurs le **musée d'Ethnographie corse**. Voir aussi dans ce quartier : la **chapelle Sainte-Croix,** avec son Christ noir remonté des eaux par des pêcheurs en 1428, et la **cathédrale Sainte-Marie** (XVIIᵉ s.), dont la Vierge en argent est l'objet d'une vénération toute particulière.

Le Vieux Port de Bastia, vu depuis la jetée du Dragon

Saint-Florent ❸

Haute-Corse. 🚶 *1 500.* 🚉 🛈
bâtiment administratif (04 95 37 06 04).

Avec sa clientèle fortunée et ses bateaux de plaisance, Saint-Florent est un peu à la Corse ce que Saint-Tropez est à la Côte d'Azur. La citadelle (fermée au public) érigée en 1439 est un parfait exemple d'architecture militaire génoise, et les rues de la ville invitent à d'agréables promenades. La cathédrale du Nebbio (ou **Santa Maria Assunta**), à 1 km, est un bel édifice de l'époque pisane (XIIᵉ s.).

Aux environs
Un circuit en voiture d'environ quatre heures permet de découvrir le **Nebbio**, qui forme un amphithéâtre autour de Saint-Florent. Les principales étapes sont : **San Pietro di Tenda** et son église baroque ; **Murato**, célèbre par sa magnifique **église San Michele**, modèle de l'art pisan du XIIᵉ siècle, avec ses pierres en damier blanc et vert foncé ; le col de San Stefano, qui domine la mer ; **Oletta**, où l'on produit un fromage de brebis à pâte persillée ; le **col de Teghime** qui offre de magnifiques panoramas ; et enfin, le village de **Patrimonio**, célèbre par son vignoble autant que par sa statue-menhir datant du IXᵉ siècle av. J.-C.

Le **désert des Agriates** borde la côte à l'ouest de Saint-Florent. Ses paysages arides tranchent avec la plage de Saleccia, de loin la plus belle de l'île (route difficile, 10 km).

L'église San Michele de Murato

L'Île-Rousse ❹

Haute-Corse. 🚶 *850.* 🚉 🚌 🛥 🛈
pl. Paoli (04 95 60 04 35).
🅰 *ven. (le 1ᵉʳ et le 3ᵉ de chaque mois).*

Fondée en 1758 par Pasquale Paoli, le chef de la Corse indépendante, L'Île-Rousse est aujourd'hui un centre de villégiature important, comme en témoignent des commerces saisonniers et de nombreux hôtels. Avec ses cafés et ses platanes, la place Paoli est le cœur de la cité, animée par le marché couvert voisin. **Lozari**, à 10 km au nord-est, offre le charme d'une magnifique plage retirée et d'une nature bien préservée.

Légionnaire

Aux environs
L'Île-Rousse constitue une bonne base pour parcourir la **Balagne**, l'ancien pays de « l'huile et du froment » qui alterne plaines et collines entre mer et montagne. Il est recommandé de faire le trajet L'Île-Rousse-Calvi par le petit train qui reprend du service tous les ans entre juin et octobre ; il suit plus ou moins la côte en s'arrêtant notamment à Algajola et Lumio.

Calvi ❺

Haute-Corse. 🚶 *5 200.* 🚉 🚌 🛥
🛈 *port de plaisance (04 95 65 16 67).*
🅰 *jeu. (les 1ᵉʳ et 3ᵉ de chaque mois).*

Calvi est une des capitales du tourisme insulaire. Ses atouts : un site exceptionnel, un climat très doux, une magnifique plage frangée d'une superbe pinède et un port de plaisance. L'**ancienne citadelle génoise** (XIIIᵉ s.) domine le port. À l'intérieur, le palais des Gouverneurs (XVᵉ s.), propriété de la Légion étrangère, l'oratoire Saint-Antoine (1510), la maison dite de Christophe Colomb et la cathédrale Saint-Jean-Baptiste qui abrite un superbe triptyque du XVᵉ siècle. Faire le tour des remparts pour découvrir le panorama marin. Dans la basse ville, l'animation des cafés et restaurants répond à celle des boutiques de souvenirs. Les cérémonies de la semaine sainte avec leurs pénitents sont particulièrement émouvantes. Eterna citadella et le Calvi Jazz Festival sont les moments forts de la saison touristique.

La chapelle Notre-Dame de la Serra, à 6 km au sud-ouest de Calvi

La citadelle de Corte (xvᵉ s.)

Le Niolo ❻

Haute-Corse. 🚌 *Calacuccia.*
ℹ️ *O. T., Calacuccia (04 95 48 05 22).*

De tout temps, le Niolo fut un pays de bergers et, aujourd'hui encore, l'élevage (brebis, chèvres) représente, avant la forêt, la principale ressource. Mais cette petite région collectionne les superlatifs : les montagnes les plus hautes de Corse (Monte Cinto, 2 706 m), le fleuve le plus important (le Golo), les forêts les plus grandes et les plus belles – celles du fameux pin laricio –, enfin les villages les plus haut perchés et les traditions les plus anciennes. Accrochée au bord de son lac de barrage, **Calacuccia** est la petite capitale du Niolo et un centre d'excursions, notamment vers le Cinto. Vers le sud, l'immense **forêt de Valdo-Niello**, 4 600 ha de pins laricio, de hêtres et de bouleaux.

Corte ❼

Haute-Corse. 👥 *5 500.* 🚉 🚌
ℹ️ *citadelle (04 95 46 26 70).*

Située au cœur de l'île, Corte fut choisie par Pasquale Paoli pour être la capitale de la Corse indépendante, intermède qui dura de 1755 à 1769. Aujourd'hui, Corte est le siège de l'université de Corse.

La place Gaffori garde encore les stigmates des combats que livrèrent les patriotes corses contre l'occupant génois (voir la façade de la maison Gaffori). La citadelle, dont les parties les plus anciennes remontent au xvᵉ siècle, abrite le **musée de la Corse**, l'université d'Arts plastiques ainsi que la Maison du Tourisme.

Corte constituera une base rêvée pour les amateurs de montagne ; elle se trouve exactement au milieu du GR 20 qui relie Calenzana à Conca et est particulièrement prisée par les pratiquants de grande randonnée.

Aux environs

À 12 km par la D 623, les **gorges de la Restonica** sont restées très sauvages. De là, les amateurs de marche pourront pousser jusqu'au **lac de Melo** (compter entre 60 et 90 minutes pour l'aller) ou au **lac de Capitello** (30 minutes de marche supplémentaire), où la neige persiste jusque début juin.

Au sud, sur plus de 1 500 ha, s'étend la **forêt de Vizzavona**, composée de hêtres et de pins laricio, traversée de cours d'eau à truite et de sentiers de randonnée (notamment le GR 20). À Corte, il est recommandé de prendre le petit train de montagne qui relie Ajaccio et Bastia.

La Castagniccia ❽

Haute-Corse. ✈️ *Bastia.* 🚉 *Corte, Ponte-Leccia.* 🚌 *Piedicroce, La Porta, Valle-d'Alesani.* ℹ️ *Piedicroce (04 95 35 82 54).*

Comme son nom l'indique, c'est le châtaignier qui prédomine dans cette partie de la Corse. Perdue à l'est de Corte, la Castagniccia fut un vivier indépendantiste. C'est le berceau de Pasquale Paoli (il naquit en 1725 à Morosaglia) et c'est là que fermenta et éclata la résistance corse contre les Génois et, plus tard, contre les Français.

Au xviiᵉ siècle, cette « châtaigneraie » créée par les Génois était la région la plus prospère et la plus peuplée de Corse. Aujourd'hui, ses villages pourtant pleins de caractère sont la plupart du temps délaissés par leurs habitants, venus grossir le flot des quelque 800 000 Corses qui ont émigré vers le continent (car près de trois Corses sur quatre ne vivent plus au pays).

La Castagniccia est traversée par la D 71, qui relie Ponte-Leccia (au nord de Corte) à Prunete, sur la côte orientale. Cette route qui serpente à travers la châtaigneraie mérite qu'on lui consacre une journée pour parcourir cette nature sauvage et authentique.

◁ **Bonifacio est assise sur un formidable socle de calcaire blanc**

Golfe de Porto ❾

Corse-du-Sud. ✈ 🚉 ⛴ *Ajaccio.* 🚌
Porto. ℹ️ *Porto (04 95 26 10 55).*

Porto est niché au fond de l'un des plus beaux golfes de la Méditerranée. La faune et la flore marines sont suffisamment précieuses pour que l'Unesco les ait inscrites au patrimoine de l'humanité.

Porto vit de la beauté du site, mais comment résister au coucher de soleil admiré depuis la tour de garde génoise et aux excursions en bateau vers les *Calanche*, la réserve de la presqu'île de Scandola ou le golfe de Girolata ?

Les ***Calanche* de Piana** commencent à sept kilomètres de Porto et constituent l'un des sites majeurs de la Corse. Elles sont très impressionnantes avec leurs falaises de granit rouge qui surplombent la mer de 300 mètres. On y accédera à pied (chemins bien balisés au départ de la Tête du Chien et du pont de Mezanu) ou par bateau (hôtel Monte Rosso). À cinq kilomètres à l'est de Porto, les **gorges de la Spelunca** se visitent par un ancien sentier muletier ponctué de ponts génois.

Au sud du golfe de Porto, une spectaculaire corniche conduit au petit village de **Piana** d'où l'on peut rayonner dans la région (informations touristiques sur place) ; signalons tout particulièrement **Ficajola** et sa magnifique plage, à proximité immédiate de Piana.

La tour génoise de Porto veille toujours sur le golfe

Aux environs

On y découvrira des sites grandioses et reculés. **Girolata** est un hameau de pêcheurs situé au fond d'un golfe, accessible seulement par la mer ou par un sentier muletier qui prend sur la D 81 à 23 kilomètres au nord de Porto (compter 4 heures à pied aller et retour). L'une des entrées du golfe de Girolata est occupée par la presqu'île de **Scandola**, où l'on se rend par bateau en partant de Porto. Depuis 1976, une **réserve naturelle** y occupe un millier d'hectares de fonds marins et à peu près autant de terre ferme comprenant falaises, grottes et maquis. Parmi les espèces ornithologiques représentées, on mentionnera notamment le balbuzard pêcheur, le macareux et le faucon.

LES FLEURS DE CORSE

L'originalité de la flore corse est la conséquence de l'insularité : il existe 121 espèces de plantes sauvages endémiques. Le maquis est composé d'arbustes et de broussailles odorantes et enrichis de fleurs à partir de la fin de

Ciste

l'hiver. Parmi ces espèces endémiques, citons l'épiaire poisseux et le genêt corse. À plus grande altitude, on trouvera aussi la lavande des Stéchades, ainsi que des fleurs qui n'existent qu'en Corse et en Sardaigne, comme le lis mathiole.

Genêt corse

Lis mathiole

Jacinthe musquée

Piana se dresse dans un décor sauvage de granit

L'église catholique de rite grec de Cargèse

Cargèse ⑩

Corse-du-Sud. 🚶 *10 000.*
🚌 ℹ️ *rue du Docteur-Dragacci (04 95 26 41 31).*

P etite ville située sur un promontoire, entre le golfe de Sagone et le golfe de Pero, elle a une population en partie issue d'immigrants grecs du Péloponnèse, établis en Corse au XVIIᵉ siècle pour échapper à la domination ottomane.

Plus de 300 ans après, leurs descendants se considèrent comme des Corses à part entière, mais ils demeurent fidèles à leur particularisme culturel et religieux. Les deux églises, l'une grecque, l'autre latine, se font face, mais catholiques orientaux et catholiques latins se partagent le même prêtre.

À proximité de la ville se trouvent de magnifiques plages : citons **Pero** et **Chiuni** au nord, **Menasina** et **Stagnoli** au sud.

Ajaccio ⑪

Corse-du-Sud. 🚶 *60 000.* ✈️ 🚆 🚌
🚢 ℹ️ *3, bd du Roi-Jérôme (04 95 51 53 03).* 🛒 *du mar. au dim.*

R eflétant les couleurs du jour et du temps, le golfe d'Ajaccio est un spectacle permanent, si l'on fait abstraction des grands immeubles blancs qui dominent le site. La vieille cité impériale est restée assez fidèle à l'image d'une époque où le jeune Napoléon venait jouer dans la grotte de la place d'Austerlitz.

La **cathédrale Notre-Dame-de-la-Miséricorde** a été édifiée à la fin du XVIᵉ siècle. Elle abrite notamment une *Vierge du Sacré-Cœur* exécutée par Eugène Delacroix. Napoléon Bonaparte y fut baptisé le 21 juillet 1771.

Située non loin de la cathédrale, la **maison Bonaparte**, où le futur empereur naquit et passa les premières années de sa vie, rassemble des portraits de famille, des meubles de la fin du XVIIIᵉ siècle, ainsi que différents souvenirs de l'époque napoléonienne.

Bien plus intéressantes sont les collections constituées par le cardinal Fesch, oncle de Bonaparte qui profita de la campagne d'Italie pour piller églises, palais et musées. Rassemblées au **musée Fesch**, qui occupe un palais du siècle dernier, elles sont très représentatives des écoles italiennes du XIVᵉ au XVIIIᵉ siècle : œuvres de Bellini Botticelli, de Titien et de Véronèse, Bernini et Poussin. À proximité du palais Fesch, **chapelle Impériale**, édifiée en 1855 par Napoléon III et destinée aux dépouilles des membres de la famille.

🏛 **Maison Bonaparte**
Rue Saint-Charles. ☎️ *04 95 21 43 89.*
⭕ *lun. a.-m. au dim.* ⬤ *1ᵉʳ mai.* ♿
🏛 **Musée Fesch**
50, rue Fesch. ☎️ *04 95 21 48 17.*
⭕ *l'hiver : du mar. au sam. ; l'été : du mer. au lun.* ⬤ *les jours fériés.* ♿ ♿

Aux environs
Excursions quotidiennes aux **îles Sanguinaires**, situées à l'entrée du golfe d'Ajaccio. Embarquement quai de la Citadelle.

Une statue-menhir à Filitosa

Filitosa ⑫

Centre Préhistorique de Filitosa, Corse-du-Sud. ☎️ *04 95 74 00 91.*
⭕ *d'avr. à oct. : t.l.j. ; hors saisons : sur rendez-vous* ♿ ♿ *musée seulement.*

F ilitosa est le site mégalithique le plus important de Corse. Ce n'est qu'en 1946 que l'on découvrit les premières statues-menhirs. Ces guerriers de pierre présentent les étapes d'une évolution allant de simples ébauches à des visages humains beaucoup plus élaborés.

Les cinq mégalithes les plus récents (environ 1500 av. J.-C.) entourent un olivier millénaire que domine un

La statue de Napoléon par Laboureur (1850), à Ajaccio

Bonifacio : le port et la vieille ville fortifiée

tumulus. Le musée installé sur le site permet de découvrir les objets de fouilles, entre autres une statue-menhir représentant un guerrier (dite *Scalsa-Murta*).

Sartène **⑬**

Corse-du-Sud. 👥 *3 400.* 🚌
ℹ️ *6, rue Borgo (04 95 77 15 40).*

Cette petite ville médiévale fortifiée de la vallée du Rizzanese fut fondée par les Génois au début du XVIe siècle. Elle eut à subir les nombreuses attaques des corsaires barbaresques. Son architecture résume l'habitation corse dans ce qu'elle a de sévère et de rude. Comparable à la fête de la semaine sainte à Séville, la procession du Catenacciu (« l'Enchaîné », en corse), se déroule dans la nuit du Vendredi saint. Elle rappelle la montée du Christ au Golgotha ; le Pénitent Rouge (le Christ), enchaîné, porte une lourde croix, aidé par le Pénitent Blanc (Simon de Cyrène) et suivi des pénitents noirs.

Installé dans l'ancienne prison, le **musée de la Préhistoire corse** rassemble une très belle collection consacrée à la période néolithique, à l'âge du bronze et à l'âge du fer.

🏛 Musée de la Préhistoire corse

Rue Croce. 📞 *04 95 77 01 09.* 🕐 *de mi-juin à mi-sept. : du lun. au sam. ; de mi-sept. à mi-juin : du lun. au ven.* ⚫ *les jours fériés.* 🚫

Bonifacio **⑭**

Corse-du-Sud. 👥 *3 000.* 🚌 ⛴ ℹ️
rue Fred-Scamaroni (04 95 73 11 88).

Isolée à la pointe sud de l'île, Bonifacio se niche au fond d'un extraordinaire fjord encaissé entre des falaises blanches. Avec ses cafés, restaurants à langoustes et boutiques, c'est le point de rencontre des touristes qui s'embarquent pour les grottes marines, l'archipel des Lavezzi (réserve naturelle) ou la Sardaigne. De la marina, une vieille rampe monte à la ville haute. C'est un quadrillage de rues serrées, sanglé dans ses murailles génoises du XIIIe siècle. Les vues sur le large et la Sardaigne toute proche sont saisissantes. On ira jusqu'à la place Manichella pour découvrir les vieilles maisons accrochées au bord de la proue rocheuse. À 5,5 km sud-est, capo Pertusato : vue superbe sur Bonifacio et la côte sarde. À 6 km nord-est, golfe de Santa Manza pour amateurs de criques rocheuses et de plages isolées.

La côte orientale **⑮**

Haute-Corse et Corse-du-Sud.
✈️ *Bastia.* 🚌 *Porto-Vecchio, Aléria, Solenzara.* ⛴ *Bastia, Porto-Vecchio.*
ℹ️ *Aléria (04 95 57 01 51),*
Porto-Vecchio (04 95 70 09 58).

La bande côtière située entre Bastia et Solenzara est constituée d'une plaine alluviale fertile ; elle est vouée à l'agriculture depuis 1945, date à laquelle elle fut drainée et débarrassée des anophèles qui propageaient la malaria. Depuis peu, la côte et ses longues plages de sable ont vu la construction de résidences de vacances et même d'hôtels de grande hauteur. **Mariana** mérite une visite pour **la Canonica**, cathédrale romane du début du XIIe siècle. Non loin se trouve l'église pisane de **San Perteo**, de construction légèrement antérieure.

Située à mi-chemin en direction de Solenzara, Aléria fut fondée par les Grecs, puis devint la capitale romaine de la Corse en raison de sa position stratégique en Méditerrannée. De ce riche passé, il reste une ville romaine et des thermes, que l'on peut voir en visitant le musée Jérôme-Carcopino.

En poursuivant vers le sud après Solenzara, on parvient à **Porto-Vecchio**, ville fondée et fortifiée par les Génois ; c'est aujourd'hui un centre touristique important.

À proximité, dans un environnement de pins parasols et de chênes-lièges, on trouvera de belles plages facilement accessibles, comme celles de Palombaggia et Pinarello.

Le golfe de Porto-Vecchio

Index général

Les numéros de page en gras
renvoient aux principales entrées.

Remerciements

L'éditeur remercie les organismes, les institutions et les particuliers suivants dont la contribution a permis la préparation de cet ouvrage.

AUTEURS
John Ardagh, Rosemary Bailey, Judith Fayard, Lisa Gerard-Sharp, Alister Kershaw, Alec Lobrano, Anthony Roberts, Alan Tillier, Nigel Tisdall.

COLLABORATEURS PRINCIPAUX
JOHN ARDAGH, écrivain et producteur, est auteur de nombreux ouvrages sur la France.

ROSEMARY BAILEY a écrit et édité plusieurs guides régionaux sur la France, en particulier sur la Bourgogne, la vallée de la Loire et la Côte d'Azur.

ALEXANDRA BOYLE, écrivain et éditeur, travaille depuis vingt ans dans l'édition, en Angleterre et en France.

ELSIE BURCH DONALD est éditeur et écrivain (*The French farmhouse*).

JUDITH FAYARD, américaine, a dirigé le bureau parisien de *Life* pendant dix ans. Aujourd'hui éditeur de *Town and Country*, elle apporte sa contribution à diverses publications, dont le *Wall Street Journal*.

LISA GERARD-SHARP est écrivain et producteur. Elle a écrit plusieurs guides régionaux sur la France et l'Italie.

ALISTER KERSHAW, écrivain australien et producteur, a vécu dans la vallée de la Loire pendant vingt ans.

ALEC LOBRANO, écrivain américain, vit à Paris. Il collabore à diverses publications dont l'*International Herald Tribune*, le *Los Angeles Times* et *The Independant*.

ANTHONY ROBERTS est écrivain et traducteur. Il a vécu quinze ans en Gascogne apportant, entre autres, sa contribution au *Times*, à *World of Interiors*, et *Architectural Digest*.

ANTHONY ROSE est le correspondant de *The Independant*, pour la rubrique vins.

JANE SIGAL a écrit deux ouvrages sur la gastronomie française.

Alan Tillier est l'auteur du guide *Voir Paris*. Il a vécu pendant plus de vingt ans à Paris où il a été le correspondant de divers journaux dont l'*International Herald Tribune*, *Newsweek* et *The Times*.

NIGEL TISDALL a écrit des ouvrages sur la Bretagne et la Normandie.

PATRICIA WELLS est critique gastronomique à l'*International Herald Tribune*. Elle est aussi auteur d'ouvrages sur le sujet.

AUTRES COLLABORATEURS
Nathalie Boyer, Caroline Bugler, Ann Cremin, Bill Echikson, Adrian Gilbert, Peter Graham, Marion Kaplan, Jim Keeble, Alexandra Kennedy, Fred Mawer, Andrew Sanger, Clive Unger-Hamilton.

PHOTOGRAPHIES D'APPOINT
Jo Craig, Michael Crockett, Mike Dunning, Philip Enticknap, Steve Gorton, Alison Harris, John Heseltine, Roger Hilton, Eric Meacher, Neil Mersh, Robert O'Dea, Alan Williams, Peter Wilson.

ILLUSTRATIONS D'APPOINT
Dinwiddie Maclaren, John Fox, Nick Gibbard, Paul Guest, Stephen Gyapay, Kevin Jones Associates, Chris Orr, Robbie Polley, Sue Sharples.

CARTOGRAPHIE
Colourmap Scanning Limited ; Contour Publishing ; Cosmographics ; European Map Graphics ; Météo-France. Atlas des rues : ERA Maptec Ltd (Dublin), adapté à partir des cartes originales Shobunsha (Japon), avec leur autorisation.

RECHERCHE CARTOGRAPHIQUE
Jennifer Skelley, Rachel Hawtin (Lovell Johns) ; James Mills-Hicks, Peter Winfield, Claudine Zarte (Dorling Kindersley Cartography).

COLLABORATION ARTISTIQUE ET ÉDITORIALE
Peter Adams, Laetitia Benloulou, Steve Bere, Arwen Burnett, Janet Clayton, Cate Craker, Maggie Crowley, Fay Franklin, Tom Fraser, Emily Green, Elaine Harries, Paul Hines, Nicholas Inman, Nancy Jones, Siri Lowe, Francesca Machiavelli, Lesley Mc Cave, Ella Milroy, Malcolm Parchment, Lyn Parry, Shirin Patel, Alice Peebles, Marianne Petrou, Salim Qurashi, Marisa Renzullo, Philippa Richmond, Andrew Szudek, Fiona Wild, Nicolas Wood, Irina Zarb.

AVEC LE CONCOURS SPÉCIAL DE
Mme Jassinger, service de presse de l'ambassade de France ; Peter Mills et Christine Lagardère, French Railways Ltd.

RÉFÉRENCES PHOTOGRAPHIQUES
Altitude, Paris ; Sea and See, Paris ; Éditions Combier, Mâcon ; Thomas d'Hoste, Paris.

CRÉDITS PHOTOGRAPHIQUES

L'éditeur remercie les responsables qui ont autorisé la prise de vues dans leur établissement : la Caisse nationale des Monuments historiques et des Sites ; M. A. Leonetti, abbaye du Mont-Saint-Michel ; la cathédrale de Chartres ; M. Voisin, château de Chenonceau ; M. P. Mistral, cité de Carcassonne ; M. D. Vingtain, Palais des Papes, Avignon ; le château de Fontainebleau ; la cathédrale d'Amiens ; les abbayes de Conques, de Fontenay, de Vézelay ; la cathédrale de Reims et les innombrables sites, églises, musées, hôtels, restaurants, boutiques, galeries qu'il est impossible de citer individuellement.

ABRÉVATIONS UTILISÉES

h = en haut ; hg = en haut à gauche ; hc = en haut au centre ; hd = en haut à droite ; chg = centre haut à gauche ; ch = centre haut ; chd = centre haut à droite ; cg = centre gauche ; c = centre ; cd = centre droit ; cbg = centre bas à gauche ; cb = centre bas ; cbd = centre bas à droite ; bg = bas à gauche ; b = bas ; bc = bas au centre ; bd = bas à droite.

Nous prions par avance les propriétaires des droits photographiques de bien vouloir excuser toute erreur ou omission subsistant dans cette liste en dépit de nos soins. La correction appropriée serait effectuée à la prochaine édition de cet ouvrage.

Les œuvres d'art ont été reproduites avec l'aimable autorisation des organismes suivants : ©ADAGP, Paris 2002/M. Dupuis. *Pardon des Terre-Neuvas*, P. Signac (1928). Musée d'Histoire, Saint-Malo : 291 hg ; © ADAGP, Paris et DACS, London 1994 : 25 hg, 59 hg, 61 hg (détail), 90 c, 91 ch, 97 h, 113 b, 556 bg ; © ADAGP, Paris and DACS, London 1995 : 549b, 550ch ; © ADAGP/SPADEM, Paris et DACS, London 1995 : 550 (b) ; © DACS, London 1994 : 24 c, 24 cb, 25 c, 25 cb, 26 bg, 60-61, 86 cg, 88 h, 88 b, 91 h, 209 h, 371 h, 403 bd, 412h, 499 h, 508 h, 538 ch, 543 b, 553 h, 554 b, 556 hd, 556 bd, 563 b ; © J. Fabris : 25 c ; © Succession H. Matisse/DACS 1994 ; 25 b, 90 b, 558 b ; © DACS, London 1995 : 560b, 550b

Photos prises avec le concours de l'EPPV et du CSI : 136-137 ; Photo du Parc Euro Disneyland ® Parc et Euro Disneyland Paris ® Personnages et attractions sont la propriété de The Walt Disney Company, tous droits de reproduction réservés pour tous pays 172 cd ; Avec l'aimable autorisation de la Maison Victor Hugo, Ville de Paris : 89 h ; Musée national des Châteaux de Malmaison et Bois-Préau : 167 b ; Musée de Montmartre, Paris : 133 h ; Musée national de la Légion d'Honneur : 56 h ; © Sundancer : 142 bg.

L'éditeur remercie les particuliers, les organismes ou les agences de photos qui l'ont autorisé à reproduire leurs clichés :
ALPINE GARDEN SOCIETY/CHRISTOPHER GREY-WILSON : 486 bg, 486 bd ; ANA : J. Du Sordet 384-385 ; AGENCE PHOTO AQUITAINE : D. Lelann 445 hg ; ANCIENT ART AND ARCHITECTURE COLLECTION : 43 cdb, 46 c, 46 bc, 48 bd, 53 bg, 252-253 b, 355 bg, 404 h, 458 h,

462 b ; ANDIA PRESSE/ Betermin : 273 b ; PHOTO AKG, BERLIN : 41 chd, 42 bg, 50 cb, 51 cdb, 426 h, 427 b ; SA APA POUX, ALBI : 461 h ; ARCHIVES PHOTOGRAPHIQUES, PARIS/DACS : 446 h ; ATELIER DU REGARD/A. ALLEMAND : 468 cg, 468 cd, 468 b.

BIBLIOTHÈQUE NATIONALE, DIJON : 45 bc ; F. BLACKBURN : 487 bg ; GÉRARD BOULLAY/PHOTOLA : 83 bg, 83 chd ; BRIDGEMAN ART LIBRARY : Albright Knox Art Gallery, Buffalo, New York 277 bd ; Anthony Crane Collection 207 bd ; Bibliothèque nationale, Paris 46 cd-47 cg, 48 h, 49 cd, 65 bg ; British Library, Londres 48 bg, 64 bd, 282c, 307 bd, 307 hg ; Bonhams, Londres 55 hc, 58 hg ; Château de Versailles, France 65 hd ; Christies, Londres 25 c, 503b ; Giraudon 24 hd, 24 hg, 52 cd-53 cg, 53 hg, 55 hg, 65 bc, 175 b, 354 c, 363 c, 387 h ; Guildhall Library, Corporation of London 441 b ; Hermitage, Saint-Petersbourg 25 bg ; Index 462b ; Kress Collection, Washington DC 307 bg ; Lauros-Giraudon 42 h, 65 bd ; Musée des Beaux-Arts, Quimper 243 c ; Musée Condé, Chantilly 46 hg, 53 hd, 64 bg, 65 hc, 65 hcg, 65 bc, 200 h, 307 c ; Musée d'Orsay, Paris 24 bc ; Paul Bremen Collection 255 h ; Sotheby's New York 51 hg ; V&A Museum, Londres 301 hd, 358 b ; Walters Art Gallery, Baltimore, Maryland 376 h ; JOHN BRUNTON : 544 b ; MICHAEL BUSSELLE : 176-177.

CAMPAGNE, CAMPAGNE : 370 h ; C. Guy 343 h ; Lara 185 cd ; B. Lichtstein 207b, 342 cg ; Pyszel 184 bg ; CNMHS, PARIS/DACS : Longchamps Delehaye 209 hg ; CASTELET/GROTTE DE CLAMOUSE : 521 b ; J. L. Charmet : 290 bd, J. L. Charmet/M. Mehent : 290 m; COLLECTION CDT GARD : 343 bg ; CDT LOT : 429b ; CEPHAS : Stuart Boreham 260-261 ; Hervé Champollion 340 hd, 354 h, 370 b ; Mick Rock 34 c, 422 hg, 422 cg, 497 h ; JEAN-LOUP CHARMET : 43 b, 46 bd, 48 cbg, 54 h, 58 cg, 58 cbg, 59 hg, 59 hc, 60 bg, 60 bd, 61 cdb, 212 b, 243 b, 265 bd, 269 b, 276 h, 285 b, 318 bd, 363 bd, 378 b, 379 h, 381 c, 425 cd, 425 bd, 411b, 501 h, 537 h ; CITÉ DES SCIENCES ET DE L'INDUSTRIE : Michel Lamoureux 137 c ; Pascal Prieur : 136 hd, 136 ch ; Michel Viard 136 cb ; BRUCE COLEMAN : Udo Hirsch 393 bd ; Flip de Nooyer 411 bd ; Hans Reinhard 341 hg, 341 hd ; PHOTOS ÉDITIONS COMBIER, MÂCON : 199 h ; COMITÉ DÉPARTEMENTAL DU TOURISME DU CHER : 313 cdh ; CORBIS/SYGMA/D. Aubert : 291 bd ; JOE CORNISH : 116, 234-235, 392 bd, 474.

G. DAGLI ORTI/Louis Garneray. Musée des Beaux-Arts, Rouen : 290-291 c ; DANSMUSEET, STOCKHOLM/PETER STENWALL : 60 cd-61 cg ; E. DONARD ; 31 hd, 31 c, 31 cg, 31 bc ; Darnis : 273 h, m ; ÉDITIONS D'ART DANIEL DERVEAUX : 424 cd-425 cg ; PHOTO DASPET, AVIGNON : 534 bg.

C. ERRATH : 312 br, ET ARCHIVE : 318 bg ; Trésor de la cathédrale, Aix-la-Chapelle 4 h ; 44 cg ; Musée Carnavalet, Paris 57 hg ; Musée des Beaux-Arts, Lausanne 51 bd ; Musée d'Orsay, Paris 57 chd ; Musée de Versailles 52 b ; 317 bg ; National Gallery, Écosse 54 bd ; Victoria and Albert Museum, Londres 49 hg ; 363 bg ; MARY EVANS PICTURE LIBRARY : 9 c, 42 bd, 46 bg, 47 c, 49 b, 50 hg, 52 chg, 54 c, 58 b, 59 cd, 59 bd, 61 bd, 112 c, 113 cg,

171 b, 177 c, 185 h, 191 b, 235 c, 283 h, 303 b, 307 hd, 319 bg, 333 c, 388 b, 417 c, 481 h, 491 c, 499 b, 538 hg ; Explorer 27 b, 50 cbg.

PHOTO FLANDRE, AMIENS : 199 b.

GAMMA/G. Philippot, T. Goisque : 291 bg ; TONY GERVIS : 309ch et cdh, GIRAUDON, PARIS : 8-9, 15 h, 25 chd, 25 bd, 42 ch, 44 hg, 44 cbg, 45 hg, 46 cg, 48 cd-49 cg, 52 hg, 52 cbg, 54 cg, 56 cg, 56 cd-57 cg, 353 bd, 367 bd, 391 b, 519 bc MS Nero EII pt.2 fol. 20V0 ; Lauros-Giraudon 40 hg, 40 bc, 41 h, 41 cbd, 41 cb, 41 bd, 43 hc, 45 hd, 47 cbd, 51 cd, 56 cbg, 56 bd, 371 b, 519 cg, 524h ; Musée d'Art moderne, Paris 25 hg ; Musée des Beaux-Arts, Quimper 24 cg ; Telarci 45 cd ; RONALD GRANT ARCHIVE : 17 b, 62 cbg.

SONIA HALLIDAY PHOTOGRAPHS : Laura Lushington 327 hd ; ROBERT HARDING PICTURE LIBRARY : 26 bg, 33 hd, 35 hd, 35 cg, 39 b, 112 hd, 135 bg, 240 hg, 243 hd, 340 bg, 340 bd, 341 bd, 369 h, 424 chg, 461 cd, 487 hd, 517 b, C Bowman 478 h ; Explorer, Paris 35 cd, 63 bd, 99 bd, 173 b, 382 h, 393 hd, 486 bc, 487 hg, 510 b, 527 bd ; R Francis 82 cbg ; D Hughes 416-417 ; W Rawlings 45 bd, 63 hg, 237 hg, 256 b ; A Wolfitt 22 hd, 164 ; HÉMISPHÈRES : H. Krinitz 108-109 ; JOHN HESELTINE : 139 c ; HONFLEUR, MUSÉE BOUDIN : 262 b ; DAVID HUGHES : 2-3, 389 h, 389 b ; THE HULTON DEUTSCH COLLECTION : 185 bd, 319 bd, 499 c, 546 b ; FJ Mortimer 184 hg.

THE IMAGE BANK : Peter Miller 394 ; IMAGES : 341 c, 486 cg, 486 hd ; Inventaire Général-ADAGP/C. Arthur/Lambart, 1998. *La Félicité publique*. Centre de documentation du patrimoine, Rennes : 295 m.

JACANA : C. Bahr : 244 mg, M. & A. Boet : 244 md, 244 bmd, H. Brehm : 244 bmg, S. Chevalier : 244 hg, S. Cordier : 244 hd, 244 bg, B. Coster : 245 mg, F Gohier 486 hgC. Nardin : 245 mcd, JM Labat 487 cbP. Prigent : 245 mcg, 245 bg, 245 bd, W. Wisniewski : 244 bd, G. Ziesler : 245 h ; TREVOR JONES : 200 b ; JOSSE. Musée du Château, Versailles : 279 bd.

MAGNUM PHOTOS LTD : Bruno Barbey 16 b, 27 hd, 32 bg ; R Capa 498 hd ; P Halsman 557 b ; P Zachman 15 b ; THE MANSELL COLLECTION : 27 hg, 288 h, 311 b, 485 b, 534 hg ; JOHN MILLER : 222 b, 356 hd, 431 b ; MUSÉE DE L'ANNONCIADE, SAINT-TROPEZ : 556 hd, E. Vila Mateu 549b, 550-551 ; MUSÉE DES BEAUX-ARTS, CARCASSONNE : 517 hg ; MUSÉE DES BEAUX-ARTS, DIJON : 363 hg ; MUSÉE DES BEAUX-ARTS, NICE : Jean Louis Martinetti 560b ; MUSÉE DES BEAUX-ARTS DE LYON : 403 hd, 403 bg, 403 bd ; MUSÉE DE CHANTILLY : *Duc de Mercoeur* : 304 bg ; MUSÉE DE LA CIVILISATION GALLO-ROMAINE, LYON : 43 cd, 400 cg ; MUSÉE DÉPARTEMENTAL BRETON, QUIMPER : 276 bg ; MUSÉE FABRE, MONTPELLIER : Leenhardt 525b ; MUSÉE FLAUBERT, ROUEN : 265 bg ; MUSÉE NATIONAL D'HISTOIRE NATURELLE, PARIS : 138 c ; MUSÉE NATIONAL D'ART MODERNE, PARIS : 90 cbg, 91 h, 91 cd, 91 bc, 355 bd ; Succession Henri Matisse 90 bg ; MUSÉE

RÉATTU, ARLES : M Lacanaud 538 ch ; CLICHÉ MUSÉE DE SENS/JP ELIE : 348 hg ; MUSÉE TOULOUSE-LAUTREC, ALBI : 470 b. OFFICE DE TOURISME DE SEMUR-EN-AUXOIS : 355 h.

NETWORK PHOTOGRAPHERS : Barry Lewis 358 h.

JOHN PARKER : 300bc, 312bg, 313hg; PHOTO NON STOP : J. Loïc 84-85 ; PICTURES COLOUR LIBRARY : 426 b, 450 ; MICHEL LE POER TRENCH : 26 bd ; CENTRE GEORGES POMPIDOU : Bernard Prerost 91 b ; POPPERFOTO : 251 c ; MAGAZINE PYRÉNÉES/DR : 424 bg.

REDFERNS : William Gottlieb : 60 cbg ; RETROGRAPH ARCHIVE : M Breese 500 hg, 500 hd ; RÉUNION DES MUSÉES NATIONAUX : Musée des Antiquités nationales 427 c ; Musée Guimet 111 h ; Musée du Louvre 53 ch, 99 bg, 100 h, 100 bg, 100 bd, 101 hg, 101 c, 101 b ; Musée Picasso 86 cg, 88 b, 499 h ; Musée de Versailles 173 h, G. Blot. *Combat naval*, Théodore Gudin (1802-1880). Château de Versailles et Trianon : 291 hd ; REX FEATURES : Sipa 18 h ; ROGER-VIOLLET : 113 hc ; FONDATION ROYAUMONT : J. Johnson 166 h.

SCOPE : J.-L. Barde 464-465, P. Blondel 512-513, P. Borasci 406-407, J. Guillard 192-193, 210-211, 226-227, 350-351 ; SIPA PRESS : 132 bg ; SPECTRUM COLOUR LIBRARY : P Thompson 249 b ; FRANK SPOONER PICTURES : Bolcina 33 b ; Uzan 62 bd ; Simon 63 ch ; Gamma Press 35 b, 63 cbd ; JEAN-MARIE STEINLEN : 428 ; TONY STONE IMAGES : 340 c, 344 ; SYGMA : 565 h ; C de Bare 32 h ; Walter Carone 144 h ; P Forestier 332-333 ; Frederic de la Fosse 552 b ; D Goldberg 17 c ; L'Illustration 106 hg ; Keystone 135 cbd ; T Prat 460 c ; L de Raemy 63 bg ; Sunset Boulevard 135 bd.

ÉDITIONS TALLANDIER : 38, 40 bc, 43 hg, 44 bd, 44 bd-45 bg, 47 h, 47 b, 48 cg, 49 hd, 50 bd, 54 cbg, 54 bg, 54 cd-55 cg, 55 cdb, 55 bg, 57 hd, 57 cbd, 57 bd, 59 bg, 59 cb, 60 chg, 60 cbd, 61 hc, 61 hd ; TERRES DU SUD, VENASQUE : Philippe Giraud 561ch ; M. Thersiquel : 272 bg ; © TMR/A.D.A.G.P, PARIS ET DACS, LONDON 1994 - COLLECTION L TREILLARD : 61 hg détail.

JEAN VERTUT : 40 bd-41 bg ; VILLE DE NICE Service photographique : 558 b ; R. VIOLLET : 272 hd, R. VIOLLET /Coll. Viollet : 272 bd ; VISUAL ARTS LIBRARY : 24 b.

WORLD PICTURES : 341 bg.

ZEFA : 172 c, 371 h ; O. ZIMMERMAN/MUSÉE D'UNTERLINDEN 6800 COLMAR : 225 h.

Pages de garde : © DK sauf JOE CORNISH l bg ; THE IMAGE BANK cbd ; PICTURES COLOUR LIBRARY l cd ; JEAN-MARIE STEINLEIN l cg ; TONY STONE IMAGES chd.

Couverture : © DK sauf SCOPE : VMF/Galeron 1re de couverture.

LÉGENDE DES PRINCIPAUX SYMBOLES

Monument ou quartier historique

Musée, galerie

Église, cathédrale, chapelle

Château, villa, forteresse

Ruine ou site archéologique

Parc, jardin

Réserve naturelle, zoo

Site naturel

Cimetière

Ouvert

Fermé

M Station de métro

Nombre d'habitants

Aéroport international

Aérodrome

Itinéraire de train

Ligne d'autobus

Embarcadère

Information touristique

Jour de marché

Festival

Embarcadère des Batobus

RER Station de RER

Arrêt ou ligne de bus

Numéro de téléphone

Informations sur répondeur

Photographies autorisées

Service religieux

Accès handicapés (tél. pour précisions)

Visite guidée

Restaurant

Accès payant

Audio-guides

W Site internet

@ Adresse électronique

SYMBOLES SPÉCIFIQUES POUR LES CARTES ET PLANS

Aéroport international

Aérodrome

Gare ferroviaire

Gare routière

Embarcadère de ferries

Embarcadère

Information touristique

M Station de métro

RER Station de RER

Église, cathédrale

Synagogue

Hôpital de garde

Point de vue

P Parc de stationnement

Poste de police

Bureau de poste

Toilettes

Café

Ascenseur

Boutique

Vestiaire

Le centre de Paris

La Seine

CHAILLOT

AVENUE FOCH

AVENUE VICTOR HUGO

AVENUE D'IENA

AVENUE DES CHAMPS ELYSEES

Arc de Triomphe

PL CHARLES DE GAULLE

BD HAUSSMANN

AV DE FRIEDLAND

AVENUE DE WAGRAM

AVENUE HOCHE

RUE DU FAUBOURG ST HONORE

RUE DE COURCELLES

AVENUE CARNOT

AVENUE MACMAHON

AVENUE DE LA GRANDE ARMEE

AVENUE BUGEAUD

PLACE VICTOR HUGO

R COPERNIC

AVENUE RAYMOND POINCARE

RUE BOISSIERE

AVENUE KLEBER

PLACE AMIRAL DE GRASSE

AVENUE MARCEAU

AVENUE GEORGE V

RUE DE SERBIE

RUE DE SFRANCOIS

PREM DE SERBIE

AVE PIERRE PREM

AV PRES WILSON

AVE DU

ROND POINT DES CHAMPS ELYSEES

PLACE FRANCOIS PREMIER

ROOSEVELT

AVENUE DE MARIGNY

RUE LA BOETIE

RUE DE MIROMESNIL

AV F D

RUE WASHINGTON

RUE TRONCHET

BD

RUE ROYALE

RUE

PLACE DE LA CONCORDE

COURS LA REINE

QUAI DES TUILERIE

JARDIN DES TUILE

QUAI DE ANAT

AVENUE D'EYLAU

AVENUE G MANDEL

CIMETIERE DE PASSY

PLACE DU TROCADERO ET DU 11 NOVEMBRE

JARDINS DU TROCADERO

RUE B FRANKLIN

QUAI DE NEW YORK

BRANLY

AVENUE DE

Tour Eiffel

Pont de Bir Hakeim

QUAI

D'ORSAY

L'UNIVERSITE

AVENUE RAPP

AVENUE DE LA BOURDONNAIS

AVENUE DE

RUE SAINT DOMINIQUE

AVENUE BOSQUET

RUE DE GRENELLE

MOTTE PICQUET

INVALIDES

AV DU MARECHAL GALLIENI

RUE SAINT DOMINIQUE

PLACE DES INVALIDES

RUE DE

BD DE LA TOUR MAUBOURG

BOULEVARD DES INVALIDES

AV DE TOURVILLE

JARDIN DE L'INTENDANT

RUE DE BELLECHASSE

RUE DE GRENELLE

RUE DE VARENNE

RUE VANEAU

PRESIDENCE DU CONSEIL

BOULEVARD SA

L'UNIVERS

RER

Ma d'O

BD RASPAI

PARC DU CHAMP DE MARS

AVENUE DE SUFFREN

PLACE JOFFRE

AVENUE DE LA

AVENUE DE LOWENDAL

AVENUE DE SEGUR

RUE DE BABYLONE

AVENUE PLACE DE FONTENOY

CHAMPS-ÉLYSÉES, CHAILLOTS, INVALIDES
Pages 102-115
Atlas des rues 1 à 3, 6, 7

RIVE GAUCHE
Pages 116-127
Atlas des rues 7 à 9, 12, 13

LÉGENDE

- Site exceptionnel
- M Station de métro
- RER Station de RER
- Principaux arrêts de bus
- P Parc de stationnement
- Hôpital

0   500 m